WOJENNA KORONA

ELŻBIETA CHEREZIŃSKA

WOJENNA KORONA

ZYSK I S-KA
WYDAWNICTWO

Redaktor prowadzący
Filip Karpow

Opieka redakcyjna
Magdalena Wójcik
Tadeusz Zysk
Elżbieta Żukowska

Ilustracja na okładce
Conceptverse Studio

Projekt graficzny okładki
Tobiasz Zysk

Opracowanie map
Mariusz Mamet

Wydanie I

ISBN 978-83-8116-751-2

ZYSK I S-KA
WYDAWNICTWO

ul. Wielka 10, 61-774 Poznań
tel. 61 853 27 51, 61 853 27 67
Dział handlowy, tel./faks 61 855 06 90
sklep@zysk.com.pl
www.zysk.com.pl

PROLOG

1320

WŁADYSŁAW odprowadził Jadwigę na spoczynek. Ucałował jej czoło i ciężkie, senne powieki. Kazimierz i Jadwinia wcześniej udali się do swoich komnat, teraz pewnie dzieci już spały. Goście opuścili salę, uczta koronacyjna skończyła się dawno. Pierwsze sprzątanie dobiegało końca; resztki jedzenia z królewskiego stołu zebrano do wielkich koszy, jałmużnik kazał dwóm krzepkim sługom zanieść je do piwnic.

— Rano wydacie ubogim — powiedział i ziewnął przeciągle. Kłuło go w krzyżu, nie mógł rozprostować zgarbionych ramion.

— Jaśnie panie, żebracy czekają od wczoraj — stęknął jeden z osiłków i chwycił kosz.

— Kolejka taka, że przez ciemną bramkę przecisnąć się nie można — dodał drugi i ukradkiem zwinął z kosza nieogryzione udko z jarząbka.

— A, to wydajcie od razu — pokiwał głową jałmużnik. — Tylko kosze potem dobrze mi schować...

Z sali koronacyjnej wynoszono blaty stołów. Kozły, na których stały, równo ustawiono pod ścianą.

Władysław bez korony, płaszcza królewskiego i berła, niezauważony przez senną, półżywą ze zmęczenia służbę, cicho wślizgnął się do sali.

Przepyszny purpurowy kobierzec, którym w czasie uczty wysłane było całe podwyższenie, leżał z boku, zwinięty. Władysław szedł wzdłuż ściany. Ostrożnie minął szarego ogara, który spał z pyskiem ułożonym na ogryzionej kości. Pies nawet łba nie uniósł. Po setkach świec, jakie tego wieczoru oświetlały salę, zostały na posadzce plamy z wosku i woń wygaszonych przed chwilą knotów, strużki czarnego dymu uciekające pod sklepienie wielkiej komnaty. Władysław usłyszał szmer za plecami. Odwrócił się gwałtownie i dostrzegł szczura, który na krótką chwilę znieruchomiał o krok od niego.

— Przymknij te drzwi, Pietrek! — zawołał ktoś z zewnątrz, z korytarza.

Szczur drgnął, uniósł łeb i czarnym lśniącym okiem spojrzał na Władysława, a potem wyminął go i pobiegł w głąb sali tronowej.

— Ino nie zamykaj, bo z rana przyjdą dziewki do sprzątania — dorzucił ten sam głos.

— Się wie! — odpowiedział, zapewne, Pietrek. — Szparkę zostawię, żeby przeszła i cycata Jaśka.

— I spać idź, nicponiu!

— Wedle rozkazu — ziewnął Pietrek i przymknął ciężkie wrota.

W komnacie zrobiło się mrocznie. Światło wpadało tylko przez szczelinę między skrzydłami drzwi, zostawioną przez sługę.

Władysław wszedł w jego smugę i w tej samej chwili wyrósł przed nim potężny, czarny cień, który sięgnął aż do stojącego na podwyższeniu, pod ścianą naprzeciwko, tronu. I zakrył tron. Władek zrobił krok w przód. Cień się poruszył.

Niski król rzuca długi cień — pomyślał, idąc dalej w swojej własnej smudze. — Czy przed cieniem można uciec? — przeszło mu przez głowę, gdy wchodził na podwyższenie. Odwrócił się i cień zniknął.

Władysław usiadł na tronie. Położył ramiona na podłokietnikach i zacisnął palce.

Całe życie wiodło do tej chwili — pomyślał. — I stało się. Oto jestem królem. Ojcem nie tylko swych dzieci, ale i Królestwa. Mężem Jadwigi i Korony. Całe życie wołałem „Pod wiatr" i ten wiatr przywiał mnie z Kujaw do Krakowa. A Wawel wyśniony, Wawel ciotki Kingi i wuja Bolesława, stał się moim domem. Sypialnią i kuchnią. Tu przytulam żonę i tu przyjmuję gości. Tutaj, w tej sali, będę wydawał królewskie wyroki. Jakim będę władcą? — zadrżał. Wciąż czuł na skroniach ciężar płomiennej korony. Dotknął czoła w miejscu, które olejem świętym namaścił arcybiskup Janisław. Ta niewidzialna korona jest tutaj — pomyślał. — Między bruzdami na czole starego króla. — Serce zabiło mu gwałtownie. — Tak mnie nazwą? Władysław Stary? Nie urodziłem się do majestatu. Miałem być jednym z kilku kujawskich książąt. Matka za plecami nazywała mnie „niewydarzonym karłem" i może dlatego co sił w piersiach parłem pod wiatr.

— Co teraz będzie? — spytał w półmroku. — Dążyłem do tej chwili i oto spełniło się. Teraz mógłbym umrzeć szczęśliwy.

Ściany i sklepienie wielkiej pustej sali odbiły jego głos. Gdy zamilkł, zapanowała głucha cisza. Zamarły wszelkie odgłosy zamku.

Jakbym był sam na Wawelu — pomyślał i trwał tak, chłonąc ten bezgłos.

Gdy w oddali rozległo się bicie dzwonów wzywających na jutrznię, drgnął.

W tej samej chwili gdzieś z góry dobiegł go szum. Zadarł głowę. Z półmroku pod sklepieniem sali tronowej zleciał ku niemu biały orzeł Królestwa. Ten sam, który zjawił się, kiedy po koronacji wychodził z katedry z królową Jadwigą u boku.

— Jesteś prawdziwy? — spytał Władysław, wodząc za ptakiem oczyma.

Orzeł uderzył skrzydłami i zatoczył koło nad nim i tronem. Wylądował na posadzce, rozprostował i złożył skrzydła. Obrócił łbem w obie strony, jego oko zalśniło. Zaczął kroczyć ku Władysławowi. Twarde ptasie szpony stukały w posadzkę.

— Ty też rzucasz cień — zobaczył Władysław. — Jesteś prawdziwy, tak samo jak ja.

Ptak podszedł i wskoczył na podwyższenie. Odbił się od niego i jednym uderzeniem skrzydeł wzleciał. Władek poczuł na twarzy powiew powietrza. Orzeł usiadł na oparciu tronu, za jego głową. Dzwony bijące na jutrznię uderzyły ostatni raz. Wstał nowy dzień.

— Znów wszystko się zaczyna — powiedział Władysław.

I

1321

JAN LUKSEMBURSKI patrzył, jak Praga budziła się niemrawo. Senni woźnice chwiali się na kozłach, woły ziewały, a beczki na wymoszczonych sianem wozach nie miały siły podskakiwać na wybojach. Dym z pieców chlebowych snuł się tak niepewną strużką, jakby bochny w piecu nie piekły się, lecz spały. Przyglądał się płatkom śniegu wirującym nad praskim rynkiem. Osiadały na dachach domów i girlandach ze świeżo ściętego jałowca, którymi służba przystroiła fasady budynków stojących wokół rynku. Pokrywały trybuny turniejowe dla gości, które jeszcze poprzedniego dnia tak rozzłościły Jana niezgrabnym kształtem daszków, że kazał wychłostać cieślę. Teraz, w chłodnym i nieostrym świetle poranka, przysypane świeżą warstwą śniegu, straciły swą wczorajszą toporność.

Jakaś opatulona pasiastą chustą handlarka z koszem ryb na plecach zapuściła się między nowo zbudowane trybuny, potknęła o wystający z boku stopień, uniosła głowę i przetarła zaropiałe oczy. Zdjęła z pleców kosz, chciała jak co dzień rozłożyć ryby na straganie i dopiero wtedy zobaczyła, że nie ma jej rybackiej budy. Rozejrzała się gwałtownie. Nie było też mięsnych jatek. I straganu piekarzowej Markety. Nie było chłopów sprzedających rzepę i groch. Bab z jajkami. Kur i gęsi w klatkach. Złapała kosz i przycisnęła do piersi jak dziecko. Uniosła głowę i spojrzała na wyniosłą fasadę rezydencji Konrada pyszniącą się przy praskim rynku. Na zgrabną, narożną wieżę i zdobione kamiennym maswerkiem okno, z którego zwisał ciężki proporzec z lwem Luksemburgów. Zamrugała zdumiona. Okno było otwarte na oścież. Stał w nim najpiękniejszy mężczyzna, jakiego widziała w życiu. Był nagi i patrzył wprost na nią. Uniósł jasne, muskularne ramię, wskazał palcem kierunek i skinął jej głową. Odruchowo spojrzała, gdzie pokazał. I zobaczyła, że w tę właśnie stronę ciągną wozy i drepczą ludzie z koszami i tobołami na plecach. Mały Rynek, jak mogła zapomnieć, że targowisko przeniesiono, bo zjechał król Jan i urządza jakieś widowisko. Król Jan?! Gwałtownie odwróciła głowę, szukając wzrokiem mężczyzny w oknie. Plecy. Zobaczyła jego plecy. Szerokie barki, którymi poruszał, naprężając węzły mięśni. Unosił i opuszczał ramiona, kręcił głową, aż rozsypywały się złote pukle włosów, i już, już miał znów odwrócić się twarzą do okna, gdy inne, ubrane ramię, zamknęło je z trzaskiem.

— Zimno jak w psiarni. Nie rozumiem twojej namiętności do ćwiczeń nago.

— Spartanie walczyli nago — ze śmiechem odpowiedział Jan i zaczął skłony.

— W słonecznej Grecji, mój królu. Nie w lodowatej Pradze. — Henry de Mortain wyjrzał przez jasne gomółki szkła na ośnieżony rynek. — Może zdążymy zapolować po turnieju? Twój marszałek obiecał mi białe niedźwiedzie. Wiele rzadkich zwierząt widziałem, ale tego nigdy.

— Lipski? — parsknął śmiechem Jan. — Okpił cię. W królestwie Czech nie ma białych niedźwiedzi. Podaj mi płaszcz, zaraz kończę.

— Żartujesz... — ponuro odpowiedział Henry, przeciągając dłonią po ciemnej, bujnej czuprynie.

— Skądże. Ćwiczę od wschodu słońca, wystarczy.

Jan zarzucił na nagie ciało płaszcz podbity futrem popielic. Pod jego miękkim dotykiem mimowolnie poruszył barkami.

— Zadrwił ze mnie przy pierwszym spotkaniu — trawił łgarstwo Lipskiego Henry. — I ty mu ufasz? Naprawdę zostawiasz królestwo w jego rękach?

— Zażartował z ciebie, nic więcej. — Jan sięgnął po kubek z wodą i wypił ją jednym haustem. — Pokazał, że cię przejrzał.

— To nie ja, lecz ty mawiasz, że Czechy leżą na krańcu cywilizowanego świata — żachnął się Henry.

— Czyli tam, gdzie żyją białe niedźwiedzie — skwitował Jan. — Nie mógł zakpić ze swego króla, zażartował z jego przyjaciela. Czesi nie lubią obcych, panie de Mortain. Opowiadałem ci, ile miałem z panami czeskimi starć o luksemburskich doradców. Ale to już przeszłość. Czas miniony. Teraz zostawiam królestwo w rękach Lipskiego i posłusznych mu czeskich panów i nie muszę siedzieć w ponurej Pradze.

— Wciąż jesteś tu obcy — kiwnął głową Henry.

Jan odstawił kubek i zrobił ruch, jakby chciał się przejrzeć w resztce wody pozostałej w jego wnętrzu.

— Moja żona, Eliška Premyslovna, postarała się, aby tak było — powiedział po chwili z namysłem.

Do komnaty wszedł Vojtech, ciemnooki i zręczny pokojowiec króla. Przyniósł dzban z wodą różaną i czyste ręczniki. Jan zrzucił płaszcz i pozwolił, by Vojtech obmył mu kark i ramiona zamoczonym w wonnej wodzie płótnem. — Vojtechu, koszula.

Pokojowiec założył ją zręcznie.

— Czechy były jej, Praga była jej i zamek był jej — Jan dalej opowiadał Henry'emu. Uniósł przy tym ramiona i Vojtech zaczął mu wiązać mankiety. — Zamek, pożal się Boże. Spłonął w dziwacznych okolicznościach parę lat przed moim przybyciem i wciąż brakuje srebra, by go porządnie odbudować. Spędziłem tam może dwie, trzy noce, nie więcej. Dlatego korzystam z rezydencji złotnika Konrada, tu, przy praskim rynku. Vojtechu, nogawice. Nie te, daj szafranowe. „Mój ród", „moje królestwo", „mój mąż", powtarzała Eliška, odkąd się spotkaliśmy, tak, bym wbił sobie do głowy, że ona jest tu kimś, a ja nikim. Więc gdy nasze małżeństwo zostało zakończone, postanowiłem, że odbiorę jej wszystko.

— Nawet dzieci — wtrącił Henry.

— Zwłaszcza je. — Jan powiedział to miękko. Jeszcze bolała go zeszłoroczna śmierć młodszego syna. Dwulatek. Ostatnie dziecko, jakie spłodził z Elišką. — Buty z krótkim noskiem — zaordynował pokojowcowi.

Henry przestał studiować malowidło na ścianie i odwrócił się ku niemu.

— Nie myślałeś o unieważnieniu małżeństwa z Eliśką? Mógłbyś przebierać wśród cór książęcych, może i królewskich.

— Myślałem setki razy — wyznał szczerze. — I jestem pewien, że to się nie opłaca. Teraz żyję z panami Czech w zgodzie, Lipski jest zadowolony, że odsunąłem Eliškę od władzy, pozostali też nie tęsknią za jej kłótliwym charakterem. Ale gdybym obraził ją unieważnieniem małżeństwa, obraziłbym ich. Mimo wszystko jest córą rodzimej dynastii. Wykorzystaliby to jako pretekst do podważenia mojej władzy. Zresztą nie stać mnie na przekupienie papieża. Wiesz, ile kosztują królewskie rozstania?

— Ja nie, ale możesz spytać Karola — zaśmiał się Henry. Młodszy brat króla Francji był towarzyszem ich zabaw dziecięcych, gdy obaj wychowywali się na dworze Filipa Pięknego. — Od pięciu lat usiłuje unieważnić małżeństwo z Blanką.

— I ma niezbite dowody jej zdrady. A ja? Mogę oskarżyć Eliškę o spiskowanie przeciw mnie, ale nie o to, że dzieliła z kimś obcym łoże. Vojtechu, pierścienie.

Pokojowiec postawił skrzynkę z klejnotami przed Janem. Otworzył jej wieko. Król Czech wyjął skręconą z kilku pasm złota obrączkę z szafirem. Uniósł, obrócił, by wątły promień lutowego słońca mógł musnąć kamień. Wysunął serdeczny palec lewej dłoni.

— Od dziecka pociągały mnie kobiety, które były poza moim zasięgiem — wolno, pieszczotliwie wsunął palec w obrączkę. — Na szczęście, ja podobam się wszystkim pozostałym.

— Których imiona na wieki pozostaną tajemnicą domu — skłonił głową Henry i uśmiechnął się lekko.

Jan wyjął ze szkatuły pierścień Luksemburgów. Z pyszną, złotą lwią głową.

— Wszyscy, których wezwałem, tym razem przyjęli zaproszenie na turniej do Pragi — powiedział, głaszcząc lwią grzywę. Założył pierścień obok obrączki z szafirem. — A ci, do których nie puściłem heroldów, przysłali tu swoich cichych ludzi. Każdy chce wiedzieć, o czym będziemy radzić, nim zabrzmią turniejowe rogi.

Za oknem, jak na potwierdzenie tych słów, odezwał się niski dźwięk witający wjeżdżających gości. Jan wyjął trzeci klejnot. Królewski pierścień z płomienistą orlicą.

— Już nie jestem czternastoletnim królewiczem z Luksemburga, który musi układać się ze swymi panami. Jestem królem Czech. Mam dwadzieścia pięć lat, następcę tronu i dwie córki, najlepsze gwarancje sojuszy. Mogę robić, co zechcę. — To mówiąc, uniósł prawą dłoń i zacisnął pięść.

— Czyli co? — całkowicie poważnie zapytał Henry de Mortain.

Jan ucałował pierścień z orlicą i założył na palec.

— Czas zacząć Turniej Zimowego Króla.

RIKISSA patrzyła na profil Anežki. Jej szesnastoletnia córka była olśniewająca i jasna jak najszlachetniejszy kamień. I nie chodzi tu o prostą linię nosa, ciemnoróżowe i pełne usta, złote sploty włosów i pulsującą oddechem przejrzystą skórę szyi. Uroda Anežki nie wynikała z nieskazitelnych rysów, lecz z promieniującej od niej czystej lekkości.

Ja w jej wieku znałam już mroki alkowy Václava — pomyślała Rikissa. — Brutalność męża i okrucieństwo króla. Samotność, jak pleśń pełznącą po praskim zamku. Gdyby nie Michał Zaremba i ogień…

— Mamo, nie zimno ci? — Anežka odwróciła się ku niej, gdy spod sań na zakręcie sypnęło mokrym śniegiem.

— Nie, skarbie. Moja matka urodziła się w chłodnej Szwecji, ja wciąż pamiętam prawdziwe zimy w Poznaniu. Tu jest inaczej, cieplej. I cieszy mnie ta zima. Pierwsza tak śnieżna, odkąd przyjechałam do Czech.

— Henryk mówił, że byłaś młodsza ode mnie. — Anežka przechyliła głowę na prawe ramię, Rikissę przeszedł dreszcz.

Václav robił tak samo — przemknęło jej przez myśl, a na głos spytała nieuważnie: — Twój Henryk?

Anežka zaśmiała się:

— Nie mój, twój.

Rikissa, której myśli niebezpiecznie wczepiły się we wspomnienie alkowy Václava, przez chwilę była rozproszona.

— O czym ty mówisz? Henryk jest twój.

— Jaworski mój, Lipski twój — perliście śmiała się Anežka. — Tylko nie pomylmy drzew, mamo!

Żart córki otrzeźwił ją w jednej chwili. Anežka poślubiła Henryka Jaworskiego, mając jedenaście lat. Wymyślił to Lipski, byli wtedy w ogniu walki z Luksemburczykiem. Śląski zięć skutecznie zabezpieczył Rikissę, gdy Lipski pociągnął na wojnę. W dodatku księstwo jaworskie graniczyło z posiadłościami Lipskiego, więc utworzyli zwarte terytorium, po którym swobodnie mogły przemieszczać się wojska. Umówiła się z zięciem, że Anežka zostanie przy niej, dopóki nie dojrzeje do małżeństwa. Jaworski był tak samo honorowy, jak przystojny. Czekał na swą żonę spokojnie, ale na ile starczy mu cierpliwości? Jak długo będzie chciał być mężem bez żony? Anežka skończy w tym roku szesnaście lat. I nie przejawia najmniejszej chęci do opuszczenia domu. Rikissa miała osiem lat, gdy zmuszono ją do wyjazdu. Nie zrobi tego swojej jedynej córce.

Odwróciła się ku niej i dotknęła białego futra okalającego zaróżowione od mrozu policzki.

— Jesteś gotowa wyjechać z mężem do jaworskiego księstwa?

Anežka zaśmiała się.

— Nie, mamo.

— Dobrze. Więc zostaniesz przy mnie. — Z ulgą pogładziła jej chłodny policzek. — Dyspensa papieska dla was jeszcze nie gotowa. Uznajmy, że ma to dla nas wielką wagę.

— Wiążącą — mrugnęła do niej Anežka.

Praga była zaskakująco piękna pod śnieżną bielą. Odkąd przed laty opuściły ją nocą, w przebraniach, Rikissa wracała do królewskiego miasta niechętnie. Dla niej było utkane ze złych wspomnień. Jednak zaproszeniu króla nie mogła odmówić. Jan przygotował dla nich komnaty w rezydencji złotnika Konrada, przy rynku. Tego Konrada, który wedle jej projektu zrobił trumienne insygnia dla Rudolfa Habsburga. Boże, jak to było dawno. Rikissa wymówiła się od królewskiej gościny i poprosiła o nią przeoryszę benedyktynek, Kunhutę. Na zamkowe wzgórze wjechały Bramą Południową.

— W tej wieży mieszkałyśmy — pokazała córce jasną, kanciastą sylwetę.

— Pamiętam — poważnie powiedziała Anežka i zaprzeczyła po chwili: — Nie pamiętam. Ale śni mi się czasami komnata z ciężką zasuwą, której pilnowała Wężowa Dziewczynka.

— Hunka — poprawiła ją Rikissa. — Miała na imię Hunka.

— Co się z nią teraz dzieje? — zachłysnęła się Anežka, ale Rikissa nie zdążyła odpowiedzieć, bo sanie zajechały przed klasztorną furtę.

— *Bis regina* — powitała ją Kunhuta na dziedzińcu.

Za jej plecami stały dwie mniszki w czarnych płaszczach i wysoki, jasnowłosy Krzyżak. Rikissa mimowolnie wpatrzyła się w niego. Biała tunika i płaszcz zakonnego rycerza odbijały się nienaturalnym światłem od czerni mniszek.

— Wielki mistrz składa pokłon siostrom od Świętego Jerzego? — zapytała, przenosząc wzrok z niepokojąco przystojnej twarzy rycerza na Kunhutę.

— Dawny przyjaciel przynosi starej matce wieści od syna — odpowiedziała przeorysza.

— Zyghard von Schwarzburg, komtur grudziądzki — przedstawił się Krzyżak. — Gdy matka przełożona powiedziała, kogo będzie dziś gościć, uprosiłem, by pozwoliła cię, królowo, przywitać.

— Będziesz gościem na Turnieju Zimowego Króla czy też przybyłeś do Pragi wyłącznie z posłaniem dla Kunhuty?

— Rycerzom zakonnym nie wolno stawać na turniejach — odpowiadając Rikissie, przelotnie przyjrzał się Anežce.

— Rozgryzłaś naszego gościa, *bis regina* — w głosie Kunhuty zabrzmiała złośliwa czułość. — Wizyta u starej matki jest tylko dodatkiem do tego, czego mu nie wolno. Idź, Zyghardzie. Możesz uznać, że poznałeś prawdziwą królową Czech, zanim przedstawi ci ją król Jan.

— Królową i jej córkę — skłonił się Zyghard wyraźnie w stronę Anežki. — Mam nadzieję, że poznam i twego księcia, pani.

— Nie potrzebujesz do tego mojego pośrednictwa — odpowiedziała jej córka. — Książę Henryk Jaworski wprawdzie wolał templariuszy od Krzyżaków, ale jest tak uprzejmy, że na pewno nie okaże ci niechęci.

— Sława jest silniejsza po śmierci! — powiedział Schwarzburg i udał smutek. — Templariusze rozpalają wyobraźnię, choć już ich nie ma. My, skromni Krzyżacy, pracujemy w pocie czoła na własną.

— Może za bardzo się staracie? — spytała Rikissa. — A może nie warto walczyć z pamięcią o templariuszach?

Zyghard von Schwarzburg spojrzał na nią tak, jakby to osobiście go zabolało. W jego chłodnych oczach pojawiło się coś niezrozumiałego i natychmiast zgasło. Przybrał elegancką i kpiącą maskę, jak przed chwilą.

— Wezmę twe słowa za pewnik, *bis regina*. I zadbam o pamięć, by gdy zgrzybieję, nie zapomnieć o żadnym z templariuszy, których znałem osobiście.

— Wielu ich było? — wesoło spytała Anežka.

— Niech pomyślę — udawał, że wytęża pamięć. — Jeden, ale dał mi się we znaki jak cały hufiec.

W złotym oku Kunhuty zalśniła wesołość. Wiek jej służy — pomyślała czule Rikissa. — Przed laty była surowa i powściągliwa. Teraz, przez jedną chwilę, niemal uśmiechnęła się dwa razy. W głębi dziedzińca rozbrzmiał dźwięk dzwonka. Maleńka zakonnica o policzkach czerwonych od mrozu dzwoniła nim zawzięcie. Kunhuta odwróciła się ku niej.

— Starczy, Berto, słyszałyśmy.

Karliczka Berta — przypomniała sobie o jej istnieniu Rikissa. — W jej płaszczu Anežka uciekała z Pragi.

— Niech święty Jerzy czuwa nad wami, a Niepokalana Matka prowadzi — pożegnał się Zyghard von Schwarzburg i wyszedł za klasztorną furtę.

— Intrygujący — powiedziała Rikissa, patrząc na jego wysoką sylwetkę. Miał w sobie niepokojące połączenie lekkości i siły; była pewna, że mówił jedno, a myślał o czymś zupełnie innym.

— Wpływowy — potwierdziła Kunhuta.

— I przystojny. Choć niemłody — dodała Anežka. — Ale ja lubię starszych. Widziałyście jego włosy? Niejedna dama chciałaby mieć tak jasne.

— Czy u księcia płockiego wszystko w porządku? — spytała Kunhutę Rikissa. — To zwykła rzecz, by wpływowy komtur przywoził ci wieści z Płocka?

— Mój syn, Wańka, odziedziczył ambicje po Przemyślidach, a skłonność do szaleństwa po Piastach Mazowsza. Albo na odwrót — machnęła ręką przeorysza. — To połączenie nigdy nie wróży nic dobrego. Bogu dzięki, nie sprawdza się w przypadku kobiet. Podejdź, moja bratanico, niech cię uściskam.

Anežka zrobiła śmiały krok ku Kunhucie i teraz obie wpatrywały się w siebie.

— Przypadły jej w spadku rysy Václava — pokiwała głową przeorysza. — Ale, jak mniemam, serce i rozum odziedziczy po tobie, *bis regina*. Zapraszam do środka. Bądźcie mymi gośćmi.

Ruszyły do wnętrza klasztoru przez wąską furtę. Przodem szły dwie mniszki ze światłem, potem Kunhuta, Rikissa, Anežka i karlica Berta.

— Ile masz lat, Berto? — zapytała ciekawie Anežka.

— Nie odpowie ci — odezwała się z przodu Kunhuta, nie odwracając głowy. — Złożyła śluby milczenia. W lewo, proszę, tu mamy cele dla gości. To się stało wtedy, gdy w naszym klasztorze napadnięto królewnę Eliškę. Berta ucierpiała podczas ataku na moją bratanicę i długo potem chorowała. Jej umysł ma w sobie czystość bożego dziecięcia, nie mogła zrozumieć, że ktoś wtargnął do domu zakonnego. — Kunhuta stanęła nagle. — Poświećcie mi, siostry.

Zakonnice uniosły lampki oliwne, Kunhuta odwiązała od paska klucz na srebrnym łańcuszku i otworzyła nim kłódkę strzegącą żelaznej kraty.

— To było tutaj — pchnęła kratę, która otworzyła się z jękiem. — Tutaj mieszkała Eliška z dwórkami, gdy próbowano zamachu. Mam nadzieję, że to was nie odstrasza, *bis regina*?

— Przeciwnie, matko przełożona — uśmiechnęła się w półmroku korytarza Rikissa. — To mnie uspokaja. Przecież tamten zamach był nieudany. Nikt przy zdrowych zmysłach nie powtarza dwa razy tego samego błędu.

Kunhuta podała klucz od kłódki Rikissie i przytrzymała jej palce.

— Czesi cię kochają, *bis regina*. Darzą uwielbieniem Lipskiego, bo jest swój, a król to wciąż obcy z Luksemburga. Ale gdy ktoś dostaje od losu tak wiele, zaczyna budzić demony zawiści. Są tacy, co zazdroszczą wam morawskiego księstwa. Oni nie patrzą, ile krwi Lipski przelał za Czechy, ile ty wycierpiałaś jako żona dwóch królów. Widzą tylko wasze szczęście i ono ich kłuje w oczy. A twój odważny i rycerski zięć nie dlatego zainteresował Zygharda, że pojął za żonę ostatnią Przemyślidkę. Jaworski idąc po swoje, wszedł w drogę królowi Janowi i Wittelsbachom. — Wskazała wzrokiem na Anežkę. — Jej Henryk i twój Henryk mają wrogów. Ktoś, kto będzie chciał zranić Henryków, może uderzyć w nią, lub w ciebie. Bądź ostrożna, *bis regina*.

— Dziękuję za przestrogę, Kunhuto.

— Mnie chroni święty Jerzy — poważnie odpowiedziała przeorysza. — A gdzie twój stróż, siostro?

— Michał zaginął — ucięła pytanie Rikissa.

— Smok zawsze zostawia po sobie ślad. Archanioł też daje widome znaki. Może ten, kto go szukał, nie wiedział, jak znaleźć. Porozmawiaj z Zyghardem von Schwarzburg. Niektórzy rycerze zakonni mają szersze zainteresowania, niż nam się zdaje.

HENRY DE MORTAIN nie podzielał zdania Jana Luksemburskiego, że królestwo Czech leży na krańcu świata. Ba, nawet żałował, że tak nie było. W służbie Filipa Pięknego przemierzył świat, rozmawiał z kupcami, kapitanami statków, wędrownymi rycerzami, żebrzącymi mnichami i słyszał o cudach, w które jego trzeźwy umysł nie zawsze wierzył. Widział słonie i większe od ludzkich dzieci małpy. Tygrysa w klatce, który zjadł własne młode. Na Rodos karmił dwugłową kozę, a na Malcie ujrzał jednorożca, którego jednak, po bliższym przyjrzeniu, zdemaskował jako źrebicę z doklejonym rogiem. W Antiochii pokazano mu smocze szczenięta, pokryty łuską gadzi pomiot o zaropiałych ślepiach, ale był tam zbyt krótko, by przekonać się, że maszkary są zdolne do samodzielnego życia, dłuższego, niż te kilka dni, gdy za srebrne monety, pokazywano je zamorskim gościom. Po śmierci Filipa Pięknego porzucił służbę królom Francji, choć, rzecz jasna, wciąż był ich wiernym poddanym. Synowie Filipa, z którymi Henry i Jan wychowywali się na paryskim dworze, nie mieli ani charyzmy, ani umysłu ojca. Może nieco podobni mu w okrucieństwie, ale to akurat nie przemawiało na ich korzyść. Kiedy więc Jan Luksemburski zaprosił go na swój dwór i służbę, Henry nie wahał się długo. Znali się jako dzieci; teraz poznawali jako mężczyźni. Henry nie dorównywał Janowi urodzeniem, choć ród jego matki szczycił się szlachectwem od pokoleń. Wywodzono go od samego Wilhelma Zdobywcy, co było najszczytniejszym uprawomocnieniem bękarcich początków i we Francji igrającej z Anglią wiele znaczyło.

Zresztą, gdy jest się synem hrabiny nazwanej na pamiątkę pirackiego statku „Klejnotem Mórz", ma się we krwi skłonność do wszelakich dziwactw i przygód. Henry, od dzieciństwa przebywając wśród najlepiej urodzonych, jedząc z nimi z jednego stołu i śpiąc na tym samym sienniku, nabył pewności, że krew niewiele znaczy. Za to wychowanie, wiedza i czyny są w stanie zbudować w człowieku szlachectwo. Oczywiście nie dzielił się tą wiedzą, bo przez lata spędzone u boku książąt nauczył się, że szczerość jest tak cenna, iż warto zostawiać ją dla siebie.

— Gotowy? — głos Jana za jego plecami rozległ się nieoczekiwanie. — Chodź, poznasz moich gości. Prawdziwy Turniej Zimowego Króla rozgrywa się tutaj, w szranki staniemy wyłącznie dla zabawy!

Luksemburczyk poprowadził go do korytarza dla służby, lecz zamiast zejść wąskimi schodami do sieni, odchylił przybrudzoną, ciężką kotarę. Za nią kryły się niewielkie drzwi. Jan pchnął je, ustąpiły lekko i bez najmniejszego hałasu. Henry poczuł powiew chłodnego powietrza i woń stęchlizny. Przed nimi ciągnął się wąski korytarz przecinany płynącymi z prawej strony plamami jasności. Jan wszedł do niego swobodnie, Henry, wyższy od króla o głowę, musiał się nieco pochylić. Po dwudziestu krokach zatrzymali się i Luksemburczyk wskazał na kwadratowy otwór, z którego sączyło się światło.

— Nasz gospodarz, Konrad, od dawna był zausznikiem Przemyślidów. Gdy spłonął zamek, zaoferował im gościnę w swojej rezydencji i zadbał o to, by mieli gdzie prowadzić poufne i wymagające wytwornych wnętrz rozmowy. Szczególnie przysłużył się królestwu za Václava II, który ponoć słynął z nieufności. Stąd ten pomysł. — Jan pokazał na otwór w ścianie. — Nic nowego, ale ciekawe, że w każdym zamku robi się to inaczej.

— Kapetyngowie mieli dziury w ścianie sali tronowej — mruknął Henry, przybliżając się do otworu.

— Uhm. Po przeciwnych stronach. Obie zakryte tarczą.

— Były cztery — spokojnie odpowiedział Henry, oglądając znajdującą się poniżej salę. — Nie złość się. Dwie ostatnie odkryłem, gdy już wyjechałeś z Paryża.

— To sala z lwem — szepnął Jan, robiąc sobie miejsce obok Henry'ego. — Pamiętasz? Przedwczoraj jedliśmy tam wieczerzę z Konradem. Druga, z malowidłami świętych, jest po przeciwnej stronie rezydencji, tam zaprowadzę cię później.

Otwory znajdowały się wysoko ponad głowami gości. Przypomniał sobie majestatycznego lwa na szczytowej ścianie. Nad nim, niemal pod samym sufitem były wymalowane tarcze z herbami panów Czech i, jak się teraz domyślił, wizjery były wkomponowane między klejnoty a labry. Henry de Mortain zerknął przez tajemny otwór i policzył gości.

— Dziesięciu? — był zaskoczony.

— Ich ojcowie byli płodni — zaśmiał się Jan. — Z trzech potężnych książąt ojców powstało dziesięć synowskich księstw. A nie zaprosiłem wszystkich — dodał łobuzersko.

— Łypią na siebie spode łba, każdy pilnuje swego kielicha, jakby bał się, że sąsiad mu czegoś dosypie — Henry mówił, co widzi. — A ty posadziłeś ich przy okrągłym stole, pochwalam koncept, w końcu zaprosiłeś gości na turniej. Budujesz atmosferę, nim się zacznie. Po drugie, walczysz o dusze młodych i, jak widzę, miejsce króla Artura czeka, aż zejdziesz do nich. Po trzecie, nie chciałeś wyróżnić żadnego, bo życzysz sobie, by byli równymi pośród równych…

— …po czwarte, pozabijaliby się — dokończył Jan i puścił do niego oko. — To bracia i bliscy kuzyni. Jeśli nie zapamiętasz twarzy, to po herbach ich nie rozpoznasz. Wszyscy mają takie same. Czarne, śląskie orły. Henry, poznaj książęta Śląska, moich drogich gości!

ZYGHARD VON SCHWARZBURG studiował malowidło ścienne przedstawiające świętego Wacława i uśmiechał się półgębkiem, słuchając nudnawej opowieści hrabiego Arnolda, pierwszego koniuszego Wittelsbachów.

Ród hrabiego równie stary jak ta historia o skazańcu uratowanym przez dobrego króla — pomyślał z niesmakiem. — Opowiada ją, jakby naprawdę wierzył, że wydarzyła się na rynku w Monachium, a dobrym królem był, o mój Boże, cóż za przypadek, jego pan, Ludwik Wittelsbach. Bzdury. Słyszałem to setki razy. Każdy ród Rzeszy widzi swych przodków w roli króla wybawcy. Bawarczycy zawsze byli nudni. Toporni i nudni. Dno.

— …prawda, komturze Schwarzburg? — hrabia Arnold pytał go o coś.

— Nie wiem, hrabio. Tak skupiłem się na szczęściu skazańca i aureoli świętego Wacława, że nie dosłyszałem twego pytania.

— Ach, to nie było pytanie! Stwierdzenie raczej. Mówiłem szlachetnym panom, jak wiele nas łączy. My, Bawarczycy, i wy, Turyńczycy, jesteśmy jak bracia z jednej matki.

— Moja była księżniczką Rusi, wybacz, Arnoldzie — cierpko uciął braterskie zapędy hrabiego. Nie znosił Wittelsbachów. Nawet jeśli chapnęli tron Rzeszy, nie zmienia to faktu, że w gronie starych rodów są nowicjuszami. Trzeba się z nimi liczyć, ale żeby bratać?

Część gości zachichotała i rozmowę przejął niezawodny arcybiskup Trewiru, Baldwin. Luksemburczyk zostawił nas w rękach stryja, bo Baldwin to arcymistrz dyplomacji. I słusznie — pochwalił w myślach Zyghard. — Młody lew pozwala, by stary go uczył zasad polowania tak długo, póki sam nie będzie gotów dopaść zdobyczy.

Zyghard przyjechał do Pragi, bo w interesie Zakonu było szukanie sojuszy. I miał pewność, że młody król wymyślił turniej rycerski z tego samego powodu. W ciągu ostatniego roku zdarzyło się tak wiele, że tylko głupcy udawaliby, że nie zmieniło się nic.

Zaprosił przedstawicieli ościennych księstw i królestw — Schwarzburg pod maską uprzejmej obojętności przyglądał się gościom i nie mógł nie docenić, że Baldwin usadził ich przy długim prostokątnym stole tak, aby jawni wrogowie nie siedzieli naprzeciw, ale obok siebie.

Otto von Arenbach, sekretarz Fryderyka Habsburga śmiertelnie skonfliktowanego z Ludwikiem Wittelsbachem, siedział więc obok przygłupawego hrabiego Arnolda. Hrabia Waltman, zausznik Karyntczyka, kiedyś rywala gospodarza do tronu Czech, zasiadł zaś na wprost tych dwóch. Zyghard zaśmiał się w duchu. Karyntczyk po matce jest z Wittelsbachów, szwagra ma Habsburga, a wżenił się w Przemyślidów. To ostatnie nie ma już żadnego znaczenia, bo tron czeski trzyma Luksemburczyk. Dlaczego Jan wywyższył jego człowieka przy stole? Rozwiązywanie takich zagadek było rozrywką Zygharda. Prawda, niewiele zostało mu innych. Uczucie ciągłej straty po śmierci Kunona wciąż wracało, czasem w chwilach, jak ta, najmniej odpowiednich. Było falą żółci podchodzącej do gardła i dławiącej znienacka. Cofał się do tamtej nocy w Malborku. „Czy chcesz razem ze mną opuścić to żmijowe gniazdo?" Gdyby wstał i poszedł, to by się nie stało? Kuno nie zostałby zamordowany przez Dzikich, których tyle lat tropił? Przeżyłby? Nieprawda. Zyghard, lis dyplomacji, arcymistrz kłamstwa, przed sobą bywał szczery. Kuno nie mógł przeżyć, bo on, Zyghard von Schwarzburg, nigdy by z nim nie opuścił Zakonu. Nawet jeśli dawny templariusz był jedynym człowiekiem, przy którym jego serce biło podwójnie.

— ...król krakowski ignoruje wezwania króla Jana do zaprzestania używania bezprawnego tytułu — poinformował Baldwin.

— Nie koronował się na króla Krakowa, tylko na władcę całego Królestwa Polskiego. Dostał na to zgodę papieża. — Zyghard odbił sobie na Baldwinie własne, ponure myśli. — I, o ile Zakon rozumie, dlaczego król Jan chce podtrzymywać swoje pretensje do tronu polskiego, o tyle zwraca też uwagę, że gdyby go w jakikolwiek sposób zdobył, sam stałby się jedynie królem Krakowa, a nie całego królestwa.

— Teść Jana Luksemburskiego, Václav II, koronował się w Gnieźnie — zaprotestował Baldwin.

— Bo je zdobył — lekko odpowiedział Zyghard. — Ale realną władzę i przypomnę, krótką, sprawował wyłącznie w Krakowie. Zatem używanie przez czeskiego monarchę wobec króla Władysława zwrotu „król Krakowa" zamiast „król Polski" w istocie działa przeciwko czeskim pretensjom. Tyle mogliście zrobić, gdy był czas po temu — tę uwagę wypowiedział niemal pieszczotliwie — zdobyć Kraków i Małą Polskę. Z racji na bliskość Czech i liczne powiązania kupieckich kapitałów ta operacja była możliwą. Ale się nie udała. Bunt mieszczański, w którym ponoć maczaliście palce, stłumił Władysław i pięknie sfinalizował koronacją królewską.

— Nadzwyczajne — chłodno odpowiedział mu Baldwin i spojrzał nie na Zygharda, lecz na fresk przedstawiający anioły ponad głową świętego Václava. — Komtur grudziądzki broni praw króla Władysława?

— Zakon, duchowo służąc Najświętszej Marii Pannie, w przyziemnej polityce opiera się wyłącznie na faktach — z uśmiechem odpowiedział Zyghard von Schwarzburg. — A te są takie, że Władysław jest koronowanym królem Starszej Polski, Małej Polski i Kujaw. Do Śląska nic nie mamy — uśmiechnął się. — Ale Mazowsze i jego książęta to nasi bliscy sąsiedzi.

— A Gniezno, o którym wspomniałeś w kontekście koronacji, jest zbyt blisko waszych siedzib? — arcybiskup Trewiru powiedział głośno i dobitnie.

Zgadłeś, Baldwinie. Gdyby to był turniej, wygrałbyś pierwszą gonitwę — pochwalił go w myślach Zyghard. — A ja spełniłem zadanie władz zakonnych. Przekazałem królowi Czech wiadomość, dokąd sięga nasz apetyt. Teraz mogę się bawić dalej.

Zrobił zakłopotaną minę, by stryj Luksemburczyka odczuł satysfakcję, i odpowiedział:

— Takie są fakty, Baldwinie, nikt nie zaprzeczy, że z Malborka bliżej do Gniezna niż Krakowa.

A Kraków już wam w ręce nie wpadnie — zaśmiał się w duchu — bo sprytny mały król uświęcił go swą koronacją i wyniósł ponad wszystkie inne miasta Królestwa. Teraz dla jego rycerstwa Kraków jest świątynią, Jerozolimą. Nie, to kiepski przykład — skonstatował w myślach. — Grób Pański straciliśmy.

— A jak skomentujesz komturze — odezwał się hrabia Arnold — sromotną przegraną Zakonu w procesie papieskim?

Wittelsbach, któremu służy, jest pierwszym wrogiem papieża, więc nudziarz z Bawarii szukać w nas będzie sprzymierzeńców. Dobrze, czasami z przegranej można wyciągnąć więcej, bo nic tak nie jednoczy jak wspólny przeciwnik.

— Proces był stronniczy, król Władysław wie, komu i ile trzeba zapłacić. Sędziowie reprezentowali interesy strony polskiej i wyrok zapadł nie w sądzie, a w kurii papieskiej, nim zaczęto słuchać świadków. Mamy niezbite dowody, że Gdańsk i Pomorze przeszły w nasze ręce legalnie — odpowiedział Zyghard.

— Ale nie macie papieża! — zaśmiał się Baldwin. — Jan XXII wyraźnie sprzyja Polakom. Na mocy wyroku musicie zwrócić im Pomorze, Gdańsk i zapłacić... ile to wam zasądzono? Dwadzieścia tysięcy?

— Trzydzieści tysięcy. I sto pięćdziesiąt grzywien tytułem kosztów — poprawił go Zyghard z uśmiechem i strzepnął coś z rękawa. — Niewiarygodne pieniądze. Pokrycie dachu na nowym zamku w Marienburgu niemal tyle nas kosztowało.

Widział konsternację na twarzach zebranych. Zauważył, że Baldwin znów unosi wzrok ku aniołom na fresku.

— Głęboko wierzymy w papieską sprawiedliwość — powiedział Zyghard. — Wszak, jako zakon rycerski, ostatni z tych, które naprawdę walczą z mrokiem pogaństwa, podlegamy tylko jego świątobliwości. Nie królowi Niemiec — skłonił się lekko hrabiemu Arnoldowi — którego cenimy i szanujemy. Nie jego kontrkandydatowi — uśmiechnął się do Ottona von Arenbacha, sekretarza Habsburga — którego przymioty, waleczność i wpływy są nam znane. Nie książętom Rzeszy — mrugnął do zausznika władcy Karyntii, po czym uniósł wzrok na anioły pod sufitem sali — i nie królowi Janowi czeskiemu, choć jego zaproszenie jest nam szczególnie miłym. A papież? Cóż. Wierzę, że przejrzy na oczy i zmieni zdanie.

LUTHER Z BRUNSZWIKU, komtur dzierzgoński i wielki szatny Zakonu Najświętszej Marii Panny, klęczał przed papieżem Janem XXII. Obok niego, w pełnym pokory geście pochylał głowę Dietrich von Altenburg, komtur Bałgi. Za każdym z nich klęczało po trzech braci. Lautenburg, Plauen, Sparenberg. Oetingen, Bondorf i Anhalt, wszyscy z gołymi głowami, w białych płaszczach rozpostartych na posadzce sali audiencyjnej awiniońskiego zamku biskupów.

— Wstańcie — obojętnym głosem powiedział sędziwy papież.

Nie wstali. Luther wyszeptał:

— Wielkie są grzechy nasze, Ojcze Święty. Przewiny płynące z czynów hardych i zuchwałych.

— Człowiek jest grzeszny — niechętnie wygłosił sentencję papież. — Ważne, że umie zatrzymać się w pysze, uderzyć w pierś i prosić o przebaczenie.

Luther uniósł głowę i wyszeptał z pasją:

— Wybacz nam, Ojcze Święty.

Jan XXII, który jeszcze przed chwilą czyścił paznokcie rąbkiem rękawa, drgnął na dźwięk jego głosu. I spojrzał Lutherowi w oczy.

— Prosicie w imieniu Zakonu?!

— Tak, Ojcze — odpowiedział Luther.

Jan XXII, siedemdziesięciosiedmioletni starzec o łysej czaszce pokrytej ciemnymi plamami, przez chwilę wyglądał jak zaskoczone dziecko.

— Jak zatem wyjaśnicie, że ledwie tydzień temu, wybłagał u mnie audiencję Karol z Trewiru, wasz wielki mistrz? Czyżbyście nie wiedzieli o jego obecności w Awinionie?

— Bylibyśmy szczęśliwi, gdyby zechciał odwiedzić i nas, w Malborku — niewinnie odpowiedział Luther.

Twarz papieża poczerwieniała.

Łatwo popada w gniew — skonstatował Luther.

— Nie kłam, komturze, przed obliczem następcy świętego Piotra! — papież ryknął na niego. — Jest nam wiadomym, co uczyniliście w Malborku ze swym mistrzem! Odsunęliście od władzy, chcieliście obalić, ale przeszarżowaliście w bezczelności swojej! — Starzec aż uniósł się na tronie.

Krzyczał, wymachując palcem oskarżycielsko skierowanym w pierś Luthera. Ten nie pochylił głowy, przeciwnie, nie spuszczał smutnych, ciemnych oczu z twarzy Jana.

— Karol z Trewiru opuścił stolicę Zakonu — grzmiał dalej papież — ale nigdy nie przestał być jego głową, zrozumiano? Jak więc macie czelność przybywać do mnie z poselstwem w imieniu zgromadzenia?!

Oczy Luthera zalśniły łzami.

— Ojcze Święty — szepnął, tłumiąc wzruszenie — wybacz nam, komturom prowincji pruskiej. Skąd nam wiedzieć, co czyni nasz mistrz, skoro nas opuścił? Porzucił braci, choć spójrz na nas — mówiąc to, rozłożył ramiona i wskazał na klęczących za sobą — nie ma tu żadnego z tych, którzy na konwencie w Malborku zagłosowali za usunięciem mistrza Karola.

— Skąd mam pewność? — zaczepnie, ale dużo spokojniej powiedział papież. — Wasze głosowania są tajne!

Luther spojrzał mu prosto w oczy, mówiąc:

— Przejrzyj nasze serca, Ojcze.

Przez chwilę trwała cisza, aż zabrzmiał dzwon w pobliskim klasztorze dominikanów i wyrwał papieża z zadumy.

— Wstańcie — powiedział bezbarwnym głosem — i powiedzcie, co was sprowadza.

Wstali na raz, sprężyście i zręcznie, jak przystało na rycerzy. Luther z satysfakcją odnotował, że nawet Oetingen, który wciąż uskarżał się na ranę w nodze od sztyletu Kunona, nie zachwiał się i nie jęknął.

— Znamy wyrok, jaki zapadł w procesie o Pomorze — spokojnie powiedział Luther. — Wiemy, że polscy biskupi, których zamianowałeś sędziami, orzekli za swoim królem, a przeciw nam. W tej sprawie odwoływać się będzie nasz prokurator i nie chcemy wpływać na jego pracę, ani na twe decyzje, zwierzchniku Kościoła. Przyjechaliśmy, by pokazać ci coś, czego żaden sędzia, znawca prawa, biskup czy kardynał pokazać ci nie może. Coś, co zdobyć jest zdolny tylko rycerz Zakonu Najświętszej Marii Panny. Markwardzie, Hermanie — zawołał stojących z tyłu braci — złóżcie naszą zdobycz u stóp następcy świętego Piotra.

Sparenberg i Anhalt nieśli pokrytą złotymi płytami skrzynię powoli. Ich równe kroki rytmicznie odbijały się od kamiennej posadzki. Przed tronem papieskim przyklękli. Postawili skrzynię i odsunęli się, robiąc miejsce Lutherowi i Dietrichowi.

— Dlaczego to ma dwie kłódki? — Niespokojnie poruszył się na tronie papież.

Ma niezły wzrok, jak na takiego starucha — skonstatował Luther.

On i Dietrich von Altenburg klęknęli przy skrzyni jednocześnie. Zdjęli z szyi łańcuchy z kluczami i podali na wyciągniętych dłoniach papieżowi.

— Wierząc w Boga Wszechmogącego świadomi jesteśmy obecności w naszym świecie plugawych pomiotów jego wroga, Księcia Piekieł — odpowiedział Luther. — Nasz Zakon powołano do walki z dzikimi dziećmi Szatana.

— I do nawracania zwykłych, nieświadomych Słowa Bożego pogan — przypomniał Jan XXII.

— Jako rzekłeś — skinął głową Luther. — W tej skrzyni masz dowód, Ojcze Święty, że nasz Zakon, nie bacząc na straty, śmiertelne zagrożenie i paraliżujący zwykłych ludzi lęk, spełnia swe posłannictwo. Przyjmij klucze.

— Dlaczego są dwa? — znów skrzeknął Jan.

— Bo to, co tam się znajduje — głębokim, tubalnym głosem zagrzmiał Altenburg — już raz uciekło.

Papież cofnął się mimowolnie.

— Co to takiego? — spytał i głos mu zadrżał. Przełknął ślinę i zażądał: — Wy otwórzcie.

Altenburg przekręcił swój klucz w kłódce i zdjął ją. Luther użył drugiego i odłożył na posadzce kłódkę. Chwycił za wieko.

— Nie! — krzyknął papież. — Najpierw mi powiedz, co zobaczę.

— Zastygły w bursztynie płód pogańskiej kapłanki, która nosiła go nie w łonie, lecz jak klejnot, na szyi — podniośle odpowiedział Luther.

Jan XXII przeżegnał się i skinął głową. Otworzyli wieko.

Papież, lekko jak dziecko, wstał z tronu i niemal zbiegł po jego stopniach. Chwilę stał nad skrzynią, jakby lękając się, że jantarowy płód wyskoczy i wyssie z niego krew. Gdy nic takiego się nie stało, pochylił się nad skrzynią.

— Wyjmij to — rozkazał Lutherowi. — Chcę mu się lepiej przyjrzeć.

— Światła! — powiedział Luther do braci i ostrożnie chwycił płód przez kraj płaszcza.

Komturowie w mig złapali świeczniki spod ścian i otoczyli Luthera i papieża, unosząc je wysoko. On zaś wyciągnął ramiona ze zdobyczą najwyżej jak potrafił. W blasku świec jantarowy płód lśnił głęboką, brunatną barwą. Dziecko ukryte w żywicznej macicy było pomarszczone jak miniaturowy, nienarodzony starzec. Twarz miało wykrzywioną we wściekłym grymasie, ukazując długie, ostro zakończone zęby. Jedno z jego oczu było otwarte, drugie przysłaniała przejrzysta, jak u gada, powieka, spod której przeświecała ciemna i nienawistna źrenica.

— Jezu Chryste — szepnął papież pobielałymi wargami.

— Obecny tu Luther z Brunszwiku osobiście brał udział w wyprawie, podczas której zabito bluźnierczą kapłankę Dzikich i odebrano jej płód — dźwięcznym głosem mówił Altenburg. — Nasz nieodżałowany wielki mistrz Feuchtwangen życzył sobie, by trofeum to, stanowiące niepodważalny dowód na istnienie dzikich plemion czczących szatańskie pomioty, spoczęło u stóp twych, Ojcze Kościoła. Jednak sprzeciwili się temu wysoko postawieni bracia z domów niemieckich. Nie chcieli, by nasz dom pruski został u ciebie wywyższony. Nikt nie wie, w jaki sposób wynieśli płód z malborskiego skarbca, ale kiedy opuścił nas wielki mistrz, Karol z Trewiru, ta skrzynia była pusta.

Papież nie mógł oderwać oczu od żywicznej macicy, wpatrywał się w nią, aż łzy płynęły mu z oczu. Luther podjął przemowę Ditricha:

— W czasie gdy koronował się książę Władysław, gdy biskupi królestwa polskiego sądzili nas w twym majestacie za rzekomy zabór Pomorza, wojska zakonne wykonywały swe obowiązki jak co dnia. Obecny tu komtur bałgijski Ditrich von Altenburg rozgromił oddział Litwinów w Dzikiej Puszczy. Obecny przy ich wojskach kapłan, bo wiedzieć ci trzeba, Ojcze, że ich wiodą nie wodzowie, lecz szatańscy pomagierzy, uciekał z pola bitwy, ukrywając coś w koszu. Komtur Altenburg osobiście przeszył go mieczem i odzyskał trofeum, które od dawna należy do ciebie, Ojcze.

— Czy to żyje? — szepnął Jan XXII.

— Na swój piekielny sposób — potwierdził Luther. — Gdy po raz pierwszy zdobyliśmy bursztynową macicę, była w barwie jasnego złota i płód w niej poruszał rękami. Zaciskał i otwierał pięści. Teraz, jak widzisz, Ojcze Święty, uniósł jedną powiekę. Może gdy przebywać będzie w blasku twej świątobliwości, zamknie je, porażony światłem. Nie umiem odpowiedzieć, bo staram się nie patrzeć diabłu w oczy.

— Coś takiego — głośno przełknął ślinę Jan. — Coś takiego.

— Nie uwierzy, kto nie zobaczy — powiedział Ditrich von Altenburg.

— Schowajcie to. — Jan XXII zrobił nieokreślony ruch dłonią, jakby jednocześnie chciał przyciągnąć jantarowy płód i go odpędzić. — I dajcie mi klucze. Zamknijcie dobrze, żeby nie...

Stał w miejscu, póki nie domknęli skrzyni, jakby nie chciał się od niej oddalić. Ale gdy dostał klucze, wrócił na swój tron i usiadł ciężko.

— Rodriku — przywołał sekretarza, który przez całą audiencję stał za nim z rozdziawionymi ustami — spisz imiona tych braci. Nadamy im specjalne przywileje papieskie za służbę...

— Nie wolno nam ich przyjąć — przerwał mu Luther. — Bo nie przybyliśmy do Awinionu dla nagrody. Rycerze zakonni służą Bogu, papieżowi i swemu zgromadzeniu.

— Tak, no tak... — wymruczał jak we śnie papież wciąż pod wrażeniem tego, co zobaczył. — Tak, tak... cóż zatem mogę dla was zrobić, synowie moi?

— To, czego teraz pragniesz dla nas, Ojcze, zrób dla naszego Zakonu. Dla braci.

STARCY SIWOBRODZI po raz pierwszy poprowadzili swych ludzi do Głodnego Kamienia. „Już czas" — stwierdzili jednogłośnie — „już czas". Szli na czele, niosąc trzy pochodnie, ale to nie one oświetlały drogę korowodowi kroczącemu za nimi w ciszy, lecz księżycowy blask.

— Wilczy księżyc — powiedział pierwszy ze Starców, pokazując na niebo.

— Srebrny łowca — potwierdził drugi.

— Nocny pan — oznajmił trzeci.

Śnieg skrzypiał pod stopami, zamarznięta ziemia pozwoliła im przemierzyć bagna i mokradła niedostępne od wiosny do jesieni. Bezlistne krzewy wyciągały gałęzie niczym szpony i szarpały połami płaszczów.

— Las jest złakniony — powiedział ostatni ze Starców, ten, który nie miał jednego ramienia.

Pierwszy tylko skinął głową i przy potężnym pniu uschniętego jaworu skręcił ostro na północ. Za nim podążyli pozostali, wchodząc na omijane przez ludzi i zwierzęta Nieme Uroczysko. Nie zwolnili kroku; szli w ciszy. Nikomu nie trzeba przypominać, że póki nie dojdą na miejsce, zakazany jest jakikolwiek głos. Nawet dziecko wie, że kto się odezwie, idąc przez ostępy Niemego Uroczyska, nie wróci z niego żywy. Gdy zapuszczają się tu dziki, to bez warchlaków, by chrząkaniem nie ściągnęły na siebie klątwy. Ptaki omijają ten las, choć niektóre sowy błotne, bezszelestne w polowaniu i locie, zjawiają się tutaj na krótko. Teraz, w głębi zimowej nocy, uroczysko zdawało się opuszczone przez wszelakie życie.

W takie miejsce trzej Starcy Siwobrodzi po raz pierwszy prowadzili swój lud.

Gdy uszli trzy setki kroków, przystanęli. Sprawdzili, czy dobrze idą. Omszały kamień, za nim w lewo. Na uroczysku próżno było szukać drogi lub choćby ścieżyny. Nawet zwierzęta nie zostawiły tu znaków swojej obecności. Znów stanęli. Lej w ziemi, niecka wypełniona śniegiem. Przed nią w prawo. Nikt rozumny nie zapuszczał się tutaj bez przewodnika, zwłaszcza że Nieme Uroczysko kończyło się nagle, bez żadnej widocznej granicy. Dla niewprawnego oka wydawać się mogło wciąż tym samym, głuchym lasem. Starcy, sobie tylko znanym sposobem, umieli rozpoznać rubież. Między sobą mówili, że Nieme Uroczysko kończy się tam, gdzie zaczynają korzenie głazu, kamienne ramiona, którymi wrósł w ziemię. Wyczuli je pod stopami, mimo warstwy śniegu i poczekali, aż reszta ludzi przekroczy niewidzialną linię. Wyciągnęli przed siebie pochodnie, oświetlając miejsce, do którego zmierzali.

— Głodny Głaz — powiedział pierwszy Starzec, pokazując wszystkim masywny kamień wyglądający jak stół olbrzymów. Płaski, przecięty na pół głęboką szczeliną. Choć las wokół okryty był warstwą śniegu, powierzchnia głazu była od niego wolna. Wilgotna, jakby perlił się na niej pot.

— Od ponad trzystu lat stoi tu sam — drugi Starzec poświecił i przybysze dostrzegli, że kamień ma czerwonawą barwę zetlałej krwi.

— I od tego czasu nikt go nie karmił — oznajmił trzeci. — Kamienna gardziel jest złakniona ofiary.

Nie musieli nikomu tłumaczyć, kto złożył tu pierwszą, przed wielu, wielu laty. Każdy z ich ludzi to wie, każdy zna opowieść o misjonarzu, który przyniósł na te ziemie wiarę w Umarłego Boga. O kapłanie, co chciał chrzcić wodą ich przodków. Mówiono o nim „biskup Adalbert" albo „Wojciech", a potem, kiedy kamienny przełyk wypił jego krew, nazwano go „świętym". Święty — zarżnięty. Ich dziadowie nie wyjawili prawdziwego miejsca ofiary. Gdy przyszli uzbrojeni po zęby, królewscy ludzie, wskazali inne jako miejsce kaźni. Choć mogli skierować pielgrzymów do Niemego Uroczyska, by nikt z czcicieli Wojciecha nie wyszedł stąd żywy, nie uczynili tego i słusznie. Pewne miejsca są tylko dla wybranych.

Starcy też latami dla siebie samych trzymali jego moc, aż dzisiaj, w noc wilczego księżyca, przywiedli lud, by zaczerpnął jej ze źródła. Dla Starców czas biegł inaczej niż dla zwykłych ludzi. Wyczuwali zdarzenia i poprzedzające je, niewidzialne prądy zmian, z wyprzedzeniem dziesiątek lat. Żyli od tak dawna, że przestali liczyć upływ czasu. Ale musieli uszanować uczucia swoich ludzi. Wojownicy Trzygłowego Boga, potrzebowali nowej podniety, by nie zasnąć i nie zwątpić, w zbyt długim czasie oczekiwania na wojnę.

Głodny Głaz nas nie zawiedzie — orzekli Starcy i przyprowadzili ich tu.

Teraz oddali pochodnie wodzom. Jarogniew, Derwan i Wrotycz

chwycili je i unieśli wysoko. Wojownicy Trzygłowa, kobiety i mężczyźni, stając za plecami Starców, otoczyli głaz potrójnym kordonem.

— Dawno nie napił się krwi — powiedzieli, patrząc kolejno po zgromadzonych.

Tak, przez twarze niektórych przeszedł skurcz, zwłaszcza gdy oczy któregoś ze Starców, zatrzymały się na kimś na dłużej. Trzej Siwobrodzi wyjęli noże, ktoś z ostatniego szeregu jęknął przerażony, ktoś poruszył się gwałtownie, jakby chciał uciec przed kaźnią.

Jakiś ojciec siłą przytrzymał wyrostka. W powietrzu słychać było przyspieszone oddechy dwóch setek ludzi.

— Damy mu własną — powiedział wreszcie pierwszy Starzec.

— Niech pije z naszych żył — dodał drugi.

— I napojony przemówi — rzekł trzeci.

Chwycili noże w zęby i każdy z trzech Starców przeciągnął po ostrzu nadgarstkiem. Ktoś w tłumie jęknął cicho, ktoś odetchnął z ulgą. Krew Siwobrodych spłynęła na brzeg Głodnego Kamienia, lecz zamiast skapnąć z niego na śnieg, kierowana niewidzialną siłą popłynęła do kamiennego przełyku, do szczeliny w jego wnętrzu. Głaz przełknął ofiarę. Ostrza wypadły z zaciśniętych zębów Starców. Żylastymi, silnymi ciałami zaczęły wstrząsać spazmy. Zamknęły powieki Siwobrodych i otworzyły ich dusze na wizję.

— Ich czas się kończy — wyrzucił z siebie pierwszy Starzec.

— Ich kres nadchodzi — podjął drugi.

— Koniec ich dni — głębokim, przejmującym głosem zaśpiewał trzeci.

— Widzący zobaczy...

— Słyszący usłyszy.

— ...Trzygłowy przemówi...

Popychani niewidoczną dla innych siłą zaczęli poruszać się wokół głazu w natchnionym ofiarą tańcu.

— Patrz!

— Słysz!

— Przemów!

— Patrz — słysz — przemów — patrz — słysz — przemów...

Dłonie Starców nie odrywały się od powierzchni kamienia, sunęli wokół niego, wciąż dotykając głazu, nie tracąc łączności z nim.

— ...słysz — przemów — patrz — słysz...

Wojownicy Trzygłowa nie odrywali oczu od swych kapłanów, ich głos, taniec i trans przenosiły się na patrzących, którzy jedni po drugich podejmowali rytm. Chwytali się za ramiona i w potrójnym kręgu wirowali wokół Głodnego Głazu nakarmionego krwią Siwobrodych, a teraz karmionego tańcem, oddechem i ciepłem ich ciał.

— ...patrz — słysz...

Kto pierwszy usłyszał głos kamienia, nikt nie wie. Może Starcy, co byli najbliżej? Może Jarogniew Półtoraoki, którego dwubarwne źrenice lśniły niczym u drapieżnika. Może Ostrzyca, najlepsza z wojowniczek, matka Żmija. Albo on, smok, kiedyś zwany Michałem. Jego wysoka, muskularna sylwetka wyróżniała się wśród innych, a naga czaszka połyskiwała barwnym rysunkiem łusek. Może jednak Symonius, o oczach i uszach zwiadowcy? Symonius, który przed laty przyprowadził im w ofierze łysego komtura von Schwarzburg.

— ...przemów — patrz...

Dość, że w tej samej chwili jeden po drugim, wszyscy zgromadzeni usłyszeli:

— Zamknij krąg. Nie mieszaj krwi. Trzymaj psy.

Posłanie szybko przechodziło z ust do ust, a Starcy pojmując je w lot, chwycili swe dłonie. Palce splotły się z palcami, niczym kłódki w łańcuchu, którego nie można rozerwać.

Raz, dwa...

RIKISSA wchodziła na ucztę u boku Henryka z Lipy. Sala z lwem, największa w rezydencji złotnika Konrada, z trudem mieściła gości. Jan sprowadził nawet muzyków, ale wciśnięci w kąt, wyglądali raczej zabawnie niż godnie.

— Póki walczył o Czechy z tobą, mój miły, nie opłacało mu się odbudowywać zamku — szepnęła do Lipskiego. — Ale teraz? Dlaczego nie zadba o godną siebie rezydencję?

— Bo nie ma królowej, z którą mógłby tam mieszkać. — Henryk pochylił się ku jej szyi i musnął ją nosem. — Knedlicę zamknął w Melniku i póki żona żyje...

— Przestań — skarciła go. — Przegrała. Nie mów na nią Knedlica. To twoja królowa, Eliška Premyslovna.

— Ja mam jedną panią — zaśmiał się cicho. — Ciebie.

Nie odpowiedziała, bo ciasnym kręgiem otoczyli ich chcący się przywitać goście. Pozdrowiła dziedziców księstwa wrocławskiego. Najstarszy z nich, Bolesław, mąż Przemyślidki, próbował poufale poklepać

Lipskiego, lecz ten uchylił się zręcznym ruchem i książę omal nie upadł na posadzkę.

— Nie moja wina. Jest za gruby — szepnął Lipski, gdy oddalili się od dziedziców Wrocławia. — Z uczty przenosi brzuch na ucztę, a tyle sadła ubrać w złote szaty... Książę Bernard ze Świdnicy! Książę Henryk Jaworski! — zawołał tubalnie i już byli w innym miejscu sali. — I komtur...

— Grudziądzki. Zyghard von Schwarzburg — przedstawiła Krzyżaka Rikissa, bawiąc się zaskoczeniem ukochanego.

— *Bis regina* — ukłonił się jej. — Marszałku.

— Królowo. — Henryk Jaworski wysunął się przed brata. — Nie widzę przy tobie mojej małżonki.

— Anežka została w klasztorze, podróż z Brna była męcząca. Moja córka musi odpocząć.

— Czy coś jej dolega? — W zielonych oczach Jaworskiego błysnął niepokój.

— Przeciwnie, ma się świetnie.

— Miałem nadzieję, że zabiorę żonę do domu.

— Czyli dokąd? — lekko zapytała Rikissa.

— Uwiłem dla nas gniazdo; postawiłem nową siedzibę w Siedlęcinie, nieopodal Jawora. Myślę, że spodoba się mojej żonie.

Zięć Rikissy był od niej samej ledwie cztery lata młodszy. Wysoki, ciemnowłosy, miał oczy w odcieniu jesiennego mchu. Gdy przed laty, za sprawą Lipskiego i ukutej przeciw Luksemburczykowi intrygi, prosił o rękę Anežki, był młodzieńcem. Teraz, z całą pewnością, mężczyzną. Dlaczego jej córka go nie chce?

— Nie porzucaj nadziei — odpowiedziała. — Anežka kiedyś z tobą wyjedzie.

— Kiedy? — spytał natarczywie.

— Gdy przyjdzie dla was dyspensa papieska — uśmiechnęła się do niego pokrzepiająco i wyciągnęła rękę. Chciała mu ją podać, ale Jaworski pochylił się i pocałował jej palce.

— Zobaczysz żonę podczas turnieju — wdarł się między nich Lipski i przejął dłoń Rikissy. — Prawda, moja pani?

— Mam potwierdzić, co już sam zdecydowałeś? — Roześmiała się i powiedziała lekko do gości: — Oto Królestwo Czech! Podwójna królowa, dwóch książąt, zacny komtur, a rozkazy wydaje marszałek, Henryk z Lipy.

Lipski nie poczuł się zmieszany, za to próbował dowiedzieć się czegoś o Krzyżaku.

— Skąd wiesz, moja pani, że komtur jest zacny?

— To i komtur, i trzeci w naszym gronie książę — dopowiedział Bernard, pan na Świdnicy.

— O! — skwitował Lipski, już mierząc Schwarzburga wzrokiem.

Mój ukochany jest jak sokół na polowaniu — pomyślała Rikissa czule.

Zyghard von Schwarzburg nie zdążył się wytłumaczyć przed Lipskim ze swego pochodzenia, bo z sali rozległ się okrzyk:

— Król Czech, Jan Luksemburski!

Odwróciła się ku wchodzącemu. Widywali się rzadko. Jan nieustannie podróżował, a odkąd zawarł z panami czeskimi układ w Domżalicach, mógł to robić bezpiecznie, nie martwiąc się o królestwo, które powierzył pieczy Lipskiego. Za każdym spotkaniem była zaskoczona. Na jej oczach Luksemburczyk przeistaczał się z chłopca w mężczyznę. Jego sylwetka zdradzała, że mimo podróży nie zaniedbywał rycerskich ćwiczeń. Nosił wąskie, podkreślające kształt łydki nogawice, dzisiaj miały barwę głęboko niebieską. Do nich krótki, mocno dopasowany w barkach kaftan z materii w złote, zielone i czerwone pasy. Spod spodu wystawały szerokie rękawy haftowanej koszuli, a pod szyją jej jasny rąbek. Biodra otoczył pasem ze zdobionych ogniw, przy którym kołysała się pochwa niewielkiego noża.

Wygląda jak klejnot — pomyślała o broni.

Na ramiona narzucony miał krótki płaszcz w tej samej, ciemnoniebieskiej barwie, co nogawice. Od spodu podbijany delikatnym, srebrzystym futrem i spięty na boku broszą z lwem luksemburskim. Złote, przytrzymane diademem loki, okalały mu twarz.

— No to się nasz chłopiec ustroił — cicho zaśmiał się Lipski. — Myślisz, że włosy układa mu dwórka?

— *Bis regina!* — zawołał na jej widok Jan i ruszył ku nim. — Pierwsza ozdoba królewskiego dworu!

— Pierwszy jesteś ty, królu Janie — odpowiedziała, kłaniając się. — Nigdy nie mieliśmy władcy tego imienia.

— Gdy tylko cię widzę, królowo, mam ochotę cię czymś obdarować. — Jan, nie zważając na Lipskiego, ujął jej dłoń i wychylił się w stronę dekoltu jej sukni. — Masz na szyi szafir? Pozwól, że dołączę do niego drugi.

Szybko zsunął z palca złotą obrączkę i podał jej.

— Król w świetnym humorze — kwaśno odpowiedział Lipski. — Rozdaje pierścienie. Pani? Czy ten nie będzie na ciebie za duży?

— Gościmy w domu najsłynniejszego złotnika Czech — wesoło odrzekł Jan. — Nim uczta się skończy, czeladnik Konrada go zmniejszy.

— Będziemy się bawić tak długo? — nie dawał za wygraną jej ukochany. — Wobec tego turniej, na który czekamy, powinien zwać się „wiosennym". Zresztą i nasz król wydaje się barwny jak wiosna...

— Przede mną wiosna, a przed tobą, Henryku z Lipy, co? Jesień? — odgryzł się Jan.

— Między wiosną a jesienią jest lato — pogodziła ich.

— A na końcu zima — mruknął Lipski i Rikissa miała ochotę tym razem naprawdę go uciszyć. Ale Henryk miał swój plan. Zawołał:

— Prezent od marszałka!

Zaklaskał i czterej jego słudzy wnieśli coś wielkiego, wyglądającego jak skrzynia szczelnie okryta błękitną materią.

— Chcę godnie powitać w Królestwie Czech twego przyjaciela — powiedział Lipski do Jana. — Pozwolisz mi go obdarować, panie?

— Owszem — zaskoczony Jan wywołał zza swych pleców wysokiego mężczyznę. — Henry de Mortain, mój zaufany doradca — przedstawił go Rikissie. — Henry, oto *bis regina*!

De Mortain był na oko pięć lat starszy od Jana. Nosił niewielką, starannie przystrzyżoną brodę. Ciemne włosy zakładał za ucho i lekko przekrzywiał głowę, jak robią czasem wysocy ludzie, nie chcąc zbytnio górować nad innymi. Pokłonił się Rikissie i uniósł głowę, patrząc na nią.

— Zaniemówiłeś? — zaśmiał się Jan.

— Tak, pani — odpowiedział jej, nie królowi. — Zaniemówiłem. Opowiadano mi o tobie, ale wszystko, co słyszałem, wydaje mi się teraz zbyt małym — odpowiedział Henry.

— Panuj nad sobą, obrażasz króla — żartobliwie pogroził mu Luksemburczyk.

— Życzę ci, panie, byś zrozumiał i pokochał Czechy — przerwała dworską grę Rikissa.

— Czechy to mój marszałek — odrobinę zbyt wylewnie powiedział Jan, wskazując na Henryka. — Ale jego już poznałeś.

— Obiecałem ci białego niedźwiedzia, panie — powiedział do Henry'ego Lipski. — I choć nie ma ich w Czechach, to słowa dotrzymam — mówiąc to, pociągnął niebieską materię i oczom gości ukazała się potężna klatka, a w niej nieduży, młody niedźwiadek. Biały jak mleko.

Po sali przebiegł jęk zachwytu, zaskoczenia i grozy. Henry de Mortain doskoczył do klatki i przyklęknął, by obejrzeć zwierzę. Lipski zaśmiał się z satysfakcją.

— Możesz sprawdzać. Nie jest farbowany.

— Skąd? Przecież... — obdarowany towarzysz króla nie posiadał się z radości.

— Później opowiem. Królowi również, jeśli go biały zwierz zaciekawił. Teraz doradzałbym wynieść go na podwórzec. Niedźwiedzie ucztują inaczej niż ludzie. Tu dla nich za tłoczno, za głośno i za ciepło.

Goście ruszyli ku klatce, by przyjrzeć się zwierzęciu. Rikissa zrobiła kilka kroków w tył, uwalniając się od towarzystwa króla Jana i Lipskiego.

— Dla ciebie, królowo, też tu za tłoczno, za głośno i za ciepło? — cicho spytał Zyghard von Schwarzburg.

— Radzę sobie lepiej niż niedźwiadek — odpowiedziała. — Nie wyrwano mnie z gawry.

— Wybacz. Chciałem porównać cię do kwiatu i powiedzieć, że piękne rośliny najlepiej wyglądają w swoim naturalnym siedlisku, ogrodzie. — Zerknął na nią i spytał: — Wypadło jeszcze gorzej? Jako rycerz zakonny nie mam żadnej wprawy w komplementach. — Rozłożył bezradnie dłonie. — Zdążyłaś się przyzwyczaić, pani?

— Do czego? Do życia na dworze? Urodziłam się na nim, choć przyznam, poznański był inny. — Przyjrzała się komturowi z uwagą. Zauważyła między jasnymi włosami drobne pasma siwizny. Srebro ze złotem — pomyślała.

— Nigdy nie byłem w Poznaniu. My, rycerze zakonni, nie jesteśmy tam miłymi gośćmi.

— Każdy gość jest miły gospodarzowi, jeśli zaproszony.

Zaśmiał się.

— Zatem, *bis regina*, pozostałaś Piastówną.

— Bo każdy Piast traktuje Krzyżaków jak nieproszonych gości? Oczywiście, prócz Konrada mazowieckiego, który was przed laty zaprosił — mrugnęła do niego lekko.

— Coś jest na rzeczy. Choć i ja mam krew Piastów w żyłach. Oczywiście nie tyle, co ty, królowo.

Rikissa dostrzegła, że w tłumie oglądających niedźwiadka mignęła błękitna materia; już okrywano klatkę.

Mam ostatnią chwilę — pomyślała i choć nie miała cienia pewności, podjęła decyzję.

— Komturze, doniesiono mi, że na północnych rubieżach polskiego królestwa widziano człowieka, który potrafi zmieniać się w bestię. Czy jest ci coś o tym wiadomo?

W zaskakująco jasnych oczach Schwarzburga błysnęła ciekawość.

— Człowiek bestia? Widuję takich często, niestety, w ludzkiej postaci. O jakiej odmienności mówisz, pani?

Popełniłam błąd — przemknęło jej przez głowę. — Kunhuta nie miała racji.

— To nic takiego — powiedziała lekko. — Zresztą, już nas proszą do stołu.

— Chętnie bym ci towarzyszył, królowo — odezwał się szybko — byśmy mogli dokończyć rozmowę, ale widzę, że o miejsce przy tobie ubiega się zbyt wielu.

Mój zięć, mój król i mój miły — pomyślała, patrząc na idących ku nim i odwróciła się w stronę Zygharda von Schwarzburg, podając mu ramię.

— Tu jesteś mile widzianym gościem, komturze. Bądź naszym towarzyszem na czas uczty.

HENRYK Z LIPY dostrzegł w tłumie gości Petera z Rożemberka i mimowolnie zacisnął pięści. Nigdy mu nie darował tego, że porzucając jego stronnictwo, odrzucił narzeczeństwo z jego córką, Małgorzatą.

— Biały niedźwiedź — głos Henry'ego de Mortain przywołał Lipskiego do porządku. Nie powinien zbyt długo trzymać króla Jana i jego przyjaciela w niepewności. Ciekawość młodych nie trwa długo.

— To odmieniec — wyjaśnił Lipski. — Dziw natury. Nasze niedźwiedzie są brunatne, czasami niemal czarne. Ale raz na sto lat w najwyższych partiach gór przychodzi na świat białe młode.

— Zatem podarowałeś Henry'emu coś, co zdarza się raz na sto lat — pogodnie powiedział Jan.

Słudzy podali zupę z kuropatwy.

— Teraz czuję się doceniony, choć przyznaję, że...

— Pomyślałeś, iż marszałek Czech lubi żartować — wyręczył przyjaciela król.

— Chyba nie lubię — przeciągnął się Lipski, sprawdzając, co robi jego pani. Król usadził Rikissę po swej lewej, a jego po prawej stronie. Rozmawiała z komturem.

— Gdzie więc złowiono ten cud natury? — dopytywał Henry.

— Niedaleko Trenczyna, w górach.

— Upolowałeś go sam?

— Nie, panie — roześmiał się Lipski. — Nigdy nie próbowałem sił jako łowczy.

— Ale zapewniam cię, Henry, że pan z Lipy jest doskonałym rycerzem i jeszcze skuteczniejszym wodzem. Czy to nie w tamte strony wyprawiliśmy się razem? Gdy próbowaliśmy ujarzmić niepokornego Mateusza Czaka? Wtedy, gdy wojska czeskie rozpierzchły się i ty, marszałku, osobiście zawróciłeś do walki z Czakiem naszych rycerzy?

— To on dał mi białego niedźwiedzia — wprost powiedział Lipski. — Węgierski wielmoża, Mateusz Czak.

Jan odłożył łyżkę i spojrzał na niego, oczekując wyjaśnień. Lipski udawał, że tego nie widzi, kończył zupę.

— Przyjąłeś dar od wroga? — ponaglił go Jan.

— Kiedyś był naszym wrogiem, dzisiaj nie jest. Jego wojska już nie robią wypadów na Morawy, mamy z nim spokój — odpowiedział po chwili.

— I? — spytał król.

— Mateuszowi zależy, by tak zostało. Jest zajęty wojną ze swym królem. — Lipski skończył jeść i odłożył łyżkę.

— Dlaczego mamy mu pomóc?

— Żeby pokazać królowi Węgier, że wiemy, co się dzieje w jego królestwie — odpowiedział, czując narastającą złość.

Jan milczał przez chwilę.

— Panie — odezwał się Lipski. — Ty podróżujesz na zachód i patrzysz na zachód. Widzisz więc, że andegaweński król Węgier gra w obozie papieża przeciw królowi Niemiec. To prawda. Jak i to, że dla papieża jest bezcenny, Węgrzy od lat są tarczą przed Tatarami. Wiesz pewnie i to — Lipski starał się, by w jego głosie nie drgała nuta irytacji — że trzyma z Habsburgami przeciw Wittelsbachom. Jasnym jest, że biorąc za żonę córkę króla Władysława, żenił się nie z córką króla Krakowa, tylko króla Polski. Doniesiono ci, jak wierzę, że dziewczyna jest w ciąży. Tego wszystkiego można się dowiedzieć w Luksemburgu, Paryżu, Monachium, Awinionie, Trewirze, Moguncji. Ale ja patrzę także na to, co blisko. Karol Robert andegaweński, przepraszam, Carobert, od lat gra o tron Serbii. Mówią, że ma w kieszeni tamtejszych żupanów i macza palce w kolejnych serbskich spiskach koronnych. Prędzej czy później, przejmie tam władzę. Chorwację Węgrzy opanowali już dawno. Gdy my, Czesi, i ty, nasz luksemburski król, zajmowaliśmy się swoimi sprawami, na wschodzie i południu oplótł nas siecią wpływów potężny sąsiad. Tyle musisz usłyszeć od swego marszałka, panie.

Przez chwilę milczeli, co nie było trudne, bo przy stole trwał zgiełk uczty, gwar rozmów, śpiew minnesingera. Usłyszał nawet śmiech Rikissy i już chciał się wychylić, by sprawdzić, z kim jego pani się śmieje, gdy o dziwo, odezwał się nie król, lecz Henry.

— Jak rozumiem, Janie, twój marszałek chce powiedzieć, że stary niedźwiedź przesyła białego niedźwiedzia na znak pokoju, bo chce, byś zostawił go w jego gawrze. Nie mam pojęcia, skąd pan z Lipy wiedział, jak cenię rzadkie zwierzęta. Gdybyś mnie jednak spytał o radę, rzekłbym: pozwól staremu buntownikowi prowadzić jego walkę. Król Węgier zrozumie przesłanie.

— Wina! — polecił podczaszemu Jan i gdy je podano, odwrócił się ku Lipskiemu z pytaniem: — Czy to nie w wojnie z Czakiem zostałeś ranny?

— Z każdej przynosiłem rany. Z wojny z tobą, panie. Z Habsburgiem, z Czakiem. Każda się zabliźniła. Nigdy nie żywię urazy do dawnych wrogów. Gniew zostawiam dla tych, którzy nadejdą.

JAN LUKSEMBURSKI lubił uczty, choć samo jedzenie nigdy nie zaprzątało jego uwagi na dłużej. Owszem, lubił patrzeć na wyczyny kucharzy. Wymyślne pasztety piętrzące się niczym zamki. Potrawy niespodzianki, gdy pieczone w całości prosię kryło w swym wnętrzu kapłona a ten w brzuchu miał jajko lub figę. Albo wielkie jesiotry duszone z maleńkimi rzecznymi minogami w środku. Jadł oczami. Chwalił pomysłowość kuchennych mistrzów, z pasją odkrywał ich koncepty, a potem ledwie próbował. Lubił winne sosy, słodkie i ostre jednocześnie, ale wystarczało mu, gdy ich skosztował, do tego kęs pieczeni lub ryby, by zaspokoić głód, więcej nie potrzebował. Jego apetyt był nieposkromiony, gdy szedł na ucztę, a kiedy na niej był, bawiło go już co innego. Wesoła muzyka i pląsy tancerzy, zaróżowione od tańca twarze kobiet, kosmyki włosów, które czasem wymykały się spod nałęczek dam i diademów panien. Heroiczne pieśni o czynach bohaterów; mógł ich słuchać bez końca. Oczywiście, jeśli w tym samym czasie dane mu było patrzeć na skrzące się barwami malowidła na ścianach, feerię kolorów sukien i wyszukane ozdoby płaszczy. Kochał patrzeć na dwór, na ludzi w nieustannym ruchu, tańczących, śpiewających, rozmawiających. Kryjących jeden przed drugim swe sekrety. Jak teraz, gdy jego gruby szwagier, książę śląski Bolesław, pan na Brzegu, łakomym okiem patrzy i na pasztet, i na córkę Beneša. Jego wzrok przyciągali po równo książęta Głogowa, ciemnoocy i ciemnowłosi, niczym medaliony odlane z jednego kruszcu i formy.

Jak im było? Po starszeństwie: Henryk, Konrad, Jan, a ten najmłodszy? Patrzy na mnie, jakbym zabił ich ojca. Mówiono, że stary Głogowczyk, ten, co się mienił „dziedzicem Królestwa Polskiego", zginął od sztyletu, ale nie ja wydałem wyrok i nie ja skorzystałem na jego śmierci. Osierocił czarne orlęta, a one bezbronne i słabe, poleciały w łaski do Askańczyków. Waldemar z Mechtyldą oskubali ich jak kurczęta i co? Waldemar z Mechtyldą też nie żyją. Więc jak temu młodemu na imię? Przemko — przypomniał sobie, patrząc w lśniące w blasku świec oczy młodzieńca. — Nie lubisz mnie, Przemko. Poczekaj, sprawię, że mnie pokochasz. Będziesz walczył z moim imieniem na ustach. Klękniesz, jak oni wszyscy.

Uniósł kielich i z daleka przepił do głogowskich braci. Na ten poufały gest nastroszył się ich kuzyn, gruby Bolesław, książę Brzegu. A jego brat, wiecznie zmartwiony Henryk z Wrocławia, odwrócił głowę, by móc udawać, że nie widział. Jan uśmiechnął się promiennie do dziedziców wrocławskich włości i dla nich wzniósł kielich. Bolesław pokraśniał, Henryk zmartwił się jeszcze bardziej, choć z szacunkiem ukłonił. Najmłodszy z braci, książę Legnicy, szalony Władysław wypił na raz i zawołał sługę o jeszcze.

To mógłby być fresk biblijny — pomyślał Jan, patrząc na nich. — Nosiłby tytuł „Bracia Józefa martwią się, czy ojciec wykryje ich podstęp".

A oni? — przesunął wzrok na księcia Świdnicy, Bernarda, i Henryka, księcia Jawora. — Ci mnie ciekawią najbardziej, bo przeciw mnie spiskują. I najwięcej mogą, prawda. Bernard, zięć króla Krakowa. Henryk, zięć Rikissy. Ich siostra żoną króla Niemiec, Ludwika Wittelsbacha. Jeśli ten sięgnie po tytuł cesarza, jak zrobił przed nim mój ojciec, ci dwaj przystojniacy staną się cesarskimi szwagrami. Wittelsbach syna już zaręczył, zostały mu córki. Może powinienem pospieszyć się i związać mego pierworodnego z tą starszą? — Odsunął tę myśl na chwilę, bo zobaczył, że komtur krzyżacki i książę Jaworski wdali się w gorączkową rozmowę. Jaworski czemuś zaprzeczył, włączył się Bernard, i z nim teraz mówi Schwarzburg. Jan wrócił do oceny braci. Wysocy, sylwetki rycerskie. Mogliby być rycerzami Okrągłego Stołu. Może sir Gawain i sir Gareth? Garetha zabił Lancelot za odkrycie swego romansu z Ginewrą. Właściwie — skonstatował, ustawiając w myślach Henryka i Bernarda do malowidła o rycerzach Okrągłego Stołu — nie warto być królem Arturem. Każdy pożądał jego żony.

A potem uśmiechnął się w myślach. Czy na jego Eliškę ktokolwiek spojrzał kiedyś pożądliwym wzrokiem? Gdyby Camelot miał stanąć w Czechach, Ginewrą mogłaby być tylko...

— Nie smakuje ci, królu Janie? — spytała go Rikissa, wskazując stygnący pasztet.

— Przeciwnie. Spróbowałem, jest pyszny — odpowiedział, zwracając się ku niej. — Jeszcze wina, pani?

— Dziękuję — zaprzeczyła.

— Odmawiasz królowi? — zaczepił.

— Nie, podczaszemu — podjęła grę. — Zauważyłam, że nie jesz wiele. Nie lubisz tutejszej kuchni?

— Przeciwnie. Smakuje mi — powiedział, wpatrując się w jej wargi. — Choć czasami czegoś mi w niej braknie.

— Mam zgadywać? Może manny?

— Z nieba?

Zaśmiała się, unosząc jasne brwi, jej głos zabrzmiał zaczepnie, gdy spytała:

— Nigdy nie jadłeś manny?

— Poza Izraelitami na pustyni nikt chyba jej nie próbował. — Przez chwilę poczuł się jak uczeń, który nie umie odgadnąć odpowiedzi na pytanie mistrza. Oczy Rikissy lśniły, jakby uśmiechały się źrenicami.

— W Starszej Polsce jedliśmy ją latem. Maleńkie, białe płatki rośliny, którą nazywa się manną. Wonne i słodkawe.

— Naprawdę? — Bardziej niż słowa zainteresowały go jej usta. Drgały, jakby przypominała sobie smak dzieciństwa. — A w Czechach manna nie rośnie?

Jej złote włosy osłaniała przejrzysta materia, spod której przeświecały perły, pełne, okrągłe, wczepione między sploty.

— Nigdzie tu jej nie spotkałam. — Kiedy poruszyła głową w przeczeniu, złapał w nozdrza woń olejku różanego. Bliską i ciepłą.

— Pragniesz jej, *bis regina*? Chciałabyś poczuć na podniebieniu te wonne płatki? Rozgnieść je językiem...

Odsunęła się płynnie, nieświadoma, że jej ruch wypełnił powietrze zapachem silniejszym niż przed chwilą.

— Nie, królu Janie — odpowiedziała niemal pogodnie, a w każdym razie nie okazując, że ją uraził poufałością. — Wyrosłam z dzieciństwa i zostawiłam je za sobą, jak za małą suknię.

— Wiesz, że nie zrezygnuję z tytułu króla Polski? — spytał.

— Wierzysz w moc słów, Janie — odrzekła po chwili i dała mu nadzieję, że wraca do rozmowy o doznaniach zmysłów.

— Bo ewangelista napisał, że na początku było słowo — uśmiechnął się i przygryzł wargę, która zadrżała mu niepotrzebnie.

— Miał na myśli to, które pochodziło od Boga. A Władysław ukoronował się w jego majestacie na władcę całego Królestwa i nic nie zmieni to, że uparcie tytułujesz go królem Krakowa. Papież mu sprzyja.

— Nie jest wieczny.

— Kogo masz na myśli? Papieża czy króla Władysława? — spytała Rikissa.

Kontemplując jej urodę, przeoczył moment, w którym jej głos przestał być zmysłowy i ochłódł.

— Obaj są starzy, Rikisso. A ja młody — uśmiechnął się do niej, myśląc o tym wszystkim, o czym nie mógł mówić.

— Zwąchali się — głos Lipskiego przy jego uchu zabrzmiał jak grom.

Jan przez chwilę stracił rezon, nie wiedząc, czy marszałek słuchał ich rozmowy.

— Kto? — spytał, udając obojętność.

— Zausznicy Habsburgów i Wittelsbachów — wskazał dyskretnym ruchem głowy Lipski.

Jan odetchnął w duchu. Tak, przez jedną chwilę było mu wygodniejszym połączenie śmiertelnych wrogów, niż by Lipski słyszał słowa, które szeptał jego damie. Potrzebował swego marszałka. Wciąż jeszcze go potrzebował. Ochłonął szybko. Dostrzegł dwa puste miejsca przy stole.

— Dawno wyszli? — spytał Henryka z Lipy.

— Gdy rozmawiałeś z moją królową — bez złośliwości odpowiedział Lipski.

— Nie bądź zaborczy — zaczepnie obrócił to w żart. — Nie bierz Rikissy na własność. Nie odbieraj jej Czechom.

— Czechom jej nie odbiorę — odpowiedział twardo Lipski. — Pójdę za nimi. Może jeszcze usłyszę, o czym szepczą na stronie.

Spojrzeli sobie w oczy z bliska. Mocna, kwadratowa szczęka Lipskiego pokryta była cieniem zarostu. Popiół z węglem — skonstatował Jan. — Ile on ma lat? Może z pięćdziesiąt?

— Idź, Henryku — powiedział cicho — i jeśli się zgodzi, weź pod rękę swą damę. Jeśli spotkasz naszych gości podczas przechadzki z *bis reginą*, będą zaszczyceni.

Lipski skinął głową i po chwili obydwa miejsca po bokach Jana były puste. Zaprosił komtura Zygharda, by przysunął się bliżej.

— Obok króla jest miejsce królowej — powiedział jasnowłosy książę von Schwarzburg, udając, że się waha, czy zająć miejsce Rikissy.

— To przy mnie jest puste. Oczywiście, nie w świetle prawa — odrzekł pogodnie Jan i zaśmiał się. — Żadna to tajemnica, że nie żyję z żoną. A skoro, jak widzę, zakon stawia sobie coraz wyższe cele, co ci szkodzi, komturze! Usiądź przy królu — mówiąc to, poklepał siedzisko krzesła i złapał się na tym, że coś w nim drgnęło, gdy poczuł, że było jeszcze ciepłe.

Na szczęście Schwarzburg zajął miejsce i myśli Jana przestały krążyć wokół kobiety.

— Gratuluję rozmachu, królu Janie — powiedział komtur. — Turniej Zimowego Króla zgromadził tyle samo dyplomatów, co rycerzy.

— Ciekawe, którzy są w służbie których — zakpił Jan. — Co bym wolał? Czy by podawał mi kopię doradca Ludwika Wittelsbacha, czy służył radą Herman Rycerz Popiołów. Jak sądzisz?

— Ty nie musisz wybierać, królu Czech. Jesteś jednym i drugim. Masz sławę niepokonanego w turniejowym polu i, jak widzę, niezwykły talent do dyplomacji — odrzekł Schwarzburg i Jan nie usłyszał w jego głosie drwiny.

— Z czego wnosisz? — spytał i pokazał podczaszemu, by uzupełnił kielich Krzyżaka.

— Jako król Czech jesteś poddanym króla Niemiec. Siedem lat temu doszło do podwójnej elekcji i część z elektorów, w tym ty i twój stryj, poparliście Wittelsbacha. Pozostali, w tym książę Karyntii, wskazali Habsburga. Rzesza ma dwóch królów, z których żaden nie chce ustąpić. Ty zaś zaprosiłeś najbliższych zauszników obu zwalczających się monarchów. I tych, którzy głosowali za każdym z nich. To tak, jakbyś tu, w Pradze, zrobił mały sejm Rzeszy.

Jan pogratulował sobie w duchu pochwały.

— Jednocześnie nie zaprosiłeś nikogo z dworu polskiego i węgierskiego, a oni stoją za Habsburgami — ciągnął komtur. — I są twymi najbliższymi sąsiadami. Zatem czyżbyś chciał dać do zrozumienia Habsburgom, że jeśli przyjdzie do konfrontacji, staniesz przeciw nim? Przy Wittelsbachu?

— Może tak, może nie, może konfrontacji nie będzie — odpowiedział wymijająco Jan i natychmiast zmienił temat. — Zapłacicie zasądzony wyrok królowi Krakowa? Trzydzieści tysięcy?

— Królowi Krakowa nie zapłacimy. A królowi Polski nic nie jesteśmy winni.

— Pomorza nie zwrócicie?

— Trzymamy je zgodnie z prawem — spokojnie odpowiedział Schwarzburg.

— Sąd miał inne zdanie. Zapadł wyrok.

— Odwołujemy się.

— A jeśli Władysław Łokietek ruszy na was z wojskiem?

— To by ci pasowało, królu Czech — szepnął komtur, mrużąc oczy jak kocur. — Żeby stanąć przeciw Zakonowi, musiałby zebrać całe rycerstwo. Wojnę toczyłby na północy, a bezbronne południe zostałoby odsłonięte przed wami.

— Ciekawa wizja — mruknął Jan, maskując złość. Czy aż tak widoczne były jego plany?

— Może tak, może nie, może konfrontacji nie będzie — powtórzył jego własne słowa Zyghard.

— A może ja wystąpię do papieża, przedstawiając swoje prawa do Pomorza, które zajęliście? — Jan odgryzł się na Krzyżaku szybko.

Ten upił łyk wina, nie patrząc na króla i odpowiedział dopiero po chwili:

— Dyplomacja to najciekawsza ze sztuk, królu Janie. W poezji trzeba ściśle trzymać się rymów i miar, w malarstwie ukazywać sceny zgodnie z utartym wyobrażeniem, aby każdy, kto obejrzy malowidło, wiedział, kto jest Lancelotem, kto Arturem, a kto Panią z Jeziora. W fechtunku zemści się każdy nieuważny ruch. A w dyplomacji? Tyle możliwości, ilu graczy. Wejdź do gry o Pomorze, królu Janie, a zobaczymy, co z tego wyniknie.

— Grozisz mi, komturze von Schwarzburg?

— Przez myśl mi to nie przeszło, panie.

Jan czuł, że ze złości palą go policzki. Trawił jeszcze ostatnie zdanie Zygharda, szukając najcelniejszej odpowiedzi, gdy podeszli do nich książęta Świdnicy i Jawora. Skłonili się.

— Królu — powiedział Bernard — pozwól, że się pożegnam.

— Turniej się jeszcze nie zaczął! Chcecie zejść z pola, nim herold wezwie rycerzy? — zirytował się Jan. Dodatkowo rozjuszyło go, że odmowy słucha Schwarzburg.

— Mój brat będzie bronił honoru domu — uśmiechnął się Bernard. — Zapewniam, że książę jaworski cię nie zawiedzie.

— Czyżby? Gdy najechał Łużyce, też mi służył? A ty, robiąc ze Świdnicy twierdzę, dajesz powody do zaufania?

— Jestem niezależnym księciem i mam prawo na swej ziemi budować, co zechcę — odpowiedział Bernard.

— A ja sądziłem, że o Łużyce już się ułożyliśmy, królu — dopowiedział jego brat, Henryk.

— Owszem, ale nie wadzi wypomnieć — zaśmiał się nieoczekiwanie dla nich Jan. — Z jakiego powodu przedwcześnie opuszczasz turniej?

— Sprawy księstwa — wymijająco odpowiedział Bernard.

— Powiedz wprost — zachęcił pogodnie Jan. — Niech się dowiem od ciebie, a nie od cichych ludzi.

Teraz zaśmiał się Zyghard von Schwarzburg. Książę świdnicki był skonsternowany.

— Drobne rozruchy — niechętnie przyznał książę Bernard.

Tak, mógłby być sir Gawainem — zmierzył go Jan. — Wiernym i prawdomównym. Muszę go przeciągnąć na swoją stronę — zagrał w nim instynkt łowiecki.

— Może potrzebujesz królewskiej pomocy? — zaoferował.

— Nie trzeba, to zwykła sprawa. Dodam, by nie musieli koloryzować twoi wywiadowcy, bunt piekarzy. Wystarczy, że wrócę.

— Chleb powszedni — skinął głową Jan. — Zaproszenie do Pragi jest dla ciebie zawsze otwarte.

— Do Malborka również — nieoczekiwanie wtrącił się Schwarzburg.

— Doceniam królu — skinął mu głową Bernard i zwrócił się do komtura. — A wezwanie na krucjatę żmudzką podejmuję. Przekaż mistrzowi krajowemu, Zyghardzie von Schwarzburg, że zabiorę ze sobą najmłodszego z braci, Bolka. Marzy o zdobyciu pasa rycerskiego.

W Janie Luksemburskim zagotowało się. Pasy rycerskie miał rozdawać po Turnieju Zimowego Króla. Świdniccy bracia to zaplanowali. Nie przywieźli najmłodszego na turniej. Woleli pasować go u Krzyżaków?! Poczuł się jak myśliwy, któremu upatrzona zdobycz umknęła spod łuku.

— Ruszamy na Matki Boskiej Gromnicznej — uśmiechnął się komtur tak, jakby wyrwanie Janowi potencjalnych sojuszników nie znaczyło dla niego więcej, niż wypicie wina.

GRUNHAGEN nigdy nie powtarzał głupawego przysłowia o niewchodzeniu dwa razy do tej samej rzeki, bo w jego fachu zdarzało się, że dwa i trzy razy trzeba było zamoczyć gacie. Praga! Znów Praga. Znów Hradczany. Gdy tylko ujrzał Czarną Wieżę bramną, poczuł ból w szczęce. Mój pysk nie zapomniał — pomyślał, a przed oczami stanęła mu tamta noc, przed laty, gdy Eliška Premyslovna dębowym stołkiem omal nie złamała mu żuchwy. O święty Alojzy, cóż to była za rzeźnia. Rozbiła mu łuk brwiowy i krew lała się z niego jak z zarzynanego wieprza, amen. Minęły lata, a on wciąż na dźwięk klasztornego dzwonka czuje, jak rwie go obita nerka, i słyszy krzyk Kunhuty: „Diabeł w zgromadzeniu!".

Och, żeby chociaż był synem Diabła! Rany, nawet wnukiem. Mógłby nie martwić się klasztornym murem, kratami, kolcami róż w wirydarzu. Bogu dzięki, jest zima i przynajmniej róże owinięte słomą przed mrozem. A roboty tym razem nie spartaczy, nie i już. To prawdziwe zadanie jego życia, *opus vitae*, jak mawiał ten... ach, mniejsza z tym, i tak nie żyje.

Turniej Zimowego Króla ułatwił mu zadanie; sekretni ludzie lubią działać tam, gdzie kręcą się tłumy gości, bo straże tracą czujność, kto swój, kto obcy. Luksemburski synuś miał gest, zapusty wyprawiał z fantazją. Naspraszał książąt, hrabiów, błędnych rycerzy i dam. Grunhagen widział minstreli, linoskoczków, tresowane psy, jastrzębie ćwiczone do sztuczek, cały ten kram. Był w Pradze od kilku dni, nigdy nie działał „na sokoła" — pikowanie i atak. Do każdej roboty zabierał się starannie, a do takiej, jaka była przed nim, przyłożyć się musiał po dwakroć. Widział, jak goście Luksemburczyka przybywają, jakie zajmują kwatery, kto z kim spotyka się na stronie. Popracował z cieślami przy budowie trybun turniejowych i choć to on skrzywił daszek nad jedną, gdy król wymierzał karę, już był na Małym Rynku, między jarmarcznymi budami. Widział w tłumie kilku cichych ludzi króla Władysława, jednego wenecjanina, co robił dla króla Węgier, takiego jakby kanonika, który oficjalnie szpiegował dla papieża, a w istocie brał też zlecenia od Krzyżaków, odkąd on, Grunhagen, był zmuszony zaprzestać roboty dla nich.

Żelaźni bracia schodzą na psy — pomyślał, gdy zobaczył tego moczymordę z nierówno wygoloną tonsurą. — A mogli mieć na swe usługi lwa.

Teraz miał gdzieś żelaznych braci. Odłożył pewną sumkę i stać go było na spełnienie *opus vitae*.

A jednak mam łeb do łaciny. Łapię ją w lot — pochwalił się w myślach i ruszył. Lutowy zmierzch zapadał szybko, a wraz z nim chwytał lekki mróz. Martwił go świeży śnieg, bo wiadomo, śnieg — ślady, ale jeśli wszystko pójdzie jak trzeba, będzie czas i na zmylenie tropów. Od popołudnia nie opuszczał murów praskiego zamku, miał wszystko na oku. Przed nieszporami służki zabierały drewno, by po raz ostatni rozpalić pod piecem w klasztornej kuchni. Gdy sobie poszły, prześlizgnął się i ukrył w skrzyni worek. Zabrał z niego tylko to, co teraz niezbędne, i podważywszy kuchenne drzwi, wszedł do pomieszczeń gospodarczych. Owionął go zapach duszonej kiszonej kapusty i już wiedział, co mniszki jadły na ostatnią wieczerzę. Na chwilę schował się w spiżarni, bo do kuchennej sieni ktoś wbiegł. Był tu przedwczoraj, gdy sprawdzał teren, więc teraz po omacku wlazł na beczkę, pewnie wyciągnął rękę i trafił na połeć wędzonego boczku. Zdjął go z haka zręcznie jak kot. Zatopił zęby w wędzonce.

Jezu — jęknął — benedyktynki to potrafią z mięsa wykrzesać cuda.

Podjadł, bo nic tak nie koi nerwów jak pełen żołądek, i odłożył, bo przecież nie przyszedł tu, by łasować w klasztornej spiżarni. Oblizał palce, wytarł je dla pewności w kaftan, żeby się nie ślizgały i cichutko zlazł z beczki.

W tej samej chwili usłyszał dzwonek wzywający mniszki na kompletę, ostatnią modlitwę liturgii godzin. To był jego czas. Teraz, gdy benedyktynki podążyły do kościoła, musiał się dostać na miejsce. Opuścił wonną spiżarnię i bezszelestnie ruszył ku klasztornym korytarzom. Nie potrzebował światła. Znał ich rozkład na pamięć.

Nic tu się nie zmieniło przez ostatnich dziesięć lat, no, prawie nic — skonstatował, zaglądając do pustego dormitorium. — Wtedy było piętnaście łóżek, dzisiaj tylko trzynaście. Ha, teraz w modzie cysterki, nie benedyktynki, odkąd *bis regina* klasztor w Brnie zakłada.

Bis regina. Korytarz za kratą. Kłódkę zmieniły, wiadomo, po takiej sprawie. Jego uwagę przyciągnął pasek bieli przy kracie i jednocześnie instynktownie poczuł gorąco. Tam ktoś jest. Nie ktoś, mniszka, to biel podwiki pod welonem. Mniszka za kratą? Po stronie cel gościnnych królowej i jej córki?

O jasna dupa — zrozumiał przerażony. — Ona na mnie patrzy.

Nie miał w planach zabójstwa, ale jeśli będzie zmuszony, zniszczy świadka. Nie pozwoli, by *opus vitae*...

Zwinnie doskoczył do kraty i unosząc głowę, spotkał się z mniszką oko w oko. Od razu zrozumiał, że gdzieś ją widział, więcej, rozmawiał z nią. I to nie było tutaj, podczas nieszczęsnej akcji przed laty. Widział ją w innym stroju i w zgoła odmiennej sytuacji.

— Uczennica Jakuba de Guntersberga — wyszeptał do niej.

— Zielonooki karzeł Grunhagen — odpowiedziała mu, jakby to był odzew na hasło.

— To prawda, że Jakub nie żyje? — spytał szybko o coś, co dręczyło go od dawna.

— Odszedł do Domu Ojca — odpowiedziała.

— Wieczny odpoczynek. Co tu robisz? — szepnął gniewnie.

— Nie wchodzę ci w drogę — odrzekła bez wahania i jakby nieco grzeczniej.

— Skąd wiesz, gdzie wiedzie moja?

— Przyjechałam wcześniej. Na obserwację.

Umysł pracował mu jak błyskawica. Przypomniał sobie karczmę pod Pragą przed laty i groźbę wypowiedzianą przez rywala: nie wolno ci przyjąć zlecenia na Rikissę. A więc tak, ta dziewucha strzeże *bis reginy*. Trudno, widać w mokrej robocie się nie sprawdziła, przesunęli ją na ochronę. Dziwne, bo miała zadatki. Młodego Václava Przemyślidę zrobiła wybornie. No, ale w tym fachu nie ma miejsca na wpadki. Nie każdy, jak on, wytrzyma to napięcie trzymające latami.

— A zatem, moja panno — powiedział do niej niczym wujek — ty rób swoje, a ja swoje. Dzisiaj nasze ostrza nie skrzyżują się. Czas na mnie.

Kiwnęła mu głową, jak uczennica mistrzowi. Ruszył ku swemu przeznaczeniu, ale nim uszedł trzy kroki, usłyszał za plecami jej szept:

— Masz coś na bucie, panie. Zostawiasz ślady.

Spojrzał pod nogi. Co to? Psiamać. Musiał w wątrobiankę wdepnąć w spiżarni. Przylepiła się do buta i wygląda, jak wiadomo co.

Skrajem płaszcza otarł podeszwy. Powinno wystarczyć. Chwilę później był pod drzwiami celi. Tej celi. Pchnął je, ustąpiły. Wszedł, zamknął i dopiero teraz poczuł, że serce wali mu jak młotem. Nie było czasu do namysłu. Z dziedzińca klasztoru rozległ się trzykrotny dzwonek, znak, że mniszki wracają do cel. Rzucił się pod jej łóżko. Wpełzł głębiej. Przywarował.

Powinna już tu być — pomyślał po chwili. Nie chciał czekać. Bał się niepewności, która teraz dopadła go nagłą falą. Obraziła się. Zapomniała o mnie. Jej serce skradł inny. Nigdy jej się nie podobałem. Źle odczytałem znaki.

Drzwi celi skrzypnęły i usłyszał głos Kunhuty:

— Dobranoc, siostro Berto.

I cisza. Nie odpowiedziała jej. Chwilę stała w drzwiach, a potem zamknęła je cicho i ze świecą w ręku ruszyła w stronę łóżka.

Wciąż ma takie maleńkie stopy — rozczulił się Grunhagen, wpatrując w idące ku niemu, znoszone buciki. Odstawiła świecę i lekko przysiadła na skraju łóżka. Zzuła buty, nóżką pomagając nóżce. Zobaczył to, co śniło mu się przez ostatnich dziesięć lat: jej różowe pięty. Poruszyła palcami u stóp. Oddychał głęboko. Był w domu. Wszystko, o czym marzył, czego pragnął, było tuż przed nim, na wyciągnięcie ręki. Błogość rozpierała mu piersi. I poczuł, że mógłby do końca życia leżeć pod jej łóżkiem i patrzeć na te nogi. Różowe pięty, drobne, ach, jakie drobniutkie paluszki. Opuchnięte kostki.

Wstała, przerywając jego miłosną litanię. Wziął się w garść. Przybył, by ją porwać, uwolnić i mieć na własność, a nie po to, by tkwić pod łóżkiem jak nocnik. Uszła kilka kroków, zdjęła płaszcz, przerzuciła przez oparcie krzesła. Przekręcił się, by mieć łatwiejsze wyjście. Wyczekiwał, aż zdejmie habit. Już. Czarna wełna zakonnej sukni zsunęła się na podłogę. Teraz.

Zwinnie wyczołgał się spod łóżka i bezszelestnie skoczył do niej, stojącej tyłem. Lewą ręką zamknął jej usta, prawym ramieniem chwycił za ramię i odwrócił ku sobie.

Błękitne oczy Berty były szeroko otwarte. W pierwszej chwili przerażone. W drugiej zaskoczone. W trzeciej uniosła brwi, a jej źrenice stały się gniewne.

— To ja, skarbie, to ja — szeptał uspokajająco. — Kiwnij głową, że poznajesz.

Kiwnęła.

— Chciałbym się z tobą przywitać, ale boję się, że krzykniesz...

Zaprzeczyła gwałtownym potrząśnięciem głowy. Jasna grzywka wpadła jej do oczu.

— Puszczę twoje usta, Berto — mówił do niej jak do dziecka — a ty obiecaj, że będziesz cicho...

Kiwnęła głową.

Powoli odjął rękę od jej ust. Oswobodzona wzięła głęboki oddech i syknęła:

— Długo kazałeś na siebie czekać!

Wpatrywał się w nią w zachwycie. Chłonął krótką, zadziorną bródkę, nosek mały, lekko zadarty, jasne rzęsy i brwi niemal przezroczyste.

— Wybacz, najpiękniejsza... każdego dnia o tobie myślałem...

— Piekielnie wolno myślisz — fuknęła szeptem. — Dwanaście lat. Wiesz, ile to dni i nocy, karle?

— To dwanaście, nie dziesięć?... Dlaczego wyzywasz mnie od karłów? — poczuł się dotknięty. Jego najbardziej na świecie kręciło to, że ona i on są tacy sami.

— Bo karły są cwane — rzuciła mu prosto w twarz. — Przebiegłe i cwane.

Nie rozumiem kobiet — jęknął Grunhagen w myślach.

— Przez ciebie musiałam złożyć śluby milczenia. Żeby pary z gęby nie puścić. Czekałam na ciebie, bo obiecałeś. Ale tyle lat?! Wtedy byłam dziewczyną, dzisiaj jestem już...

Nie czekał na kolejne słowo. Złapał ją za podbródek, przyciągnął i pocałował w bluźniące mu miłośnie usta. Wargi Berty były miękkie. Z początku nieśmiałe, ale po chwili otworzyły się przed jego ustami. Więcej, język karliczki zawędrował do jego ust i stał się wręcz łapczywy w pocałunku, który nie miał sobie równych i mógłby trwać latami. Grunhagen rozpłynął się, ale Berta oderwała się od jego ust nagle i jęknęła rozkosznie.

— Smakujesz wędzonką. Jak owoc zakazany. Będziemy tak stać? — szturchnęła go. — Dalej, musisz mnie wykraść, nim zadzwonią na jutrznię. Bierz się do roboty.

Co za kobieta — pomyślał z uznaniem.

— Berto — wziął się za to, co najtrudniejsze. — Musisz być pewna. Gdy opuścimy mury klasztoru, nie będzie odwrotu.

— Czekałam dwanaście lat, głuptasie! — uszczypnęła go w policzek.

— W tym rzecz — ciągnął poważnie. — Nie jestem już taki młody jak wtedy. Mam swoje lata.

— Im kocur starszy, tym ogon twardszy — wzruszyła ramionami. — Tak mówił dziadziuś.

— Dobrze, ukochana. Czy zgodzisz się wyjść za mnie i spędzić wspólnie resztę dni naszych? W małym domku na uboczu? Z sadem wiśniowym, z grządką kapusty, kozą, stadkiem kur i krową z cielakiem. Z miodem z własnej pasieki i...

— Tak — kiwnęła głową szybciutko. — Zgadzam się. Ale bez kozy, bo się boję, że będzie bodła.

— Dobrze, może być bez kozy.

— I kur się brzydzę — dorzuciła, nieco psując jego sielankowy obrazek.

— A kaczki?

Pokręciła głową.

— Nie, bo taplają się w błocie, a ja nie lubię błota. Tylko że jajka lubię — zatroskała się nagle.

— Ukochana. Zajmiemy się tym, jak mieć jaja bez kur i kaczek, tylko najpierw bezpiecznie opuśćmy klasztor. Posłuchaj...

— Nie, to ty posłuchaj, karle. Wszystko zaplanowałam. Ja wyjdę w habicie — to mówiąc, już się po niego schyliła i zręcznie zaczęła wciągać. — Ty założysz drugi, mam odłożony w skrzyni. Ruszymy teraz, gdy siostry śpią, a służba nie zaczęła pracy. I żadnego skakania przez mury, bo się potłukę. Mam wszystkie klucze, odtworzymy furtę, zamkniemy furtę i po prostu znikniemy w nocy. Spakowana jestem od dawna, w końcu czekałam na ciebie dwanaście lat, zdążyłam się przygotować. No co? Przebieraj się!

Patrzył zdumiony, że ona już ubrana, z węzełkiem w dłoni, chowa grzywkę pod welon.

— Dlaczego mówisz do mnie „karle"? — wyszeptał, co leżało mu na sercu.

Odrzuciła skromny bagaż, skoczyła ku niemu i przytuliła się do jego piersi.

— Głuptasie... No bo nie wiem, jak ty masz na imię...

Wyszli z klasztoru, jak wymyśliła Berta, cicho, bez świadków. O ile nie liczyć dziewczyny w habicie, dawnej podopiecznej Guntersberga, dyskretnie strzegącej przejścia do *bis reginy*. Skinęła Grunhagenowi głową na pożegnanie, on machnął jej ręką i był pewien, że teraz go podziwiała. Pewnie, rozpierała go duma. Jego kobieta pamiętała, tęskniła i czekała, jak te panny mądre, z oliwą i lampą. W tym przypadku z pękiem kluczy do klasztornych zamków i kłódek.

— Naszykowałem dla nas przebrania — szepnął Bercie i wskazał na skrzynię z drewnem.

— Jakie? — spytała ciekawie.

— Kolorowe — odpowiedział z wahaniem, bo teraz już nie wydawały mu się tak dobre. — Dla ciebie takie szerokie portki, czerwone z zielonym i juka, i beret z łatek...

— Co?!

— Są zapusty, skarbie — wyjaśnił jej. — Król Jan widowiska urządza i pomyślałem, że gdy się ustroimy jak jarmarczne karły, to się wtopimy w tłum...

— Widzisz tu jakiś tłum? — Spojrzała na niego krytycznie. — Co wzbudzi większe zdziwienie: wychodzące z klasztoru jarmarczne karły czy zwykłe zakonnice? Zakładaj kaptur i otwieram furtę.

Przyznał jej rację i pomyślał, że jak tylko opuszczą Pragę, zdąży jej zaimponować nie raz, a wiele razy. Nadrobi, co stracone. Może tak musi być, że póki są w klasztorze, inicjatywa należy do niej.

Furta skrzypnęła cicho, gdy ją zamykali, ale w zaułku było pusto. Z dala dochodziły śmiechy pijących królewskie wino straży. Ruszyli w stronę Czarnej Bramy. Ich kroki tłumił śnieg. Ponad nimi rozpościerała potężne konary zamkowa lipa. Zaczęło sypać płatkami.

— Jak biało — szepnęła Berta. — Jak bia...

Upadła na śnieg, niczym ścięta kosą, a on zobaczył tylko biały płaszcz i kolano, które przygniotło jego Bertę do ziemi. Ktoś chwycił go za gardło i uniósł lekko, jakby był piórkiem.

— Poznajesz mnie, Grunhagen? — spytał Krzyżak.

— Tak — wycharczał i zdobył się na błaganie. — Zostaw ją.

— Wykradasz przeoryszy ulubioną zakonnicę? Czy to nie świętokradztwo?

Żelazne palce Krzyżaka miażdżyły mu krtań, wiedział, że jego kolano to samo musi robić z plecami Berty. Dobrze, że upadła na brzuch — przemknęło mu przez głowę. — Nie widzi mego upodlenia.

— Nie — szepnął, dławiąc się.

Dlaczego teraz? — pomyślał z rozpaczą. — Gdy chciałem odejść z fachu i ułożyć sobie życie?

— Zrób to szybko — poprosił.

Uścisk palców zelżał.

— Zależy ci na niej? — spytał Krzyżak.

— Bardziej niż na życiu — odpowiedział szczerze i rozkaszlał się.

— Więc słuchaj. Słuchajcie — zwrócił się do leżącej na śniegu Berty. — Słyszysz mnie, dziewczyno? To kiwnij głową.

Nie widział, czy kiwnęła, bo Krzyżak wciąż trzymał jego twarz, tyle że przestał go dusić.

— Dam wam szansę na spokojne życie. Dam wam nawet na nie trochę srebra.

Na śnieg upadł mieszek. Grunhagen po dźwięku oszacował, że srebra jest więcej niż trochę.

— Opłata za uśpienie? — zaryzykował pytanie.

— Nie. Nagroda za pracę. Pojedziecie do Krakowa, zbliżysz się do Łokietka.

Grunhagen jęknął w duchu. Kolejny raz do tej samej rzeki.

— Jak ma zginąć? — spytał.

Palce Krzyżaka znów zacisnęły się na jego gardle.

— Głupiś — zaśmiał się rycerz. — Nie płacę za jego śmierć. Płacę za życie. Masz strzec małego króla, rozumiesz?

— Rozumiem — potwierdził, choć nie rozumiał.

— To wypłata za rok z góry. Za każdy kolejny płacę o sztukę srebra więcej. Pojąłeś?

— On jest stary — próbował negocjować Grungahen. — Co poradzę, jeśli zachoruje?

— Będziesz go leczył, jak braci w infirmerii — głucho zaśmiał się Krzyżak. — Albo was odnajdę i ci ją odbiorę.

Berta pisnęła jak kocię.

— Masz wybór, karle. Między tym, co kochasz, a tym, co nieznane. Latami odbierałeś życie, teraz masz je chronić.

— Już wybrałem — zapewnił szybko i poczuł śmierdzącą woń własnego potu.

Krzyżak wstał, puszczając ich.

— Wyjdźcie przez Czarną Bramę, podając hasło „zapusty". Jutro musicie być poza Pragą — powiedział i zniknął tak nagle, jak się pojawił.

Karzeł osunął się na śnieg. Usiadł i ukrył twarz w dłoniach. Po chwili poczuł krótkie ramiona Berty oplatające jego plecy. Jej głowę na swym barku.

— I co teraz będzie, Grunhagen? — spytała cichutko.

— Nic się nie bój, mała — pogłaskał ją po dłoni. — Zrobię, co kazał, i wszystko będzie dobrze. Teraz tylko muszę wrócić i zadeptać nasze ślady.

HENRYK Z LIPY wyłuskał tylko chwilę, by być sam na sam z Rikissą. Spotkali się w składzie z suknem Velfoviców z Pragi. Miał z nim stare porachunki, co oznacza, że coś ich jednak łączyło i Jakub Velfovic powinien spłacić dług. Lipski kazał mu zamknąć skład i rozgadać, że królowa wdowa chce w spokoju obejrzeć jedwabie, wzorzyste samity, a nawet zwykłe sukna na wiosenne płaszcze dla służby. Przed wrotami dla pewności postawił Rosena, swego zaufanego zbója.

Zachłysnął się Rikissą, gdy tylko sprawdził, że są sami.

— Nigdy cię nie widziałem — mruknął, całując jej szyję.

— Ja też cię nie poznaję — szepnęła, wsuwając chłodną dłoń pod zapięcie jego kaftana.

— Uhm. Gdy cię widzę wśród obcych, wydaje mi się, że znów będę musiał o ciebie walczyć — próbował rozsupłać wiązanie jej sukni. Skarciła go spojrzeniem.

— Wśród obcych? — zakpiła pieszczotliwie. — Ty znasz ich wszystkich, Henryku, lepiej niż oni siebie znają.

Nie odpowiedział, zajęty tym wiązaniem. Bardziej rozwiązaniem.

— Tutaj? Nie igraj z ogniem. — Tym razem skarciła go, odsuwając się. — Nie jesteśmy u siebie, kochany. To, że ludzie znoszą nasz związek, nie znaczy, że go popierają. Przyjechałam z córką.

Spróbował jeszcze raz, mrucząc:

— A ja z czterema synami…

Pocałowała go w czoło, pojął, co to znaczy, i odsunął się niechętnie w stronę szorstkiego sukna. Potarł brodę.

— Nikt nie wie, co stało się z małą zakonnicą. Straże nic nie widziały, nic nie słyszały.

— Ciekawe, czy teraz słyszą głośny lament Kunhuty — mruknęła. — Co ja mówię. Anežka i ja spałyśmy tam i też nic do nas nie dotarło. Panny służebne mówiły tylko, że nocą szczur grasował w spiżarni, ale to nie on zabrał mniszkę. Wyobrażam sobie, że uciekła z kochankiem.

Spojrzał na nią pobłażliwie, choć wiedział, że tego nie lubi. Zakonnice mogą mieć kochanków, czemu nie, ale nie karlice.

— Jeszcze cztery dni i wracamy do Brna — powiedział. — Niech ten głupi turniej się skończy.

— Mówiłeś z królem, by nie stawał do walki? — spytała, zerkając w kierunku cennych samitów. Mimowolnie pogładziła belę ciemnozielonego.

— Zwykły materiał ma lepiej niż ja — poskarżył się. — Zasłużył na pieszczotę.

Spojrzała na niego kpiąco i puściła mu oko.

— Nie odpuści — odpowiedział na jej pytanie. — „Król" — powiedział mi, jakby odkrywał jakąś biblijną mądrość — „musi dawać swym ludziom nie tylko poczucie bezpiecznego życia, ale przynależność do chwalebnej wspólnoty".

Rikissa przesunęła palcami po beli materiału i spojrzała na niego, mówiąc:

— On ma rację.

— Wiem — niechętnie przyznał Lipski. — Wojny skończone, kraj bezpieczny. Luksemburski synek może podróżować od króla Francji do króla Niemiec, bywać, pokazywać się i bawić w monarchę. Jedyne, co go ogranicza, to skarbiec. Na każdą ze swych eskapad potrzebuje czeskiego srebra, a kopalnie to nie krowy dojne. Długi królewskie rosną. Nawet nam…

Chwyciła go za dłoń i kciukiem potarła jej wnętrze.

— Przestań — powiedziała łagodnie. — Wiem, ile jest nam winien, ale nas zabezpieczyłeś.

— Chcę powiedzieć, że wymyślił ten turniej, nie tylko, by olśnić zagranicznych gości, ale by wyciągnąć srebro z czeskich skarbców. Pokazać, co znaczy być królem i że to kosztuje. — Zabrał dłoń z jej ręki. — Nie podoba mi się to, Rikisso — oświadczył twardo. Nabrał powietrza, wypuścił i dodał: — Coś jest nie tak. Coś mi nie pasuje.

— Co masz na myśli? — nie dała za wygraną i znów dotknęła jego dłoni, jakby chciała go uspokoić.

— Król zwołał drużyny turniejowe wcześnie rano i wyjechał z nimi za mury. Zapowiedział, że wrócą dopiero na turniej.

— Który z twych synów weźmie w nim udział? — spytała, głaszcząc jego twarde palce.

— Wszyscy — odpowiedział, zaciskając szczęki.

Dłoń Rikissy znieruchomiała.

— Cenek, Jan i Pertold? — sptała cicho.

— Tak — odpowiedział. — I mój następca, Henryk Junior.

Przez chwilę milczeli. Nie musiał jej mówić, że sam ich do tego zachęcał miesiąc temu, gdy król ogłosił turniej. Powiedział chłopakom: „Pewnie, czemu nie. Pokażcie Luksemburczykowi, jak walczą Czesi". A gdy przyjechali do Pragi, gdy zaczął się ten młyn z gośćmi, niezliczonymi książętami Śląska, z których każdy każdemu chciał wydrapać oczy, z posłami Habsburgów, Wittelsbachów, Karyntczyków i krzyżackim komturem, z ukrytymi wśród nich szpiegami niezaproszonych władców... Prawda, zapomniał. Spuścił turniej z oka. Nie, nieprawda. Potraktował lekceważąco, jak chimeryczną rozrywkę rozwydrzonego króla. I dopiero dzisiaj, kiedy Jan wezwał rycerzy o świcie, coś zadudniło w jego głowie niespokojnym rytmem. Przełknął ślinę, mówiąc:

— Obawiam się, że Luksemburczyk ma plany tak szerokie, tak dalekosiężne, że...

Przerwało mu gwałtowne walenie do drzwi składu.

— Obyś się mylił — szepnęła Rikissa, ściskając jego rękę.

RIKISSA siedziała na honorowym miejscu trybuny dla gości, pod daszkiem okrytym ciężkimi proporcami Luksemburgów i Przemyślidów. Obok niej Anežka i księżna Małgorzata, najmłodsza siostra królowej Eliški, żona księcia brzeskiego Bolesława, którą siedzący za nią mąż ściągnął do Pragi w pośpiechu dzień wcześniej. Nawet to wydało się teraz Rikissie podejrzanym, choć darzyła Małgorzatę sympatią większą niż jej obie siostry. Ilekroć na nią patrzyła, wspominała swego ojca, króla Przemysła. Porwano i zamordowano go w ostatni dzień zapustów, w tę ciemną chwilę przed świtem, gdy wezwanie „z prochu powstałeś, w proch się obrócisz" jeszcze nie zabrzmi przed ołtarzem Pańskim. Małgorzata przyszła na świat w pierwszych dniach Wielkiego Postu, ale opowiadano, że jej matka zległa do porodu w środę popielcową nad ranem, tego samego roku, gdy na śniegu za Rogoźnem konał Przemysł. Więc ilekroć Rikissa spojrzała na nią, widziała koło Fortuny, które obraca się nieustannie. Śmierć, narodziny, śmierć, narodziny. Wstrząsnął nią dreszcz, gdy na puste pole turniejowe wtoczyło się barwne koło z akrobatą w środku. Toczył je karzeł przebrany za dziewkę.

Odwróciła głowę z niesmakiem. Nikt nie lubi, gdy życie ilustruje chmurne myśli. Kolejna, która do niej dopadła, przypominała, że jej ojciec zginął w noc po turnieju. Otrząsnęła się. W ten sposób nie dotrwa do wieczora.

Zagrały turniejowe rogi i na plac zaczęli dwójkami wjeżdżać rycerze. Furkotały proporce, a na nich herby rodów. Sokoły, kozie łby, złote lance, pnie lipy, snopy, pasy. Czerwień, błękit i żółć. Za nimi popłynęła czerń skrzydeł śląskich orłów. I pyszne lwy Luksemburgów.

Rycerze w pełnym rynsztunku ustawiali się w czworobok wokół rynku.

— Zaraz zabraknie miejsca — mruknął Lipski za jej plecami. — Ten marny płot nie wystarczy, konie stratują go zadnimi nogami.

Jak na potwierdzenie jego słów potężny ogier jednego z głogowskich braci z kwikiem nastąpił na ogrodzenie i w złości kopnął je, obnażając zęby. Książę opanował konia, ale drewniana balustrada przewróciła się na stojących najbliżej gapiów. Słudzy króla podbiegli i cieśla próbował naprawić ogrodzenie oddzielające uczestników od widzów. Jakiś pies przedostał się na pole turniejowe i zaczął ujadać na konie, te parskały gniewnie; psiarczyk, co skoczył, by złapać psa, zawył kopnięty w głowę.

— Jest ich za dużo — powiedział Lipski i słyszała w jego głosie złość pomieszaną z lękiem. — Potratują się wzajemnie.

Miał rację, ale nie chciała potęgować jego niepokoju. Gdy tylko domknięto ogrodzenie, na placu się uspokoiło. Na środek wyjechał wysoki Henry de Mortain, którego Jan ustanowił heroldem turnieju.

— W Turnieju Zimowego Króla udział wezmą tylko rycerze bez skazy! — krzyknął de Mortain. — Ich pochodzenie zostało sprawdzone i nie budzi wątpliwości. W *mêlée* staną naprzeciw siebie dwie drużyny...

— Nie... — jęknął za nią Lipski. — Czy on oszalał? Chce robić bohurt na miejskim rynku?! Od tego są błonia pod miastem, łąki, pola, Chryste Panie!...

Odwróciła się ku niemu, pytając:

— Możemy temu zapobiec?

Miał niespokojne oczy, zaprzeczył.

— Ośmieszylibyśmy króla.

— Henryku — chwyciła go za połę płaszcza. — Jan brał udział w turniejach. Wie, jak to się może skończyć...

— Czułem, że coś jest nie tak z turniejem, ale w najgorszych myślach nie przyszło mi do głowy, że w Pradze, na rynku, zrobi walkę zbiorową. Czekaj — wskazał na herolda. — Słuchajmy, co mówi.

— ...drużyna króla Jana będzie bronić miasta, a Henryka Juniora z Lipy szturmować bramę piwowarów...

— Co to ma znaczyć? — spytała, mając w pamięci turniej w Hradcu, który urządziła na cześć Jana. Wtedy młody król wyzwał na pojedynek Henryka, a ten, chcąc uniknąć niezręcznej sytuacji, kazał stanąć swemu synowi. Junior przegrał z Janem w walce na kopie.

— Nienajgorsze rozwiązanie piekielnej sytuacji — szybko odpowiedział Lipski. — Drużyny nie zewrą się na rynku, ale pójdą do bramy — odetchnął. — Junior jest opanowany, nie narobi szkód.

— A jeśli będzie się chciał na Janie odegrać za Hradec? — spytała.

— Nie zrobi tego. Nie jest głupi.

Nie odpowiedziała, ale pomyślała, że owszem, jest nad wiek rozsądny, lecz ma ambicje i nerw do walki, który może go ponieść.

— ...szturm trwać będzie do trzech wezwań i zakończy się pojedynkiem na rynku — mówił dalej donośnym głosem de Mortain. — Jeśli przed trzecim rogiem Rycerze Śniegu zdobędą bramę i ich wódz wygra pierwszy pojedynek, zostaną zwycięzcami złotego wieńca. Jeżeli zaś zdobędą bramę, przegrają pierwszy pojedynek, ale zwyciężą w drugim, zdobywając srebrny wieniec. A jeżeli...

— Chłopięce zabawy — prychnął pogardliwie Lipski, oceniając zawiłe zasady turnieju.

— Przeciwnie — wziął w obronę turniej książę Bolesław. — Dobra szkoła walki.

— Prawdziwa wojna tak nie wygląda — żachnął się Henryk. — Nie obronisz bramy, ale wygrasz trzy pojedynki i co? Miasto twoje? Bzdura. Mieszanie w głowach młodym. Wiem, co mówię. Broniłem Kutnej Hory i zdobywałem ją. Płaciłem krwią.

— Chyba lepiej, marszałku — odezwała się księżna Małgorzata — że młodzi mają szansę zdobyć pierwsze szlify w bezpiecznej, turniejowej walce?

— Bezpiecznej? — ostro odpowiedział Lipski. — Na turniejach też leje się krew. Tyle że na darmo.

— Dla sławy i nagrody — roześmiał się książę brzeski. — Dla uwielbienia dam.

Na środek wyjechał wywołany przez herolda Henryk Junior. Podjechał do trybuny i skłonił się ślicznej Agnieszce von Blankenheim, ledwie co poślubionej żonie, którą wyswatał mu sam król, wywyższając i włączając młodego Lipskiego w krąg własnej rodziny. Agnieszka zapatrzona w męża rzuciła mu rękawiczkę, on złapał ją, ucałował i zatknął za napierśnik zbroi.

— W Turnieju Zimowego Króla rycerze gromadzą się pod Sztandarem Śniegu i Proporcem Lodu. Śnieg symbolizuje szturmujących — zawołał Henry de Mortain i do boku Juniora dołączył konno chorąży. Na błękicie sztandaru lśnił srebrny śnieżny płatek.

Rikissa mimowolnie spojrzała w niebo. Zdawało się czyste, bezchmurne, a mimo to słońca na nim nie było, jakby schowało się za niewidzialną mgłą. Chłodny wiatr szarpnął śnieżną chorągwią i płatek załopotał na wietrze.

Płatek — przypomniała sobie. — Tak miał na imię giermek mego ojca. Przeżył zamach, ale się powiesił, dręczony wyrzutami sumienia jak Judasz.

De Mortain wywoływał imiona rycerzy z drużyny Juniora.

— Książę Henryk Jaworski...

Mąż Anežki wyjechał, biały ogier turniejowy zatańczył przed trybuną honorowych gości. Jej córka miała dla niego przygotowany wianek. Z białych jedwabnych lilii zdobionych perłami. Anežka przy każdej okazji dawała znać mężowi, że jeszcze nie nadszedł jej czas na dopełnienie małżeństwa.

— Mężny i miły! — zawołała do niego, wstając. — Przyjmiesz wianek?

— Mógłby ci go wreszcie zerwać — zaśmiał się tubalnie książę Bolesław zza pleców Małgorzaty Przemyślidki.

— Honorowi rycerze biorą tylko to, co dają im damy — odpowiedziała za córkę Rikissa. Małgorzata podziękowała jej spojrzeniem, Bolesław pokraśniał, co znaczy, że nie zrozumiał.

Henryk Jaworski złapał wianek i ucałował z czcią jedwabne płatki.

— Dziękuję mojej pani! — odpowiedział i spojrzał nie na żonę, lecz na Rikissę.

Myśli, że to ja powstrzymuję córkę przed wyjazdem do niego — skonstatowała. — Niech tak będzie. Niech nie żywi do Anežki urazy.

Herold coraz szybciej wyczytywał nazwiska rycerzy. Jan i Cenek, młodsi z synów Lipskiego.

— Pertolda zostawił u siebie — skwitował podział Lipski. — Cwane zagranie.

— Dziedzice Głogowa! Henryk, Jan, Konrad, Przemko — wywołał kolejnych de Mortain i czarne śląskie orły stanęły za plecami Henryka Juniora.

Potem wyjechali rycerze przysłani przez króla Niemiec, księcia Karyntii i Habsburga. Siedzący za jej plecami Lipski położył obie dłonie na ramionach Rikissy i zbliżył się do jej ucha.

— Najmocniejszych wystawił do drużyny Juniora. Kogo weźmie do swojej?

Przy dźwięku rogów „Rycerze Śniegu", jak nazwał ich herold, ruszyli do miejskiej bramy, a na plac wyjechał on.

— Król Czech, Jan Luksemburski!

Wyglądał doskonale, jakby urodził się w siodle i zbroi. Leżała na nim lekko, lepiej niż na niejednym miękki kaftan. Poruszał się w niej z gracją, bez cienia sztywności. Lipski musiał widzieć to samo, co ona, bo po prostu zamilkł. Za to goście wiwatowali, a gdy przy boku króla załopotała chorągiew z iskrzącym od złota i srebra ostrym soplem lodu, w publice obudził się istny szał. Jan był wcieleniem młodości, piękna, godności.

— Król Jaaaan! Naaasz król Jaaaan!

— Lew z Luksemburga!

— Leeew z Pragiii!

— Niech żyje Jan! Niech żyje Jan!

Uciszył zebranych, objeżdżając turniejowy plac z uniesioną wysoko prawicą. Stanął przed trybunami.

— Król nie walczy w imieniu żadnej z dam! — zawołał wesoło. — Król walczy za całą Pragę! Ale szkoda iść w bój bez wstążki! Królowej Eliški nie ma z nami, więc moją Pragą będzie dzisiaj druga i podwójna królowa…

Przeszył ją chłód.

— ...kiedyś zwana Hradecką Panią, dzisiaj Brneńską Panią, Eliška Rejčka — dokończył tryumfalnie Jan, patrząc na nią lub na Lipskiego za jej plecami.

Wstała, powoli zdjęła rękawiczkę. Odwróciła się od króla i podała ją Lipskiemu. Przez tłum przeszedł szmer. Ogier króla zatańczył gniewnie.

— Kocham cię, nie musisz... — szepnął naprawdę cicho Lipski.

Teraz z nagiej dłoni zsunęła obrączkę ze szmaragdem. Tę, którą na uczcie podarował jej Jan. I skinęła głową giermkowi króla, by ją odebrał i podał panu.

Tłum zaskandował:

— Eliška Rejčka i król Jan!

Luksemburczyk zmrużył oczy. Lipski za jej plecami znów zaczął oddychać. Doceniła i ukarała króla, odbierze to tak, jak zechce.

— Powodzenia, wodzu obrońców! — zawołała. — Powodzenia, Drużyno Lodu!

Lud Pragi krzyczał, od niej nie chciał odejść chłód i wspomnienie rozmarzającego ciała ojca w poznańskiej krypcie. Ciepły dotyk palców rozproszył złe wizje w jednej chwili. Anežka chwyciła ją za dłoń i uścisnęła. Moje dziecko — czule pomyślała Rikissa i nie zastanawiając się, czy patrzą i co wtedy widzą, pochyliła ku córce i pocałowała ją.

Dziedzice Wrocławia nie stawali, w ich imieniu walczyli rycerze.

— Bolesław jest za gruby, Władysław szalony, a Henryk zbyt rozsądny — skwitował to Lipski, nie bacząc, że „gruby" siedzi przy nim i krzyczy:

— My w drużynie króla Jana! Jaaanaaa!

— Król Jan — przebił się przez zgiełk z trybun Henry de Mortain — ceni honor. Wybrał do swej drużyny młodych, nieznanych rycerzy, by dać im szansę wykazania się w turniejowym znoju.

Jan ruszył konno przed szeregiem czekających na wywołanie rycerzy.

— Po turnieju najlepszych z was wybiorę do osobistej drużyny! — zawołał, patrząc na nich kolejno. — Nagrodzę hojnie i obdaruję rycerskimi pasami!

Poczuła, jak Lipski za jej plecami drgnął, i usłyszała jego mściwy szept:

— Zrobił to...

— Pertold z Lipy, Vanek z Vartemberka... — wywoływał imiona herold.

Syn jego najlepszego druha — pomyślała, choć jeszcze nie miała pewności, co miał na myśli Lipski.

— Markwart, Zavis, Beneš, Hynek — padały kolejne imiona dziedziców pomniejszych czeskich możnych. — Ulrik, Chval, Libos, Czabak, Zwonimir...

Sami młodzi, wielu synów dawnych towarzyszy Lipskiego, tych, co polegli w poprzednich wojnach. I synowie jego dawnych wrogów. Kwiat czeskiej rycerskiej młodzieży. Teraz zrozumiała. Jan Luksemburski zapraszając tych chłopców do swej turniejowej drużyny, odbierał ich Lipskiemu. Wyciągał z orbity jego wpływów. Gdy więc na niedawnej uczcie mówił do Henry'ego de Mortain: „Mogę spokojnie reprezentować Czechy na zagranicznych dworach, bo tu, na miejscu, moich strzeże Henryk z Lipy", mamił ich. Wiedział, co zrobi. Tak, Lipski ma strzec Czech, ale za rok czy dwa czescy panowie będą należeli wyłącznie do Jana. Nie mogła się odwrócić do ukochanego, bo nie chciała, by dostrzeżono jej konsternację. Ale mogła wyciągnąć rękę do tyłu i poszukać jego kolana. Odpowiedział uściskiem.

— Turniej Zimowego Króla czas zacząć — zawołał de Mortain. — Drużyna Lodu niech stanie przy królu!

Jan Luksemburski przejechał przed trybuną. Uniósł dłoń, by pokazać, że ma na palcu swoją obrączkę, odebraną od Rikissy. Szafir zalśnił odbity od śnieżnej bieli. Jan spojrzał na nią, uśmiechnął się promiennie i opuścił przyłbicę.

Giermek założył swemu panu rękawicę. Tłum wiwatował. Ruszyli.

Część gapiów pospieszyła za rycerzami ku miejskiej bramie. Na opuszczony plac turniejowy wbiegli akrobaci.

— Końskie łajno zostało — mruknął Henryk. — Jak ktoś w nie fiknie...

— Wino dla pana marszałka? — spytał sługa krążący między trybunami. — Może grzanego piwa?

— Ja nie odmówię! — zawołał książę brzeski i wskazał na plac. — Niepotrzebnie się martwiłeś, Henryku z Lipy. Król Jan zadbał o wszystko.

Zastęp sprzątaczy z miotłami, łopatkami i wiadrami wbiegł i zajął się końskim gównem. Lipski zacisnął szczęki, od bramy dał się słyszeć dźwięk rogu otwierającego zmagania.

Książę Bolesław zatarł zziębnięte dłonie, mówiąc:

— Ciekawe, dlaczego nie ma Plichty z Žirotína. Ktoś wie?

Plichta był słynnym zwycięzcą turniejów, jego imię ponoć znane było w świecie.

— Wybrał turniej w Akwizgranie — złośliwie odpowiedział Lipski.

— Aha — księciu usta się nie zamykały. — Szczęśliwi piwowarzy. Ich baszta przy bramie, pooglądają sobie z bliska.

— Będziemy tak siedzieć i czekać? — spytała księżna Małgorzata.

— Tylko do trzeciego rogu — odrzekła pogodnie Agnieszka von Blankenheim. — Mój pan ojciec urządził taki sam turniej na pasowanie mego brata. Wtedy, by gościom nie nudziło się czekanie na pojedynki, czas umilał nam pieśnią minnesinger.

— To było zimą? — dopytała Małgorzata, wsuwając dłonie w grube, futrzane rękawice.

— Nie, księżno. Latem — spuściła głowę Agnieszka.

Od strony bramy rozległ się krzyk i na trybunie wszyscy odwrócili głowy. Agnieszka, której mąż dowodzić miał szturmem, wciągnęła głośno powietrze i zamarła. Krzyk wzbijał się wyżej i wyżej.

— To jakaś kobieta — powiedział bez przekonania książę brzeski.

— Albo młodzian z drużyny króla — dodał Lipski.

Akrobaci zbiegli z placu, nikt im nawet nie zaklaskał. W ich miejsce weszli grajkowie i zziębniętymi palcami zaczęli stroić instrumenty. Służba wniosła żelazne kosze z płonącymi głowniami. Bębniarz ostrożnie rozgrzewał błonę naciągniętą na bęben. Od strony bramy przyniosło okrzyki tryumfu i po nich zabrzmiał drugi dźwięk rogu.

— Ciekawe, jak tam. Czy sobie jakoś radzą, ci młodzi — powiedział książę Bolesław i przyjął od swego sługi błam futra. — Pierwsze koty za płoty, jak to mówią.

Rikissie i Anežce podano dodatkowe okrycia, żelazne kosze z ogniem rozstawiono między ławkami trybun. Muzykanci zaczęli grać skocznie, wbiegły dziewczęta w krótkich baranich kożuszkach i już miały zacząć taniec, gdy na plac wpadł giermek z niewielkim proporczykiem. Oczy miał roziskrzone, policzki rumiane, twarz zgrzaną. Stanął przed trybuną i wrzasnął:

— Drużyna Lodu utrzymała bramę przy pierwszym starciu!

Wbił proporczyk z soplem lodu w udeptany śnieg przed trybunami.

— Wygrywają nasi! Brawo król! — zawołał książę brzeski.

Agnieszka von Blankenheim skuliła ramiona. Rikissa wychyliła się ku niej.

— Nie martw się, pani. Henryk Junior jest cierpliwy.

— Ale już raz przegrał z królem — szepnęła młoda żona i poczerwieniała.

— Przegrać z Janem to jak wygrać — oznajmił Bolesław i zarechotał. — Wiem, co mówię, raz z nim przegrałem.

Giermek pobiegł z powrotem do bramy. Muzyka wypełniła plac, dziewczęta w kożuszkach skakały, krzyżując nogi, służba roznosiła grzane wino z korzeniami i gorącą polewkę piwną z twarogiem. Z dołu, z miejsc, w których bawili się prażanie, dochodziła woń przypiekanych kiełbas i kaszanek. Książę brzeski posłał tam swego sługę i po chwili parzył palce gorącym tłuszczem.

— Spróbuj, Małgorzato — wpychał nagryzioną kiełbaskę żonie. — Spróbuj, jakie to dobre.

Z chwili na chwilę, na dole i na górze, nastrój robił się coraz bardziej swobodny. Królewska służba pilnowała, by ludzie nie przechodzili za drewniane płotki, ale raz po raz całe grupki ciekawskich przemykały drogą wytyczoną do bramy.

— Nie widzę komtura Schwarzburga. — Rikissa uważnie przejrzała gości.

— Ponoć wyjechał rano. Wolał nie drażnić króla swym widokiem, gdy się okazało, że zwerbował księcia Bernarda na krzyżacką krucjatę — odpowiedział jej Lipski i po raz pierwszy od rozpoczęcia turnieju roześmiał się. — To mu się naprawdę udało. Schwarzburg musi mieć dar przekonywania, skoro przekonał zięcia króla Władysława, by ruszył z nimi na Żmudź. Teść może mu tego nie darować. No, chyba że ułożyli to wspólnie.

— Mnie tam Krzyżaka nie brakuje — wtrącił się niepytany Bolesław. — Ni to mnich, ni rycerz. Ni pies, ni wydra. Jak tylu mężczyzn żyje bez baby w jednym zamku, to wiadomo, do czego to prowadzi. Tfu, paskudztwo. I to jeszcze pod krzyżem.

— Zamilknij, mężu — zbyt późno próbowała go poskromić Małgorzata.

— Swoje wiem — perorował Bolesław.

Rikissa odwróciła się do Lipskiego.

— Niepokoisz się tym, co dzieje się przy bramie? — spytała.

Nie zdążył jej odpowiedzieć, przerwał im dźwięk rogu.

— Niepokoję się wszystkim, co tu się dzieje — odpowiedział jej cicho. — Najmniej wynikiem.

Znów był polującym ptakiem. Jego oczy lustrowały wszystko. Widziała, jak patrzył na straż Jana pilnującą drewnianych barierek, jak marszczył brwi, że pozwalają ludziom między nimi łazić. Nic nie jadł i nie pił i zauważyła, że złościły go kramy z paleniskami, na których pieczono kiełbasy.

Najchętniej pogasiłby ogniska, przegoniłby tłumy i kazał ludziom wracać do domu. A całe miasto otoczył własnym wojskiem — pomyślała.

Na plac wpadł giermek i Agnieszka von Blankenheim krzyknęła radośnie.

— Volfram! Giermek mojego Henryka!

— Drugie starcie wygrali oblegający bramy! — zawołał giermek i wbił w ziemię proporczyk ze śnieżną gwiazdą.

— Henryk z Lipy! — zawołała Agnieszka.

— No, no — powiedział książę brzeski, odwracając się do Lipskiego. — Dumny z syna, co?

Lipski nie odpowiedział. Za to Anežka spytała:

— Skoro drużyna braci Lipskich sforsowała bramę, co dalej? Zamkną i będzie kolejne zdobywanie?

— Przytomne pytanie — kiwnął głową Henryk i nim zdążył odpowiedzieć, zaczęło się.

Z dachów gwałtownie wzbiło się stado wron i dopiero wtedy usłyszeli uderzający od strony bramy zgiełk. Krzyki ludzi, tętent kopyt, rżenie i kwik koni. Z uliczki wypadli obszarpani chłopcy. Gnali co sił w nogach, krzycząc:

— Boże ratuj!

— Pali się!

— Biją się!

— Koniec świata!

Goniły ich konie. Trzy turniejowe rumaki bez jeźdźców, jeden ze zdartym kropierzem. Królewscy ludzie stojący wzdłuż balustrad nie umieli ich złapać; konie pędziły wprost na plac turniejowy. Po trybunach przeszedł jęk.

— Rosen! — wrzasnął Lipski, wołając zaufanego sługę. — Strzeż królowej i dam!

Przeskoczył przez ławki i w jednej chwili był na dole.

— Olbram! — krzyknął i nie czekając na pomoc, chwycił pierwszego z koni. Rozpędzony rumak pociągnął Lipskiego za sobą. Ten padł na kolana w śnieg, ale nie puścił uzdy. Dał się pociągnąć kilka kroków i koń stanął, rzucając łbem. Na plac turniejowy wbiegło sześciu ludzi Lipskiego pod wodzą Olbrama. Chwytali kolejne konie.

Są uzbrojeni — Rikissa zauważyła długie noże na ich plecach. Rozejrzała się. Czy Lipski umieścił wśród gości więcej zbrojnych? Z tyłu mignęła jej twarz, do której nie umiała przypisać imienia, choć miała pewność, że to ktoś, kogo dobrze znała. Olbram złapał ostatniego z trzech koni, kiedy między tłumem gapiów, tuż przy turniejowej balustradzie, wystrzelił w górę ogień.

— Pali się! — zawołał książę brzeski to, co widzieli wszyscy. — Niechże to ktoś ugasi, do diabła! — Wstał i pokazał palcem. — Tam, tam jest ogień! Panie marszałku! Tam się coś pali!

— Twoje kiełbasy — powiedziała całkiem spokojnie Małgorzata.

Lipski nie zwracał uwagi na krzyki księcia. Od strony bramy tłoczyli się ludzie. To już nie byli pojedynczy chłopcy, uliczką w kierunku placu uciekał tłum. Strojni mieszczanie wymieszani ze służbą i biedotą, jarmarczni sprzedawcy, dzieci, nawet zbrojni giermkowie. Pchali się w panice, krzycząc:

— Ratunkuuu!

— Zgroza!

— Ogień!

— Ja mówiłem, że się pali! — przypomniał książę brzeski, ale nikt go nie słuchał, bo w tej samej chwili goście na trybunach dostrzegli olbrzymi słup czarnego dymu unoszący się w okolicach bramy.

— Straż miejska! — wrzasnął Lipski. — Gasić ogień!

— Mój Henryk! — krzyknęła Agnieszka i pobladła. — Tam jest mój Henryk...

Córka Rikissy wstała i podeszła do niej.

— Mój Henryk też tam jest, uspokój się.

A mój właśnie biegnie w ogień — pomyślała Rikissa, widząc plecy Lipskiego znikające w tłumie ludzi.

Pierwsi z uciekinierów wbiegali na plac turniejowy. Księżna Małgorzata wstała i oświadczyła drżącym głosem:

— Musimy stąd wyjść jak najszybciej.

— Dokąd? Przecież oni nas stratują — przytomnie powiedział jej mąż i miał rację.

Plac już był pełen. Ludzie króla strzegący turniejowych płotów otworzyli jedno z przęseł i zaczęli uciekinierów wpuszczać między publikę. W tej samej chwili z uliczki wypadli jeźdźcy.

— Która to drużyna? Lodu czy Śniegu? — Książę Bolesław wstał, przysłaniając oczy. — Bo ja nie widzę.

Wszystko stało się bardzo szybko. Rozpędzone konie wbiły się kopytami w uwięziony na placu turniejowym tłum. Uciekający z niego rozerwali drewniane płoty. Pchając się, w panice przewracali kosze z ogniem, ruszty z kiełbasą i siebie nawzajem. Rycerze nie mogli opanować koni.

— Rosen! — krzyknęła Rikissa. — Zabierz stąd Agnieszki!

— Ciebie mam strzec, *regina* — odpowiedział mężczyzna o twarzy zbója.

— Słuchaj, co rozkazuję — była bezwzględna. — Zabierasz je stąd i odpowiadasz za nie głową. Już was nie widzę.

Zacisnął szczęki i zabrał jej córkę z Agnieszką von Blankenheim. Zobaczyła, jak zbiegają z tyłu trybun i gdy plecy Rosena zniknęły jej z oczu, poczuła, że deski pod jej stopami zadrżały. Trybuna zachwiała się pod naporem przerażonego tłumu. Usłyszała głuchy trzask pękających ławek i oburzony krzyk księcia Bolesława:

— To się chyba zawali!

Słup dymu z czarnego zmienił się w siwy i zasnuł niebo nad praskim rynkiem. Z góry coś czarnego leciało wprost na nią. Rikissa odsunęła się gwałtownie. Na ławkę obok niej spadła martwa wrona. Konie kwiczały, ludzie krzyczeli, trybuna z trzaskiem kruszyła się.

— Za mną, królowo. Wyprowadzę cię z piekła — usłyszała tuż przy uchu.

Została mocno chwycona za rękę i pociągnięta w bok. Odwróciła się i stanęła oko w oko z kimś, o kim nigdy nie zapomniała.

JAN LUKSEMBURSKI był w piekle. A piekło było w Pradze. Wszystko szło dobrze do drugiego szturmu. Ale gdy rycerze Lipskiego Juniora sforsowali bramy, drużyna, którą sam wybrał, jednego po drugim, po imieniu, by móc ich później nagrodzić i związać ze sobą na wieki, zawiodła. Nie posłuchali wezwania herolda: „Trzecie starcie, zaczynamy! Odstąpić i zamknąć bramy". Byli upojeni pierwszą wygraną, rozgrzani i zbyt pewni siebie. Przegrana zaskoczyła ich i ogłupiła. Zapomnieli, że to jest turniej. Reguły rycerskie, których złamać nie wolno. Któryś z najmłodszych, może Beneš, syn Iwoša, albo Zwonimir, bratanek Viléma Zajíca, ruszył na Lipskiego Juniora. Brata osłonił Cenek, odparował uderzenie mieczem, Beneš czy Zwonimir spadł z siodła i wtedy się zaczęło. Lipski Junior krzyknął do sędziego: „Poległ, zabrać go na bok", tamten nie posłuchał i wstał z ziemi, ruszył z mieczem na Juniora i zranił jego konia. Henry krzyczał: „Stać! Złamałeś zasady! Nie wolno ranić koni przeciwników!". Jan zawołał: „Przerywamy walkę", ale było za późno. Gapie, młodzi chłopcy, czeladnicy i synowie majstrów, kłębiący się za płotem po miejskiej stronie bramy, poczuli w sobie zew krwi i sforsowali balustradę oddzielającą ich od walczących. Chyba wtedy ktoś popchnął kosz z ogniem. Żagwie posypały się, parząc konie. Wierzchowce nawykłe do walki, uczone kąsać, kopać i gryźć, zakwiczały poparzone i zaczął się zbójecki, nie turniejowy młyn. Zapłonęła strzecha nad kramem piwowarów, w górę strzelił ogień, za nim duszący dym. Jego rycerze nie słuchali wezwań do złożenia broni. Słyszał, jak młody Chval dyszkantem krzyczał: „Zabić ich! Zabić ich" i walił mieczem na oślep. Swoich i Lipskiego.

Jan znał to, pamiętał swoje pierwsze walki. Przerażenie, że nie sprosta doświadczonym rycerzom i ten powodowany lękiem szał, jaki opanowywał członki. Sam dwa, trzy razy zrobił to samo. Ze strachu ciął mieczem jak popadło, bez reguł i pchnięć, po prostu machał nim niczym cepem, byle odgonić od siebie lęk, który paraliżował rozum. Ale wtedy walczył w ostatnim szeregu turniejowego *mêlée*, osłaniany z prawa i lewa przez nauczycieli. A teraz sam był wodzem drużyny i nie przewidział, że jego młodych ludzi spotka to samo.

Chval miotał się wściekle. Lipski krzyknął: „Odsuńcie się od niego" i jego rycerze wykonali rozkaz, ale dla dwóch drużyn nie było miejsca pod bramą. Konie napierały na siebie i to za chwilę mogło skończyć się źle. Wiedział, że musi wydać rozkaz „uciekać na plac", żeby uratować ludzi, ale który król chce rozkazać ucieczkę? „Baldryk, kopia!" — krzyknął do swego giermka, odrzucając miecz i gdy tylko złapał drzewce w dłoń, ruszył ku Chvalowi i podbił kopią jego ramię, wytrącając mu miecz. Henry rzucił się na rozbrojonego i ściągnął go z siodła. Chłopak z głuchym uderzeniem blach spadł na stratowany śnieg. Giermkowie odciągnęli go na bok.

„Koniec turnieju!" — wyręczył go w niewygodnym rozkazie Henry. — „Jako herold ogłaszam koniec turnieju". „Wszyscy na plac!" — krzyknął Jan, ale gdy próbował zawrócić konia, zobaczył, że jest o całą, długą chwilę za późno. Uliczka wiodąca do rynku była zablokowana. Wypełniał ją uciekający tłum gapiów. Kilku młodych rycerzy wbiło się konno w ciżbę, tratując ludzi. Nim Jan zdążył wydać komendę „stać!", ruszyli za nimi kolejni, korzystając z utorowanej drogi. W wąskiej gardzieli uliczki stracił poczucie, czy jedzie konno, czy też jego ogiera pcha do przodu szczelnie wypełniający ją tłum. Przez myśl mu przeszło, że gdy tylko wydostaną się na rynek, będzie lepiej i może wtedy uda mu się powściągnąć rycerzy i uformować szyk. Jedno było pewne: Jan nie mógł już zawrócić. O jego strzemiona ocierali się uciekający. Nikt nie zwracał na nikogo uwagi. Nikt nie krzyczał: „król Jan", wszyscy wołali: „ratunku".

Najgorsi są młodzi, najgorsi są nadgorliwi młodzi — kołatało mu w głowie zdanie pierwszego nauczyciela fechtunku.

Dlaczego teraz? — pomyślał. — Dlaczego przypomina mi się to dopiero teraz?

I z tą myślą wepchnięto jego konia na rynek. Jęknął. To, co mogło być wybawieniem, było pułapką. Zobaczył walące się z trzaskiem trybuny dla honorowych gości. Upadające w tłum chorągwie z lwem Luksemburgów i płomienistą orlicą. Łamiące się proporczyki turniejowe. Zgiełk, lament. Ludzi, którzy próbując uciekać jednocześnie we wszystkie strony, tratowali siebie nawzajem. W tej samej chwili poczuł potknięcie swojego ogiera; zobaczył, że ten nadepnął na leżącego na ziemi starca. Z całych sił pociągnął wodze, by koń nie zgniótł mu czaszki. Strzelił ku nim snop iskier, wierzchowiec przestraszył się, szarpnął, skoczył i zrzucił Jana z siodła. Zdążył się skulić w locie, upadł miękko na rozdeptane, niemal gorące śniegowe błoto. Poczuł ból w piersiach, chciał wstać szybko, ale w tym właśnie momencie nastąpił na niego cudzy ogier. Jan zawył z bólu, spojrzał w górę. Nie poznał rycerza.

To mój — pomyślał z goryczą, widząc na napierśniku znak sopla lodu. — Chyba zmiażdżył mi nogę.

— Ktoś tu leży! — usłyszał krzyk. — Pomocy, ktoś tu leży!

Ale z głową przy ziemi dostrzegł, że ręce wyciągają się nie po niego, lecz po jakąś kobietę leżącą w kałuży krwi. Poznał ją po pasiastej chuście. To handlarka rybami, niedawno widział ją z okna. Zakręciło mu się w głowie. Próbował odpiąć hełm, nie mógł. Było mu duszno, tracił oddech. Znów ktoś go potrącił, nadepnął na zranioną nogę.

I wtedy jak z oddali rozległ się głos:

— Gdzie król Jan? Ratujcie króla!

Poznał go. To stary Lipski. Chciał usiąść, by Lipski nie znalazł go leżącego. Podciągnął się, stracił czucie w ramieniu. Jeszcze trochę, wyżej. Przekręcił na kolana, tak lepiej. Noga rwie, ale przynajmniej może się dźwignąć.

— Gdzie król?! — krzyk Lipskiego był coraz bliżej.

— Tutaj — wydusił z siebie Jan. — Jestem tutaj.

Wiedział, że marszałek go nie usłyszy, ale musiał próbować. I jak uniósł się na kolanach, tak padł pod kopytami konia bez jeźdźca. Głuche uderzenie w hełm. Brak tchu. Ciemność.

— Tutaj! Król jest tutaj!

Z ciemności wyrwał go uścisk. Ktoś zdarł mu hełm i wydostał na powierzchnię z dna rynku. Z błota i krwawej miazgi.

— Janie? Słyszysz mnie? Królu, czy mnie słyszysz? — Trzymał go w ramionach Lipski.

JEMIOŁA nie była gotowa. Wszystko w niej buntowało się, przeciw takiemu rozwiązaniu, nie chciała tego i dałaby wiele, by znaleźć jakieś inne. Jakiekolwiek.

Próbowała zapleść włosy, ale ręce jej drżały.

— Pomogę ci — powiedziała Marzanka i wyjęła z jej chłodnych palców grzebień.

Jemioła odchyliła głowę. Włosy w kolorze buczyny posypały się na plecy. Marzanka pogładziła je palcami, nim wsunęła między pasma grzebień. Jemioła uległa tej siostrzanej pieszczocie, odprężyła się.

— Nie siwiejesz — szepnęła Marzanka. — Złociejesz, jak drzewo po lecie.

Z zewnątrz dochodziły głosy; dziewczyny zbierały się w mateczniku od wschodu słońca.

— Zrób to szybko — poprosiła Jemioła. — Niech nie czekają.

Marzanka mocnymi, zręcznymi palcami zaplatała warkocz po warkoczu, aż ułożyła z nich szeroką opaskę na czole Jemioły. Poprawiła puszczone wolno sploty na plecach i pocałowała Jemiołę w kark.

— Jesteś gotowa — powiedziała.

Nie jestem — szepnęła w duchu Jemioła. — Nigdy nie będę.

Zarzuciła na ramiona zwykły zielony płaszcz i wyszła z chaty. W mateczniku było rojno, gwarnie i, mimo zimy, zielono jak wiosną od płaszczy i sukien sióstr. Przybyły z całej Starszej Polski, z Kujaw, Pomorza. I z południa, z gór i wyżyn Śląska, z Małej Polski. Serce jej zadrżało na widok dawno nieoglądanych przyjaciółek z „Zielonych Grot". Tarnina, Wierzbka, Jarzębina, Trzmielina. I na widok Ludwin, których rumiane lica dodały jej nagle pewności siebie.

— Wyglądasz jak... — pisnęła na jej widok Ludwina Pierwsza i Jemioła szybko pocałowała ją w policzek, żeby nie kończyła. — Ach, córuś — skwitowała tylko z dumą Ludwina. — Córuś.

Dostrzegła w tłumie wysoką sylwetkę Worana, swego bliźniaka. I przytuloną do jego boku dziewczynę o pełnych, okrągłych kształtach i ustach jak maki.

To ona? — spytała Worana w myślach.

Ona — odpowiedział jej. — *Moja Manna.*

Chciałaby móc podejść do nich, uściskać brata, powitać Mannę w rodzinie, ale czas naglił, a oczy wszystkich sióstr wpatrzone były w nią wyczekująco.

— Chodźmy — powiedziała po prostu. — Czeka na nas.

Ruszyła przodem, prowadząc do pałacu natury. Gdy weszli między wiodącą do niego kolumnadę potężnych dębów, nad głowami zaszumiały im zeschnięte jesienne liście.

— Ach — jęknęła któraś z Ludwin. — Jak tu uroczyście.

Pomiędzy pniami dębów, na kamieniach, dziewczyny z matecznika rozstawiły lampy oliwne i niewielkie płomyki migotały teraz na wietrze. Jemioła mimowolnie sprawdziła, czy każdej z lamp ktoś pilnuje. Tak, no pewnie, że tak. U końca kolumnady przemknęła sarna, za nią kolejne, biegnące na nocny żer. W koronach dębów zahuczała sowa.

— Las kocha swoje dzieci — szepnęła któraś z młodszych dziewczyn za jej plecami.

— Dzieci kochają las — odpowiedziało jej chórem kilka innych.

Z kolumnady dębów weszły wprost do grabowej alei, do pałacu natury, w którego drzewnych ścianach nawet zimą krążyły soki. Wielkie rosochate korony grabów odchylały się na zewnątrz, niczym potężne kielichy, by pałac Matek zawsze był otwarty na niebo. Latem, gdy gałęzie grabów kipiały od liści, dawało to zielone światło wypełniające to miejsce z każdej strony. Teraz, u schyłku zimy, bezlistne korony grabów wyglądały niczym wygięte olbrzymie miotły zatopione w wilgotnym zmroku. Jemioła spojrzała na to i stłumiła westchnienie, które wypełniło jej piersi. Naprzeciw nim wyszła Klęża, wnuczka Dębiny.

— Czekają na was — powiedziała bezbarwnie.

Jemioła otoczyła Klężę ramieniem i poprowadziła dziewczyny do kamiennego tronu macierzy. Stał naprzeciw źródła wody żywej, tej, która nie zamarza nawet podczas mrozów.

— Ach! — wyrwało się komuś za plecami Jemioły i po głosie poznała Trzmielinę, która naprawdę dawno nie widziała Matki.

Dębina siedziała na tronie w samej wełnianej sukni. Płaszcz z ptasich piór leżał złożony u jej stóp. Długie, siwe włosy spływały jej na piersi, ramiona, plecy, ale nie było w ich splotach ani trochę blasku.

Matowe i rzadkie, wydawało się nawet, że gdzieniegdzie już przetykane porostem, chrobotkiem. Dłonie Matki, które zawsze zachwycały Jemiołę długimi i mocnymi palcami, wyraźnymi węzłami stawów, teraz były wychudzone i białe, wczepione w jej kolana, jakby chciała je przytrzymać przy sobie. Prawda, w ostatnich latach często drżały niedającym się uspokoić rytmem. Przejrzyste niegdyś źrenice Dębiny zaszły żółtawą mgłą, ale wciąż jeszcze wpadał w nie promień światła. U stóp Dębiny przycupnęła Kalina. Gdy wróciła od Starców, sama była staruszką, kruchą i ledwie żywą. Teraz, pielęgnowana przez siostry, nieco odżyła, a w każdym razie, nabrała ciała. Dwie stare kobiety, chwytający za serce widok.

— Matko — powiedziała Jemioła. — Przyprowadziłam siostry.

Nie kiwnęła głową, nie odezwała się. Przymknęła powieki. Klęża wysunęła się z objęć Jemioły i przylgnęła do babki. Przysunęła ucho do jej bladych ust.

— Mówi — powtórzyła niewyraźne słowa Dębiny — że jej czas nadszedł, ale że nie skończył się czas Kaliny.

Dziewczyny skupione wokół kamiennego tronu wstrzymywały oddech, nie chcąc uronić ani słowa. Sucha, koścista dłoń Dębiny poruszyła się na kolanie. Z wysiłkiem dotknęła pleców Kaliny i popchnęła ją lekko. Ta uniosła na Matkę załzawione oczy i wyszeptała:

— Pozwól mi ze sobą odejść. Chcę zbutwieć, zeschnąć i rozsypać się w proch.

Ktoś w tłumie nie wytrzymał i zaszlochał. Klęża wyczytała z warg Dębiny:

— Nie. Masz jeszcze coś do zrobienia. Musisz żyć.

Jemioła podała zdezorientowanej Kalinie rękę.

— Wstań — poprosiła ją. — Chodź do mnie.

Kalina była krucha, ale już nie tak bezsilna jak wtedy, gdy wróciła od Starców, Michała i Ostrzycy. Chwyciła podaną dłoń i wstała.

Dębina uniosła zamglony wzrok, potoczyła spojrzeniem po stojących wokół siostrach. Poruszyła wargami.

— Niczego nie posiadam — odczytały z jej ust. — Nawet ten płaszcz nie jest mój, bo pióra należały do ptaków… ale zabiorę coś ze sobą do Wyraju…

Zapanowała cisza, chyba nawet wiatr przestał poruszać gałęziami, by pomóc jej mówić.

— …pamięć wschodów i zachodów słońca. Ciepło waszych uścisków. Pocałunki — sine wargi Dębiny rozciągnęły się w pięknym uśmiechu — i pamięć czyichś jędrnych lędźwi…

Siostry nie wytrzymały, zaszlochała jedna, za nią następne. Klęża pochyliła się nad Dębiną.

— Mówi — powiedziała, unosząc się od ust babki — że mamy ją zdjąć z tronu i złożyć między liście.

— Nie! — krzyknęła któraś z młodszych dziewczyn — nie zostawiaj nas! Nie możesz!

Klęża spojrzała udręczonym wzrokiem i tamta umilkła. W mateczniku od dawna było wiadomo, że Dębina odchodzi do Wyraju, że kończy się jej ziemski byt.

— Uwijmy Matce gniazdo — powiedziała Jemioła i spytała: — Czy wiemy, w którym miejscu chce spocząć?

Klęża skinęła głową, pokazując przestrzeń między dwoma pniami grabów.

Chce być ścianą w pałacu natury — pomyślała Jemioła i ruszyła zbierać gałęzie.

Dziewczyny ruszyły za nią, każda chciała się przydać.

Przy łożu umierającego najgorsze jest bezczynne czuwanie — pomyślała, układając konary pod ostatnie gniazdo dla Dębiny.

Było gotowe w mig. Wyścielone suchymi liśćmi i mchami, oplecione korą i najdrobniejszymi z gałązek. Jemioła odsunęła się, pozwalając siostrom skończyć. Kalina stała oparta o pień. Obie wpatrywały się w Matkę.

— Myślałaś, że pozwoli ci ze sobą odejść? — spytała Jemioła.

— Chciałam choć spróbować — odpowiedziała Kalina. — Zawsze powtarzała, że wolno nam marzyć.

Nieruchoma twarz Dębiny drgnęła i jej usta rozciągnęły się w uśmiechu. Spojrzała na nie tak żywo, że przez chwilę uwierzyły, że to, co się tu dzieje, to sen, zwykłe widziadło. Dziewczyny zbierając się za ich plecami, musiały pomyśleć to samo, bo odpowiedziały na uśmiech Dębiny i kilku z nich wyrwało się czułe:

— Matko!

Pozbawiła je złudzeń w jednej chwili, przekazując przez Klężę:

— Chce mówić.

Ucichły, a Dębina zdobyła się na wysiłek i powiedziała sama, bez pośrednictwa wnuczki:

— Nim zdejmiecie mnie z tronu, posłuchajcie, kto was poprowadzi. — Jej słowa były ciche, okupione trudem. — Dochowałam się tylu silnych córek, każda z was napawa mnie dumą...

Oddychała ciężko długą chwilę, nim zebrała się w sobie do kolejnych słów.

— Ale tylko jedna zdoła was poprowadzić w tych dniach, które przed wami, w dniach najcięższej próby. Ją też wskazała Mokosz, Mokra Matka przy jej głowie zakręciła wrzecionem. I ją wskazała Jaćwież przed laty. Jemioło... Jemioło, przyjmij macierzyńskie brzemię.

Dla sióstr mieszkających w mateczniku nie było to zaskoczeniem, dla przybyłych z daleka owszem. Usłyszała gdzieś w ostatnim szeregu zakłopotane:

— Jemioła? To ta, co pracowała w „Zielonej Grocie"?

Wiedziała, że tak będzie, mówiła Dębinie: nie wyznaczaj mnie, znajdź lepszą. Ale Dębina była nieugięta i odpowiadała: są lepsze, są mądrzejsze, ale tylko ty to udźwigniesz.

Wystąpiła z szeregu i stanęła za plecami kamiennego tronu.

— Przyjmuję twoją schedę, Matko. I obiecuję, że zrobię wszystko, co potrafię, by przeprowadzić siostry przez wojnę.

— Wojnę? Jaką wojnę? — zlękły się dziewczyny z gór, szczęściary, żyjące na co dzień z dala od Krzyżaków.

— Wielką wojnę — odpowiedziały im szybko siostry z Pomorza i Kujaw.

— Wiem, że się boicie — powiedziała Jemioła do wszystkich. — Ja też się boję. Ale lęk mnie nie onieśmiela. Nie sprawia, że tracę oddech.

A jednak na chwilę go straciła, bo dotarło do niej, że od tej chwili będzie odpowiedzialna za każdą z tych kobiet i każdego z tych mężczyzn.

— Kochamy się i troszczymy o siebie nawzajem — powiedziała po chwili. — Dębina właśnie daje nam naukę, że nikt nie jest nieśmiertelny — zadrżał jej głos, ale opanowała go — lecz krąg życia nie ma początku i końca. Jest pora kwitnienia i czas schnięcia. Spełnijmy jej wolę i złóżmy Dębinę na łonie pierwszej z Matek, Ziemi.

Kalina była zamyślona, Wierzbka i Trzmielina uśmiechały się. Klęża ucałowała rękę babki; ona jedna spośród sióstr naprawdę była z nią spokrewniona. Po policzkach Ruty, Śliwy i Niecierpka płynęły łzy. Gorczyca i Macierzanka oddychały głęboko, jakby chciały się jeszcze z Dębiną podzielić powietrzem. Wszystkie one otoczyły Matkę i delikatnie uniosły. Położyły sobie na ramionach. Jasnowłosa, prześliczna Dziewanna, dziewczyna, która dołączyła do nich niedawno, gdy wszyscy jej bracia poszli na służbę Starców, poprawiła Dębinie suknię. Z największą czułością niosły ją do gniazda uwitego przed chwilą. Ich kroki były lekkie, bezszelestne na mchu. Dębina wysoka, postawna i majestatyczna, stała się nagle kruchą i delikatną. Była jak ścięty w locie ptak, co miękko opadł na poszycie.

— Życie uchodziło z niej latami — szepnęła Klęża — a my z całych sił chciałyśmy wierzyć, że nigdy jej nie opuści.

— Kiedyś wydawało mi się — podjęła Jemioła — że Dębina sięga pamięcią do początków świata i że wystarczy jej życia do jego końca.

— Gdy upadałam i zdradzałam, gdy ponosiłam klęskę za klęską, tylko myśl o niej dawała mi sens życia — szepnęła Kalina.

Jemioła chwyciła Kalinę za rękę.

— Masz coś do zrobienia, pamiętaj.

Siostry ostrożnie i czule ułożyły Dębinę w gnieździe. Odstąpiły, robiąc miejsce Jemiole. Wiedziała, co teraz ma zrobić, choć za życia żadnej z nich to się jeszcze nie zdarzyło. Wszystkie pamiętały tylko jedną Matkę, Dębinę.

Zdjęła buty, zrzuciła płaszcz i suknię. Poczuła chłód na całym ciele. Naga położyła się przy Dębinie, przywierając do wciąż jeszcze ciepłego ciała. Oplotła ją ramionami i złożyła głowę na jej piersi. Wsłuchała się w cichnące bicie jej serca. Klęża odpalała ogień. Kaganek po kaganku ustawiała wokół leżących. Trwało to dłuższą chwilę.

Tyle się jeszcze chciałam od ciebie dowiedzieć, Matko — myślała Jemioła — tylu pytań nie zdążyłam ci zadać. I pewnie nie powiedziałam, ile dla mnie znaczysz.

Pytaj teraz — usłyszała jej głos w swojej głowie.

Zadrżała. Tak porozumiewali się z Woranem, ale był jej bliźniaczym bratem, dzielili łono matki.

Mówisz do mnie? — spytała w duchu.

Skoro mnie słyszysz. — Dębina zaśmiała się, jakby nigdy nie była stara.

Jemioła nabrała powietrza i zadała najważniejsze z pytań:

Co mam zrobić z Jaszczurką?

Nie wiem — odpowiedziała Dębina.

Zaufać Janisławowi?

Nie wiem.

Jak przekonać dziewczyny, by nie szły do wojowników?

Nie wiem.

Westchnęła.

Ale ty — usłyszała w duszy głos Dębiny — *znajdziesz odpowiedzi na te pytania.*

Wystąpić przeciw Starcom? — szybko dorzuciła kolejne Jemioła.

Ty wiesz — zaśmiała się smutno Dębina. — *Ty dawno wiedziałaś. Ale gdybyś pytała, kiedy najlepiej zbierać lipę, to powiem: przed świtem. Tego jestem pewna.*

One nas słyszą? — spytała Jemioła, bo siostry klękały naokoło gniazda.

Nie sądzę. Gdyby tak było, każda mogłaby nas zastąpić.

Dziewczyny jedna po drugiej wyciągnęły ramiona, dotykając splecionych ze sobą Jemioły i Dębiny. Poczuła ciepło płynące z ich palców i chłód wymykający się z ciała starej Matki.

Idź już — szepnęła Dębina w jej myślach. — *Wstań i idź. Za chwilę będzie świtało.*

Jemioła ucałowała suche, zimne czoło Dębiny i ostrożnie wysunęła się z jej objęć. Stanęła na ziemi i naga poszła obmyć się w źródle wody żywej. Gdy z niego wyszła, siostry okryły ją suknią.

Siostry czy już córki? — pomyślała.

Klęża przyniosła jej utkany z ptasich piór płaszcz Dębiny. Jemioła, która jeszcze idąc tu, była pewna, że go nie założy z szacunku dla odchodzącej, teraz zarzuciła płaszcz na ramiona.

— Zabierzcie ze sobą światło — powiedziała do kobiet, stawiając jeden jedyny kaganek na kamiennym i pustym tronie Dębiny. — Stało się. Prowadzę was do matecznika. Chodźcie za mną!

Ruszyły cichym korowodem przez grabowy pałac, do kolumnady dębów. Gdy tylko weszły między nie, poczuły podmuch i usłyszały szelest. Uschnięte dębowe liście spadały im do stóp, wirując w chłodnym powietrzu ostatniej nocy zimy. Nastawał świt.

— Cud wschodu słońca — lekko powiedziała Kalina i wzięła głęboki oddech.

Jemioła spojrzała w niebo znaczone krwawą łuną.

JAROGNIEW wiedział, że to spotkanie musi być utrzymane w tajemnicy. Nie potrzebowali rozgłosu, zwłaszcza teraz, gdy do celu było tak blisko. Ostrożnie dobierał wspólników, jeden fałszywy wybór mógł kosztować za dużo.

Wojska Trzygłowa miały trzech wodzów. On dowodził wojownikami. Derwan odpowiadał za szkolenie młodych chłopców. Wrotycz był wodzem zastępów zwiadowców. Tych był pewien. Symonius, wódz Roty Wolnych Prusów, od lat służącej oficjalnie przy Krzyżakach, był tajną bronią tej armii. Gdy Jarogniew go zaprosił, Symonius szepnął, że przyprowadzi kogoś, kto będzie dla nich ważny, nie mógł więc się nie zgodzić i przystał. Najdłużej zastanawiał się nad Zarembą. Smok wymykał się wszelakiej kontroli. Owszem, był siłą, którą zapowiadali Starcy, ojcem Jaszczurki, która padła, i Żmija, który przeżył, choć doprawdy był dziwnym dzieckiem. Jarogniew barował się ze sobą długo, ostatecznie zwyciężył impuls: gdy wychodził z warownego jesionu na tajemne spotkanie z braćmi, Zaremba po prostu wszedł mu w drogę, zmrużył ślepia i powiedział:

— Idę z tobą, Półtoraoki.

Umówili się na jeziornej wyspie. O tej porze roku, gdy grunt rozmarzał, nikt tu się nie zapuszczał. Brzegi Liwieńca były grząskie, teraz porośnięte suchą, zeszłoroczną trzciną. Jarogniew z Zarembą popłynęli czółnem; smok nie wiosłował. Położył się na plecach i gapił w niebo.

Jest w nim coś denerwującego — pomyślał Jarogniew, biorąc się do wioseł. — Zachowuje się jak książę, któremu się wszystko należy. Kobiety nie mogą oderwać od niego oczu, jakby podniecały je łuski.

— Czarny bocian — powiedział Zaremba, patrząc w niebo.

— Wolę białe — odpowiedział Jarogniew.

— Nie pytałem — obojętnie odrzekł Zaremba — ale miło, że się zwierzasz. Widzę ropuchę w jego trzewiach. I połkniętego wodnego węża.

Jarogniew chciał coś odwarknąć, ale pomyślał, że przy stworzeniu, które widzi przez ciało, lepiej trzymać język na wodzy. Dziób czółna wsunął się w szuwary. Zasyczały sucho.

— Tamci zacumowali z drugiej strony — powiedział Zaremba, podnosząc się z dna czółna.

— Widzisz ich łodzie? — Jarogniew nie opanował złośliwości.

— Nie — spokojnie odpowiedział Zaremba, wyskakując z czółna. — Czuję ciepło żywych ludzi.

Podciągnął Jarogniewa z czółnem do ledwie wystającego z wezbranej wody słupa. Przywiązał łódź i nie oglądając się za siebie, ruszył na wyspę. Półtoraoki poszedł za nim, czując, że jeśli popełnił błąd, to było nim zabranie ze sobą Zaremby.

Derwan, Wrotycz, Symonius i ktoś nowy siedzieli na zwalonych pniach, bez ognia.

— Bracia — powitał ich Jarogniew, a Zaremba po prostu przyciągnął wielki kawał uschniętej brzozy i niczym trzecią ławkę dostawił do siedzących.

— To Rdest — przedstawił obcego Symonius. — Syn stryjecznego dziada. Prus, urodził się na Pomorzu, ale dorastał na Żmudzi. Wiem, że może być nam potrzebny.

Był niski, krępy, ciemnobrody. Miał duże poważne oczy, które z uwagą i jakąś powolnością przyglądały się wszystkiemu.

— Starcy Siwobrodzi nie wrócą przed nowiem — zaczął bez wstępów Jarogniew. — Chciałem mówić z wami bez ich obecności, bo nie chcę podważać ich przywództwa.

— Właśnie to robisz — zaśmiał się Zaremba. — Mów dalej, ich przepowiednie znam, twojej jestem ciekaw.

— Nie zamierzam nic przepowiadać — twardo powiedział Jarogniew. — I właśnie z powodu tych proroctw spotykam się z wami. Słyszeliście: „trzymać psy". Jak długo będą nam obiecywać walkę i jednocześnie trzymać przy sobie, na smyczy?

— Czujesz się psem? — zakpił Zaremba. — Winszuję, choć nie zazdroszczę.

Ciemne oczy Rdesta powoli przesuwały się między Jarogniewem a Michałem.

— „Ich czas się kończy" — przypomniał ostatnie przepowiednie Derwan.

— „Ich kres nadchodzi" — dorzucił Wrotycz.

— I „trzymać psy" — skończył Jarogniew. — Domyślam się, że świat niewidzialny naszym oczom rządzi się jakimiś zasadami, ale te, które znam i rozpoznaję, mówią co innego. Nigdy nie byliśmy silniejsi niż dzisiaj. Derwan każdego dnia przyjmuje dwunastu nowych.

— Prawda — potwierdził wódz młodych drużyn.

— Ciebie zapowiadali latami — rzucił w stronę Zaremby Wrotycz. — Miałeś dać nam siłę, jakiej nie zna zwykłe wojsko.

— A potem Żmija — przypomniał Zaremba i w jego głosie Jarogniew wyczuł kpinę. — Może chcą czekać, aż dzieciak dorośnie, bo jednak obiecanym bohaterem będzie on? Nie sądzicie, że ich przepowiednie to słowa rzucane na wiatr?

Symonius syknął, Derwan zastygł w bezruchu, a Jarogniew poczuł, że tak otwarcie nie miał odwagi nazwać swych najskrytszych myśli.

— Uspokójmy się — powiedział polubownie. — To nasi kapłani i nikt nigdy nie podważył…

— Mówili ze mną na osobności — odezwał się Symonius. — Mają plan.

— Jaki? — spytali, zrywając się z miejsc Jarogniew, Derwan i Wrotycz.

— Uspokójcie się, Starcy nie wątpią w żadnego z wodzów — uciszył ich Symonius. — Ze mną rozmawiali dlatego, że plan wymagał długich przygotowań.

— Nam nie ufali? — zaczepnie spytał Jarogniew.

— Nie sądzę, skoro w tym planie każdy z was ma swoje miejsce. I on — wskazał na Zarembę, a potem na przyprowadzonego przez siebie Rdesta — on też.

Trzej wodzowie usiedli, ale patrzyli na Symoniusa nieufnie.

— O sobie powiem później — zaczął. — Pierwsze brzmiało...

— „Ich czas się kończy" — przypomniał Zaremba.

— To nie była przepowiednia — spokojnie wyjaśnił Symonius.

Jarogniew ucieszył się, że pierwszy wyrwał się z tym Zaremba. I skwitował w duchu — Symonius nie pomyśli, że jestem głupcem, choć też sądziłem, że „ich czas się kończy, ich kres nadchodzi" to słowa wyroczni.

Wystarczyło spojrzenie na Derwana i Wrotycza, by zrozumiał, że oni dwaj też tak myśleli.

— To obietnica — wyjaśnił Symonius.

— Zwał, jak zwał — wzruszył ramionami Zaremba.

— Wszyscy wiemy, że naszym celem są Piastowie, nie Krzyżacy. — Jarogniew, dzięki temu, że ośmieszył się kto inny, mógł się włączyć do rozmowy. — To ich czas się kończy.

— Czyżby? Jeden właśnie zdobył koronę i jednoczy kraj — przypomniał Zaremba i Jarogniew po raz drugi był mu wdzięczny. Właśnie po to chciał się spotkać z wodzami, by przypomnieć im, że wróg staje się coraz silniejszy, a oni, powstrzymywani przez Starców, wciąż czekają przyczajeni w lesie.

— Owszem, zdobył koronę — powtórzył Symonius — lecz jednocześnie zdobył potężnych wrogów. Będzie musiał z nimi walczyć. Do tego wrócimy, na końcu. Pierwsze ze słów Trzygłowa brzmiały: „zamknij krąg".

— No właśnie — powiedział Jarogniew, kiwając głową. — Krąg.

— Ostatnim wolnym władcą jest Giedymin — wyjaśnił Symonius. — Oczy Trzygłowa patrzą ku niemu, a jego usta mówią, że sojusz z kniaziem litewskim uczyniłby z nas potęgę.

Jak mogłem na to nie wpaść — zagryzł wargi Jarogniew. — Za długo gniję w lesie.

— Racja — powiedział na głos. — Giedymin podbija Ruś, Krzyżakom w nos się śmieje i chrzcić nie zamierza.

— To właśnie nie jest pewne — odezwał się po raz pierwszy Rdest. — Na Żmudzi mówi się, że wielki kniaź coraz chętniej nadstawia uszu na słowa mnichów.

— O — skonstatował Jarogniew i pojął, po co się tu wziął Rdest.

— Potrzebujemy kogoś, kto go od tego odwiedzie — zrozumiał to samo Wrotycz. — I przeciągnie na naszą stronę.

Symonius potwierdził.

— Drugie było — chciał o sobie przypomnieć Jarogniew — „nie mieszać krwi".

Spojrzał wyczekująco na Symoniusa, ten milczał. Spojrzał na Zarembę i pomyślał, że to jest mieszaniec i odmieniec. Zaremba jednak gapił się w niebo. Jarogniewa olśniło.

— Pamiętacie dawny pomysł Dębiny? — spytał. — Starcy od początku byli mu nieprzychylni, ale Matka uparła się i dopięła swego. Lukardis, księżniczka Starej Krwi, poślubiła księcia Przemysła.

Symonius kiwnął głową na potwierdzenie. Jarogniew tryumfował.

— Nic dobrego z tego nie wyszło.

— Bo nie mogło.

— Stara krew musi pozostać czysta.

— Czyli jaka? — zimno zapytał Zaremba.

— Czysta — powtórzył Jarogniew. — Czego nie rozumiesz?

Oczy Zaremby zwróciły się na niego.

Źle trafiłeś — pomyślał Jarogniew zwany Półtoraokim. — Nie boję się twoich pionowych źrenic i nie robią na mnie wrażenia, jak na dziewczynach.

— Kobiety służące Matkom od dawna sprawiają kłopoty — odezwał się Wrotycz. — Nie chcą współpracować i nie dzielą z nami celów. Dębina wpoiła im mrzonki o pokoju.

— Dębina nie żyje — powiedział Derwan — a wiele z jej dziewczyn przeszło do nas. Przypomnę, że i Ostrzyca służyła kiedyś Dębinie, a w naszych szeregach jest kimś szczególnym.

Jarogniew zwrócił uwagę, że Zaremba nie drgnął, choć mówiono o jego kobiecie.

— Więc co? — przeszedł do konkretów. — Nie mieszać krwi ma znaczyć, że...

— Tak sądzę — przerwał Symonius i do Jarogniewa dotarło, że wódz Roty może nie chcieć wszystkiego mówić przy smoku.

— Przejdźmy do ostatniego z rozkazów Trzygłowa — zmienił temat. — Tego, który złości mnie najbardziej.

— „Trzymać psy" — przypomniał Wrotycz.

Symonius pochylił się i podniósł z ziemi patyk. Wyjął nóż i dwoma pociągnięciami zaostrzył czubek gałązki.

— Wybaczcie — powiedział — to będzie osobista i dłuższa historia.

Noża nie schował, położył na pniu, obok siebie.

— Kazali rodzicom posłać mnie na służbę do Krzyżaków — zaczął po chwili. — Miałem sześć lat. Matka się buntowała, ale ojciec powiedział, żeby siedziała cicho. Polecili im się ochrzcić, a potem i mnie pokropić wodą, rodzice zrobili, co trzeba. Podobnie jak rodzice moich chłopców z Roty Wolnych Prusów.

Jarogniew z grubsza znał dzieje Symoniusa. Znał też ten nóż, z kościaną rękojeścią w kształcie kobiecej figury. Wiedział, że to boginka chrześcijan, zwana Marią.

— Służyliśmy żelaznym braciom tak wiernie, że Gunter von Schwarzburg do ostatniej chwili nie wierzył, że go wydamy Starcom i zginie.

Półtoraoki pamiętał. Śmierć łysego komtura, na kolanach przed nimi, skulonego i przerażonego jak dziecko, była soczystym i dobrym wspomnieniem.

— Myślałem — ciągnął Symonius, grzebiąc patykiem w ziemi — że po ofierze złożonej ze starego Schwarzburga Starcy pozwolą przyjść do was, tak się nie stało. Rozkazali wrócić do Krzyżaków i odbudować ich zaufanie do Roty. Powiedzieli, że mam znaleźć kozła ofiarnego i braci, którzy uwierzą w jego winę. Tak uczyniłem. Wskazałem na Kunona, który wiedział o nas zbyt dużo. I udało się za jednym zamachem pozbyć go i pozyskać grupę żelaznych braci, którzy uwierzyli, że Rota może dla nich zrobić to, czego pragną, a czego sami zrobić się nie odważą. Wrogowie naszych wrogów są naszymi przyjaciółmi.

Symonius na chwilę przestał ruszać patykiem i Jarogniew dostrzegł, że nie grzebał nim bezmyślnie, tylko rysował.

— Ostatni rozkaz Starców, ten, który dali mi przedwczoraj, brzmi tak, jak przepowiednia Trzygłowa: idź i trzymaj psy — powiedział Symonius.

— Więc psami są żelaźni bracia — zaśmiał się Zaremba.

— Tak — potwierdził Symonius. — Są psami, które mogą nam służyć w dotarciu do celu.

Jarogniew poczuł ulgę. Nareszcie wszystko zrozumiał. Spojrzał na rysunek pod stopami Symoniusa. Zobaczył trzy twarze swego krwawego boga i zakonny krzyż w jednej z jego dłoni. Odwrócony krzyż.

Symonius uniósł wzrok i uśmiechnął się do niego. Jarogniew odpowiedział mu zamknięciem powiek.

WŁADYSŁAW wracał do Krakowa w doskonałym nastroju. Polowanie w puszczy niepołomickiej udało się nadzwyczajnie.

— Ale trafiłem żubra! — cieszył się.

— Jak prawdziwy król — potwierdził jego giermek.

— A ty, Borutka — zaczepił go Paweł Ogończyk, kasztelan łęczycki, który na wezwanie króla bawił w Małej Polsce — chyba nic nie ubiłeś, co?

— Nie ubiłem — potwierdził Borutka.

— Królu, twój giermek strzelać z łuku nie umie? — judził Paweł.

Borutka zacisnął usta i obraził się.

— No, wytłumacz się — wesoło zagadnął Władysław.

— Z czego tu się tłumaczyć? — wzruszył ramionami giermek. — Umiem strzelać, każdy to wie. Tylko do zwierząt nie lubię.

— Ha, ha, ha. Woli do Krzyżaków! — śmiał się król.

— Z tego, co ja pamiętam — odezwał się Nawój z Morawicy, kasztelan krakowski — to najlepiej mu się strzelało do mnichów.

— To było czasy! — wyrwało się Borutce. — Bunt wójta Alberta, bunt opata Bożogrobców, wojenka, aż miło. Gnaliśmy co koń wyskoczy po Małej Polsce...

Władek uśmiechnął się, zawinął koniuszek wąsa do ust. Borutka gadał dalej:

— A teraz nuda, jak na każdym porządnym dworze. Jak to mówią: pokój z wami. Król proces z Krzyżakami wygrał, oni nam na tacy oddadzą Gdańsk i Pomorze, i jeszcze królowi zapłacą mnóstwo, mnóstwo srebra. Całe krocie.

Władek jak przygryzał wąsa, tak go wypluł.

— To nie było śmieszne — powiedział do giermka. — Za karę będziesz dzisiaj wino podawał.

— Na mszy? — brnął w niebezpieczne rewiry Borutka.

— Na uczcie dla książąt wrocławskich. I zjeżdżaj mi z oczu, bo cię po prostu nie znoszę.

Czarny płaszczyk Borutki zafurkotał na wietrze; giermek wykonał rozkaz, mknąc ku szpicy pochodu. Władysław fuknął:

— Polowanie mieliśmy takie udane, a ten nicpoń wszystko zepsuł.

— Nie jego wina — wziął nieoczekiwanie Borutkę w obronę Piotr Doliwa, kasztelan poznański i stary przyjaciel, podobnie jak Ogończyk, wezwany przez króla do Krakowa na ważne rozmowy. — Twój giermek powiedział to, o czym wszyscy wiemy. Krzyżacy nie mają zamiaru wykonać wyroku sądu.

— Już go zaskarżyli — dorzucił wojewoda krakowski, Spycimir. — Wieści z Awinionu słabe.

— Lelewita, nie kracz! — upomniał go Władek. — Mamy tam zastęp legistów. Wyszkolonych przez świętej pamięci Jakuba Świnkę, sprawdzonych przez mistrza pieniądza, biskupa Gerwarda.

— Żaden papier nie zmusi Zakonu do zrobienia czegoś, czego bracia nie chcą — powiedział Doliwa. — Będziemy się sądzić latami, a oni i tak trzymać będą Pomorze.

— Latami? — skrzywił się Władek. — Ty nie denerwuj króla. Nie mam na to czasu. Jestem stary.

— To prawda — Doliwa jak zawsze powiedział, co myślał.

Pozostali zaczęli chrząkać i dawać mu znaki, że się zagalopował w szczerości. Doliwa spojrzał na Ogończyka.

— O co chodzi? — szedł w zaparte. — Ja jestem stary, ty jesteś stary, a król jest od nas starszy. Kostucha nierychliwa, przysnęła, ale kiedyś się obudzi, co? Trzeba się za Krzyżaków wziąć, póki mamy siły trzymać miecz i ciąć jak trzeba.

W orszaku królewskim zapanowało milczenie przerywane parskaniem koni. Przed nimi majaczyły już podgrodzia Krakowa. Dym unosił się smugami w wiosennym, jasnym powietrzu, słychać było odległe bicie dzwonów.

— No, to zaraz będziemy w domu — próbował przerwać niezręczną ciszę Nawój.

— Doliwa ma rację — powiedział Władysław.

— Bogu dzięki, że król to widzi — sapnął szybko Piotr.

— Ale potwornie brakuje mu wyobraźni — dopowiedział król. — Tylko szaleniec może mówić, że Krzyżakom można wypowiedzieć wojnę i wygrać.

— Przypomnę ci, panie, że robiłeś już w życiu szalone rzeczy — odezwał się Paweł Ogończyk.

— Tak, Pawełku. Ale wtedy nie byłem królem — ciężko odpowiedział Władysław.

Od czoła orszaku skrajem drogi pędził ku nim Borutka.

— Ki diabeł? — mruknął Ogończyk.

— Królu, królu! — Giermek zatrzymał konia gwałtownie, aż cud, że nie wypadł z siodła. — Pojmaliśmy karła!

— Byś się wstydził tak mówić przy królu — wyrwało się Doliwie.

— To go ustrój w dzwonki i zabierz na ucztę — warknął Władek.

— Zrobię, co król karze — przytaknął Borutka. — Ale on będzie wyglądał paskudnie. Jest barczysty i blizny ma na twarzy, i król go zna. Ja go już kiedyś popędziłem z Krakowa — dodał ciszej giermek.

— Grunhagen — powiedział Władek i ucieszył się w duchu. — Stary zbój. Tym razem nie decyduj za mnie, giermku. Powiedz mu, że chętnie z nim pomówię.

— Przypomnę, że czekają na nas książęta wrocławscy — wtrącił się szybko wojewoda krakowski.

— Narady i uczta — dorzucił kasztelan.

— Legiści, kanclerz i dokumenty — dołożył Ogończyk.

Władysław wzruszył ramionami.

— Wiem, przecież nie od wczoraj jestem królem. Przekaż Grunhagenowi, giermku, że wezwę go później.

— Tak jest — potwierdził Borutka, obrócił konia i zniknął.

Gdy wjeżdżali na Wawel, zagrały rogi i herold krzyknął:

— Król Władysław!

Od koronacji każdy jego wjazd i wyjazd witano tak samo i, owszem, za każdym razem mu się podobało. Nie przyznawał się, bo przecież nie jest łasy na zaszczyty, ale raz nie wytrzymał i zrobił żart heroldowi. Wyjechał, słuchając okrzyku „król Władysław" i nim cały jego orszak zdążył przejechać, zawrócił szybko i znienacka zjawił się na dziedzińcu. Herold, widząc go, omal nie spadł z muru, ale sprawił się i zawołał z taką samą estymą: „Król Władysław!". A potem i trzeci raz zawołał, kiedy Władek wracając do orszaku, znów przekraczał bramę. Działa — pochwalił w duchu Władysław i póki co nie wystawiał herolda na próbę.

Na dziedzińcu wawelskim panował zwykły ruch. No, może bardziej niż zwykły, bo przy stajniach kręciła się też służba gości z czarnym śląskim orłem. Krystyn, syn dawnego kasztelana, czekał na nich.

— Najjaśniejszy panie — pokłonił się, gdy podjeżdżali do stajennych.

— Co się stało? — wystraszył się Władek.

— Nic — uśmiechnął się Krystyn — witam mojego króla.

— A! W domu wszystko dobrze? Co robi moja żona? A co mała Jadwinia? Jak się sprawuje Kaziu? No, co milczysz, mówże! — wyrzucił z siebie potok słów, zeskakując z siodła i idąc ku wejściu do zamku.

— Królowa w swoich komnatach, z księżniczką Jadwigą i córką księcia wrocławskiego, tą starszą...

— Jak jej na imię? — spytał Władek, zrzucając z ramion kaptur wprost w ręce biegnącego za nim sługi.

— Elżbieta, najjaśniejszy panie. A młody książę Kazimierz z magistrem. Uczy się łaciny.

— Bardzo ładnie. Fechtunek miał dzisiaj? Ćwiczył?

— Jeszcze nie, najjaśniejszy panie. Jutro ma lekcje fechtunku.

Władek jak biegł, tak stanął w miejscu i Krystyn, nie spodziewając się tego, wpadł na króla.

— Najmocniej przepraszam, najjaśniejszy... — jęknął.

— Jak to jutro?! To łacinę ma codziennie, a fechtunek nie? — zdenerwował się Władysław. — Przyślij do mnie jego nauczycieli.

— Teraz czekają na nas książęta! — przypomniał Nawój z Morawicy, biegnący tuż za nimi.

— No przecież nie mówię, że teraz — fuknął przez ramię Władek. — Co ty myślisz, kasztelanie, że ja jestem jakiś w gorącej wodzie kąpany?! Przyślij później, Krystynie. A koniuszy? Gdzie mój koniuszy? Czy są wiadomości ze stad królewskich? Ile źrebców, ile źrebic? A węgierskie ogiery, co dostałem od zięcia, jak? Gotowe do pracy? Które klacze weszły w ruję? Mówiłem koniuszemu, że węgierskie ogiery mają jak najszybciej spłodzić źrebce z naszymi klaczami, ach, żeby to tak i u ludzi działo, co, Paweł? Moja Elżunia już pięć miesięcy po ślubie z królem Węgier pisała, że spodziewa się dziecka. Jadwi... królowa list mi czytała z siedem razy, a to miejsce, o dziecku, to całowała normalnie, Borutka umie to powtórzyć słowo w słowo, mój giermek ma pamięć jak jakiś magister. — Zdjął rękawice i nie odwracając się, rzucił słudze. — Będzie syn, wiem to, w kościach czuję. I to lada dzień! Dwa razy liczyłem, rozwiązanie blisko. Wszyscy bracia wrocławscy przyjechali? Bolesław, Henryk i Władysław? Dziwne, że akurat ten szalony nosi imię Władek. I mówisz, Krystyn, że Henryk z córką. No, no. A mój zięć, Bernard, przyjechał?

— Bernard nie przyjechał — wdarł mu się między słowa Krystyn. — Ale zjawił się gość z Awinionu.

— Kto?! — Władek znów stanął w miejscu, ale tym razem Krystyn był przezorniejszy i uskoczył w porę.

— Piotr Miles, kancelista...

— Ciii... Wiem, kim jest Miles. Zajmijcie się nim jak samym Ojcem Świętym.

— Jałbrzyk i Ligaszcz oprowadzają go po Krakowie. Mają przykazane niczego mu nie odmawiać — mrugnął do Władka Krystyn w odpowiedzi. — Jest i inne poselstwo. Drogocenne.

— Węgrzy? — szybko zorientował się Władysław.

— Tak jest — szeroko uśmiechnął się Krystyn. — Węgrzy i dwadzieścia okutych i opieczętowanych skrzyń. Zamknęliśmy je w średnim skarbcu.

— Mój zięć jest słowny — skwitował Władek.

Król Węgier rozliczał się regularnie. Dwa razy do roku przysyłał umówione skrzynie z węgierskim złotem i srebrem. Opłata za bezpieczne szlaki handlowe dla koszyckiej miedzi. Za spokojny przejazd kupców z Węgier, którzy w ciężkich wozach wieźli miedź tak cenną w całej Europie. Carobert, mąż jego córki, pokonał jego starego przyjaciela, Amadeja Abę, i przejął wszystkie węgierskie kopalnie. Zbudował potęgę królestwa na skarbach ziemi. Mówi się, że połowa mennic w Europie bije monety z węgierskiej miedzi. Carobert jest ostrożny, nie wysyła swych skarbów przez Czechy. Wybiera drogę przez polskie królestwo, bo Władysław strzeże węgierskich kupców, tak samo jak w czasach, gdy robił to dla Amadeja Aby. Czy pogodził się ze śmiercią przyjaciela? Nie. Ale węgierskie srebro i złoto dały mu wolną rękę w awiniońskiej kurii.

— Król życzy sobie przebrać się po podróży? — Z korytarza wychynął pokojowiec, syn Jałbrzyka, noszący po stryju imię Bachorzyc.

— Czasu szkoda — machnął ręką Władysław.

— Najjaśniejszy pan przyjmuje książęta. Sugerowałbym dodać majestatowi majestatu — szepnął Nawój.

Władek przewrócił oczami i usłuchał kasztelana. Bachorzyc wszystko miał gotowe. Miskę z wodą, w której Władysław sam obmył twarz, nim tamten zdążył podejść z ręcznikiem. Grzebień, którym chciał przeczesać włosy króla, ale Władek wyjął mu go z ręki i sam przeciągnął w tę i z powrotem po głowie. Pomadę do wąsów, na której używanie Władysław zżymał się, mówiąc, że robią się po niej sztywne. Bachorzyc skorzystał jednak z nieuwagi króla i nałożył ją wprawnie na wąsy.

— Przestań — zaprotestował Władek.

Pokojowiec pokazał mu na okno, wołając w zachwycie:

— Królu, czy to nie jastrząb tam leci? Spójrz, panie!

I gdy Władysław wpatrzył się w błękit nieba za oknem, Bachorzyc zręcznie resztą pomady przeczesał mu sploty włosów.

— Co ty wyprawiasz? Ja nie dama! — fuknął na niego Władek.

— Ale król, mój panie. A król musi wyglądać — uniósł się Bachorzyc.

— Dobra, dawaj płaszcz i lecimy. Korona gdzie?

Na co dzień nie używał korony, ale przyjmując gości, wkładał ją. Nie tę ceremonialną, rzecz jasna, lecz mniejszą, jak mawiał pokojowiec, „codzienną".

— Gotowy! — zapowiedział Bachorzyc i Władek zastygł na chwilę w bezruchu.

To był ich mały rytuał. Bachorzyc pękał z dumy, bo jak mu kiedyś wyznał, zakładając królowi koronę, wznieca w sobie wspomnienia z dnia koronacji. Za każdym razem, gdy mu ją nakładał, mówił:

— Król Władysław ukoronowany.

I chwilę milczeli. Niedługą, bo przecież korona była codzienna, niezwykła, ale niepoświęcona. Taka w sam raz na obowiązki, a nie na uroczystość.

Władek z furkotem płaszcza wtargnął do głównej sali. Przeskoczył stopnie wiodące do tronu i usiadł.

— Z berłem i jabłkiem? — spytał Borutka, który też zdążył się wystroić.

Wokół tronu zebrali się kasztelan i wojewoda krakowski, sekretarz i kanclerz, panowie krakowscy i zaproszeni kujawscy. I Doliwa, a jakże. Władek skinął głową i Borutka zręcznie podał insygnia. Władysław ujął berło, złapał jabłko i mimowolnie podrzucił je w dłoni.

— Może bez jabłka — wystraszył się Nawój. — Będzie przeszkadzało.

— Łap — zaśmiał się Władysław i zwiódł Nawoja, udając, że rzuca.

— Królu… — głos kasztelana brzmiał przyganą.

Borutka podstawił skrzynkę na insygnia i Władysław z czcią odłożył królewskie jabłko.

— Prosić gości — skinął głową, jakby nic się nie stało.

Nim weszli zapowiadani przez herolda, spod łuku sklepienia dał się słyszeć szum skrzydeł. Władek uniósł wzrok i spoważniał. Biały, królewski orzeł zakołował nad tronem i przysiadł na tle piastowskiej chorągwi.

— Książę Bolesław, pan na Brzegu.

Postawny grubas, trzydziestolatek, któremu tusza dodawała wieku, a piękny, ale nieco zbyt krzykliwy w oczach Władka płaszcz — godności.

Brzuchacz, podobny do ojca — ocenił Władysław — chociaż nie wdał się w niego. Tamten był owszem, gruby, ale wojowniczy i w gruncie rzeczy nadzwyczaj rozsądny.

— Książę wrocławski, Henryk.

Też wyglądał na starszego, niż wskazywał wiek. Podkrążone oczy i jakaś melancholia w obliczu były bardziej zauważalne niż dyskretna, wyszukana elegancja księcia.

Chyba najbardziej przypomina moją szwagierkę — przyjrzał mu się Władysław — nieszczęsną Elżbietę, Jadwini starszą siostrę.

— Książę legnicki, Władysław — zapowiedziano najmłodszego z braci.

O, a ten z kolei podobny do diabła — przemknęło królowi przez głowę. — Patrzy jak szaleniec, prawdę mówią. I urodził się po śmierci skatowanego ojca. Pogrobowiec, to zły znak, ale wielu było takich w naszej nieszczęsnej piastowskiej dynastii. Ojcowie dawali łeb na wojnach, a kobiety zostawały z brzuchem. Ja to co innego — pochwalił się. — Szkoda, że temu dali moje imię.

Książętom przedstawiano urzędników królewskich, a Władysław przyglądając się dworskiej ceremonii, myślał: Cały Śląsk mniejszy od Małej Polski. Może jak Starsza Polska i Kujawy razem? Tak by mniej więcej było. Ale bogatszy niż każda z ziem Królestwa. Tam kopalnie, złoża, rudy, rzemiosło i szlaki handlowe ze wschodu do Niemiec. I jak wyliczył mój kanclerz? Dwadzieścia wydzielonych księstewek. Chryste, bądź miłościw. Dwadzieścia, a będą dzielone dalej, bo Piast śląski płodny. A niech tam, ja im synów nie żałuję. Ale Śląsk to naturalna granica. Tylko on dzieli nas od Czech. Droga z Pragi do Królestwa Polskiego wiedzie najpierw przez księstwo świdnickie. Tam Bernard, mój zięć, w końcu nie dla jego pięknych oczu dałem mu pierworodną córkę. Kunegunda, strażniczka drogi. Ale zaraz za Świdnicą Wrocław i Brzeg, którego książęta stoją przede mną. Szalonego nie liczę, ale tych dwóch? Wrocławiowi od lat bliżej było do Pragi niż do Krakowa. Pamiętam słynnego księcia Henryka. Kuzyni mówili na niego „piękniś z Wrocławia", ambicje miał królewskie, skrupułów żadnych i położyła go trucizna. A na łożu śmierci arcybiskup Świnka skruszył grzesznika i Piękny Henryk zdobyczny Kraków zapisał świętej pamięci

Przemysłowi, a Wrocław Głogowczykowi. No i się narobiło. Henryk Brzuchaty nie uszanował testamentu, zbrojnie zajął Wrocław i wyrzucił Głogowczyka. Owszem, siostra mojej Jadwini, jako żona brzuchacza, była księżną wrocławską, ale co z tego? Głogowczyk był równie cierpliwy, co mściwy. Wyczekał, porwał grubasa, wsadził do klatki i wymusił na nim pół księstwa. Gruby nie żyje, Głogowczyk nie żyje, a synowie toczą wojnę. Głogowczycy do mnie w łaskę nie przyjdą, oprócz gniewu wobec wrocławskich w spadku po ojcu wzięli wojnę ze mną o Starszą Polskę. I stary żal, że zabiłem ich stryja, księcia Przemka, choć to było na polu bitwy. „Śląsk pamięta" — tak powinni się wszyscy wołać. A tam każdy każdemu ma co wypomnieć.

— Jestem rad — powiedział, witając gości i nie myśląc długo, zapytał: — Dlaczego żaden z was nie przybył na mą koronację?

Byli skonsternowani. Władysław rzucał niespokojne spojrzenia starszym braciom, ci najwyraźniej nie byli przygotowani na wprost zadane pytanie.

— Byłem w Pradze — wyniośle odpowiedział Bolesław.

— Po co? Nie jesteś poddanym czeskiego króla. — Władysław był rozdrażniony jego butą, więc zaczepny.

— Nie jestem niczyim poddanym — odrzekł pewnie i poprawił płaszcz na ramieniu. — Jestem wolnym księciem.

— A ty, książę Wrocławia? Ciebie też zapraszałem. I ty byłeś w Pradze?

— Nie, królu — przez chwilę zdawało się, że książę Henryk spuści głowę, jednak nie zrobił tego. Uniósł ją i popatrzył na króla.

— A ja — odezwał się najmłodszy z nich — zostałem uznany za niepoczytalnego, ha! Bracia zakazali mi uczestniczyć w koronacji.

— Ach, tak — powiedział Władysław. — Zakazali. A teraz przyjęliście moje zaproszenie, bo król Czech na łożu śmierci? Luksemburczyk kona od ran odniesionych na niesławnym turnieju, na którym i wy bawiliście się w zacnym towarzystwie śląskich kuzynów, więc przybyliście do mnie? No, chyba że chcieliście wreszcie odwiedzić swą ciotkę Jadwigę, która także zapraszała was na koronację, ale wtedy przypadkiem mieliście inne zobowiązania, co? Cóż jest ważniejszego od powrotu korony na skronie piastowskie? — podniósł głos Władysław.

— Król Jan wraca do zdrowia — wydukał książę Bolesław. — Więc nasza obecność w Krakowie nie ma nic wspólnego z jego, z jego… wypadkiem.

Władysław powstrzymał się. Jan wraca do zdrowia? Co innego mówią cisi ludzie. Ponoć wezwał małżonkę z Melnika, by się z nią pojednać przed śmiercią. Może grubas kłamie? Jeśli tak, warto przymknąć oko na małe łgarstwo i okazać wspaniałomyślność.

— Zatem, skoro nie zły stan Luksemburczyka, co sprawiło, że przybyliście?

— Wspólni wrogowie, królu. Książęta Głogowa — odpowiedział za brata Henryk.

No przecież wiem — pomyślał Władysław. — Zmarł jeden z pięciu książąt Głogowa i pozostali po raz kolejny podzielili księstwo. Moi goście obawiają się, że nigdy nie odzyskają od Głogowczyków tego, co zagarnięto ich ojcu.

— Żelazna klatka wciąż rzuca krwawy cień — usłyszał cichutki szept Borutki przy swym uchu. Jego giermek miewał talent do słów, ale ostatnimi czasy także i do przesady.

— Cień żelaznej klatki — powiedział poważnie Władysław.

— Oleśnica, Namysłów, Kluczbork — zaczął gruby.

— Byczyna, Olesno, Chojnów — podjął książę Henryk.

— Bierutów, Wołczyn, Bolesławiec — dokończył najmłodszy, dowodząc, iż nawet jeśli nieco szalony, to pamięć ma dobrą.

— Wszystko to nam wydarto siłą, gwałtem i przemocą — sadził się do przemowy Bolesław.

— Wiemy, wiemy — machnął ręką Władek. — Uspokój się, książę brzeski. Wiem, co to przemoc, mam za sąsiadów Krzyżaków, może opowiedzieć wam o rzezi gdańskiej?

Królewski orzeł krzyknął krótko, pojedynczo, goście mimowolnie spojrzeli na jego majestatyczną, białą sylwetę.

— Nie chcemy się z tobą, panie, licytować na straty — szybko odpowiedział Bolesław.

— Mówisz do króla, książę Bolesławie — upomniał go wojewoda krakowski.

— Królu — powtórzył Bolesław.

Władysław skinął głową.

— No cóż, pozbierajmy fakty. Wasze ziemie są otoczone przez wrogów — powiedział. — Sprzeciwiacie się temu, że waszą ojcowiznę dzielą, jak chcą, kuzyni z Głogowa. I szukając króla sojusznika, ba, króla opiekuna, trafiliście do mnie — popatrzył na nich z satysfakcją, ale nie cieszył się nią długo.

Nie stać mnie na butę wobec nich — pomyślał trzeźwo. — Jeśli ja im nie pomogę, a król Czech wyzdrowieje, pójdą do niego. A jeżeli pomogę i Luksemburczyk nie przeżyje? To co? Odwrócą się od Czech i staną wreszcie przy Polsce?

— Nasze ziemie — niespodziewanie odezwał się najmłodszy z braci, ten, którego brano za pomyleńca — są otoczone przez książąt Głogowa, ale i przez twego zięcia, królu Władysławie. Łączy nas z nimi najściślejsze, choć bolesne pokrewieństwo, wszak ojcowie nasi byli rodzonymi braćmi. I my do nich nic nie mamy, choć coś by się znalazło. Mógłbyś, królu, pomóc nam się dogadać.

Mówią, że to głupek, a powiedział składnie — zauważył Władysław. — Choć ślini się przy każdym słowie i nie może utrzymać oczu w jednym miejscu długo.

— Król jak ojciec, co godzi synów — usłyszał za plecami szept Borutki. — Jak mędrzec, który wie, kiedy odpuścić, kiedy przyłożyć...

Już ja ci przyłożę, Borutka — pomyślał.

— Mógłbym porozmawiać ze swoim zięciem, Bernardem — powiedział powoli, z namysłem. — Przedstawić mu wasze racje, skłonić do sojuszu. Mógłbym nawet wesprzeć taką koalicję jakimś oddziałem zbrojnym, powiedzmy ze Starszej Polski. I wreszcie, jako król polski, mógłbym dać swój patronat nad tym nowym śląskim porozumieniem...

I zażądać, byście w zamian za to zerwali z czeskim królem — pomyślał. — Ale tego zrobić nie mogę, bo gruby i tak jest czeskim zięciem, a Wrocław dla mnie zbyt cenny, bym stawiał to księstwo na próbę.

Książęta Bolesław i Henryk zamarli w oczekiwaniu na to, co dalej powie. Widział napięcie na ich twarzach. Tylko najmłodszy zdawał się niewzruszony, zajęty próbą opanowania nieustannego ruchu rąk, każdej w inną stronę.

— I tak właśnie zrobię — dokończył Władysław.

Obaj starsi bracia odetchnęli z ulgą. Najmłodszy dalej próbował lewą ręką złapać nadgarstek prawej.

— Nie zawiodłem się na tobie, królu — powiedział on właśnie, nie starsi. I wreszcie chwycił własne dłonie.

— Czego żądasz w zamian, panie — spytał Bolesław i poprawił: — ...królu?

— Tego, czego zawsze pragną królowie — odpowiedział Władysław — lojalności.

— Nie hołdu? — zdziwił się Henryk.

Władek skrzywił się i ujął leżące na kolanach berło, mówiąc:

— Nigdy nie podobał mi się ten zwyczaj. — Uniósł je i zakręcił czubkiem, wskazując na wyjście z sali reprezentacyjnej. — Zapraszam na ucztę! Krakowscy kucharze dzisiaj gotują dla was, moi śląscy goście!

JADWIGA siedziała sama z listem. Odprawiła wszystkich, nawet syna i córkę.

„Najdroższa Pani Matko, ukochany Ojcze. Powiłam syna, którego Węgrzy przyjęli biciem w dzwony wszystkich kościołów, a mój pan mąż, Karol Robert, którego tutaj zwiemy Carobertem, obdarował w dzień narodzin złotą zbroją, stadem koni i andegaweńskim płaszczem. Nadał mu imię Karol, po sobie i tych wszystkich królach Neapolu, których krew płynie w jego żyłach. Na zamku w Temesvar nikt nie spał przez całą noc. Król otworzył piwnice i toczono z nich beczki tokaju i muskatu, bo jak powiedział ze łzami w oczach: Dzisiaj raduje się całe królestwo. Setka moich dwórek, paziowie i rycerze osobistej straży, w dniu narodzin Karola nosili przypięte do ubrań róże, a mój kanclerz, biskup Vesprem, Henryk, nie opuszczał zamkowej kaplicy, sprawując mszę za mszą i śpiewając litanię za litanią. Gdyby kantor miał opisywać to, co się zdarzyło, powiedziałby: Najpierw śpiewano błagalnie, potem dziękczynnie i wreszcie żałobnie. Mój syn pierworodny, Karol Andegaweński, zmarł w drugim dniu po narodzinach. Dwórki i paziowie zmienili róże na czarne szarfy, goście pili ze smutku, dzwony biły żałobnie. Król Carobert płakał nie ze szczęścia, lecz z żalu. I tylko ja, Matko i Ojcze, nie miałam czego zamienić. Wciąż trzymałam go w ramionach, nie wierząc, że można stracić więcej, niźli się dostało. Piszę do was w najczarniejszej żałobie. Cierpieniu, którego nie czyni lżejszym myśl, że mój los niczym się nie różni od losu setek kobiet. Przede mną i po mnie. Wobec śmierci jesteśmy równi. Królowa czy praczka. Ale to nie zmienia bólu, który wypełnia mnie po końce palców. Wy straciliście dwóch synów, ja jednego. Lecz Wy mieliście nas, żyjące dzieci. A ja miałam tylko jego".

Pod listem pieczęć sekretna „+S. Secr. Elizab. Regie. Ungarie" i orzeł w koronie.

Jadwiga przycisnęła list do piersi i zawyła. Jak wilczyca, suka, królowa, praczka. Jak każda matka, która umiera z bólu.

JEMIOŁA włożyła na głowę Manny wianek z maków czerwonych, pełnokrwistych. Wybranka jej brata nie była wiotka, jak roślina, od której wzięła imię. Przeciwnie, pełna i soczysta, kipiała życiem i miłością. Jej podwójny podbródek wyglądał jak uśmiech. Okrągłe policzki kusiły, by je dotknąć i sprawdzić, jak są sprężyste. Piersi pod suknią wydawały się niczym wyrośnięte na jasnym piwie bułeczki; kto na nią spojrzał, przenosił się w świat dzieciństwa, sielskiego, wonnego i pełnego śmiechu. Jedyną rzeczą, która w Mannie zdawała się poważna, były jej oczy. Ciemne i lśniące, jakby kręciła się w nich jakaś łza. W te oczy patrzył Woran i od tych źrenic nie mógł się oderwać ani na chwilę. Wciąż szukał dotyku Manny, chwytał czubki jej ciepłych palców, miękkie dłonie, zaokrąglone łokcie. Albo wsuwał dłoń pod jej włosy i głaskał plecy. Jemu Jemioła założyła na włosy wianek z chabrów.

Dziewczyny w mateczniku zaśpiewały, zafurkotały w tańcu zielone suknie.

Miłego Miła
bardzo lubiła
Jego złapała
i rozkochała!
Hiiiii!

Woran i Manna w wiankach, trzymając się za ręce, szli między zgromadzonymi. Kłaniali się starszym, Manna częstowała swoim miodem z malowanego dzbana. Ludwinom smakowało, kiwały głową, oblizywały usta.

To moje pierwsze święto Stado, które prowadzę jako Matka. Radosne echo wesela Łady. Wezwanie rzucone miłości, rozkwitającej wiośnie; uświęcenie kochania, natury i ziemi. Serce Jemioły zabiło gwałtownie na wspomnienie mężczyzny, którego kochała, który w proch się obrócił. I na pamięć Dębiny, której ciało już przerastały trawy i mchy. Odwróciła głowę, by nikt nie widział jej łez. Spojrzała w stronę pałacu natury. Stąd widać było tylko czubek najwyższego dębu z kolumnady.

Kumy miód warzyły,
druhny im wypiły!
Drużbowie wiedzieli,
nic nie powiedzieli!
Hiiiii!

W to święto kwitnące Woran i Manna postanowili połączyć się w obecności Matki. Już obeszli całą polanę i korowód dziewcząt przywiódł ich z powrotem do Jemioły.

Pokłonili się przed nią w pas.

— Matko, przywiodłem do ciebie dziewczynę — powiedział Woran.

— Matko, przyprowadziłam do ciebie chłopca — powiedziała Manna.

Czy na pewno wiesz, ile ten chłopiec ma lat? — pomyślała rozbawiona Jemioła.

Jej bliźniak służył Matkom przynajmniej od pięćdziesięciu, a przecież poszedł do Jaćwieży jako młodzian. Prawda, wyglądał wciąż tak samo. Młodzieńczo i gładko, tylko jedno srebrne pasmo ukryte we włosach.

Mówiłem jej — powiedział do Jemioły Woran w myślach. — *Mannie to nie przeszkadza.*

Dała im znak, by skończyli ukłon. Chwyciła oboje za lewe dłonie.

— Co was przywiodło?

— Miłość — odpowiedzieli zgodnie.

Usta Manny naprawdę były jak maki w jej włosach, pełne i czerwone.

— Co wami kierować będzie?

— Kochanie.

— Jak iść przez życie chcecie?

— Za ręce w znoju, za ręce w chorobie, za ręce w radości i nie puścić ich w żałobie — wyrecytowali rytmicznie.

— Jakich błogosławieństw wam trzeba?

— Deszczu w suszy, słońca o wschodzie. Chleba, mleka i miodu w komorze. Dziecka przy piersi. Pokoju w domu i zagrodzie.

Kalina podała Jemiole dzban z zielonym miodem, Macierzanka rumiany kołacz, obsypany makiem, Dziewanna sól. Jemioła wsypała szczyptę soli do miodu i zanurzyła w nim kołacz. Złote słodkie krople popłynęły po rumianym, wypieczonym cieście. Woran i Manna jednocześnie wgryźli się w kołacz, aż miód ściekał im po wargach.

— Ten chłopiec jest mężczyzną — krzyknęła Jemioła. — Ta dziewczyna kobietą. Manna i Woran łączą się na wieki przed obliczem najważniejszej z Matek, tej, co życie daje ze śmierci. Niechaj im błogosławi, jak ja im błogosławię swą ręką. I na gości spraszam wszystkie dawne boginki, służki Matki Ziemi.

Manna i Woran jedli swój weselny kołacz, popijając miodem i nie przestając patrzeć sobie w oczy. Jemioła rozłożyła gościnnie ramiona i wywoływała gości:

— Żyweno, co dajesz płody rolne! Drzewice promiennolice, boginki leśne! Dziewonie, opiekunki dzikich zwierząt! Pogodo, panno rozpędzająca chmury! Gajówko, służko leśnej kniei! Lubiczu, paniczu weselnych godów! Przybywajcie! Oto młodzi — Manna i Woran, co waszych wyglądają błogosławieństw!

Młodzi skończyli kołacz, Woran otarł Mannie z policzka okruchy zmieszane z miodem. Ona odwzajemniła mu uśmiechem tak cudnym, jakby sama była pradawną Pogodą. Jabłonka, Niecierpek, Ruta, Śliwa i Sosna już tańczyły w kole. Wierzbka, Trzmielina, Macierzanka wirowały, trzymając się za ręce. Drużbowie Worana, piękni chłopcy: Grab o włosach tak długich, że zazdrościły mu dziewczęta, bracia Wrzos i Wiąz, niepodobni do siebie, muskularni, jeden jasny, drugi smolistooki, skory do śmiechu i żartu Posłonek, już rozpalili na środku polany ognisko.

— Pocałujcie się — powiedziała Jemioła do młodych. — I skoczcie za sobą w ogień!

Woran położył smukłe dłonie na pulchnych ramionach Manny. Patrzyli sobie w oczy. Potem powolnym ruchem odgarnął kosmyk włosów z jej czoła. Założył go na płatki maku za wiankiem. Ona wspięła się na palce i pocałowali się. Muzyka zamarła na chwilę, tańczący stanęli wpatrzeni w ten pocałunek. A dla Manny i Worana czas przestał płynąć, zapomnieli, że są otoczeni przez gości. Serce Jemioły znów załomotało na wspomnienie jej własnej miłości. Kalina, która stała za nią, westchnęła tak tęsknie, aż bolało. Jemioła spojrzała po siostrach. Z wielu oczu płynęły łzy.

Miłość jest darem i nie każdemu się zdarza — pomyślała.

Dała znak Grabowi. Ten zagwizdał przeciągle, przerywając pocałunek młodych. Goście otoczyli ognisko, robiąc miejsce dla nich. Woran i Manna złapali się za ręce i na znany tylko sobie samym znak jednocześnie ruszyli do biegu. Rozpędzili się, odbili i skoczyli przez ogień. Zrobili to tak szybko, że w oczach oglądających wydali się barwną smugą. Z wianka Manny posypały się w płomienie makowe płatki. Już rozległy się śmiechy i klaskanie w dłonie. Już zaczęto śpiewać. Woran złapał Mannę w pasie i ruszyli do tańca, za nimi inni. Wrzos chwycił Rutę. Jego brat Sosnę. Posłonek wymknął się ramionom Dziewanny i porwał Gorczycę.

— Widziałaś? Jej wianek poszedł w ogień — powiedziała do Jemioły Kalina, podsuwając kubek z miodem. — Dziwny znak — dodała po chwili.

— Chłopcy ułożyli zbyt wysokie ognisko — odpowiedziała Jemioła. — Nic takiego, nie myśl źle.

— Byłam rankiem u Dębiny. Zaniosłam świeżych kwiatów. — Kalina przysiadła na pieńku.

— Widziałam. — Jemioła usiadła przy niej i pogłaskała po suchej dłoni. — Ja jej zaniosłam weselnego miodu.

— Ostatnimi czasy wciąż wraca mi pamięć takiego obrzędu... — zaczęła Kalina z namysłem.

— Mnie też — skinęła głową Jemioła. Spojrzały na siebie smutno. Wtedy Dębina wywołała Mokosz, a Mokra Matka, Bogini z kołowrotkiem, przepowiedziała wojnę.

— Deszczu w suszy, słońca o wschodzie. Chleba, mleka i miodu w komorze. Dziecka przy piersi. Pokoju w domu i zagrodzie. Takich błogosławieństw nam dzisiaj trzeba, Kalino. Nie przywołujmy złych wspomnień.

— Co ma być, nas nie ominie.

— Ale na co się można przygotować... — zaczęła myśl Jemioła, lecz jej uwagę przyciągnął dźwięk dzwonków, gdzieś wysoko, w koronach drzew. Był delikatny, odległy, ale przebijał się przez śpiew, muzykę i śmiech bawiących się gości. Zacisnęła palce na dłoni Kaliny. Ta szybko uniosła oczy.

— To idzie z zachodu?

— Nie, ze wschodu — pociągnęła Kalinę i uniosły się obie, wpatrując w wierzchołki drzew. — Są! Tam, między bukami!

Pierwszy mknął Lubicz, pan weselnych godów, za nim zwinna Gajówka w płaszczu utkanym z mchów i liści. Dalej dwie Dziewonie, jedna jechała na śmigłym rysiu, druga na niedźwiedziu, a nad ich głowami leciały sokoły. Za opiekunkami dzikich zwierząt snuła się Pogoda, przejrzysta, błękitnolica, w płaszczu podszytym letnim wiatrem. Potem, jedna za drugą, trzymając się za ramiona, jak dziewczęta w tańcu, trzy Drzewice, boginki leśne, każda na głowie zamiast wianka miała ptasie gniazdo. Na końcu Pani Żywena, pełna i płodna, w czepcu, chuście z pszenicy i zapasce, z której wypadały jagody i jabłka. Korowód dawnych boginek, pomocników Ziemi, jak barwny, wonny podmuch, przemknął między koronami drzew, zatoczył krąg nad tańczącymi i zniknął, nim Manna, która zadarła głowę w pląsie, zdążyła krzyknąć:

— Żywena! Żywenaaa!

Jemioła i Kalina uściskały się.

— To piękny dar! — powiedziała Kalina. — Nie widziałam ich tak dawno...

— Przybyli na wesele mego brata — wzruszyła się Jemioła.

— Albo na twoje wezwanie, Matko — poważnie odpowiedziała Kalina i położyła jej głowę na ramieniu. — Pójdę się położyć. Słaba dziś jestem — powiedziała po chwili.

Jemioła pocałowała ją w czoło i odprowadziła uśmiechem.

Ściemniało się, ale na polanie wciąż było głośno i wesoło. Przysiadła się do niej Wierzbka.

— Dobrze cię widzieć, stara przyjaciółko — powiedziała Jemioła. — Myślałam o tobie.

— O mnie?

— O nas. — Jemioła milczała chwilę, a potem wyjawiła: — Chcę zamknąć „Zielone Groty".

— Spodziewałam się tego, gdy Dębina wskazała na ciebie — pokiwała głową Wierzbka. — Ja nie będę żałować, ale Ludwiny...

— Ludwiny zostaną. I gospody. Ale nie będzie już osobnych izb dla gości i panien nierządnych. To spełniło swoją rolę i starczy.

Wierzbka podniosła z trawy złamaną gałązkę i obracała w palcach.

— Kto im powie? — spytała.

— Ja — skinęła głową Jemioła. — To moja decyzja. Pomówię z Ludwinami po weselu, nie chcę im psuć zabawy.

Podszedł do nich Woran, bez Manny, która tańczyła z Posłonkiem. Wierzbka zostawiła ich samych.

— Będzie mi ciebie brakowało — powiedziała. — Kiedy ruszacie?

— Manna zmieniła zdanie, gdy zobaczyła matecznik — odpowiedział i zapatrzył się na krągłe, białe łydki ukochanej, które mignęły z dala, gdy Posłonek podrzucił ją w tańcu. — Chce, żebyśmy zostali z wami. Pójdziemy pokłonić się jej matce, ojciec dawno nie żyje. Będzie chciała wyprawić weselisko dla rodziny i sąsiadów ze wsi. A potem wrócimy.

— Manna da sobie uciąć warkocze? — zaśmiała się Jemioła.

— Odrosną — uśmiechnął się Woran. — Chce uszczęśliwić matkę, wiesz, jak to po wsiach. Jak kawaler nie porwie panny młodej, jak drużbowie się nie pobiją, a druhny nie zakochają, to wesela nie było. — Pogładził się po piersi i wyjął coś maleńkiego z zanadrza. — Dam jej to przy matce.

Jemioła spojrzała na przejrzystą bryłkę jantaru w kształcie nieregularnego kwiatka.

— Bez skazy — szepnęła.

— U nich, u Manny na wsi, mówi się na taki „cudko". I każda panna musi dostać na znak miłości, inaczej będą gadać, że kawaler fałszywy, a miłość zmyślona. — Westchnął ciężko. — Dostałem go od Jaćwieży, lata temu, gdy byłem jej synem.

Schował cudko, a Jemioła przyciągnęła go za ramię.

— Cieszę się, że wrócicie — przytuliła się do brata na chwilę — że będę miała was blisko.

Odsunęła się od niego, bo już biegła do nich zarumieniona Ruta, którą gonił Wrzos.

— Widziałam orszak Lubicza! — krzyknęła radośnie. — Gajówkę i Dziewonie. Nie wiedziałam, że są tacy nieduzi! Ha! Wydawało mi się, że będą niczym olbrzymi, a oni wszyscy tacy, no, nie większi od nas...

— Widziała orszak, więc będziemy następni — złapał ją Wrzos i pociągnął na kolana. — Pobłogosław, Matko Jemioło.

Ruta spojrzała na niego zaskoczona.

— Może najpierw uzgodnij to z wybranką — zaśmiała się Jemioła. — Wróćcie, gdy będziecie jednomyślni.

Ruta pokręciła głową i uciekła Wrzosowi. On spojrzał za nią tęsknie i skoczył ją gonić. Przy ognisku wybuchł śmiech, a piszczałki zagrały jeszcze głośniej.

— Nie wiem, jak ci pomóc — odezwał się cicho Woran. — Twoje myśli biegną do nieżyjącego.

— Na to nie ma leku — odpowiedziała równie cicho.

Rozmowę przerwał im gwizd od strony lasu. Jemioła wstała.

— To strażniczki — powiedziała szybko. — Ktoś wdarł się do matecznika i nie zdołały go powstrzymać.

— Nie mamy tu broni — zdążył odpowiedzieć Woran, gdy na polanę wbiegła łuczniczka ze straży.

— Matko, nieproszeni goście! — krzyknęła.

Podążali zaraz za nią. Poznała ich mimo mroku. Woran też i w pierwszej chwili stanął przed nią, chcąc osłonić. Odsunęła go.

Jarogniew szedł przodem. Za nim czterech wojowników Trzygłowa, w pancerzach z ptasich kości.

Uzbrojeni po zęby — pomyślała i zobaczyła zamykających pochód: Ostrzycę z Michałem Zarembą. Jemiole ugięły się kolana. Zaremba był smokiem. Miał na sobie skórzany kaftan i takież spodnie, na stopach buty, ale jego dłonie, twarz i czaszkę pokrywały łuski. I nie były to szare, stroszące się łuski, które przed laty pomogła mu zamaskować mazidłem, tak że wyglądały jak blizny po ospie. To były piękne wielobarwne rogowe płytki układające się we wzór misterny jak u węża. Zaremba był majestatyczny. Z trudem oderwała od niego wzrok.

Doskoczyły do niej kolejne strażniczki i stanęły przed Jemiołą, krzyżując włócznie.

— W święto Stado witacie nas bronią? — zakpił Jarogniew. — A gdzie słynna gościnność Matki? Może odeszła wraz z Dębiną? Ty, Jemioło, zawsze byłaś znana z zadziorności, ale sądziłem, że jako Matka złagodniejesz.

— Czego tu szukacie? — spytała chłodno.

Na polanie umilkły piszczałki. Zgrzani tańcem i zabawą weselnicy powoli zbliżali się ku nim.

— Też mamy parę młodą — skinął głową w stronę Ostrzycy i Michała — może i im pobłogosławisz?

— Nie połączyli się w imieniu Matki, lecz w ogniu Trzygłowa.

Myślała gorączkowo. Nie miała pojęcia, jaką mocą dysponuje Michał, odkąd przeobraził się. Czy słyszy myśli? Jeśli tak, to jak przekazać postarzałej siostrze, by ukryła swój skarb i nie wstawała nocą do studni? Śpij — wydawała jej ukryty rozkaz, nie mając pojęcia, czy dotrze do niej. — Śpij głęboko.

Smok cię nie słyszy — powiedział do niej w myślach Woran. — *Jestem tego pewien.*

Więc wycofaj się niezauważony i strzeż Kaliny. Nie może zobaczyć Zaremby. A oni nie mogą…

Idę.

— Odmawiasz im błogosławieństwa? — kpił dalej Jarogniew i próbował zmusić ją, by patrzyła w ciemną połowę jego lewego oka. W zbutwiałą otchłań zaczynającą się na źrenicy. Spojrzała mu w prawe, zielone oko.

— Nie potrzebują go — powiedziała zdecydowanie. Widziała plecy Worana znikające w mroku.

— Możemy się rozgościć? — spytał Jarogniew. — Przyznaję, wasz miód jest lepszy, choć i my mamy swoich bartników.

Mogliście nie zabijać Matki Pszczół, nauczyłaby was tajników sycenia — pomyślała Jemioła, ale nie powiedziała tego; nie mogła sobie pozwolić na jątrzenie.

— Oddajcie broń, a pozwolę wam spocząć przy ogniu — odpowiedziała Jarogniewowi.

Jarogniew Półtoraoki zaśmiał się.

— Wojownicy Trzygłowa przychodzą na świat uzbrojeni! Chcesz niemożliwego, Matko Jemioło.

To ostatnie zabrzmiało obraźliwie, jakby kpił z tego, że została Matką.

— Więc odejdźcie. W mateczniku nie wolno przebywać z bronią.

— A one? — pokazał na strażniczki. — Może te włócznie są z kłosów zbóż, co?

— To gospodynie, a wy chcecie być gośćmi. Oddajcie broń, albo idźcie. Więcej nie powtórzę.

— Zadziorna jak kiedyś. Mówiłem, że żałuję? Mogłaś wybrać inaczej. Być moją bratanicą...

Teraz zyskała pewność, że Jarogniew gra na zwłokę. Dostrzegła, że Ostrzyca chce wejść w tłum dziewcząt, a Michał wpatruje się w każdą z nich nazbyt intensywnie. Czy moje strażniczki dadzą im radę? — zastanowiła się. — Nie, mieli przed sobą pięciu uzbrojonych wojowników, Zarembę i Ostrzycę, która walczyła jak każdy z nich. I ledwie pięć strażniczek. Co zrobić, by uniknąć rozlewu krwi podczas święta miłości?

— Możemy o tym pomówić — odezwała się, nadając głosowi miękkość. — Tylko ty i ja, bez świadków.

Oczy Jarogniewa zalśniły. Udawał czy dał się złapać?

— Więc chodźmy w las — zaproponował szerokim gestem.

— Nie dzisiaj — pokręciła głową. — Mamy wesele. Umówmy się w następną pełnię.

— Hmm — mruknął. — Wy, kobiety, lubicie być tajemnicze.

— Gdybym pragnęła tajemnic, spotkalibyśmy się na nowiu.

— Zaprosisz mnie do waszego pałacu? Słyszałem to i owo — przekrzywił głowę, znów próbując sztuczki z okiem.

— Nie. Zaproszę cię na Mokradła Marzanny — uśmiechnęła się do prawego oka wodza, choć tak pragnął, by spojrzała w lewe.

Jarogniew klepnął kolejno swych towarzyszy, prócz Ostrzycy i Michała.

— Słyszeliście, bracia! Będę sam na sam z Matką Jemiołą na jej mokradłach. Opłaca się być wodzem. Zbierajmy się, dzisiaj siostry nas nie chcą, przepraszam, siostry i ich chłopcy — mrugnął do Wrzosa, Graba, Wiąza. — Przy okazji. A wy chyba się znacie, co? I tak ani słowa? Onieśmielił cię jako smok? Można się przyzwyczaić, tylko trzeba pobyć z nim dłużej. Albo tak blisko jak Ostrzyca.

Ostrzyca syknęła na Jarogniewa; nie spodobał się jej ten żart. Michał, który przez cały czas wydawał się nieobecny, nagle spojrzał na Jemiołę pionowymi źrenicami.

— Nie twoja sprawa — powiedział do Półtoraokiego z mocą. — Z Jemiołą znamy się długo i dobrze. Ale też nie lubimy gadać przy obcych.

Poczuła gorąco.

— Żegnam — odpowiedziała po chwili.

Jarogniew odwrócił się pierwszy, czterej wojownicy ruszyli za nim. Ostrzyca raz jeszcze uważnym wzrokiem obrzuciła zebranych, a Michał zamknął powieki, by zobaczyła, że na każdej z nich łuski układają się, udając źrenice.

Smok nigdy nie śpi. Widzi z zamkniętymi oczami — przypomniała sobie słowa Dębiny. — Jego wpływ na kobiety Starej Krwi jest olbrzymi. Nie do oszacowania. Trzeba zrobić wszystko, by nigdy więcej nie mieli ze sobą kontaktu.

Gdy odeszli, muzyka wróciła, choć tancerze nie mieli już takiej ochoty do tańca. Dzbany z miodem zaczęły krążyć gęściej. Widziała zamglone oczy dziewczyn i była pewna, że to nie od trunku. Jarogniew przyprowadził Zarembę specjalnie. Chciał jej pokazać, że ma coś, czego ona nie ma. Chciał konfrontacji.

I wygrał ją. Przecież Ruta ma teraz tęsknotę w oczach nie za Wrzosem, który siedzi u jej kolan. Gorczyca już nie pragnie Posłonka, co całuje jej kark, ona patrzy w las, w którym zniknął Michał. Tam też zerka Dziewanna, tańcząc, zmysłowo poruszając biodrami, gładząc piersi. Sosna nie dla Wiąza oddycha tak ciężko, a długowłosy, piękny jak młody bóg Grab stoi samotnie pod drzewem i żadna na niego nie spojrzy, choć chwilę wcześniej tańczył w wianuszku dziewczyn.

Jaćwież przed laty mówiła mi o Zarembach białych i czarnych. Czarnych zabiłam, lub pomarli sami. Ale Michał był biały, dlaczego to się stało? Dlaczego zwyciężył w nim smok?

— Minąłem ich, gdy wychodzili — odezwał się Woran, wracając z chaty. — Obawiam się, że Ostrzyca węszyła tu za Jaszczurką.

ZYGHARD VON SCHWARZBURG jechał na spotkanie małej kapituły z zamiarem zawarcia sojuszy. Wpadło mu to do głowy, gdy wrócił z Pragi do Grudziądza. Spojrzał wtedy na swą imponującą siedzibę nad Wisłą i pomyślał, że życie mogłoby nabrać rumieńców, gdyby chciało mu się cokolwiek z nim zrobić. Po śmierci Guntera wycofał się z gier o władzę w Zakonie. Wiedział, że starszy brat latami pracował na to, by któregoś dnia to on został wielkim mistrzem. Tak się nie stało. Przyjaciele Guntera umarli, on sam został zamordowany przez Dzikich, a wreszcie ich ofiarą stał się Kuno. Zyghard von Schwarzburg innych przyjaciół nie miał. Nie dlatego, by komturowie się do niego nie garnęli, przeciwnie. Na każdym z zakonnych spotkań kolejka tych, którzy chcieli wejść w jego względy, była spora. Tyle tylko, że Zyghard gardził nimi. Umiał przejrzeć ich grę, nim ją zaczęli, i to sprawiało, że przestawali być dla niego interesujący. Ostatnio prokurator z, pożal się Boże, Dąbrówna, Eberhard von Landsee, podarował mu beczkę wina z alzackich winnic i nim zdążył otworzyć usta, Zyghard wiedział, że chodzi o skierowanie dla młodszego brata do służby w Grudziądzu, choć młodzian miał już przydział do Bałgi. A Landsee w konflikcie z Altenburgiem, tamtejszym komturem, intryga aż furczy, można zasnąć po pierwszym słowie. Chłopaka przyjął, a wina odmówił, ot, dla przekory i żeby Landsee nie myślał, że są kwita. I tak w kółko, sprawy tak nijakie, jak życie pająków krzyżaków. Kompletny brak emocji. Praga go trochę rozruszała, może właściwiej: pobudziła apetyt. I gdy przyszło wezwanie na małą kapitułę do Malborka, zawołał sługę, kazał sobie przystrzyc brodę, skrócić włosy i przygotować nowe buty. Był gotów wkroczyć do gry, by ratować się przed śmiercią. Z nudów.

Przed mostem na Nogacie natknął się na niewielki poczet, czekający na pozwolenie wjazdu.

— Stryju! — zawołał do niego przystojniak w białym płaszczu.

— Guntherus, co słychać w Turyngii? Prawda, że byłeś w domu?

Młodzian był synem ich brata, Henryka, i dostał imię po Gunterze, ale gdy wstąpił do Zakonu, zaczęto nazywać go Guntherusem, by nie mylił się ze słynnym Gunterem von Schwarzburg. Poza pochodzeniem niewiele ich łączyło. Owszem, Zyghard miał Guntherusa przez chwilę pod swymi skrzydłami, w Dzierzgoniu, ale to było w czasach, gdy całą jego uwagę pochłaniał Kuno, więc przeoczył kształtowanie bratanka. A później młodzianem zaopiekował się Luther, więc siłą rzeczy przestało im być po drodze. Po śmierci Guntera bratanek już dostał swój pierwszy konwent, a w zakonie to tak, jakby chłopak został ojcem.

Guntherus podjechał bliżej, uśmiechnął się nieśmiało.

— Ojciec odnowił skrzydło zamku w Blankenburgu — powiedział. — A matka kazała przemalować kaplicę. — Ściszając głos, dodał: — Ojciec nie może przeboleć śmierci Guntera. Wciąż mnie o nią wypytuje.

— Dlaczego szepczesz? — prowokacyjnie zapytał Zyghard.

— Spójrz na przedmurze, stryju — odpowiedział Guntherus.

W tej samej chwili dano im sygnał, że wjazd wolny, i poczty obu Schwarzburgów wjechały na most. Zyghard potrzebował chwili, by zrozumieć, na co patrzy. Kilka brunatnych namiotów rozstawionych w kręgu, obok pasące się konie. Małe, pruskie swejki, brzydkie, ale śmigłe.

— Rota Wolnych Prusów — wycedził przez zęby. — Szukałem ich, słałem listy gończe po całych Prusach, ale po śmierci Guntera zniknęli, jakby zapadli się pod ziemię.

— Nie przyjechali tutaj przez pomyłkę — powiedział Guntherus. — Nie odważyliby się.

— Dlaczego nie gniją w lochu? — wściekł się Zyghard. — Dlaczego nie wiszą?

— Proszę, nie rób nic gwałtownego, stryju. Ich obecność musi coś znaczyć, na pewno zaraz się wszystkiego dowiemy.

— Wszystkiego? — prychnął Zyghard. — Jesteś w Zakonie od tygodnia, że gadasz takie bzdury?

Zjechali z mostu, Zyghard wezwał jednego z półbraci.

— Kluger, weź dwóch ludzi i dyskretnie obserwujcie ten obóz. Dowiedz się, czy wśród Prusów jest niejaki Symonius. Gdyby chcieli się zwinąć, mam się o tym dowiedzieć pierwszy, a ty masz zrobić wszystko, by ich zatrzymać.

— Wszystko? — upewnił się Kluger.

Zyghard skinął głową i ruszył za bratankiem do malborskiej bramy.

— Zostawiasz tu swoich ludzi? — spytał Guntherus, oglądając się na odjeżdżających. — Żeby ich pilnowali?

Zyghard przewrócił oczami. Wjechali na dębową kładkę.

— Przedbramie — powiedział — jedna brona, druga, o, rdza na kracie, brama właściwa, wrota z dębiny i żelaza.

— O co ci chodzi, stryju? — Guntherus popatrzył na niego zdumiony.

— Drażnią mnie ludzie, którzy powtarzają, co widzą — odpowiedział. — Nic dziwnego, że dostałeś konwent w Paprotnie.

— W Pokrzywnie — grzecznie poprawił Guntherus. — Wybacz.

Od czasu, gdy bunt komturów doprowadził do wyjazdu wielkiego mistrza, Karola z Trewiru, w Zakonie panował impas i dwuwładza. Papież nie zatwierdził decyzji wielkiej kapituły, Karol wyjechał z Prus, zabierając ze sobą pieczęć i pierścień, więc w Malborku nie mógł powstać żaden dokument sygnowany znakami wielkiego mistrza. Karol rządził Zakonem z Rzeszy i raz na jakiś czas przysyłał Wernera von

Orseln, by ten zabrał lub dostarczył stosowne dokumenty. Władzę w Prusach nieformalnie sprawował Wildenberg, z którym Zyghard od lat miał na pieńku, i to on zwołał małą kapitułę. Do spotkania zostało trochę czasu, więc Schwarzburg oddał konia do stajni i bez zwłoki zajął się sprawą Prusów.

W sieni kancelarii komtura krajowego było tłoczno i śmierdziało wczorajszym piwem.

— Mogliby zmieniać odzież po pijatyce — syknął z odrazą.

— To powinno stać się obowiązkowe — odpowiedział ktoś czekający przed nim. — Komturze Schwarzburg, dobrze cię widzieć — odwrócił się do niego Markward von Sparenberg.

Jeden ze świętoszków Luthera — pomyślał z niesmakiem Zyghard. Okrągła, łysa czaszka Markwarda lśniła od potu, choć pulchne, gładko ogolone policzki nasuwały skojarzenia, iż lśni od tłuszczu. Uśmiechnął się do Markwarda szeroko i wbrew temu, co myślał, powiedział:

— Wzajemnie, bracie. Miło spotkać rodaka.

Markward pokraśniał.

— Henryk był ostatnio w domu, w naszej słodkiej Turyngii!

— Henryk? A który? — spytał Zyghard. — W Zakonie więcej tylko Fryderyków.

— Prawda! — zaśmiał się Markward. — Plauen. Właściwie wszyscy byliśmy gośćmi jego rodziny w drodze powrotnej z Awinionu.

Zapomniałem, że Sparenbergowie są wasalami Plauenów — przypomniał sobie koligacje z rodzinnych stron Zyghard. — Nic dziwnego, że zatrzymali się u nich. Zamek Sparenbergów rozpadał się już w czasach, gdy jako dzieciak opuszczałem Turyngię. Moja siostra straszyła swoje dwórki, że jak się na nie zezłości, odeśle do Sparenbergów na służbę.

— No, to zazdroszczę, Markwardzie — poklepał go po ramieniu. — Mieliście piękną podróż.

— A jakie wieści przywieźliśmy, Zyghardzie — Sparenberg robił się coraz bardziej wylewny.

— Ciii, Markwardzie. Jesteśmy w Malborku, sam wiesz, że tu ściany mają uszy. Z przyjemnością posłucham, ale może nie w kancelarii.

— Wino po obradach? Piwa nie proponuję — uśmiechnął się porozumiewawczo.

— Z rodakiem? Nie odmówię. Przy okazji, widziałem obóz Roty na przedzamczu. Wiesz, że szukałem ich po śmierci brata. Znaleźli się nagle?

— Dietrich von Altenburg ich przywiózł — szepnął Markward. — A Otto Lautenburg sądził. Wiesz, jako komtur chełmiński, po twym nieodżałowanym bracie.

Zyghard poczuł się jak skończony głupiec. Miewał taki sen, że jest rycerzem, największą sławą na turnieju, takim, co ściąga tłumy pragnące zobaczyć go w pojedynku na miecze. I że słyszy już, jak heroldzi wywołują jego imię, goście skandują, damy piszczą, a młodzi chłopcy nie mogą się doczekać, aż wjedzie. I gdy rusza na plac turniejowy, gdy wjeżdża pod trybunę, orientuje się, że nie założył zbroi. Siedzi na koniu nagi, w hełmie na głowie, rękawicach kolczych goły, całkiem goły.

— Sądził? — powtórzył za Markwardem. — Czyli proces już się odbył, a mnie nie powiadomiono? Zapadł wyrok i Prusowie spokojnie biwakują pod Malborkiem?

Markward odwrócił wzrok.

— Spytaj Lautenburga, on ci powie. Masz szczęście, właśnie wychodzi z kancelarii, to znaczy on ma szczęście, że już załatwił swoje sprawy — wił się Markward.

Hrabia Otto von Lautenburg był nieco młodszy od Zygharda. Ciemnowłosy i ciemnobrody, postawny, choć już uwidaczniała się u niego skłonność do tycia. Na widok Schwarzburga rozmawiającego ze Sparenbergiem speszył się wyraźnie, ale trwało to mgnienie.

— Ottonie — przejął inicjatywę Zyghard.

— Komturze grudziądzki — odkłonił mu się Lautenburg.

— Sprawiedliwość nie rychliwa, ale nieuchronna — powiedział Zyghard.

— Jak mówisz — skinął głową.

— Pytam! — zażądał Zyghard. — O wyrok na zabójców mego brata.

— Tych nie znaleziono — odpowiedział Otto i próbował przejść dalej.

Zyghard złapał go za ramię mocno.

— Co ty chrzanisz, Lautenburg! — syknął. — Rota Wolnych Prusów odpowiada za śmierć Guntera.

— Mylisz się, Zyghardzie. Przeprowadziłem proces, przesłuchałem ich i uniewinniłem. Komtur krajowy Wildenburg zatwierdził wyrok, a komtur dzierzgoński Luther z Brunszwiku przywrócił ich na służbę Zakonowi.

Zyghard z całych sił zacisnął szczęki, bo miał ochotę napluć Lautenburgowi w twarz.

— Chcę zobaczyć akta procesu — wycedził.

— Są utajnione — odpowiedział z wahaniem Lautenburg — ale dla ciebie zrobię wyjątek. Pokażę ci je.

— Dałeś się zwieść Symoniusowi.

— Nie, Zyghardzie. Rota nie ma z tym nic wspólnego, więcej, Symonius starał się na własną rękę odnaleźć zabójców, dlatego zniknął.

— A chorągiew Zakonu jest biała, bo każdy Krzyżak jest dziewicą — zakpił rozwścieczony Zyghard.

— Rozumiem twój ból, ale nie popadaj w szaleństwo — w głosie Lautenburga brzmiała perswazja i ani krztyny tryumfu. — Wiem, oskarżaliśmy Kunona o udział w śmierci twego brata i to my się wtedy myliliśmy, wybacz. Zeznania Symoniusa pozwalają sądzić, iż ci sami Dzicy, którzy zasadzili się na Guntera, dopadli twego towarzysza. Więc owszem, słusznie gra w tobie gniew, ale zabójców musimy znaleźć gdzie indziej i zapewniam cię, że jako następca Guntera, nie ustanę w poszukiwaniach.

— Daj mi te akta — powiedział Zyghard, panując nad złością.

— Wejdź do mnie po spotkaniu kapituły — skinął głową Lautenburg. — I raz jeszcze przyjmij przeprosiny za Kunona. Nie był winny.

Zyghard wymknął się z kolejki w kancelarii chwilę po Lautenburgu.

Wrócę — pomyślał — z apelacją od wyroku, jak tylko przejrzę akta procesowe.

Przez chwilę zastanawiał się, czy nie cofnąć się na przedzamcze i nie wydać Klugerowi rozkazu, by porwał Symoniusa i przywiózł mu do Grudziądza.

Z tym zdążę — uspokoił myśli. — Skoro Luther ich przywrócił do służby, nie będą się kryć.

Do zebrania zostało wciąż nieco czasu, za mało, by iść za mury, za dużo, by stać na krużganku i myśleć. Skierował się do zachodniego skrzydła warownego klasztoru, potem w górę schodami dla czeladzi.

To muszą być te drzwi — pomyślał. Nigdy tu nie był, ale Gunter i Konrad von Sack podzielili się sekretem, a klucz znalazł przy zwłokach brata. Wsadził w zamek, przekręcił. Drzwi puściły. Zamknął je za sobą dokładnie i pożałował, że nie wziął światła. Szedł po omacku, trzymając się muru i schylając, by nie zawadzić głową o niski sufit. Zakręt i smuga światła z niewielkiego, wysoko umieszczonego okna. Znalazł się w pustym pomieszczeniu. Tylko ława, dwa stołki. Dzban po winie, pusty. Brudne kubki.

Pajęczyny sugerowały, że dawno nikt tu nie bywał, ale Zyghard wolał brać pod uwagę, że nie on jeden zna sekret dwóch nieżyjących przyjaciół. Zatęsknił za nimi nagle. Za grubym, rubasznym Konradem, który nade wszystko kochał litewskie rejzy i jak nikt przed nim umiał na nich zarobić. I za Gunterem, który latami brał knucie i dogadywanie się z komturami na siebie, podczas gdy on miał czas na znacznie przyjemniejsze rzeczy.

Rozejrzał się za otworem, o którym mówili. Ustawienie stołeczków ułatwiło mu pracę. Przyklęknął i dotknął pokrywy. W tej samej chwili usłyszał niepewne kroki. Odwrócił się, by przyjąć gościa twarzą w twarz.

— Luther z Brunszwiku!

— Zyghardzie — skinął mu głową wchodzący.

— Dobrze zamknąłeś drzwi? — zadrwił Zyghard. — Czy za chwilę powitamy kogoś jeszcze?

— Jeśli są więcej niż dwa klucze — odpowiedział uśmiechem.

Wciąż ma w sobie coś młodzieńczego — otaksował wygląd Luthera Zyghard. — Może przez te włosy? Ciemnobrązowe i lekko wijące się, które Luther zakładał za ucho. W dodatku nie nosił brody.

— Skąd wziąłeś swój? — spytał go.

— Dał mi Konrad von Sack, wraz z ostatnią wolą. Tobie, jak rozumiem, Gunter?

— Nie pamiętam, by Konrad kiedykolwiek wspominał o tobie — skłamał Zyghard.

— Przed śmiercią czuł się bardzo samotny. „My, rycerze zakonni", powiedział mi w infirmerii, „nie mamy dzieci, a komuś trzeba przekazać dziedzictwo".

— Skoro wybrał ciebie, prawdą jest, że umarł, postradawszy zmysły.

Twarz Luthera nagle straciła ten irytujący go latami, przemądrzały wyraz.

— Nie mamy kogo spytać. Ci, którzy coś wiedzieli o jego śmierci, nie żyją — tajemniczo odpowiedział Luther i rozejrzał się po pomieszczeniu. — Inaczej sobie wyobrażałem to miejsce, a ty, Zyghardzie?

— Wyobraźnia jest moją mocną stroną.

Luther nie zważając na to, że Schwarzburg stał nieporuszony, przeszedł się po pomieszczeniu, wziął stołek i usiadł.

— Właściwie, dlaczego jesteśmy w konflikcie, Zyghardzie? — zapytał nieoczekiwanie.

— W konflikcie? Pierwsze słyszę — powiedział na głos Schwarzburg i nie odmówił sobie odrobiny złośliwości: — Choć zaskoczyłeś mnie, Lutherze. Myślałem, że poruszasz się wyłącznie w otoczeniu swoich siedmiu świętoszków.

Luther uniósł oczy i spojrzał na stojącego Zygharda.

— Ach, naprawdę wyglądają jak moja świta? — Nagle zaśmiał się rozbrajająco. — Świta siedmiu świętoszków, dobre! Tylko ty mogłeś coś takiego wymyślić.

Zyghard nie odpowiadał, Luther spuścił wzrok i wciąż jeszcze się śmiejąc, przesunął nogą w tę i z powrotem, rozgarniając drobiny piasku na posadzce.

— W Zakonie trudno o prawdziwe przyjaźnie — powiedział po chwili. — Oni są, jacy są. Ciągnę ich za sobą, ot co. Z kimś trzeba trzymać, a ty, Zyghardzie von Schwarzburg, z jakiegoś powodu mnie nie lubisz.

— Pierwsze słyszę — twardo powtórzył Zyghard.

— Jesteśmy zbyt wyrafinowani, żeby mówić o tym głośno — nie dawał za wygraną Luther.

Zyghard zaatakował wprost:

— Dowiedziałem się, że wziąłeś na służbę Rotę.

Luther pokiwał głową i przesunął drugi stołek na wprost siebie, sugerując Zyghardowi, by usiadł. Schwarzburg stał.

— Otto Lautenburg przesłuchiwał ich bardzo szczegółowo — powiedział, przecierając kurz z siedziska stołka. — Przeczytaj zeznania, jak poprosisz, udostępni ci je z pewnością. Nie ma powodów do tego, by ich skazać, zwłaszcza teraz, gdy Zakon bardzo potrzebuje ochrzczonych i nawróconych Prusów. Ale... — Luther uniósł dłoń, którą czyścił stołek i strząsnął z niej pokryte rudym kurzem pajęczyny — ...ale coś mi w ich zeznaniach nie pasuje. Może właśnie to, że są tak klarowne, czyste? Nie wiem. Dlatego wziąłem ich z powrotem na służbę do Dzierzgonia. Żeby mieć ich na oku w miejscu, które traktują jak własne, rozumiesz? — spojrzał z dołu na Zygharda.

— Nie mówisz do mego bratanka. Nie jestem kretynem.

— Wybacz — uśmiechnął się smutno Luther i zdjął ze stołka ostatnią nitkę pajęczyny. — Męczę się z większością naszych współbraci, przepraszam.

Zyghard wziął wyczyszczony przez Luthera stołek i usiadł naprzeciw otworu. Położył dłoń na wciąż zamkniętej pokrywie.

— Chcę sam pomówić z Symoniusem, bez świadków.

— Stworzę ci taką możliwość — odpowiedział Luther.

Zyghard podziękował skinieniem głowy i spytał:

— Będziemy gadać czy słuchać, książę von Braunschweig?

— Słuchać, choć rozmowa z tobą na pewno jest ciekawsza, książę von Schwarzburg.

Zyghard zdjął pokrywę i pierwszy przyłożył ucho do otworu. Luther przysunął się i spojrzał pytająco. Zyghard zrobił mu miejsce. Głos usłyszeli po chwili.

— ...to ciekawe, co mówisz, Dietrichu, bardzo ciekawe, ale nie każmy braciom czekać.

— ...po obradach kapituły...

Spojrzeli na siebie.

— No, to się nasłuchaliśmy — powiedział Zyghard.

— Nie każmy braciom czekać — mrugnął Luther i zamknęli otwór.

WŁADYSŁAW kazał Straszowi ze Smoczej Kompanii przyprowadzić Grunhagena na wawelską wieżę. Mieli tam ze Straszem takie swoje miejsce, z dawnych czasów, gdy Władek był księciem. Nic specjalnego, dwie ławy, kilka starych skór z dzika, niedźwiedzia i wilka, ale widok na Kraków i Wisłę przecudny. Nigdy nie pojawił się tu królewski herbowy orzeł, ale za każdym razem, gdy Władek wdrapał się na wieżę, towarzyszył mu półorzeł półlew.

Nie zabierał tu Doliwów, Toporów, Lisów. Nawet Pawła Ogończyka. Tylko Strasza. A teraz zaprosił Grunhagena.

Stali na ławie podsuniętej do okiennego wykuszu i gapili się na Wisłę.

— Wszystko płynie — zagadnął Grunhagen. — Nawet czas, psiakrew, nie stoi w miejscu.

Półorzeł próbował dziobnąć robala spacerującego po kamiennym wykuszu, a półlew szarpał w drugą stronę, jakby chciał skoczyć z wieży. Władysław nie zwracał uwagi na zmagania swej herbowej bestii, która nigdy nie potrafiła siedzieć spokojnie. Zawsze ciągnęła w dwie różne strony. Była ziemią i powietrzem jednocześnie.

— Co robisz w Krakowie? — spytał wreszcie Władek.

— Ukrywam się — odpowiedział Grunhagen i zlazł ze skrzyni. — Mogę piwa?

— Pij — zachęcił Władek i zeskoczył do niego. — Mnie też polej.

— Te kubki... — Grunhagen skrzywił się, wąchając.

— Widzisz tu gdzieś służbę? — Władek wzruszył ramionami w odpowiedzi. — Strasz przyniósł je, jakeśmy odkryli sobie tę wieżę. Kiedy to było?

— Bo ja wiem? — podrapał się w resztki włosów wódz Smoczej. — Przed wojną z Niemcem. Chyba.

— Z jakim Niemcem? Długo mnie nie było — rozłożył ramiona Grunhagen.

— Mieliśmy tu bunt wójta Alberta. W jedenastym roku, dobrze mówię?

— Dobrze, Strasz — pochwalił Władek.

— To dziesięć lat kubki nie myte? — zmartwił się Grunhagen. — Mogę pić z dzbana?

— Ale mnie nalej — poprosił Władek. — Nie będę ciągnął z dzbana jak jakiś...

— Karzeł? — powiedział Grunhagen i obaj wybuchli śmiechem.

— Dobrze cię widzieć — powiedział Władek, gdy się napili. — Przed kim się ukrywasz?

— Przed długim ramieniem Przemyślidów. — Grunhagenowi się odbiło.

— Oni nie żyją.

— Oni nie, ale one tak. — Grunhagen zmrużył zielone oczy. — Ukradłem im dziewczynę. I ożeniłem się z nią.

— Przemyślidkę? — z przyganą spytał Władek.

— Nie, ale pewnej Przemyślidki ulubioną dwórkę. No dobra, tobie powiem: zakonnicę.

— Bój się Boga, Grunhagen — napił się król i wypluł. — Strasz, co to za piwo? Grzybowe?

— Moje jest normalne — odpowiedział wódz i powąchał. — Piwo czasami tak zalatuje grzybem. Albo pleśnią. Takie leśne piwo.

Władysław odstawił kubek i zabrał Grunhagenowi dzban z ręki.

— Ożeniłeś się z zakonnicą? — kontynuował Władek. — A jej śluby?

— Ślubowała mi, tyle że nie przed plebanem. Tak po prostu, stanęliśmy pod dębem i jak za dawnych czasów przysięgliśmy sobie miłość, póki śmierć nas nie rozłączy.

Milczeli. Władkowi dobrze robiły problemy innych ludzi. Swoich miał po dziurki w nosie i po prostu chciał przez chwilę mieć jakieś inne, zwykłe.

— I co dalej? — ciągnął Grunhagena za język. — Będziecie mieli dzieci?

— Ona by jeszcze mogła, ale ja nie chcę. Stary jestem.

— Ale śpisz z nią czy tylko tak sobie siedzicie pod tym dębem?

— Mogę dzban? — wyciągnął łapsko Grunhagen.

— Pij, tylko nie przestawaj mówić — oddał mu naczynie Władek.

Zielonooki napił się, otarł usta wierzchem dłoni i wypalił:

— Ja ją kocham.

— Domyśliłem się, że nie porwałeś dziewczyny dla okupu. A ona ciebie?

— Jest karlicą.

Władysława zatkało. Zabrał Grunhagenowi dzban i przechylił.

— Ja nigdy nie widziałem… — wyznał, gdy się napił.

— To też moja pierwsza. Pierwsza taka — zastrzegł po chwili. — Inne, to wiadomo. Zwykła sprawa. Ale moja żona jest niezwykła — aż przełknął ślinę.

Na zmianę podawali sobie dzban.

— I co dalej? — zapytał Władysław.

— Życie — rozłożył krótkie ramiona Grunhagen. — Jest mała, ale wymagania ma jak każda kobieta. Paciorki by chciała, sukienkę kolorową, bo całe lata chodziła w czerni i teraz strasznie ją ciągną barwne łaszki. A to, mówi, koc mnie drapie z koziej wełny. Albo że chleb krakowski kwaśnawy, ale bułki, białe, mówi, bułeczki krakowskie wprost rozpływają się w ustach.

— Masz wydatki — skwitował Władek.

— Nigdy nie jadłem bułek — ciągnął Grunhagen. — Mnie tego nie trzeba, ale jak jej mam odmówić? A ty wiesz, ile kosztuje w Krakowie bułka?

— Nie wiem — przyznał Władek. — Ja jem chleb, jak mężczyzna.

— No właśnie. Bochen chleba, co można dwa dni, nawet trzy jeść, kosztuje tyle, co jedna biała bułeczka. Taka malutka.

— Zdzierstwo — potwierdził Władysław. — Przyjdź do mnie na służbę. Zarobisz na tę swoją żonkę.

— Ja nie wiem, czy ona się zgodzi. Służba królowi to cały dzień poza domem. Będzie smutna, że ją zostawiam samą. — Grunhagen wyciągnął krótkie nogi i oparł się na łokciu.

— Rozpuścili dziewuchę w tym klasztorze — współczuł mu Władek. — Ale może postaraj się i zrób jej dzieciaka? Polula sobie, pobawi. I czymś się zajmie.

— Pogadam z nią — zajrzał do pustego dzbana Grunhagen. — Może i bez dziecka się zgodzi. Za stary jestem na…

— Mężczyzna nigdy nie jest za stary — wyprężył pierś Władek. — Mój Kazio urodził się w ten sam czas, co Bolko, mój wnuk pierworodny.

— Ogier — pochwalił go Grunhagen. — Piwo się skończyło.

— A gdzie tam — uspokoił Strasz i na potwierdzenie uniósł wytarte niedźwiedzie futro, ukazując co stoi pod ławą. — Borutka naznosił dzbanów, jakby król tu całą armię zapraszał Grunhagenów.

Pierwszy zarechotał zielonooki. Potem Władek. Tamten zaczął kwiczeć i parskać piwem, aż zanieśli się obaj śmiechem, że Strasz nie mógł ich uspokoić. Herbowy półorzeł półlew ciskał się, to skacząc, to wzlatując. A Władek wytrząsł z siebie płacz po śmierci synka Elżuni. I żal, że to dziecko nie umocniło już dzisiaj sojuszu z Węgrami, ważniejszego niż kiedykolwiek wcześniej. I smutek po śmierci Mateusza Czaka, ostatniego z jego starych węgierskich druhów, tych, co stali przy nim i dawali wojska, gdy wracał z poniewierki do Krakowa. I niesmak, że tych druhów zgładził jego zięć, wielki Carobert. I wściekłość na Krzyżaków, którzy nie mają zamiaru respektować wyroku. I bezsilność, że nie ma jak go od żelaznych braci wyegzekwować. I złość na cały Śląsk i Mazowsze, na wszystkie piastowskie książęta, krótkowzroczne, ambitne i uparte jak kozły. On odbudował Królestwo. A oni nie chcą się dołożyć.

LUTHER Z BRUNSZWIKU z ulgą przywitał chwilę, gdy mistrz krajowy Prus Fryderyk von Wildenburg podziękował braciom z pomniejszych konwentów i w kapitularzu zostali sami zainteresowani. Omawianie lokacji wsi, wpływów z dzierżaw i meldunki z gotowości bojowej zapyziałych komturii wychodziły mu bokiem. Gdy tamci sprawozdawali, zabijał czas przyglądaniem się Zyghardowi von Schwarzburg. Ich nieoczekiwane spotkanie wymuszało zmianę taktyki. Istnienie sekretnej komnaty musi pozostać tajemnicą znaną jak najmniejszej liczbie osób. Czy Schwarzburg powiedział o niej komuś jeszcze? Luther przesunął wzrokiem po twarzach komturów. Nie. Żaden z nich nie wyglądał na takiego, któremu zaufałby Zyghard. Ten jeden, jedyny na szczęście nie żyje.

Ich wzrok spotkał się na krótką chwilę; Luther przymknął powieki uspokajająco, jakby chciał przekazać Zyghardowi, że tajemnica komnaty jest bezpieczna.

Wildenburg nie był demonem umysłu, ale przynajmniej był konkretny. Gdy z kapitularza wyszli mniej ważni bracia, poprowadził spotkanie zwięźle i dość sprawnie.

Kazał Lutherowi i Altenburgowi zdać relację z wizyty w Awinionie, potem Zyghard opowiedział, co w Pradze, i przeszli do dyskusji.

— Mamy dwa sukcesy i oba połowiczne, choć nie z winy posłów — zaczął ją mistrz krajowy.

Obaj z Zyghardem spojrzeli na siebie, Luther uniósł brwi pytająco, Zyghard odpowiedział przeczeniem.

— Jan Luksemburski wylizał się z ran po swym niesławnym turnieju — wyjaśnił z uśmiechem Wildenburg. — Więc chętnych do Pomorza nam nie ubyło.

— Mogłeś mówić, mistrzu, że misja dyplomatyczna jest tylko dodatkiem do specjalnej, zabrałbym ze sobą sekretnego człowieka — wesoło odpowiedział Zyghard. — Żal, okazja nie powtórzy się szybko, bo Luksemburczyk chyba się zraził do turniejów.

Komturowie zarechotali, Wildenburg ciągnął dalej:

— Zaś dwie bulle, które papież wydał po spotkaniu z Lutherem i braćmi; bulle, które całkowicie obalały skazujący nas wyrok i oznajmiały światu, że Pomorze należy do nas, a Łokietek oszukał papieża, utknęły w papieskiej kancelarii.

Luther poczuł, jak mu serce podchodzi do gardła. Nie pozwoli sobie odebrać tego sukcesu!

— Nie rozumiem, mistrzu — powiedział, próbując opanować rumieńce, które rozlewały mu się od policzków po czoło. — Wszak na własne oczy widziałem obie bulle. Nie wyjechałbym z Awinionu, gdyby coś z nimi nie grało. Stwierdzały nie tylko niesłuszność wyroku, ale obalały sam proces z racji na stronniczość sędziów. I podkreślały nasze prawa do ziem pomorskich.

Wildenburg pokiwał głową.

— Wiemy, wiemy. Słusznie się denerwujesz, komturze, ale wiadomość jest sprawdzona. Ty trafiłeś do serca papieża, ale ludzie Łokietka opletli go swymi wpływami i zablokowali ogłoszenie bulli. Piotr de Nogaret, zastępca audytora, oświadczył, że papież napisał bulle po fałszywych informacjach. Nasz prokurator oprotestował Nogareta, ale póki co bulle nie opuściły awiniońskiej kurii.

— Bezprawie! — zawołał Altenburg.

Luther oddychał ciężko.

— Powinniśmy mieć tam kogoś bardziej wpływowego niż nasz prokurator — odezwał się Zyghard. — Kogoś, kto będzie miał siłę oddziaływania podobną do Luthera z Brunszwiku.

Luther spojrzał na niego z wdzięcznością.

— Zajmiemy się tym — wyniośle odpowiedział Wildenburg skłonny, jak zwykle, zbić każdy z pomysłów Zygharda — choć stałe oddelegowanie komtura dzierzgońskiego do Awinionu nie jest możliwe. W dodatku Karol z Trewiru ma tam swoje wpływy, co miesza nam szyki.

Sam namieszałeś, pozwalając mu wyjechać z Malborka, rebeliancie od siedmiu boleści — pomyślał Luther mściwie.

Sługa z dzbanem podszedł, by uzupełnić mu kielich. Luther podsunął go nieuważnie, uniósł wzrok i zobaczył, że Zyghard wpatruje się w coś za plecami mistrza. Spojrzał w tę stronę. Figura Najświętszej Marii Panny, wykonana dla poprzedniego mistrza. Wyjątkowo urodziwa panienka ze sporym, jak na Matkę Bożą, biustem.

Co on w niej widzi? — zastanowił się. — Przecież nie gustuje w kobietach.

— Luksemburczykiem na razie możemy sobie nie zaprzątać głowy — kontynuował Wildenburg — w obecnej chwili Zakon ma dwóch głównych wrogów: Polskę i Litwę.

— Władysława i Giedymina — powiedział Zyghard. — A to pewna różnica. Z Václavem jako królem Polski radziliśmy sobie, z książętami jeszcze lepiej. Podobnie na Litwie, Witenes był problemem, ale prawdziwym zmartwieniem jest Giedymin.

— Przecież powiedziałem — wzruszył ramionami Wildenburg.

— Komtur grudziądzki ma na myśli to, że nie możemy zlekceważyć przeciwników — powiedział Luther, bo w pełni zgadzał się z Zyghardem. — Impas zawdzięczamy temu, że obaj są uparci, mściwi i potrafią szybko podejmować decyzje.

— Dlatego — wszedł mu w zdanie Zyghard — powinniśmy skupić się na tym, by ich ze sobą skłócić.

— Bzdura. Łokietek i Giedymin nie mają ze sobą żadnych kontaktów, nawet nie wymieniają posłów dyplomatycznych — lekceważąco machnął ręką Wildenburg. — Nie ma kogo z kim kłócić.

— Prawdziwą katastrofą dla Zakonu byłby sojusz Litwy i Polski — powiedział Zyghard von Schwarzburg i przez moment zapanowała cisza.

Pierwszy zaczął się śmiać Wildenburg. Za nim kolejni. Śmiech był zaraźliwy i po chwili śmiali się wszyscy, poza Zyghardem i Lutherem.

— Miałem o komturze grudziądzkim lepsze zdanie — powiedział wreszcie Wildenburg do wszystkich, a potem odwrócił się do Zygharda. — Brakuje ci wyobraźni, Schwarzburg. To jest akurat sojusz nie-moż-li-wy. Łokietek, który po tylu latach wreszcie koronował się na króla Polski w aurze arcychrześcijańskiego przyjaciela papieża, miałby się zbratać z poganinem przeciw rycerzom Najświętszej Marii Panny?

— Bzdura kompletna — fuknął Altenburg pobłażliwie.

Luther z uznaniem zauważył, że Zyghard siedzi niewzruszony, z tym lekko znudzonym wyrazem na przystojnej twarzy, jakby wyśmianie jego teorii nie wzruszało go ani trochę.

— Cały świat wie, że papież Jan XXII nienawidzi Ludwika Wittelsbacha, nie uznał jego koronacji na króla Niemiec i gotów jest zrobić wszystko, by go zmiażdżyć — perorował Wildenburg. — Wszystko, ale przecież nie sprzymierzyłby się z sułtanem i wielką ordą, by ich wojskami pokonać Wittelsbacha, bo są jednak pewne granice — potoczył wzrokiem po obecnych i pokiwał majestatycznie głową. Jego rozdwojona na końcach broda wyglądała teraz niemal zadziornie.

Zebrani patrzyli na mistrza krajowego zachwyceni. Trafiona przemowa — w duchu musiał przyznać Luther.

— Granice mają to do siebie, że można je przesuwać — powiedział Zyghard. — A twoja argumentacja, z całym szacunkiem, mistrzu, jest nieco przesadzona.

— O czym my dyskutujemy? — zdenerwował się Wildenburg. — O bzdurach. Łokietek nie wejdzie w sojusz z wrogiem chrześcijaństwa, bo papież mu odbierze koronę. A przypomnę, ile był gotów zapłacić, by ją zdobyć.

— A jeśli Giedymin się ochrzci? — odezwał się Luther, który tylko czekał na odpowiedni moment do własnej batalii.

— Prędzej ja przygotuję do spowiedzi swoją kobyłę — prychnął Wildenburg. — Giedymin tyle razy mamił świat swą rzekomą chęcią do przyjęcia chrztu, że nikt mu już nie uwierzy.

— Nie odrzucałbym takiej możliwości — powiedział Zyghard tak lekko, jakby nic się nie stało, jakby nie drwiono z niego przed chwilą.

Luther po raz kolejny spojrzał na niego z podziwem.

— Książę litewski odznacza się wyjątkowym zmysłem do politycznej gry — dokończył Zyghard. — I być może będzie skłonny ochrzcić się, by nam dokuczyć.

— Dlatego sugerowałbym wprowadzenie do jego otoczenia ludzi, którzy podjęliby grę z opozycją przeciw wielkiemu księciu — kuł żelazo Luther.

— Nie rozumiem — rozbrajająco przyznał Wildenburg.

— Komtur dzierzgoński — wyręczył go z uśmiechem Zyghard — proponuje dyskretne wsparcie możnych litewskich, co do których mamy pewność, że będą przeciwni ewentualnemu ochrzczeniu się Giedymina.

Luther jeszcze nigdy tak dobrze się nie bawił na małej kapitule. Wzięli z Zyghardem Wildenburga w dwa ognie. Mistrz nadal nie rozumiał.

— Wsparcie takie zaowocowałoby w przyszłości — powiedział Luther. — Gdyby ze względów dyplomatycznych Giedymin zrobił nam tę nieprzyjemność i postanowił stanąć po stronie Jedynego Boga, opozycja jego własnych możnych wybiłaby mu to z głowy.

Wildenburg i pozostali potrzebowali chwili; Luther w tym czasie mrugnął do Zygharda i pytająco spojrzał na posąg.

— No tak — zrozumiał mistrz krajowy. — Racja.

— Pozwolisz, mistrzu, że na coś jeszcze zwrócę uwagę? — spytał Zyghard, wstając.

— O ile nie będzie to równie beznadziejna strata czasu, jak rozważanie sojuszu Łokietka z Giedyminem — zgodził się Wildenburg, a Zyghard nie skomentował. Podszedł do figury Maryi.

— Spójrzcie bracia, na jej cień — powiedział i nie pozwolił im dumać zbyt długo. — Figura nie jest duża, jest mała. A jednak rzuca długi cień.

Już wiem, o czym powie — odkrył z radością gracza Luther.

— Jeśli ją oświetlić z dwóch stron, jak tę tutaj — kontynuował Zyghard — rzuca nawet dwa cienie. — Schwarzburg pozwolił komturom kontemplować cienie Matki Boskiej i wrócił na swoje miejsce. — To jak król Władysław. Jest nieduży wzrostem, ale dobrze dobrał sojuszników, jak dwa źródła światła, którymi siebie oświetlił. Dzięki nim jego cień pada daleko.

— Papież i król Węgier. Prawda — wpadł na myśl Zygharda Altenburg. — I co dalej? Nie zgasimy tych świateł sami.

— Och, komturze Bałgi — pogodnie odpowiedział Zyghard. — Gdyby dyplomacja polegała na gaszeniu przeciwników jak pochodni, po tygodniu na świecie zapanowałaby ciemność. Piąte przykazanie trudne, prawda, ale obowiązuje.

— Nie mądrz się, Schwarzburg — upomniał go mistrz krajowy. — Mów, co proponujesz.

— Odbierzmy Władysławowi sojuszników. Droga z Litwy do Królestwa Polskiego wiedzie przez Mazowsze.

— Nieżyjący książę mazowiecki, Bolesław, był przyjacielem Łokietka. Teraz rządzą jego synowie, po części mu przychylni, po części obojętni — ożywił się Altenburg i potarł dłonią rude, jakby spocone włosy. Luther mimowolnie się otrząsnął. W Altenburgu było coś budzącego fizyczną niechęć.

— Zróbmy z nich naszych sojuszników — uśmiechnął się Zyghard. — A wtedy, nawet jeśli mój pomysł, który tak was dzisiaj rozbawił, stałby się faktem, przynajmniej rzucimy kłody na tę drogę.

On już wcześniej kombinował z Wańką, księciem płockim — przypomniało się Lutherowi i pochwalił rywala w myślach. — Niezłe.

— Zgoda, ale ty się tym zajmij, Schwarzburg. — Kiwnął głową mistrz. — A ty, Lutherze, możesz wdrożyć swój plan z Litwinami. Znasz tam kogoś? Mogę ci podsunąć kontakty, w Królewcu spędziłem lata.

— Będę wdzięczny — skłamał Luther z ukłonem. — Z radością je przyjmę.

— A! — coś się przypomniało Wildenburgowi. — Swoja drogą, co my się tak pieścimy z tym Giedyminem?

Luther złapał uważne spojrzenie Zygharda. Mistrz zapytał wprost:

— Czy nie prościej byłoby kogoś wynająć i nasłać na niego? Sprzątnąć i po sprawie?

— Nigdy nie będzie po sprawie — odpowiedział Luther. — Ma wielu synów. Narymunt, Witold, Olgierd, Kiejstut, Jawnuta, Lubart, Koriat i Monwid. Owszem, śmierć księcia spowodowałaby zamęt na Litwie, ale nie mamy żadnej pewności, czy któryś z jego synów nie byłby jeszcze zręczniejszy.

— Przy okazji — uniósł rękę Altenburg i spojrzał pytająco na mistrza. — Czy ktoś wie, co się stało z bratem Brunonem z infirmerii?

— Pytasz o karła Grunhagena? Jego byś wysłał do Giedymina? — zainteresował się Schwarzburg.

— Pytam przy okazji. Tak ogólnie. Ciekawię się, bo zniknął już dawno. — Altenburg znów przejechał dłonią po rudych, cienkich włosach, co wyglądało, jakby wycierał je z potu.

Dobre pytanie — pomyślał Luther, przyglądając się obecnym komturom kolejno. Swoich siedmiu był pewien. Wildenburg zdawał się równie zainteresowany, co pytający. A Zyghard von Schwarzburg rozłożył ręce.

— Nie mam pojęcia. Zresztą znacie moje zdanie, używanie sekretnych ludzi psuje dyplomację. Odbiera czystość gry. Gasi pochodnie i rzuca cienie na figurę Najświętszej Marii Panny.

— Amen — z namysłem przytaknął mu Luther.

RIKISSA siedziała na wysokim wyściełanym krześle. U jej stóp spały dwa lwy, trzeci leniwie bawił się własnym ogonem. Przez uchylone skrzydło okienne do dusznej latem komnaty wpadały powiewy ciepłego powietrza. Wysokie łodygi ostróżek stojących w dzbanie pod oknem chwiały się od nich łagodnie.

Dziewczyna stała jakieś dziesięć kroków przed nią, twarzą do okna. Rikissa przyglądała się jej w milczeniu kolejną godzinę. Świadomie poddawała ją torturze tylko na nią skierowanego wzroku.

Ile mogła mieć lat? Wyglądała na szesnaście, ale przecież to bez znaczenia. Szczupła, lecz nie wiotka. Niewysoka, ale nie mała. Zręczna, tego dowiodła, choć nic w jej sylwetce nie wskazywało, by mogła być tak szybka, tak silna i tak bezwzględna. Teraz, z bezradnie opuszczonymi ramionami, zdawała się nieporadna, bezbronna i miękka. Włosy rudziejące w świetle, jasne w ostrym słońcu, bezbarwne w półmroku, chwilami nawet ciemne. Ledwie do ramion, a przecież gdy poprzednio miała je upięte pod siatką, wydawały się długie i porządnie ułożone. Ładnie wykrojone usta, ale tylko przez chwilę. Gdy napinała twarz pod jej wzrokiem, zamieniały się w niechętną i nierówną kreskę. Bladły, wpadając w niezdrową siność. To znów drżały niespokojnie jak u kogoś, kto wiecznie się lęka, zwłaszcza kiedy cofała podbródek, sprawiając, że przypominała niedojdę. Wysuwała go po jakiejś chwili, ale powoli, nie gwałtownie, poddając się przeobrażeniu w pewną siebie, wyzywającą kobietę, by potem, lekko nadymając policzki, naprężając szyję i napinając barki, zamieniać się w młodziana, jednego z tych, co bez mrugnięcia okiem kradną z jarmarcznych bud jabłka i klepią dziewczyny w pośladki. Potem robiła coś z ramionami, pozwalała szyi zwiotczeć i odrzucała włosy gestem zniewieściałych mężczyzn, którzy kryją swe przyrodzone skłonności. Oczy w kształcie migdałów, jasne, pozbawione jednej barwy, za to przyjmujące odcienie stroju, przesłonięte powieką do połowy, jakby męczyła ją wieczna senność, to znów żywe, otwarte szeroko, lśniące, niemal zalotne. I przymrużone, czujne jak u polującego kota. Oczy było jej zmienić najtrudniej. Po nich ją poznała.

— Kim jesteś? — spytała, gdy zgasły ostre promienie zachodzącego słońca i w komnacie zaczęło mroczniеć. — Hunną, Hunką, Hugonem? Jakie jest twoje prawdziwe imię?

Przez wciąż otwarte okno wpadł do komnaty powiew wilgotnego, nocnego powietrza i zakołysał wiotkimi łodygami ostróżek.

— Hugo — odpowiedziała dziewczyna i dodała po chwili: — Takie sobie wybrałam.

Czym jest pytanie o imię wobec kogoś, kto tak potrafi udawać? — pomyślała Rikissa.

— Chcesz, bym tak się do ciebie zwracała? Hugo?

— Przy tobie, pani, wolę być Hunką — wyszeptała i w jej głosie zabrzmiało coś na kształt prośby.

Trzy lwy wstały, bezszelestnie podchodząc do dziewczyny. Rikissa poruszyła zdrętwiałymi barkami.

— Kto był pierwszy? Hunka? — spytała. — Hugonem stałaś się jako mój iluminator?

— Nie, pani. Stałam się nim, zanim zostałam dla ciebie Hunką.

Zjawiła się w ostatnim momencie. Na Turnieju Zimowego Króla zaczęła pękać trybuna dla gości. Rikissa chwilę wcześniej odesłała swoją córkę i żonę młodego Lipskiego z Rosenem. Miała pewność, że zbój Lipskiego wyprowadzi dziewczęta z tej matni. Przerażony tłum łamał turniejowe ogrodzenia, ogień z przewróconych rusztów wybuchał punktami raz za razem. Książę brzeski zeskoczył z trybuny i ściągnął z niej żonę. A ona stała porażona, skamieniała i patrzyła w tratujący się tłum, szukając Lipskiego, który skoczył między ludzi jak w ogień. Nie zobaczyła, że pękł dach trybun. Nie zdążyła. Hunka, przebrana za damę dworu stanęła przy niej, chwyciła ją za rękę i wyciągnęła spod lecących krokwi. Jej uchwyt był pewny i mocny, jak przed laty, gdy wyprowadzała Rikissę z pogrzebu Rudolfa, spod napierającego tłumu, z grozy rozpoczynającej się bitwy.

Dwa razy w Pradze wyciągnęła mnie z matni. Ile razy naprawdę ocaliła mi życie? — pomyślała. I wróciła do przesłuchania Hunki.

— Chcesz powiedzieć, że posiadłaś sztukę iluminacji ksiąg jako dziecko? Nim przybyłaś do Białej Wieży, kłamiąc, że przysłał cię Lipski?

— Nie, pani. To ty obudziłaś we mnie pasję do miniatur, posyłając z listem do pana z Lipy. Wiedziałam, że nie mogę wrócić do ciebie, bo pan z Lipy nie rozpozna we mnie dziewczyny zbója, którą przeszkolił, by cię chroniła. Wtedy ruszyłam do Trewiru, podjęłam naukę i wróciłam jako Hugo iluminator i miniaturzysta.

— Którą to pracę porzuciłaś nagle, znikając bez słowa — starała się panować nad sobą Rikissa.

— Musiałam spełnić ostatnią wolę ojca.

— On nie żyje? — spytała Rikissa i z jakiegoś, umykającego rozumowi powodu, poczuła żal. Odwróciła się od dziewczyny. Dobrze pamiętała tego mężczyznę. Czy był prawdziwym ojcem Hunki? Hugona?

Przecież gdy wyruszał z Brna do Starszej Polski, powierzyła mu misję szukania Michała.

— Tak, pani.

Zatem nadzieja, że ktoś wpadnie na trop Zaremby, znów się rozwiała. W pamięci Rikissy stanął ten mężczyzna, zobaczyła jego skromne odzienie, spracowane dłonie, bursztynowy różaniec przesuwany między palcami, ale zdała sobie sprawę z tego dopiero w tym momencie, nie pamiętała jego twarzy. Rozdrażniło ją to, choć nie miało żadnego znaczenia. Wróciła spojrzeniem do Hunki. Ta głaskała herbowego lwa Rikissy ocierającego się o jej kolano.

— Zatem opuściłaś mnie, by wykonać testament ojca — powiedziała do niej.

— Tak, pani. I wracałam do ciebie, do Brna przez Pragę. Tam zaskoczył mnie Turniej Zimowego Króla. Resztę znasz, królowo.

— Oszukiwałaś mnie latami — skwitowała Rikissa i zdziwiła się, że jej głos brzmi niemal bezbarwnie. — Tęskniłam za Hunką, bałam się o nią, a ty byłaś przy mnie Hugonem. Nie umiem ci tego wybaczyć.

Trzy lwy, jakby kierował nimi niewypowiedziany rozkaz, zostawiły Hunkę i wróciły do Rikissy, układając się czujnie przy jej stopach.

— Rozumiem, pani — odpowiedziała dziewczyna. — Ale i ty rozumiesz, że świat nie pozwoliłby Hunce zostać iluminatorem.

— Czyżby? — szepnęła ostro, a jej lwy odpowiedziały warczeniem. Z trudem powściągnęła emocje. — Gdyby księgi były dla ciebie najważniejsze, wybrałabyś klasztor, Hunko. Tam kobieta może doskonalić się w każdej ze sztuk.

— Już byłam w klasztorze, pani — odpowiedziała spokojnie. — Jako mały Hugo. Nie chcę tam wracać, wierz mi.

Zapanowała cisza.

Ona mówi prawdę — dotarło do Rikissy w jednej chwili. — Mówi ją tak, by nie wypowiadać kłamstw, które między nią kryje.

Chciała przez chwilę nie patrzeć na nią. Przeniosła wzrok na ledwie widoczne w mroku ostróżki. Piękne, delikatne i trujące. Intensywnie niebieskie w świetle dnia, teraz stały się ledwie konturem, przyjmując jedną barwę z liśćmi.

Czy naprawdę nie potrafię jej zrozumieć? — spytała się w duchu. — Ile razy musiałam udawać, by przeżyć? Ile razy musiałam chować swe uczucia i nie dać poznać po sobie niczego? Przy pierwszym mężu byłam Alžbetą Richenzą, bo tego sobie życzył Václav. Przy teściu,

Albrechcie Habsburgu, Różą. Mniszką, gdy uciekałam z ogarniętej wojną Pragi. Małą dziewczynką dla Mechtyldy, dorosłą dziewczynką dla Małgorzaty. Utraconą córką dla jej ojca. Narzeczoną, która kawalera Ottona uczyła, że nie musi słuchać czerwonego orła. Każda z tych ról służyła tylko jednemu — by przeżyć i nie dać się złamać. W czym jestem lepsza od niej?

Rikissa nagle poczuła się zmęczona.

— Co dalej, Hunko? — spytała po chwili.

— Co zechcesz, pani — odpowiedziała dziewczyna.

— A czego ty pragniesz?

— Służyć ci.

— Z bronią? Czy w miniaturze?

Hunka nie odpowiedziała. Rikissa podjęła decyzję. Wstała i podeszła do niej.

— Umiem wybaczyć, ale dzisiaj nie potrafię zapomnieć. Muszę cię odesłać, Hunko.

Po wielu godzinach przypatrywania się jej w milczeniu zobaczyła w oczach dziewczyny coś, czego nie widziała wcześniej: strach. Zrobiło się jej nieswojo, lecz nie zmieniła decyzji.

JAN LUKSEMBURSKI wciąż cierpiał na ból w nodze i nie mógł wskakiwać na konia. Wchodził na niego po podsuniętym przez sługę stopniu. Ale ucisk w piersi ustąpił, magister powiedział, że żebra się zrosły równo i płuco nieuszkodzone. Znacznie gorszy był wstyd, który prześladował go po pechowym turnieju. Chciał olśnić Pragę, gości, no i olśnił. Takiej katastrofy miasto nie znało. Przez pierwsze tygodnie, gdy leżał bez ruchu, gdy czuł, że umiera i wezwał Eliškę, by się z nią pojednać przed śmiercią, naprawdę wolał umrzeć, niż wyjść do ludzi. Ale czas leczył rany, Henry zamówił kilka pieśni, które z katastrofy zrobiły dramat o bohaterach, i gdy stopniały śniegi, Praga pamiętała, że był turniej i że dzielny król Jan przeżył.

Niestety, on sam nie umiał zapomnieć. Jego honor ucierpiał, a miłość własna była podeptana, wbita w brudny śnieg, stratowana przez tłuszczę i kopyta oszalałych koni. Rozpaczliwie potrzebował czegoś, co ją odbuduje. Heroicznego czynu, rycerskiego tryumfu, prawdziwego podziwu tłumu.

Tak, z powrotem przyjął żonę. Do stołu i łoża. Pierwszego wieczoru wypił sporo, w przeciwieństwie do niej. Eliška nie wychyliła nawet pół kielicha i nie była ani rozmowna, ani wylewna. Powiedziała, że tęskni za dziećmi i Pragą. On jej, że właśnie przyjechała do Pragi, wciąż są młodzi i mogą mieć jeszcze synów. Nawet powinni, bo jeden dla takiego króla to mało. Był zaczepny, rozdrażniony i wyzywający, ale ona przyznała mu rację, co nie zdarzało się w czasach przed wygnaniem. Uznał, że się zmieniła. To był ten jeden raz, więcej nie prosił jej do łoża.

Musiał wyjechać z Pragi na spotkanie z Wittelsbachem. Rokowania nie udały się. Król Niemiec już nie był tak hojny jak wtedy, gdy potrzebował głosu Jana na zjeździe elektorów. Wówczas obiecał mu bogaty Cheb, ale ziemi wciąż nie przekazał, mimo iż Jan od dawna wydawał pieniądze na poczet chebskich dochodów. Potrzebował ich pilnie. Turniej pochłonął olbrzymie kwoty, wierzyciele domagali się spłat, a Jan miał plany; wielkie plany. Nim zaczął nieszczęsne zmagania zimowego króla, zdążył przeprowadzić poufne rozmowy z wrogimi Wittelsbachowi Habsburgami i ich sojusznikiem z Karyntii. Nie zamierzał śpiewać w chórze króla Niemiec, już nie był chłopcem, nie miał czternastu lat. Jeśli zechce, sam napisze pieśń!

W drodze powrotnej rana w nodze otworzyła się i wylała się z niej czarna ropa. Krzyczał, gdy Henry przyżegał ją i zalewał wrzącym winem. Ale nazajutrz poczuł się lepiej, wsiadł na konia i po dwóch dniach jazdy wrócił do Pragi. Powitała go Eliška Premyslovna z twarzą obrzmiałą i dumną. Obwieściła, że jest brzemienna. Czyż to nie cud?

Dwór rzucił się na tę nowinę. Szeptano po kątach, że będzie syn, a może i dwóch? W rodzie Przemyślidów bliźnięta zdarzały się często.

Próbowali spędzać razem wieczory, nie szło im. Kiedy on chciał słuchać pieśni, ją bolała głowa, gdy przyjmował gości, wchodziła nieproszona i znów, jak przed laty, włączała się do rozmowy. Nie byli dla siebie stworzeni.

Czekały na niego zaproszenia. Do króla Francji, do Luksemburga, Trewiru. Praga męczyła go jak Eliška i powracające każdego ranka wspomnienie śnieżnej brei, w którą wtapia się jego rycerski honor. Brzemienna żona jeszcze o tym nie wiedziała, ale on już był gotów do wyjazdu z Czech. Musiał jeszcze zdobyć trochę gotówki.

— Kto chce zyskać, musi najpierw wydać. Henry, wiesz, co wydamy? Ucztę!

— Kto królowi odmówi? — odpowiedział grobowo de Mortain.

Nie odmówili mieszczanie prascy, w zamian za co kilku najhojniejszych zaprosił na przyjęcie w reprezentacyjnych salach rezydencji złotnika Konrada. Drugą ręką sięgnął do spadku po zmarłej przeoryszy,

Kunhucie. Spieszył się, by Wańka, książę płocki, nie zorientował się, że po dawno niewidzianej matce zostało kilka wsi i jeden tłusty majątek ziemski. Na pogrzeb Kunhuty zjechali goście, wśród nich Rikissa i Lipski. Eliška, słysząc, że *bis regina* ma zjawić się w Pradze, oświadczyła krótko:

— Wyjeżdżam.

A Jan nie zaprotestował. Przeciwnie, pochwalił decyzję. Uczta bez żony była znacznie weselsza niż w jej towarzystwie. Jedzenie jak zawsze, ciekawsze dla oka niż podniebienia. Harfiarz za to wyborny.

— Biedna Kunhuta — szeptano podczas uczty. — Serce jej pękło z żalu po ucieczce karlicy.

— To była jej córka?

— Gdzie tam, pożegnalny podarunek od męża. Książęta Mazowsza są pomyleni.

Jana nie bardzo zajmowała zmarła. Właściwie nigdy jej nie widział, słowa nie dane im było zamienić. Gdy już wstali od stołów, kontemplował jasny profil Rikissy. Idealnie ukształtowany nos. Kosmyk włosów, któremu chyba specjalnie pozwalała się wymknąć spod diademu.

— Cieszymy się, że król wrócił do zdrowia — powiedziała i już między nimi wyrósł Lipski.

Rikissa ukłoniła się, przeprosiła i odeszła, zostawiając ich samych. Miał na sobie płaszcz spięty broszą wyobrażającą trzy lwy splecione ze sobą jak w miłosnym uścisku. Wyzywające złotnicze cacko.

Na granicy dobrego smaku i skandalu — pomyślał Jan, wpatrując się w klejnot i natychmiast poczuł palące wspomnienie. Nie zamienił słowa z marszałkiem od turnieju, choć pamiętał, kto wyciągnął go spod końskich kopyt.

— Rany się zabliźniły! — odpowiedział, patrząc w oczy Henrykowi z Lipy. — Widzisz marszałku? Pamiętam twoje słowa i uczę się od ciebie.

— Doceniam — krótko odrzekł Lipski i zmrużył powieki. — Pomówimy o skarbcu królestwa?

— Nie dzisiaj — zamknął sprawę Jan. Wzrokiem poszukał *bis reginy*. Rozmawiała w drugim końcu sali z żoną Lipskiego Juniora, Agnieszką von Blankenheim.

— Sprawy skarbu nie powinny czekać. Zwłaszcza że Henry de Mortain wspomniał, iż król wyjeżdża — nie dawał za wygraną Lipski.

— Pilne obowiązki — strzepnął poły kaftana i uśmiechnął się. — Jako król Czech odpowiadam na wezwania króla Niemiec, jako hrabia Luksemburga mam zobowiązania wobec króla Francji.

— A obowiązki wobec tego królestwa? — w głosie Lipskiego usłyszał zniecierpliwienie.

Och, Lipski — roześmiał się w duchu. — Jesteś przewidywalny. Lojalny do bólu, ale tylko wobec Czech, nie wobec swego króla. Tak się zacietrzewiłeś, że nie postrzegłeś chwili, w której dorosłem. Nie przyszło ci do głowy, że gram o stawki większe, niż ty możesz dostrzec. Bo ty widzisz tylko Czechy.

Wziął wdech i odpowiedział Henrykowi lekko:

— Zostawiam je w dobrych rękach.

Lipski skinął głową, jakby mówił „przyjmuję". I wtedy Jan powiedział mu:

— Mianowałem namiestnikiem na czas wyjazdu księcia Bolesława.

Henryk z Lipy wciągnął głośno powietrze i wyrzucił:

— Grubego?!

Jan zaśmiał się szczerze:

— Prawda, że się spasł?

— Bolesław z bratem i księciem Bernardem prowadzą teraz wojnę z Głogowczykami — wycedził Lipski. — Pod skrzydłami polskiego króla.

— Króla Krakowa — poprawił go Jan i wzruszył ramionami. — Śląska wojenka, od tego ma baronów, dowódców czy kogo tam chce. Za tydzień będzie w Pradze, nie masz pojęcia, jak się ucieszył. Namiestnik, to brzmi! Pewnie zamówił nowy płaszcz, ha! — Jan udawał, że nie widzi wściekłości, którą kipiał Lipski, i poufale położył mu rękę na ramieniu. — Więc gdy on będzie paradował po Pradze w złotogłowiu, ty, mój Lipski, nie oglądaj się na jego płaszcz, tylko patrz mu na ręce. Strzeż królestwa i skarbu, rób to, co zawsze. — Klepnął go w ramię i zabrał dłoń. Igrał z ogniem, owszem, ale nie był głupi.

Lipski tylko na to czekał. Skłonił się sztywno i zniknął wśród gości.

Jan wykorzystał, że Rikissa skończyła rozmowę z Agnieszką, i dał jej znak, by podeszła.

— Jak Brno? Urządziłaś się tam, *bis regina*? — zagadnął.

— Rozważamy budowę zamku — odpowiedziała.

— Nie zgadzam się — powiedział lekko. — Po co ci zamek? Czyżbyś chciała się przed kimś bronić? Rezydencja królewska nie dość wygodna?

— Nie mogę wiecznie czuć się jak gość. To niestosowne, panie.

— Wobec tego podaruję ci tę rezydencję. Przepiszę na ciebie.

— Taki dar stawia mnie w jeszcze bardziej niezręcznej sytuacji, królu. Nie chcę kosztownych prezentów.

— Skarb królewski wciąż ma wobec ciebie zobowiązania, *bis regina* — powiedział tak, jakby skarbiec był pełen.

— Pamiętam o nich, nie przyspieszam. Wiem, że i ty je masz wobec licznych ludzi w królestwie.

— Gdzie Lipski? — z udawaną ciekawością rozejrzał się za marszałkiem, który na szczęście rozpłynął się wśród gości. — Henryk będzie wiedział, jak przepisać wam rezydencję, by nie ucierpiała ani twoja duma, pani, ani skarb.

— Zdajmy się na Henryka — przytaknęła i też szukała go wzrokiem. — Dziwne, nie widzę mego miłego.

Nie dziwiłabyś się, wiedząc, co ode mnie usłyszał — skonstatował w myślach mściwie.

— Lubicie kłuć w oczy swą miłością — powiedział na głos, siląc się na żartobliwy ton.

— Przeciwnie — odpowiedziała Rikissa. — Staramy się nikomu z nią nie narzucać. A ty — wreszcie spojrzała mu w oczy — budujesz moją wdzięczność, królu.

— Długo mnie nie będzie — odpowiedział spojrzeniem. — Wyjeżdżam i chcę, byś każdego ranka budząc się w Brnie, myślała o swoim hojnym królu. Oczywiście, Lipski też może o mnie myśleć.

— Nie mam wolnego pierścienia przy sobie, bym mogła się odwdzięczyć — w jej głosie nie usłyszał drwiny, ale stał się czujny. — Mogę ci podarować chłopca.

Zaśmiał się tak głośno, że rozmowy na chwilę ustały, a głowy gości skierowały się ku nim.

— Jeśli opacznie mnie zrozumiałeś, wybacz — odpowiedziała z uśmiechem. — Chwaliłeś księgi z mojej pracowni, chcę ci się odwdzięczyć miniaturzystą. Ma na imię Hugo, kształcił się w Trewirze. Dzięki jego talentowi będziesz mógł tworzyć własną historię, Janie Luksemburski. Dla króla rycerza przywiązanego do honoru i sławy to ważne, by pozostawić po sobie coś więcej niż ulotne pieśni. Przy okazji — pochyliła się ku niemu nieznacznie — te, które ułożył pan de Mortain, były zręczne, gratuluję.

Wziął to za przytyk, za wypomnienie turnieju. Zakłuło, więc roześmiał się, chcąc pokryć zmieszanie.

— Nie on układał, ale on płacił. Dziękuję. Nie pomyślałem o tym, by zlecić pisanie kroniki o swych czynach. Pewnie dlatego, że żaden z dotychczasowych nie zasłużył na utrwalenie. Wina?

— Wina — skinęła głową. — Zróbmy krok w tył, królu.

Uniósł brwi, nie zrozumiał. Chce cofnąć ich znajomość? Jeśli do czasu przed Lipskim w jej życiu, zgadzam się — pomyślał.

Ona jednak tym razem mówiła dosłownie. Cofnęła się o krok, Jan zrobił to samo i znaleźli się między dwiema kolumnami sali. Mogli patrzeć na gości, a nie być widzianymi. Upiła łyk.

— Zatem jakie masz plany, królu? Skoro mówisz „dotychczasowe czyny", znaczy, że przewidujesz dalsze.

— Życie przede mną, królowo — odpowiedział wymijająco.

Habsburgowie po śmierci drugiego męża, Rudolfa, wywieźli ją z Czech. Zrobił to książę Fryderyk, jej szwagier, który teraz konkuruje z Ludwikiem Wittelsbachem o tytuł prawowitego króla Niemiec. Z Habsburgami zbratał się Lipski w szczytowym momencie wojny ze mną — z niechęcią podsumował fakty. — Czy Rikissa szpieguje dla Habsburgów?

— Wybitni władcy potrafią zobaczyć swoje czyny z perspektywy potomnych — odpowiedziała i upiła łyk, a potem uśmiechnęła się do niego niemal przepraszająco. — Tak przeczytałam w jednej z ksiąg, to nie moja mądrość.

Nie zapomniał o Habsburgach, ale znów się na nią zapatrzył. Na palce owinięte wokół czaszy kielicha, na usta zwilżone winem.

— Życzę ci, królu Janie, by pamięć o tobie była dobrą lekcją dla młodych książąt.

Zerknął w stronę sali, Lipskiego nie widać, są tu ukryci. Wyciągnął rękę, szukając jej łokcia. Wymknęła się o pół kroku w przód i odwróciła, kończąc:

— W czasach gdy ty, ja i inni władcy tego świata już obrócimy się w proch. Wszystko to marność, prawda, Janie? Na cóż nam złoto, skoro jedyne, co zostanie, to sława.

WINCENTY NAŁĘCZ miał świetną pamięć. Jego bracia śmiali się, że mógł znaleźć z zamkniętymi oczami rękawicę rzuconą w kąt, pas zdjęty pospiesznie albo nadgryzioną pajdę chleba, zostawioną wieczorem w świetlicy. Prawda, tym się szczycił. Jego umysł zapamiętywał obrazy i przydzielał je właściwym czasom, oddzielając wczoraj od przed tygodniem, przed rokiem i dwudziestoma laty. To ostatnie przydawało się, gdy patrzył na żonę. Pamiętał ją jako dziewczynę w kwiecie wieku. Smukłą jak trzcina, prostą w plecach, z zawsze wysoko uniesioną głową. Ciemnowłosą, wyrazistą, spowitą w drogie i barwne dworskie suknie, ozdobioną drobnym, dyskretnym klejnotem, z umiarem należnym książęcej, a potem i królewskiej dwórce. Nie strzelała oczami jak inne. Nie chichotała zalotnie, nie składała ust w słodkie serduszko. Każda, ale nie ona. Dumna, wyniosła, pewna siebie. Córka Sędziwoja Zaremby, Zbysława Zarembówna, dwórka trzech żon Przemysła. On był dla niej chłystkiem. Niewidzialnym pyłem. Był dzieckiem.

Podkochiwał się w niej jako chłopiec. Nie patrzył na księżną Lukardis, tylko na Zbysławę poprawiającą tren jej sukni. Był wyrostkiem, gdy podawała księżnej Rikissie bukiet. I najmłodszym z giermków w dniu koronacji Przemysła, gdy dama jego serca kroczyła do gnieźnieńskiej katedry w orszaku Małgorzaty Askańskiej. Po śmierci króla, a potem tragicznym zgonie Sędziwoja i biskupa Andrzeja, po upadku wielkich panów Zarembów, gdy został z nich tylko Marcin, wojewoda kaliski, a cała reszta rodu rozpierzchła i rozwiała się w pył, ona była starzejącą się panną bez posagu. A on stał się mężczyzną, dziedzicem Nałęczów. Dobrze pamiętał ten dzień. Jej stryj, Marcin, targował się z jego ojcem, jakby Zbysława była książęcą córką, a nie dwórką. Ojciec wyprosił Wincentego ze świetlicy, został z wojewodą Marcinem sam na sam. Mówili przyciszonym głosem, ale to było ledwie kilka zdań. Nie podsłuchiwał, wiedział, że Marcin Zaremba ulegnie. Skapituluje przed majątkiem Wincentego, pierworodnego dziedzica Szamotuł, Wielenia, Czarnkowa, Wronek, a po ojcu i Pomorzan. O nich, Nałęczach, mówiono wtedy „brandenburski mur" i prawda, z rodem Borkowiców dzielili się granicą z margrabiami pół na pół. Samotna rozmowa nestorów trwała krótko. Drzwi rozwarto, Zaremba powiedział do Nałęcza: „Święta pamięć" i Zbysława była jego.

Wincenty chciał Zarembówny, bo pragnęła jej jego pamięć. Była w niej pierwszą dziewczyną, niedostępną jak wieża obronna, zamek na wzgórzu otoczony fosą. Wesele huczne, choć Nałęczów było na nim więcej niż Zarembów, to jasne. Zaprosili i Grzymalitow, i Łodziów, wszak kiedyś stanowili cztery główne rody księstwa. Ale tak, jak Zarembowie stali się przeszłością, tak Nałęczowie zawsze patrzyli w przyszłość i na ucztę sproszono Pałuków i Leszczyców, co wyrośli za czasów Władysława, i jego najlepszych druhów Doliwów. I Pomianów. I sąsiadów najbliższych, Borkowiców z Napiwów.

Gdy druhny rozpuszczały warkocze pannie młodej, nie spuszczał z niej oka. Słyszał, co szeptano przy piwie i miodzie: „więdnąca panna niemłoda". Prawda. Włosy wciąż miała ciemne i lśniące, ale podbródek już nie tak ostry jak w czasach, gdy poprawiała płaszcz na ramionach królowej. Dłonie, choć miękkie, poprzecinane siecią żył. Szyję wstydliwie skrywała pod woalem dziewiczej chusty. Zdarł ją z niej, gdy tylko wypchnął z małżeńskiej alkowy ostatnich, mocno podpitych gości. Nie krzyknęła, tylko spojrzała na niego z taką wyższością, jakby był prochem. Roześmiał się; podobało mu się, że wciąż była harda, jak w czasach, gdy gapił się na nią, wycierając nos rękawem. Ich pierwsza noc skończyła się grubo po świcie. Umilkły weselne śpiewy i bójki, z dziedzińca słychać było tylko chrapanie i krzyk kogutów, a on wciąż nie był syty. Brał ją raz za razem, za każde spojrzenie wlepiane w nią przed laty, domagał się teraz odpowiedzi. Zbysława przymykała powieki, odwracała głowę, wykręcała szyję, zaciskała usta, robiła to, co zawsze, to, przez co się w niej zakochał. I nie robiła nic, by ją polubił.

Gdy wreszcie miał dość, wstał z łoża, otarł się, rzucił ręcznik w kąt i stanął przed nią nagi, jak Bóg go stworzył.

— Jestem twoim mężem — powiedział na głos.

— Trudno — odpowiedziała, osłaniając nagość ślubnym płaszczem.

Roześmiał się, wyciągnął ze skrzyni szkatułę, otworzył i podał żonie. Usiadła na łożu pilnując, by ani skrawek jej piersi nie wystawał spod płaszcza.

— Co to? — spytała, ale już nie tak oschle.

— Myślałem, że dwórki znają się na klejnotach.

Spojrzała na niego nieżyczliwie.

— Przymierz, powinien być dobry — podsunął wyściełaną granatowym jedwabiem szkatułę. — A jak nie, to zmniejszymy — dodał ciepło.

Ujęła szczupłymi palcami perłę w złocie. Musiała łokciem przytrzymać płaszcz, by się nie zsunął; rozbawiła go tym.

— Mam ci włożyć? — zapytał, widząc, jak strzeże płaszcza.

— Nie dość ci? — odpowiedziała ostro.

— Mówię o pierścieniu — zaśmiał się.

— Ach tak — odrzekła drwiąco i sobie tylko znanym sposobem założyła pierścień, nie puszczając płaszcza na piersi. — Pasuje — kiwnęła głową i zamiast pokazać jemu dłoń, wyciągnęła ją przed siebie i obejrzała. — Piękny i kosztowny — oceniła po chwili.

— Pamiątka po mojej matce, Odeardzie von Osten.

— Wiem, że Nałęczowie od pokoleń żenią się z Brandenburkami — odpowiedziała z wyższością.

— Posłuchaj. Raz, drugi, to nawet zabawne, ale za trzecim razem robi się nieznośne.

— Powiedziałabym ci to samo o nocy poślubnej — wycedziła chłodno.

— Przywyknij. Jesteś moją żoną.

— Żoną, nie niewolnicą — syknęła.

— Niewolnicy nie obdarowałbym perłą.

— Mam zwrócić? — zadrwiła.

— Przekażesz naszej córce — odpowiedział i wyszedł.

Od nocy poślubnej minęło prawie dwadzieścia lat, córce dali na imię Małgorzata, lecz Zbysława wciąż nie przekazała jej pierścienia. Dziewczątko było młode, po matce urodziwe, ale charakterem w niczym do niej niepodobne — słodkie, urocze, pogodne, bez cienia chłodu. Była jak małe kocię, skora do zabaw, ale do ludzi nieśmiała. Potrafiła zarzucać mu rączki na szyję i mówić: „kocham cię, ojczulku", czego od żony jeszcze się nie doczekał i już nawet na to nie liczy.

Zbysława przed Małgorzatą urodziła syna, a on zgodził się, by nazwano go Sędziwojem. Każde z nich miało na ten temat własne zdanie. Żona myślała, że uczciła swego ojca, on cieszył się, że rodowe imię wróciło do Nałęczów. Prawda, Sędziwój Zaremba był tak znany swą ponurą sławą, że niektórzy zapomnieli, iż jego imię to nie dziedzictwo panów na Brzostkowie. Ot, wojewoda Janek Zaremba ożenił się przed laty z Nałęczówną, a ta nazwała syna Sędziwojem, bo Nałęczowie zawsze choć jednego z potomków musieli tak wołać. Teraz Wincenty ze Zbysławą mieli Sędziwoja Nałęcza, pierworodnego i wszystko wróciło na swoje miejsce.

Więcej dzieci nie mieli. On mógłby jeszcze płodzić, ale jego żona była już dawno przejrzała. Drogo kosztowało spełnienie młodzieńczej fantazji. I płacił nie raz, płacił co dnia.

Był w kuźni. Z Szymkiem, czeladnikiem kowala, oglądał ostrza toporów, które przesłał mu brat matki, Johanes von Osten. Zbysława stanęła w wejściu, uniósł głowę.

Wie, jak się prezentować — zaśmiał się w duchu.

Często stawała tyłem do światła, pozwalając, by słoneczne promienie uwypuklały jej sylwetkę i kryły twarz w mroku. Zachowała dziewczęcą figurę królewskiej dwórki. Smukłą talię, długą szyję, proste plecy.

— Masz gości — powiedziała jak matka karcąca syna za ucieczkę na polowanie. — Czekają w świetlicy.

— Kto? — spytał, obracając w dłoni ostrze saksońskiego topora.

— Borek, syn wojewody Przybysława — zawsze gdy mówiła „wojewoda", w jej głosie były dwie niewypowiedziane kwestie. Pierwsza mogła brzmieć: „Mój ojciec, Sędziwój Zaremba, był wojewodą. Mój stryj, Marcin, jest wojewodą. Stryjowie, Beniamin i Mikołaj, byli wojewodami". A druga brzmiała: „A ty, Wincenty Nałęczu z Szamotuł? Kiedy ty będziesz wojewodą?". Śmiał się w duchu z jej zakusów; gdy wczepiała się pazurami ambicji w jego piersi, to marzyła o sobie. O wojewodzinie Zbysławie.

Odłożył ostrze z szacunkiem.

— Owiń je, odłóż do oprawienia — rzucił Szymkowi i wytarł ręce o kaftan. Zrobił trzy kroki ku niej i podał jej ramię. — Pani, pozwolisz?

Wysoko przenosząc podbródek, odwróciła twarz. Ujęła go pod ramię, dopiero gdy wyszli z kuźni. Miała na sobie codzienną, domową suknię. W jasnoniebieskim jej sylwetka wyglądała niemal młodzieńczo. Wąziutki pasek podwiki krył brodę i ujmował policzki. Szyję osłaniała delikatną chustą. Kobiety Nałęczów, by przydać splendoru herbowi, nawet na co dzień nosiły wyjątkowo strojne nałęczki. Haftowane, barwne, lśniące. To był ich znak rodowy. Żonie sprezentował takich trzy tuziny i musiał przyznać, że ona potrafiła nosić je lepiej niż jego siostry, kuzynki i ciotki.

— Borek! — powitał sąsiada.

— Wincz! — ucieszył się na jego widok przyjaciel. — Pani Zbysława — ukłonił przed jego żoną.

— Kachna, przynieś piwa — zawołał do służącej.

— Przywiozłem ci dwie beczki naszego — szeroko uśmiechnął się Borek.

— Czerwone z Grodziszcza? — Wincenty poczuł się nagle spragniony. — Dawaj, pijemy twoje!

— Czekaj, musi odstać dzień. Piwo nie lubi podróży — uspokoił go Borek.

Był młodszym synem wojewody poznańskiego; starszy, Maciej, służył przy ojcu i częściej bywał w Poznaniu. Obaj stryjowie pełnili ważne urzędy. Andrzej jako kasztelan kaliski, Wojsław był poznańskim sędzią. Obszernych dóbr rodowych na co dzień pilnował Borek i radził sobie z tym świetnie. Trzydziestoletni, smagły, zielonooki. Był niezrównanym myśliwym, świetnym jeźdźcem i dobrym kompanem. Wołał na Wincentego „Wincz", jak brandenburscy krewni jego matki i jemu jednemu, po tej stronie granicy, Wincenty na to pozwalał.

Kachna wniosła dzbany.

— Dla mnie wino — sucho powiedziała jego żona.

Zapomniał, że tu jest. Spojrzał na Zbysławę ciężko. Wolałby, żeby zostawiła ich samych. Zrozumiała, to pewne. I nie ruszając się z miejsca, ujęła kielich w smukłe palce.

— Z czym przyjechałeś, przyjacielu? — spytał, gdy upili zimnego piwa.

— Z wezwaniem od ojca — Borek spojrzał mu w oczy głęboko. — Z wezwaniem od króla.

Wincenty wciągnął powietrze i wypuścił wolno.

— Zbysławo, zostaw nas samych.

Odstawiła kielich.

— Jestem twoją żoną — odpowiedziała karcąco. — Spędziłam przy książętach i królu więcej czasu niż z tobą.

Przewrócił oczami, przyjaciel mrugnął do niego uspokajająco.

— Mów — poprosił Wincz.

— Król Władysław stanął na czele sojuszu przeciw książętom głogowskim.

— Słyszałem — kiwnął głową. — Zięć królewski, książę świdnicki Bernard. I bracia Henryk wrocławski i Bolesław brzeski, tak?

— Owszem. Oni uderzą na Głogowczyków ze Śląska. Rozdzielą się i wezmą ich w dwa ognie. Gdy młodzi zajmą się walką na południu, ty uderzysz z północy. Król chce, byś dla niego odbił z rąk głogowskich Przemęt.

— Wojewoda nie ruszy z Poznania? — zdziwił się Wincenty.

Borek zaprzeczył.

— Król nie pozwala na odsłonięcie Starszej Polski. Ponoć mawia, że Krzyżacy tylko czekają na jakiś błąd z naszej strony. To ma być szybki wypad. Bez taborów, bez wozów i służby.

— Wpaść i spalić — pojął Wincenty.

— Odebrać tak, by nie zdążyli krzyknąć — potwierdził Borek. — Przemęt niecały dzień drogi ode mnie, z Grodziszcza. Za dwa tygodnie mój młodszy, Józio, będzie miał postrzyżyny. Rozgada się po okolicy, że zapraszam z całą rodziną…

— I przystrzyżemy głogowskich stróżów kasztelanii przemęckiej! — stuknął kubkiem w stół Wincenty. — Zgoda!

Borek ruszył do domu przed zmierzchem. Wincz nie zatrzymywał go na noc, wiedział, że zna leśne trakty nie gorzej niż sarny. Gdy został w świetlicy sam na sam ze Zbysławą, ta odezwała się wreszcie.

— Nikt w niego nie wierzył. Ani mój ojciec, ani stryjowie. Twój dziad i słynny stryj też.

Siedziała wyprostowana, łokcie trzymała przy bokach, dłonie jedna równo obok drugiej na stole. Jej twarz ginęła w półmroku.

— Pamiętam te obrady. Baronowie Starszej Polski postanowili obwołać go księciem, bo był najgorszym z kandydatów. Pili i krzyczeli: „Władysław". A potem śmiali się, że będą na księcia patrzeć z góry. Podasz mi wino? — jej głos zabrzmiał niemal czule.

Uzupełnił jej kielich. Upiła jeden łyk, nie więcej i odstawiła go w równej odległości od krawędzi blatu.

— Zaprosili go na tron, a potem z tego tronu zegnali. Biskup Zaremba go wyklął. A gdy powrócił w chwale, Starsza Polska jako ostatnia przyłączyła się do niego. Trudno się dziwić, że nie pała do nas sympatią. Na północ od Poznania ma swoich Pałuków, na południe i wschód Doliwów.

— Masz żal, że odsunął Zarembów? — spytał.

Nie odpowiedziała. Milczeli długą chwilę. Potem upiła kolejny łyk wina, odstawiła kielich i powiedziała:

— To twoja szansa, Nałęczu.

Kiwnął głową.

— Od czegoś trzeba zacząć, żono.

JEMIOŁA, podobnie jak Kalina w czasach, gdy była zdrowa i młoda, od lat troszczyła się o to, by matecznik był dla niewtajemniczonych niezauważalny. Dbała o to i Dębina, prawda. Matka nie zaniechała w przeszłości niczego.

Skryty w dzikich lasach pradoliny Warty bogatych w dęby, wiązy, buki, graby, jesiony, brzozy i olsze. Pulsujący wszelkimi odcieniami zieleni. Pełen zagubionych w lasach malowniczych starorzeczy, z których każde było osobną tajemnicą. Hojny w ryby. Obfity w zimowiska ptaków wodnych, orle gniazda i przemykające po zmroku sowy. Strojny łęgami i szuwarami, w których lśniły łabędzie, zimorodki, perkozy i łyski nadzorowane przez wyniosłe i wytworne czaple.

Tak, matecznik w Starszej Polsce był ich wspólnym skarbem, ich domem i dobrem. Położony z dala od siedzib ludzkich. Na południu najbliżej było do Brzostkowa, dawnego dworzyska Zarembów, ale odkąd ich ród upadł, posiadłość wyludniła się i mieszkała tam tylko stara przyjaciółka, Ochna, z garstką dawnej dworskiej służby, więc ten kierunek stał się bezpieczny. Gorzej ze wschodem, gdzie przy drodze wiodącej do przeprawy przez Wartę rozrosły się siedziby rodu Doliwów. Oni budzili niepokój Jemioły, odkąd stało się jasnym, że są zaufanymi ludźmi księcia, a teraz króla. Władysław nadawał im ziemie, a oni nie zwlekając, wysyłali w las ludzi z siekierami, na karczunek. Owszem, wciąż jeszcze ich posiadłości nie stykały się z dziewiczym lasem osłaniającym matecznik, ale byli coraz bliżej. Na szczęście siedziba kobiet Starej Krwi każdej wiosny była odcinana od świata przez topniejące śniegi, które wodą wypełniały koryta rzeczułek, co w pradawnych czasach były żywymi rzekami. To sprawiało, że póki nie nastała susza, nikt niepowołany nie zapuszczał się do nich. Siostry chadzały sobie tylko znanymi ścieżkami, posługując się kładkami skrytymi w sitowiu, chowanymi przed nieproszonymi gośćmi. W suche lata, gdy koryta rzek wyschły, stawiano strażniczki w miejscach, które mogły kusić do wejścia, ale znacznie skuteczniej niż one, strzegły matecznika wielkie, poprzerastane mchem pnie zwalonych drzew. Plątaniny ich suchych konarów zdawały się mówić: tu włada natura, nie człowiek. Reszty dopełniała „Zielona Grota" koło Miłosławia, po drugiej stronie Warty, gdzie przy piwie i miodzie podróżni dowiadywali się o boginkach i rusałkach wabiących mężczyzn w topiel. O złośliwych topielicach, którym było wszystko jedno, czy ciągną pod wodę chłopca czy dziewczynę, a szczególnie lubują się w dzieciach zbierających jagody i grzyby. O wrednym Leszym, który tak długo przedrzeźnia głosy ludzi wchodzących do lasu, aż ci zagubią się i wpadną w bagno, które niechybnie pochłonie. Ludwina Trzecia była mistrzynią opowieści, szczerze mówiąc, lepiej zmyślała, niż warzyła piwo. Gdy żegnała gościa słowami „przestrzeż swoich", można było być pewnym, że przerażony podróżny opowie wszystko każdemu, kogo spotka. Tak więc odkąd przed laty przeniosły tu matecznik z Raduni, czuły się bezpiecznie. Tutejsze wzniesienie, z którego podziwiały zielony bezmiar lasów i łąk, oraz błękitną wstęgę Lutyni nazwały Małą Łysą Górą, na pamiątkę tamtej, śląskiej góry.

Teraz jednak życie ruszyło do przodu w jakimś niezdrowym, szybkim tempie. Już nie Dębina, a Jemioła była Matką. Czas spokojnego picia lipy z miodem przy nocnym ognisku przeminął. W powietrzu wisiała wielka wojna i ona, Jemioła, musiała wiedzieć, jak ją przyjąć.

Mokradła Marzanny leżały na wschodnich krańcach matecznika. Były zaporą między nim a najdalszymi krańcami posiadłości Doliwów. Wśród okolicznej ludności były owiane tak złą sławą, że Jemioła uznała je za bezpieczne miejsce na zwołanie spotkania. Wbrew temu, co obiecała Jarogniewowi, nie miała zamiaru udać się tam sama. Nie ufała

Półtoraokiemu. Przez Graba posłała mu wiadomość, że ma zabrać na spotkanie sześciu ludzi i nie może być wśród nich Michała. To był jej warunek i Półtoraoki go nie dotrzymał.

Przyszedł z Zarembą, Ostrzycą, Derwanem, Wrotyczem i dwójką innych mężczyzn, których Jemioła nie znała.

— Żarnowiec i Bieluń — przedstawił ich.

Ona nie podała imion swoich ludzi. Zaatakowała.

— Dlaczego zabrałeś Zarembę? Nie tak się umawialiśmy.

Zaśmiał się, jakby zrobił jej drobny żart.

— Na weselu obiecałaś mi spotkanie w cztery oczy. Ty zmieniłaś zdanie, więc ja zmieniłem warunki. Zaremba jest z nami i mogę zabierać go, gdzie zechcę.

Jemioła odwróciła się od Jarogniewa i powiedziała wprost do Michała:

— Jesteś jego psem, że pozwalasz się prowadzać jak na smyczy?

Pionowe źrenice Zaremby zapaliły się w gniewie, który zgasł w jednej chwili. Uśmiechnął się do niej nie jak smok, ale jak Michał, którego znała w tamtych, dawnych czasach.

— Nie wpadłaś na to, że po prostu chciałem cię zobaczyć, Jemiołko — powiedział miękko.

— Z szacunkiem, mówisz do Matki — poprawiła go stojąca za nią Trzmielina.

— Słyszysz? — zakpił Jarogniew. — My do was z miłością, a wy wyzywacie od psów. Sam chciał przyjść, to go wziąłem. I co? Utopisz mnie w bagnie za karę?

Chciałabym — pomyślała.

— Spotkaliśmy się dla życia — powiedziała zamiast tego. — Nie dla śmierci.

Jarogniew przeczesał palcami dziesiątki swych drobnych warkoczy, przerzucił je z ramienia na plecy, potarł krótką brodę i wyszczerzył się w uśmiechu do Jemioły.

— Za to kocham Matki — powiedział. — Dają życie! Ale żyć nie mogą bez nas! Więc jak, siostro? Dogadamy się? Sojusz kobiet i mężczyzn?

— Niepotrzebnie kpisz, Jarogniewie — odrzekła. — Nie upraszczaj, to tak nie działa. Matki od zawsze miały nie tylko córki, ale i synów. W moich szeregach jest wielu mężczyzn, a u ciebie…

— …wiele kobiet, które przeszły od was — wszedł jej w zdanie. — Zauważ, że w drugą stronę nikt nie chadza. Zatem wokół boga o trzech twarzach z roku na rok tłum gęstnieje, a twoje mateczniki pustoszeją. Zgadza się?

— Nie, nie zgadza — zaprzeczyła Jemioła. — Znów mówisz na okrągło, jakby podniecały cię słowa na języku.

Poruszył brwiami i gwizdnął:

— U! Jemioło! Ty mnie podniecasz, choć zwykle wybieram nie matki, a córki.

— Nie błaznuj — ucięła i przeszła do rzeczy. — Stoi między nami Jaćwież.

Jemioła nie miała mocy Dębiny. Nie czytała w ludzkich myślach, potrafiła tak porozumieć się tylko z Woranem, swoim bliźniaczym bratem, i w dniu odejścia Dębiny z nią samą. Owszem, świetnie rozumiała ludzkie ciała i dusze, wyczuwała intencje także te skrywane, ale nie władała nimi, jak dawna Matka. Umiała jednak milczeć, zmuszając rozmówców do mówienia.

Jarogniew przestał się wreszcie uśmiechać i zgrywać. Spoważniał i spytał:

— Co masz na myśli?

— Wiem, że twoi ludzie wydali Jaćwież Krzyżakom — powiedziała wprost. — Dopuściliście się zbrodni, a ja nie puszczę jej płazem.

— Wiem, że jesteś mściwa. Przetrzebiłaś jego rodowców — wskazał głową Zarembę.

Zignorowała przytyk.

— Chcę, byś wydał mi tych, którzy zdradzili jaćwieską Matkę — powiedziała, patrząc mu w zieloną część oka. — Wcześniej nie będzie między nami zgody.

— Wszyscy zginęli — odpowiedział Jarogniew poważnie.

— Być może — nie podważyła jego wersji. — Ale żyją ci, którzy wydali im rozkazy. Wskaż ich.

— Rozkaz pochodził od samego Trzygłowa. Czy ty odmówiłabyś czegoś wielkiej Mokoszy?

— Matki nigdy nie każą nam mordować.

— To mamy zakreślone różnice — wycedził powoli. — Trzygłów potrzebuje krwi.

— Dla nas krew to nie śmierć, lecz życie. Jarogniewie — powiedziała, siląc się na spokój, choć gotowała się cała — muszę podzielić się z tobą przepowiednią Jaćwieży.

— Nie lubię przepowiedni — wzruszył ramionami.

— Ale ich słuchasz, gdy wieszczą Starcy! — krzyknęła. — A co, jeśli się mylą? Jeśli źle rozumieją słowa, które sączy im Trzygłów? Pamiętasz, jak lata temu, w czas śnieżnej burzy, wieszczyli o rycerzach Umarłego? O żelaznych braciach, którzy będą brali nasze dzieci na sznur? Jaćwież powiedziała mi, że tak, oni przyjdą, ale nie przeciw Starej Krwi, tylko przeciw Królestwu.

Jarogniew wreszcie zaczął jej słuchać; jego dwubarwne oczy skupiły się na tym, co mówi.

— Powiedziała, że gdy ten czas nadejdzie, musimy się zjednoczyć.

— Z kim? — spytał nieufnie.

— Ze sobą — odpowiedziała. — Z prostym ludem, mieszkańcami siedlisk i wsi. Miasteczek i miast.

— Hola! — przerwał jej ostro. — Nasi i wasi trzymają się po lasach, mamy wpływy po wsiach. Ale miasta należą do Piastów.

— Z nimi również musimy zawrzeć sojusz — powiedziała wreszcie Jemioła. — Inaczej żelaźni bracia spalą naszą ziemię do cna. Nasze mateczniki i wasze ukryte w koronach drzew warownie. Do gołej ziemi. Do pogorzeliska.

— Bzdura — prychnął Półtoraoki. — Lasy są wieczne. Nie można ich przetrzebić.

— Masz dwubarwne oczy, a mimo to jesteś zaślepiony — powiedziała poważnie. — Przejrzyj wreszcie. Owszem, Piastowie odmienili świat, przynosząc tu swojego boga i jego krwawy krzyż. Owszem, wykarczowali stare puszcze i bory, by budować grody, miasta i drogi, a nas zepchnęli w te resztki lasów, które zostały. Ale nauczyliśmy się z tym żyć i po setkach lat tego nie da się już zawrócić. A żelaźni bracia są inni. To bezwzględne, zaborcze drapieżniki, które tym się różnią od Piastów, że nie kochają i nie szanują tej ziemi. Dla nich to tylko spichlerz ze zbożem i las do wyrębu, nie widzisz tego? Jeśli ruszą na Królestwo, a my nie pomożemy ich powstrzymać, to nie będzie dla nas miejsca po wielkiej wojnie. Zmuszą nas do chrztu, a nasze ziemie przejmą, jak i całe Królestwo, rozumiesz?

— Sypiałaś z nimi — odpowiedział, a Jemiole zrobiło się gorąco. — W „Zielonej Grocie", na rozkaz Dębiny, sypiałaś z Piastami. Nawet z tym, co został królem. Wiemy to. I to cię odmieniło, Jemioło. Nie patrzysz jasno, chcesz stać się ich służką. Pewnie Przemysł był dobry w łóżku, co? My nie mieszamy krwi, dziewczyno.

— Mówisz do Matki! — zdyscyplinowała go Trzmielina.

— Do Matki, która w przeszłości była zwykłą dziwką — odpowiedział zimno Jarogniew. — Jak i ty, zielona panno Trzmielino. Teraz już wiecie, dlaczego Trzygłów wydał rozkaz śmierci dla Jaćwieży. Bóg o trzech obliczach, który widzi przeszłość, przyszłość i dzisiaj, wiedział, że mrzonki Matki Pszczół są szkodliwe. Starucha zbyt długo wdychała trujące opary i popadła w obłęd. Jak można nawoływać do pojednania z Piastami? Powtarzasz i nie słyszysz, że to bzdura? Wspierać tych, którzy naszych dziadów chrzcili ogniem i siłą? Posłuchajcie, leśne panny! Krzyżacy są naszą szansą. Pozwólmy im pokonać Piastów, a będziemy mogli wyjść z lasów!

— Wprost na stos — powiedziała. — Albo szubienicę.

— To rycerze krzyżowi. Wojownicy Umarłego Boga! — krzyknęła zza jej pleców Klęża.

— Ogień można pokonać większym ogniem — powiedział Jarogniew i powstał. — Trzygłów jest bogiem płomieni.

— I w ogniu zginie — powiedziała Jemioła i po raz pierwszy w życiu pod jej czaszką otworzyły się wrota wizji.

II

1322-1323

JAN LUKSEMBURSKI uwielbiał Paryż, nigdy nie miał go dosyć i wyjeżdżał tylko dlatego, że Wittelsbach wzywał. Koronacja Karola na króla Francji była olśniewająca; nowy władca dopieścił miłość własną Jana, wskazując go na każdym kroku jako najdroższego gościa.

— Jestem bogiem życia, Henry! — śmiał się i popędzał konia.

— Pomyślałeś o klątwie wielkiego mistrza templariuszy? — spytał de Mortain, starając się dotrzymać mu tempa. — Z początku wydawało się to śmieszne, zabobon jakiś, ale spójrz: Filip Piękny zmarł nagle, Ludwik nie utrzymał tronu dłużej niż dwa lata, potem ten jego dzieciak, co skonał jako noworodek, i bracia, nasi kompani. Filip rządził pięć lat, ledwie pięć, a pamiętasz, że miał końskie zdrowie! Teraz koronę włożył Karol, choć żaden z nas nie postawiłby w dzieciństwie na niego...

— Umarł król, niech żyje król. Nie kracz, Henry! Chwal moje sukcesy! Będę szwagrem króla Francji...

Wierzchowiec Henry'ego de Mortain zwalniał, Jan, chcąc kontynuować, musiał swojego wstrzymać.

— Twoja siostra królową. No pięknie.

— Ty się cieszysz czy martwisz? — spytał Jan, odwracając się i równając do Henry'ego. — Ach tak! Maria zawsze ci się podobała, łobuzie!

— Szkoda jej dla Karola, chociaż król — przyznał Henry. — Ale masz rację, sukces wielki. Na koronacji stałeś w pierwszym rzędzie, więc wszystkie damy w katedrze w Reims najpierw widziały ciebie, dopiero potem króla!

— Ha! Z damami muszę dać sobie spokój. Na jakiś czas.

— Szybko przyznaję rację, zanim zmienisz zdanie! Twoja żona jest podejrzliwa i, jak sam mawiasz, mściwa. W obecnej sytuacji to może zaszkodzić. W końcu urodziła ci drugiego syna! Tak, jak chciałeś. Och! — przerwał nagle Henry i zawołał z ulgą: — Baldryk! Bogu niech będą dzięki!

— Co? — niemile zdziwił się Jan. — Nie za wcześnie na postój?

Baldryk, jeden z królewskich giermków, wyprzedzał oddział przed postojami. Z dwójką ludzi sprawdzał, czy wszystko w porządku, i czekał przed gospodą, karczmą lub którymś z podróżnych domów Jana.

Teraz machał do nich raźno, pokazując, że mają zjechać z traktu w las. Jan sprawdzał nową drogę z Paryża do Frankfurtu, gdzie czekał już na niego król niemiecki. Pewien lotaryński złotnik podpowiedział mu, że można przekroczyć Mozelę brodem na północ od Metzu i dalej kierować się starym, a nie nowym traktem Zachwalał, że będzie szybciej, bo przeprawa lepsza, a mało uczęszczana.

Skręcili, jak wskazał Baldryk, i po przejechaniu kilkudziesięciu kroków dojrzeli karczmę. Pobielone ściany, czysta strzecha i drzwi z jasnej, niemalowanej dębiny. Pachniało nowością, świeżo pieczonym chlebem, potrawką z zająca i...

— Co to za nimfa leśna? — powitał Jan gospodynię, która wyszła naprzeciw.

Karczmarki bywały różne, zwykle dojrzałe w latach, a ta zdawała się dziewczyną. Prosta zielona suknia, jasne włosy nieokryte chustką, związane w luźny węzeł. Bose nogi o zgrabnych kostkach i długich palcach. Uwielbiał kobiece stopy. Zeskoczył z konia, klepnął go w zad, mówiąc:

— Dziękuję, byłeś szybki — i oddał Baldrykowi. — Jak ci na imię, pani? Panno, może?

Nie wstydziła się i nie udawała skromnej. Ale nie była wyzywająca. Powiedziała z uśmiechem:

— Marguerite.

— Marguerite — powtórzył. — Zatem będę twym gościem, Stokrotko.

— Janie! — Henry już przy nim był. I szeptał do ucha: — Miałeś dać sobie spokój. Na jakiś czas, błagam.

— Z damami — odszepnął mu Jan. — Nie ze Stokrotką.

Odepchnął Henry'ego przyjacielsko i już był przy dziewczynie.

— Co dla mnie przygotowałaś?

— Posiłek, panie — pchnęła drzwi silnym ramieniem.

Wszedł do izby, zmrużył oczy, przyzwyczajając się do półmroku. Poznał Mathiasa, drugiego ze swych giermków, ale dostrzegł, że jest tam przynajmniej trzech rosłych mężczyzn.

— To moi bracia — powiedziała za nim śpiewnie Marguerite. — Przyprowadzą dla was konie.

— Przyprowadzą? — zdziwił się niemile. — Jeszcze ich tu nie ma?

— Panie, pozwolę przypomnieć, że pierwszy raz… — zaczął tłumaczyć się Mathias, ale Jan machnął ręką.

Na stałych trasach mieli swoje sprawdzone miejsca, konie czekały, wypoczęte i wykarmione. Jan zajeżdżał, przesiadał się, czasami nawet nie jadł i ruszał w drogę. Tu nie byli nigdy wcześniej. Dał znak braciom Stokrotki, by sprowadzili wierzchowce, sam usiadł do stołu. Dziewczyna podała drewniane miski z potrawką, świeżo upieczony, jeszcze ciepły chleb i jasne, pszeniczne piwo. Zapytała, czy smakuje i nic mu nie brak. Popatrzył na nią z przyjemnością, ale szturchaniec Henry'ego otrzeźwił go.

— Dziękuję, Stokrotko. Mam wszystko, czego trzeba.

— Na czym skończyliśmy? — złośliwie spytał Henry, gdy zniknęła.

— Na drugim synu — zaśmiał się Jan i zagryzł świeżym chlebem. — Ale to dobre! — pochwalił. — Myślisz, że sama piekła, czy ma oprócz braci drągali jakąś matkę?

Gdy gościli na koronacji Karola na króla Francji, Eliška powiła syna. Dziecko pojednania po pechowym turnieju. A miesiąc później pewna luksemburska nieźle urodzona piękność urodziła mu drugiego. Pulchnego, słodkiego bękarta, spłodzonego, gdy obolały przybył na rozmowy z królem Niemiec o Chebie. Pierwszego kazał tytułować Janem Henrykiem. Po sobie i swoim ojcu, cesarzu. Drugiego skromnie nazwał Mikołajem, a Henry sowicie zapłacił damie za trudy połogu i milczenie. Piękna Anna jeszcze nie wie, że dostanie więcej srebra i nieduży, wygodny zamek w luksemburskim hrabstwie. Dar za odchowanie chłopca do czwartego roku życia. Później dziecko trafi na zaufany dwór. Może do siostry? Do Marii, gdy ta będzie królową Francji? Odkąd odebrał dzieci Elišce, po jej głupim i beznadziejnym buncie, postanowił, że już zawsze sam będzie dbał o kształtowanie potomków. Cieszył się z Jana Henryka i radował z Mikołaja. Bękart króla to nienajgorszy los, przeciwnie, początek niezłej kariery. O ile za wcześnie o jego istnieniu nie dowie się zawistna i zasadnicza Eliška.

— Z tego, co wywiedziałem się w Pradze — podjął Henry, jakby odczytując tok jego myśli — Przemyślidzi zawsze dbali o swych naturalnych synów. I nieźle wydawali za mąż córki.

— Z każdą chwilą potwierdzasz, że warto było cię ściągnąć na służbę — zaśmiał się Jan.

— Jeszcze piwa?

— Dziękuję. Nie lubię jeździć ani z ciężkim brzuchem, ani z pełnym pęcherzem.

— Po co wzywa nas Wittelsbach? — spytał Henry. — Bo raczej nie będzie komplementował planów małżeńskich Marii.

Jan otarł usta.

— Racja. Jak się dowie, że oddaję siostrę królowi Francji, nie zaśnie przez rok. Gdy wydałem Beatrycze za króla Węgier, był wściekły. Bał się, że odpłynę do stronnictwa Habsburgów. On mnie nie rozgryzł, Henry — zaśmiał się krótko.

— Szkoda, że Beatrycze zmarła w połogu. Węgry siedzą na kopalniach złota. Potężne królestwo, w które wżenił się twój wróg.

— Złamię króla krakowskiego — poważnie odrzekł Jan. — Nie pozwolę, by zabrał mi to, co dziedziczę po Eliśce. Odbiję królestwo polskie prędzej, niż mały król sądzi. Wiesz, od czego zacznę? Od Brandenburgii.

— Opuszczone lenno — pokiwał głową Henry. — Dobra myśl. Gadałem z ludźmi tu i tam, i różnie mówią o śmierci Askańczyków. Ponoć zgon margrabiego Waldemara budzi wiele wątpliwości.

— Henry, Henry! — klepnął go w plecy Jan. — Twoje obsesje z wiekiem rosną, a ja myślałem, że to były tylko młodzieńcze fantazje. Zawsze szukałeś dziwów, tajemnic, klątw. Nie zapomnę, jak wmówiłeś wszystkim, że nocą przychodzi do sypialni zjawa i pochyla się nad nami, żeby wyssać krew. Filip czuwał całą noc ze święconą wodą.

— Filip nie żyje — przypomniał Henry. — Kolejny przeklęty z rodu Kapetyngów?

— Waldemar Askańczyk też nie żyje — machnął lekceważąco ręką Jan. — Kości w krypcie. A że plotkują? Bo był młody, ponoć przystojny i nie zostawił dziedzica, choć na każdym z brandenburskich dworów gadano, że ogier aż miło. Dynastia wymarła, ludziom nie trzeba wiele, by plotkować.

De Mortain wzruszył ramionami i nie obraził się. Za to także cenił go Jan.

— Chcesz dostać od króla Niemiec Brandenburgię? — spytał.

— Tak — potwierdził Luksemburczyk. — Teraz, kiedy spór między nim a Habsburgiem o to, kto jest prawowitym królem Niemiec, się zaognia, Wittelsbach musi się postarać. Do diabła, Henry! — zdenerwował się Jan. — Przecież gdybym nie scedował na niego swego głosu, nigdy nie zostałby wybrany!

Tamto wspomnienie nie bladło. Miał wówczas siedemnaście lat. Dwa lata wcześniej koronowano go w Pradze. I nagle zmarł jego ojciec, cesarz Henryk Luksemburski. Człowiek, który nie zadowolił się tylko tytułem króla Rzeszy Niemieckiej, ale ruszył do Italii, podporządkował sobie skłócone miasta i sięgnął po cesarską koronę, jako pierwszy od sześćdziesięciu lat. Jan był wtedy za słaby, miał wojnę z Karyntczykiem, który nie chciał się zrzec czeskiej korony, wojnę domową z Lipskim i pustawy skarb, a wybory króla Niemiec kosztują krocie. Wysunięto jego kandydaturę, lecz elektorzy powiedzieli: „Za młody! Gołowąs nie będzie rządził największym królestwem Europy!". Żył jeszcze Peter z Aspeltu, moguncki lis dyplomacji i wierny stronnik jego rodziny. Jednak jego głos elektorski i głos stryja Baldwina, arcybiskupa Trewiru, to było za mało. Jan musiał się wycofać. Do gry weszli Habsburgowie i Wittelsbach. Austria kontra Bawaria. Baldwin wytargował więcej od Wittelsbacha i na niego oddali swoje głosy. Na niego przekazał swój wybór Jan. Jednak dyplomacja tamtych czasów była równie wyśrubowana jak stawka, o którą grano. Króla wybiera siedmiu elektorów. Wśród nich jest król Czech i książę Saksonii. Wykorzystano pretensje Karyntczyka do czeskiego tronu i dwuwładzę książąt Saksonii. Tym samym do konkurencyjnych wyborów stanęło dwóch królów Czech i dwóch książąt. Głosy podzieliły się na pół. Koronowano dwóch królów tego samego dnia. Fryderyka Habsburga i Ludwika Wittelsbacha. Od ośmiu lat Rzesza Niemiecka ma dwóch królów i dwa zwalczające się stronnictwa. I jeszcze papieża, który uważa, że w tej sytuacji, to on ma prawo wyboru. Niby na nikogo nie wskazuje, ale na pewno nie wesprze Bawarczyka.

— Wiesz, co obiecał mi Wittelsbach za mój głos?

— Górę srebra? — bystro spojrzał na niego Henry. — Dwie góry?

Przetarł dłonią stół.

— Nawet gdyby obiecywał trzy, to dał tylko pagórek. Dziesięć tysięcy grzywien. Więcej zapłaciłem za zaciągi na wyprawę wspierającą jego wybór. Nie w pieniądzach rzecz. — Jan odsunął od siebie miskę z niedojedzoną potrawką z królika. — Potwierdził wszystkie moje prawa do dziedzicznych księstw Luksemburgów, Lotaryngii, Brabancji, Limburga. I zagwarantował prawo do polskiej korony.

— Brzmi dobrze — skwitował Henry. — Ale obaj wiemy, że Wittelsbach nie zdejmie jej z głowy Władysława, by podać tobie na złotej tacy.

— Szkoda, co? — parsknął Jan.

— Zrezygnuj z tacy, może pójdzie szybciej — dorzucił Henry i spoważniał od razu. — Dlatego chcesz od niego Brandenburgię?

— Tak — kiwnął głową Jan. — Niech mi ją odda w lenno, a wtedy będę miał dostęp do króla Krakowa z dwóch stron. Askańczycy nie żyją, ale ich poddani, moi nowi poddani, pamiętają wojny z Piastami. To im się może spodobać.

— No dobrze, Janie. Wiemy już, czego ty chcesz od króla Niemiec, ale nie wiemy, po co on pilnie zaprosił cię do Frankfurtu.

Jan wstał.

— Im szybciej ruszymy, tym szybciej zaspokoimy ciekawość — powiedział do przyjaciela.

Nagle pojawiła się przed nimi Marguerite. Nie umknęło uwadze Jana, że suknia pod jej szyją była rozchylona nieco szczodrzej niż wcześniej.

— A czy moi goście zaspokoili głód? — spytała zalotnie.

— Doskonały królik — pochwalił Henry, kładąc na ławie zapłatę.

— I chleb — dodał Jan. — Konie już są?

— Są, panie — odezwał się Mathias spod drzwi.

Ruszyli do wyjścia. Jan jednak zatrzymał się w pół kroku i powiedział do Henry'ego:

— Przypilnuj Mathiasa, by nie dociskał za mocno popręgu.

Henry spojrzał na niego i otworzył usta, by zaprotestować, ale Jan go uprzedził, mówiąc stanowczo:

— Zawołaj, jak osiodłacie.

Giermek i Henry wyszli, zamykając drzwi, Jan odwrócił się ku dziewczynie.

— Co w twoich stronach podaje się na zakończenie posiłku? — spytał, robiąc krok ku niej.

— Coś słodkiego — odpowiedziała i jednym ruchem rozwiązała przód sukni.

— Jasnego i różowego? — Poruszył nosem, jednocześnie wdychając woń ciała uwolnionego spod ubrania i chłonąc widok dwóch spiczastych sutków dziewczyny.

— Ciemnego i gęstego — szepnęła, podnosząc szeroką spódnicę.

— Ach… — jęknął zaskoczony i nie czekał na dalszą zachętę. Był gotów od chwili, gdy ją zobaczył przed drzwiami gospody. Teraz wziął ją na ławie, między okruchami chleba i plamą ciepłego sosu z potrawki z zająca. Oddychała głęboko, rozchylając pełne usta i raz po raz zwilżając je językiem. Wysuwała podbródek, jakby chciała złapać jego pocałunek, ale Jan miał usta zajęte. Ssał jej sutki i tak, był pewien, że smakowały skórką od chleba i pszenicznym piwem. Jęknęła głęboko i przytrzymała jego biodra mocnymi palcami. Skończył w tej samej chwili.

Co za dziewczyna — pomyślał z podziwem, widząc, iż karczmarka już zasznurowuje suknię.

Zza drzwi chałupy dobiegł głos Henry'ego:

— Jesteśmy gotowi!

— My też, co, Marguerite? — szepnął do niej.

— Ja owszem — zaśmiała się cicho. — Ale jaśnie pan? — Wskazała brodą na koszulę, która wystawała mu spod kaftana.

Poprawił się szybko. Ona już zeskoczyła z ławy, okręciła się, przygładziła włosy i suknię. Podeszła do drzwi i uchyliła je. Jan wyszedł na podwórze i zmrużył oczy przed słońcem. Mathias udawał, że liczy obłoki na niebie, Henry wpatrywał się w niego, z trudem kryjąc przyganę. Braci Marguerite nie było widać.

Dziewczyna dotknęła lekko jego łokcia i przekrzywiając głowę, spytała:

— Komu gotowałam, komu chleba dałam?

Pochylił się do niej i szybko pocałował w policzek. Nie odsunęła się, ale on tak.

— Gdyby bracia pytali, powiedz, że całusa ci skradł hrabia Baldwin — mrugnął do niej, podchodząc do osiodłanego konia.

— Baldwin? Jaki Baldwin? — zawołała do jego pleców.

Wskoczył na siodło i odkrzyknął, nie odwracając się.

— Z Trewiru, kwiatuszku!

— Często rozkochujesz wieśniaczki na stryja arcybiskupa? — zaśmiał się nerwowo Henry, gdy ruszyli spod karczmy.

— Kiedyś uwodziłem jako król Jan, ale nie dawały wiary. Jeszcze gorzej mi szło, gdy przedstawiałem się po wioskach jako cesarski syn. Hrabia Baldwin zawsze przypada im do gustu.

Świeże konie szły raźno, trakt był suchy, wiódł między dwiema ścianami starego lasu. Nie pokusiłby się o przejazd nim z królewskim orszakiem, raz, że za dużo starych kolein, dwa, że las mógł dawać schronienie wszelkiej maści zbójom czyhającym na bogatych podróżnych. Ale z dwudziestką zbrojnych, jak teraz, bez taborów i wozów, bez herbowych znaków, pędząc co koń wyskoczy, sami wyglądali groźnie. Mijane chłopskie furmanki ustępowały z drogi.

Pewnie będę jeździł tędy częściej — pomyślał. — I jeszcze spróbuję Stokrotki.

— Masz żal? — zapytał obok niego Henry. Jechali strzemię w strzemię. — Do elektorów, że cię nie wybrali przed laty?

— Miałem wtedy! — odpowiedział. — Dopóki Lipski nie nauczył mnie, że cała dyplomacja to tylko gra!

Ale nie zrezygnuję z zapłaty, którą obiecał mi król Niemiec. Wyrównam rachunki prędzej czy później. Ja, w przeciwieństwie do króla Krakowa, jestem młody! — zawołał w myślach i pochylił się w siodle.

— Ścigamy się, Henry! Kto pierwszy!

ZYGHARD VON SCHWARZBURG kazał sobie zgolić brodę, odkąd Luther ją zapuścił. Za to zapuścił włosy, bo zauważył, że większość braci zakonnych w jego wieku łysieje. Na przykład Altenburg. Broda ruda i bez zarzutu, ale na głowie byle co. Jasne pasma włosów, sprawiających wrażenie, że zostały wysmarowane smalcem. Albo Markward von Sparenberg, o łysej czaszce i pozbawionej zarostu brodzie. Okrągły i nalany, niczym czterdziestoletnie niemowlę. I jeszcze Plauen, kolejny ze świętoszków Luthera. Broda ciemnoruda i zacna, a włosy tylko nad karkiem, jakby szyję miał zawsze brudną.

Zyghard przeciwnie, wciąż miał gęste i mocne włosy. Siwiał, owszem, ale był naturalnym blondynem, więc nowe, srebrne pasma przetykały stare, złote.

Po obradach małej kapituły w Malborku poczuł wiatr w skrzydłach i rzucił się w wir pracy.

Najpierw uczcił sukces z Pragi — zięć Łokietka, książę świdnicki Bernard, którego tak spektakularnie wyjął z rąk Luksemburczyka jeszcze przed turniejem, dopełnił ślubów i wziął udział w krucjacie. Krucjata, wielki Boże, stary Konrad von Sack na ten rozmiar wyprawy mówił „mała rejza, gówniana i zimna, dobrze, że srebro nie zamarza". Złupili i puścili z dymem kilka żmudzkich grodów i wrócili. Nic większego, bo Luther zgodnie z zapowiedzią zaczął swą tajną litewską misję. Ot, tyle, by osłonić jego sekretne działania. Ale w Malborku, w wielkim refektarzu, wyprawiono dla Bernarda ucztę, jego młodszego brata pasował sam Wildenburg, będą mieli co wspominać. Zyghardowi bardziej podobał się średni z braci, jaworski książę, zięć Rikissy. Gdyby ten się wyprawił na krucjatę, ruszyłby na nią i Zyghard. Ot tak, z ciekawości, nazwijmy to, rodzinnej. Gdy księcia Bernarda mógł już zapisać jako swój sukces, wziął się za Mazowsze.

Kilka miesięcy zajęło mu przekonanie księcia płockiego, po matce Kunhucie Przemyślidce nazwanego Wacławem, że sojusz z Zakonem to najlepsze, co mogło mu się w życiu trafić. Wacław, zwany Wańką, odziedziczył po Piastach Mazowsza iskrę szaleństwa, po Przemyślidach ambicje. To, co w kimś zdolnym i pracowitym poskutkować mogło geniuszem, z Wańki stworzyło kogoś zawistnego, zazdrosnego i chorobliwie pragnącego być kimś, kim nie jest.

Zyghard wyczuł go podczas kilku spotkań. Szybko odkrył, że książę płocki nie może przeżyć królewskiej koronacji Władysława, a jego płocki biskup, Florian, niebywałego awansu biskupa włocławskiego Gerwarda w awiniońskiej kurii. Gerward i Florian byli Leszczycami. Rodowcami i sufraganami sąsiednich biskupstw. Przy pazerności Gerwarda wdarł się między nich spór o granice diecezji i warunki do pracy ułożyły się Zyghardowi same. Wystarczyło poszczuć biskupa płockiego Floriana, wspomnieć o przywilejach, jakimi Gerward cieszy się u króla Polski, a ten urobił swego księcia przeciw Władysławowi. To zresztą nie było trudne, bo jak zauważył Zyghard, Wańka miał o sobie nadzwyczaj wielkie mniemanie.

Obsesyjnie pytał Zygharda: „Łokietek królem? Ten, co się wysrać nie mógł bez mego ojca i jego Madonny na purpurze?!". Bywał też mniej wulgarny. „Jakim cudem? Jakim cudem książę brzesko-kujawski, a w dodatku karzeł, koronował się?!" Zyghard nie odpowiadał księciu płockiemu, w końcu nie jest lektorem w katedralnej szkole. Przypominał jedynie, że księstwo brzesko-kujawskie, z którego wyszedł Łokietek, było wielkości starostwa, mniej więcej. „Tak czy inaczej, dużo lichsze niż płockie, mój książę" — tak zwykł był kończyć. I dodawał czasami: „Tobie postury nie brakuje, Wacławie. Słyszałem, jak dwórki szepczą, żeś niedźwiedź". „A nie ogier?" — spytał go kiedyś Wańka, czym rozbawił Zygharda do reszty. O tym, że sączenie do ucha skutkuje, Zyghard przekonał się przy swej trzeciej wizycie w Płocku. Wańka zaprosił go do kancelarii książęcej i pokazał nową pieczęć. Komtur z trudem powstrzymał parsknięcie. Była niemal dwukrotnie większa od pieczęci polskiego króla. Wykrztusił jedynie „majestatyczna, książę" i mógł go już wystawiać Wildenburgowi. Mistrz krajowy zawarł w obecności biskupa Floriana z księciem Wacławem sojusz. Odtąd księstwo płockie stawało się zaporą przed Giedyminem. Wańka przysięgał, że nie przepuści Litwinów. Na wszelki wypadek Zyghard kazał dodać „i innych pogan" oraz „wspólną przeciw nim obronę i udzielanie sobie sojuszniczej pomocy". A w klauzuli na końcu traktatu wpisano „przeciw innym niewymienionym wrogom".

Wańka jak nienawidził Łokietka, tak się go bał. Nie odważył się wymienić króla Polski z imienia. A może lękał się braci? Obaj starsi żyli z Władysławem w przyjaźni. Gdy Wildenburg złożył pieczęć Zakonu pod sojuszem z Wańką, rozkazał Zyghardowi: „Weź w obroty obu jego braci. Chcę mieć takie same sojusze z książętami Czerska i Rawy. Przygotuj nam Mazowsze".

Schwarzburg, którego nic tak nie złościło jak rozkazy, zamiast z braćmi Wacława, umówił się ze jego szwagierką. Księżna oczekiwała go w Czersku, wyprawił się do niej najwygodniejszą drogą, Wisłą. Lato stało w pełnej krasie, wsiadł na pokład zakonnej łodzi w Toruniu, ale po przekroczeniu granicy z Królestwem Polskim przesiadł się na miejscową barkę. Owszem, z urzędników zakonnych zdzierali podwójną opłatę, ale przynajmniej dawali gwarancje bezpieczeństwa. W biskupim Włocławku musiał dopłacić jeszcze parę miedziaków, żeby przypuścili go obok komory celnej, za to przed Płockiem powitali go ludzie księcia Wańki i przesiadł się na wygodną łódź oznakowaną książęcym, czarnym orłem. Znali go tu dobrze, na powitanie dostał miskę zupy.

— Rybacka — pochwalił rosły wioślarz. — Matka rano uwarzyła na rybce z nocnego połowu. Na zdrowie!

— Przypomnij, jak ci na imię? — spytał Zyghard.

— Komtur mnie pamięta? — pokraśniał wioślarz.

Masz mięśnie jak grecki bóg, komtur zapamiętuje takie rzeczy — uśmiechnął się w myślach Zyghard, patrząc na nagą klatkę piersiową wioślarza.

— Gawor, nazywam się Gawor — przypomniał swoje imię. — Mój ojciec służy w książęcej straży.

Zyghard zjadł, choć nie smakowała mu ani trochę. Ukradkiem wypluwał ości, by nie urazić gościnnych Mazowszan. Słońce grzało, zdjął płaszcz zakonny i starannie złożył na ławce. Pozazdrościł Gaworowi, że ten może płynąć bez koszuli. Ale nie gapił się na niego zbyt długo, przyglądał się brzegom Wisły, tej rzeki, której ujście do morza, stało się celem życia Guntera, jego starszego brata.

Zrobiłeś to — pomyślał o nim z czułym podziwem. — Doprowadziłeś do celu. Gdańsk w rękach Zakonu.

O dziwo, ruch na rzece był tak ożywiony, jakby nic się nie zmieniło, jakby port wieńczący bieg Wisły nadal był wolny dla handlu. Owszem, był, ale dla zakonnego i kontrolowanego przez Zakon. Zauważył, że na zwężającym się odcinku rzeki przed nimi aż roi się od barek i łodzi.

— Co to? — spytał Gawora. — Nie pamiętam, by było tu tak tłocznie.

— Kiedy komtur płynął tędy ostatnio?

— Będzie z dziesięć lat — odpowiedział wymijająco. Po co kłuć w oczy, przypominać? To było przed zajęciem Gdańska.

— A, no tak — równie oglądnie odpowiedział Gawor. — To Warszewa i przyległe osady.

Gdy podpłynęli bliżej, sternik co rusz dął w róg i krzyczał na zmianę:

— Droga dla książęcej łodzi!

I tylko jego zręczności i sprawności wioślarzy zawdzięczali, że nie wpadli na inne łodzie i barki. Zyghard aż wstał i obserwował ten ruch do głębi zaciekawiony. Płynęli wolno, pod prąd rzeki. Gawor pokazał na lewą stronę.

— To Bródno, tam biegnie trakt na Ruś. Litwini spalili osadę przed laty i potem, jak mówi ojciec, kto miał łeb na karku, a w nim nieco oleju, i parę groszy, wiadomo, przenosił się na drugą stronę Wisły. Bezpieczniej. Wiadomo, Litwin jak wilk, raz napadł, napadnie znowu.

Zyghard śledził teraz wskazaną przez Gawora, drugą stronę rzeki. Na wysokim brzegu widać było rozrastające się osady, gdzie zbiegały się szlaki z Krakowa i Poznania. Potem wyniosła skarpa opadała nagle i przed nimi wyrósł port.

— A to? — spytał Gawora.

— Tam, na skarpie jest Jazdów. Kiedyś ponoć to był potężny gródek, ale też go Litwini spalili.

— Przeprawili się? — dopytał Zyghard.

— Ano, tak — niechętnie potwierdził Gawor, bo niecałkiem zgadzało się to z teorią jego ojca. — A po Litwinach dzieło dokończył książę Bolesław.

— Madonna na purpurze? — dopytał Zyghard.

— Ten sam. Ludzie przenieśli się do Warszewy, a książę Trojden gród odbudował na tyle, by strzegł Solca. O, tu komtur widzi nasz Solec — wskazał na port na płaskim brzegu. — Tu jest bród na Wiśle i główna przeprawa. A tam — pokazał na porządnie i równo pobudowane chałupy, jedna w drugą podobne — komory celne i składy soli.

— Soli? — Zyghard nagle zrozumiał całą sprawę.

— Tak, z Wieliczki, z Krakowa kupcy — otarł pot z czoła Gawor. — Tu mają swoje składy.

Wszystko jasne — pomyślał Zyghard i zaśmiał się w duchu. — Ot, nowa, wielka Warszewa. I ty, miasto, powinnoś podziękować memu bratu, Gunterowi von Schwarzburg. Zabrał wam porty morskie Gdańska, poradziliście sobie nowym portem przeładunku towarów w Warszewie. Nie trzeba być geniuszem handlu, by odgadnąć, że stąd towary idą i na zachód, i na wschód, na Ruś.

— A składy węgierskiej miedzi? — spytał Gawora.

— O miedzi nic nie wiem — pokręcił głową wioślarz. — Zresztą, sam komtur słyszy, to Solec, a nie Miedziolec — zaśmiał się.

Uhm — mruknął w duchu Schwarzburg. — Jeśli dobrze rozumiem strategie handlowe króla Władysława, on pod przykrywką swojej soli osłania słynną węgierską miedź.

Z pokładu zszedł pod Czerskiem, umówił się z załogą na postój i powrót; konie zamawiane wcześniej przez Klugera, przyprowadzono im po krótkiej chwili. Zyghard zdążył się przejść, by rozprostować nogi, i ruszyli do księżnej, do Czerska.

Pouczająca wyprawa — pomyślał Zyghard, znów spoglądając na Wisłę. — Ale przede mną nowa robota. Księcia Wańkę złowiłem w zakonną sieć, czas zapolować na jego brata, księcia Trojdena.

— Księżna Marija Jurijewna! — powitał gospodynię wylewnie. — Najmilsza krewniaczka! Jak dobrze spotkać się wreszcie z damą. Wybacz, w zakonie sami brodacze i w dodatku nikt nie mówi po rusku.

— Pamiętasz język? — zapłoniła się jak dziewczyna. Pocałował ją w policzek. W końcu naprawdę jest jej krewnym.

— Czy pamiętam? Hospodi pomyłuj! Matka śpiewała nam kołysanki... — Rozejrzał się po dziedzińcu. Książęce dworzysko nie wyglądało imponująco, za to wzgórze nad Wisłą, na którym je zbudowano, robiło świetne wrażenie.

— Pierwszy raz w Czersku? — spytała księżna Marija.

— Owszem — wziął ją pod ramię. — I mam nadzieję, nie ostatni.

Spojrzała na niego z uśmiechem. Była ładna, podobna do braci, książąt halickich. Miała bielutką cerę, ale lśniące rumieńcem policzki. Drobne usta, oczy jak oni, lekko skośne.

— Widziałem Andrija i Lwa kilka lat temu, gdy byłem z misją w Haliczu — podjął rozmowę, gdy ruszyli przez dziedziniec w stronę wejścia.

— Ja ich nie widziałam, odkąd wuj wyswatał — powiedziała smutno.

— Twój wuj dzisiaj królem — kiwnął głową. — Kto by przypuszczał, co, Marijo?

— Wybacz, Zyghardzie, ja go lubię. I szanuję.

Księżna czerska stanęła i łagodnie wysunęła ramię z jego uchwytu. Spojrzała mu w oczy.

— Jeśli przyjechałeś mącić wodę między nami, to źle trafiłeś — powiedziała stanowczo.

— Krzywdząco mnie oceniłaś — pokręcił głową Zyghard.

Ściszyła głos, mówiąc:

— Wiem, co zrobiłeś z Wańką. Tajna klauzula waszego sojuszu nie jest dla nas sekretem.

— To zwykły zwrot formalny — wyłgał się. — Zakon stosuje go zawsze, by zabezpieczyć to, co dzisiaj nieprzewidziane.

— Zakon ma wielu uczonych prawników — pokiwała głową smutno. — I zręcznych dyplomatów. Ty jesteś jednym z nich.

— Czarną owcą w rodzinie? — spytał, przekrzywiając głowę.

Roześmiała się i pogładziła go po zakonnym płaszczu.

— Białą, białą.

Znów ujął ją pod ramię i weszli do środka. Pierwsze, co rzuciło mu się w oczy, to spłowiała chorągiew z Madonną na purpurze.

— To po teściu — wyjaśniła.

— Wiesz jak ją zwali ci, których pokonał?

— Nie — zamrugała zaskoczona.

— Krwawą Marią — wyszczerzył zęby Zyghard i dopiero teraz zrozumiał, że Mariji mogło się to nie spodobać.

— Książę Bolesław mazowiecki był waleczny — dorzucił przepraszająco.

— Wuj Władysław, przepraszam… król Władysław, bardzo go cenił — odpowiedziała, wysoko unosząc podbródek. — Proszę na górę.

Zaprosiła do swoich komnat, służba podała wieczerzę i wino. Książę Trojden był poza Czerskiem, więc mogli nadać spotkaniu mniej oficjalny charakter.

— Wędzone jesiotry — mruknął Zyghard, łakomie zerkając na zastawiony stół. — Księżno, jesteś wyborną gospodynią.

— Nasze, wiślane — odpowiedziała zawstydzona i zmieniła temat. — Kiedy byłeś w Haliczu, u moich braci?

— Pięć, nie, sześć lat temu! Ach, Marijo, jak ten czas leci. Nie obejrzę się, a będę starcem, zgrzybiałym komturem, którego giermek sadza na nocnik!

— Przestań, Zyghardzie! — śmiała się, aż drżały jej dołeczki w policzkach. — Bzdury opowiadasz. Jesteś w kwiecie wieku i gdyby nie zakonne śluby, pewnie przebierałbyś w pannach na wydaniu!

— Niekoniecznie — odpowiedział, zrobił przerwę i mrugnął. — Wolę mężatki od panien.

Zarumieniła się, co zauważył. Zmienił temat, wpatrując się w malowidło zajmujące całą ścianę.

— Skąd się wziął smok w herbie twego męża?

— Chyba z przekory — parsknęła śmiechem.

— Z przekory to twój szwagier, Wańka, kazał przemalować swojego orła na czarno — stuknął w jej kielich swoim i uniósł.

— Wszystko, byleby lepiej niż król! — zachichotała i też się napiła. — A smok? Nie wiem. Trojden mówi, że smok jest w Czersku od zawsze. Nie interesowałam się tym, tyle innych zmartwień — nagle uleciała z niej cała wesołość.

— Martwisz się o braci? — ciepło spytał Zyghard.

Westchnęła.

— Wyrastaliśmy w lęku przed Tatarami — powiedziała po chwili. — Tutaj mamy za wrogów Litwinów. Też poganie, ale wierz mi, Zyghardzie, to nie jest to samo. Gdy nadciąga choćby najmniejsza orda, to tak, jakby kto nagle zdmuchnął świecę. Na niebie robi się czarno od strzał, a ziemia dudni kopytami ich koni. Zamek się obroni, ale wsie i przysiółki? Toż na Małej Rusi chłopi specjalnie płodzą więcej dzieci, bo połowę im porwą w jasyr.

— Litwini też są bezwzględni. — Schwarzburg pokazał służce, by dolała mu wina. — Książęta Mazowsza żenią się z Litwinkami, by zabezpieczyć granice, ale nie za każdym razem taki sojusz zadziała. Twój mąż też syn litewskiej kniaziówny.

— Mniej się ich boję — powiedziała stanowczo. — Lękam się Tatarów. Moi bracia…

Księżna rozszlochała się nagle, zaskakując go łzami. Nie miał żadnej wprawy z kobietami, ale miał w rękawie chustkę. Czystą, z wyszytym czarnym krzyżem. Podał ją Mariji.

— Moi bracia nawet żon nie wzięli — powiedziała, gdy wytarła oczy. — Oni na zmianę albo odpychają ordę, albo są przez nią ścigani. Ja na Mazowszu, w Czersku, przy boku Trojdena, cieszę się spokojem, rodziną. A oni? Lew i Andrij?

— Marijo — powiedział ściszonym głosem. — My ich chronimy.

Zamrugała i przyjrzała mu się tak uważnie, że zastanowił się, czy nie przeszarżował. Owszem, skłonił książąt ruskich do porozumienia, wtedy, gdy był w Haliczu z Kunonem. Ale celem sojuszu było, by to oni chronili ziemie zakonne przeciw Tatarom. Krzyżacy w zamian dawali im wsparcie przeciw Giedyminowi. Symboliczne. Albo i mniej. Ile o kolejnym z tajnych sojuszy wie księżna? Wpatrywał się w nią, mrużąc oczy.

— Coś słyszałam — szepnęła. — Powiesz więcej?

— Nie mogę — pokręcił głową. — Wybacz, ale mistrz nigdy więcej nie pozwoliłby mi wspierać twych braci, gdyby ktokolwiek wiedział, co naprawdę dla nich robimy.

— A jeśli przyjdzie wielka orda? — spytała, wczepiając się w jego nadgarstek.

Kobiety mają ostre paznokcie — zauważył, ale nie cofnął dłoni. — Jak koty.

— Nie zostawimy ich na pastwę losu — powiedział poważnie i uniósł dłoń. Puściła ją. Przyłożył palec do ust i kiwnął głową.

— Mogę być spokojna?

— Możesz być pewna, że to, co im w Haliczu obiecałem, spełnię.

Odetchnęła. Chciał wrócić do tematu, na który niechcący zwróciła jego uwagę, do braku dziedziców książąt Rusi, ale przerwał im dziecięcy śpiew i do komnaty wbiegł chłopiec. Zyghard szybko przypomniał sobie imię syna Mariji i Trojdena.

— To jest książę Bolesław? Mówiłaś, że dziecko, a to już młodzian!

Dzieciak zatrzymał się i przestał śpiewać. Był chudy, ale wyprężył się w jednej chwili.

— Mam dwanaście lat! — pochwalił się głośno.

A wyglądasz na dziewięć — skarcił go Zyghard w myślach.

— Synu, poznaj komtura grudziądzkiego i mego krewnego, księcia Zygharda von Schwarzburg — przedstawiła Marija.

— To Krzyżacy mają krewnych? — zdziwił się chłopiec.

Nie uwierzysz jakich — odpowiedział w duszy Zyghard.

— Mamy wspólnego dziada — wyjaśniła cierpliwie Marija.

Dla ciebie, słodka, byłby pradziadem, ale mniejsza o filiacje — pomyślał, uśmiechając się do dzieciaka.

— Ach! — krzyknął chłopak i od razu na policzki wyszły mu rumieńce. — Tego, co walczył w bitwie z wielką ordą Dżebe i Subedeja! Tej nad Azowskim Morzem! Co dwudziestu kniaziów uległo Mongołom, a nasz pradziad nie ugiął się i zwyciężył!

Zyghard spojrzał na Mariję ponad głową dzieciaka. Przygryzła wargi i położyła palec na ustach, prosząc go. Właściwie o co? O potwierdzenie kłamstwa, którego nauczyła syna? Kniaź Rusi, Daniel, ich wspólny przodek, wraz ze swym zacnym teściem, Mścisławem, zdradzili w bitwie nad rzeką Kałką wszystkich swych sprzymierzeńców. Gdy ocenili, że nie dadzą Mongołom rady, nocą zawinęli dwadzieścia tysięcy swych wojsk i zawrócili. Uciekli za Dniepr i spalili łodzie, by odciąć ucieczkę sojusznikom. By ich śmierć nasyciła głód krwi armii Subedeja. To przez nich poległo drugie tyle ruskich mołojców i dziesięciu kniaziów, w tym młody i ponoć wybitny Rurykowicz.

— Źle to rozumiesz, chłopcze. Nasz przodek, kniaź Daniel, ugiął się — powiedział Zyghard powoli. Marija zbladła. — Dzięki temu przeżył, ocalił ród i swoje władztwo. Jaka z tego lekcja?

— Że czasami zwycięża się fortelem? — niepewnie spytał młody książę i odwrócił się, szukając spojrzeniem matki.

— Tak — litościwie powiedział Zyghard. — Czasami trzeba się umiejętnie ugiąć, by osiągnąć cel.

Księżna czerska odetchnęła i kazała synowi iść spać. Zawołała, by doniesiono owoców i wina. Zyghardowi, który stracił ochotę na wieczór w jej towarzystwie, z odsieczą przyszedł Kluger. Przyniósł pilne listy, którymi Wildenburg wzywał go do Malborka.

— Coś ważnego? — spytała, wpatrując się w niego.

Wojna o największe z królestw — pomyślał, kończąc czytanie. — Wittelsbach i Habsburg wreszcie dojrzeli do podniesienia przyłbic. Rozstrzygną swe pretensje w wielkiej bitwie. Wzywają lenników, robią zaciągi, szukają sprzymierzeńców.

— Zyghardzie? — ponowiła pytanie Marija. — Co się stało?

— Nic ważnego, moja droga — uśmiechnął się, zwijając pergamin. — Nie bój się — poklepał ją po dłoni. — To nie wielka orda Subedeja. Losy świata nie zawisły na włosku.

Chociaż Habsburg albo Wittelsbach mogą zginąć, ciągnąc za sobą połowę podległych im królów i książąt — pomyślał z ciekawością. — Po tej bitwie Europę trzeba będzie ułożyć od nowa.

— Chcesz wracać nocą? — zerwała się, widząc, że wstaje. — To nierozważne. I niebezpieczne!

— Rzeczy rozważne już mnie znudziły, Marijo — odpowiedział. — A odkąd jestem rycerzem zakonu, wszędzie czuję się bezpieczny.

— Niech cię Matka Boska prowadzi — przeżegnała go.

— I Dzieciątko — mrugnął, wychodząc.

HENRY DE MORTAIN od tygodnia racjonował żywność wojskom. A od trzech dni jeszcze koniom, bo zebrane w widłach rzek Inn i Isen bojowe ogiery i kobyły wyskubały trawę nawet spod namiotów. Król Jan ustanowił swego stryja, arcybiskupa Baldwina, oficjalnym wodzem sił luksemburskich, ale ten wciąż jeszcze nie przybył z Trewiru. Jan zaś popędził do Czech zbierać siły. W ten sposób obaj Luksemburczycy scedowali cały ten bałagan na niego.

Wielki obóz sprzymierzeńców Ludwika Wittelsbacha pękał w szwach. Półtora tysiąca bojowych koni. Drugie tyle lżejszych luzaków. Woły pociągowe. Krowy, które miały karmić ludzi, ale wyżarły wszelkie zielsko, zanim je same zjedzono. Kury, kaczki i gęsi w klatkach. Psy ujadające przy każdym z pańskich namiotów, toczące wściekłe boje o padlinę i kości. A to był tylko podobóz zwierzęcy. Za nim wznosił się obóz ludzi. Prawie dwa tysiące rycerzy. Każdy z giermkiem, lepiej trzema i służbą. Proporce rodowe wciągane na maszt. Poodgradzane od siebie namioty tych szlachetnie urodzonych, którzy tylko na wojnie są po jednej stronie, a na co dzień drą ze sobą sąsiedzkie koty. Baronowie, hrabiowie, książęta, biskupi, arcybiskupi. I król. I dwór króla, jego bojowa świta, tak czy siak dodatkowych trzystu ludzi pętających się pod nogami, potykających o wiązania i liny namiotów, wpadających w kloaczne doły z krzykiem *„Mein Gott!"*. Na obrzeżach obozowali łucznicy i piechurzy. Ze cztery tysiące mężczyzn, jak mówiono na odprawach dowództwa, które bawarski marszałek zwoływał dwa razy na dzień i na które Henry chadzał, by zajmować dwa miejsca — Baldwina i Jana Luksemburskich. *Mon Dieu*. Nad obozem Wittelsbacha unosił się smród ludzi, koni, wołów i znacznie gorszy od niego odór wojennego fermentu. Wojsko, które zbyt długo czeka na bitwę, traci mir.

Habsburgowie przybyli pierwsi i zajęli wzgórze. Lepsze miejsce na obóz, bez dwóch zdań. Gdyby tak długo nie trwało ubijanie targów między Ludwikiem Wittelsbachem a jego stronnikami, w tym Janem, który nie spuścił z żądań ani o ton, teraz Henry patrzyłby na obóz habsburski i z tego wysokiego wzgórza liczył im namioty w dole. Było odwrotnie.

Szpiedzy Ludwika donosili, że Fryderyk Habsburg nie wyda bitwy, póki nie dociągną do niego posiłki, które wiedzie jego brat, Leopold.

To podobnie jak my — myślał Henry, patrząc na wschód. — Też wyczekujemy Jana Luksemburskiego każdego dnia.

Liczące już dziś półtora tysiąca rycerzy i cztery tysiące piechurów wojska Wittelsbacha, prócz sił samego króla niemieckiego, składały się z kontyngentu Fryderyka Hohenzollerna burgrabiego Norymbergii, oddziałów przysłanych przez księcia saskiego Jana, silnego pocztu śląskiego królewskiego szwagra, księcia Bernarda ze Świdnicy. No i sił luksembursko-trewirskich, którymi w zastępstwie Jana i Baldwina dowodził póki co Henry. Właściwie nie dowodził, bo rozkaz Ludwika brzmiał „czekać".

Po stronie Fryderyka Habsburga, zwanego Pięknym, stały siły niewiele mniejsze. Cisi ludzie donosili, że konnych rycerzy jest tysiąc czterystu, a do tego lekka jazda węgierska i piechurzy, wśród nich poganie, co roznosiło się plotką po obozie bawarskim szybciej niż smród z przepełnionych latryn. Henry dowiedział się, że mowa o Połowcach zwanych Kumanami, dzikich i świetnych w łuku, bardzo był ich ciekaw. Fryderyk miał przy sobie młodszego brata, Henryka Habsburga. Książę austriacki był tak oddany rodowi, że gdy osiem lat wcześniej Fryderyk walczył o tron Niemiec, Henryk ożenił się z kulawą bratanicą biskupa kolońskiego, byleby zdobyć przez to głos elektorski dla brata. Bracia Habsburgowie stali za sobą murem, choć ich tam było pięciu, odkąd szósty zmarł, zostawiając tron czeski dla Jana i wdowę Rikissę dla Lipskiego. Dwaj czekali w obozie pod Mühldorf na trzeciego, owego Leopolda, który wiódł im ponoć jeszcze tysiąc ciężkiej jazdy. Bracia Wittelsbachowie przeciwnie, walczyli ze sobą od lat. Gdy Ludwik ubiegał się o głosy elektorskie, jego brat, Rudolf, książę Saksonii, swój oddał Habsburgom. I przysłał im teraz pięćdziesięciu zbrojnych pod chorągwią ze złotym lwem. Henry rozpoznawał z dala jego barwy nad obozem wrogów, bo pewnie na złość bratu Rudolf rozpostarł chorągiew trzy razy większą niż król Habsburg, za którego walczył.

Będzie młyn — myślał Henry, uporczywie patrząc na wschód. — Janie, przyjedź wreszcie, bo będzie piekielny młyn.

Dźwięk rogu wyrwał go z rozmyślań, lecz Mathias pozbawił nadziei, że oto przyjechał jego król.

— Król Ludwik Wittelsbach wzywa na naradę wodzów — powiedział i uśmiechnął się przepraszająco. — Bez zwłoki. Życzysz sobie, panie, płaszcz?

Henry zaprzeczył. Wczoraj padało i obóz tonął w gównianym błocie.

— Jesteś dla mnie dobry, panie — uśmiechnął się na ten gest giermek. — Nie będę musiał czyścić.

— Lepszy niż Jan, przyznaj — podpuścił go de Mortain.

— Nie mogę, panie. Nawet gdybym chciał.

Henry klepnął go w plecy.

— Król wybiera sobie honorowych giermków. Dobry z ciebie chłopak, Mathiasie. No, koniec czułych gestów, idę na żerowisko sępów. Co mówią giermkowie Wittelsbacha? Król Niemiec bardzo zły?

— A skąd pan Henry wie, że gadam z giermkami króla królów? — Mathias zabawnie przekrzywiał głowę, gdy pytał.

— Bo jesteś jak twój pan. Umiesz rozmawiać z każdym. Z przyjacielem, z wrogiem.

— Z przyjaciółmi wrogów i wrogami przyjaciół — mrugnął Mathias i zarumienił się. — Tak uczy mnie król Jan.

Szli do królewskiego namiotu oznaczonego, a jakże, złotym lwem i biało-niebieską szachownicą Bawarczyków. Z przodu dowódcy oddziałów z rodowych ziem Jana, brabanckich i lotaryńskich. Za nimi Henry, a Mathias, z taktem, trzymał się trzy kroki za nim. Henry przywołał giermka, wolał umilić sobie drogę rozmową, wiedząc, że wezwanie do Bawarczyka nie wróży nic przyjemnego.

— Czego jeszcze uczy cię król?

— Dyskrecji — niewinnie uśmiechnął się Mathias i dopiero po chwili Henry spostrzegł, że w tym uśmiechu jest i szelmowska iskra.

— Chyba cię ukradnę, giermku. Albo odbiję! — zaśmiał się de Mortain i nie pozwolił chłopakowi odpowiedzieć, bo właśnie doszli do królewskiego namiotu.

Przy stole rozłożonym naprędce na kozłach siedzieli już książę Bernard, burgrabia Hohenzollern i trzech nowych, nieznanych Henry'emu ludzi.

Wszystkie rodziny są dziwne — pomyślał. — Brat Wittelsbacha walczy przeciw niemu. Habsburgowie oddają za siebie krew. A ten przystojniak jest jednocześnie szwagrem króla Niemiec i zięciem króla Polski. Lojalnie stanął przy królu niemieckim w potrzebie, choć jego teść Władysław, jako sojusznik węgierski, jest za Habsburgami. A może już nie, tylko nic o tym nie wiemy? Może zmienił stronnictwa i przysłał Bernarda w swym imieniu? Nie. Wittelsbach roztrąbiłby to na oba obozy.

— Król Niemiec Ludwik Wittelsbach — zapowiedział herold i ten wszedł w asyście marszałka i kolejnych wodzów.

— Naszym ludziom zaczyna brakować żywności — zaczął marszałek. — Koniom też.

— Czas wydać bitwę, póki nie zaczęły się choroby.

— Fryderyk Habsburg zwleka. Czeka na posiłki.

Henry zaciskał szczęki. Ten sam zestaw wiadomości od tygodnia. Znał kolejne pytanie. Tyle że nie przewidział, iż tym razem królowi puszczą nerwy.

— Gdzie jest król Czech?! — ryknął Ludwik Wittelsbach. — Gdzie Jan Luksemburski?! Gdzie jego stryj Baldwin?!

De Mortain odliczył do trzech i odpowiedział spokojnie:

— W drodze, najjaśniejszy panie.

— Słyszę to od tygodni! — wrzasnął, aż z ust poleciały mu krople gęstej śliny i osiadły na brodzie niczym szron.

Zaraz stopnieje — uspokajał się Henry w duchu. — Wsiąknie w te rude kudły.

— Król zbiera posiłki — odpowiedział po chwili.

— Wyznaczyłem termin bitwy na zeszłą niedzielę. Jest piątek! Jest piekielny piątek! Stawili się wszyscy. Książę śląski, książę saski, trzy tuziny hrabiów i burgrabia! Rycerstwo czeka na Jana, a on?

— A on zbiera posiłki i lada dzień do nas dołączy — wyraził swe nadzieje tak żywo, jakby nie powtarzał tego dwudziesty raz.

— Czyżby?! — krzyknął Ludwik.

Zgromadzeni wbili oczy w blat stołu. W jego gładziutko wyheblowane deski. Henry najchętniej wbiłby w nie swój własny łeb.

— Targował się ze mną jak kupiec — szarżował Wittelsbach. — O udział w łupach, jeńcach i splendorach po wojnie. A teraz mamy przegrać, bo on się spóźnia? Co, może tańcuje w Reims?!

Muszę mówić, jestem jego głosem — zbierał się de Mortain.

— Ośmielę się zaprzeczyć, królu. — Henry potrafił panikować i umiał w jednej chwili to ukryć. — Słowo złożone przez króla Czech nigdy nie zostało złamane. I przypomnieć, że król Jan Luksemburski właśnie z powodu wojny z Habsburgami nie będzie klęczał w katedrze w Reims. Nie będzie w niej na zaślubinach swej jedynej siostry, księżniczki Marii, z królem Karolem Kapetyngiem, choć każdy na jego miejscu tam właśnie wolałby być. Nie będzie nawet na jej królewskiej koronacji, bo obiecał, że stanie u twego boku.

Ludwik Wittelsbach gwałtownie wstał. Oparł się z całej siły o deski stołu, a ten pod jego ciężarem ugiął się niebezpiecznie. Marszałek z jednej, a książę Bernard z drugiej strony przytrzymali stół, by nie runął. Wittelsbach poczerwieniał nagle i ryknął:

— To gdzie on, u diabła, jest?!

W tej samej chwili do namiotu niemal tanecznym krokiem wszedł

Luksemburczyk. Błyskawicznie klęknął przed purpurowym z gniewu Ludwikiem i powiedział jasnym, dźwięcznym głosem:

— Przy tobie, mój królu!

Henry de Mortain wziął długi, powolny oddech. Przełknął ślinę w zaschniętych ustach. I dopiero wtedy zerknął na nogi klęczącego Jana. Na jego zniszczone, obryzgane błotem buty. Na nogawice do konnej jazdy niemal przetarte po wewnętrznej stronie ud.

Albo przywiódł wielotysięczny kontyngent, albo płodził kolejnego bękarta w jakimś luksemburskim zamku. Jedno z dwojga. Wszystko jedno. Najważniejsze, że już tu jest.

JAN LUKSEMBURSKI starł się z Lipskim o wojsko. Marszałek wyciągnął porozumienie z Domżalic, sprzed czterech lat. To, w którym król obiecywał, że nie będzie prowadził czeskiego rycerstwa na wojny poza granicami Czech. Pan z Lipy był nieugięty. Oświadczył, że on dotrzymuje każdego z zapisów umowy i tego samego wymaga od króla. Słona cena zakończenia wojny domowej, gorzkie oblicze pokoju.

Jan był bez argumentów, ale nie bez szans. Zgarnął ze skarbu wszystko, co wpłynęło z kopalni srebra, i ogłosił zaciągi. Zebrał najemników, twardych wojaków, co walczą za żołd. I wypuścił swych ludzi, by znaleźli mu choć pięćdziesięciu czeskich rycerzy, którzy staną za jego plecami, żeby mógł pokazać Wittelsbachowi, że król Czech przyprowadził czeskie hufce. Kazał stawić im się w Ratyzbonie i nie czekając na wynik, pognał do Miśni. Z dziesiątką ludzi, bez orszaku. Sam zajeździł pięć koni, dojechał z Pragi w dwa dni. I z jej margrabią, który wciąż nie podniósł się po dawnej porażce z Waldemarem Askańskim, dobił targu. Wystawił swą córkę, ośmioletnią Bonnę, dwunastoletniemu Fryderykowi, dziedzicowi Miśni. Dla nadwątlonych Wettynów to był więcej niż splendor. Gdy tylko zawarli porozumienie o małżeństwie dzieci, ucałował Fryderyka w czoło, mówiąc do niego „zięciu" i zainkasował za Bonnę miśnieńskie wojsko. Pognał na południe. W Ratyzbonie zastał nie pięćdziesięciu, a trzydziestu rycerzy. Stawili się z pocztami młodzieńcy z turnieju. Markwart, Zavis, Beneš, Hynek, Ulrik, Chval, Libos, Czabak, Zwonimir.

Niemal zmroził go ich widok. Pechowa „Drużyna Lodu" — pomyślał. — A niech to. Chval, to ten młodzian, co machając mieczem na oślep, walnie przyczynił się do paniki pod bramą piwowarów. Beneš to chojrak, co spadł z konia. A jednak muszę ich przyjąć z otwartymi ramionami, bo to jedyni Czesi, którzy posłuchali nie Lipskiego, lecz króla i stawili się.

Uśmiechnął się szeroko, jakby ich widok go radował, a nie martwił. I dostał nagrodę. Do komnaty wszedł olbrzym. Rozsunął młodzianów i stanął przed królem.

— Plichta z Žirotína! — naprawdę ucieszył się Jan.

— Mój królu — przyklęknął na jedno kolano potężny rycerz. — Chcę walczyć za ciebie.

— A ze mną za króla Niemiec? — uśmiechnął się Luksemburczyk.

— Pod twoją chorągwią, tak — skinął głową Plichta.

Jan mógł odetchnąć. Wielkolud z Žirotína był znany na dworach całej Europy. Walczył w dziesiątkach turniejów i wygrywał. Zasłynął służbą dla angielskich władców, a gdy Jan organizował Turniej Zimowego Króla, stawał w szranki w Akwizgranie. Z nim przy boku nie wstyd się pokazać Wittelsbachowi. Zasłoni potężną piersią młodzianów, zatrze brak wrażenia, jakiego nie zrobią. Resztę załatwią wojska, które ciągną z Miśni, i najemnicy, których tu zastałem. Jak i wiadomość od Henry'ego z miejscem, któreWittelsbach wyznaczył na bitwę.

— Mühldorf nad rzeką Inn. Sam dojadę w dwa dni. Najemnikom zejdą trzy do czterech. Tabory potrzebują sześciu.

Bez zwłoki ruszył przodem i wziął na siebie gniew Bawarczyka.

— Ilu masz ludzi, królu Janie? — kazał to sobie powtarzać, jakby lubił się wściekać. — Tylko trzystu jeźdźców?! Toż Leopold Habsburg wiedzie bratu tysiąc dwustu. Zmiażdżą nas!

— Więc nie czekajmy na nich! — odpowiedział lekko. — Uderzmy teraz, gdy mamy większe siły.

— Habsburg nie chce się ruszyć z obozu na wzgórzu — ponuro skonstatował książę Bernard.

— Sprowokujmy go — oświadczył Jan.

— Jak?

Wypnijmy gołe tyłki — pomyślał, ale wybawił go Hohenzollern, mówiąc:

— Leopold chcąc się połączyć z bratem musi sforsować rzekę. Uniemożliwmy mu to. Gdy Fryderyk zrozumie, że może liczyć tylko na siebie, przyjmie bitwę.

— I zróbmy to szybko — dodał marszałek króla Ludwika. — Zapasów starczy na dwa dni.

— Zgadzam się — powiedział Wittelsbach — o ile król Czech poprowadzi pierwsze uderzenie.

— To dla mnie honor — ukłonił się Jan.

I pomyślał, że honor jest piekielnie drogi.

— Honor rycerski jest bezcenny! — krzyczał nazajutrz, jadąc w pełnej zbroi przed szeregiem rycerstwa. — Okażmy wrogom naszą odwagę!

— Za króla! — krzyknął Plichta.

— Za króla Niemiec — odpowiedzieli rycerze.

— Za prawowitego króla Niemiec! — zawołał marszałek Ludwika.

— Wi-ttels-bach! — zaskandowali kolejni.

Z naprzeciwka odpowiedzieli im jednym rykiem:

— Habsburg! Habsburg! Habsburg!

Jan podjechał do Drużyny Lodu. Markwart, Zavis, Beneš, Hynek, Ulrik, Chval, Libos, Czabak i Zwonimir zakuci w zbroje i hełmy. Z tarczami na ramionach i kopiami w dłoni trzęśli się.

— To nie jest turniej — powiedział do nich. — Nie ma tu waszych ojców i matek. Waszych narzeczonych i sióstr. Trzymacie w ręku bojowe, nie turniejowe kopie. A na trybunie jest tylko dwoje widzów: Bóg i śmierć. Zginąć w bitwie to zaszczyt, ale nawet na niego trzeba wcześniej zasłużyć. Chcecie zmazać porażkę zimowego turnieju?

— Tak, królu! — odkrzyknęli krótko.

Jan okręcił się konno. Uniósł się w strzemionach.

— To wygrajmy tę bitwę!

Słowo się rzekło. Krzyknął po raz ostatni:

— Za honor! — i zamknął przyłbicę.

Mocniej osadził się w siodle. Poprawił uchwyt kopii. I poprowadził szarżę.

HENRY DE MORTAIN wiódł lewe skrzydło rycerzy z Trewiru. Baldwin nie dotarł pod Mühldorf i Jan powierzył mu dowództwo nad wojskami stryja. Ustawili się w szyku i czekali na rozkaz.

Widział Luksemburczyka wiodącego atak na wojska Habsburgów. A był to piękny widok. Jan trzymał się w siodle, jakby się w nim urodził. Był świetnym wodzem, nie krył się za niczyimi plecami, ciągnął za sobą innych. Habsburg naprzeciw zakutej w zbroje ciężkiej jazdy Jana najpierw wypuścił lekką jazdę Kumanów. Henry widział strzały wystrzelone przez nich i to, że nie uczyniły wojsku Jana żadnej szkody.

Groty Połowców odbijały się od końskich kropierzy i napierśników zbroi. Jazda, którą prowadził Luksemburczyk, rozniosła Kumanów na kopytach koni i nie zatrzymując się, parła naprzód. Habsburgowie wypuścili wreszcie ciężkich jeźdźców. Nad polem bitewnym uniósł się pył, zasłaniając wszelką widoczność, ale po chwili dał się słyszeć wrzask walczących, rżenie i kwik bojowych koni.

Starli się — pomyślał Henry.

Nic nie widział, tylko tuman kurzu, z którego po długim czasie wyjechała zwycięska jazda Luksemburczyka. Patrzył, jak robią półokrąg, jak zawracają do drugiego starcia. Czas dłużył mu się, aż wreszcie wyjechali do trzeciego. Nie mógł tego zobaczyć, ale rozumiał, że odrzucają szczątki połamanych kopii, by sięgnąć po miecze. I znów, wjechali w kurz.

Tylko jednego był pewien, że Luksemburczyk nie cofał się, a być może parł naprzód. Słońce świeciło mocno, ale był koniec września, więc jego promienie nie robiły szkody. Stał już kiedyś pół dnia w pełnej zbroi w środku francuskiego lata i tamtą bitwę wspominał jak piekło. Nim ruszył do boju, był poparzony. Teraz sztywniały mu barki, a prostował się co chwila, by ludzie, którymi dowodził, widzieli, że nie czuje lęku. Właściwie pozazdrościł Janowi tej szarży, tego, że walczy, a nie stoi bezczynnie, gdy zobaczył, że i do niego posłaniec jedzie z namiotu dowództwa.

Czas na mnie — zrozumiał, nim dostał rozkaz od Wittelsbacha.

I jednocześnie zobaczył, że Habsburgowie ze wzgórza wysłali nowy oddział jazdy, który od tyłu zbliżał się do miejsca bitwy.

Henry dał znak do ataku. Ruszyli.

— Za króla! — krzyczał. — Za honor!

Pędząc, dostrzegł na prawym skrzydle jazdę księcia świdnickiego Bernarda. Tego, który przypominał mu gończego gaskońskiego psa. Wittelsbach kazał im jednocześnie oskrzydlić Habsburgów. Czarny śląski orzeł łopotał na wietrze. I tam pewnie krzyczeli: „Za króla, za honor". Nie słyszał tego. Słyszał tylko kwik koni i wrzask z toczącej się przed nim w tumanie kurzu bitwy. Bał się, by nie staranowali ludzi Luksemburczyka, nie widział sztandaru z lwem. Wpadł w ten pył, choć w ostatniej chwili jego koń spłoszył się i chciał wyhamować. Zapanował nad nim i zamachnął się na oślep. Ciosem z góry ciął kogoś przez bark, ale jego ostrze ześlizgnęło się po napierśniku rycerza, który obrócił się i ruszył gdzieś dalej. I dobrze. Henry'ego oblało gorąco. Ciął młodego Chvala, rycerza Jana. Chłopak nie poznał go, już był gdzie indziej.

Henry rozejrzał się w bitewnym młynie. Drugi raz nie pozwoli sobie na taki błąd. Poznał olbrzymią sylwetkę Plichty. Wielkolud był bez konia, walczył, stojąc, a wokół niego leżał stos rannych albo i nieżywych.

Habsburgowie wzmocnieni od tyłu, parli naprzód, ale po ilości trupów Henry zrozumiał, że Jan miał przewagę w pierwszej części bitwy. Rzucił się w jej wir. Ciął, obracał się i szukał wzrokiem Luksemburczyka. Zamiast Jana wypatrzył sztandar z czerwonym lwem Habsburgów. Wokół niego skupiło się sześciu, może siedmiu rycerzy broniących się zaciekle. Henry ruszył ku nim i wtedy zobaczył Jana — walczył na miecze z jednym z broniących się Habsburgów. Rycerze skupieni wokół opuszczali broń i Henry zrozumiał, że ktokolwiek kryje się za opuszczoną przyłbicą, Jan toczy z nim pojedynek bitewny. I wyraźnie wygrywa. Luksemburczyk gwałtownie pochylił się w siodle, jego koń skoczył i Jan dosiągł przeciwnika. Celnym sztychem z dołu trafił go pod obojczyk zbroi. Ten pękł, rycerz zachwiał się w siodle i wypadł z niego z trzaskiem stali. Rycerze Luksemburczyka krzyknęli radośnie, Jan zeskoczył z siodła i podbiegł do leżącego. Otworzył przyłbicę hełmu.

— Książę Henryk Habsburg żyje! — zawiadomił tłoczących się wokół. — I należy do mnie.

O Chryste! Walczył z bratem Fryderyka Habsburga — Henry w lot zrozumiał sukces Luksemburczyka.

— Chcesz walczyć dalej, książę? — głośno zapytał Jan. — Czy oddajesz się do mojej niewoli?

Na chwilę zapanowała cisza. Zgromadzeni wsłuchiwali się, co powie Habsburg.

— Niewola — wycharczał. — Poddaję się.

Jan Luksemburski zawołał:

— Biorę was na świadków. Książę Henryk Habsburg jest moim jeńcem. Od tej chwili nic mu się stać nie może. Mathias! — zawołał na swego giermka. — Przejmij chorągiew z czerwonym orłem. Zwiń.

Henry otworzył przyłbicę, Jan poznał go i miał coś powiedzieć, gdy w tej samej chwili zgiełk toczącej się bitwy zwielokrotnił się i w ich stronę zaczęli przesuwać się walczący.

— Królu, na koń! — krzyknął do Luksemburczyka. — Na Boga, zaraz cię stratują!

Jan rozejrzał się gwałtownie. Sytuacja pogarszała się, nie sposób było zorientować się, jak rozkładają się siły. Baldryk już prowadził konia królowi.

— Henry! — zawołał Jan. — Powierzam ci jeńca. Zabieraj księcia z pola bitwy do naszego obozu. Odpowiadasz za niego życiem.

— Daj mi walczyć — krzyknął Henry.

— Jest cenniejszy niż twoja walka — syknął Jan i z pomocą Baldryka wsiadł na konia.

Z jego grzbietu zmierzyli się wzrokiem. Jan nic więcej nie musiał mówić. Pokonał drugiego wśród wrogów. Cenniejszy od niego był tylko sam Fryderyk Habsburg. Ten jeniec już zbudował Luksemburczykowi nieśmiertelną chwałę. Był wart najwyższego okupu. I mógł przesądzić o losach bitwy.

Henry zacisnął szczęki i przyjął rozkaz.

— Twoja wola mój honor, królu Janie.

JAN LUKSEMBURSKI okręcił się konno. Za nim było pusto, kilku rozproszonych na stratowanym polu, zrzuconych z koni rycerzy, rannych, którzy próbowali ściągnąć hełmy, błagając o pomoc. Albo żebrali „wody!". O kilkadziesiąt skoków przed sobą dojrzał kłębowisko. Słabo widział, pot zalewał mu oczy i czoło, gdyby nie rozsądek, sam zrzuciłby ciężki hełm. Był zmęczony. Dzień chylił się już ku wieczorowi, słońce zniżyło się i od zachodu kłuło w oczy ostrymi promieniami. Czuł, że mają przewagę nad Habsburgami, choć Fryderyk walczył szaleńczo, świadom, że od tej bitwy zależy wszystko. „Gdzie dwóch królów się bije o tron Niemiec, tam trzeci korzysta" — z takim przekonaniem ojciec Jana przed laty stanął do wyborów i wygrał. Dzisiaj Jan walczył tak, jakby chciał być tym trzecim. Owszem, szedł w szeregu Wittelsbacha, ale gdyby ten zginął? I gdyby padł w boju Habsburg? Dzisiaj elektorowie nie mogliby zarzucić mu braku doświadczenia i młodego wieku.

Że jego marzenia to mrzonki, zrozumiał, gdy zobaczył, że król Ludwik otoczony przez osobistą kompanię trzyma się cały czas z boku bitwy, dowodząc z niewielkiego pagórka. Zaklął, owszem, ale pokonanie i wzięcie do niewoli Henryka Habsburga napełniło go znów duchem walki. Gdyby pojmał samego Fryderyka, byłby niekwestionowanym zwycięzcą tej bitwy.

Podmuch wiatru rozwiał kurz i Jan zobaczył, że nad kłębem walczących pochyla się złota chorągiew z lwem Habsburgów. To było jak spełnienie snu. Wbił ostrogi w końskie boki i ruszył. Już mógł niemal policzyć, że rycerzy habsburskich jest trzydziestu, że bronią się w kręgu, bok w bok, strzemię w strzemię. Że naciera na nich Hohenzollern z tylu samymi zbrojnymi. Już rozpoznał króla Fryderyka po złocistym hełmie, po purpurowym siodle. Miał strzaskaną tarczę i walczył zaciekle z burgrabią Norymbergi. Jana dzieliło od nich jeszcze kilkanaście końskich skoków, gdy nagle usłyszał rżenie i tętent kopyt z lewej, potem krótki okrzyk i niespodziewanie szarpnęło nim. Zdążył się odwrócić, wyjąć stopy ze strzemion, puścić konia. Zobaczył nacierającego na siebie dzikusa, Kumana bez zbroi, w samej skórze, z krótką włócznią w ręku. Ogier pod Janem przewrócił się, on spadając, pojął, że poganin barbarzyńsko dźgnął jego konia. Padł na ziemię, jęknął. On, król, rycerz, został zrzucony z siodła przez kogoś bez honoru, kogoś, kto rani zwierzę, by dobyć jeźdźca. Próbował wstać. Bolało go biodro, przetoczył się na kolana. Wokół niego z nieposkromionym wyciem wirowali kumańscy jeźdźcy.

Zabiją mnie? — przeszło mu przez głowę. — Dzicy?!

Wtem potężne ramię z toporem zrzuciło z konia jednego z dzikich. Wielki jak góra cień Plichty osłonił go. Jan zachłysnął się, patrząc na swego wybawcę. Wyglądał jak bóg wojny. Bez hełmu, z draśniętego czoła płynęła mu krew. Włosy lepiły mu się do twarzy w zaschniętych krwawych strąkach, a blachy jego napierśnika były spryskane posoką wrogów. W ręku miał topór i to na pewno nie była jego broń, wydarł go komuś.

Jan próbował wstać. Plichta zabił kolejnego jeźdźca i Połowcy dali za wygraną, uciekając z wyciem.

— Precz poszła dzicz! — krzyknął Plichta i zawył tak strasznym tryumfem, jakby sam był dzikim. — Szukajcie innych ofiar dla waszych wrażych bożków!

Janowi udało się stanąć.

— Dziękuję, Plichto! Uratowałeś mnie — zawołał i w tej samej chwili osłonił się mieczem bo galopował na niego habsburski rycerz ciągnący za uzdę rozhukanego konia bez jeźdźca. Luksemburczyk zatrzymał miecz.

— Król Jan nie może walczyć pieszo! — krzyknął jeździec, zatrzymując się w biegu. Rzucił zaskoczonemu Janowi uzdę i odsłonił przyłbicę. — Otto von Arenbach dziękuje za gościnę w Pradze!

Jan szybko wskoczył na siodło. Gdzieś obok świsnęły strzały.

— Nie zapomnę ci tego, Ottonie!

— Liczę na twą pamięć po bitwie, królu! — Otto ściszył głos i zbliżył się. — Wygrywacie. Król Fryderyk w odwrocie.

Nie czekając na odpowiedź Jana, Otto popędził konia i ruszył za

Habsburgiem. Jan spojrzał za nimi. Resztki wojsk Hohenzollerna goniły chorągiew ze złotym orłem. Gnał ku nim także książę Bernard z drugiego krańca pola.

— Plichto — zawołał do rycerza. — Bierzmy się za niedobitki. W krzakach mogą się kryć tłuste kąski. — Plichto? — Jan okręcił się konno, szukając swego wybawcy. Nie mógł dostrzec wielkoluda, choć chwilę wcześniej, gdy wsiadał na konia podprowadzonego przez Arenbacha, widział go z pewnością. — Plichto? — Jan przejechał kilka kroków, wypatrując zwalistej sylwetki.

Dojrzał go po chwili. Wielki rycerz leżał na plecach. Z oczodołów sterczały mu strzały. Wyglądał upiornie.

Bohatera turniejów zabiła zwykła dzicz — pomyślał i splunął.

HUNKA stała przy pulpicie i mieszała farby. Równo przycięte karty pergaminu leżały gotowe na stołku. W warunkach polowych trudno prowadzić pracownię iluminacji, a przecież dano jej do dyspozycji najlepszy z możliwych namiotów. Namiot królewski. Nie ten, w którym sypiał król Jan, lecz ten, w którym pracował, wołał dowódców, czasami jadł, a nawet wydawał niewielkie uczty. Gdy przychodzili goście, mówiono jej, że ma wyjść, co czyniła, gdy tylko starannie zamknęła pojemniki na farby i oczyściła pędzle.

Po zwycięskiej bitwie dwóch królów w namiocie luksemburskim zaroiło się od gości. Hrabiowie i książęta przysyłali pieczone mięsiwa, kosze owoców, dzbany najdroższych win. Rodziny jeńców Jana prześcigały się w prezentach, które miały zapewnić dobre warunki niewoli dla ich synów i ojców, póki nie nadejdzie okup. Żona drugiego marszałka Habsburgów przesłała nawet minnesingera z gotową pieśnią chwalącą czyny Jana, czyli to, jak honorowo wziął do niewoli jej męża.

Hunka nie patrząc na zamieszanie, jakie panowało wokół, pracowała. Bezpośrednio nadzorował ją Henry de Mortain, wysoki, ciemnowłosy o oczach szarych i jakby melancholijnych. Ma swoją tajemnicę — pomyślała, obserwując go od wielu dni. — Sekret, który napędza do życia i jednocześnie męczy. To nas łączy, prawda, Henry?

— Pamiętasz, Janie, miniatury, które zamówił Baldwin, gdy twój ojciec ruszył na wyprawę italską? Pokazałem je Hugonowi, na wzór.

— I co?

— Powiedział, że może malować w tym stylu, a może też zaproponować coś innego. Coś nowszego, mniej zapatrzonego w przeszłość.

Rozmawiali przy niej, przy Hugonie, jakby go nie było. Prawda, pulpit ustawiono w drugiej części namiotu, za przesłoną z ciężkiej materii, więc pracowała, nie rzucając się w oczy, ale przecież cały czas tam była. Hunka znała zachowania możnych, którzy potrafili wydawać polecenia służbie, jednocześnie na nią nie patrząc. Książęta mówili o koniuszych tak, jakby ci nie stali przy nich, damy obgadywały z dwórkami służki, gdy te sprzątały ze stołu.

Oczywiście nie ona, nie Rikissa. *Bis regina* nigdy taka nie było. Ona jedyna była inna.

Tamtego wieczoru w Brnie, gdy powiedziała „muszę cię odesłać", Hunce serce przestało bić na chwilę. Omal nie rozpadło się całe jej jestestwo. Mogła znieść ból i poniżenie. Głód i zimno. Zabić jeszcze wielu książąt i królów. Wszystko, byleby nie oddalać się od niej. Żyła, by chronić Rikissę. By jej służyć. „Muszę cię odesłać" — usłyszała i przez jedną chwilę była gotowa się przyznać. Wyjawić całą prawdę o sobie, byle królowa pozwoliła jej zostać. I wtedy ją otrzeźwiło. Prawdę? Jaką prawdę chciała wyznać? Czy tę, że na zlecenie Karyntczyka zabiła Rudolfa Habsburga, męża Reiczki? A może tę, że jej pierwszym poważnym zadaniem była śmierć jej pasierba, Václava III Przemyślidy? I że Jakub de Guntersberg, mistrz występujący jako jej ojciec, ma na sumieniu jeszcze ważniejszych dla niej ludzi? Jej ojca, króla Przemysła, narzeczonego Ottona. Że zabiłby Václava II, gdyby nie wyprzedziła go Kalina i trzy lwy? Jakiś piekielny głos szeptał Hunce: „Powiedz jej, ona zrozumie, powiedz", ale oparła się mu i słusznie. Rikissa rozumiała więcej, niż otaczający ją ludzie, ale tego raczej nie mogła przyjąć. Jak wytłumaczyć, że Hunkę i Guntersberga te śmierci zbliżyły do Rikissy? Jak wyjaśnić, że zabijając jej bliskich, pokochali ją ponad wszystko?

Hunka podczas rozmowy w Brnie zapanowała nad szatanem w swej głowie. Pochyliła ramiona, przyklęknęła przed królową i powiedziała, że przyjmuje każde zadanie, które od niej otrzyma. „To nie jest na zawsze" — szepnęła jej Rikissa, gdy opuszczała komnatę. Hunka widziała mimo mroku, że *bis regina* zatrzymała się na chwilę i dotknęła kwiatów ostróżki. „Kiedyś znów się spotkamy" — powiedziała, gładząc palcami ich płatki — „i opowiemy sobie wszystko". Potem wyszła.

Kiedyś się spotkamy, Rikisso. I nie powiem ci nic — pomyślała Hunka czule o swej bogini.

Czarny barwnik zaczynał gęstnieć. Zamieszała w nim.

— Plichta z Žirotína ubity przez dzikich — dobiegł ją głos króla Jana.

Siedział z Henrym de Mortain, pili wino zdobyte w obozie Habsburgów. Henry jadł, Jan raczej skubał pieczeń. Hunka widziała to już parokrotnie, raz nawet spróbowała zimnej sarniny zostawionej przez króla. Była dobra. Sucha, ale dobra.

— ...tak, gdyby nie on... Ocalił mnie przed nimi. Henry, oni zabili mi konia! — W głosie Jana brzmiał żal, jak u chłopca. — Gdyby to zrobił ktoś na turnieju, wydrwiono by go, wygwizdano, że pcha się, a nie zna zasad. Chryste, jak można do bitwy dwóch królów wprowadzać dzikich?

— Stawka była tak wysoka, że Habsburg nie oparł się pokusie. — Głos pana de Mortain był opanowany, ale nie zimny. — Zresztą, za Kumanów nie zapłacił wiele. Mój Boże, szkoda Plichty. Mógł wygrać jeszcze wiele turniejów.

Nieprawda — pomyślała Hunka, nabierając farby na czubek pędzelka. — Olbrzym był śmiertelnie chory. Widziałam, jak sługa smarował mu nogę saraceńską maścią, zanim przyszedł giermek, by ubrać go do bitwy. I widziałam, jak pił odwar z wilczej jagody, musiał to robić od dawna, bo przyjął dawkę, która zabiłby każdego.

Pociągnęła linię znaczącą krawędź bordiury.

— Plichta już w niebie. A ty, Janie? Czujesz się jak w raju?

Śmiech. Kilka mniej wyraźnych zdań.

— ...a powinieneś. Wszyscy mówią o tobie. Król Jan Luksemburski wygrał bitwę. Utorował Wittelsbachowi drogę do cesarskiego tronu.

— Szkoda.

— Szkoda. Ale splendor wielki, a droga jeszcze daleka.

— Może nie dożyje? Może nowe wybory, co, Henry?

Hunkę zaświerzbiły palce. Opanowała się. Teraz jest miniaturzystą, Hugonem.

Usłyszała brzdęk szkła. Chyba pili dużo.

— ...tak. Mamy skarb w okupach. Kilkadziesiąt tysięcy możemy wyciągnąć za jeńców, lekko licząc. Henryka Habsburga odesłałem do Czech. Mam tam taki zamek, Krzywoklat.

Śmiech, krótki.

— Ten, w którym schowałeś dzieci odebrane Elišce?

— Ten sam. Dzieci kazałem przewieźć gdzie indziej, zresztą Karol już zaczął pobierać nauki.

— Karol? Twój pierworodny miał na imię Václav.

— Zmieniłem mu imię. — Westchnienie albo prychnięcie, trudno stwierdzić. — Mam wobec niego plany, których Václav by nie udźwignął. Mam plany dla Karola! — Coś jak okrzyk dworski, po nim śmiech. — Za rok, najdalej dwa, zabiorę go do Francji. Tam będzie miał najlepszych nauczycieli.

Stukanie, chyba nożem w stół. Parę nerwowych uderzeń, puk, puk, puk. I świst, nóż wbił się w coś. W słup namiotu, zapewne. Odsuwane krzesło, kroki. Głos Jana, dalej:

— Mój Habsburg będzie bezpieczny, póki nie zbiorą okupu. Ciekawe, ile zażąda Wittelsbach za swojego. Za Fryderyka Pięknego.

— Pewnie żałuje, że jego rywal nie zginął na polu bitwy. Byłoby po wszystkim.

Słyszałam, jak ruga swego marszałka — pomyślała Hunka. — Powiedział mu, że trzeba było dobić Habsburga choćby toporem. Tamten mówił, że nie wypadało, Habsburg był w otoczeniu swych rycerzy, a widzieli wszystko ludzie Wittelsbacha, ci, którzy ich dogonili i dopadli. „Trzeba było zabić swoich i tamtych, głupcze" — odpowiedział mu król. — „Wygraliśmy bitwę, wzięliśmy ich do niewoli, ale jak zmusimy Habsburga, by zrzekł się korony?"

Trzeba było ich zabić — zgodziła się Hunka z niemieckim królem i jednym pociągnięciem pędzelka zrobiła piękny zawijas.

— Ty możesz żądać za swojego Habsburga mniej, niż on za króla — usłyszała Henry'ego. — Pewnie lada dzień dowiemy się, jakie padną sumy.

— Można by wysłać kogoś sprytnego, by podsłuchał — śmiech Jana.

Za marszałka wojsk habsburskich, pana Ditricha von Pillischsdorf, król Ludwik zażądał siedmiu tysięcy grzywien srebra, a spuścić chce do pięciu. Za króla pierwsza oferta to dwadzieścia tysięcy — odruchowo pomyślała Hunka.

— Najważniejsze, Janie, że ty teraz możesz żądać od Wittelsbacha, czego tylko zechcesz.

— Wina — głos króla był coraz bardziej pijany.

— Wina sam ci naleję, mój panie.

— Obiecał mi kilka zamków i to wezmę od razu. Obiecał bogaty Cheb i łaski nie robi, bo to miał dać już za poprzednie zasługi. Wygrałem dla niego bitwę. Chcę dostać Brandenburgię w lenno i wsparcie w wojnie z królem Władysławem.

Hunka wstrzymała oddech. Nie sądziła, że tak szybko będzie się mogła swej królowej przysłużyć.

WŁADYSŁAW szybkim krokiem zmierzał do sali tronowej. Nie chciał obrazić gościa spóźnieniem, ale po drodze zobaczył, jak jego syn, Kazimierz, ćwiczy fechtunek, albo raczej jak kuli się, osłaniając przed ciosem, i musiał zostać z nim chwilę, zagrzać do walki. Nie chciał popełnić tych samych błędów, co wcześniej. W dzieciństwie Stefana był na banicji, z Władysławem juniorem mu nie wyszło, chłopak był wyjątkowo krnąbrny i zawsze robił co innego, niż życzył sobie ojciec. Kaziu zaś... Z Kaziem miał poważny problem. Chłopak był grzeczny. Mówił „dobrze, ojcze" albo „dobrze, matko", uśmiechał się i kłaniał w kółko. Do łaciny miał głowę, do historii. Ponoć nawet do rachunków. Ale bić się nie lubił. Chwała Bogu, że chociaż dobrze jeździł konno. Więc Władek, choć wiedział, że gość czeka, zatrzymał się, powiedział Kaziowi, że jest jego jedynym synem i nie może go zawieść, a na wpatrzone w siebie, załzawione oczy prychnął, ale z umiarem, tak tylko, żeby dzieciak wiedział, że chłopcy nie płaczą, a na pewno nie mogą beczeć książęta. Pogładził go po czuprynie, zdziwił się, że ma takie ładne włosy, choć mu to niepotrzebne, bo przecież nie jest panną. Kaziowi na to znów zaczęła trząść się broda, więc Władek, żeby go drugi raz przez łeb nie walnąć, powiedział tylko: „Weź się w garść, w końcu jesteś moim synem" i poszedł.

Przed salą tronową czekał Nawój z Morawicy, kasztelan krakowski.

— Królu — pokłonił się na jego widok i jęknął — gość czeka...

— Wiem — krótko odpowiedział Władek. — Otwierać.

— Król Polski, Władysław — zakrzyknął herold, kiedy Władek przekroczył próg.

Przed tronem stał mężczyzna, na oko czterdziestoletni. Miał jasne, dość długie włosy. Wysoki, mocny w plecach, z sylwetką rycerza podkreśloną napierśnikiem założonym nie na skórzany, lecz aksamitny kaftan. Przyklęknął, gdy król go mijał.

— Wstań — powiedział Władek, opadając ciężko na tron. — Czekałeś przez mojego syna. Wybacz.

— To będzie twój następca — z szacunkiem odpowiedział gość.

— Wincenty Nałęcz z Szamotuł — przedstawił go Nawój z Morawicy.

— Masz synów, Wincenty? — spytał poufale Władek.

— Jednego.

— To jak ja — kiwnął głową. — Jak mu dałeś na imię?

— Sędziwój.

Władysław przyjrzał mu się z uwagą.

— Po dziadzie — wyjaśnił Wincenty. — Moja żona jest Zarembówną.

A ja się łudziłem, że ślad po tym zdrajcy zaginął — pomyślał Władysław.

— Zatem nie ty dałeś imię synowi, lecz żona — zaśmiał się. — No, nie marszcz brwi, to też nas łączy. Ja każdemu chciałem dać na imię Bolesław, ale moja pani miała zawsze coś do powiedzenia. Z czym przybywasz, Wincenty?

— Ze zwycięstwem, królu — odpowiedział Nałęcz i wyprostował się. — Zdobyłem dla ciebie Przemęt.

— Ha! — Władysław z radości uderzył podłokietnik. — Świetnie! Mów.

— Załoga nie chciała się poddać. Wybiliśmy ich. — Jasne oczy Nałęcza lśniły dumą, a mimo to był niezwykle oszczędny w słowach. — Zajęliśmy gród w twoim imieniu, w majestacie króla Polski. Chorągiew głogowską przywiozłem, by złożyć ci u stóp, panie.

Wskazał głową na trofeum trzymane przez stojącego przy drzwiach sługę. Jak na komendę, królewski orzeł śpiący wcześniej na swym miejscu pod sklepieniem sali odbił się i z jednym ledwie uderzeniem skrzydeł sfrunął z góry. Wczepił się złotymi pazurami w głogowską chorągiew i krzyknął tryumfalnie. Nałęcz patrzył na królewskiego ptaka szeroko otwartymi oczami.

— Wincenty Nałęcz! — Władek głośno wypowiedział jego imię. — Kasztelan przemęcki.

Nałęcz uniósł brwi. Władek roześmiał się.

— Zdobyłeś kasztelanię dla króla, a król umie się odwdzięczyć. Rozumiem, że żadnego z książąt Głogowa nie zastaliście w Przemęcie?

— Nie, królu — odpowiedział Nałęcz. — Młodsi książęta walczą na Śląsku, a najstarszy, Henryk, ponoć udał się do króla Niemiec.

— Wiesz coś więcej? — szybko spytał Władek i zdziwił się: — Masz tam swoich cichych ludzi?

— Moja matka jest z domu von Osten. Utrzymuję z jej rodziną dobre stosunki. Mój wuj, Johanes, dzieli się ze mną wiadomościami.

— A ty z nim?

— Co masz na myśli, królu?

Zmierzyli się wzrokiem. Nałęcz jest czuły na punkcie honoru — pomyślał Władek — pilnuje zachodniej granicy Królestwa, ale wżenia się w mieszkających tuż za nią rycerzy brandenburskich. To tyleż dobre, co niebezpieczne.

— Nic ponadto, że skoro Johanes mówi ci to i owo, to pewnie oczekuje od ciebie rewanżu.

— Nie mam mu nic do powiedzenia, królu — odrzekł dumnie Nałęcz.

— Nie zacinaj się, Wincenty — uśmiechnął się Władysław. — Twój szwagier może być dla nas cenny. Jeśli się podzielisz — mrugnął do niego.

— Jestem lojalny — powiedział Nałęcz i dodał: — wobec króla i rodziny.

— Chwalę — kiwnął głową Władek. — Mów.

— Widziano księcia Głogowa na dworze Ludwika Wittelsbacha.

— Po bitwie dwóch królów?

— Tak, bo bitwie.

— Do zwycięzcy zawsze ustawiają się kolejki — skrzywił się Władek. — Nic w tym dziwnego.

— Racja, królu — potwierdził Nałęcz. — Ale to, że Henryk Głogowski znów tytułuje się Dziedzicem Królestwa Polskiego i panem Poznania, pewnie ci się nie spodoba.

— Podoba mi się, że to wiem — spokojnie odrzekł Władek. — I że od ciebie, Nałęczu. Obaj rozumiemy, że równie dobrze mógłby się tytułować władcą Kijowa, bo też go nigdy nie zdobył. Poznań otworzył kiedyś bramy przed jego ojcem, ale stary Głogowczyk nie żyje, a ja nie jestem pamiętliwy.

Jestem — zaprzeczył w myślach. — I wiem, że czasy Głogowczyka podzieliły wasz ród. Twój ojciec nie wsparł Ślązaka, jego bracia i kuzyni owszem. Oni go witali, on dał im najwyższe urzędy. Ale żaden z nich nie stanął za Václavem. I gdy znów nadszedł mój czas, obaj Dobrogostowie walczyli w pierwszym szeregu, za co im wybaczyłem przyjaźnie głogowskie.

Więc tyleż nas dzisiaj łączy, mój nowy kasztelanie, co dzieliło kiedyś.

— Starsza Polska nie przyjmie ponownie na tron synów Głogowa — powiedział Wincenty Nałęcz, jakby czytał mu w myślach. — Starsza Polska jest wierna królowi, nawet jeśli ten za siedzibę obrał Kraków.

— Wiem — powiedział Władysław. — Starsza Polska nigdy nie przestała być kolebką królestwa, nawet jeśli wspólnie z jej baronami popełniliśmy grzech. Przed laty, w Krzywiniu.

Dostrzegł w twarzy Wincentego zaskoczenie.

— Dziwisz się, że o tym wspominam? — spytał Władysław. — Owszem, wolałbym uczyć się na cudzych błędach, ale cóż, dość mam własnych, by wyciągać z nich wnioski. Byłeś wtedy młody, panie z Szamotuł, więc ci przypomnę, co zrobiliśmy. Trwała wojna po zabójstwie króla Przemysła. Miałem na głowie Brandenburczyków i Václava Przemyślidę. I rzecz jasna, Głogowczyka, który szedł po Starszą Polskę, bo mu ją ponoć Przemysł obiecał. Nie mogąc wygrać z Głogowczykiem w polu i nie chcąc dłużej walczyć na własnej ziemi, palić wsi i grodów, zawarliśmy układ w Krzywiniu. Przeklęty układ. Grzech pierworodny mego panowania. Podzieliliśmy Starszą Polskę na pół. Południe dla niego, północ dla mnie. Pamiętam, przyjechał na pertraktacje z synem. Tym, co jak mówisz, dobija się teraz do Wittelsbacha. Dzieciak miał z pięć lat, nie więcej. Wiesz, po co go zabrał?

— Nie, królu.

— Bo ja nie miałem dzieci, a on owszem, więcej niż tego jednego. Zmusił mnie, bym go usynowił, rozumiesz?

Nie tylko Nałęcz patrzył teraz na niego szeroko rozwartymi oczami. Jego małopolscy rycerze, Toporczycy, Lisowie, Bogoriowie również. Nie znali tej historii, niech usłyszą.

— Czasami budzę się w środku nocy zlany potem — ciągnął Władek. — Ten sen mnie dręczy. Stoi w nim chłopak o ponurej twarzy Głogowczyka, ale jest już dorosły. I mówi do mnie: „Witaj, ojcze". Ha! — krótko zaśmiał się Władek. — Nie bójcie się, nie złamałem układu. Miałem usynowić go, jeśli nie będę miał własnych dziedziców.

— Najjaśniejszy panie — odezwał się kasztelan krakowski. — To były inne czasy. Byłeś ledwie księciem...

— Zaszczutym księciem — okrutnie sprecyzował Władysław. — Nie tylko przez wrogów, ale przez własnych baronów.

Na twarz Wincentego wyszły rumieńce. Władek uniósł rękę i gestem zaprzeczył.

— Nie, nie bierz winy na siebie, Wincenty. Nie mówię o tobie, po prostu przypominam, jak było. Twój teść, Sędziwój Zaremba, i twój dziad, Tomisław z Szamotuł, stali wtedy twardo za Głogowczykiem i podziałem. Gdy udałem się na banicję, jeden i drugi zostali nagrodzeni województwem. Dzisiaj obaj nie żyją, a ty złożyłeś mi u stóp chorągiew z głogowskim orłem zdartą z kasztelanii przemęckiej, o którą i ja wtedy walczyłem. To znak, że przyszły nowe czasy. I nawet jeśli syn tamtego Głogowczyka tytułuje się dzisiaj dziedzicem Królestwa, to jedynym prawdziwym dziedzicem jest mój syn. Mój Kazimierz.

Zrobił przerwę. Jednak to wspomnienie kosztowało go więcej, niż myślał.

— Tak. Ma dla mnie wielką wartość, że wykonałeś rozkaz. Dobrze jest nagradzać wiernych sobie ludzi. Przyjmij kasztelanię i moją wdzięczność, że to akurat ty, wnuk Tomisława, ją Głogowczykom odbiłeś. I zaniechaj dalszych walk z nimi. Jeśli książę głogowski kłania się przed zwycięskim królem Niemiec, poczekajmy, co z tego wyniknie. Niech odkryje plany, póki co ma wojnę na Śląsku, walczą z nim książęta Wrocławia i Brzegu.

— Jak rozkażesz, królu — ukłonił się Wincenty z Szamotuł. I dodał po chwili: — Chciałbym kiedyś odbić dla ciebie tę resztę Starszej Polski, która została w rękach książąt Głogowa.

— Jak Bóg da — kiwnął głową Władysław, dając znać, że audiencja skończona. — Bądź naszym gościem na Wawelu.

Władek wstał, zszedł z podwyższenia i ruszył ku wyjściu.

— Król Władysław! — krzyknął dźwięcznie herold i wtedy Władkowi przyszło coś do głowy. Zawrócił do sali. — Król Władysław! — zabrzmiało ponownie.

— Przecież wszyscy widzą — skarcił go Władek. — Wincenty, pozwól.

Nałęcz podszedł szybko, przyklęknął.

— Dużo Krzyżaków kręci się po Starszej Polsce? — spytał Nałęcza.

— Zdarzają się. Zwykle posłowie, przez Poznań i Kalisz biegną główne drogi.

— Nie napotykają na żadne przeszkody, no wiesz, nieprzyjemności w podróży?

Nałęcz wciąż klęczał, uniósł wzrok, ale patrzył na Władka z dołu. Zamrugał, pytając:

— A powinni?

— Poseł rzecz święta — powoli powiedział Władysław, patrząc w oczy Wincentego. — Ale na drogach czasami zdarzają się łotrzykowie, którzy tego nie uszanują.

— Tacy, którzy złapią posła, sprawdzą, czy wiezie pocztę… — w mig pojął Nałęcz.

— …ale jej nie zabiorą, bo skąd by łotrzyków ciekawiły listy — mrugnął do niego król.

— Wedle rozkazu — skinął głową Wincenty.

— Nie! To nie był rozkaz! — zaperzył się Władysław.

— Oczywiście — potwierdził Nałęcz. — Król nie rozkazuje łotrzykom.

Władek uśmiechnął się i klepnął go w ramię.

— Zostań kilka dni. Ligaszcz cię oprowadzi po Krakowie i omówicie sprawy. Może ci się w Małej Polsce spodoba?

— Ja zaślubiony Starszej — poważnie odpowiedział pan z Szamotuł.

JADWIGA z dwórką, Stanisławą Bogorią, przyglądała się Kazimierzowi w czasie lekcji tańca. Lutnista grał wciąż tę samą melodię, nauczyciel pokazywał Kazimierzowi kroki, a jej chłopiec powtarzał je zręcznie. Razem z nim ćwiczyło kilku synów Bogoriów, Lisów i jeden Toporczyk. Każdego jednego można było nazwać imieniem ojca, tylko jej syn w niczym nie przypominał swojego.

— Wysoki jak na swój wiek — powiedziała Jadwiga zerkając znad igły.

Obie miały w dłoniach robótki.

— O tak, najjaśniejsza pani. I niezwykle przystojny. — Stanisława uniosła haft, jakby chciała przejrzeć go pod światło i bezkarnie wpatrywała się w Kazia. — Włosy jak ciemny miód. I jakie pukle!

Nauczyciel zaklaskał, przerywając chłopcom.

— Jeszcze raz, od początku! — zawołał.

Ustawili się jeden za drugim, lutnista podjął melodię.

Jadwiga udała, że patrzy na haft uniesiony przez Stasię, przysunęła się do niej, wyciągając szyję.

— Przystojny? Nigdy tak nie myślałam o nim…

— Bo to twój syn, najjaśniejsza pani — szepnęła Stasia. — A jaki zgrabny w ruchu…

Nieprawda. Jadwiga dawno zauważyła, że Kazimierz ma urodę wyrazistszą niż każde z jej dzieci, tylko nie mówiła o tym głośno. To było powodem jej zgryzoty i niemal płaczliwych modlitw. Nim stała się brzemienna, nie raz i nie dwa zapatrzyła się na Nawoja z Morawicy. Nie było to trudne. Władek ciągle kazał Nawojowi opiekować się swoją żoną i dziećmi, a pan z Morawicy miał do dzieci cierpliwość i dobrą rękę. Zwłaszcza do tych, które lekceważył Władek. Czyli wszystkich, poza Elżunią. Ale nigdy nic więcej, poza patrzeniem na urodziwego Nawoja, nie było. Nawet przypadkowego dotknięcia dłoni, nic. I przypominała o tym Maryi w pokornej modlitwie, pytając Matkę w niebie, jak to możliwe, że jej syn podobny do Nawoja, nie Władka? A jak ktoś to dostrzeże i zaczną gadać? Czy możliwe, że Bóg ukarał ją za to zapatrzenie?

Chłopcy sunęli za Kazimierzem, jeden za drugim. Młody Lis, syn Pakosława, mylił krok i wciąż zaczynał od złej nogi. Mały Mikołaj, syn Ottona Toporczyka, potykał się co chwila. Kaziu nie. Kaziu szedł równiutko i zręcznie.

— Moja pani matka mówi — szeptała Stasia — że młody książę podobny do świętej pamięci króla Przemysła. Matka była na Wawelu, gdy ten na długo przed koronacją przyjechał, by wykonać testament księcia Henryka. Prawda to? Ty, pani, znałaś króla Przemysła.

— Tak! — gwałtownie ucieszyła się Jadwiga. — On jest podobny do Przemysła. Co za ulga...

— Ulga? — Stasia ze zdziwienia opuściła robótkę. — Raczej strach. Król Przemysł tak źle skończył...

— Ach — machnęła ręką Jadwiga. — Twoja matka to mądra kobieta. I jaka spostrzegawcza. Tak. Przemysł też był wysoki, włosy miał może ciut jaśniejsze, ale tak samo mu falowały. I ta uroda. Istny książę poznański! Wyszywaj, Stasiu, wyszywaj. To obrus dla franciszkanów.

— No przecież wyszywam — westchnęła Stanisława i zgarbiła się nad robótką.

— Król Władysław — zawołał sługa spod drzwi i jej mąż wkroczył od komnaty.

Lutnista umilkł, chłopcy stanęli w miejscu i ukłonili się. Stasia wstała, przytrzymując obrus.

— Nie przeszkadzajcie sobie — powiedział Władek. — O? Lekcja tańca dla chłopców? Myślałem, że ćwiczy mała Jadwinia i inne dziewczynki.

— Mężczyźni też tańczą, Władysławie, nawet jeśli ty tego nie lubisz — pogodnie wyjaśniła Jadwiga. — I uwierz mi, lepiej dla dam, by tańczyli umiejętnie. Inaczej depczą nam stopy.

Władek wziął się pod boki i wpatrywał się w młodych. Minę miał raczej zaczepną.

— No! Raz, dwa, trzy! Pokażcie mi ten taniec, spróbuję! — zaordynował.

Nauczyciel dał znak lutniście, ten zaczął grać, chłopcy ruszyli. Krok długi, długi, krótki, krótki, krótki, długi i krzyżowanie nóg.

Władek patrzył na to ciekawie, kiwał głową do taktu, po czym założył ręce na plecy, jak tancerze i ruszył. Krótki, długi, krótki, krótki, krótki...

Nikt nie ośmielił się mu zwrócić uwagi, że źle tańczy. Podrygiwał tak chwilę, po czym machnął ręką.

— Widzisz, moja królowo? Ja też tańczę, jeśli zechcę. Ale najczęściej nie chcę, bo i nie muszę. To przed królem powinni tańczyć inni.

Sługa przyniósł krzesło dla Władka i ten usiadł obok.

— Mógłbyś pochwalić syna — powiedziała. — Przecież widzisz, jak dobrze mu idzie.

— To nic trudnego — wzruszył ramionami. — Ja umiem, choć się nie uczyłem. Pochwalę, jak będzie szył z łuku i nauczy się bezbłędnie postaw szermierczych. A teraz to takie tam — machnął lekceważąco dłonią. — Zrywam jego zaręczyny.

— Co?! — Aż odłożyła robótkę. — Przecież Habsburżanka to świetna partia.

— Już nie — pokręcił głową. — Odkąd jej ojciec, Fryderyk Piękny, siedzi w niewoli u Wittelsbacha. Przegrał bitwę dwóch królów, choć być może jeszcze nie przegrał wojny. Ale Kaziu ma dwanaście lat i nie będę go trzymał dla Habsburgów. Muszę mieć wolne ręce. To mój jedyny dziedzic.

Od czasu małżeństwa Elżbiety z królem Węgier, Carobertem, Jadwiga obiecała mężowi, że nie będzie krytykowała jego talentu do swatania.

— Na kogo padł twój wybór, królu? — spytała chłodno.

— Na nikogo — odpowiedział szybko i krzyknął do nauczyciela tańca. — Nauczysz ich czegoś więcej niż te spacery do muzyki? Może jakieś obroty, albo podskoki?

— Albo takie szybkie trzęsienie i podrzuty — powiedział Borutka, giermek Władzia, który wyrósł przy nich jak spod ziemi.

— Sam się potrzęś — zganił go Władek. — Po co przyszedłeś?

— Król pewnie chciałby wiedzieć, że pan Paweł Ogończyk bezpiecznie dotarł na miejsce — usłużnie powiedział giermek.

Jadwiga poruszyła się niespokojnie. Zauważyła brak Ogończyka w towarzystwie męża, ale nic jej nie było wiadomo o żadnej misji.

— Czyli dokąd? — zapytała Borutkę. Ten uśmiechnął się przepraszająco i spojrzał na króla.

— Coś jeszcze? — zwrócił się do niego Władek, jakby nie słyszał jej pytania.

— Ktoś mi powiedział, że jaśnie pan pragnie mego towarzystwa — wyszczerzył zęby Borutka.

— Nie pragnę, rozmawiam z żoną. Ale cię nie przegnam, jeśli tylko dołączysz do chłopców. Poucz się, królowa mówi, że mężczyźni też tańczą — to ostatnie powiedział drwiąco i nawet nie starał się tego ukryć. — No, dalej!

Borutka wydawał się zachwycony, że kazano mu tańczyć. Oczywiście w lot załapał kroki, tylko raz czy dwa się pomylił.

— Zręczny — pochwaliła go Jadwiga. — Wróćmy do rozmowy.

— Wojna królów przycichła, zaczęła się epoka ślubów. — Władysław jednoznacznie dał do zrozumienia, że odpowiedzi na pytanie o Ogończyka nie będzie. — Luksemburczyk wydał siostrę za króla Francji jeszcze przed tą wielką bitwą. A jak ją dla Wittelsbacha wygrał, król Niemiec okazał się niewdzięcznikiem.

— Co ty mówisz, Władku?

— Plotkuję — zaśmiał się jej mąż. — I chyba wiem szybciej niż sam zainteresowany. Bo widzisz, Luksemburczyk zaręczył córkę z synem margrabiego Miśni, wziął za to wojsko, które wystawił pod Mühldorf i wytargował dla tego przyszłego zięcia jakieś ziemie czy zamki. Tyle że Wittelsbach jako król może się nie zgodzić na małżeństwo, ma takie prawo, bo wszystko to jego wasale.

— Chcesz powiedzieć, że odmówi czegoś Janowi? Mimo iż ten wygrał dla niego bitwę?

— Uhm — mruknął zadowolony z siebie Władek. — W tajemnicy spiskuje z margrabią Miśni. Zamiast czeskiej księżniczki zaproponował własną córkę.

— Nie wierzę — pokręciła głową Jadwiga.

— Tak mówi Grunhagen. Podsłuchał.

— Grunhagen — powtórzyła zawiedziona Jadwiga. Nie lubiła tego człowieka. — A gdzie podsłuchał? W krakowskiej gospodzie?

— Nie, moja droga — łypnął na nią łobuzerko mąż. — Nie, nie powiem. Posłałem go z pewną misją i niech ci to wystarczy, że Luksemburczyk jeszcze nie wie, iż mu kradną zięcia. Borutka, żwawo! Coś się tak ociągacie z tym tańcem! Raz, dwa! Wyswatałbym Jadwinię — wypalił wreszcie. — Ma już czternaście lat.

Jadwiga w myślach policzyła do pięciu i odpowiedziała spokojnie:.

— I wielką miłością darzy klaryski.

— Ty też, co nie przeszkadza ci kochać i mnie, prawda, moja królowo — chwycił ją za rękę i ucałował jej palce.

Wiedziała, że jest na straconej pozycji, ale spróbowała raz jeszcze.

— Trzy córki to wielki dar. Nie chcesz się podzielić ze świętą Klarą?

— Podzielę się jakąś wnuczką, przysięgam. Myślę o Rusi.

— Nie! Nie oddam dziecka na pastwę Tatarów! — Wyrwała mu rękę i z całych sił złapała się poręczy krzesła. — To równie straszne, jakbyś chciał wydać ją za Litwina.

— Jadwigo — głos jej męża był opanowany i wręcz chłodny. — Przypomnę, że moi siostrzeńcy to nie poganie.

— Ale schizmatycy. I pokrewieństwo zbyt bliskie — zaparła się.

— Mamy wpływy w kurii awiniońskiej. Papież dałby nam dyspensę, za pewną opłatą. — Pochylił się ku niej i szepnął: — Stać nas i na dyspensę, i na dyplomatów w kurii właśnie dlatego, że wiem, jak swatać.

Zagotowało się w niej. Osłoniła twarz tamborkiem z robótką i wyszeptała gniewnie:

— Elżbietę wydałeś wspaniale, nie przeczę. Ale czyś pomyślał, co ta dziewczyna niesie na barkach? I sojusz obronny z Węgrami, i zabezpieczenie szlaków handlowych, i co jeszcze…

— Wybacz — przerwał jej Władek bez cienia uśmiechu. — Trakty dla węgierskich kupców zabezpieczam ja i moi ludzie, Elżunia nie ma z tym nic wspólnego. Nawet gdyby nie była żoną Caroberta, moja współpraca z Węgrami nie ucierpiałaby, a skarbiec koronny zapełniałby się tak samo.

— Jadwinię zostaw w spokoju — postawiła się, uderzając tamborkiem w kolana.

— Ależ najukochańsza żono — mruknął, jakby chciał ją zmiękczyć.

— Dość — powiedziała twardo. — Wśród wielu twych pomysłów ten jest przerażający. Wiem, że Lew i Andrzej bronią nas przed Tatarami, ale robią to, bo nie mają innego wyjścia, bronią swego kraju. Nie musimy im płacić córką. To synowie twojej siostry, zapomnij o tym pomyśle, nim nas ze sobą skłócisz.

— Już zapomniałem — powiedział bez mrugnięcia okiem, ale i bez skruchy.

Boże Święty, co by tu się działo, gdyby mnie zabrakło — pomyślała z przerażeniem. — Spraw, Panie, bym żyła tak długo, jak to potrzebne, by hamować szalone pomysły mego męża.

— Są jakieś wieści od Elżbiety? — spytał, jakby się nic przed chwilą nie stało.

— Teraz interesuje cię córka czy zięć? A może przyszły wnuk, którego jak mniemam, już wyglądasz? — zapytała mściwie.

— Wszystko mnie ciekawi — rozparł się w krześle. — Mów, co u mojej córuni?

— Podniosła się po starcie dziecka — powiedziała Jadwiga po chwili.

— Moja krew! — ucieszył się i poprawił: — I twoja.

— Taka sama, jak w każdym z naszych dzieci — wyszeptała.

— Niby tak — odpowiedział po chwili. — A jednak...

Odwróciła się i złapała go za ramię.

— Gdybyś nie wysłał Elżbiety na Węgry, Kazimierz i Jadwinia musieliby ją znienawidzić. Cud, że Kunegunda nie żywi do młodszej siostry urazy, ale czy Władek Junior, gdy żył, nie płakał po nocach, widząc, że kochasz ją bardziej niż całą resztę?

Władysław nie odpowiadał. Siedział i patrzył na tańczących. Aż wreszcie odezwał się cicho:

— Jeśli Jadwinia będzie miała taką wolę, zgodzę się na klaryski. Wybacz, ale Kazimierz nie dostanie wyboru. Jest moim następcą. Jego małżeństwo to będzie nasz najważniejszy sojusz.

Oddychała ciężko. Jeszcze nie wierzyła, że to powiedział, że się zgodził.

— Dziękuję ci za Jadwinię — wyszeptała po chwili. — A Kazimierz wie, jakie na nim spoczywają obowiązki. Jeśli tylko nie przyjdzie ci do głowy jakiś niemożliwy sojusz...

— Nie ma sojuszy niemożliwych — przerwał jej.

— Są, Władku — odpowiedziała. — Z wrogami Pana Boga.

Wciąż miał kamienną twarz, gdy wstawał, ale kiedy uniosła wzrok i spojrzała na niego, roześmiał się nagle.

— No co ty, Jadwigo! Przecież nie wydam go za Krzyżaków!

I wyszedł.

ZYGHARD VON SCHWARZBURG nie uznał za konieczne powiadamianie Luthera z Brunszwiku o swym przyjeździe do Dzierzgonia. Liczył na zaskoczenie i nie rozczarował się. Powściągnął emocje, jakie wzbudziły w nim mury komturii, w której tyle lat spędził z Kunonem i skąd jego brat Gunter wyjechał w ostatnią drogę. Zacisnął szczęki, przejeżdżając bramy i po chwili mógł rozkoszować się zdumioną miną Luthera.

— Komtur grudziądzki w skromnych dzierzgońskich progach — powiedział gospodarz, którego zastał przy stajniach, wydającego polecenia służbie.

— Ściany pobielone, mury oczyszczone! — zawołał w odpowiedzi, rozglądając się po dziedzińcu. — Masz mnóstwo roboty. Dopiero teraz widzę, że zostawiłem Dzierzgoń w gorszym stanie, niż dzisiaj zastaję.

Zeskoczył z siodła, oddał stajennym konia i rozprostowując barki, ruszył do Luthera. Ten już opanował zaskoczenie i prawdziwie, lub nie, wyraził radość z wizyty. Był zbyt bystry, by wprost zapytać o powód, wolał czekać, aż wyjawi go Zyghard.

— Planujesz powrót? — spytał przekornie.

— Nie — zdjął rękawice Zyghard. — W Grudziądzu przyzwyczaiłem się do przestrzeni. Ani krzty przesady w tym, że moją komturię zwą „małym Marienburgiem". Wisła w dole, niezdobyte mury wokoło i słoneczny, jasny refektarz. Między nami, Dzierzgoń to jednak dziura, choć daje zaszczytny tytuł wielkiego szatnego zakonu.

— Z tytułu korzystam, bo daje mi wstęp do „wielkiej piątki". Żałujesz, że wychodząc z niej, utraciłeś wpływ na decyzję kapituły? — spytał Luther, udając, że nie słyszał tej części o dziurze.

— Nie wyszedłem z „wielkiej piątki" — wzruszył ramionami Zyghard. — Wypchnął mnie z niej Wildenburg.

Przy twoim niewidzialnym udziale — mściwie dodał w myślach.

Luther zachował kamienną twarz. Weszli do wnętrza. W zimnej zwykle sieni panowało przyjemne ciepło rozchodzące się z żelaznego paleniska, którego nie było tu za czasów Zygharda. Odruchowo ruszył na górę, ale zatrzymał się i przypuścił przodem Luthera.

— Zapominam się — uśmiechnął się przepraszająco.

— Że już nie jesteś komturem dziury? — odpowiedział gospodarz z uśmiechem. — Zgoliłeś brodę — zauważył.

— Za to twoja robi się coraz bardziej dworska. Używasz pomady?

Luther nie dał się nabrać i zbył jego zaczepkę milczeniem.

Weszli do refektarza, największej z sal komandorii. Zyghard poczuł ucisk w piersi: pod tym kamiennym słupem przytrzymującym sklepienie stał oparty plecami, pod przeciwległym Kuno. Rozmawiali, śmiali się. „Komturze Schwarzburg, robisz się ckliwy" — usłyszał w głowie głos Kunona.

— Czego się napijesz, Zyghardzie? — spytał Luther.

— Wina — odpowiedział ze skinieniem głowy i po raz kolejny powściągnął emocje.

Nieduży chłopak o mysiej twarzy przyniósł kielichy i dzban.

Za moich czasów służba była przystojniejsza — przebiegło Zyghardowi przez głowę.

— Chciałem spotkać się jeszcze przed obradami — powiedział, odwracając się do Luthera, gdy niewydarzony chłopak opuścił salę. — Po tym, co mówiliśmy poprzednio, ludzie Wildenburga będą mieli na nas oko, gdy tylko przekroczymy bramę Marienburga.

Luther pokiwał głową.

— Zapytam wprost — ciągnął Zyghard. — Czy Wildenburg wie o komnacie na górze?

— Jeśli tak, to nie ode mnie — odpowiedział Luther.

— A Karol z Trewiru i jego przydupas Werner von Orseln?

— Nie przypuszczam, by von Sack i twój brat dopuścili ich do sekretu. Z tego, co wiem, nie znosili obu.

— Dobrze — skinął głową Zyghard. — Zatem możemy założyć, że wiemy o niej tylko my dwaj i budowniczy.

— Budowniczego już nie ma — odrzekł Luther, patrząc mu w oczy. — Sprawdziłem, kiedy zmarł. Jeszcze za czasów von Sacka i twego brata.

— Zadbali o wszystko, niezawodni, jak zawsze — bez uśmiechu odpowiedział Zyghard i napił się wina. — Dobre — pochwalił.

— Sprowadzam z domu — odpowiedział Luther. — Mój ród ma piwnice zaopatrzone na dziesiątki lat.

— Dziesiątki lat — powtórzył Zyghard, delektując się winem na podniebieniu. — O to w tym wszystkim chodzi, Lutherze. By widzieć przyszłość na dziesiątki lat w przód. Do rzeczy — powiedział, nie zmieniając tonu głosu. — Twój bratanek, Henryk, książę głogowski znów zaczął używać tytułu dziedzica Królestwa Polskiego, a nawet księcia Poznania, w którym jak obaj wiemy, włada król Władysław. Skąd ten nagły zwrot?

Luther roześmiał się, mówiąc:

— Jak rozumiem, skoro obaj wiemy, że w Dzierzgoniu nie ma kanałów w ścianach do podsłuchiwania, wszystko, co tutaj powiemy, zostanie między nami, tak?

— Inaczej nie odwiedzałbym cię przed kolejnym zebraniem małej kapituły — potwierdził Zyghard.

— Dobrze, ale szczerość za szczerość. Nasz... jak to nazwać, Zyghardzie?

— Sojusz — podpowiedział mu słowo.

— Nasz sojusz — skinął głową Luther — jest skuteczny, gdy opiera się na wymianie.

— I wsparciu — dorzucił Zyghard.

— Racja. I wsparciu, którego potrzebujesz, by forsować swoje pomysły, które mógłby utrącić nieprzychylny ci mistrz krajowy.

Warto wypomnieć — zaśmiał się w duchu Schwarzburg, ale potwierdził.

— Mój siostrzeniec chce wrócić do gry — powiedział po chwili Luther. — Tym razem jako pretendent do Brandenburgii.

— Opuszczone lenno po Waldemarze — skinął głową Zyghard. — Ale prawa ma słabe.

— Jego żona jest córką margrabiego brandenburskiego Hermana, więc mój siostrzeniec to zięć nieżyjących margrabiów.

— E tam — machnął ręką Zyghard. — Znajdę ci czterech, którzy mają lepsze prawa. I piątego, co nie ma praw, ale apetyt.

— Mówisz o królu Janie Luksemburskim? — spytał Luther.

— O zwycięzcy spod Mühldorf, który własną piersią utorował drogę Wittelsbachowi do jednowładztwa w Rzeszy.

— Dobrze, że spotykamy się w Dzierzgoniu — mrugnął pogodnie Luther. — Tu ściany nie mają uszu, a jak sam słyszysz, sekretne marzenie króla Jana znane jest już nawet w tej dziurze.

— Dlatego ja nie mam marzeń — odpowiedział mu Zyghard.

— A ja mam, ale zostawiam dla siebie — zaczepnie odrzekł Luther.

Chcesz, bym cię pociągnął za język? Nic z tego — pomyślał Schwarzburg. — Nie ciekawi mnie, do czego wzdychasz po nocach.

— Wracając do twego siostrzeńca — powiedział na głos. — Wdał się w grę, która go przerasta.

— Z tego samego powodu jest wygodnym pionkiem na ich szachownicy. Mogą zechcieć go utrzymać.

— Raczej pobawią się nim i odstawią w kąt.

— Jeśli tak, to czemu troszczysz się o jego los?

— Lutherze z Brunszwiku, czy ja wyglądam na człowieka troskliwego?

— Nie — szczerze odpowiedział gospodarz.

— I słusznie — dolał sobie wina Zyghard. — Pomówmy o Janie Luksemburskim. Nikt już nie waży się pisnąć o turnieju, na którym omal go nie stratowano.

— Luksemburczyk z wprawą zakręcił Kołem Fortuny — pokiwał głową Luther.

— Jest na jej szczycie — potwierdził Zyghard. — Siostrę wydał za króla Francji, który jest z kolei przyjacielem papieża Jana XXII.

— Tego samego, co nienawidzi Ludwika Wittelsbacha, obecnie zwycięskiego króla Niemiec.

— W tym rzecz, Lutherze. Powstaje pytanie, czy Luksemburczyk przejdzie na stronę papieża?

— Nie — powiedział Luther. — Papież nie ma wpływu na koronę Czech. Nie daje jej, odebrać nie może.

— Ale dysponuje polską koroną. A o nią ubiega się Luksemburczyk.

Komtur dzierzgoński zamilkł, sięgnął po dzban. Spojrzeniem zapytał Zygharda, ten odmówił.

Nalał sobie i przyznał:

— O tym nie pomyślałem. Król Polski to starzec. Ma następcę, ale tylko jednego. Gdyby księciu Kazimierzowi coś się przytrafiło, Luksemburczyk nie znajdzie lepszego sposobu, by przejąć polską koronę. Mając dostęp do papieża przez króla Francji…

— Pytanie, czy już myśli o tym, czy wpadnie na to po śmierci Władysława — napił się Zyghard.

— Proste, genialne, oczywiste — pochwalił go Luther. — Dlatego trudne do uchwycenia.

— Pomyśl, co by to oznaczało, komturze dzierzgoński — zachęcił go do wysiłku Zyghard.

— Luksemburczyk na tronie Czech i Polski, z poparciem papieża i króla Francji — przełknął głośno ślinę Luther. — Miałby dwie drogi: pierwsza, to obalenie króla Niemiec. A druga, wyczekanie do jego śmierci, wysunięcie swej kandydatury i przekupienie elektorów. Przy połączonych królestwach stać go będzie na kupienie każdego.

— Elektorzy od lat prowadzą tę samą grę: nie wybierać dominującego kandydata. Wybierać słabszych, nie lepszych.

— Zatem sugerujesz, skądinąd słusznie, że nie głosowaliby na niego, bo byłby za silny. On zaś, nie mogąc być królem Rzeszy, zwróciłby się ku drugiej z dróg ekspansji…

— …i wyciągnął swoje prawa do Pomorza. Tylko co do zasady słabsze niż nasze.

Wystarczyło spojrzenie na pobladłego Luthera, by Zyghard zyskał pewność, że do gospodarza dotarła powaga sytuacji.

— To było dzieło życia mego brata, Lutherze z Brunszwiku. Jego prawdziwe dziedzictwo — powiedział Zyghard po chwili. — Pomorze i Gdańsk w rękach Zakonu. Rozumiesz już, dlaczego traktuję tę sprawę tak osobiście?

— Nasza racja stanu — potwierdził Luther. — Zgadzam się z tobą, Zyghardzie. W interesie Zakonu nie leży wzmacnianie króla Jana. Dobrze, że przyjechałeś do mnie przed zebraniem kapituły.

— Gdybym nie widział sympatii, jaką Wildenburg darzy Luksemburczyka...

— Nie musisz nic więcej mówić — wszedł mu w zdanie Luther. — Czy oczekujesz wsparcia w czymś jeszcze?

— Kwestie Rusi — krótko powiedział Zyghard. — Mamy porozumienie z książętami Andrzejem i Lwem, ale żaden z nich nie zadbał o dziedzictwo. Nie wzięli żon, nie spłodzili dzieci.

— Lubisz swatać? — zaciekawił się Luther. — Wybacz żart, wiem, jak ważne jest zabezpieczenie przed Tatarami.

— Moja matka była z Romanowiczów. W rodzie książąt von Schwarzburg znalazłbym jakąś pannę na wydaniu. Oczywiście, nie z głównej linii.

— Ich jest dwóch — wreszcie wpadł w jego sidła Luther. — Andrzej i Lew. — Może druga panna z Brunszwiku?

— Świetnie się z tobą pracuje, Lutherze! — uniósł kielich Zyghard.

— Wzajemnie, Zyghardzie! — napił się za to gospodarz.

— Czas na mnie — podniósł się z miejsca Schwarzburg.

— Zostań na wieczerzy — poprosił Luther. — Będą liny i szczupaki, naprawdę dobre.

— Dziękuję — uśmiechnął się Zyghard. — Nie jadam ryb. No, chyba że jesiotry.

— Jesiotrów nie mamy.

— Taki gospodarz jak ty? Widziałem stada owiec, krów, rybne stawy.

— Nie miałem pojęcia, kogo mi przyjdzie gościć. Następnym razem daj znać, że wpadniesz — krzywo uśmiechnął się Luther.

Odprowadził go na dziedziniec, pożegnali się uniesieniem dłoni. Zyghard przejechał przez czeluść bramy. Znalazł się na szczycie dzierzgońskiego wzgórza i zaczął zjeżdżać drożyną wijącą się spiralnie wokół jego stoku. Mijał rosnące pojedynczo czarcie dęby, nieliczne drzewa, które zostawiono, karczując zbocza. Miały chronić stoki przed osypywaniem się, bo ich korzenie sięgały swymi mackami głęboko. „Do samych trzewi ziemi" — mawiał kiedyś Kuno. Przejechał obok upiornego dębu, którego koronę rozbił kiedyś piorun, rozdzielając konary na dwie części. Na każdej z nich wisiało splątane gniazdo jemioły, a poniżej ziała otchłanią czarna, zbutwiała dziupla. Upiorna jama, jak gardziel rozwarta w niemym krzyku. Zatrzymał konia, by popatrzeć w jej wnętrze. I zawrócił.

Nawet nie zdążyli zamknąć za nim bramy. Pod kratownicą brony stał kowal i sprawdzał, czy nie zardzewiała. Luther z woskową tabliczką w ręku liczył beczki smoły wytaczane z piwnicy za bramą. Gdy kopyta ogiera Zygharda zadudniły na bruku, uniósł wzrok znad obliczeń. Zatknął stylus za skuwkę w oprawie tabliczki.

— Zmieniłeś zdanie? — spytał. — Nie wzgardzisz zwykłym szczupakiem?

— Czytałem protokół przesłuchania Symoniusa — powiedział Zyghard. — Naprawdę mu wierzysz?

— W co? — spytał Luther. — W to, że twój brat nakazał Rocie Wolnych Prusów, by pilnowała koni, a sam się udał na poszukiwanie rzekomej warowni Dzikich, o której mówił mu Kuno? Widziałem Guntera, gdy wydawał rozkazy. Sam byłem jego podkomendnym przez dwa lata. I pamiętam ten nieznoszący sprzeciwu ton.

— Pozwolili mu samemu iść w las? — zaśmiał się Zyghard głucho. — Jego ludzie?

— Jego podkomendni — chłodno opowiedział Luther. — Mnie ukarał za to, że wziąłem na zimową rejzę drugi płaszcz, wiesz, cieplejszy, podbijany futrem. Wróciłem chory, ale drugi raz nie ośmieliłem się kwestionować rozkazu twego starszego brata. Zsiadasz z konia? — spytał przyjaznym tonem.

— Nie — twardo odpowiedział Zyghard, aż echo poszło po dziedzińcu.

Chryste — przebiegło mu przez głowę. — Tak samo zachował się wtedy Gunter. A jeśli Luther ma rację? Jeśli mój brat naprawdę odesłał Rotę, bo sam chciał sprawdzić warownię, o której mówił mu Kuno? Gunter był uparty do granic i jeszcze bardziej władczy.

— Lutherze — odezwał się po chwili, starając się, by jego głos nie zabrzmiał hardo. — O śmierci Kunona napisali nam bracia joannici z komandorii nad Wartą. Oni znaleźli go w lesie i oni opisali rany na jego ciele jako pochodzące od strzał i ostrzy Dzikich. Oni też pochowali ciało. Skąd o jego ranach wiedział Symonius?

— A wiedział? — zdziwił się Luther z Brunszwiku. Przez jego przystojną twarz przebiegł grymas.

— Tak twierdzi Otto Lautenburg, który go przesłuchiwał. Że ma powody sądzić, iż to ci sami, którzy napadli Guntera.

— Nie ma o tym nic w protokole przesłuchań — powiedział Luther. — Pierwsze słyszę.

— Powiedział mi w Marienburgu. — Zyghard chciał teraz posiadać moc wnikania w ludzkie myśli. Chciał wiedzieć, czy Luther kłamie, czy mówi prawdę.

— Spytaj go o to. Musiał gdzieś słyszeć — w głosie Luthera odbiło się wahanie. — Otto Lautenburg nie jest tak lotny, jak się wydaje. Sam nie wymyśliłby czegoś takiego…

— Spytam — kiwnął głową Zyghard i okręcił się konno.

— Zyghardzie — usłyszał za plecami. — Nie jedź na noc. Te strony…

— Znam te strony — odpowiedział Lutherowi i odwrócił się przez ramię. — Gdzie Rota Wolnych Prusów? Nie widzę ich w komandorii.

— Wysłałem ich z misją na Litwę. Wiesz którą. Wildenburg lada dzień ogłosi krucjatę przeciw Giedyminowi, czas był zacząć.

— Rozumiem — skinął głową Zyghard. — Pamiętasz, co mi obiecałeś?

— Pamiętam. Jak wrócą, Symonius stawi się u ciebie. Mam ich na oku.

— I co? Czyści jak łza? — zakpił Zyghard, ruszając do bramy.

— Z Bogiem, komturze von Schwarzburg — usłyszał za swoimi plecami. — Niech cię prowadzi!

— A ciebie strzeże — ponuro odpowiedział Zyghard. Prędzej czy później odkryję prawdę — pomyślał, gdy znów wyjechał na upiorne, dzierzgońskie wzgórze.

JEMIOŁA biegła ile sił w nogach.

— Tędy, Matko! — pokazała skrót Sosna, dając gwałtownego susa pomiędzy zasychające już paprocie.

Jemioła nie zwolniła, odwróciła się jedynie, by sprawdzić, czy dziewczyny nadążają. Dobrze, biegły tuż za nią. Jesień miała się ku końcowi, liście z drzew opadły, a ich zeschnięte kobierce wyblakły i straciły żywe barwy.

— Sosno! — zawołała. — O tej porze Mokradła Marzanny są suche, jeśli przebiegniemy po nich, zaoszczędzimy szmat drogi.

— Boję się mokradeł! — odpowiedziała Sosna, uchylając się w biegu przed niską, bezlistną gałęzią brzozy.

— Bój się ludzi, nie natury! — odkrzyknęła Jemioła i nakazała dziewczynom przedarcie się do mokradeł.

Dostały wiadomość późnym porankiem. W mateczniku wrzała praca od wschodu słońca. Strażniczki uczyły siostry strzelania z łuku i robienia strzał. Młodsze dzieci rozbiegły się po lasach szukać piór na lotki. Sosna wpadła między nie z krzykiem: „Matko! Doliwy łapią siostry!" i Jemioła wiedziała, że jest źle. Serce zabiło jej trzy razy wolno, a potem zaczęło stukać przyspieszonym rytmem. Naprędce złapała uzbrojone dziewczyny i zerwały się do biegu. W drodze Sosna krótkimi zdaniami wyjaśniła jej resztę. „O świcie wpadli na Żerkę". Tak nazywano wyspę, na której zbieraczki wikliny rozłożyły obóz. Posłała je po pierwszym przymrozku, by zbierały wiklinowe witki. Tej zimy miały upleść więcej koszy. „Pachołkowie w barwach panów na Dębnie krzyczeli: Łapać wiedźmy. Chwytali siostry w pęta, plądrowali szałasy, Trzmielina kazała cię zawiadomić".

Sosna zatrzymała się przed zwalonym dębem. Dalej rozciągały się Mokradła Marzanny. Biegły na skróty, omijając groblę. Jemioła jako pierwsza przeszła między suchymi gałęziami dębu. Rozłożyła ramiona szeroko i wyszeptała:

— Las kocha swoje dzieci...

— ...dzieci kochają las... — odpowiedziały jej szeptem siostry.

Weszła na mokradło. Ugięło się pod jej stopą z suchym chrzęstem. Ruszyła pewnie, siostry nawet jeśli z wahaniem, to poszły za nią.

Muszę je poprowadzić — mówiła sama do siebie.

I doprowadziła. Jęknęły, gdy zobaczyły, co zostało z obozu na Żerce. Rozrzucone szałasy. Podeptane skorupy garnków. Podarty zielony płaszcz Trzmieliny i barwna zapaska uwalana błotem.

— To mojej mamy — szepnęła Lebiodka, chwytając się za serce.

— Poznajesz? To Bylicy.

— Uprowadzili je — powiedziała Jemioła. — Do Dębna mają najbliżej. Tam szukajmy.

Szły lasem, po śladach. Ludzie Doliwów nie zadawali sobie trudu, by ich nie zostawiać. Połamane gałęzie, wygnieciona trwa, rozdeptane kapelusze muchomorów.

— Do nich należy świat — ponuro skwitowała Jemioła i wzięła szlochającą Lebiodkę za rękę. — Nie bój się, odnajdę twoją matkę i sprowadzę do domu.

Las skończył się nieoczekiwanie.

— Karczunek — pokręciła głową Jemioła.

Na Mokradłach Marzanny była rok temu, podczas spotkania z Jarogniewem. Leżącej za nimi przybrzeżnej Żerki nie odwiedzała jeszcze dawniej. Owszem, siostry, które sprawdzały mokradła, jezioro i pilnowały, jak rośnie wiklina wokół wyspy, mówiły o wyrębie, ale tak głęboko wbite w las karczowisko ją zaskoczyło. Mogło oznaczać tylko jedno: Doliwowie będą zasiedlać te ziemie.

Nadrzuciły drogi, szły skrajem lasu, by za wcześnie nie zostać zauważonymi. Łzy stanęły jej w oczach, gdy patrzyła na pnie ściętych dwustuletnich dębów, na znieważony las, poranioną ręką człowieka ziemię. Idące za nią dziewczyny milczały głucho. Co można powiedzieć na taki gwałt?

Znalazły strzępek zielonej tkaniny, drugi, trzeci, któraś z pojmanych dziewczyn zostawiała im ślady. Jemioła zatrzymała siostry w kępie wierzb. Przed nimi była otwarta przestrzeń łąk, na niej, jak na dłoni, stało Dębno.

— Zostawcie łuki — powiedziała do strażniczek. — Nie wpuszczą nas z bronią. Nie odbijemy sióstr siłą, jesteśmy za słabe. Pójdę z Sosną, Lebiodką, Wierzbką. Ty też chodź z nami, Macierzanko.

Ujęła młodziutką Lebiodkę za rękę i wyszły spod osłony lasu. Słyszały ryczenie krów, ujadanie psów, wesołe skrzypienie żurawia studni. Zbudowane na niewielkim wzniesieniu, otoczone wałem ziemnym, pyszniące się palisadą, znad której wystawała wieżyca kościoła i dach dworzyska Doliwów, jej panów. Na podgrodziu roiło się od chałup. Niektóre większe, jaskrawo pobielone, z ogródkami ogrodzonymi od sąsiadów wiklinową plecionką. Inne przycupnięte, jakby wstydliwie przyklejone do siebie omszałymi ścianami. Tu i ówdzie małe łaciate świnie goniły się z kwikiem, gęsi machały skrzydłami, jakby szukały w wyschniętej ziemi błota. Chudy kot przemykał się bokiem. Przeszły podgrodzie i podeszły do bramy. Nad nią łopotał proporzec: trzy róże Doliwów.

Piękny herb — pomyślała Jemioła, zaciskając kciuki — niech przyniesie nam szczęście.

— Dokąd to? — zatrzymał ich drągal przy bramie.

— Szukamy sióstr i matki tej małej — odpowiedziała Jemioła. — Zatrzymano je, gdy zbierały wiklinę.

Zmierzył je wzrokiem. Dostrzegła w nim lekceważenie i to ono zdecydowało, że przepuścił je dalej. W grodzie panował rejwach, poszła za hałasem. Tłumek zbił się na placu przed dworem, tak że z początku, poza plecami ludzi, nic nie mogła zobaczyć. Któraś z kobiet poznała je, szturchnęła inną i ciżba rozsunęła się, robiąc miejsce Jemiole i siostrom. Wtedy je zobaczyła. Jęknęła w duchu.

Dziewczyny siedziały w ustawionej na wozie dużej klatce zbitej z nieokorowanej brzeziny. Trzmielina miała na policzku krwawy ślad po uderzeniu. Bylica rozciętą brew. Jemioła policzyła je, sześć, są wszystkie. Uśmiechnęły się blado na jej widok.

— Za co was zatrzymali? — szepnęła do Trzmieliny.

Siostra wzruszyła ramionami.

— Nie wiesz? Nic nie mówili?

Trzmielina ruchem głowy pokazała: miały skute na plecach ręce. Zamknięte w zardzewiałych okowach.

— Marzniecie — powiedziała z troską, patrząc na ich wełniane płaszcze zwinięte i niedbale rzucone w kąt klatki.

— Odsunąć się! Zrobić miejsce! — rozległ się butny krzyk ode dworu. — Pan Paszko idzie!

Jemioła odwróciła się i wyszukała wzrokiem pana. To nie był Piotr Doliwa, nestor rodu. Ani Szymon Szymonowic, ani Mikołaj. Twarze tamtych znała. Pamiętała też z widzenia kujawskich Doliwów: Szyrzyka, Polubiona, Chwała, wielu z nich walczyło w obronie Pomorza, wielu zginęło za nie. Choć to nie był jej świat, starała się znać imiona rodowe, pamiętać, kto gdzie osiadł, kto ile znaczy. W dawnych czasach, kiedy służyła Dębinie w „Zielonej Grocie", to była wiedza niezbędna. Pan Paszko. Kim może być w rozległym i płodnym rodzie Doliwów?

— Kto to, Zochno? — odwróciła się do szczupłej, młodej panny z podgrodzia. Znała ją, dziewczyny wyleczyły jej ropień na oku.

— Stryjeczny wnuk naszego dziedzica, Matko Jemioło — odpowiedziała Zochna. — Pan pojechał do króla, na Wawel i ściągnął tu tego, żeby Dębna doglądał. Pełną gębą Doliwa — dodała, przewracając oczami. — Rękę ma ciężką.

Podziękowała Zochnie skinieniem głowy. Pan Paszko stanął przed klatką i z odrazą spojrzał na uwięzione. Miał czterdzieści lat, nie więcej, ale był niemal całkowicie łysy. Surową twarz ściągał mu grymas, a gdy otworzył usta, Jemioła zrozumiała powód. Jej dziewczyny też, bo Sosna szepnęła cichutko:

— Ma zgorzel na zębie.

Ludzie cierpiący długotrwały ból bywają okrutni — przebiegło przez myśl Jemioły.

— Jak was zwą? — spytał uwięzionych.

— Trzmielina.

— Bylica.

— Miodunka.

Jedna po drugiej podały imiona. Paszko słysząc je, potoczył wzrokiem po zgromadzonych ludziach.

— Żadnego krześcijańskiego imienia — orzekł. — Żadnej Marii, Katarzyny, Małgorzaty. Słyszał kto o świętej Trzmielinie?

— To dziwka! — podpowiedział mu szybko jeden z jego zbrojnych. — Spod Miłosławia, z „Zielonej Groty".

— Niczego sobie — osądził jej wygląd Paszko — choć, jeśli musi dorabiać, kradnąc wiklinę, widać, nie ma już chętnych na nią. Gdzie pleban?

— Idzie, już idzie — odpowiedział ktoś z tłumu. — Jego wielebność zara bendzie.

Paszko rozejrzał się, wypatrzył kogoś w tłumie i przywołał.

— Łaszcz, chodź no bliżej.

Do Paszka przecisnął się chudy rudzielec.

— Którą z nich widziałeś... — zaczął Paszko i przerwał, bo w tej samej chwili przez tłumek przedarł się wysoki brzuchacz z wygoloną tonsurą.

— Kanonik Jan — szeptali z szacunkiem ludzie, robiąc znak krzyża. — Jan z Doliwów. Nasz pleban.

Paszko skinął mu głową, zrobił miejsce obok siebie. Jan z Doliwów obrzucił uwięzione nieuważnym spojrzeniem. Jego mina wskazywała, że wolałby być gdzie indziej.

— Czekaliśmy na ciebie, wielebny — powiedział Paszko i wskazał na rudzielca. — To świadek oskarżenia. Łaszcz, syn Mroczka z Żernik.

Kanonik zrobił zniecierpliwiony ruch dłonią.

— Spieszę się do Poznania — odezwał się i zaskoczył Jemiołę głębokim, niemal dudniącym z głębi piersi głosem. — Nie możesz sam ich osądzić? Mam ważniejsze sprawy niż złodziejki wikliny.

— To nie potrwa długo, wielebny — usłużnym głosem odpowiedział Paszko i popędził świadka. — Mów, Łaszczu. Którą z nich żeś widział, jak uprawia czary?

Jemiole pociemniało przed oczami. Dopiero teraz dotarło do niej, że jest gorzej, niż z początku sądziła. Nie o wiklinę tu chodzi.

— Tamte — burknął rudzielec, robiąc głową ruch w stronę klatki. — W zielonej sukni.

Tłum roześmiał się. Każda z dziewczyn miała zieloną.

— Cisza! Zamknąć się, bo rozgonię — warknął Paszko i szturchnął świadka. — Konkretnie? Pokaż dokładnie.

Łaszcz po chwili wahania wskazał na Bylicę. Jemioła zacisnęła palce na dłoni Lebiodki, jej córki.

— Powiedz wielebnemu, co robiła — zachęcił Paszko Doliwa. — Nie wstydź się, mów, co żeś widział, tyś temu niewinny.

— U mojego sąsiada, w Żerkowie, krowa przestała mleko dawać. Zawezwali taką zieloną, ona oborę okadziła, wymiona całowała i mówiła piekielne formułki…

— Pamiętasz co do słowa? — spytał głębokim głosem pleban. — Powtórz.

— Nie podsłuchiwałem — poczerwieniał Łaszcz. — Ale „Ojcze nasz" to nie było, mogę przysiąc. Nazajutrz krowa sąsiadów mleko dała, a mojej się w wymionach zatrzymało.

— Zawistnik — wyrwało się Zochnie.

Pleban pokręcił głową, machnął ręką i już się odwrócił, by odejść, ale wtedy głęboko z tłumu jakiś kobiecy głos krzyknął:

— Ja też widziałam! Latem, kole Sobótki, te zielone latały między drzewami, jak ptaki! Śmiały się, pewnie spieszyły na schadzki z czartem!

— Mojego jedna taka do cna opętała! — pisnęła inna z kobiet. — Robotę w polu rzucił i nic, tylko za nią po lesie ganiał! Zadała mu czegoś, bo na wiór zesechł!… Tfu, wiedźma!

Jan z Doliwów odwrócił się ku zgromadzonym i odezwał się:

— To, że jedna baba drugiej chłopa podebrała, że krowa mleko daje albo nie daje, nie obchodzi mnie. Między wami to sprawa. Ale jeżeli któraś z tych kobiet obrażała imię Boże wszetecznymi praktykami, to trzeba ją pod sąd biskupi, do Poznania.

Tłum zaszumiał. Jemioła rozejrzała się po ludziach. Nie tylko Zochna, wiele tu było kobiet, którym pomogły. Przy porodzie, w gorączce w połogu, przy dziecku chorym. Poznaje i kilku chłopów, którym leczyły woły, odpędzały zarazę od prośnych macior, dawały maść na ochwacone kopyta koni.

— To zwykłe zielarki, żadne wiedźmy — odezwała się w ich obronie kowalowa.

— Kobiety, jak każde inne — poparł żonę kowal.

— Tak? — przypomniał o sobie Łaszcz. — To czemu bez chłopów żyją, hę?

— To moje siostry — odezwała się Jemioła głośno i dźwięcznie.

— Przyszłam po nie. Nie zrobiły nic złego, zbierały wiklinę. Żyjemy ze sprzedaży koszy, można popytać w Poznaniu. Na jarmark przyjeżdżamy na Śródce, tam nas znają. Wozimy i do Gniezna. Nasze koszyki w całej Starszej Polsce słynne.

— A ktoś ty? — wziął się pod boki Paszko. — Czyja ty poddana?

— Niczyja — odpowiedziała spokojnie, choć serce waliło jej jak młotem.

— A skąd jesteś? — brał się do przesłuchania Doliwa. — Gdzie mieszkasz?

— Byłam na służbie u Zarembów z Brzostkowa — skłamała gładko, pokazując na siostry — jak one wszystkie. Kiedy Sędziwój zmarł, zostałyśmy bez pana.

— U Zarembów powiadasz? A wiesz, jak umarł, hę?

— Od pioruna.

— Prawdę gada — odezwali się w tłumie — od pioruna.

— A kto teraz w dworze brzostkowskim rządzi?

— Nikt — odpowiedziała. — Ale o gospodarstwo dba Ochna, moja ciotka. Ona nas do roboty ściągnęła, jeszcze jak Zarembowie byli wielkie pany.

Pozbawiła życia tylu czarnych Zarembów, że nie było rodu, o którym wiedziałaby więcej. Mogli pytać do woli.

— Czekaj, czekaj — nie pozwolił jej się poczuć pewnie Paszko. — A Michała Zarembę znasz?

— Znałam, panie — odpowiedziała gładko. — Jak jeszcze bywał w Brzostkowie. Po śmierci starego dziedzica, Sędziwoja, zebrał grupę dzikich Zarembów, na czele z niejakim Sowcem, on szramę miał o tak, przez oko jakby. I razem gdzieś się rozbijali. Aż pewnego dnia znikli i oni. Jak kamień w wodę. A ciotka Ochna mówi, że gospodarkę zachować trzeba, bo kiedyś zjawi się dziedzic.

— Ty się Zarembami nie zasłaniaj, kobieto — odezwał się tym głębokim głosem Jan Doliwa. — Byli panami, prawda, ale z łask wypadli. — Podszedł kilka kroków w jej stronę, coś w jego oku niebezpiecznie zalśniło. — Odpowiedz mi na kilka pytań, tu, przy świadkach. Mówisz, że nie jesteś niczyją poddaną.

— Prawda — potwierdziła to, co wydało się wciąż jeszcze bezpieczne.

— Chcesz nazwać siebie wolnym duchem?

Tak — pomyślała, ale nie miała pewności, czy warto to mówić. Wolała udać głupią.

— Przyznaj się — w głębokim głosie Jana Doliwy było coś niemal urzekającego. — Samotne kobiety, bez mężczyzn, odrzucające wszelką ich władzę nas sobą, żyjące z pracy własnych rąk, według swoich reguł, posłuszne jedynie tej jednej, którą wybrały spośród siebie, którą zwą matką albo przełożoną.

Nie rozumiała, do czego zmierza, ale miała pewność, że nie wolno jej potwierdzić ani jednej z tych rzeczy.

— A gdzie tam panie, jak to baby... — odrzekła, udając nierozgarniętą — nawet jakbyśmy jaką wybrały do rządzenia, to na nic. Jedna drugiej nie słucha, a do kłótni to pierwsze.

— Nie nazywacie siebie siostrami? — głos Doliwy wciąż dudnił. — Siostrami wolnego ducha? Beginkami?

Słyszała o nich. Dziewczyny ze Śląska mówiły o pobożnych kobietach, które odrzuciły życie zakonne, by wieść takie samo, ale bez władzy Kościoła nad sobą. Zwietrzyła, do czego zmierza Doliwa.

— Siostrami to my jesteśmy, bo z jednej matki, wielebny — odpowiedziała, przekrzywiając głowę. — Ale żeby zaraz boginkami... e, tam — zarumieniła się na zawołanie. — Chłop to kobiecie zawsze powie, że ładna, ale że jak boginka ładna, to mówią wielkie pany do swoich dam. Słyszałam u Zarembów, jak wojewoda Marcin tak mawiał do żony. A ona wcale nie była żadna boginka, jakby wielebny pytał. Krzywe miała zęby.

Jan Doliwa zmrużył oczy, słuchając jej.

Nie wierzy mi — pomyślała — ale nie wie, dlaczego mi nie ufa, i nie wie, jak się do nas zabrać.

— Czy oskarżenia o czary słuszne, zdecyduje sąd biskupi — powiedział do Paszka Doliwy. — Tam też przesłuchają je i wybadają, czy to nie beginki albo inne heretyczki. Zabrać je do Poznania! — rozkazał. — I tę ich siostrę — wskazał na Jemiołę. — Biskup Domarat Grzymała rozsądzi, jemu instrukcje zostawił inkwizytor. Będzie wiedział, o co pytać i jak słuchać.

Jemioła szepnęła Lebiodce na ucho, by się nie bały i zaszyły w mateczniku.

— Wrócę, córko — pocałowała ją w policzek. — I zaopiekuję się twoją mamą.

Już rozdzielili je pachołkowie Doliwów, otworzyli klatkę i wepchnęli tam Jemiołę. Inni pospiesznie zaprzęgali woły do wozu. Ludzie patrzyli na to widowisko ponuro. Kowalowa, która ujęła się za nimi, ukradkiem zrobiła znak krzyża. Zochna zaszlochała. Starej Janasowej wyrwało się:

— Jezus Maria, a moja Kaśka na dniach rodzić będzie! Kto dzieciaka odbierze, jak dobre siostry do biskupa powiozą?

Jemioła wzrokiem dała znać Macierzance, ta skinęła głową. Odbierała Kaśkę, to i jej dzieciaka nie zostawi w potrzebie.

— No i chwała Bogu! — splunęło kościste babsko. — Nasze chłopy bezpieczne!

— Chłopy tak, ale woły nie — ponuro zgasił ją syn Gargasa, tego, co stada miał największe.

Paszko Doliwa już dosiadł konia, jego skrzywiona od zgorzeli zęba twarz wydała się Jemiole jeszcze bardziej obolała i spuchnięta.

Nie dojedzie do Poznania — pomyślała. — Chyba że mu pomogę.

Jan Doliwa, w otoczeniu własnej służby, jechał przodem; potem pachołkowie Doliwów z Dębna, wóz i Paszko z kilkorgiem zbrojnych.

— Ale wypuśćcie je na cielenie! — rozpaczliwie zawołał ktoś z tłumu. — To dobre kobiety, nikt jak one nie pomoże przy zwierzętach!

Ruszyli. Jemioła nie miała skutych rąk, wyciągnęła płaszcze sióstr z kąta i okryła je, a potem dyskretnie zerwała z klatki brzozową korę i podała wprost do ust każdej z dziewczyn. Odetchnęły z ulgą, żując ją.

— Hej, panie Paszko! — zawołała za bramami Dębna. — Nie tylko zwierzętom umiemy pomóc. Jak chcesz, to ulżę ci na ból zęba.

Spojrzał na nią i zaprzeczył głową.

— Jak się okaże, żeś ty nie wiedźma, to będziesz mnie leczyć — powiedział.

— A jak cię nie wyleczę, nie dojedziesz do Poznania, żeby się dowiedzieć — uśmiechnęła się do niego.

Milczał. Bił się z myślami.

— Jemioło — powiedziała Trzmielina cicho. — Przyszli po nas nad ranem. Przypłynęli czółnami tak cicho, że nic żeśmy nie słyszały. Było ciemno... jak tam trafili? Żaden z nich nie niósł pochodni.

Może ktoś im wskazał drogę — pomyślała ponuro wiadomo o kim. To młyn na wodę Jarogniewa. Trzeba lepszego dowodu, że źle wybrałyśmy sojuszników? Najpierw zdradzili Jaćwież, teraz nas.

— A jeśli Doliwy trafią do matecznika? — spytała Trzmielina. — Umiesz temu zaradzić?

— Jesteś naszą matką — płaczliwie powiedziała Miodunka.

— Nie bójcie się, wiem, co robić — powiedziała twardo.

— Co? — natarczywie spytała Bylica. — Co takiego możemy im zrobić? Nie widzisz, że są od nas silniejsi?

— Najpierw muszę nas oczyścić z zarzutów — odpowiedziała, a potem milczała przez chwilę. Ciężko być Matką w trudnych czasach. Zbierała siły, widząc, że to samo robi obolały Paszko. Wreszcie podjął decyzję i zbliżył się do wozu.

— Umiesz mi pomóc, kobieto? — odezwał się cicho.

— A ty mi? — odpowiedziała pytaniem.

GIEDYMIN wielki książę litewski szedł po zamarzniętej tafli jeziora Galwe.

Obok niego biegł Chyży, ulubiony ogar, przodem Śmigła, jego suka. Patrzył na psy z przyjemnością. Ich rdzawa sierść odbijała się od bieli śniegu.

— Jak myślisz, Biksza — odezwał się do towarzysza — Śmigła wiosną da młode?

— Najpierw Chyży musiałby do niej się dobrać — głos Bikszy był niski, pozbawiony barwy, a mimo to donośny. — Widziałeś, wielki kniaziu, jak go przegania? Nie pozwala się do siebie zbliżyć.

— Chce, żebyś o nią walczył! — zaśmiał się Giedymin, klepiąc Chyżego po łbie. Ten, jakby rozumiejąc intencje księcia, ruszył truchtem w stronę Śmigłej. Giedymin gwizdnął na sukę. Zatrzymała się, odwróciła ku niemu i czekała. Gdy pies był blisko, potrząsnęła łbem i zaczęła uciekać. Chyży podjął zabawę.

— Podaruję każdemu z synów po szczenięciu — pochwalił wyścigi ogarów Giedymin. — Na wiosnę.

— Jeśli to będzie wielki miot — powiedział Biksza z powątpiewaniem.

Książę stanął. Odwrócił się i spojrzał w stronę wyspy, z której wracali. Na Galwe było ich dwadzieścia, większość małych, ot, kępy drzew, szuwary i łacha piasku. Ale trzy z nich były na tyle spore, że kazał ustawić tam obszerne chałupy. W każdej z nich mógł wygodnie pomieścić i trzydziestu gości. Czasami latem przypływał tu sam, z trójką najbliższych doradców: Bikszą, Ligejką, Margołem i garścią osobistej służby. Łowili ryby, piekli je na ognisku, pili miód, gapili się w gwiazdy i dumali, co dalej. Niekiedy zabierał tu swych ośmiu synów. Młodszych sam uczył strzelać z łuku, ze starszymi siłował się na ręce albo ćwiczył w rzucaniu nożem. Opowiadał im dzieje Mendoga, potem Dowmunta i jego synów Butywida i Butygejda, albo swego brata Witenesa, jak wziął krwawy odwet na komturze von Plötzkau. Zeszłego lata Kiejstut, jeden z jego młodszych, powiedział: „Ojcze, a teraz mów nam o sobie, bo tyś jest największy z kniaziów, sławniejszy niż każdy z tych przed tobą". Potargał małemu czupryne, ale łzy zalśniły mu w oczach. Usłyszeć od synów to więcej niż od posłów i podbitych wodzów. To nagroda.

Zimą nieczęsto korzystał z domów na wyspach. Dwór w niedalekich Trokach był znacznie wygodniejszy. Ale czasem, kiedy nie szukał wygód i chciał zachować w sekrecie, kogo gości, z kim paktuje, z kim bada sojusze, wybierał wyspy. Nawet książęca służba była pewna, że Giedymin idzie łowić ryby z przerębli, zabierał ze sobą doradcę, tego, co trzeba, kilku zbrojnych dla ochrony i chłopca z ościeniem do łowienia ryb. Giedymin dbał o szczegóły.

Teraz też, ogary już dobiegły do chłopca, już biedak musiał się oganiać, by nie porwały mu zdobyczy.

— I co sądzisz, Biksza? Opłaci się nam? — spytał Giedymin, wciąż patrząc na wyspę.

— Jak powiem, że nie, posłuchasz?

Widzieli małe sylwetki wielkoksiążęcej straży, która wyprowadzała na jezioro sanie gości.

— Stawka wysoka, posłucham — skinął głową, odwrócił się i ruszył. — Co masz? — krzyknął do rybaka.

— Szczupaki, jaśnie panie! — odpowiedział, osłaniając się przed ogarami ościeniem.

— Tłuste? — spytał Giedymin.

— Zdaje się, że tak — niepewnie odrzekł chłopiec.

— Chyży, Śmigła, siad! — uspokoił psy książę i pochylił się nad koszem.

Wyjął nóż i przeciął brzuch szczupaka, sprawdzając, czy dość spasiony.

— Ten w sam raz — mruknął i rozciął kolejne. Ostatni wydał mu się chudy, wyrzucił go z powrotem do przerębli. Wytarł dłonie o płaszcz i powiedział: — Chodźmy. Jak się nie pospieszymy, Dawid gotów szturmować Troki. — Zaśmiał się krótko i ruszył do brzegu.

— Wojewoda w gościnę, chowaj dziewki pod pierzynę — potwierdził Biksza i poszedł za nim.

Dawid słynął z nieopanowanego apetytu, mówiło się, że tylko dwie żądze napędzają wojewodę: walka i kobiety. On sam powtarzał: „Szukam swej jedynej" i był w tym poszukiwaniu niczym pies gończy. Giedymin znał jego przeszłość, wszystko puszczał płazem, ale czuł, że to kiedyś może przynieść kłopoty. Póki co, chronił najlepszego ze swych wodzów przed skutkami nieokiełznanych chuci, płacąc ojcom dziewek, co wpadły mu w ręce. Ale gdy na dworze żartowano: „Pokaż Dawidowi harem, a pobije sułtana", Giedymin był czujny. Dawid to ogień, a tylko głupiec myśli, że ogień można poskromić.

Konie czekały na brzegu, dotarli do Troków przed zmierzchem, powitało ich ujadanie psów, ale nie słychać było ze dworu odgłosów hucznej uczty. Giedymin i Biksza byli zaskoczeni. Dwór książęcy wydawał się pogrążony w leniwym przygotowaniu do wieczerzy.

— Gdzie wojewoda? — spytał Giedymin sługę.

— Przyjechał, zjadł, ponudził się i pojechał — odpowiedział chłopak krótko. — Powiedział „zapoluję i wrócę do mojego księcia".

— Długo się ponudził? — spytał Giedymin, uśmiechając się pod wąsem.

— Powiedział, że długo. Starczyło, byśmy podali kaszy i pieczonych gęsi — odrzekł sługa. — Są i inni goście. Zajął się nimi Margoł.

Spojrzeli po sobie z Bikszą. Każdy z doradców Giedymina zajmował się innym odcinkiem skomplikowanej gry wielkiego księcia. Tak jak Wasilik był niezrównany w kwestiach ruskich, Dutze pośredniczył w kontaktach z Rygą, tak Margoł odpowiadał za politykę wobec Zakonu.

— Co za zbieg okoliczności — mruknął Biksza. — Dzisiaj sami cenni goście.

— Z najważniejszymi już rozmawialiśmy. Ale nie odchodź, przydasz się — zażądał od niego Giedymin i rzucił do sługi: — Nakarm psy, bo głodne. A chłopak niech odniesie ryby do kuchni. Mam chęć na pieczonego szczupaka!

Wszedł do środka, kierując się do świetlicy. Goście zerwali się z miejsc i ukłonili nisko. Symoniusa Giedymin znał, młody Prus był bystry, nawet za bystry. Wódz Roty Wolnych Prusów nie raz im się przysłużył, ale kniaź wiedział, że trzeba przy nim zachować czujność. Póki żył jego brat, Symonius utrzymywał kontakty wyłącznie z Witenesem. Gdy go zabrakło, Giedymin zaczął wzywać go do siebie. Margoł był mu przychylny, mawiał, że Symonius jest jak żbik, niewidzialny, cichy i zabójczy.

— Symoniusie! — powitał go kniaź. — Dobrze cię widzieć żywego! Żelaźni bracia jeszcze cię nie zwąchali?

— Bądź pozdrowiony wielki kniaziu. — Prus uniósł się z ukłonu. — Brodacze mają węch stępiony.

— Kogo mi przywiozłeś? — Giedymin przyjrzał się nowym twarzom.

— Ostryż i Rdest — przedstawił ich Symonius.

— Imiona wasze nie do powtórzenia, ale ten wygląda jak Żmudzin — wskazał na niskiego, ciemnowłosego i ciemnobrodego mężczyznę.

— Żemaitija — potwierdził Rdest. — Pochodzę spod Szawla.

— Wozisz mi drewno do lasu, Symoniusie? — zaśmiał się Giedymin. — Ja tu ze Żmudzinami mam robotę co dzień. Na jesieni Sprudejko gwizdnął trzy razy i jego chmara powstała. Pojechali na Mamel, gród zdobyli i spalili, kościół osmołowali nawet, żeby się lepiej dymiło. Kapłanów wyrżnęli, łupy zagarnęli, jeńców popędzili, a ja zostałem z lamentem tych, co ich nie dorżnięto. To tyle w kwestii Żmudzinów. Miodu, bom wymarzł na jeziorze. Szczupaki takie tłuste — pokazał wszystkim — tyle że ospałe.

— Rdest urodzony na Żmudzi, zna teren, język, wie wszystko, co trzeba — wyjaśniał Symonius, gdy sługa polewał Giedyminowi miodu. — A jednocześnie u nas, w Prusach, służył.

— Żmijka, co ma rozdwojony język? — spytał kniaź.

— Jak mówisz, panie — skinął głową Symonius. — Myślałem zostawić go przy tobie razem z Ostryżem i kilkorgiem ludzi, żeby wieści między nami nosili najszybciej jak się da.

— Wieści, powiadasz — wychylił puchar Giedymin. Obejrzał jego czaszę. Zdobił ją krzyż zamknięty w kole i wielki rubin wciśnięty w środek krzyża. Piękna rzecz. Zdobyczna.

— Symonius mówi — odezwał się Margoł — że mistrz krajowy szykuje wielką rejzę.

— Dopiero co byli — machnął ręką Giedymin. — Książąt ze Śląska nawet przywieźli, czarne orły. Zniszczyli Waykinę, Ejragołę, a Pista musiała kapitulować, żeby goście Zakonu byli kontenci.

— To była mała rejza — powiedział Symonius. — Goście wielcy, szum znaczny, a straty symboliczne. Teraz szykują prawdziwą obławę. Stajnie w Malborku pękają od koni; rycerstwo przyjechało z dalekiej Anglii, Francji i całych Niemiec. Mistrz krajowy musi zrobić wrażenie na papieżu i choćby miał podejść pod Wilno, zrobi to. W Awinionie ponoć nie mówią o niczym innym i nikt nie nazywa tego rejzą. To wyprawa krzyżowa.

Giedymin spojrzał na Margoła, ten dał znak, że wierzy. Pokazali Symoniusowi, że może mówić dalej.

— Król Władysław ma w Awinionie mocnych ludzi; Polacy przycisnęli papieża przeciw Krzyżakom. Żądają, by Zakon ugiął się pod wyrokiem i zwrócił Pomorze. Papież przyznaje Polakom rację, ale pragnie zasłynąć jako ten, co ostatecznie zdławi pogan. Gotów jest poświęcić króla Władysława w imię tryumfu, który na wieki zapisze jego imię jako wielkiego pogromcy. A ten tytuł zapewnić mogą mu jedynie Krzyżacy.

Biksza gestem spytał kniazia, czy może zabrać głos, Giedymin skinął mu głową.

— Słyszałeś o podarunku, który żelaźni bracia zawieźli papieżowi?

— Tak, panie — ciemne oczy Symoniusa zwęziły się. — Choć nikt temu nie dawał wiary.

— Papież uwierzył — powiedział Biksza. — W podzięce wydał Krzyżakom dwie bulle wyzywające króla Władysława od kłamców.

— Bulle zaginęły, tyle wiem od komturów. W Malborku lamentowali nad tym długo.

— Jak powiedziałeś, król Władysław ma w Awinionie mocnych ludzi — kiwnął głową Biksza.

— Symonius uważa, że wyprawa krzyżowa, która na nas idzie, może być groźniejsza niż każda z dotychczasowych rejz — podjął sprawę, za którą był odpowiedzialny, Margoł.

— Tak, wielki kniaziu — potwierdził wódz Roty Wolnych Prusów i odważnie spojrzał mu w oczy. — Krąg się zamyka.

W tej samej chwili od strony sieni rozległy się pokrzykiwania, piski dziewcząt i dźwięczny, zaraźliwy śmiech.

— Dobrze, że przywiozłeś Żmudzina — szybko powiedział Giedymin. — Zostanie u nas. Resztę ustalimy później, bo słyszę, że zbliża się grom z jasnego nieba!

Do świetlicy wpadł niewysoki, ale pełny w barach mężczyzna ubrany tak barwnie, że Giedymin zmrużył powieki, by nie oszaleć od purpury, szafranu, zieleni i błękitu. Ciemne, wijące się włosy spadały mu na ramiona, odgarnął je jednym ruchem dłoni, ukazując czarne, jak skreślone węglem brwi i zaskakująco jasne oczy.

— Dawidzie! Wojewodo mój! — zawołał Giedymin.

— Kniaziu, ojcze! — Wojewoda grodzki jednym susem był już przy nim. Jak stał, tak padł na jedno kolano i objął nogi Giedymina. Książę położył mu ręce na ramionach i uścisnął. Wojewoda uniósł twarz, błysnął jasnymi oczami i rozciągnął usta w szerokim uśmiechu.

— Bracie Dawidzie! — Giedymin pieszczotliwie chwycił go za miękką, długą brodę.

— Ojcze kniaziu — pokornie uchylił się przed braterstwem Dawid.

Giedymin zaśmiał się i potargał go.

Zawsze to samo. Książę wynosił wiernego i walecznego wojewodę do zaszczytnego miana brata, a ten z szacunku, czci i ostrożności, uchylał się, nazywając go ojcem. Był niewiele od księcia młodszy, miał może czterdzieści lat, nie więcej, ale wyglądał dużo młodziej i Giedymin, choć widywał swoje oblicze tylko odbite w tafli wody, wiedział, że przy Dawidzie lat mu tylko przybywa. Kipiący życiem, nieokiełznany, zwodził wrogów, którzy traktowali go zbyt lekko. W walce opanowany, w strategii bezwzględny. Był jego psem gończym, ogierem bojowym i bogiem wojny. Bez Dawida Giedymin nie mógłby wydzierać kolejnych księstw spod wpływów Moskwy.

— Wstawaj, wojewodo trocki! — zawołał. — Służba, najlepszego miodu!

Dawid wstał lekko, przeciągnął się, zacisnął pięści, a potem rozprostował palce. Kochał pierścienie. Lubował się w klejnotach, złocie, drogich kamieniach.

— Pokaż, pokaż! — zażądał Giedymin, znając słabość swego ulubieńca.

— Ha! — Dawid wyciągnął dłonie i pokazał pyszny pierścień z wielką, białą perłą. — Z Rewla!

— Mów!

— Cóż gadać, ja wojak nie mówca — błysnął zębami Dawid. — Bronili się słabo, spaliliśmy kościoły, wymordowaliśmy klechów od Świętego Michała, kielichy ci przywiozłem, wielki kniaziu, złote, srebrne, z kamieniami, jak lubisz. Księgi kazałem odrzeć, a pergamin spalić. Brańców przygnałem dwie setki, sporo kupców, wymienisz, łupy weźmiesz. Rewel twój, Giedyminie, jak i ja.

— Na twoją sławę! — uniósł pełen kielich Giedymin. — Za Dawida!

— Sława! — krzyknęli Biksza i Margoł.

— Sława — zawołali Prusowie, o których obecności już zapomniał.

— Moja sława, twoja sława — wypił wojewoda Dawid. — Mam coś lepszego niż Rewel.

Próba ognia — pomyślał Giedymin — przejdź ją pomyślnie, bracie!

— Wiem! — zaśmiał się głośno. — Czekam, aż sam mi powiesz!

— Skąd wiesz, wielki kniaziu? — zmarszczył czarne brwi.

— Sława cię wyprzedza.

— Zakazałem mówić — zacisnął pięści Dawid. — Sam ci chciałem chorągiew pod nogi rzucić. Pozabijam sługi!

— Ochłoń, gorączko! Kupcy z Rygi pisali — uspokoił go wielki książę.

— A! — kiwnął głową Dawid, gwałtownie odstawił kielich, aż niedopity miód chlapnął na ławę, a on sam znów padł na kolana przed Giedyminem. — Psków jest twój, mój panie!

— Wstawaj! — zażądał Giedymin. — Nie wypada, by książę klękał przed księciem!

Dawid kornie pochylił głowę i powiedział donośnie:

— Tyś wielki kniaź z krwi, z rozumu, z naszego uwielbienia. Mnie Psków obwołał księciem, bom w twym imieniu walczył. Psków uląkł się Giedymina, nie Dawida. I tobie tę zdobycz do nóg rzucam, rozporządzaj!

Na znak wojewody weszli jego ludzie, z nimi pomieszani wojowie Giedymina. Świetlica zapełniła się mężami, wonią ognisk, którą przynieśli w płaszczach i brodach. Gdzieś między ich nogami prześlizgnęły się Śmigła i Chyży. Torwid, towarzysz Dawida, wniósł zwiniętą chorągiew i rozwinął pod stopami Giedymina. Ten wszedł na nią, ogary leniwie podeszły do swego pana, otarły się mu o nogi i przysiadły po obu stronach wielkiego kniazia. Giedymin napił się, resztę miodu wylał. A potem podniósł z klęczek Dawida i zawołał:

— Książkę pskowski i wojewoda grodzieński, Dawid! Sława mu!

— Sława! — zakrzyknęło pięć dziesiątek wojów.

Giedymin wziął go w ramiona i uściskał. Szepnął mu do ucha:

— Ufam ci bardziej, niż ufałem swemu bratu, Witenesowi.

— Nigdy nie uszczuplę twej chwały — odpowiedział mu Dawid. — Będę ją mnożył, nie dzielił.

Ucałowali się. Giedymin wysoko uniósł prawicę Dawida.

— Książę pskowski i wojewoda grodzieński, Dawid!

JANISŁAW, arcybiskup gnieźnieński, patrzył na jedzącą wieczerzę Jemiołę. Nie miała nic w ustach od trzech dni, a mimo to, gdy słudzy postawili przed nią posiłek, zadowoliła się jedynie chlebem i wodą. Za pieczonego kapłona podziękowała, wina odmówiła.

O kłopotach zawiadomił go pachołek Paszka Doliwy, którego Jemioła w drodze do Poznania uwolniła od straszliwego bólu zęba, wpędzając w poczucie winy, że uwięził swą wybawicielkę. Biedak wił się jak piskorz, prowadząc arcybiskupa do zatrzymanych, i niemal całował go po rękach, gdy Janisław wypuszczał je z klatki.

Ile ma lat? — zastanawiał się, dobrze wiedząc, że ona i jej siostry nie starzeją się tak, jak zwykli ludzie. Nie była już dziewczyną, choć poruszała się zręcznie i sprężyście. Długie włosy o barwie ciemnej i pełnej, zwinęła w niedbały węzeł. Gdy się uśmiechała, wokół jej oczu rozciągała się sieć delikatnych zmarszczek, jak słoneczne promienie. Była piękna, musiał to przyznać, kwitnąca, dojrzała.

Rzeźbiarz nie szukałby w niej modelki na Maryję z Dzieciątkiem — pomyślał. — Raczej na świętą Annę. Przypomniała mu się rzeźba ze śnieżnobiałego marmuru, którą widział w Awinionie. Święta Anna otacza matczynym ramieniem Marię. Wszyscy patrzą na przyszłą matkę Jezusa, ale siłą rzeźby jest Anna. Matka Bożej Matki.

Jemioła uniosła kielich z wodą, oplatając jego czaszę mocnymi palcami i spojrzała Janisławowi w oczy.

Spuścił wzrok. Powinien dać jej posilić się w spokoju.

— Dziękuję, Janisławie — powiedziała, odstawiając kielich. — Uratowałeś nas z łap kanonika Doliwy, sideł biskupa Domarada i kto wie, od czego jeszcze.

Nie chcesz wiedzieć — pomyślał.

— Papież przysłał do Królestwa dwóch inkwizytorów — powiedział po chwili. — Jednego do diecezji wrocławskiej, drugiego do krakowskiej. Bogu dzięki, żaden nie ma w zakresie zainteresowań Starszej Polski.

— Kogo? — spytała.

— Inkwizycję stworzono, by znajdować i karać heretyków, czyli odstępców od nauki Chrystusa — wyjaśnił niechętnie.

Jemioła otarła kciukiem kroplę wody, która została jej na ustach.

— Teoretycznie — ciągnął — was nie dotyczy. Nie jesteście chrześcijankami, więc trudno mówić o odstępstwie. Ale, jak wiesz, Jemioło, sprawa jest skomplikowana.

— Chcesz powiedzieć, że nie ma dla nas miejsca w Królestwie? — spytała wprost i niestety spojrzała mu w oczy.

Nie chciał odwrócić wzroku i zobaczył, że jej oczy mają kolor nieba i ziemi jednocześnie. I to, że nie ma w nich gniewu ani nawet złości. Że jest ból, niepokój, ciekawość i coś jeszcze, czego nazwać nie umiał, może nawet nie chciał.

— Gdybyście się ochrzciły — zaczął.

— Warto próbować — zaśmiała się, a potem pochyliła ku niemu i szepnęła: — Wiesz, że tego nie zrobimy. Chcesz nas zmusić?

— Warto próbować — powtórzył smutno. — Wiesz, że tego nie zrobię.

Odsunęła się. Milczeli chwilę.

— Opowiedz mi o nich. O beginkach — poprosiła.

To był jego fortel. Jego sposób, by uwolnić Jemiołę i jej siostry. Chwycił się go, gdy tylko dojechał do Poznania i zorientował, o co je oskarżono. Kanonik Jan Doliwa nie miał pojęcia, że papież w zeszłym roku uwolnił beginki od zarzutu herezji i ponownie zezwolił na ich działalność, o ile podejmie się nad nimi duchowej opieki znany z pobożności duszpasterz. Siłą swego autorytetu przekonał biskupa, kanonika i sędziów, że Jemioła i jej dziewczyny to pobożne siostry. Udowodnił, że ich zielone suknie to jednakowy strój, jaki noszą beginki, ba, nawet dodał, że „nasze nadwarciańskie siostry posłuchały apelu papieża, by nie ubierać się na szaro, brązowo i czarno, żeby nikt nie mylił ich z prawdziwymi zakonnicami". Domarat chciał przepytać je z katechizmu, tak na wszelkie wypadek, ale gdy Janisław oświadczył, że są pod jego kuratelą, ustąpił. Jako arcybiskup potrafił być władczy i nieznoszący sprzeciwu.

— Opowiesz? — powtórzyła Jemioła.

— Są podobne do was bardziej, niż myślisz. — Roześmiał się. — Kobiety, czasami wdowy, ale i młode panny, nawet dziewczynki. Nie wstępują do klasztoru, bo ich na to nie stać, albo i nie chcą poddać się zakonnej regule. Nie pragną też męża i rodzenia dzieci. Nie było dla nich miejsca, bo rola kobiety jest określona: małżeństwo albo klasztor. Znalazły więc inną drogę. Żyją razem, wspierają się w zdrowiu i chorobie. Najczęściej żyją z tkactwa, we Wrocławiu mają warsztaty lepsze niż cechowe, w Krakowie opiekuje się nimi sama królowa Jadwiga. Pracują, zarabiają na życie, a do tego, tak jak wy, pomagają chorym, sierotom, wdowom. Mówi się na nie „ubogie siostry", bo wyrzekły się osobistej własności na rzecz wspólnoty i biednych, którym służą.

— Jak dotąd, to właściwie nie skłamałeś, wyjmując nas ze szponów biskupiego sądu — uśmiechnęła się do niego Jemioła.

— Skłamałem, Jemioło — powiedział poważnie. — Beginki, prócz tego wszystkiego, są gorliwymi chrześcijankami. Uczą się czytać, by móc codziennie studiować Biblię. Modlą się i całe swe życie zawierzają Bogu. Są niczym świeckie zakonnice.

— My też gorliwie służymy Matce. Matce Ziemi.

— Wiem i nie widzę w was żadnej winy.

Patrzyli na siebie długą chwilę. Wreszcie musiał jej to powiedzieć:

— Papież Jan XXII ma obsesję na punkcie heretyków, pogan i krzewienia chrześcijaństwa. Chciałby zapisać się w pamięci potomnych jako ten, który dokończy chrystianizację i wypleni z łona Kościoła wszelkie odstępstwa. Już dwa razy potępiał beginki i dwa razy ustępował, pozwalając im działać dalej. Trzeba być gotowym, że za rok czy dwa znów uzna je za heretyczki.

— Nie wie, co zrobić z kobietami, które wyłamały się spod męskiej władzy? — powiedziała.

Skinął głową. Ma rację.

— Wpadłem na pewne rozwiązanie, które zapewniłoby wam bezpieczeństwo na jakiś czas. — Spojrzał na nią niepewnie. — Napiszę w waszym imieniu petycję do papieża.

— Żartujesz? — odsunęła się od stołu gwałtownie.

— Mogłoby się zdawać... ale mówię poważnie, posłuchaj — uspokoił ją ruchem dłoni.

Jemioła ściągnęła brwi.

— Nazwę was „zielonymi siostrami" gorliwie modlącymi się do łask Matki. Oczywiście, Bożej, ale skoro oboje uznajemy, iż cały świat należy do Boga...

Przerwała mu:

— Nie tłumacz się przede mną, Janisławie. Mów, co napiszesz swojemu papieżowi.

— Opiszę wasze życie jako regułę, jak robi się to w klasztorach i jak swoją opisały beginki. Służba ludziom, leczenie ziołami, wyrób miodów, wiesz, musimy podać, z czego żyjecie.

— A co z chrztem, katechizmem i Biblią? — spytała.

— No cóż, Jemioło — położył obie dłonie na stole. — Wspomnę, że chcecie uczyć się czytać, by poznawać Pismo — obrócił je wnętrzem do góry. — A o chrzcie nie wspomnę.

— Co? O czym ty mówisz, Janisławie? — źrenice Jemioły powiększyły się.

— Nikomu nie przyjdzie do głowy, że nie jesteście ochrzczone — powiedział to wreszcie. — Nikt o to nie spyta, rozumiesz?

Wzięła głęboki wydech; zrozumiała.

— Więc przynajmniej w tym względzie nie będziesz musiał za nas kłamać — powiedziała cicho.

— Tak — skinął głową. — Mogę tego nie mówić i pozostać sam na sam ze swym sumieniem — dodał żarliwie.

Jego dusza krzyczała: Jemioło! Gdybyś wiedziała, jakich niegodziwości dopuszczano się w imię mojego Boga. Czy On tego chciał? Nie. Ludzie wykorzystują Boga każdego dnia, gdy pod Jego sztandarem dają upust chciwości, pysze, okrucieństwu. Krzyżują Go w pałacach, kościołach i na miejskich rynkach. To, co robię dla was, jest przy tym dziecięco niewinne, choć całkowicie niekanoniczne. Ale tak, z tym grzechem mogę się śmiało stawić przed obliczem Pana, choćby wezwał mnie na Sąd Ostateczny w tej chwili.

— Janisławie? — głos Jemioły wyrwał go z zamyślenia. — A co będzie, gdy twój papież zatwierdzi naszą regułę?

Machnął ręką.

— Nie masz pojęcia, jak długo kuria awiniońska miele każdy dokument. To może trwać latami. Albo zdarzy się i tak, że coś w niej zaginie — mrugnął do niej. — Mam tam wielu zaufanych ludzi. W Królestwie będzie wiadomym, iż zielone siostry zostały zgłoszone i oczekują na zatwierdzenie reguły. To da wam nietykalność, gdyby papież znów uznał beginki za heretyczki, a kanonik Jan Doliwa był dociekliwy.

— Gdyby był dociekliwy — powtórzyła po nim tajemniczo. — Pamiętasz zawołanie rodowe Doliwów?

— „Doliwowie nie zdradzają" — powiedział zaskoczony.

— Wiesz, dlaczego?

Potarł czoło i zaprzeczył.

— Bo Doliwowie już zdradzili — odpowiedziała Jemioła.

— Co? — nie uwierzył jej. — To najwierniejsi przy królu.

— Przy tym królu — potwierdziła. — Ale waszego drugiego króla, Mieszka, syna Bolesława, zdradzili. Po jego śmierci jako pierwsi wypowiedzieli posłuszeństwo Koronie i stanęli po stronie cześnika Miecława. Bili się z wojskami króla Kazimierza, którego nazwaliście Odnowicielem. Wielu z nich poległo na twojej ziemi, arcybiskupie, w czasie strasznej bitwy w Pobiedziskach. Trzeba było czasu, by Kazimierz z powrotem przyjął ich w łaski. Doliwów, co zdradzili króla.

— Ich legendarna wierność zaczęła się od zdrady — powiedział zaskoczony. — Nie miałem pojęcia. Mój ród nie pochodzi stąd, przodkowie przybyli do królestwa dopiero za czasów księcia Krzywoustego.

— Nie ma o tym nic w waszych księgach? — zakpiła.

Nie odpowiedział, spojrzał na nią ponuro.

— A może kronikarzami bywali synowie wielkich rodów? — podjęła. — Więc gdyby Doliwa był dociekliwy, powiedz mu, że znasz także niepisaną historię. Tę, którą przechowuje pamięć, nie litery na wołowej skórze.

Milczeli chwilę. Czuł, że na niego patrzy, chciał unieść wzrok, ale wiedział, że potem zbyt długo będzie pamiętał wszystkie odcienie nieba i ziemi, wykrój jej ust i ich barwę.

— Pamiętasz nasze poprzednie spotkanie? — odezwała się po chwili.

— Jakub Świnka i Dębina widzieli się wtedy po raz ostatni — odpowiedział.

— A my po raz pierwszy — odrzekła.

Nie ułatwiasz, Jemioło — jęknął w myślach.

— Mówiliśmy o smoku, w którego przemienił się Michał Zaremba — ciągnęła.

— Nie znalazłem go, wybacz. Szukałem, ale nie znalazłem.

— To znak, że w Królestwie wciąż mogą się ukryć stwory dziwniejsze niż zielone siostry — usłyszał w jej głosie kpinę. — Spotkałam go. Jest tak, jak mówiła Dębina. Starcy przeciągnęli go na stronę krwawego boga o trzech twarzach.

— Co mówisz? — Poczuł jak zakłuło go serce.

— Prawdę — powiedziała ciężko. — Zjawił się u nas, w mateczniku.

— Po co?

— By pokazać się moim dziewczynom — odpowiedziała smutno. — By je kusić.

— Jak szatan — wyrwało mu się, choć sądził, że tylko o tym pomyślał.

— Jak smok, jak mężczyzna, któremu kobieta nie chce się oprzeć, za którym pójdzie z zamkniętymi oczami w ogień.

Zacisnął dłonie w pięści. Jej głos działał na niego chwilami zbyt dosłownie.

— Kilka z sióstr uciekło z matecznika. Poszły do Starców z nadzieją, że znów go ujrzą. To... — zawahała się na chwilę — to nie są pierwsze dziewczyny, które odeszły do nich. Wojownicy Trzygłowa potrafią być przekonujący, a Michał, ze swoim... — zawahała się — darem, jest dla nich bezcenny.

— Jakub Świnka powiedział Dębinie, co trzeba zrobić — skwitował Janisław. — Odciąć chory pęd, by ocalić krzew winny.

Jemioła pochyliła się nad stołem szybko i zręcznie złapała go za zaciśniętą pięść.

— To nie ojczulek Świnka powiedział, lecz ty, Janisławie. Zapamiętałam to dobrze.

Wysunął pięść spod jej palców.

— Najwyraźniej masz lepszą pamięć, niż ja — skłamał zawstydzony. — Powiedz, jak mam go znaleźć?

— Nie trafisz do warowni Starców.

— Gdzie to jest? Mówiłaś, że w królestwie.

— Żartowałam, wybacz — powiedziała szybko, z niezrozumiałym nerwem. — Okolice Dzierzgonia, w państwie zakonnym.

Przyjrzała mu się, a on jej.

Wie? — przemknęło mu przez głowę. — Czy to zwykły zbieg okoliczności?

— Chcesz powiedzieć... — zaczął.

— Tak — wyręczyła go. — Mają swą skrytą siedzibę na ziemi, na której zginął twój święty Wojciech.

Oddychał ciężko. Przez chwilę zwątpił w sens tego, co zrobił. Czy słusznie ją chroni? A może i ona, i jej siostry czerpią radość z tamtego zwycięstwa?

— Janisławie — powiedziała, szukając palcami jego dłoni. Zatrzymała się jednak i nie dotknęła go. — Nie mogę obiecać, że nigdy cię nie zawiodę, ale wiesz, że nie pragnę niczyjej krwi.

— Zawsze taka byłaś? — zapytał odruchowo.

— Nie — odpowiedziała. — Ale już wyrosłam z zemsty. Wracając do Michała, trzeba znaleźć sposób, by go wywabić z warowni Starców. Pretekst, który sprawi, że wyjdzie bez asysty wojowników, to nie będzie proste, bo Jarogniew, ich wódz, i Ostrzyca, jego dziewczyna, nie opuszczają Zaremby na krok.

— Może ktoś z rodziny?

— Wojewoda Marcin go zdradził — wyjawiła Jemioła. — Ale tam były jeszcze dziewczyny, córy Sędziwoja.

— Zbysława jest żoną Wincentego Nałęcza, tego z Szamotuł — przypomniał sobie Janisław.

— Jeśli dobrze pamiętam, nie byli ze sobą blisko. Zbysława przez wiele lat była dwórką księżnych.

— Dużo wiesz o dworze Przemysła — zdziwił się.

Spojrzała w bok, dłonią potarła czoło.

— Dawne dzieje — powiedziała wymijająco i unikała jego spojrzenia.

— Sędziwój miał jeszcze jedną córkę — dodała szybko. — Wiem, że Michał ją lubił. Dziewczyna zaginęła po śmierci ojca. Dorota. Tak miała na imię. Popytam o nią Ochnę.

— A ja poszukam w dokumentach — odpowiedział.

— Chyba że komuś zależało, by o niej zapomnieć — w jej głosie znów zabrzmiała kpiąca, zimna nuta. — By coś nie zostało zapisane, jak początki Doliwów.

— Możesz mieć rację. Tym niemniej przejrzę księgi.

— Jak się będziemy porozumiewać, Janisławie? — zaskoczyła go tym pytaniem.

Zaśmiał się.

— Jako zielona siostra, w której sprawie piszę do papieża, masz do mnie dostęp. Poinformuję kancelistów, choć, jak się domyślasz, żadnego nie wtajemniczę w szczegóły. Poza tym zgłosiłem, że sprawuję nad wami opiekę duszpasterską.

— Zobacz — powiedziała w zadumie. — Nawet te wolne siostry, beginki, nie mogą uciec od męskiej opieki. W twoim świecie władza należy do mężczyzn.

Co miał na to powiedzieć? Przemilczał.

— Kiedy zaczniesz mnie uczyć czytać? — spytała.

— Nie musisz — machnął ręką. — W petycji wspomnę, że pragniecie się uczyć, to wystarczy.

— Ja chcę się nauczyć. Nie żartuję.

Zerwał się od stołu, usiadł z powrotem. Z niej zniknął chłód. Jemioła patrzyła mu w oczy, znów była pogodna.

— To nie może być aż tak trudne, co, Janisławie? Skoro nie umiemy czytać sobie w myślach, muszę nauczyć się pisać — zaśmiała się. — No, czyżbyś się bał? Przecież potrzebujemy przekazywać sobie wiadomości.

Odetchnął.

— Od czego zaczniemy? — spytał. — Stary czy Nowy Testament, wybieraj!

— A nie ma żadnych ksiąg o ziołach? — skrzywiła się.

— Są! — Aż się zachłysnął tym, co przyszło mu do głowy. — O ziołach, leczniczej naturze minerałów i kamieni, o leczeniu ciała uzdrawianiem duszy.

— Kpisz ze mnie? — W jej oczach zapłonęła ciekawość.

— Nie, Jemioło — uśmiechnął i trudno, pewnie wypadł ckliwie. — I napisała je kobieta, mniszka...

— Floryna! — Jemioła zerwała się od stołu.

— Nie. Hildegarda z Bingen, benedyktynka.

Wstał i wyszedł zza stołu. Podszedł do półek, gdzie trzymał podręczne woluminy. Przebiegł palcami po grzbietach.

— Nie mam tu Hildegardy, jest w skarbcu biblioteki katedralnej — powiedział, nie odwracając się do Jemioły. — Ale mam Florynę.

Usłyszał jej kroki. Znalazł pergamin i wyjął z tuby.

— Jakub Świnka opowiedział mi o niej — rzekł, odwracając się do Jemioły.

— A mnie Dębina — odpowiedziała.

Delikatnie rozwinął pergamin. Jemioła przebiegła po nim palcami.

— Tyle słów — szepnęła.

— To jej monogram — pokazał na „F" wyglądające jak pęd rośliny oplatającej krzyż. — Pewnie sama go wymyśliła.

— Monogram — powtórzyła za nim Jemioła. — Monogram. Ładne słowo.

Jemioła stała za blisko. Zwinął pergamin i odłożył. Chciał odejść od półek, ale przytrzymała go za ramię.

— Dlaczego nam pomagasz, Janisławie?

— Bo zostaliśmy sami, Jemioło — odpowiedział szczerze. — Dębina i Jakub nie żyją, teraz to każde z nas prowadzi swój lud, jak matka, jak ojciec. Pamiętam spotkanie u was, w mateczniku i wszystko, o czym mówili. Świat zmierza do wojny, nie chcemy stanąć po przeciwnych stronach.

— A brzmię odpowiedzialności łatwiej nieść we dwoje — powtórzyła słowa Dębiny i położyła mu dłoń na piersi. Na sercu.

ZYGHARD VON SCHWARZBURG zacisnął szczęki po raz kolejny od chwili, gdy przejechał most na Nogacie wiodący do zamku w Malborku. Rejwach, jaki tu panował, był wprost nieznośny. Na wielką krucjatę przeciw Litwie ściągnęły setki rycerzy z całej Europy. Poczty angielskie, francuskie, saksońskie, alzackie, lotaryńskie i Bóg wie jakie jeszcze. Malborski zamek był olbrzymi, ale pękał w szwach, podobnie jak stajnie. Miejsca nie było już nawet w prowizorycznych, zbitych naprędce szopach na podzamczu. Wszystko tonęło w rozdeptanym pośniegowym błocie.

— Czy oni nie mogą po prostu wsadzić tyłków w siodła i pojechać na Giedymina? — rzucił do Klugera, który usiłował torować mu drogę.

— U nas odwilż, ale na Litwie ponoć mróz taki, że pękają drzewa — odpowiedział Kluger przez ramię. — Muszą czekać, aż odpuści.

— Do tego czasu piękny Marienburg utonie w gównie. Ludzkim

i końskim — pokręcił głową Zyghard. Nos podpowiadał mu, by załatwić swoje sprawy i uciekać stąd jak najszybciej.

Przecisnęli się wreszcie do bocznej stajni, przeznaczonej wyłącznie dla najwyższych rangą zakonnych notabli.

— Nie ma miejsca nawet na źrebię, komturze grudziądzki — płaczliwie oznajmił brat stajenny. — Musiałbym kobyłę mistrza Wildenburga wykwaterować.

Daj mu ją do prywatnych komnat — podpowiedział w myślach Zyghard, zeskakując z siodła.

— Wobec tego nie zabawimy długo — oświadczył. — Komtur chełmiński jest?

— Tak, panie — stajenny wskazał zad czarnego wałacha — jak widać.

Zyghard parsknął śmiechem i mruknął do Klugera:

— Podobny.

Brat stajenny udawał, że nie usłyszał przytyku do zwalistej sylwetki Lautenburga.

— Nakarm konie — powiedział do niego Zyghard i wydał polecenie Klugerowi: — A ty zjedz coś i wracaj szybko. Rozmówię się z Lautenburgiem i opuszczamy Malbork.

Zdjął z siodła sakwę i przerzucił sobie przez ramię.

— Komtur grudziądzki nie jedzie na krucjatę? — zaciekawił się stajenny.

— Mam własną. — Zyghard klepnął w plecy wścibskiego brata. — Ta jest dla gości ze świata.

Ruszył do warownego klasztoru. Po drodze mógł do woli napatrzeć się na najwymyślniejsze zbroje i hełmy zwiezione tu z połowy świata. Przyłbice wyobrażające psy i lwy, choć ta, którą próbował doczyścić śliczny, jasnowłosy giermek, którego mijał, wyglądała raczej jak pysk małpy. Co za szkaradztwo — pomyślał Zyghard o hełmie, nie o chłopcu. Omal nie wpadł na olbrzyma w napierśniku przypominającym korpus ptaka, a potem minął rycerza w pełnej płytowej zbroi przechadzającego się po błocie zalegającym na dziedzińcu. Chryste! — przeszło mu przez głowę. — Kto mu te blachy doczyści? Ilu giermków pomaga mu wsiąść na konia? I wreszcie, czy on jeździ na koniu, czy też trzeba wołu, by dźwignąć taki ciężar? Nikt im nie powiedział, że zimowa rejza na Litwinów to nie turniej?

Minął największy tłum, nadrzucił drogi, idąc wokół zamku w budowie, ale tam przynajmniej dało się przejść bez przeciskania. Zakuci w zbroję od stóp do głów krzyżowcy byli osłonięci przed strzałami i włóczniami Litwinów, ale zupełnie nieodporni na zasadzki wojowników Giedymina. Zwykle sprzymierzeńcem zimowej rejzy był mróz, dający kiepskim litewskim drogom przejezdność, ale z kolei wielkie śniegi nieraz powstrzymały wyprawę. Stary Konrad von Sack miał na to swoje sposoby. Rozmieszczał przybyłych z daleka rycerzy w najdalej wysuniętych na wschód komturiach, w tym czasie jego ludzie zapełniali zaopatrzeniem pobudowane na drodze rejzy chatki i spichrze, tak że gdy padał rozkaz do wymarszu, wszystko było gotowe. Owszem, Konrad wspominał, że bywały lata, gdy jedzenie zamarzało na kość, ale mówił, że goście nie grymasili, przeciwnie, lubili chwalić się tym po powrocie do domu. Zdarzało się i tak, że gdy wojska zakonne posuwały się w głąb Litwy, na ich tyłach żerowali Żmudzini, zabierając zaopatrzenie przeznaczone na drogę powrotną. Stary von Sack i na to miewał rozwiązania, ale czy ta wiedza nie poszła z nim do grobu?

Zyghard mógł kpić z rycerstwa, które przybyło na krucjatę, ale nawet jeśli nie byli właściwie przygotowani, doceniał ich siłę. W głębi duszy był dumny, że tylu możnych tego świata odpowiedziało na apel Zakonu. To było prawdziwym dowodem na moc Malborka, na głos płynący stąd, z tej ziemi, którą zdobyli, z państwa, które wymyślili i zbudowali. Z machiny, której był częścią, i to nie najmniejszą. Czy wielka krucjata zmiażdży Litwę? Pewnie nie. Giedymin zagarniając ziemie ruskie, wzbogacił nie tylko swój skarb, ale zapewnił sobie siły bojowe. Póki co, wystarczyłoby, żeby zdobyli dla nas Żmudź — pomyślał — korytarz, którego potrzebujemy, by połączyć pruskie i inflanckie posiadłości Zakonu.

Zyghard okrążył budowlę i znów wszedł na dziedziniec, ale blisko przejścia do kancelarii. Już miał wejść na wiodące do niej schody, gdy w tłumie rycerzy zamajaczyła mu wysoka, barczysta sylwetka. Stanął w pół kroku.

To ułuda — pomyślał. — Kuno nie żyje.

Widział plecy w szarym, prostym płaszczu i krótko ostrzyżone włosy, nic więcej. Mężczyzna szybkim, sprężystym krokiem szedł do wyjścia z dziedzińca.

Wzrok mnie mami — przemknęło mu przez głowę, ale w posturze mężczyzny było coś tak znajomego, że nie mógł sobie odpuścić. Zawrócił i ruszył za nim, choć wiedział, że za chwilę boleśnie się rozczaruje. Zmarli nie wstają z martwych, nie ma dwóch Kunonów — powtarzał, rozpychając się w tłumie i jednocześnie zaprzeczał sobie.

— Jest tego samego wzrostu, tak, właśnie tak mój Kuno górował nad malborską ciżbą...

— Komturze von Schwarzburg! — głos Lautenburga zabrzmiał z boku.

Jednocześnie Zyghard poczuł, że Otto von Lautenburg złapał go za ramię. Szarpnął się odruchowo. Nie znosił, gdy ktoś go dotykał.

— Bez poufałości, komturze chełmiński — odpowiedział na powitanie chłodno.

Nieznajomy zdążył zniknąć. Zyghard rozejrzał się gwałtownie. Nie ma go, rozwiał się, rozpłynął w tłumie.

— Czy masz dla mnie akta Symoniusa? — spytał Lautenburg.

— Tak — ze złością potwierdził Zyghard. — Przyjechałem tylko po to, by ci je zwrócić.

— Szukasz kogoś? Możemy pomówić później.

Już jest za późno — skwitował Zyghard w myślach i sięgnął do sakwy. Wyjął zwinięty pergamin, ale nie podał go Lautenburgowi.

— Wyjaśnij mi coś, komturze. Powiedziałeś, że dzięki zeznaniom Symoniusa przypuszczasz, iż Kunona zabili ci sami Dzicy, co mego brata. A tutaj nie ma o tym słowa.

Lautenburg zmarszczył brwi, podrapał się po szyi.

— Skąd Symonius wiedział, jak wyglądały rany Kunona?

— Nie wiedział — z namysłem odrzekł Lautenburg. — To moje przypuszczenie, nie jego. Joannici, którzy znaleźli Kunona, powiedzieli, że miał ciało pokłute strzałami. Wiele drobnych ran kłutych, tak to opisali. Ty identycznie określałeś rany Guntera, podałeś w raporcie „strzały, jakich używają Dzicy", nie trzeba być geniuszem, by złożyć te dwie wiadomości w całość — napuszył się.

— Nie podoba mi się to — warknął Zyghard. — Coś tu śmierdzi, komturze von Lautenburg.

— Tysiąc gości, tysiąc koni — rozłożył ręce komtur chełmiński i złapał za trzymany wciąż przez Zygharda pergamin. — Mogę?

— Bierz — bezbarwnie odrzekł Zyghard.

— Zostajesz, Zyghardzie von Schwarzburg? Twój bratanek, Guntherus z Pokrzywna, będzie prowadził oddział najemnych kuszników. Pewnie zechcesz zobaczyć latorośl rodu na jego pierwszej wielkiej wyprawie.

— Nie jest dzieckiem, by stryj musiał pilnować, czy założył pod kolczugę ciepły kożuszek — odburknął Zyghard. — Mam inne zadania.

— A, tak! — Lautenburg udał, iż sobie przypomniał. — W kancelarii czeka na ciebie list żelazny i jakieś pełnomocnictwa. Uważaj na siebie, drogi w Królestwie Polskim zrobiły się niespokojne nawet dla posłów. W Starszej Polsce raubritterzy złapali i okradli kilku naszych rycerzy.

— Wzrusza mnie twoja troska — odpowiedział mu lekceważąco i pożegnał się — Bywaj, Lautenburg.

— Zapomniałbym! — klepnął się w czoło Otto. — Pytał o ciebie jakiś brzydal.

— Jak brzydal, to nie mów mu, gdzie jestem — zadrwił Zyghard i ruszył w stronę kancelarii.

— Paskudna gęba, cała w bliznach, jakby mu ktoś pysk podpalił — wesoło dorzucił Lautenburg. — Jeśli go jeszcze raz spotkam, powiem, że cię nie widziałem.

— Wystarczy, że nic mu nie powiesz — rzucił Schwarzburg.

Komtur chełmiński zaśmiał się na to jak panna:

— Ach tak! No jasne przecież, jasne!

Nie umiesz kłamać, Lautenburg — pomyślał Zyghard i nie wiedział już, czy to źle, czy dobrze.

RIKISSA była zaskoczona brawurą i pomysłowością Hunki w przekazywaniu wiadomości. Korzystały z poczty dyplomatycznej króla Jana, tej, którą wysyłał do Pragi swoje rozkazy, nadania i polecenia dla poszczególnych możnych. Oficjalnie Hunka wysyłała jej niewielkich rozmiarów księgę, którą ilustrowała, z listem, w którym Hugo pytał, czy miniatura podoba się jego pani i czy ma kontynuować pracę. Ona w liście chwaliła miniaturę, dawała wskazówki co do następnej i odsyłała księgę. Wcześniej zaś otwierała skórzaną oprawę i z dyskretnej kieszonki w jej wnętrzu wyjmowała liścik. Hunka pisała zwięźle, tam, gdzie było to możliwe, pomijała imiona albo używała opisu na określenie krain i ludzi. Jeszcze zanim Rikissa oddała Hugona iluminatora w służbę Jana, umówiły się z Hunką, jak nazywać głównych graczy. I tak Ludwik Wittelsbach został kocurem. Jego syn, także Ludwik, kociakiem. Fryderyk Habsburg psem, jego bracia szczeniętami z kolejnością miotu według starszeństwa. Henryk Karyncki był bażantem, Karol, król Francji, kogutem, ale jego żona, siostra Luksemburczyka, nie została nazwana ani kokoszką, ani kurką, lecz gołębiem. Krzyżaków zgodnie nazwały wilkami, a króla Władysława — rysiem. Jan Luksemburski został ogierem, bo przy prędkości, z jaką się przemieszczał, najwygodniej było oddawać jego czyny, pisząc o galopie. A papieża nazywały Gospodarzem.

Kiedy więc dostała liścik: „U macochy będzie kociątko, ogier nie dostanie pastwiska", wiedziała, że Jan Luksemburski nie otrzyma w lenno Brandenburgii, bo król niemiecki przeznaczył ją dla swego młodego syna. Gdy wspomniała o tym Lipskiemu, jej miły kazał otworzyć beczkę najlepszego wina.

— Czyżbyś był małostkowy i cieszył się z porażki Jana? — spytała.

— Małostkowy? — zdziwił się Lipski. — Nie znałem takiego słowa. I chyba nie lubię, gdy mówiąc o mnie, używa się słów, które mają czegoś mało. Tak, pijemy za utarcie synusiowi nosa. Na zdrowie mu to wyjdzie, obiecuję!

Henryk z Lipy wychylił kielich z wyraźną przyjemnością, a Rikissa pomyślała, że gdyby ona była małostkowa, powiedziałaby, iż Lipski z każdym rokiem robi się coraz bardziej zawzięty.

Otarł usta i chyba zauważył, że coś jej nie pasuje.

— Brandenburskie lenno oznaczałoby dla Czech kłopoty — powiedział. — Wikłałoby nas w wojny, bo zobaczysz, prędzej czy później, znajdzie się ktoś, kto będzie forsował swoje prawa do Marchii. Brandenburgia zawsze była częścią Rzeszy, jej wschodnią flanką. Uważam, że Jan niepotrzebnie się na nią łakomił i, choć nie lubię Wittelsbacha, to nie dziwię się, że nie oddał jej naszemu królowi. Na jego miejscu zrobiłbym to samo. No, chyba że moja pani powiedziałaby: Daj mi Brandenburgię — mrugnął do niej. — Wtedy nie byłoby wyjścia. Na koń wsiadać i odbijać.

Mój miły się starzeje — skonstatowała, patrząc na niego z przyjemnością. — Nareszcie!

Przez te wszystkie lata wyobrażała sobie, jak to będzie, gdy Lipski, znacznie od niej starszy, zacznie wchodzić w jesień życia. Jak odpuści, przekaże część wpływów synom i to oni będą jeździć na wojenne wyprawy i pertraktować z królem. Odda jej wreszcie swe wieczory i noce. Będą pielęgnować zachody słońca i wspólnie dbać o wschody. Jeździć strzemię w strzemię i podziwiać Morawy. Wychowają wspólnie myśliwskie sokoły i wyszkolą je razem do polowań. Albo wyruszą w podróż od miasta do miasta, by obejrzeć te wszystkie dziwy, o których czytała w księgach. Pojadą do Jawora, do Henryka i Anežki na chrzciny wnuczki, albo wnuka. Będą tulić dziecko jej córki i uczyć je chodzić.

Póki co, niewiele z jej marzeń się spełniło. Owszem, Lipski po korzystnych zamianach włości z królem Janem przeniósł się do niej, na

Morawy, ale wciąż nie odpuszczał Królestwu. Nie miała o to żalu, przeciwnie, gdyby zaniedbał sprawy kraju dla niej, nie darowałaby sobie ani jemu. Synów we wszystko wprowadzał oszczędnie, nie chciało mu się im tłumaczyć politycznych niuansów, wściekał się, gdy nie łapali w lot tego, czego on uczył się latami, kończyło się na tym, że wsiadał na koń i jechał, by samodzielnie gasić pożary w waśniach między możnymi, mieszczanami i królewskimi urzędnikami. Gdy próbowała łagodnie wpłynąć na niego, miał do niej żal, że ich broni. Mówił: „Są miękcy, za miękcy", jakby to było ich winą, że przyszło im dorastać w czasach względnego spokoju. Potem przepraszał ją, ich raczej nigdy, ale jechał do każdego z synów, w końcu zadbał o ich przyszłość, uposażył w zamki i ziemie, zabierał ich na polowania, szukał porozumienia. Raz się udawało lepiej, raz gorzej. Dobrze, że Katrinie odpuścił, zgodził się za wstawiennictwem Rikissy, by jego córka, a jej ukochana dwórka, wstąpiła do zakonu cysterek. Zaś Anežka... cóż, z jej córką też nie było łatwo. Anežka wciąż wystawiała cierpliwość swego męża, księcia jaworskiego Henryka, na próbę. Stanowczo odmawiała wyjechania do niego i jasnym było, że brak dyspensy papieskiej dla ich małżeństwa traktowała wyłącznie jak wygodny pretekst. „Boisz się go?" — pytała Rikissa. „Nie" — odpowiadała Anežka. — „Jest bardzo miły". „Nie podoba ci się?" — próbowała drążyć. „Ma najładniejsze oczy wśród książąt i najbardziej zadbane dłonie wśród rycerzy" — śmiała się jej córka. „Wydaje ci się zniewieściały?" — zapytała wówczas z niedowierzaniem. „Przeciwnie!" — odpowiedziała Anežka i Rikissa skapitulowała, pytając siebie samej z żalem: Jak rozmawiać z kimś, kogo nie potrafię zrozumieć i nie chcę do niczego zmusić? Uspokajała samą siebie myślą, że Anežka jest młodą dziewczyną i ma humory, jak to dziewczęta. Jeszcze rok, dwa i przejdzie jej. Oby Jaworski wciąż miał do niej cierpliwość.

— Nie smakuje ci wino? — z zadumy wyrwał ją głos Lipskiego. Stał za jej plecami, jego szorstka dłoń dotknęła jej policzka. Pocałowała ją, on, jak zawsze, speszył się tą czułością.

— Jeszcze nie próbowałam — odpowiedziała i odstawiła kielich.

— Jestem głodny — powiedział i usłyszała w jego głosie chropawą, zmysłową nutę.

— Marketa powinna za chwilę podać wieczerzę — odchyliła głowę i oparła o jego biodro.

Położył jej dłonie na ramionach, zacisnął mocno. Wyczekiwał na przyzwolenie. Spojrzała na niego z dołu. Jego oczy wciąż zaskakiwały ją intensywną, niebieską barwą. Taki drapieżnik jak on powinien mieć oczy zwierzęce — przemknęło jej przez głowę. — Brązowe, złote, zielone. A on ma niebieskie, jak serafin.

Był w luźnym, domowym stroju, bez pasa i skórzanego kaftana. Na koszuli miał długi, podbijany futrem płaszcz, szczelnie zasznurowany na piersi, ale otwarty od pasa w dół, jak każdy męski strój do konnej jazdy.

Zawsze gotowy, by wskoczyć na siodło — pomyślała i poczuła, jak ogarnia ją fala gorąca. Zapragnęła go tak nagle, tak nieoczekiwanie, że nie zastanawiając się, wsunęła dłoń pod jego płaszcz i odnalazła drogę wiodącą do nagiego brzucha. Drgnął.

— Masz chłodne palce — szepnął zduszonym głosem.

— Ale ciepłe usta — odpowiedziała, nie przestając go dotykać. Znalazła przejście do nogawic, przekręciła się i przysunęła bliżej jego biodra. Opierał się jej. Pierwszy raz, odkąd są razem, to nie on ją zdobywał, ale ona jego. Ta świadomość sprawiła, że nie mogła przestać.

— Rikisso... Marketa...

— Ciii... — pieściła go coraz mocniej i szybciej — zdążymy przed wieczerzą... jesteś w dobrych rękach...

Henryk z Lipy zaciskał palce na jej ramionach, próbował przesunąć dłoń i dotknąć jej piersi, ale gwałtownym ruchem ramienia odrzuciła jego pieszczotę. Chciała mieć go na wyłączność, odebrać mu głos. Jego przyspieszony oddech podniecał ją bardziej niż dotyk.

— Marketa... — przypomniał jej i czuła, że przez chwilę walczy z nią, próbując się od jej ust oderwać. — Marketa!... — skapitulował szybko, dał się ponieść, odurzyć i zapomnieć.

— Marketa! — krzyknął ostro, wyprężając się z całych sił.

Przytrzymała jego mocne pośladki, wyprężone ciało Lipskiego drżało, kołysał się na czubkach palców.

— No idę, idę! — odezwał się zza drzwi głos Markety.

Zamarli. Lipski w jednej chwili okrył się szczelnie płaszczem i stanął znów za oparciem krzesła Rikissy. Drzwi się rozwarły i stanęła w nich Marketa z policzkami przybrudzonymi mąką. Ukłoniła się niezgrabnie i obrzuciła ich wzrokiem.

— Taki głodny pan z Lipy, hę?

— Doczekać się nie mógł wieczerzy — odpowiedziała Rikissa, z trudem łapiąc oddech.

— No i sam sobie winny. Ja placki robiłam, jak zaczął wrzeszczeć, za przeproszeniem — ukłoniła się — wzywać. I teraz placki się palą na blasze, ale Marketa posłuszna, przybiegła na górę, bo jaśnie pan wzywał. Czego by zjadł? Podpowiem, placki będą czarniawe.

— Wszystko jedno — wydukał Henryk z Lipy. Rikissa zza pleców czuła ostrą woń jego potu. — Wszystko jedno.

— Co?! — zdenerwowała się Marketa. — Pan wzywał, jakby z głodu umierał, a teraz wszystko mu jedno?!

Rikissa poczuła nagle niepohamowaną wesołość. Chętnie odpowiedziałby Markecie, że pan już zaspokojony, gdyby nie to, że takie nieprzyzwoite słowa nigdy nie przeszłyby jej przez usta.

— Wybacz — jęknął Lipski. — Zjem, co mi podasz, byleby...

— Szybko? — domyśliła się Marketa. — Na szybko to może dostać kiszki, kiełbaski, dalej, dziewuszki, wnosić!

Zza jej pleców wybiegły służki kuchenne, każda przez zapaskę trzymała dymiący półmisek. Wnosiły, dygały grzecznie, zerkały na Lipskiego ciekawie i stawiały na stole. On kurczowo trzymał oparcie krzesła Rikissy.

— ...jajecznicy na boczku, klusek z wczoraj odsmażanych, polewki z twarogiem...

Stół zapełniał się, Rikissa nie wiedziała, jak powstrzymać śmiech, Marketa komenderowała dziewuszkami:

— Żwawo, pan marszałek głodny jak jaka bestia, jak wilk, albo niedźwiedź, co po zimie wylazł z barłogu, Lusia, chleba donieś szybko, bo mnie się zdaje, że na taki głód to jeden koszyk mało! A, jak będziesz wracała, to powiedz Maśce, żeby garniec węgorza w occie doniosła, bo ja widzę, w oczach pana marszałka apetyt taki, aż mnie przydusza ze strachu. I chłopakom powiedz, żeby piwa zagrzali z miodem, co by nam pan z Lipy się nie zatchnął. No, będzie tego. — Szmatą pogoniła służki i zasiadła na ławie przy drzwiach. — Na zdrowie, niech je. Ja popatrzę.

— Marketo — błagalnie jęknął Lipski.

— Co? Krępuje się? A gdzie tam, taki chwat by się czego wstydził. To dobrze, jak chłop ma apetyt, a taki mężczyzna jak marszałek to musi podjeść. Ja lubię patrzeć, jak ludzie jedzą. A najbardziej mnie się podoba, jak jedzą mężczyźni. Bo *bis regina* to tu skubnie, tam dziubnie — machnęła ręką pogardliwie — żal stać przy garach, jak się widzi, gdy chudzina je po królewsku. A kiedy je mężczyzna pełną gębą, to, co ja nagotowałam, to mnie się aż ciepło robi w piersiach i w brzuchu... — Marketa mimowolnie pogładziła się po biuście. — Mogłabym tak bez końca, bez opamiętania karmić ludzi, którzy lubią jeść, i patrzeć na to, i patrzeć, i... ach! — westchnęła nie gorzej niż Lipski wcześniej.

— Marketo — powiedział jej ukochany. — Czy Marketa zrobiłaby dla mnie coś jeszcze?

— Co? — pieszczotliwie spytała służka.

— Żółtek z miodem — wydukał Lipski.

— Słodkiego się zachciało — rozmarzonym głosem powiedziała Marketa. — Po dobrym jedzeniu pomyśl o słodzeniu, co?

— Tak — szepnął jej Lipski. — Tak.

Wstała, zmysłowym gestem przeniosła dłonie z piersi na pełne pośladki i skinęła głową, uśmiechając się do Lipskiego.

— No pewnie, że zrobię. Zakręcę, marszałkowi żółteczko i dosłodzę tak, że poczuje niebo w gębie. Idę, już idę, spełniać życzenie.

Zakręciła się i wyszła, wciąż trzymając dłonie na swoim słusznym tyłeczku. Gdy drzwi się za nią zamknęły, Lipski wyskoczył zza krzesła, ucałował Rikissę w usta, jakby się paliło, i skarcił ją:

— Szelma.

— Ja? — zdziwiła się. — To ty wzywałeś Marketę.

Łypnął na nią spode łba, doprowadzał się szybko do porządku, poprawiając ubranie. Przygładził włosy, brodę i usiadł dla pewności po przeciwnej stronie stołu. Zaśmiała się.

— Nie ufasz mi?

— Wystawiłaś mnie na pośmiewisko służby — powiedział z wyrzutem.

— Przeciwnie, Marketa jest zachwycona. Nie zawiedź jej teraz — wskazała na pełen stół. — No, dalej, pokaż, że warto było dla ciebie gotować.

Lipski pokręcił głową, ale widziała, że teraz znacznie bardziej niż ona ciekawiła go zawartość półmisków. Zaczął jeść łapczywie i Rikissa patrząc na niego, pomyślała, że coś jest w tym, o czym mówiła Marketa. Podobał się jej jedzący Lipski. Zagarniał jajecznicę na pajdę chleba, gryzł ją, połykał, sięgał po kiełbaskę, po drodze porywając kluskę. Jego apetyt wydawał się nie do nasycenia. Wzięła kielich, który odstawiła, zanim to wszystko się zaczęło. Upiła łyk wina.

— Dobre — pochwaliła.

— Ty nic nie jesz? — zdziwił się i zawstydził własną zachłannością. Otarł usta wierzchem dłoni, spojrzał na nią chciwie. Odsunął półmiski i wstał gwałtownie, nie spuszczając jej z oka. Obszedł stół i już był przy niej, już pochylał się nad jej wargami, gdy bez zapowiedzi wkroczyła do komnaty Marketa.

— Słodkości przyniosłam — powiedziała zarumieniona i zlustrowała stół. — Ładnie pojadł — pochwaliła Lipskiego. — Szkoda, że nie mogłam popatrzeć.

Henryk z Lipy wyjął z jej dłoni garnuszek i pocałował zaskoczoną Marketę w oba policzki.

— Dziękuję, jesteś niezastąpiona. Zostawisz nas samych?

— No, pewno — powiedziała z ociąganiem.

Gdy tylko drzwi za nią się zamknęły, Lipski przyklęknął przy krześle, nabrał na palec złocistej gęstej masy i wsunął wprost do ust Rikissy. Wypełniła je słodycz, zawstydzająca miękkość i sól jego potu, którą zlizała mu z palca na końcu.

— Chcesz rewanżu? — spytała, odsuwając jego rękę.

— Nie jestem małostkowy — zaśmiał się Lipski i znów próbował podać jej żółtka.

— Przestań — odmówiła zdecydowanie. — To... — szukała słowa przez chwilę — wyuzdane.

— Hmm — mruknął. — A to, co zrobiłaś przed wieczerzą, było jakie?

— Sam oceń — zaśmiała się. — Albo lepiej nie. Podasz więcej wina?

— O! To napijesz się ze mną za luksemburskiego synka i jego niespełnioną ambicję? — zakręcił się za dzbanem. — Ludwik Wittelsbach postąpił niewdzięcznie, nie dając mu Brandenburgii, ale, jak już mówiłem, na wskroś słusznie, z własnego punktu widzenia...

Lipski spełniony, najedzony i syty przechodził do tego, co kochał najbardziej — gry dyplomatycznej. Napełnił jej kielich, nie przestając mówić:

— ...swoją drogą, luksemburski synek stał się mocnym graczem, skoro Wittelsbach boi się go wzmacniać...

— Kto by przypuszczał? — powiedziała.

— Ja! — wyprężył pierś Lipski. — Ja go uczyłem i wciąż uczę. Widzę, że jest pojętny, lotny, bystry i umie grać z wrogami. Ale, przypomnę, ode mnie się tego nauczył.

— Jesteś dumny? — wyraziła powątpiewanie. — Z króla Jana?

— Ze swego dzieła — błysnął oczami Lipski. — Co nie znaczy, że jeszcze wiele razy nie będę musiał go poprawiać — pogroził palcem. — Dlaczego nie pijesz? Sądziłem, że chcesz...

— Chcę mój miły. Ale nie będę piła za utarcie nosa, za „luksemburskiego synka" i wszystko to, co tak cię emocjonuje. Chcę uczcić swój sukces.

Stropił się, ściągnął brwi.

— Co przeoczyłem? — spytał czujnie.

— Konrad, biskup ołomuniecki, wydał zgodę na budowę mojego klasztoru. A kapituła generalna cystersów zatwierdziła miejsce. Od tej chwili zostaję fundatorką Aula Sanctae Mariae.

— Wspaniała wiadomość — powiedział niepewnie i napił się, jakby chciał ochłonąć.

— Czego się boisz, Lipski? — spytała, patrząc mu w oczy.

— Że mnie zostawisz. Że budujesz ten klasztor dla siebie. Że zamkniesz się w nim i włożysz habit — wyrzucił z siebie zdanie po zdaniu.

Wstała i podeszła do niego.

— Trochę mnie znasz — szepnęła, wspinając się na palce, by dosięgnąć jego ust. Całowała go długo. Przerwała pocałunek, by dodać: — Ale nie poznałeś do końca i nie zawsze mnie rozumiesz.

Znów złączyła się z nim wargami.

— Nic nie szkodzi. Nie musimy o sobie wiedzieć wszystkiego.

Ujął jej twarz dłońmi, wpatrywał się w nią.

— Powiedz, że mnie nie zostawisz, Rikisso — poprosił.

— Przysięgam ci to, Henryku z Lipy — odpowiedziała i oddała mu kolejny pocałunek.

JADWIGA zaalarmowana przez Stanisławę szybkim krokiem szła do prywatnej komnaty męża.

— Otwieraj — powiedziała do pilnującego drzwi strażnika.

Ten skłonił się niepewnie i otworzył drzwi. Nie zdążyła przekroczyć progu, gdy usłyszała głos Władka:

— Piekielni Piastowie!

Przez komnatę przeleciało coś niewielkiego i upadło wprost pod jej nogi. Dwórka schyliła się i podniosła przedmiot. Pieczęć królewska. Jadwiga potoczyła wzrokiem za drogą, którą pieczęć przebyła w powietrzu. Na jej końcu stał odwrócony plecami Władysław.

— Rozumiem, że to nie było powitanie — powiedziała chłodno.

Jej mąż odwrócił się. Dopiero teraz zobaczyła, że zaciska pięści.

— Nie — warknął. — Wybacz. Nie wiedziałem, że przyjdziesz.

— Przypomnę ci — powiedziała, odnajdując w sobie pokłady spokoju — że ty i ja też jesteśmy Piastami.

— Wiem — powiedział z taką złością, że poruszyły mu się skrzydełka nosa. — I tym bardziej ich nienawidzę. Kalają rodzinę! Nasz ród święty!

— Władysławie — wzięła wdech — nasz ród bywał wielki, waleczny, ale nigdy święty. Ani jeden z naszych przodków nie został wyniesiony na ołtarze. Usiądź, ochłoń, napij się wody.

Weszła głębiej i rozejrzała się. Dopiero teraz dostrzegła kasztelana krakowskiego pod jedną ze ścian i wojewodę pod drugą.

— Macie tu wodę czy tylko wino? — zwróciła się do kasztelana.

Nawój z Morawicy zapłonął rumieńcem i syknął w stronę skrzyni:

— Borutka! Słyszałeś, czego sobie życzy królowa? Wody przynieś.

A więc i giermek tu jest — przebiegło jej przez głowę.

Borutka śmignął. Spytko, wojewoda krakowski i mąż Stanisławy, wyprężył się i zamarł w obawie, że teraz na nim spocznie czujne oko Jadwigi. Władysław wciąż chodził po komnacie od ściany do ściany.

— Wojewodo… — zaczęła królowa.

— Już się robi, najjaśniejsza pani! — zawołał Spytko, wyskakując spod ściany, zanim Jadwiga zdążyła powiedzieć, czego od niego żąda. Teraz zastygł, patrząc na nią bezradnie.

Władysław parsknął śmiechem; odetchnęła. To go rozbroiło. W międzyczasie wrócił Borutka z dzbanem.

— Woda z podziemnego źródła! — oznajmił.

— Dlaczego z podziemnego? — podejrzliwie spytał Władek.

— Bo wszystkie źródła wybijają spod ziemi, mój królu — wymądrzył się Borutka i nalał mu wody do kielicha.

— Tak jak i nasze kłopoty, Władysławie — powiedziała Jadwiga. — Ich początki giną w mrokach przeszłości, u zarania rozbicia dynastii.

— No przecież wiem! — znów się rozzłościł Władysław. — I usiłuję znaleźć sposób, jak te rozgałęzione strumyki z powrotem zagonić do jednego koryta! Wańka, książę płocki, podpisał służalczą ugodę z Krzyżakami. Zaraz za jego przykładem pójdą bracia, Trojden i Siemowit. Trojden, psiakrew, trzyma porty na Wiśle, tam mamy swoje składy, ach! Czy to się godzi, Jadwigo, by piastowscy książęta paktowali z Zakonem?!

— Przypomnę, że twój dziad ich zaprosił. — Jadwiga była dzisiaj dla niego bezwzględna. — To książę Konrad nadał im ziemię chełmińską i pośrednio sprawił, że Trojden, Siemowit i ten nieszczęśnik Wańka, jako najbliżsi sąsiedzi Krzyżaków, muszą szukać z nimi zgody.

— Jeszcze wody? — usłużnie spytał Borutka, jakby czując, że jego panu wcale nie jest lepiej.

— Władysławie — głos Jadwigi zmiękł. — Czy powiesz mi wreszcie, o co naprawdę chodzi?

Wziął od Borutki kubek, wypił wodę duszkiem.

— O Śląsk — powiedział gorzko.

Głową dała znak wojewodzie, że ma mu podsunąć stołek. Spytko zrobił to błyskawicznie. Władek usiadł i uleciał z niego gniew. Przynajmniej na chwilę.

— Twoi siostrzeńcy, książę wrocławski Henryk i książę brzeski Bolesław, pod moim patronatem, wytoczyli wojnę książętom głogowskim. Z sukcesem. Poharatali ich nieco, a potem diabeł w nich wstąpił i nie wiedzieć czemu, poróżnili się. Henryk wystąpił z sojuszu, zostawił brata grubasa na polu walki, a sam zawarł pokój z Głogowczykami i jeszcze córkę wydał za jednego z nich. Rozumiesz coś z tego?

— Córkę? Tę Elżbietę, z którą był u nas dwa lata temu, kiedy przyszli prosić cię o pomoc?

Zrobiło jej się żal. Dziewczynka miała wtedy dziesięć lat i była urocza. Grzeczna, rozgarnięta, ale Boże Święty, to przecież dziecko. Kolejna córa poświęcana w imię dynastycznych waśni.

— Tę samą. To jego najstarsza — kiwnął głową Władek. — Jadwigo, diabeł ogonem miesza, gdy tylko ruszam sprawy śląskie.

— Nie wtrącaj go do wszystkiego — skarciła męża. — Bo to tak, jakbyś się o prawdziwe kłopoty prosił.

— Ja się nie proszę! — warknął Władek. — Ja je mam! Książę Henryk czeka w sali tronowej na posłuchanie.

Podeszła do siedzącego na stołku Władka. Był zgarbiony, przybity. Siwe włosy wchodziły mu do oczu. Odsunęła mu je z czoła.

— Zatem wysłuchajmy go, Władysławie — powiedziała. — Nie po to przyjęliśmy na skronie korony, by było nam w życiu lżej. Ślubowaliśmy służyć, póki sił starczy. Chodź, mężu — podała mu ramię.

WŁADYSŁAW z podziwem patrzył na przemianę Jadwigi. W jego komnacie była po prostu żoną. Karcącą, wymagającą, rozstawiającą po kątach wojewodę z kasztelanem, ale zwykłą. Mimo wszystko swojską. Teraz, gdy ramię w ramię zmierzali do sali tronowej, by przyjąć Henryka, przeobraziła się w królową. Korona na jej błękitnym welonie, dostojny, purpurowy płaszcz na ramionach, złota zapinka z herbową tarczą Piastów Starszej Polski, trzewiczki, na których wyhaftowano perełkami białe orły, pas okalający jej smukłe biodra. Wszystko to było zachwycające, ale to Jadwiga dodawała blasku koronie, nie na odwrót.

— Król Władysław i królowa Jadwiga! — zawołał herold, gdy wkraczali do sali.

Jadwiga szła dostojnie i lekko. Wyprostował się odruchowo. Muszę się pilnować — pomyślał — by przy takiej żonie nie wyglądać jak dziad. Zacisnął palce na berle, jakby chciał się go przytrzymać. Biały orzeł uderzył skrzydłami pod sklepieniem sali, podbijając ich królewski majestat. Weszli na stopnie podwyższenia. Gość czekał w otoczeniu urzędników Władysława.

— Książę wrocławski Henryk — oznajmił herold.

Usiedli.

— Wstań, siostrzeńcze — zaczęła Jadwiga ciepło.

Henryk wrocławski spojrzał na nich oboje; w jego oczach odbiła się niepewność.

— Wasze Królewskie... — i urwał.

Przemysł nie miał żadnej władzy nad Śląskiem — pomyślał Władysław szybko — a przed nim? Dwieście lat bez koronowanego władcy. Zdążyli zapomnieć.

— Królu, królowo — drugi raz zaczął Henryk i zamilkł.

Władysław i Jadwiga wpatrywali się w niego, nie ułatwiając mu wyznania.

— Wycofałem swoje wojska z działań przeciw książętom Głogowa i zawarłem z nimi pokój, jako gwarantkę dając swą najstarszą córkę — powiedział powoli, jakby każde ze słów z trudem przechodziło mu przez usta. — Sądziłem, iż to wystarczy, by powstrzymać drapieżcę, ale okazało się, że to za mało.

— Dałeś dziecko na pożarcie wrogom, by kupić spokój? — głos Jadwigi zabrzmiał po stokroć zimniej niż wtedy, gdy łajała męża.

Henryk spojrzał na nią z boleścią.

— Dałem dziecko wrogom, którzy wydali mi się słabsi — odpowiedział grobowo. — Nie oni są drapieżcą, lecz mój brat, Bolesław.

Do Władysława dotarło w jednej chwili. Ten biedak jest szwagrem Habsburgów, a jego brat zaufanym Luksemburczyka. Wojna dwóch królów sprawiła, że stracił protektorów. Bolesław zyskał.

— Wykorzystał batalię przeciw Głogowczykom, by mnie przycisnąć — mówił dalej Henryk. — Żąda Wrocławia. Drwi, bo nie mam męskich potomków.

— Chciałeś kupić zięcia — stwierdziła Jadwiga. — I wziąłeś takiego, który w wianie wniesie nienawiść do twego brata.

— Moja żona nie da mi więcej dzieci — powiedział cicho. — Wszyscy wiedzą, jaka jest prawda. Anna... moja żona, księżniczka habsburska, jest ode mnie dużo starsza.

Gdy go żeniono, huczało od plotek — pomyślał Władysław. — On miał szesnaście lat, a Habsburżanka była wdową, o szesnaście lat od niego starszą. O całe jego życie.

— Kocham te trzy dziewczynki — kontynuował Henryk. — Nigdy nie żałowałem, że żadna nie urodziła się chłopcem, ale tak, taka jest prawda. Ich małżeństwa to moje być albo nie być. Jeśli ich nie wydam dobrze, po mojej śmierci brat zabierze im wszystko. On…

— On też stracił żonę — stwierdziła Jadwiga. — Jest nam wiadomym.

— Ja swojej nie straciłem — żarliwie zaprzeczył Henryk. — I nie oddalę jej tylko dlatego, że nie dała mi syna.

Władysław zauważył Borutkę, który wśliznął się bezszelestnie do sali tronowej. Giermek podszedł do kasztelana krakowskiego, coś mu szepnął na ucho.

— A jeśli chodzi o Bolesława. Prawda, owdowiał, ale już wziął następną żonę. Mój brat… wychowano go na dworze Przemyślidów… on od dziecka przywykł do zbytku… potrzebuje go jak powietrza — Henryk mówił coraz szybciej, jakby wyrzucał z siebie coś, co tłumił latami. — On musi bywać. Turnieje, uczty, dworskie spotkania, tak, być wszędzie tam, gdzie wielcy tego świata. Po to mu Wrocław, który przed laty oddał.

— Pamiętamy — powiedział Władysław.

— To oburzające — uniosła wzrok Jadwiga. — Cały Śląsk pamięta, że uczciwie podzieliliście księstwo po śmierci ojca.

— Tak było, królowo. Podzieliliśmy księstwo na trzy części: wrocławską, brzeską i legnicką. Brzeska dzielnica była najskromniejsza, umówiliśmy się, że ten z nas, który ją weźmie, dostanie od pozostałych braci pięćdziesiąt tysięcy grzywien, jako rekompensatę. Bolesław, jako pierworodny, wybierał pierwszy. I nieoczekiwanie dla wszystkich, wybrał Brzeg, bo chciał dostać tę pięćdziesiąt tysięcy gotówką. Pieniądze roztrwonił szybko. — Na twarzy księcia Henryka pojawiły się czerwone wypieki.

Oddając Wrocław tobie, sprzedał krowę dojną — pomyślał Władysław. — Brzeg nie jest biedny, ale Wrocław można doić w nieskończoność.

Książę Henryk otarł spocone czoło i mówił dalej:

— Mój brat chce wrocławskiego bogactwa, pragnie dobrać się do książęcego skarbu. Nie będzie dbał o to, skąd bierze się w nim pieniądz, będzie ten pieniądz wybierał. Zniszczy Wrocław szybciej, niż ktokolwiek zdąży pomyśleć… — Uniósł wzrok i patrzył to na Władysława, to na Jadwigę. — Bolesław ma dwóch synów, ale jeśli przejmie Wrocław, nie wiem, czy zdołają go po nim odziedziczyć. Czy wcześniej nie roztrwoni, nie przepuści, albo co gorsza, zastawi pod długi…

— Przesadzasz — ocenił Władysław i nie powiedział głośno tego, o czym wiedzieli wszyscy: Wrocław był bogatszy niż Kraków.

— Być może — żarliwie odrzekł Henryk — ale dobrobyt miasta nie jest niewyczerpany. Bierze się z kupców, a ci przybywają wtedy, gdy trakty bezpieczne, drogi przejezdne i wojna nie rujnuje handlu. Mój brat umie wydawać, nie potrafi gospodarzyć. Królu! — jak stał, tak klęknął. — Królowo, siostro mojej matki! Przychodzę…

Władysław zacisnął dłoń na podłokietniku tronu. Pomyślał, że jeśli Jadwiga pozwoli się skruszyć siostrzaną powinnością…

— …gotów jestem zostać lennikiem króla Polski w zamian za ochronę przed własnym bratem — dokończył Henryk.

— Wiesz o co prosisz? — odezwała się Jadwiga.

Władek gotował się na najtrudniejszą z batalii.

— Wiem — odrzekł Henryk. — Nie wymagam odpowiedzi od razu. Poczekam.

— Nie musisz — powiedziała Jadwiga. — Król odpowie ci od razu.

Wiedział, że nie może na nią spojrzeć. Że nie uniesie rozczarowania w jej wzroku. Przypomniał sobie Wrocław. Jego imponujące mury. Obronne baszty. Bogactwo. I to, że był prawdziwym diamentem w dawnym królestwie.

— Henryku, książę wrocławski — zaczął. Głos uwiązł mu w gardle, odkaszlnął. — Dla dobra korony nie mogę przyjąć twej służby.

Stało się. Powiedział to. Wolał patrzeć na rozpacz klęczącego przed nim księcia, niż odwrócić się i zobaczyć rozczarowanie w oczach żony.

— Gdybym się zgodził, to, co dzisiaj jest sporem dwóch braci, zamieniłoby się w wojnę dwóch królów. Ja wsparłbym ciebie, więc za twym bratem ująłby się Jan Luksemburski, chwytając się tego jak pretekstu, by wkroczyć w granice Królestwa Polskiego. Król Czech podważa moje prawa do korony, wysuwając naprzeciw własne. Jego wesprze wojskiem Ludwik Wittelsbach, bo ośmieszyłby się, gdyby nie stanął za Janem po bitwie pod Mühldorf — Władysław wziął głęboki wdech i dokończył: — Prędzej zrezygnuję z Wrocławia w granicach Królestwa Polskiego, niż w jego obronie stracę całe Królestwo. Wstań, Henryku. Póki ci sił starczy, próbuj znaleźć porozumienie z bratem.

Książę wrocławski wstał ciężko, jakby przybyło mu lat przez ten czas, gdy klęczał i miał jeszcze nadzieję. Ukłonił się i już miał odejść, gdy Władysław uniósł rękę i powiedział na pożegnanie:

— Henryku. Zawsze będę ci wdzięczny, że najpierw przyszedłeś klęknąć przede mną.

Książę skinął głową i wyszedł. Władysław wiedział, że Henrykowi w tej chwili było wszystko jedno. Jemu nie.

— Władysławie — odezwała się Jadwiga. Nie mógł dłużej odkładać. Spojrzał na nią.

— Postąpiłeś surowo. Okrutnie i bezdusznie — wyszeptała i z oczu popłynęły jej łzy. Wyciągnęła rękę i przechyliła się, by do niego sięgnąć. Wczepiła się w jego ramię. — Nie mogłeś zrobić nic innego. To było straszne i słuszne.

Rozpłakała się bezradnie, zakryła dłońmi oczy.

— Jadwigo — szepnął z ulgą. — Jadwigo…

Do sali wbiegł kasztelan krakowski.

— Królowo, królu!

Zatrzymał się przy wejściu. Jadwiga w jednej chwili otarła łzy i wyprostowała plecy. Władkowi przypomniał się Borutka szepczący na ucho Nawojowi, ale skonstatował, iż nie zauważył wyjścia kasztelana.

— Co, u diabła?! — wyrwało mu się.

Nawój zawahał się, odwrócił, dając znak komuś za drzwiami i ruszył do nich. Za nim jeden za drugim wchodzili zdrożeni mężczyźni. Na pokrytych pyłem napierśnikach mieli lwy, księżyc, słońce i krzyże. Szyszaki z wydłużonym spiczastym szczytem w poranionych dłoniach. Jeden po drugim klękali przed tronem.

— Panie — powiedział Nawój z Morawicy, kasztelan krakowski. — Książęta Lew i Andriej Jurijewicze zginęli z rąk Tatarów.

Władysław zamarł. Zaschło mu w ustach.

— Królu — odezwał się brodaty wojak, kładąc na posadzce szyszak i unosząc rękę na pierś.

— To wojewoda halicki, Siemion — przedstawił go pan z Morawicy.

— Pędziliśmy do ciebie co koń wyskoczy. Ruś osierocona. Dynastia umarła wraz z wielkimi kniaziami, ale nasz tron długo nie zostanie pusty. Już jadą ku nam — Siemion uniósł wzrok. Władek zobaczył jego przekrwione oczy. — A gdy nas połkną i pohańbią, przyjadą po ciebie.

Wysoko, pod sklepieniem sali tronowej rozległ się orli krzyk. Jeden, krótki jak sygnał. Władysław z całych sił zacisnął palce na królewskim berle. Poczuł, jakby od wschodu zawiało tumanem wzbijanym przez kopyta pędzącej na Kraków Złotej Ordy.

ZYGHARD VON SCHWARZBURG wyszedł z kaplicy pod wezwaniem świętego Jana Chrzciciela, bo usłyszał na dziedzińcu komandorii joannitów wołania i domyślił się, że bracia wrócili z przeprawy.

Oślepiło go wczesne, wiosenne słońce. Śnieg stopniał do reszty. Psy ujadały wokół kolan dwóch wyraźnie wiekowych braci w czarnych płaszczach z białym ośmioramiennym krzyżem.

— Zyghard von Schwarzburg, komtur grudziądzki Zakonu Najświętszej Marii Panny — przedstawił się.

— Brat Pecold, przełożony komandorii — powiedział niższy i tęższy z nich.

— Brat Wolfram — krótko przedstawił się drugi, wysoki, zgarbiony.

Schwarzburg wziął głęboki wdech.

— Szukam śladów brata — powiedział i usłyszał, że nie zabrzmiało to jasno.

Nic dziwnego, że wpatrywali się w niego uważnie, niczym dwa stare kruki. Wyjaśnił:

— Cztery lata temu ranny brat z mojej komturii został przywieziony do was i tu zakończył żywot. Ponoć zajęliście się jego pochówkiem.

Spojrzeli po sobie i ten zgarbiony, Wolfram, zaprzeczył ruchem głowy.

— U nas nie ma grobu żadnego Krzyżaka — odpowiedział Pecold, przełożony przeprawy.

Zyghard poczuł, jak robi mu się gorąco.

— Brat Kuno — powiedział po chwili wyraźnie i wolno, jakby mówił do dzieci. — Wyższy ode mnie, barczysty. Szare włosy i oczy. Mógł być w zwykłym stroju półbrata, nie w białym płaszczu z krzyżem. Ponoć jego rany pochodziły od strzał, jakich w Prusach, na Żmudzi i Litwie używają Dzicy.

Joannici skinęli głowami jednocześnie. Oszaleję — pomyślał Zyghard i spytał:

— Jest tutaj? Leczyliście go? Pochowaliście go cztery lata temu?

— Nie było co leczyć — zaprzeczył Wolfram. — Zmarł szybko.

— Pochowaliśmy — potwierdził Pecold.

To głupie, ale odetchnął z ulgą.
— Dlaczego zaprzeczyliście wcześniej? — spytał z przyganą.
— Nie był Krzyżakiem — w głosie Wolframa zabrzmiała ledwie wyczuwalna nuta pogardy.
— Pochowaliśmy templariusza — dodał Pecold.
— Cały on! Mój Kuno — wyrwało się Zyghardowi.
— Koendert z Akki — poprawił go Pecold.
— Tak! To on. Wybaczcie — zreflektował się. — Używał dwóch imion. Pokażecie mi jego grób?
Bez słowa poprowadzili go za kamienną kaplicę. Szli wolno, szurając nogami. Pecold podpierał krzywego Wolframa. Zyghard szedł za nimi; kciukiem otarł łzę, która zakręciła mu się w oku. Może na myśl, że zaraz stanie przy grobie Kunona, a może na widok braterstwa dwóch starców. Pewnie razem składali śluby — pomyślał i skarcił się za głupią ckliwość.
Zatrzymali się, Wolfram powiedział przepraszająco:
— Noga, wybacz.
Zyghard kiwnął głową i uśmiechnął się, jakby chciał powiedzieć coś na pokrzepienie. Zamiast tego spytał:
— Widzieliście jego rany?
Skinęli głowami.
— Naprawdę wyglądały jak od strzał Dzikich?
— Wąskie długie groty, zatrute ostrza. Dwanaście strzał, uciętych — fachowo odpowiedział Pecold.
— Uciętych? — powtórzył z zaciśniętym gardłem Zyghard.
— Skrył się za koniem. Przestrzelono wierzchowca. Trzeba było go odciąć.
— Chryste. To musieli być Dzicy — jęknął i przypomniał coś sobie. — A ślady po ostrzach nie większych od igły? — spytał. Takie nosiło ciało Guntera i tylko Zyghard i Kuno wiedzieli, skąd pochodziły.
— Nic takiego nie było — odrzekł Pecold.
— Niełatwo je zauważyć gołym okiem — powiedział Zyghard wymijająco — są maleńkie, naprawdę ledwie widoczne.
Joannici spojrzeli po sobie.
— Nic takiego nie było — powtórzyli.
Mogli nie widzieć — pomyślał. — To przecież stojący nad grobem starcy.
— Już mogę iść — powiedział Wolfram.
— Na cmentarz — pokazał kierunek Pecold.

Doszli po kilkunastu krokach. Proste płyty z szarego piaskowca znaczyły miejsca pochówków braci. Czytał zatarte imiona: Walter, Sigimund, Ulrich, Albertus, Henryk...

Joannici zatrzymali się przed najświeższą z płyt. W jej górnej części wyryto krzyż jerozolimski i imię Koendert de Bast. Poniżej zaczynały się pierwsze słowa inskrypcji „Sit tibi copia, sit sapiencia".

Zyghard przykucnął i dotknął płyty, zatrzymując palce na przerwanym zdaniu.

— Brat Gerard jeszcze nie skończył kuć — wyjaśnił Wolfram.

— Kto opłacił wykonanie płyty? — spytał wzruszony Zyghard.

— Brat — krótko odpowiedział Pecold.

— Jaki brat?

— Gerard — powiedział Pecold i coś w jego tonie wskazywało, że to oczywiste.

Zygharda oblał zimny pot. „Statek nazywał się Słone Serce, a ja wyniosłem z pokładu jedynie swój miecz i ciężko rannego brata". Tak zeznał Kuno, gdy przesłuchiwał go wielki mistrz Konrad von Feuchtwangen po tryumfalnym wjeździe do Malborka. Zyghard nigdy nie wracał do tamtego wyznania, bo sądził, że rannym bratem był inny templariusz, Kuno zawsze z wyższością powtarzał, że tylko rycerze Świątyni byli jego braćmi. A teraz dotarło do niego, że mógł mieć rodzonego brata.

— Gerard tu jest? — zapytał szybko.

— Nie. Został delegowany na wyprawę krzyżową przeciw Litwie.

Więc jest joannitą. Oszaleję — gorączkowo myślał Zyghard. Zrobiło mu się gorąco, jakby rozwiązanie tajemnicy było na wyciągnięcie ręki i jednocześnie oddalało się. — Los kpi ze mnie. Gerard, kimkolwiek jest, pojechał na krucjatę pod naszym sztandarem. Mogłem minąć się z nim w Malborku. Może to jego widziałem na dziedzińcu, nim dopadł mnie Lautenburg?

Wstał. Otrzepał kolana. Potarł czoło. Czas na najważniejsze pytanie:

— Bracia. Czy komtur chełmiński Otto von Lautenburg rozmawiał z wami w sprawie tej śmierci?

Zaprzeczyli ruchem głowy.

— To inaczej: czy ktokolwiek z mojego zakonu pytał o niego?

Unieśli brwi, równo, jak bliźniacy.

— Już ostatnie — zapewnił, widząc, że się niecierpliwią. — Czy wy zgłaszaliście śmierć tego brata w Malborku?

— Nie przyszło nam to do głowy — powiedział Wolfram. — Przyjęliśmy rannego templariusza i pochowaliśmy templariusza. Krzyżakom nic do tego.

— Poinformowaliśmy o jego zgonie u arcybiskupa — dodał Pecold. — Choć wypadło to w czas wakansu. Po śmierci Jakuba Świnki.

Od strony dziedzińca rozległo się wściekłe ujadanie psów.

— Kogo niesie? — spytał Pecold Wolframa.

— Mojego półbrata, Klugera — pewnie odpowiedział Zyghard. — Wszystkie psy świata go nie znoszą. Pójdę przodem, jeśli się nie pogniewacie. Sprawa musi być pilna, jeśli nie czekał w gospodzie.

Ruszył z cmentarza, ale po dwóch krokach zatrzymał się i odwrócił.

— Chciałbym porozmawiać z Gerardem, gdy wróci z krucjaty.

— Jeśli wróci — poprawił go Pecold.

— Przyjedź jeszcze — kiwnął głową Wolfram.

— Możecie mu przekazać, że tu byłem? — poprosił. — Nazywam się Zyghard von Schwarzburg — przypomniał starcom.

— Komtur grudziądzki, wcześniej wielki szatny i mistrz krajowy — powiedział bezbarwnie Pecold.

Zyghard zmrużył oczy i pokręcił głową, jak wcześniej joannici. Nie doceniłem ich — pomyślał. — Stare szelmy wziąłem za starych dziadów.

— Dziękuję za opiekę nad rannym — dodał na pożegnanie. — I za dbałość o grób.

— Jesteśmy szpitalnikami od Świętego Jana — wyniośle powiedział Pecold.

Zyghard ruszył ku dziedzińcowi. myśląc, że właśnie tak zawsze traktował go Kuno — z wyższością. Czy wszyscy nas nienawidzą? — zadał sobie pytanie oczywiste.

Owszem, w głębi duszy chował urazę do Kunona, który nie mówił mu o sobie wszystkiego, ale teraz, przy jego grobie zrozumiał, że on z kolei zachowywał się jak skupiony na sobie młodzian. Słuchał, a nie słyszał. Dlaczego nigdy nie dopytał Kunona? Czy tylko opór byłego templariusza przed mówieniem o sobie go powstrzymywał? Czy raczej bał się, że usłyszy coś, co zburzy jego wygodne trwanie na kolejnych wygodnych urzędach?

Tak czy inaczej, pożyteczna niewiedza prysła. Lautenburg kłamał, mówiąc, że wiadomość przekazali mu joannici. Chyba że… a jeśli zrobił to Gerard? Sam, bez wiedzy staruchów? Może w ten sposób chciał przekazać mi wiadomość o jego śmierci?

Zyghardzie von Schwarzburg — skarcił się w myślach. — Znów jesteś próżny. Przyjmij możliwość, iż brat Kunona nic o twym istnieniu w jego życiu nie wiedział.

Pełen kiepskich myśli o sobie znalazł się na dziedzińcu. Nos go nie mylił. Najemnik, którego opłacał i trzymał przy sobie w przebraniu półbrata, czyścił nóż wsparty o bok nierozsiodłanego konia.

— Kluger!

— Panie — zdawkowo ukłonił się najemnik. — Szybki poseł przyniósł wiadomość. Wzywają cię do Malborka.

— Chyba nie...

— Nie. Skłamałem, że mój komtur pojechał na dziwki. Niedaleko stąd jest „Zielona Grota", poseł uwierzył. Wcześniej szukał cię w Poznaniu, wiedział, że już załatwiłeś sprawy z wojewodą.

— Ruszamy. — Zyghard skinął na stajennego. — Po drodze podzielisz się wiedzą.

— Poseł nie raczył przekazać, po co wzywają — wzruszył ramionami Kluger.

— Nie może — wyjaśnił Zyghard. — Wiadomość trafia tylko do uszu adresata. Opowiedz mi o „Zielonej Grocie". — Wskoczył na siodło i ruszył ku bramie. — Gdzie to jest?

— Pod Miłosławiem. Gadają, że miejscowość wzięła nazwę właśnie od ruchania.

— Nie bądź wulgarny — skrzywił się Zyghard. — Konkrety.

— Po pierwsze piwo — wyjaśnił Kluger, zrównując się z nim. — Gospodyni, Ludwina, mówi, że jałowcowe, ale głowę daję, że nie od jałowca stał mi całą noc, jak chorąży Zakonu na paradzie w Marienburgu.

— Zaciekawiasz mnie — mruknął Zyghard.

— Po drugie dziwki. Wszystkie są siostrami, choć to dziwne, bo nawet kotka nie ma tylu w miocie.

To już mniej mnie interesuje — przemilczał swe sekrety.

— Po trzecie czysto — ciągnął Kluger.

— To na pewno burdel? — znów zainteresował się Zyghard.

— Na szyldzie tego komtur nie znajdzie — wyszczerzył zęby Kluger. — Ale i żadnego choróbska stamtąd nie wyniesie. Siostry oprócz uciech alkowy potrafią leczyć.

— Szpitalniczki — zakpił Zyghard, tracąc ciekawość. Teraz znacznie bardziej nurtowało go kłamstwo Lautenburga i to, jak się dobrać do komtura chełmińskiego, zanim pozna sekret Gerarda.

GERLAND DE BAST stał oparty plecami o gładki, jasny pień figowca. Pokładające się gałęzie starego drzewa tworzyły namiot oddzielający go od świata, od Akki, która tętniła życiem nawet w nocy. Patrzył przez baldachim ruchliwych liści na księżyc połyskujący blado. Wsłuchiwał się w odgłosy z zewnątrz. Na placu Cypryjskim szczekał pies, chropawo śpiewała Alessina, kiedyś słynna kurtyzana, dzisiaj kobieta upadła, którą mógł mieć byle wioślarz za dzban wina, garść oliwek i chleb. Gdzieś bliżej fontanny zabrzmiał ten dziwny śmiech, nie zapomni go. I wreszcie cichy tupot stóp. Jego serce uderza jak kowadło, raz, dwa, trzy. Gałęzie rozchylają się i najpierw czuje woń jaśminu, drzewa cedrowego i róży, a potem widzi ją. Ciemnoniebieskie oczy, łuki brwi i szafirowy woal otaczający twarz. Skrywający usta. „Gerlandzie? Jesteś tu, mój miły?" „Jestem, moja Melisando" — odpowiada i budzi się.

Nienawidził tego snu. Był jak pocałunek skorpiona, ze wszystkich sennych majaków o Akce ten sprawiał mu największy ból. Bo zawsze kończył się tym samym obrazem — gdy Melisanda wchodzi pod gałęzie figowca. Wtedy, w tamtej chwili, jeszcze nic się nie skończyło. Wszystko było dobrze i mogło tak trwać.

Gerland po omacku sięgnął po bukłak z wodą. Usiadł na posłaniu i pociągnął łyk. Była zatęchła, ale chłodna i orzeźwiła go. Wstał i wyszedł przed namiot. Woń jaśminu, cedru i róż wyparowała wraz ze snem. Zastąpił ją zapach końskiego łajna, przemoczonych śniegiem płacht namiotów i przypalonej kaszy. Ten ostatni szedł od ogniska Burgundczyków. Ich słudzy nie mieli pojęcia, jak gotować kaszę na wolnym ogniu.

Rozprostował kości i przeszedł się wokół wciąż jeszcze śpiącego obozowiska chorągwi burgundzkiej.

Tak, jako brat Gerard, joannita z pogorzelickiej komandorii, pojechał z krzyżacką krucjatą na Żmudź. Wezwał go, jak wielu innych, mistrz przeoratu niemieckiego, ale choć listy mistrza Arnnulfa były żarliwe, uzbierało się ich ledwie dwunastu braci od Świętego Jana. Włączyli ich do chorągwi zwanej burgundzką, tylko dlatego, że dowodził nią szwagier burgundzkich Kapetyngów, hrabia Robert. Hrabia był stary, ledwie siedział na koniu, ale jak mówili za jego plecami, w czasach wypraw krzyżowych był zajęty grzeszeniem i teraz, u schyłku życia, przypiliło go, by odkupić kilka zabójstw i parę zhańbionych dam, a przy okazji spełnić ślub złożony umierającemu ojcu. Tak więc w chorągwi prócz kilkunastu Burgundczyków znaleźli się Bretończycy, Lotaryńczycy, Normandczycy. I Krzyżacy, bo dowództwo rejz nie pozwalało, by goście zakonni pozostawali bez kurateli żelaznych braci. Dwunastu joannitów wyróżniało się czerwonymi, bojowymi tunikami z białym krzyżem. Reguła zakonna pozwalała zakładać je tylko na wypadek wojny.

Gdyby nie krucjata — pomyślał — moja niedługo zapleśniałby od leżenia w kufrze. Chodzimy na czarno, jak jakieś stare wdowy. Wdowcy po utraconym Królestwie Jerozolimskim — zaśmiał się do siebie gorzko.

Nie zjawił się tu, by bić niewiernych. Miał gdzieś Żmudzinów i to, w co wierzą. Do Wielkiej Puszczy przyprowadziła go własna krucjata. Koendert przed śmiercią wyjawił mu nazwiska siedmiu zakonnych braci i ich zwierzchnika. Znał je na pamięć: Luther von Braunschweig, Otto von Lautenburg, Ditrich von Altenburg, Henryk Raus von Plauen, Markward von Sparenberg, Herman von Oetingen, Otto von Bonsdorf, Herman von Anhalt. Długo czekał na dobry moment na zemstę i doczekał się. Wezwanie mistrza Arnulfa przyszło, gdy niemal ukończył płytę nagrobną brata, spełnił wobec Koenderta rodową powinność i był gotów. Pomyślał, że zabije piekielnych komturów i sam będzie mógł umrzeć w spokoju. Czyli przestać wspominać i śnić.

Poszło nie tak. Na krucjacie byli tylko Bonsdorf i Lautenburg. Oczywiście, żaden z nich nie walczył w chorągwi burgundzkiej. Lautenburg, jako komtur ziemi chełmińskiej, prowadził główne siły zakonne, a Bonsdorf był pod jego rozkazami. Każdy kolejny dzień krucjaty przynosił Gerlandowi nowe rozczarowania. I nie chodziło o to, że brakowało okazji do walki; rozumiał, że jego, który bronił Akki przed sułtanem Al-Aszrafem i jego mangonelami, przed greckim ogniem i skorpionami, który w niej omal nie zginął, nie mogło ekscytować uganianie się za Żmudzinami po lasach. Rzecz w tym, że podczas rejzy nie było jak się dobrać do Lautenburga i Bonsdorfa. Myślał, że to będzie proste, a nie było.

Rejza przypominała polowanie. Co rano opuszczali obóz kierowani przez zakonnych zwiadowców, którzy byli przekonani, że namierzyli Żmudzinów. Ale za każdym razem Żmudzini wymykali się cudem, niczym jeleń, który zwietrzy myśliwego ustawionego z wiatrem. Chorągwie szły osobno, a znająca teren straż krzyżacka ze wschodnich komturii pilnowała szyku i odcinała gości zakonnych od jakichkolwiek prób poruszania się poza kolumną. Kilka razy trafili na opuszczone wsie i raz na świeżo spalony przysiółek. „Żmudzini podpalają swoje domostwa specjalnie i uciekają w najdziksze ostępy puszczy" — wyjaśnił zakonny przewodnik. Gerland zaciskał szczęki i nie komentował. Doświadczenia z Ziemi Świętej podpowiadały mu zupełnie inny sposób prowadzenia wojny, ale przecież nie przyszedł tu z krucjatą, tylko z zemstą. Trzymał język za zębami, jego poparzony pysk i tak przyciągał zbyt wiele spojrzeń. Nie tego potrzebował, lecz śmierci dwóch komturów.

Kolejny dzień nie wniósł nic nowego. Wlekli się noga za nogą w poszukiwaniu „silnego oddziału Żmudzinów, których przed świtem widzieli zwiadowcy". Gerland zauważył, że puszcza się zmienia. Trakt zwęża się, w miarę jak olbrzymieją drzewa. Późnym popołudniem, gdy zaczęło się zmierzchać, jechali już noga za nogą, jeździec za jeźdźcem.

Jutro będziemy przeciskać się między drzewami — pomyślał, gdy straż zakonna wskazała miejsce na nocleg.

Kiedy współbracia rozbijali namioty, Gerland przejrzał swój kołczan. Natarł tłuszczem cięciwę łuku. Naciągnął, sprawdził.

— Będziesz strzelał do dzikich kaczek? — zaczepił go rubaszny Wavrin, Normandczyk.

— Albo bronił cię przed strzałami Dzikich — odpowiedział Gerland z uśmiechem, szybko wymierzył ponad czubek sosny i strzelił, strącając czapę śniegu z gałęzi na żółte jak słoma włosy Wavrina. Strzała przeleciała nad wierzchołkiem i spadła, wbijając się w ziemię po drugiej stronie drzewa.

— Wariat — pochwalił go Wavrin i otrząsnął się niczym pies. — Z tobą przynajmniej nie można się nudzić. Myślisz, że zobaczymy na własne oczy choćby jednego poganina? Sporo zapłaciłem za rejzę...

— W łupach ci się nie zwróci — odpowiedział Gerland i ruszył po strzałę. Wyjął ze śniegu, otrzepał i znów założył.

— Nie chodzi o łupy, chodzi o sławę i odpusty. Brodacz zwiadowca dzień w dzień powtarza to samo. „Bądźcie czujni".

— Dzisiejszej nocy zaleciłbym to samo — powiedział Gerland.

— Skąd wiesz? — Wavrin potarł poczerwieniały od mrozu nos.

— Trakt się zmienił, puszcza wokół też.

— Chciałbym, żebyś miał rację. Wino nam się kończy.

— Nie zostawiliście na powrót?

— Głupio wyszło — wzruszył ramionami Wavrin. — Myślałem, że Burgundczycy mają więcej, a oni...

— Mają, mają — pocieszył go Gerland i strzelił ponownie, tym razem do szyszki, która spadła pod nogi Normandczyka. — Tylko dzielić się nie chcą.

— Prostaki z Dijon — splunął na śnieg Wavrin. — Przeszukam im wozy w nocy.

— Tak zrób — pochwalił go Gerland i schował strzałę.

— Ciekawa — Wavrin zdążył zauważyć rude pióra lotki.

Gerland pokręcił się po obozie, a potem wszedł do skórzanego śpiwora i zdrzemnął się. We śnie Melisanda zrobiła to, co zawsze. Zdjęła szafirowy woal z twarzy i pocałowała go w usta. Jej wargi smakowały dojrzałą figą, aż miał ochotę je ugryźć. Zaśmiała się, odsunęła i zaczęła mówić. Tym razem Gerland był czujny. Obudził się, nim padło pierwsze zdanie.

Było zimno. Dwaj bracia, z którymi dzielił namiot, spali. Wysunął się ze śpiwora, do cholewy buta włożył nóż, przypasał sztylet i zabrał łuk. Okrył się płaszczem sługi, by schować czerwoną tunikę. Wyszedł na zewnątrz i czekał, aż oczy przywykną do ciemności. Potem zamienił strzały w kołczanie. Rude usunął, zabrał czarne. Buty owinął bobrową skórą, by nie zostawiać śladów. Zawiązał na twarzy chustkę, a na głowę naciągnął wąski kaptur. Był gotów.

Namiot Lautenburga namierzył jeszcze za dnia. Teraz skradając się od drzewa do drzewa, podszedł pod niego, niezauważony przez służbę komtura. Dostrzegł pod płótnem namiotu słaby blask oliwnej lampy.

Nie śpi — zrozumiał.

Wszedł w jałowcowe zarośla za tylną ścianą namiotu Lautenburga, odciął kilka gałęzi i osłonięty nimi przybliżył się tak, że dotykał płótna.

— ...to nie jest normalne — usłyszał głos i po chwili zrozumiał, że należy do Ottona von Bonsdorf. Małe oczka wciśnięte w głąb czerwonej twarzy i jasny zarost — przypomniał sobie, jak wygląda komtur Kowalewa.

— Luther wie, co robi — pewnie odpowiedział Lautenburg. — Ja mu ufam.

— Nie powiedziałem, że nie ufam — skrzekliwie wyjaśnił Bonsdorf. — Mówię tylko, że się dziwię. I że nie podoba mi się to bratanie z Prusami. Są ledwie ochrzczeni.

— Neofici bywają żarliwi — zaśmiał się tubalnie Lautenburg.

— Dla mnie to wilki w owczych skórach — prychnął Bonsdorf. — Raz kazał mi jechać sam na sam z Symoniusem, daj ty spokój. Dziwak nie odezwał się całą drogę, ale zerkał na mnie...

— Jak kot na mysz? Czy jak pies na słoninę? — w głosie Lautenburga Gerland usłyszał niejeden bukłak wypitego wina.

— Dlaczego spotyka się z nim sam na sam? — denerwował się Bonsdorf.

— Mówi, że spisuje wspomnienia Prusa o pogańskich bożkach. Że da je do kronik zakonnych, by przyszłe pokolenia wiedziały, z czym walczyliśmy. Takie pieśni wojenne, czy coś.

— Może... — powątpiewająco mruknął Bonsdorf.

Gerland przestał podsłuchiwać komturów bo jego ucho złowiło dźwięki z innej części obozu. Co to jest? — zastanowił się. Przez chwilę nie mógł zrozumieć, co takiego słyszy. Szybszy okazał się węch. Wyczuł dym, i to nie był dym z nocnych ognisk. To były płonące namioty. Ognia jeszcze nie było widać, ale przeszło mu przez myśl, że płonie jego część obozu. Trudno. Teraz albo wcale — pomyślał i wycofał się w krzaki za plecami. Zdjął łuk i naciągnął strzałę.

— Pali się — krzyknął ktoś z daleka.

— Pożar!

— Dzicy!

— Ratunkuuu!

Krzyki zaczęły się mnożyć, jeden za drugim, jak płomień przeskakujący z gałęzi na gałąź. Gerland wysunął się z krzaków odrobinę i wymierzył w wyjście z namiotu. Strzelił, gdy tylko dostrzegł ruch.

— *Mein Gott!* Dostałem! — krzyknął Lautenburg.

Uciekał pierwszy — przebiegło Gerlandowi przez myśl, gdy naciągał drugą strzałę.

— Żyjesz? — Bonsdorf dopadł do niego pochylony. Strzała Gerlanda przeleciała nad jego głową. — Strzelają do nas! Straże! — wrzasnął grubas. — Do nas strzelają Dzicy!!!

I wściekli — pomyślał Gerland, wycofując się. Nie zadowalało go postrzelanie Lautenburga w nogę, ale lepsze to, niż dać się złapać, zanim nie wytłucze pozostałych. Biegiem ruszył w stronę swojego obozowiska. Po drodze pozbył się bobrowych skór osłaniających buty. Już z daleka zobaczył płomienie. Minął go młody Krzyżak. Stanął na chwilę i gapił się na Gerlanda, jakby zobaczył ducha.

— Co jest? — spytał Gerland.

— Żmudzini podpalili namioty i wjechali do obozu. Tam już wrze walka. — Krzyżak pokazał na obozowisko Gerlanda.

— To dlaczego uciekasz? — zdziwił się joannita.

— Nie... ja nie uciekam... wybacz... muszę do oddziału...

— A ja do walczących braci — rzucił mu w twarz Gerland i ruszył biegiem.

Nie złożycie broni, dopóki nad polem walki powiewa sztandar z krzyżem... — krzyknął w jego głowie Fra' Jan, mistrz zakonu, który walczył z nim ramię w ramię w Wieży Przeklętej tamtej nocy, gdy zostało ich żywych tylko dwóch. Ostatnich dwóch. Gdy z ciał Konrada, Wolframa, Gwidona i Gerberta zrobili wał, zza którego bronili się przed niekończącą się falą mameluków. Gerland zrozumiał, że nigdy nie opuścił Akki. Że wciąż w niej był. Stał z tarczą i osłaniał Fra' Jana przed ostrzami jataganów.

Gdy przebiegł sto kroków, zobaczył, że prócz namiotów płoną snopki słomy. Podrzucili je, by podsycać ogień — zrozumiał. Dostrzegł sylwetki Żmudzinów uzbrojonych we włócznie, dzidy i krótkie miecze. Stanął za drzewem, naciągnął łuk i zaczął szyć. Strzała za strzałą, celnie jak niegdyś. Oko się nie zestarzało — pomyślał z ulgą, widząc, jak padają. Zakaszlał. Dusił go dym.

„Kochasz mnie?" — spytała Melisanda tamtej nocy pod figowcem. „Bardziej niż siebie" — odpowiedział, całując jej palce. „Będziemy mieli dziecko" — powiedziała, a jemu usunęła się ziemia spod stóp. W oddali, na placu Cypryjskim, znów zabrzmiał tamten dziwny śmiech.

Jestem joannitą, rycerzem zakonnym, Chryste! Nie mogę się żenić, ale nie mogę jej zostawić. Nosimy bękarcie nazwisko. Nie zrobię tego, co przodek. Nie zostawię ukochanej kobiety i dziecka, choćbym miał wyrzec się ślubów — myślał.

„Daj mi trochę czasu, Melisando" — poprosił. — „Nie mogę odejść z zakonu, gdy trwa wojna. Skończy się i poproszę Fra' Jana o zdjęcie ze mnie zakonnej przysięgi." Oparła czoło o jego piersi. „Zrobisz to, prawda?" — spytała cicho. „Nigdy nie złamałem słowa" — odpowiedział.

Złamał. Nie zdążył porozmawiać z Fra' Janem. Sułtan Al-Aszraf przyprowadził pod mury Akki dwieście tysięcy saraceńskich wojowników. Joannici i templariusze stanęli do walki i ją przegrali. Akka została stracona. Jego, nieprzytomnego i rannego, Koendert wniósł na pokład „Słonego Serca" i wywiózł na Cypr. Leczył mu poparzoną twarz, ale nie był w stanie wyleczyć jego wypalonej duszy. Gerland zostawił w Akce Melisandę i ich dziecko w jej łonie. Każdego dnia myślał o tym, czy mamelucy zgwałcili ją, zanim poderżnęli gardło. Każdego dnia katował się niedotrzymanym słowem. Jego apokalipsa nie miała końca, lecz miała początek. Był nim dźwięk wielkiego saraceńskiego bębna ciągniętego na specjalnie zbudowanej platformie przed nadchodzącym wojskiem sułtana.

Przetarł łzawiące od dymu oczy. Naciągnął strzałę i wymierzył do wysokiego wojownika w skórzanym hełmie trzymającego za gardło Wavrina. Strzelił. Trafił. Normandczyk upadł na śnieg. Podniósł się, dojrzał go i krzyknął:

— Zawdzięczam ci życie, joannito!

W Akce, w Wieży Przeklętej, w ostatniej chwili, którą pamiętał, nim garniec greckiego ognia obryzgał mu twarz, wypchnął Fra` Jana z płomieni. Dlaczego dwa miesiące wcześniej nie powiedział Melisandzie: „Spakujcie się i uciekajcie stąd. Statki jeszcze kursują na Cypr. Odnajdę cię po wojnie"? Jak mógł nie przewidzieć tego, co nastąpi?

Nie masz domu i rodziny. Twymi braćmi rycerze zakonu. Tylko mistrzowi winieneś posłuszeństwo — wyrecytował joannita w Gerlandzie.

Nagle, w środku nocy, w wielkiej litewskiej puszczy, poczuł w ustach smak dojrzałych fig.

ZYGHARD VON SCHWARZBURG musiał zrezygnować z chęci przepytania komtura chełmińskiego. Gdy, wezwany przez mistrza, stawił się w zakonnej stolicy, dowiedział się, że Lautenburga po krucjacie odwieziono do Chełmna. „Lekki postrzał w nogę" — powiedział z dumą Bonsdorf, kolejny z siedmiu świętoszków Luthera. „Zatrutą strzałą?" — spytał Zyghard i choć życzył Lautenburgowi wszystkiego najgorszego, pomyślał, że nie chce, by zmarł, zanim odpowie na kilka pytań. „Nie" — powiedział Bonsdorf. „Zatem odwiedzę go, wracając do Grudziądza" — zapewnił Schwarzburg. Bonsdorf zaśmiał się w odpowiedzi, aż zalśniły jego małe, świńskie oczka. „Jeśli pozwolą ci wrócić" — rzucił tajemniczo, a Zyghard na złość mu, nie spytał, o co chodzi. Poczuł niepokój. Nawet jeśli jego samowolna wyprawa do joannitów jakimś cudem wypłynęła, wytłumaczy się. „Zielona Grota" i szpitalniczki, powinno wystarczyć. Czy mają coś na mnie? — idąc do kapitularza, robił w myślach szybki rachunek sumienia.

Warowny zamek wciąż był pełen krzyżowców. W wielkim refektarzu świętowali sukces wyprawy.

— My walczyliśmy, Bóg zwyciężył! — słyszał, jak śpiewali w pijackim uniesieniu.

W kapitularzu było względnie cicho, w każdym razie nie docierały tu odgłosy popijawy.

— Jeśli wzywam pilnie czterech zaufanych dygnitarzy — powitał go zimny jak stal głos komtura krajowego Henryka von Wildenburg — trzech melduje się bezzwłocznie, a na czwartego czekamy, to tym czwartym zawsze okazuje się książę von Schwarzburg! Witamy.

— Byłem w Starszej Polsce, z listami — przypomniał Zyghard i zajął swoje miejsce.

Skinieniem głowy przywitał się z Lutherem, Ditrichem Altenburgiem i Henrykiem Raus von Plauen. Z siedmiu świętoszków świty wielkiego szatnego zaproszono tylko dwóch — skonstatował. — Trzeci ranny w nogę, gdzie reszta? Wypadła z łask czy Luther uznał, że wygodniej będzie, jeśli sam przekaże im ustalenia, tłumacząc przy okazji, o co chodzi?

— Wybaczcie — odezwał się Zyghard, chcąc rozładować ponure milczenie. — Pędziłem tak, że nie zdążyłem spytać. Żmudź zdobyta?

Zaciśnięte szczęki mistrza krajowego powiedziały więcej, niżby sobie życzył. W odpowiedzi usłużnie wyręczył go Plauen.

— Krucjata odniosła zwycięstwo, poganie pobici i pognębieni.

— Rycerstwo z Francji i Niemiec przekonało się na własne oczy, że Dzicy istnieją i sieją spustoszenie — dorzucił bez emocji Altenburg.

— Ach, czyli Żmudź nie zdobyta — skonstatował Zyghard i uznał, że zaczyna się świetnie.

— Nie zwoływałem narady w sprawie Żmudzi — powiedział Wildenburg i coś w jego głosie sprawiło, że Zyghard przestał się dobrze bawić. — Lecz Rusi. Jurijewicze nie żyją.

Oczy obecnych skierowały się na niego. Uniósł brwi pytająco, odpowiedział mu Luther:

— Tatarzy.

Nie zdążyliśmy wydać naszych krewniaczek za mąż — pomyślał, patrząc Lutherowi w oczy. Ten ruchem powiek przytaknął.

Wildenburg czekał. Zyghard musiał błyskawicznie skupić myśli, jeśli nie chciał dać mu satysfakcji.

— Tatarzy to nader ogólne stwierdzenie — zaczął. — Książęta Lew i Andrzej utrzymywali poprawne stosunki ze Złotą Ordą i jej chanem Ozbegiem. Dostali od niego jarłyk. — Zobaczył wybałuszone oczy Altenburga i wyjaśnił: — Wielki chan zaaprobował ich jako władców Rusi.

— Coś jak lenno? — dopytał Ditrich i potarł rude, przetłuszczone włosy.

Mógłby je wreszcie umyć — skrzywił się Zyghard i wyjaśniał dalej:

— Nie. Mówiąc w skrócie, mając jarłyk, za pewną opłatę uiszczaną na rzecz Złotej Ordy kupowali sobie spokój i bezpieczeństwo. Podlegli chanowi Tatarzy nie atakowali księstwa. Ale, na wschodzie, sprawy są dość skomplikowane. Rozgrywki między wielkim chanem a jego wodzami powodują, że raz po raz pojawiają się hordy, które uderzają na sprzymierzone z Ordą księstwa, pustoszą je i grabią, a potem znikają, co przy krewkim władcy może doprowadzić do wojny z Ozbegiem. Jurijewicze starali się być rozważni, potrafili lawirować. Jeżeli naprawdę zginęli z rąk tatarskich, wyjaśnienia są dwa: albo stoi za tym wielki chan Ozbeg i to znaczy, że utracili jego poparcie i się ich pozbył, albo usunął ich ktoś, kto zmierza do zatargu Rusi Halickiej z Ordą.

— Giedymin? — trzeźwo spytał Luther.

— Nasuwa się samo, prawda? — potwierdził Zyghard.

— Czyli to trop fałszywy? — Luther poszedł dalej.

— Nie wiem, ale patrząc na pierwszorzędną dyplomację Giedymina, nie stawiałbym na tak prostackie zagrania — powiedział Schwarzburg. — Litwa od dawna rywalizuje z Wielkim Księstwem Moskiewskim, wydzierając ruskie księstewka władcom. Brześć i Drohiczyn zdobyła na Jurijewiczach dawno, ale zatrzymała się na tym i dalej nie poszła, zwłaszcza odkąd mieliśmy z nimi sojusz. Kolejne na ich drodze Podlasie. Skądinąd wiadomo, że Giedymin zerka na nie łakomie.

— Czyli jak teraz je zajmie, to znak, że winny — na pewniaka skwitował Altenburg.

Zyghard spojrzał na niego z politowaniem i powiedział:

— To właśnie prostactwo, o którym wspomniałem.

— Myślałem, że mówiłeś o Giedyminie — niepewnie bąknął Altenburg.

— Nie brnij, Ditrichu — zganił swojego człowieka Luther.

— Kto zasiądzie na tronie? — zmierzał do ustalenia faktów mistrz krajowy.

— Dziedziców nie zostawili — przypomniał Zyghard. — Póki nie znajdą nowego kniazia, rządzić będą bojarzy, ale chan Ozbeg nie da jarłyku możnym, wstrzyma się z tym, póki nie przedstawią mu władcy. Ten czas, nim to się stanie, jest najtrudniejszy. Złotej Ordy nic nie wstrzymuje, mogą swobodnie pustoszyć Ruś, brać w jasyr i grabić. Mogą też poczuć się zachęceni, by uderzyć dalej.

— Na Małą Polskę? — zaciekawił się Wildenburg.

— Albo na Węgry — dodał Zyghard. — I z tych dwóch królestw najszybciej wyjdą oferty. Król Carobert i król Władysław są bezpośrednio zainteresowani.

— Łokietek ma syna, Kazimierza — dokonał odkrycia Plauen.

— Trzynastolatka — skarcił go Luther i dodał: — To jedynak. Będzie następcą w Krakowie. Władysław nie jest głupi, by posłać syna na tron ruski.

— Zgadzam się — potwierdził Zyghard. — Carobert nie ma żadnego dziedzica. Pierwsze dziecko Łokietkówny nie przeżyło, o drugim nie słychać.

— No więc kto? — uniósł głos Wildenburg.

Wiem, ale nie powiem — zaśmiał się Schwarzburg w duchu, myśląc o swej niedawnej wyprawie po Wiśle, a na głos powiedział:

— No cóż, nie sprawimy, że z Malborkiem uzgodnią kandydaturę, ale będę trzymał rękę na pulsie. Zrobię, co w mojej mocy, by nowy książę zawarł z Zakonem taki sam sojusz jak poprzednik.

— A jeśli to będzie syn Giedymina? Ma ich ośmiu! — rozruszał się nawet Altenburg.

— Nie — powiedzieli jednocześnie Zyghard, Luther i, o dziwo, mistrz krajowy.

Zyghard zaśmiał się i dworskim gestem oddał pierwszeństwo mistrzowi.

— Giedymin musiałby wziąć Halicz siłą. A nie będzie walczył z nami i z Rusinami.

— Zgadzam się z mistrzem — dyplomatycznie uśmiechnął się Zyghard.

— Ja również — dodał Luther, i Schwarzburg mógł być pewien, że i on ma w zanadrzu coś, czego nie chce zdradzać na kapitule.

— Jeszcze jedno — dodał Zyghard — sojusz, który mieliśmy z Jurijewiczami, nie obowiązuje po ich śmierci. Nie musimy bronić Rusi przed tym, co się tam teraz rozpęta.

— I chwała Bogu — machnął ręką Wildenburg i przewrócił oczami. — Kończymy na dzisiaj, muszę iść do gości. Sukces wymaga toastów, choć bez pomocy komturów z Prus Wschodnich raczej nie dam rady. Ditrichu — kiwnął na Altenburga — wzywam cię na ratunek, masz lepszą głowę. Ja będę pił co drugi kielich, ty, ku chwale Najświętszej Marii Panny, wychylisz wszystkie, które wzniosą. Schwarzburg, powinieneś zejść do infirmerii.

— Czyżby brat Bruno powrócił? — zakpił Zyghard.

— Niestety, karzeł przepadł jak kamień w wodę — nie wyłapał ironii Wildenburg. — Ale leży tam twój bratanek. Guntherus spisał się na krucjacie jak należy, idź, pochwal go, wesprzyj dobrym słowem.

— Tak zrobię — potwierdził Zyghard, odczekał, aż mistrz wyjdzie, i ruszył, pożegnawszy Luthera skinieniem głowy.

W infirmerii panował tłok, nozdrza drażnił zaduch ludzkich ciał i źle gojących się ran. Z osłoniętych zasłonami łóżek dobiegały jęki rannych braci. Zaczepił jednego ze szpitalników.

— Szukam Guntherusa von Schwarzburg.

— Na końcu — machnął ręką i nie patrząc na Zygharda, ruszył w stronę, z której nagle dobiegł przenikliwy krzyk.

— *Mein Gooott!*

Gdyby giermkom kazano tu służyć choćby tydzień, zabrakłoby chętnych do rycerskiego pasa — pomyślał Zyghard i osłaniając nos skrajem płaszcza, poszedł we wskazanym kierunku.

Guntherus był blady, mokre od potu włosy przylgnęły do jego szczupłych policzków. Mizerna broda, którą próbował zapuścić w Zakonie, wyglądała niechlujnie. Leżał pod płóciennym prześcieradłem.

— Jak się masz? — spytał Zyghard, stając nad nim.

— Lepiej — poruszył ustami bratanek. — Dostałem bełtem w udo, ale brat Leo mówi, że strzała nie była zatruta, że wyjdę z tego.

— Mogę? — spytał Zyghard, a gdy młody kiwnął głową, odsłonił prześcieradło.

Przez opatrunek sączyła krew, ale nie było jej wiele. Zyghard przemógł wstręt, pochylił się i powąchał.

— Będziesz żył — powiedział wesoło. — Nie śmierdzi.

— Ach — odetchnął z ulgą Guntherus — brat Leo mówi tak samo, ale z twoich ust stryju brzmi jakoś wiarygodniej. Ty pewnie zniosłeś dla Zakonu niejedną taką ranę.

Schwarzburg znalazł sobie stołek, przysunął do łoża bratanka i usiadł.

— Nie bardzo — powiedział, zgarniając poły płaszcza, by nie dotykały podłogi. — No co się tak patrzysz? — zaśmiał się. — Unikam rejz, nawet tych, które nazywamy krucjatami.

— Ale... — zająknął się młodzian, próbując się podciągnąć na łokciu — opowiadają o tobie legendy... to ty złapałeś Starca i, jak mówią, ranił cię.

— To co innego — wymijająco odpowiedział Zyghard, a widząc jego rozwarte ze zdumienia oczy, poczuł się w obowiązku wyjaśnić. — Nie boję się walki, lubię miecz, szarżę z kopią, ale nie ganianie za Żmudzinami w kożuchach, w towarzystwie kilku setek napalonych bogaczy ze świata, którzy przybyli tu po pas rycerski i dreszczyk przygody. Starca złapaliśmy z Kunonem w drodze z Bałgi i jeśli wciąż jeszcze o tym śpiewają pieśni nawet w komturii w Paprotnie...

— W Pokrzywnie — poprawił go Guntherus i aż się zatchnął. — Stryju! Najważniejsze! Widziałem na krucjacie brata Kunona!

— Masz gorączkę? — spytał, by ukryć zmieszanie.

— Nie, nie! Był w niewielkim oddziale joannitów zebranych z całego przeoratu niemieckiego.

— Kuno nie żyje — powiedział Zyghard z mocą. — Musiałeś widzieć kogoś bardzo do niego podobnego.

Gerard, jego brat. To musiał być on.

— Może — zawahał się Guntherus — lecz jeśli tak, to wrażenie jest niemal złudne. Ta sama sylwetka, ruchy, nawet głos podobny, tylko twarz...

— Głos? Mówiłeś z nim?

— Nie, nie. Słyszałem, jak wydawał rozkazy. Chciałem go odnaleźć po bitwie, ale zostałem ranny i sam rozumiesz... — Guntherus zmęczył się, opadł na wysoko ułożoną poduszkę.

— Wspomniałeś o twarzy.

— Ma blizny...

Kuno też miał niejedną. Na plecach, ramionach, na brzuchu — Zyghard czuł, że schnie mu w ustach.

— ...po poparzeniach — dopowiedział Guntherus.

— Powiedz mi — Zyghard spytał szybko, bo widział, że bratanek musi odpocząć — czy ktoś oprócz ciebie zwrócił uwagę na podobieństwo joannity do Kunona?

— Nie wiem, stryju — wyszeptał zmęczony Guntherus. — Ja i moi kusznicy byliśmy w chorągwi burgundzkiej, joannici z nami... z Zakonu było tam tylko kilku młodych rycerzy... nie mam pojęcia...

— Dobrze, nie męcz się już. Odpoczywaj. Zostanę w Malborku kilka dni, będę cię odwiedzał. Przysłać tu brata szpitalnika?

Guntherus nie odpowiedział. Zasnął.

Brat Kunona, joannita z twarzą pokrytą bliznami po poparzeniach — pomyślał Zyghard i pokonując niechęć, pogładził bratanka po spierzchniętej dłoni. Dobrze się spisałeś, Guntherusie von Schwarzburg — pomyślał. — Może wyrośniesz z konwentu w Pokrzywnie. O ile przeżyjesz.

GRUNHAGEN szybkim krokiem wracał do domu. Nad Wisłą spotkał się z dziewczyną, która doręczyła mu paczkę od starej przyjaciółki.

Prosił o nią Dagmar od jakiegoś czasu, odkąd dotarło do niego, że sam sobie nie poradzi z tym, co mu dolega.

Psiamać — zaklął w duchu. — Całe życie działało jak trzeba, musiało wysiąść akurat teraz?

Ściskał pakunek pod pachą i spieszył się do Berty. Mały domek na wsi z krówką i cielakiem nie wypalił. Zdeptał go krzyżacki but tamtej nocy, w Pradze. Łokietek proponował mieszkanie na Wawelu, ale Grunhagen nie był głupi, odmówił. Bercie nawet o tym nie wspomniał, bo kto wie, co by jej strzeliło do głowy. Pół życia spędziła w klasztorze na Hradczanach, może uznałaby, że Wawel się należy, że w sam raz dla nich, skoro nastały czasy, że i król nieduży.

Wynajął dom w spokojnej okolicy, przy Kościele na Skałce. Za sąsiedztwo mieli rodzinę rymarza, dzieciaków z pięcioro, jak nie więcej, bo rymarzowa ciągle z brzuchem chadzała, a stadko uzupełniała jej matka. Po drugiej stronie mieszkały trzy kobiety, tkaczki. Dwie siostry i matka, wdowa. Jemu nie przeszkadzało stukanie warsztatu, bo za dnia rzadko w domu bywał, a po nocach nie tkały. Skromne, bogobojne, towarzystwo w sam raz dla Berty, gdyby tylko była łaskawa się z nimi zadawać.

Niestety, jego luba miała głowę pełną własnych pomysłów na życie, czasami truchlał na myśl, jaki będzie następny.

— Pochwalony! — dobiegło go spod ściany domu.

— Na wieki wieków — odpowiedział.

— Pan Grunhagen to zawsze wraca po nocach — wychynął z mroku rymarz.

— Trzeba robić, żeby na chleb zarobić — odrzekł Grunhagen i chciał go wyminąć, ale zawiało mu czymś przyjemnym. Rymarz trzymał w ręku otwarty bukłaczek i najwyraźniej usposobiony był do pogawędki. Podsunął go Grunhagenowi, więc ten przystanął, podziękował i łyknął.

— Dobre — pochwalił.

— Dobre, ino w domu pić się nie da, bo baby jazgoczą. Noc ciepła, to se tak wyjdę, na gwiazdy popatrzeć, bo cały dzień w warsztacie człowiek tyra zamknięty, no i se tak chlapnę. Jeszcze łyczka? — zaproponował.

— Nie odmówię, też umordowany jestem.

— Jak każden, co ma rodzinę do wykarmienia — ze zrozumieniem potwierdził rymarz. — A córeczka pana Grunhagena to taka rezolutna.

Jezu — jęknął karzeł w duchu. — Co ona znowu wymyśliła?

— Z dzieciakami tak dzisiaj wywijała tańce, że aż wikary się zatrzymał, klaskał i grosika jej tam wrzucił do zapaski. A jak ona mu podziękowała, to aż pokraśniał. Śmiała dziewczynka, że tak powiem.

— Uhm — potwierdził mruknięciem i jeszcze raz upił z bukłaczka, bo aż mu zaschło w gardle z nerwów.

— Całe tu było widowisko — ciągnął rymarz. — Tańcowała dziewuszka, aż łydki błyskały, a jak wikary dał jej ten pierwszy grosik i go wycałowała, to potem zmówiła głośno *Pater Noster* i on wtedy wyciągnął drugi pieniążek i powiedział: „Chodź ze mną, to cię i Zdrowaś Mario nauczę", a ona na to: „Nie mogę, matula do domu woła", hyc i już jej nie było. Pieniążek wzięła, jakby pan Grunhagen pytał.

— Już ja jej dam *Pater Noster*! — oddał bukłak rymarzowi. — Psią skórą z tyłka psoty wybiję!

— Ano, czasem trzeba — pokiwał głową rymarz. — Z Bogiem!

Grunhagen wpadł do sieni, drzwi zaryglował i oparł się o nie plecami. Musiał ochłonąć.

— Mój wojak wrócił? — z kuchni dobiegło go gruchanie Berty. — Mój dzielny rumaczek zajechał do stajenki po sianko?

Przypomniało mu się o pakunku od Dagmar.

— Wody zagrzej moja słodziutka! — krzyknął i rozwinął go. Tak, jak powiedziała dziewczyna. W środku były zioła do parzenia i mazidło w płaskim glinianym pojemniku.

— Oj, to byś musiał drew z podwórka nanieść — odpowiedziała mu. — I narąbać, bo nic już nie zostało.

No to rozwiązało się samo — podsumował, zawinął zioła z powrotem w płótno i schował do skrytki. Mazidło zabrał ze sobą i wszedł do wnętrza. Zobaczył ją i jak stał, tak przysiadł.

Berta przechadzała się w czymś, co było co najmniej nieprzyzwoite. Może mogłoby być suknią, gdyby posiadało rękawy i nie miało dekoltu odsłaniającego plecy aż po tyłeczek. Nie mógł oderwać wzroku. Jasne włosy upięła na czubku głowy, ale niedokładnie i kilka długich pasem wymykało się na nagie ramiona i plecy. Szła, poruszając biodrami, a rozcięcie z boku ukazywało jej słodką kostkę, krótką, pulchną nóżkę z białym kolanem i krągłe udo.

Na wszystkie dziwki Awinionu — jęknął w duszy i odstawił na podłogę mazidło od Dagmar. Nie będzie mu dzisiaj potrzebne.

Berta obróciła się na palcach i odchyliła do tyłu. Zobaczył, że rozcięcie w ubraniu jest tak głębokie, że widać przez nie dwie półkule pośladków.

— A niech cię — szepnął i zerwał się ze stołka.

— A niech mnie co? — zapytała zalotnie i upadła w jego wyciągnięte ramiona.

— A niech że cię twój wojak zwyobraca! — zawołał i porwał ją na ręce. — I rzuci na łoże!

— Przodem! — przypomniała o swojej ulubionej pozycji.

Dzisiaj był Grunhagenem sprzed lat. Nie kucykiem, co skubie trawkę na boku, ale bojowym wierzchowcem. Tej nocy znów stał się ogierem, co ujeżdża klacz, aż zarży pod niebiosa. Aż zmierzwi jej grzywę i pogryzie szyję, kopytami wzniecając tuman.

— Ach! — jęknęła wreszcie Berta i przewróciła się na plecy z rozanieloną miną. — Ach, Grunhagen…

Oparł się na łokciu i wpatrzył w nią. Dziwaczna sukienka rozchyliła się, pokazując jej nieduże piersi. Pogładził materiał. Przyjrzał mu się. To, co gdy wszedł do domu, wydawało mu się różową wykwintną tkaniną wyuzdanej sukni, z bliska było całkiem jak jego spłowiała czerwona koszula.

— Skąd to masz? — zapytał.

— Z twojej skrzyni — odpowiedziała, nie otwierając oczu i kręcąc rozpustnie tyłeczkiem.

— Grzebałaś w moich w rzeczach?! — zerwał się.

— Sprzątałam, z nudów — przeciągnęła się bezwstydnie. — Nigdy tej koszuli nie nosiłeś…

— Nosiłem! A ty ją… — szukał słowa — pocięłaś?!

— Troszkę — szepnęła i otworzyła oczy. — Chciałam wymyślić sobie jakiś nowy strój. Ciągle chodzę w tym samym, jakbym była w klasztorze — zadrżała jej bródka.

— Nie wolno ci w tym wychodzić z domu! — oburzył się.

— Wiem, wiem — zamrugała. — Uszyłam to dla ciebie, dla nas.

— Raczej pocięłaś! — sapnął mściwie. — Nie widzę śladów igły, za to nożyce, owszem.

Przeturlała się po łóżku w tę i z powrotem, zatrzymując na boku.

— Z rękawów mogę sobie zrobić takie nogawiczki, co ty na to? Pas, nogawiczki i nic więcej?

— Berto… — jęknął, bo nie chciał jej wszystkiego zabraniać, ale to, co mówiła, zakrawało na szaleństwo.

— Ach — spojrzała mu prosto w oczy. — Kupiłbyś mi rękawiczki? Czerwone. Pasowałby do takiego stroju.

— Co ty…

Usiadła na łożu, pozwalając, by jego dawna koszula spadła jej z ramienia i odsłoniła jedną pierś.

— Wyobraź sobie, wracasz do domu, a ja witam cię w nogawiczkach, pasie i rękawiczkach. Cała na czerwono. I podaję ci wieczerzę…

— Chyba bym padł trupem — wyrwało mu się. — Przecież ty gotować nie umiesz.

— No i co z tego — wzruszyła ramionkami, aż druga pierś wypadła z koszuli. — Muszę mieć choć jedną wadę.

— Berto, Bertulko — chwycił ją za dłonie i ucałował je. — Jesteś stworzona z samych zalet, przysięgam. Ale nie możesz ściągać na nas ludzkiej uwagi. Te tańce i modły z wikarym, to nie było mądre.

— Nawet nie wiesz, jak to jest, gdy codziennie muszę cię prosić o pieniądze — usteczka zaczęły jej drżeć. — Chciałam mieć parę groszy, na swoje wydatki. Drobne, bo przecież nie jestem duża.

Wzruszył się i sięgnął do kaletki przy pasie. Prawda, był bez spodni. Zeskoczył z łóżka, wrócił i wcisnął jej w dłoń pięć praskich groszy.

— To dużo pieniędzy — objaśnił. — Nie roztrwoń na byle co.

— Dobrze — skinęła główką. — A ten Krzyżak, z Pragi, płaci ci jeszcze?

— Płaci — odpowiedział ciężko i rozejrzał się za piwem.

— Pod ściereczką — pokazała mu palcem i dodała zaczepnie: — Nawet nie wiesz, gdzie co stoi w domu.

Nie odpowiedział, nie chciał się wdawać w utarczki. Naciągał nogawice, gdy spytała:

— Dobrze ci płaci?

— Dobrze — potwierdził.

— A król?

— Też dobrze — podciągnął nogawice i ruszył po piwo.

— A kto lepiej?

— Przestań — powiedział spokojnie. — Mieliśmy umowę, że nie pytasz mnie o robotę.

— I nie pytam — prychnęła. — Ciekawią mnie pieniądze.

— Nawet za bardzo — wyrwało mu się. Nie mógł znaleźć kubka.

— Na kołku, nad miską z wodą — podpowiedziała. — Co się dziwisz? Jako mniszka nic nie miałam, nic nie należało do mnie. To teraz ciekawi mnie wszystko.

Nalał sobie i łyknął szybko. Ta rozmowa nie zaczęła się dobrze, a przecież musiał jej powiedzieć i to dzisiaj.

— Dobrze, dobrze — załagodził. — Smaczne piwo kupiłaś.

— Chwalisz mnie, że taka jestem gospodarna, czy piwo, że dobre?

— Ciebie, Berto — zełgał.

O jego lubej wiele można powiedzieć, ale „gospodarna" to wierutne kłamstwo. Nie gotowała, jadali wyłącznie na mieście i to nie w tanich gospodach dla flisaków. Szyć potrafiła i to pięknie, ale powtarzała, że dość się narobiła igłą w klasztorze i teraz nie będzie. Jak mu się kaftan rozpruł, to mówiła: „Oddaj szwaczce, to da się zacerować", a jak jej sukienka, to: „Kup mi nową".

— Słyszałeś, że przeorysza Kunhuta nie żyje? — zagadnęła, gdy już mu się zdawało, że komplementem poprawił nastrój między nimi.

— Nie — skłamał szybko. — Co za strata!

— Uhm — mruknęła. — W gospodzie kupcy z Pragi mówili. I że zmarła z żalu po mniszce, którą jej porwano...

Berta wybuchła szlochem tak nagłym, że odstawił niedopite piwo i podszedł do niej. Utulił, wygłaskał po mokrych od łez policzkach.

— To nie twoja wina, słodziutka — szeptał. — Grzech pójdzie tylko na moje sumienie. To ja cię porwałem.

— Uhm — potwierdziła i wytarła nosek. — Och!... — westchnęła sobie głęboko. — Była dla mnie dobra, jak matka. Bardzo mnie kochała.

— Nie tak bardzo jak ja, Bertulko.

— Mam nadzieję — powiedziała i spojrzała na niego błękitnymi oczami. — Bo Kunhuta kochała mnie za bardzo, rozumiesz?

Nie rozumiał.

— Zrobiła ze mnie swoją własność — wyjaśniła. — Zamknęła u benedyktynek jak w klatce. A ja jestem wolna jak ptak. Nie można mnie więzić. Nie można mi rozkazywać...

— ...a prosić wolno? — spytał.

— Wolno — zaśmiała się i otarła nosek.

— Berto, proszę cię o wyrozumiałość. — Zebrał się na odwagę. — Muszę wyjechać na kilka tygodni.

— Dla króla czy dla Krzyżaka? — zaskoczyła go pytaniem.

— To jedno i to samo — odpowiedział szczerze i smutno.

— Dokąd?

— Na Węgry.

— Chciałabym zobaczyć Węgry i Dunaj modry...

— Nie mogę cię zabrać ze sobą, ukochana. Rozmawialiśmy o tym wiele razy.

— Wiem, wiem. Tak tylko powiedziałam...

— Przywiozę ci coś ładnego, obiecuję, a ty obiecaj, że nie zrobisz w tym czasie nic nieodpowiedzialnego, nic, co ściągnęłoby na ciebie uwagę.

— Uhm.

Uklęknął przed nią i ujął jej twarz w dłonie.

— Berto, to nie są żarty. Nie zniósłbym, gdyby ktoś mi ciebie odebrał. Proszę.

Pocałowała go w czoło. Jej usta były miękkie i wilgotne. A potem pogłaskała po głowie i odpowiedziała:

— Nic się nie bój, karle. Wszystko będzie dobrze.

GIEDYMIN odchylił głowę w tył i zmrużył oczy. Świdrujący dźwięk muzyki rozsadzał mu czaszkę, ale nie chciał opuścić uczty. Po jego prawicy siedział Dawid, wojewoda grodzki, po lewicy Wasilik, bo mieli dziś radzić o sprawach ruskich. Margoł i Biksza siedzieli następni, a Ligejko krążył między gośćmi.

— Wina, kniaziu? — spytał Wasilik.

— Próbowane? — spytał Giedymin i otworzył oczy.

Wasilik skinął głową i wskazał na podczaszego. Ten na Linasa, młodziana, który próbował dla księcia wszystkich potraw i napitków na ucztach. Linas ukłonił się Giedyminowi głęboko.

— Daj — powiedział kniaź. — Może przestanie pulsować pod czaszką.

Muzyka wyciszyła się i zwolniła. Cztery dziewczęta wybiegły drobnym, płynnym krokiem na środek sali. Szeroko rozłożyły ramiona i zawirowały, a potem machnęły nimi jak skrzydłami i z dłoni wypuściły długie barwne wstążki.

— Piękne są moje córki — powiedział Giedymin i wziął kielich. Wpatrywał się w wirujące dziewczęta i słuchał równego tupotu ich drobnych stóp. Stopniowo przenosił wzrok z córek na gości. Przyglądał się strojom i twarzom, kto z kim mówi, kto skrzywiony, kto radosny. Od słuchania miał Ligejkę. Jego żółta tunika migała mu to tu, to tam. Ligejko nie podsłuchiwał sam, choć był w tym dobry. Na jego usługach była służba w Trokach, stajenni, psiarczykowie, kowale, książęcy płatnerz i dalej, dalej, dalej. Kto chce wiedzieć, musi potrafić słuchać, a Ligejko posiadł tę sztukę już dawno. Wzrok kniazia spoczął na Rdeście.

— Zawołaj tu żmijkę — powiedział do Margoła.

Dziewczęta wirowały coraz szybciej, aż ich wstążki utworzyły w powietrzu jedną, lśniącą linię. Ciemnooki Rdest pokłonił się przed Giedyminem.

— Sprawiłeś się — pochwalił go kniaź.

— Od tego jestem, panie — przyjął komplement.

— Krucjata nie wyrządziła nam szkody większej, niż rejzy przed nią — powiedział Giedymin i skinął na podczaszego. — Dajcie mu miodu. Liczę na kolejne wieści od Symoniusa. Poprzednie bardzo nam pomogły.

— Pierwsze już są. — Rdest podziękował za miód, ale nie śmiał pić. Trzymał kubek, czekając na przyzwolenie księcia.

— Mów — dał mu znać Giedymin.

— Wielki mistrz, Karol z Trewiru, który cieszy się poważaniem wśród królów i biskupów, udał się do papieża. Będzie go przekonywał, że jeśli przyjedzie poselstwo od ciebie, kniaziu, to będzie fałszywe.

Giedymin uniósł brew. Rdest mówił wolno, starannie dobierał słowa, a patrzył przenikliwie. Ciekawy człowiek — pomyślał kniaź.

— Karol z Trewiru ma przekonać kardynałów i hierarchów, że wyrażona przez ciebie, kniaziu, skrucha jest udawana.

— Nie wyraziłem skruchy — zaprzeczył Giedymin.

— Tak przedstawi twą postawę mistrz krzyżacki. Jego zadaniem jest upewnienie ludzi w otoczeniu papieża, że kolejny kunigas litewski fałszywie prosi o chrzest tylko po to, by zyskać na czasie w walce z Zakonem.

— Aha — pokiwał głową książę. — Chcą mnie ośmieszyć i umniejszyć.

Rdest nie śmiał potwierdzić, ale jego spojrzenie mówiło „tak, kniaziu".

— Jeśli nam nie uwierzą — ciągnął Giedymin — co zostanie? Jaka droga?

— To, co jest, nie musi być słabością — powiedział Rdest, znów starannie ważąc słowa. — To, kim jesteś, może stać się twą siłą. Nie jesteś osamotnionym pogańskim księciem. Jesteś jedynym.

— Ciekawe — Giedymin napił się wina. — I ciekawie mówisz, prawda, Dawidzie? — zaczepił wojewodę Grodna.

— Nie słuchałem, patrzyłem — przyznał Dawid z rozbrajającą szczerością i wskazał na tańczące córki Giedymina — ale jeśli wielki kniaź mówi „bić", pójdę i będę walczył. Osiodłany koń w stajni czeka.

Giedymin zaśmiał się, klepnął Dawida w plecy.

— Każ rozsiodłać. Dzisiaj świętujemy! Co ty masz za futro? Pierwszy raz takie widzę — nie powstrzymał się i przejechał dłonią po plecach wojewody.

— Rosomak — błysnął zębami Dawid. — Dar od Pskowa. Jedwabiem podszywany — odchylił poły i pokazał spód płaszcza — a tu ma złote blaszki i perły.

— Nie za ciepło ci? — spytał Giedymin ze śmiechem.

— Ciepło — przyznał Dawid. — Ale futro piękne, takie paradne, że na ucztę do wielkiego kniazia nie mogłem sobie odmówić.

— Tylko nie uwiedź mi córek — pieszczotliwie pogroził wojewodzie palcem. — Moich wonnych kwiatków.

— Prędzej za nie zginę — zapewnił Dawid. Pochylił się i mrugnął do Giedymina: — Gładkie, zręczne, ale za młode dla Dawida. Ja wolę jałowiec, ty wiesz.

— Słyszałeś, Rdeście? Póki nie dorosną, są bezpieczne!

Rdest uśmiechnął się, ale widać było, że żarty go nie pociągają ani trochę. Był skupiony, poważny, jakby nic poza Karolem z Trewiru w Awinionie się nie liczyło.

— Pomówimy później — Giedymin dał mu znać, że może odejść. — Co o nim myślisz? — spytał Dawida, gdy krępa sylwetka Prusa oddaliła się od nich.

— Kręci się między ludźmi, wypytuje — powiedział wojewoda grodzki, nie tracąc beztroskiego wyrazu twarzy. — Zwąchał się z Sudargusem, choć udaje, że go nie zna. Ligejko ci powie więcej.

Dawid zerwał się, kończąc zdanie, bo córki Giedymina skończyły taniec. Z wysoko uniesionym kielichem krzyknął:

— Polać kniaziówny miodem! Obsypać perłami za ten taniec!

Dziewczęta ukłoniły się na każdą stronę, obróciły i znowu, tak by podziękować wszystkim gościom. Potem wybiegły jedna za drugą, drobnym krokiem. Znów rozległ się jazgotliwy, wysoki dźwięk piszczałki. Giedyminowi z powrotem zapulsowało pod czaszką.

— Ucisz go, bo nakarmię nim psy — syknął do Dawida.

Wojewoda wstał, wyszedł zza stołu i środkiem sali szedł do grajka. Zakręcił się, rozkładając ramiona, jakby zaczynał taniec. Przepyszne futro z rosomaka zalśniło w blasku świec, jakby Dawid płonął. Spod ściany podbiegła do niego Vakare, złapała w pasie. Zrobił z nią obrót, przytupnął i puścił. Smukła Vakare przebiegła komnatę, a Dawid już był przy grajku. Wyjął mu z rąk piszczałkę. Muzyka umilkła, Vakare stanęła w miejscu. Grajek patrzył zdumiony na Dawida, a ten jakby nigdy nic rzucił piszczałkę w ogień, grajka klepnął pieszczotliwie w policzek i zza ławy wyciągnął drugiego, z lirą.

— Ty graj — rozkazał.

I nie oglądając się na nich, ani na Vakare, wrócił na miejsce. Rozległy się niskie, tęskne tony liry. Giedymin wyczekał jeszcze chwilę, dopił wino i dał znać najbliższym towarzyszom, że czas na nich. Nie żegnając się z gośćmi, przeszli do przyległej komnaty. Ligejko wślizgnął się ostatni i zamknął drzwi.

Chyży i Śmigła podniosły się spod ławy i powitały pana łaszeniem do kolona. Przy oświetlonym pulpicie stał Mikołaj, dominikanin i doradca Giedymina. Pisał listy.

— Czytaj — rozkazał kniaź, rozmasowując czoło. — I tłumacz, na nasze.

— „...dowody mej przyjaźni do Kościoła i Ojca Świętego niech dadzą słudzy Jego Świątobliwości, pobożni dominikanie i franciszkanie, którzy korzystają z pełni łask na naszym dworze i których misji sprzyjamy, pozwalając im udzielać chrztu, odprawiać nabożeństwa i głosić chrześcijańskie kazania, których sami chętnie słuchamy. My, wielki książę litewski Giedymin, pokornie prosimy o dar Słowa Bożego i łaskę chrztu. Wspomniani zaś kapłani niechaj poświadczą o szczerości tej prośby, której jedynym warunkiem jest to, by nie pochodziła z rąk krzyżackich..."

— Nie lepiej napisać pełną nazwę Zakonu? — spytał Giedymin.

— Nie, mój panie — powiedział dominikanin. — Użyję jej w drugiej części listu do Jego Świątobliwości. Sformułowanie „Krzyżacy" zawiera w sobie coś pospolitego, grubego i pogardliwego, choć co do zasady, do niczego nie można się przyczepić.

— Zdaję się na ciebie — kiwnął głową Giedymin. — „Jego Świątobliwość" też brzmi ciekawie. — Poklepał Chyżego po smukłej szyi. — To nie jest prześmiewcze?

— Nie, panie — spokojnie wyjaśnił Mikołaj. — To wyraz czci.

— Napisz, że chcę oddać się pod opiekę Jego Świątobliwości — rozkazał. — Oczywiście po tym, jak wypełni nasze żądania.

— To potrwa — powiedział dominikanin. — Papież Jan najpierw ci odpisze, potem, jeśli dobrze pójdzie, przyśle tu swego legata...

— Napisz mu, żeby przysyłał bez zwłoki, bo Krzyżacy nie ochrzcili od trzech lat żadnego z Litwinów.

— Ochrzcili, siłą — przypomniał Mikołaj.

— To się nie liczy. To opisz jako gwałty.

— Tak zrobię, mój panie. Mogę kontynuować? Życzyłeś sobie, żeby wszystkie listy były do rana gotowe. Mam wiele pracy — powiedział dominikanin i przetarł załzawione oczy.

— Pisz, pisz — machnął ręką Giedymin i sam sięgnął po dzban.

Wyprzedził go Dawid. Nalał do kubków, z pierwszego upił i dopiero podał kniaziowi. Giedymin machnął na to ręką. Kazał pić przed sobą tylko w czasie uczty, by nauczyć tych, którzy mogli mieć złe zamiary, że nie warto próbować z trucizną.

— Jeśli to pismo pokona Karola z Trewiru, ja stanę nago do walki — zaśmiał się Dawid. — A ty, Biksza, co zrobisz?

Spokojny i opanowany Biksza, który nigdy nie podnosił głosu, uniósł ramiona jak tancerka i zakręcił biodrami. Dawid zaśmiał się i zrzucił futro na ławę, jakby chciał pokazać, że już się rozbiera do walki.

— Kilku możnych pieni się po kątach — powiedział Ligejko i też wziął sobie miodu. — Mówią, że jak kniaź da się ochrzcić, pójdą w las i zabiorą wojska.

— Którzy? — spytał Giedymin.

— Manste, Gingejke i Sudargus — wymienił zdrajców Ligejko. — O Żmudzinach nie wspomnę.

— Z Sudargusem na boku ugaduje się ta żmijka — przypomniał Dawid. Wojewoda Grodna siedział na ławie i oglądał pod światło złote blaszki wszyte w podszewkę futra.

— Wiem — postukał w kubek Ligejko. — Mam tego Rdesta na oku. Ciekawa rzecz, jak go Symonius przywiózł, mówili, że on Żmudzin, urodzony koło Szawla i tylko wychowany w Prusach.

— Pamiętam — potwierdził Giedymin.

— A jak rozpytuję ludzi, to zdaje się, że było na odwrót. Że on nie Żmudzin, a Prus.

— Ni pies, ni wydra — machnął ręką wojewoda Dawid. — Żmijka o rozdwojonym języku.

— Ciekawe — mruknął Giedymin i zwrócił się do Ligejki. — Pytaj dalej, twoi niech węszą. Jak załatwimy sprawy z Haliczem, wezwę każdego buntownika z osobna.

— Dobrze, kniaziu, ale dopowiem, że jątrzenie Sudargusa, Manste i Gingejke znajduje u ludzi posłuch. Chętnie nadstawiają uszu i przytakują.

— Zrozumiałem — odpowiedział zniecierpliwiony Giedymin. — Ty też nadstawiaj uszu dalej. — Odwrócił się od Ligejki do doradcy od spraw ruskich. — Wasilik, co wiesz?

— Wojewoda halicki, Siemon, pojechał do Małego Króla. A Iwańczyk, syn wojewody włodzimierskiego, do Caroberta. Chan Ozbeg na razie wstrzymał zagony Ordy.

— Wiemy, jak ich przyjął Mały Król? — spytał Giedymin.

— Nie — zaprzeczył milczący dotąd Biksza.

Chyży uniósł łeb i zawarczał. Do komnaty wślizgnął się zaufany Ligejki i wyciągnął go gestem. Giedymin usiadł na ławie z rzeźbionym oparciem. Biksza podsunął mu stołek pod nogi, kniaź wyciągnął się wygodnie, zaplótł ramiona pod głową. Psy ułożyły się przy nim.

— Ozbeg to cwany lis — syknął. — Jakeśmy zajmowali Owrucz i Żytomierz, czekał. Teraz, gdy Dawid wypuścił zwiadowców pod Kijów i Perejasław, chwycił ich i odesłał nam z obciętymi rękami. Daje znać, że sięgamy za daleko.

— Ja bym nie czekał — powiedział Dawid. — Jakbyś dał zgodę, pojechałbym z wojskiem, zajął Kijów i tam go wyglądał. Już podbiliśmy kawał ziemi kijowskiej, biorąc Owrucz z Żytomierzem, nie musimy pytać Ozbega o zgodę.

— Nie musimy — potwierdził Giedymin — ale nie chcemy, by Złota Orda pustoszyła to, co zdobędziemy. Czekamy.

— Czekamy — przyjął polecenie Wasilik.

Dawid kiwnął głową na zgodę i wrócił do kontemplowania swego futra.

— Dutze — wywołał Giedymin. — Ryga potwierdza wszystkie ustalenia?

— Tak, kniaziu. Arcybiskup Rygi napisał do papieża o „Giedyminie, swoim sprzymierzeńcu"…

— Napisał, owszem — znad pulpitu odezwał się dominikanin — ale czy pismo do Awinionu posłał? Czy tylko pokazał panu Dutze?

— Brat Wawrzyniec, ten franciszkanin, co jest posłem arcybiskupa do papieża, wypłynął z Rygi z listami. Stałem na nabrzeżu — powiedział Dutze.

— Machałeś mu chusteczką? — wtrącił Dawid.

— Nie jemu, ale Witii, jego słudze, którego opłacamy — odpowiedział wojewodzie i wrócił do księcia. — Arcybiskup wspomniał w liście o Mendogu i o tym, że dawny książę chrzest porzucił tylko dlatego, że Krzyżacy swoim okrucieństwem zohydzili mu wiarę.

— Chrztu się nie porzuca — Mikołaj wykorzystywał każdą chwilę, by uczyć — Mendog wyrzekł się chrztu.

— Jeden pies — machnął ręką Giedymin i skończył z Dutze — wracaj jutro do Rygi.

— Jak każesz.

Śmigła zerwała się nagle spod ławy. Zastrzygła uszami i niepewnie podeszła do drzwi. Obróciła łeb, patrząc na księcia i zaskomlała cicho.

— Wypuść ją, Biksza — powiedział Giedymin, ale gdy ten otworzył drzwi, do komnaty wpadł

Ligejko, a Śmigła wróciła do nóg kniazia.

— Sudargus opuścił Troki — zameldował Ligejko. — Wcześniej pokłócił się z Manste i Gingejke. Zabrał swoich synów, szwagra i teścia.

— A córkę? — zaciekawił się Dawid.

— Vakare została.

— Gdzie żmijka?

— Rdest został. Nie brał udziału w kłótni.

— Nie jest głupi, by spiskować na widoku. Nie po to udaje, że się nie znają — przypomniał Dawid. — A Vakare to piękna dziewczyna i dobry szpieg.

— Wypytywała cię kiedyś? — zainteresował się Giedymin.

— Każda pyta, bo im się zdaje, że od opowiadania o tym, jak pokonałem wrogów, stanie mi jeszcze bardziej — wesoło odpowiedział wojewoda. — Dziewczynom myli się wojna z ruchaniem. Mnie się nie myli — dodał, widząc uniesione brwi kniazia.

— Poślij zbrojnych za Sudargusem — rozkazał Ligejce kniaź. — Rano wyjdą listy do papieża. Zaszliśmy za daleko, żeby mi ktoś pyskował, nawet jeśli to Sudargus.

— Pojmać i zamknąć? — dopytał Ligejko.

— Dawidzie, przygarniesz na tę noc Vakare? — spytał Giedymin. — Musi się czuć samotna po ucieczce ojca i braci.

— Co rozkażesz — potwierdził wojewoda.

— Pojmać i zabić — odpowiedział Giedymin Ligejce. — A Manste i Gingejke nie spuszczać w tym czasie z oczu. Zaszliśmy za daleko — powtórzył po chwili.

— I dymi się nam spod kopyt — potwierdził wojewoda Grodna i książę Pskowa, Dawid.

WŁADYSŁAW siedział na tronie, a przy jego boku królowa. Kazimierz stał przy ojcu.

Nieco niżej stali baronowie, pierwsi panowie królestwa. Kasztelan krakowski, Nawój z Morawicy, wojewoda krakowski Spytko z Piasku. Następca niesławnego Muskaty, nowy biskup Krakowa, Nankier i Jarosław Bogoria, jego kanclerz, świeżo po studiach w Bolonii. Ten sam, który w czas oblężenia Wawelu śpiewał na murach psalmy i strzał płonących się nie bał. I wybitny Piotr Żyła ze Starszej Polski, doktor dekretów, który już dziesięć lat w kurii papieskiej służy, a zjawił się z pilną sprawą w Krakowie i Władysław go z racji na obrót dziejów zatrzymał. I Paweł Ogończyk, bo akurat wrócił z poselstwa i został w Krakowie na prośbę króla. I Piotr z Dębna, którego zawezwał, żeby choć jednego z Doliwów mieć przy sobie.

Władysław uniósł głowę i przez chwilę wpatrywał się w królewskiego białego orła. Drapieżny ptak składał i rozkładał skrzydła.

Przed stopniami królewskiego tronu ustawiono postument zasłany czarnym suknem krakowskim. Na nim spoczęły dwie książęce buławy. Poniżej, wsparte o kolumnę dwie herbowe tarcze Jurijewiczów.

Wojewoda halicki, Siemion, stał po lewej stronie, wojewodzic włodzimierski Iwańczyk po prawej. Dalej, za panami polskimi, bojarzy z Małej Rusi.

Borutka, przystrojony w czerń jak zwykle, ale wyjątkowo uroczyście, niczym mistrz ceremonii, ze srebrnym łańcuchem na obcisłym kubraku, obrzucił zgromadzonych uważnym spojrzeniem i spytał:

— Gotowi?

Władysław poprawił jabłko w dłoni i skinął głową. Orzeł złożył skrzydła, wyciągnął szyję i zastygł w bezruchu. Borutka ruszył do wejścia, a gdy przed nim stanął, herold zakrzyknął:

— Książę Czerska, Warszewy i Liwu! Trojden z małżonką księżną Mariją Jurijiwną i synem, Bolesławem Trojdenowicem!

Borutka obrócił się na pięcie i wprowadził gości.

Skąd on wziął świecę?! — zdumiał się Władek, widząc, że giermek niesie zapaloną gromnicę. Krótki, długi, krótki, długi, długi, długi — Borutka kroczył znanym z lekcji Kazimierza krokiem. Szelma — miał na końcu języka Władek, ale musiał przyznać, iż wygląda to podniośle. Borutka doszedł do cokołu pierwszy, ustawił świecę między tarczami, pokłonił się i zniknął.

Marija na widok postumentu wybuchła szlochem. Trojden speszył się, jakby płacz nie przystawał księżnej, młody Bolesław czule podał matce ramię, wczepiła się w nie i oparła na synu.

— Królu Władysławie — ukłonił się książę Trojden. — Królowo Jadwigo…

Ktoś z tyłu chrząknął i Trojden złożył trzeci ukłon.

— Królewiczu Kazimierzu.

— Księżno Mario — odezwał się Władysław — siostrzenico moja…

Na te słowa Marija rozpłakała się jeszcze mocniej. Odczekał chwilę, dał jej się wyszlochać.

— Nic nie wróci życia twoim braciom, Mario. Ich strata jest ciosem dla nas wszystkich. Ale nie wzywaliśmy was do Krakowa, by mówić rzeczy oczywiste. Nasze zaproszenie jest początkiem wielkiego splendoru, jaki może spotkać wasz ród.

Trojden uniósł brwi. Spodziewa się? — zastanowił się Władysław. — Czy nie przyszło mu to do głowy?

Marija wciąż jeszcze pogrążona w rozpaczy, puściła ramię syna i otarła oczy.

— Tron małoruski został bez dziedzica, ale nie będzie stał pusty — podjął Władysław i wreszcie przeszedł do sedna. — Postanowiliśmy posadzić na nim waszego syna, Bolesława.

Chłopiec gwałtownie zamrugał, jakby sądził, iż się przesłyszał. Trojden pokraśniał, wyprostował plecy. A Marija spojrzała na Władka tak, jakby wymierzył jej policzek.

— Nie! — krzyknęła. — Nie!

Zaskoczyła go, tego się nie spodziewał. Trojden syknął na żonę, ale ona nie słyszała upomnienia.

— Nie, wuju. Ja się na to nie zgodzę.

Władysław odwrócił się, spojrzał na Jadwigę.

— Księżno Mario — podjęła się mediacji królowa. — Wasz syn jest krewnym zmarłych książąt…

— Oni nie zmarli — z mocą powiedziała Marija. — Oni zostali zabici. Bolesława między te drapieżniki nie puszczę… jego zamordować nie pozwolę…

— Zginęli w boju — z naciskiem odpowiedziała Jadwiga. — To się zdarza, gdy czasy są niespokojne. Musisz te sprawy rozdzielać i rozumieć. Nie jesteś zwykłą matką, jesteś matką księcia, a obrót losu sprawia, że możesz być matką wielkiego księcia Rusi Halickiej. Małej Rusi.

Marija patrzyła na Jadwigę struchlała, jakby królowa rzucała na nią urok.

— Macie z Trojdenem jeszcze młodszego, Siemowita. I, jeżeli Bóg pozwoli, możecie mieć kolejnych. Siemowita nie polecimy Rusinom, bo jest dziecięciem, a tam trzeba męża.

— Bolesław jest za młody — szepnęła Maria i w jej głosie słychać było kapitulację.

— Spójrz na naszego syna. Na Kazimierza, następcę tronu — wyzywająco powiedziała Jadwiga. — Są w jednym wieku z twoim chłopcem. Gdyby jutro Władysław umarł...

Jezu, co ona wygaduje?! — ocknął się Władek i spojrzał na Jadwigę tak, by zrozumiała, że przesadziła. Ona niestety nie patrzyła na niego, tylko na Mariję.

— ...Kazimierz musiałby stanąć na wysokości zadania i przyjąć koronę. I zrobiłby to. Obaj są młodzi, ale nie za młodzi.

Marija spojrzała na stojącego przy niej Bolesława. Chłopiec, w przeciwieństwie do Kazia, nie wyglądał na trzynaście lat, zdawał się młodszy. Teraz jednak nadrabiał jak mógł. Prostował plecy, wyciągał szyję. Tak, Władysław widział wyraźnie, że tylko Marija nie chce tego tronu. Jej mąż i syn rwali się do Włodzimierza.

— Muszę się uczyć od ciebie, królowo — głos Mariji załamał się, jakby mówiła wbrew sobie.

— Obawiam się, że nie masz zbyt wiele czasu na naukę — odpowiedziała Jadwiga. — Tron małoruski nie będzie czekał. Drugi raz nikt nie złoży takiej propozycji twojemu synowi.

Młody książę objął jej plecy i szepnął coś do ucha. Marija zagryzła wargi i spojrzała najpierw na królową, potem na niego.

— Zrozumiałam — powiedziała i ukłoniła się sztywno.

— Królu — odezwał się Trojden. — Czy bojarzy małoruscy przyjmą Bolesława?

— Poczyniliśmy ustalenia... — wymijająco powiedział Władysław. Wolałby, żeby Mariji przy tej rozmowie nie było. Jej zgoda wydawała się kruchą, a wola niepewną. I nie chciał straszyć tego dzieciaka.

— ...poprzedzone naradami i konsultacjami na zainteresowanych dworach — dodał.

Posłowie na Węgry obrócili dwa razy, do Włodzimierza i Halicza tak samo. Byli i u Ozbega, chana Złotej Ordy, bo bez jego przyzwolenia nikt nie osiądzie na małoruskim tronie. Prawdziwy targ o władcę Małej Rusi odbył się między teściem i zięciem. Władysławem i Carobertem. Obu zależało na kontroli szlaku handlowego wiodącego przez Ruś i żaden nie chciał odpuść ani o krok. Władek czuł, że jeśli odda Ruś zięciowi, zaborczy Andegaweńczyk wyczeka, ile będzie trzeba, choćby i do jego śmierci, i sam zajmie tron ruski. Miał rację, Carobert upierał się przy swoim kandydacie. Chciał tam posłać jednego z Drugethów, brata lub bratanka swego palatyna, najpotężniejszego człowieka na węgierskim dworze. Bojarzy nie zgadzali się na Węgra, nie zgadzali się na Piasta, choć Władek próbował z bratankami. W końcu Władysław wymyślił chłopaka od Trojdena, ruch był sprytny, bo pod pozorem więzów krwi z Jurijewiczami, poczuciem wdzięczności ujarzmiał samego Trojdena. A ten był cenny, gwarantował spokój na wiślanym węźle handlowym. Carobert przystał na młodziana, a bojarzy, myśląc, że poradzą sobie z gołowąsem, wymusili na nich przejście Bolesława na prawosławie i zmianę imienia. Ozbeg nie wyraził sprzeciwu, co mogło być wzięte za zgodę. Pozostał jeszcze Giedymin, ale jego Władek i Carobert zostawili sobie na koniec, licząc, iż doceni, że dzieciak jest wnukiem Gaudemundy, litewskiej córy.

— W dodatku nie zostawimy Bolesława samego. Pojedzie na Ruś w paradzie, z wojskiem polskim i węgierskim…

Bez hufców pancernych moglibyśmy mu od razu zapalić gromnicę — dodał w myślach i widział, że Trojden zrozumiał, czemu służyć będzie ta oprawa zbrojna.

— Z naszymi doradcami, którzy pomogą mu zorganizować pracę kancelarii i urządzić się w księstwie oraz wprowadzą go w tajniki sprawowania władzy…

Nie popuszczę — pomyślał zawzięcie. — Gdy przed laty wysyłałem siostrę na Małą Ruś, wydając ją za Jurija, stukali się w głowę i mówili, że postradałem zmysły, że nigdy nie skorzystam na tym mariażu. Skorzystałem. Jurij dał mi wojska, gdy nikt we mnie nie wierzył. Szwagier święta rzecz. A teraz, gdy moi siostrzeńcy nie żyją, przyszedł czas na żniwa.

— Może omówimy szczegóły przy wieczerzy — zręcznie zaproponowała Jadwiga. — Zapraszam na ucztę. Was — zwróciła się do książęcej pary i ich syna — i wszystkich, którzy nad tą wielką rzeczą pracowali — przeniosła wzrok na zgromadzonych. Wojewodów małoruskich, kanclerzy, kanoników, małopolskich panów.

Władysław z Jadwigą wstali i ruszyli do wyjścia. Mijając młodziutkiego Bolesława, obdarzył go uważnym spojrzeniem i pomyślał: Ja ciebie, chłopaku, z rąk nie puszczę. Chrobry zdobył Kijów. Ja, dzięki tobie, sięgnę po Lwów. A jeśli nie ja, to Kazimierz. Kraków musi mieć tarczę przed Tatarami i ty nią będziesz, póki my sami jej w dłonie nie chwycimy.

— Król Polski, Władysław — zawołał herold, bo przekraczali próg.

GERWARD, biskup włocławski, po przybyciu do Awinionu nie skierował pierwszych kroków do prywatnych pokoi Jana XXII. Miał tam wstęp i nie musiał czekać tygodniami na przywilej audiencji, więc najpierw postanowił zająć się czymś innym.

Nie przyjechał do stolicy papieskiej sam, ale ze sporą grupą współpracowników, w tym przywiózł kilku młodych Leszczyców i Pałuków, by poznali, czym jest praca w kurii i, co równie ważne, by on mógł poznać się na nich, sprawdzić, ile są warci i do czego mają talenty. Dbał o rodowców, z tego słynął, ale nigdy nie dbał na darmo. Nie znosił chybionych inwestycji, czy to w podupadający majątek, czy w ludzi. Był z nim Maciej z Gołańczy, bodaj najlepiej ulokowane pieniądze rodziny. Syn jego siostry, Małgośki, i kasztelana nakielskiego, Sławnika, bystrzejszy niż Staś, rodzony brat Gerwarda. Kanonik sześciu kapituł i jego osobisty sekretarz. Najpierw powierzył więc młodzież kurateli Macieja, wyznaczył im zadania, żeby nie myśleli, że przyjechali tu kąpać się w Rodanie i zwiedzać papieskie ogrody!

Sam zaś wybrał się do przyjaciół, by wybadać nastroje w kurii. Przed laty, na polecenie arcybiskupa Jakuba Świnki, najzdolniejsi młodzieńcy byli kierowani na studia prawnicze w Bolonii, a potem do pracy w licznych papieskich kancelariach. Idąc za światłą radą Świnki, nawiązywali znajomości i pielęgnowali przyjaźnie. Świętej pamięci Jakub II mawiał: „Nigdy nie wiesz, kto zostanie papieżem i na jak długo obejmie tron piotrowy, ale jeśli dobrze znasz dziesięciu stałych pracowników kurii, zawsze znajdziesz dostęp do Ojca Świętego. Pierwszego, drugiego, trzeciego z kolei". Po wyrazistym Bonifacym VIII, mściwym, pazernym i genialnym, nastało dwóch kolejnych, po nich zaś Jan XXII, z którym Gerwarda połączyła nieoczekiwana przyjaźń. Jan mawiał, że ich więź jest jak złoto — nie rdzewieje i z okruszyny można wyklepać długi drucik. Obaj kochali złoto, więc porównanie pasowało lepiej niż każde inne. I pochlebiało Gerwardowi, choć odkąd został mężem stanu, unikał próżności. W każdym razie starał się.

— Piotr Miles! — Gerward pomachał wchodzącemu do gospody. — Tu jestem!

— Biskupie — z szacunkiem przywitał się Piotr. — Przyjechałeś na czas.

Milesów mieli trzech, Piotr był najmłodszym. Tę znajomość zawdzięczali Janisławowi, ho, ho, dziś mało kto wie, że arcybiskup w czasach studiów bardziej zapowiadał się na rycerza niż duchownego. W dzień pilnie słuchał wykładów bolońskich magistrów teologii, a wieczorami w tawernach siłował się na rękę, bił na pięści i był mistrzem zapasów. Rycerskie wychowanie wyniósł z domu na równi z duchownym, bo z Korabitów wyszli już biskupi, choćby Robert, dawny wrocławski i krakowski. Sam ród przecież normański, wsławiony w bitwach o Anglię za Wilhelma Zdobywcy, a korab w ich herbie na pamiątkę tego, że na okrętach przypłynęli do Polski. Janisław zaprzyjaźnił się z Jakubem Milesem z Veroli, rycerzem, jak przypomina nazwisko. Synowie Milesa zrobili urzędnicze kariery w kurii, jeden został papieskim pisarzem, drugi notariuszem, a Janisław pielęgnował przyjaźń i zadbał o wnuka Jakuba, Piotra Milesa, gdy ten wybrał prawo, a nie rycerskie rzemiosło. Uposażył go z prebendy krakowskiej, w zamian za co Piotr na stałe zajmował się sprawami króla Władysława w Awinionie.

Siedli w głębi, przy stole dyskretnie osłoniętym od gości. Gerward przetarł spocone czoło; dzień był parny, jakby szło na burzę.

— Na czas? — spytał Milesa. — Co masz na myśli?

— Wielki mistrz, Karol z Trewiru, przyjechał przedwczoraj. Ma tu wielu możnych przyjaciół, wiesz, że mówi po francusku jak rodowity Francuz i wie, jak dbać o swe kontakty.

— Mam nadzieję, że tobie, mój drogi, też nic nie brakuje? — Gerward uważnie przyjrzał się Milesowi. Dostawał świetne wynagrodzenie, ale kto wie? Może awiniońskie wymagania poszły w górę?

— Nie — zaśmiał się Piotr. — I jak wiesz, biskupie, byłem z wizytą w Krakowie.

— Wypada, by kanonik raz na jakiś czas pokazał się na swym terenie, uczestniczył w kapitule — zawtórował mu Gerward.

— Na obrady nie zdążyłem... Ligaszcz oprowadzał mnie po Krakowie i tak zauroczył smoczą jamą, że...

— Rozumiem — skinął głową Gerward.

Smok na ogonie nie miał tylu łusek, ilu tam sprowadzono wyjątkowych gości — skonstatował biskup włocławski. — Ciekawe, czy król wie, że specjalną atrakcją, poza szukaniem smoczych śladów, są ladacznice, zwane „córami smoka", wisiorki z siarką i miód ochrzczony „gadzią śliną". Wszystko to Gerward znał z opowiadań, rzecz jasna. Lubił legendy, ale nie wierzył w smoki.

Piotrowi Milesowi najwyraźniej doskonałe wykształcenie nie przeszkadzało, by być pod urokiem tego, co mu Ligaszcz pokazał i dał popróbować. Gerward uszanował jego wspomnienia i wrócił do tematu.

— Z czym tym razem szturmuje do papieża mistrz krzyżacki? — spytał.

— Chce, by Jan XXII uznał tamte dwie feralne bulle oskarżające króla Władysława i wypuścił je z kancelarii — powiedział Piotr.

Karczmarz postawił przed nim dzban zimnego cydru i kubki. Na wieczerzę musieli jeszcze poczekać.

— Nadal ich nie odnaleziono? — dyplomatycznie spytał Gerward.

— Zniknęły bez śladu — mrugnął Miles i napili się.

— Muszę się skupić na tym, by papież nie dał się ponownie przekonać do krzyżackich racji.

— Masz nieoczekiwanych sojuszników, Gerwardzie — podpowiedział mu Miles. — Zawitali do nas posłowie z Rygi i cała delegacja Litwinów od Giedymina.

— Co mają?

Piotr Miles popatrzył na biskupa bystro.

— Oskarżenie Zakonu o gwałty i rabunki. I prośbę wielkiego księcia o chrzest bez udziału Krzyżaków.

— O! — skwitował Gerward i westchnął. — Niby dobrze, ale nie w porę. Ja też przywiozłem ważną sprawę, ale ukorzenie się pogańskiego władcy przed Ojcem Świętym może mnie przyćmić. Hmm. — Zagryzł wargi i zadumał się. Janowi XXII tak bardzo zależało na sławie tego, który zakończy chrystianizację, że wszystko inne może zejść na dalszy plan.

— Nie martw się, biskupie! — Miles dolał mu zimnego cydru. — Wiem, z czym przybyli, bo musieli się zameldować w kancelarii, ale jeszcze nie byli dopuszczeni przed oblicze papieża. Przetrzymam ich, póki nie załatwisz swoich spraw, nic prostszego!

— O, chwała Bogu — podziękował Gerward i rozchmurzył się. — To powiedz mi, Piotruś, co nowego u Papy, żebym mógł się przygotować, nim wejdę.

Gdy dwa dni później szedł do prywatnych komnat Jana XXII, na dziedzińcu minął Karola z Trewiru wraz z nieodłącznym Wernerem. Rozmawiali z Konradem von Bruel, prokuratorem Zakonu urzędującym w kurii. Wymienił z nimi chłodne spojrzenia, ukłonili się sobie z przesadną kurtuazją.

Dziwny typ, ten Bruel — ocenił w myślach Gerward. — Osobiście nie znam, ale sam na sam bym z nim nie chciał zostać.

Odwrócił się, by utwierdzić się w fatalnych skojarzeniach. Bruel zrobił to samo i spotkali się wzrokiem.

Brr... — otrząsnął się biskup włocławski. — Oczy jak u węża. Jadowity i śliski. Wypytam Piotrusia przy okazji.

Spotkał i Litwinów. Siedzieli w cieniu wielkiej morwy i nudzili się. To przeze mnie — zachichotał w duchu. — Co za szkoda. Tak mi ich żal, że serce ściska. Ale muszę przyznać, że nie wyglądają na wysłanników księcia pogan. Krzyżacy lubią ich opisywać jako wilki. Gadają, że Litwin chadza latem w kożuchu, włosów nie czesze od urodzenia do śmierci i nos ma dłuższy niż normalni ludzie. A ci tu przystrojeni bardzo modnie. Nogawice obcisłe, kubrak krótki, płaszczyk lekki, paradny. Wykosztował się Giedymin, ale pewnie się opłaci. Ciekawe, czy wielki mistrz zamieni z nimi choć słowo? Na ich miejscu omijałbym tego żmija, Bruela. Jak już swoje sprawy pozałatwiam, może przestrzegę Litwinów. A może i nie? Niech sami skończą studia o kurii w Awinionie.

Paul, pokojowiec Jana, czekał na Gerwarda przy schodach, których pilnowała straż papieska.

Gdy weszli na górę, przywitał go przyjemny chłód. Zastał Jana klęczącego przy wielkiej skrzyni, której wnętrze podzielono dziesiątkami przegród.

— Gerwardzie, mój przyjacielu! — powitał go papież, nie wstając. — Chodź, chodź do mnie, niech cię uścisnę.

Pewnie go w krzyżu strzeliło — domyślił się Gerward. — Toż on ma osiemdziesiątkę na karku. Nie, pomyłka! Dopiero w przyszłym roku.

Uklęknął przy Janie, pochylił się, by ucałować jego dłoń, ale papież cofnął ją.

— Brudna — powiedział. — Porządki robię. Ty wiesz, ile ja przez te lata dostałem bezsensownych prezentów? — Wskazał na wnętrze skrzyni. — Na co mi kryształowa kula? Albo dziób marabuta oprawiony w złoto?

— Daj biednym — podpowiedział Gerward. — Biedacy są sprytni, wymyślą, do czego mogłoby toto służyć. Skoro mówisz o prezentach, coś mi się obiło o uszy o jantarze od Krzyżaków.

Jan zrobił okrągłe oczy i przysiadł na piętach, odsuwając się od skrzyni.

— Jezus Maria, Gerwardzie... coś strasznego...

— Nie bój się, Janie, powiedz.

Biskup włocławski doskonale znał sprawę, wiedział, że dar Luthera z Brunszwiku wywarł na papieżu tak silne wrażenie, że Jan uwierzył we wszystko, co mu Krzyżacy nakłamali. Stąd się wzięły te dwie paskudne bulle, które odsądzały króla Władysława od czci i podważyły wiarygodność procesu przeciw Krzyżakom. Bulle, które Miles musiał unieszkodliwić, póki co skutecznie.

— Jantarowa macica, Gerwardzie — wyszeptał papież i oblizał spierzchnięte od kurzu wargi — z ludzkim płodem zatopionym w środku.

— A, takie coś — lekceważąco machnął ręką Gerward i pogrzebał w sakiewce. — Bo już myślałem, że naprawdę mają jakąś wartościową rzecz. U was jantar jest rzadki, to robi wrażenie, u nas go pod dostatkiem. Czekaj, czekaj, o mam, przypadkiem! — wyciągnął z sakiewki bursztyn wielkości dłoni dziecka. — Zapomniałem wyciągnąć, zobacz, Janie. Jantarek z jaszczurką.

Otarł go najpierw o kraj płaszcza i podał papieżowi. W jasnożółtym bursztynie zatopiona była jaszczurka z rozwartym pyszczkiem. Dał za nią sporo, ale w ciemno wiedział, że się opłaci. Jan wziął bursztyn, zmrużył oczy i oglądał pod światło. Był pod wrażeniem.

— Jak byłem ostatni raz nad Bałtykiem, pamiętasz, zanim go nam Krzyżacy podstępem i rzezią wydarli, znalazłem. Leżał sobie wśród kamyczków na brzegu. Pospolita rzecz w naszym kraju, a jeszcze bardziej na Litwie. Podoba ci się? To weź sobie, proszę. A jak się znudzi, oddaj biednym.

— Gerwardzie — wyszeptał Jan. — W tamtym jest dziecko w jantarowej macicy...

— Dziecko, jaszczurka, mucha, kotek, co się komu podoba — wzruszył ramionami Gerward. — A jantarowa macica to się tak mówi, Janie, to nie, że została wydarta z kobiety. Tak jak perłowa macica, rozumiesz. Magistrzy przypuszczają, że jantar to żywica sprzed tysiącleci. Zalewała, co było. Tu widzisz skapnęła na jaszczurkę, gadzina dzioba nie zdążyła zamknąć. A tam skapnęła na dzieciątko, trudno. Przy okazji jaszczurek. Minąłem na dziedzińcu prokuratora Krzyżaków, von Bruela. Źle mu z oczu patrzy, nie uważasz? Jakiś taki żmijowaty typ.

— Jakbyś mi w myślach czytał — potwierdził papież i schował bursztyn z jaszczurką do skrzyni. — Wciąż się spotkań domaga, a ja już nie mogę na niego patrzeć.

— Ja bym takiemu wydał zakaz zbliżania się do Jego Świątobliwości — usłużnie podpowiedział rozwiązanie.

— Nie mogę być posądzony o stronniczość — smutno powiedział Jan. — Z czym przybyłeś?

— Z krucjatą — przeszedł do sprawy Gerward.

— Na Litwinów?

— Nie, na Litwinów to już przeżytek — postanowił jednak błysnąć, bo jak trafią do papieża za kilka tygodni, to wspomni jego słowa i przenikliwość. — Na Tatarów. Stało się nieszczęście, dwaj książęta, bracia, co wespół władali Małą Rusią, zginęli bez dziedziców. I Ozbeg, chan Złotej Ordy, przysłał własnych baskaków, urzędników swoich, by rządzili pustym tronem.

— Czekaj, czekaj — przerwał mu trzeźwo papież. — A co nas obchodzą ci książęta? Przecież to schizmatycy byli.

— W pewnym sensie — zatańczył na krawędzi przerębla Gerward. — Mała Ruś pod władaniem cerkwi, ale oni, siostrzeńcy mojego króla Władysława, twego syna umiłowanego — podkreślił to z taką mocą, jakby byli rodzonymi wnukami papieża. — Byli tarczą chrześcijaństwa, Janie! Strzegą bramy ruskiej przed tatarską dziczą.

— Chwileczkę — trzeźwo zaprzeczył Jan. — Przed Tatarami strzegą nas Węgrzy i nazywamy to „bramą dunajską".

— Pozwolę sobie przypomnieć, że „bramy dunajskiej" mieli strzec Krzyżacy. Po to dawny król Węgier ściągnął ich do siebie. I co? Zdradzili. Zawiedli. Zamiast strzec przed poganami, chcieli tam zbudować państwo. Król Andrzej z Arpadów wygnał ich niczym wściekłe psy. No, niestety, nasz książę mazowiecki wówczas ich do siebie zaprosił. „Brama dunajska" to jedna z dróg, którą Tatarzy mogą wtargnąć wprost do serca Europy, jak robili to przed nimi Hunowie. Druga brama wiedzie przez Małą Ruś i to jej strzegli przed Złotą Ordą siostrzeńcy mego króla.

— Schizmatycy byli naszą tarczą? — krytycznie powtórzył papież. — Przesadziłeś, Gerwardzie.

— Ani trochę! Pomyśl, Ojcze Święty! Książęta bronili znany nam świat przed dziką ordą, a teraz orda na ich tronie! Zaraz ruszą na Węgry, na Polskę…

— Co ty mówisz? — zainteresował się Jan. — To kto nas obroni?

— My. Znowu my — kiwnął głową Gerward, jakby własną piersią osłaniał Jana. — Z twoją pomocą. Królowie Polski i Węgier ruszą na Tatarów, jeśli ogłosisz, że ich wyprawa ma rangę krucjaty.

— Dwaj arcychrześcijańscy władcy przeciw hordom niewiernych to jest krucjata. Masz to ode mnie. Ale powiedz, co dalej? Przecież Władysław i Carobert nie będą ich gonić aż do… skąd są Tatarzy?

— Z piekła — z powagą powiedział Gerward. — Pogonią ich i najlepiej by było, gdyby na tronie małoruskim zostawili kogoś godnego, kogoś z twą aprobatą.

— A, czyli jest kandydat — zorientował się Jan. — Znam go?

— Młody, pobożny książę, syn Trojdena z Czerska i ruskiej księżniczki. — Gerward uznał, że póki co nie ma sensu mieszać papieżowi w głowie wiadomością, że Bolesław będzie musiał przejść na prawosławie. Jan XXII miał jakieś uprzedzenia wobec schizmatyków.

— Nada się?

— Z twoim błogosławieństwem da radę — potwierdził za młodego Bolesława.

— Moj sekretarz zajmie się bullą na krucjatę. Odpusty dla poległych?

— Dziękuję w ich imieniu — zapewnił Gerward. — Ja się nie wybiorę, bo wciąż mam sprawy z Krzyżakami. Jako kolektor świętopietrza muszę pilnować, by twój skarbiec na czas dostawał, co mu należne.

— Święta prawda — skwitował Jan. — Też mam do ciebie prośbę, Gerwardzie. Wittelsbach zhardział. Po bitwie dwóch królów wydaje mu się, że już ma pełne prawa do tronu Rzeszy. Nie ustąpię mu ani o krok. Wciąż traktuję jego wybór jako nieważny.

— Hmmm. W tej kwestii chyba niewiele mogę. — Gerward otrzepał z rękawa paproch. Ze skrzyni papieża unosił się kurz i strzępki pajęczyn.

— Może tak, może nie, posłuchaj, zanim zdecydujesz. Wittelsbach obiecał Janowi Luksemburskiemu Brandenburgię, miał mu dać ją w lenno, po tym jak wymarli Askańczycy. Ponoć Luksemburczyk głównie dla tej Brandenburgii stanął przy nim do bitwy dwóch królów.

Gerward struchlał i przełknął ślinę. Przebiegło mu przez głowę, że gdyby król Czech dostał obiecaną Brandenburgię, Królestwo znalazłoby się w potrzasku. Otoczone z zachodu i południa.

— Ale, po bitwie, Wittelsbach rozmyślił się — kontynuował papież. — Dał mu ziem, zamków parę, uznał, że Jan dorobił się na okupach za jeńców, bo i prawda, zgarnął spore sumki. Do tego wystraszył się popularności, jaką Luksemburczyk zyskał po bitwie. Tam, w obozie wojennym, ponoć był na ustach wszystkich, pieśni o nim śpiewali. W dodatku ożenił siostrę z nowym królem Francji, Karolem, i tutaj cieszy się wielkim poważaniem. Wittelsbach to zawistny, mały człowieczek. Kuło go w oczy powodzenie Luksemburczyka. I postanowił osłabić go, dając Brandenburgię w lenno swojemu synowi.

— Nie może być — odetchnął z ulgą Gerward. — Co za podłość.

Papież zapalił się. Ludwik Wittelsbach był jego wrogiem numer jeden, numer dwa i trzy. Ojciec Święty nienawidził króla Niemiec i nie krył się z tym. Traktował tamten podwójny wybór jako swą wielką szansę na udowodnienie, że papież stoi ponad świeckim władcą, i nie chciał w ich potyczce odpuścić. Nieoficjalnie szeptano, że gdyby Wittelsbach sięgnął po cesarską koronę, papież popchnąłby resztę władców do wielkiej wojny.

— Podłość, małość i perfidia — syknął Jan. — Najpierw odebrał Luksemburczykowi zięcia, tego z Miśni, i ożenił z chłopakiem swoją córkę, a potem synalkowi postanowił nadać Brandenburgię.

— Czyli to dopiero w planach? — upewnił się Gerward. Podróż z Krakowa do Awinionu trwała długo, coś mógł przeoczyć.

— Ja nie dopuszczę do spełnienia tych planów! Czy Władysław mógłby mi w tym pomóc?

Jezusie — jęknął w duchu Gerward — natchnij mnie czymś sensownym, ale szybko. Papież chce nas wepchnąć w wojnę z Wittelsbachami.

— Przypomnę, Ojcze Święty, że król Władysław właśnie rusza na krucjatę przeciw Tatarom.

— Ach, tak — zasmucił się Jan. — A krucjata nie może poczekać?

— Chrześcijańskie dzieci brane w jasyr... — zaczął Gerward i opanował się, żeby papież znów nie zaczął ze schizmatykami. — Nie, ta wyprawa czekać nie może, ale pomówię z królem, gdy wrócę. Obiecuję.

Biskup włocławski zdał sobie sprawę w jednej chwili, że kwestia Brandenburgii, z pozoru nieistotna, może znacząco zmienić układy. Jeśli papież zechce wykorzystać złość Luksemburczyka przeciw Wittelsbachowi, może uda mu się przeciągnąć króla Czech do swego obozu. A od tego tylko krok do wznowienia przez Jana Luksemburskiego pretensji do polskiego tronu. Do naruszenia kruchej równowagi, którą Gerward osobistym staraniem wypracował przed koronacją Władysława. Sprawa tak delikatna, ale niestety, możliwa, że nawet pisać o zagrożeniach królowi nie będzie. Musi pomówić z nim w cztery oczy.

Jestem niezastąpiony — pomyślał Gerward i ta refleksja nie przyniosła mu ulgi. Nagle poczuł się tym wszystkim po ludzku umordowany.

Siedział z papieżem w pałacu w Awinionie, oglądał dary z całego świata, gawędził o tym i tamtym, jakby znał wszystkich królów i książąt od dziecka. Kapelusza kardynalskiego odmówił przed koronacją Władysława, ale osiągnął więcej, niż kiedykolwiek zamarzył. Papież rozmawiał z nim jak z przyjacielem, któremu można zwierzyć się z najgłębszych trosk. A do niego właśnie dotarło w tej chwili, że niczego nie pragnie bardziej, niż znów być tylko wikarym w Kruszwicy. Spacerować po polach, głaskać dłonią dojrzewające kłosy zbóż, gawędzić z parobkiem od powroźnika o deszczu i zjeść gruszkę znalezioną pod drzewem. Soczystą od soków, ciepłą od nagrzanej ziemi, na której spała, nim po nią sięgnął.

JEMIOŁA wracała z Gniezna. Uczyła się czytać i pisać w języku, który był dla niej chłodny i obcy. „Dlaczego nie możemy pisać tak, jak mówimy?" — pytała Wojciecha, który ją uczył. „Bo nasz język jest mówiony. Pisanie w nim byłoby zbyt trudne" — odpowiadał i tłumaczył cierpliwie: „Łacina otwiera na oścież okna nauki. W dalekiej Italii, na szczycie Pirenejów, we francuskim klasztorze i niemieckim mieście uczeni tak samo zapiszą każde ze zdań. I przyznasz, siostro, że brzmi melodyjnie?" — uśmiechał się. „Nie bardzo" — odpowiadała szczerze. Łacina dla niej nie miała tajemnego powabu sacrum, ale o tym już Wojciech nie powinien wiedzieć.

Poczekaj — myślała — jak nauczę się liter, zacznę pisać po polsku. I zobaczymy, czy to za trudne!

Nie była zaskoczona, że Janisław nie uczył jej osobiście. Gdy raz w tygodniu przychodziła na lekcje, mogła przekonać się, jak bardzo jest zajęty. W kancelarii arcybiskupa panował ruch, jak w ulu. Widziała kolejki ludzi czekających na spotkanie i stosy pergaminów, które przynoszono mu do przeczytania. Ciekawiło ją, co woli. Ludzi czy pismo? I czy celowo powierzył jej naukę komuś, kto nosi imię Wojciech, jak ten święty biskup?

„To była bezsensowna śmierć" — wspominała jego losy Dębina. — „Kapłani Trzygłowa myśleli, że zabijając Wojciecha, zabiją boga, którego imię głosi. Stało się dokładnie na odwrót".

W drodze do matecznika wstąpiła do „Zielonej Groty". Ludwina stała tyłem do światła, a gdy się odwróciła, Jemioła zobaczyła zapuchnięte od płaczu oczy.

— Co się stało? — spytała.

Ludwina pokręciła głową i wskazała ciemny kąt izby.

— Porozmawiaj z nią — westchnęła i głos jej się załamał. — Może ciebie posłucha…

— Nie posłucham. Już za późno — usłyszała Wierzbkę i stara przyjaciółka wyszła z półmroku. — Żegnaj, Jemioło.

Miała na sobie męskie nogawice, dopasowany skórzany kaftan podkreślał jej zgrabną sylwetkę. Kiedyś nosiła dwa warkocze do pasa. Teraz długie, ciemne włosy związała w węzeł i przytrzymała tkaną przepaską. Do Jemioły dotarło w jednej chwili.

— Chciałaś mi powiedzieć czy odejść bez słowa? — spytała Wierzbkę.

Źrenice dawnej przyjaciółki zalśniły. Nie odpowiedziała.

— Więc uznałaś, że nie zasłużyłam na rozmowę — gorzko powiedziała Jemioła. — Mimo to, skoro spotkałyśmy się przypadkiem, proszę cię o nią.

Wierzbka wyraźnie się zawahała, ale Jemioła nie przestawała patrzeć jej w oczy. Usiadła zrezygnowana. Jemioła przysunęła sobie ławę do niej.

— Uwiódł cię Jarogniew czy Zaremba? — zapytała bez ogródek.

— Wiesz, że nie można mnie uwieść — żachnęła się Wierzbka.

— Jasne. Tyle lat uwodziłyśmy, ale nas nikt nigdy nie porwał — zakpiła.

Wierzbka, Trzmielina, Tarnina, Jarzębina to ostatnie z dziewczyn z „Zielonych Grot". Wspólnie pełniły służbę dla Dębiny. Znały sekrety niedostępne innym siostrom. Wiedziały, jak sprawić, by mężczyzna stracił dla nich głowę, albo serce dla innej. Albo zyskał jurność, a bezpowrotnie utracił płodność. Wiedziały też, jak sprawić, iż będzie miał tylko córki i nigdy nie spłodzi syna.

— Jarogniew zrobił to celowo — powiedziała Jemioła. — Nazwał dziwkami, żeby nas umniejszyć i poróżnić. Liczył, że któraś z nas pęknie i pójdzie do niego. Trafił w twój czuły punkt.

— Nie chodzi o niego — gniewnie odpowiedziała Wierzbka. — Chodzi o ciebie.

— Mów — rozkazała Jemioła i pomyślała, że cokolwiek usłyszy, zniesie to.

— Wybrałaś złą drogę, siostro — bez złości powiedziała Wierzbka. — Napad Doliwów na dziewczyny na Żerce jest dowodem. To nas czeka, jeśli cię posłuchamy. Będziemy przynętą, łatwą zdobyczą i ofiarą, którą złożą swoim klechom. Ty się dałaś nabrać Janisławowi, a ja... — głos jej zadrżał, odetchnęła ciężko — ja nie chcę być ofiarą.

— Ja też — powiedziała Jemioła. — Ale czarno-biały świat jest fałszem, wymysłem tych, co pragną panować nad umysłami ludzi. To zawsze dobrze brzmi „nasz wróg", „śmierć innym", „ocalmy naszych", ale to rzadko kiedy jest prawdą.

— Więc jak jest? — żachnęła się Wierzbka.

— Tak jak przed świtem. — Jemioła wyciągnęła rękę i położyła na jej dłoni. — Ciemność ustępuje jasności, ale nikt nie potrafi wskazać tej jednej chwili.

Wierzbka wyszarpnęła swoją dłoń spod jej dłoni.

— Skoro nikt tego nie umie, ty też nie poradzisz — powiedziała i zerwała się z ławy. — Podjęłam decyzję. Chcę walczyć przeciw Piastom. Chcę spróbować tę ich ciemność zatrzymać. Nie uda się, to przynajmniej polegnę szczęśliwsza, bo próbowałam.

— Co ty mówisz? „Polegnę szczęśliwsza"?! Wierzbko, to są tylko słowa, to są bzdury.

— I kto to mówi? — wykrzywiła usta w niedobrym, złośliwym uśmiechu. — Matka, która uczy się czytać po łacinie, by poznać te słowa i księgi, z których pochodzą? Nie jestem głupia, Jemioło. Wiem, do czego chcesz nas doprowadzić.

Wierzbka pochyliła się nad siedzącą Jemiołą. Złapała ją za ramię, mocno i wyszeptała prosto w twarz:

— Chcesz nas ochrzcić. Ty i Janisław zamkniecie nas w klasztorze. Taki będzie koniec zielonych dziewczyn. Dobrze, że Dębina tego nie doczekała. Pękłoby jej serce.

Jej serce bije jeszcze — pomyślała Jemioła. — Uderza raz na kilka dni. Jej dusza podróżuje po przeszłości i przyszłości. Może widzi nas teraz? Może słyszy, jak wszystko, co stworzyła, rozłazi mi się w rękach.

— Będę przechowywała w pamięci wszystkie nasze dobre chwile — odpowiedziała Wierzbce. — Żałuję, że wybrałaś Jarogniewa.

Wstała i nie zważając na opór Wierzbki, przyciągnęła ją do siebie i przytuliła mocno.

— Zawsze możesz wrócić, siostro. Matecznik nie ma drzwi, które można zamknąć.

Wierzbka szybko oddała uścisk i wyrwała się z objęć Jemioły. Powstrzymywała łzy, ale nie na tyle, by Jemioła ich nie dostrzegła. Wybiegła z „Zielonej Groty", cofnęła się po kilku krokach. Serce Jemioły zabiło mocniej. Na darmo. Wierzbka domknęła drzwi i odeszła.

LUTHER Z BRUNSZWIKU miał problem, który wolał rozwiązać sam, bez udziału Wildenburga. Mistrz krajowy nie miał smykałki do dyplomacji; Luther nie raz przekonał się, że znacznie lepiej zrobić coś samemu i poinformować o wynikach, niż prosić o zgodę. Pomóc mógłby mu Zyghard von Schwarzburg, ale zlecili mu sprawy ruskie i wyjechał z Malborka. Luther poradził sobie. Puścił gońców do gwardianów franciszkańskich domów zakonnych z Torunia, Chełmna, Brunsbergu i Nowego, zapraszając szacownych ojców do Elbląga. Komturem był tam jego człowiek, Herman von Oetingen. Wystarczająco wyrywny, zapalczywy i oddany, by mogli się podzielić rolami i zrobić, co należy.

Ojcowie franciszkanie przybyli, Oetingen jako gospodarz przywitał ich krótko i oddał głos Lutherowi.

— Nasze spotkanie jest poufne — zaczął komtur dzierzgoński.

— Jak bardzo? — przekornie zapytał Mikołaj, kustosz franciszkański.

— Tak, że szlachetny Luther z Brunszwiku nie zaprosił na nie swego przełożonego — zaśmiał się ojciec Teodor z Torunia.

Zawtórowali mu Wolfram z Chełmna i Johanus z Brunsbergu. Rodryg z Nowego, miasta Piotra Święcy, milczał. Luther udał, iż nie słyszy kpiny. Kontynuował:

— Być może ojcowie słyszeli o tak zwanym pokoju wileńskim.

— Żadna nowość — prychnął Johanus.

— Czart to wymyślił, szatan spisał, a diabli przybili pieczęcie — pogardliwie powiedział Wolfram.

— Wymyślił Giedymin, a spisać pomogli mu dominikanie. — Luther znów udawał, iż nie wyłapał drwin franciszkanów. — Dominikanie, którzy, jeśli pokój wileński się utrwali, będą u Ojca Świętego w największej łasce.

Franciszkanie na migi pokazali między sobą coś, co musiało być obraźliwe dla konkurencji. Nienawidzili dominikanów.

— Najważniejszy port na całym Bałtyku, Ryga, i jej potężny arcybiskup, a także kawalerowie mieczowi, Psków, Dorpat, Kurlandia, Liwonia i Estonia spisali z wielkim księciem Giedyminem porozumienie o wolności handlu i wolności dla chrześcijan w Litwie i na Żmudzi — skończył, co miał do powiedzenia Luther.

— Kolejna bzdura, która nie wyjdzie poza czcze układy — lekceważąco skwitował kustosz Mikołaj.

— Już wyszła — zimno zaprzeczył Luther. — Posłowie arcybiskupa Rygi przekazali traktat papieżowi i Jan XXII pod niebiosa wychwala dominikanów. W dodatku Giedymin wysłał poselstwo do Awinionu, które oświadczyło, iż on, wielki kniaź, życzy sobie być ochrzczonym.

— Papież klęknął i całował pergamin — tubalnie potwierdził Oetingen.

— Bo oto pojawiła się pokojowa oferta sygnowana przez autorytet arcybiskupa Rygi, który co do zasady, jest zwierzchnim biskupem nie tylko Liwonii i Estonii, ale i Prus, o czym ojcowie ukryci pod opiekuńczymi skrzydłami Zakonu zdaje się zapomnieli — dokończył Luther.

— Nie pouczaj franciszkanów, komturze — odezwał się rozgniewany kustosz Mikołaj.

— Właśnie skończyłem pouczać. — Zimno powiedział Luther. — Teraz zacznę wydawać wam rozkazy.

Poruszyli się, jakby ktoś dźgnął ich rozżarzonym żelazem. Wolfram i Johanes wstali oburzeni, jakby chcieli opuścić refektarz. I dopiero teraz zobaczyli, że ludzie Oetingena stoją przy drzwiach z toporami w dłoniach. Mikołaj zbladł i zawołał:

— Unieść rękę na mnicha to grzech śmiertelny!

Luther miał to gdzieś, już przestał być uprzejmy.

— Jeśli nie chcecie współpracować z Zakonem, musicie opuścić granice naszego państwa jeszcze dzisiaj. Dla nas liczą się tylko ci zakonnicy, którzy pracują z nami.

— Powodzenia — gruchnął Oetingen. — Papież nienawidzi franciszkanów, wasze lamenty spłyną po nim jak tłuszcz po pieczeni. Nie liczcie, że da wam pozwolenie na nowe klasztory.

Luther patrzył na nich kolejno. Johanes i Wolfram usiedli z powrotem, naradzali się szeptem. Pierwszy odezwał się Rodryg z Nowego.

— Czego od nas oczekujecie?

— Dwóch listów — odpowiedział Luther. — Pierwszy skierujecie do arcybiskupa Rygi i tamtejszych mieszczan. Z twardą prośbą o natychmiastowe zerwanie hańbiącego układu z poganami. Drugi list ma być do papieża. W nim zapewnicie Jana XXII, że oszczerstwem jest twierdzenie, iż Zakon Najświętszej Marii Panny staje na drodze nawrócenia Giedymina. Ten list ma być bogaty w treść i przykłady litewskich kłamstw i fałszerstw.

— Ja to napiszę — powiedział Rodryg Lutherowi.

— A oni się podpiszą. Dobrze — skwitował Oetingen.

Mikołaj i pozostali milczeli, Rodryg z Nowego odwrócił się do nich i powiedział cicho:

— Bracia franciszkanie mężnie stanęli przy królu Niemiec, Ludwiku Wittelsbachu, w jego wojnie z Ojcem Świętym. My musimy stanąć przy boku komturów.

— To nie to samo — zduszonym głosem odpowiedział Mikołaj.

— Wiem — stwierdził Rodryg. — Ale oni mają rację. Mogą nas wygnać i nikt się za nami nie ujmie. Ja, póki mam możliwość, wybieram.

Luther pomyślał, że poszło zaskakująco łatwo i że wybaczy Mikołajowi, Wolframowi i Johanesowi kpiny, o ile ich list przyniesie jakikolwiek efekt. Oczywiście nie liczył, że Ryga wycofa się z pokoju wileńskiego, nie był naiwny. To porozumienie było majstersztykiem Giedymina i uderzało w Zakon ostrzej, niż cokolwiek wcześniej. Komtur dzierzgoński potrzebował trochę czasu dla działań Rdesta na Litwie i Żmudzi i jeśli kupi ten czas franciszkańskim listem, uzna to za drobny sukces. Dużym będzie odwiedzenie Giedymina od chrztu. Nie cofnę się przed niczym — pomyślał, patrząc na franciszkanów siedzących nad pustym pergaminem — by nie dopuścić do chrystianizacji Litwy.

WINCENTY NAŁĘCZ, kasztelan przemęcki, wraz z najważniejszymi ludźmi Starszej Polski czekał na króla na dziedzińcu poznańskiego zamku. Przy jego boku stał Borek z Grodziszcza, przyjaciel i sąsiad, choć równie dobrze, jako syn wojewody, mógł stanąć przy starym Borkowicu.

— Nie będę się grzał w blasku ojca — mruknął Borek do Wincza, gdy ten spytał. — Jak twój stryj był wojewodą, też nie korzystałeś.

Kolejna rzecz, która ich łączyła. Krewniacy zmieniający się na urzędzie wojewody.

— Poza tym spójrz, przy nim zawsze wyglądam jak gołowąs — dorzucił Borek.

Prawda, Przybysław Borkowic miał brodę gęstą, długą i choć wiek już słuszny, nie widać było na niej śladu siwizny.

— Jak nam żadna wojna z nieba nie spadnie — ciągnął szeptem Borek — do śmierci będę synem wojewody.

— Dobrze, że nie maminsynkiem — odpowiedział mu Wincenty złośliwie.

Borek był znany z miłości do matki, o której nie wyrażał się inaczej niż „mamunia". Mówił, że nie ożeni się, póki nie znajdzie podobnej i, póki co, wciąż był wolny.

— Król już wjechał na Śródkę, kieruje się do katedry. Zatrzyma się tam na modlitwę przy grobie króla Przemysła — powiadomił oczekujących sługa wojewody.

— To co, jeszcze po piwku, panie kasztelanie?

— Skusiłeś mnie — odpowiedział Wincenty i wycofali się na tyły.

Borkowice słynęli z wyrobu piwa, które mieli w herbie, i odkąd Przybysław został wojewodą, w Poznaniu wreszcie było się czego napić. Przy beczce stał Maciek, starszy brat Borka. Wokół niego sami znajomi. Dołączyli do nich.

— Doliwa ciągnie do piwa! — zawołał Wincenty na widok Mikołaja raczącego się zimnym trunkiem.

— Nikt Nałęcza nie wyręcza! — odpowiedział mu pan z Biechowa.

— Andrzej z Koszanowa i bez orła głowa! — zaczepił wąsatego chudzielca Borek, żartując z orli, herbu Koszanowskich.

— Grzymalita o nic nie pyta! — sam o sobie przypomniał drugi z Mikołajów, pan z Błażejewa.

— Jarosław z Iwna i jego morda dziwna — przywitał się z ostatnim z pijących Borek.

— Chodź, synalku wojewody, porachujesz nam tu schody — odpowiedział mu Jarosław, wypominając, że gdy Borko był chłopcem i starszy brat Maciek zabierał go ze sobą, ten z nudów liczył, co mu wpadło w ręce.

— Starszaki w komplecie — skwitował widok towarzyszy Wincz.

Dwóch Grzymalitów, dwóch Napiwonów, jeden Doliwa, jeden Orla i on, Nałęcz, trzymali się razem od lat. Wyrośli na czasach Przemysła i jego Czterech Wichrów. Jako dzieci bawili się, kto jest którym, ale przy siedmiu chłopakach to się nie mogło udać. W tamtych czasach wołano na nich „Młodziaki", a oni odcinali się, że są „Młoda Polska" w przeciwieństwie do starszych braci, stryjów i ojców, dumnie nazywanych baronami Starszej Polski. Odkąd każdy z nich, prócz Borka, pożenił się i osiadł na własnym, dla siebie samych stali się „Starszakami".

— Jurny pan z Szamotuł! — wypalił Jarosław. — Gratulujemy drugiego syna!

Posypały się poklepywania. Pośmiał się z nimi, przytaknął. Co im będzie opowiadał, że Zbysława omal nie przypłaciła porodu życiem. Był pewien, że nie będą mieli więcej dzieci, Sędziwój i Małgorzata, i długo, długo nic. Ona naprawdę już nie była młoda; bał się, bo po raz pierwszy krzyczała, a babka położna wychodziła z jej izby tak blada, że myślał, iż straci żonę i noworodka. Gdy stał pod drzwiami, przysięgał sobie, że jeśli przeżyją oboje, znów pozwoli jej nazwać dziecko, ale urodził się syn. Drugi syn. Zbysława doszła do siebie, dzieciak był zdrów, Wincenty zapomniał o przysięgach. Dał mu Dobrogost, po stryjach. Dobrogost Nałęcz.

— Co, spięci jak panienki przed ślubem? — zahaczył przyjaciół, zmieniając temat.

— Jeśli znów chcesz przypadkiem wspomnieć, że zeszłego roku byłeś u króla na Wawelu — przesadnie podkreślił Mikołaj — to masz w łeb. Nie mogę już tego słuchać.

— Dziwne, że cię tylko kasztelanem przemęckim zrobił, a nie od razu krakowsko-wawelsko-nadwiślańskim — zakpił Andrzej.

— Zazdrośnicy — wyśmiał ich Wincz i napił się piwa. — Zimne i dobre. Nie ma się czego wstydzić, że trema was zjada. Ostatni raz król był w Poznaniu…

— Jak jeszcze nie był królem — krótko i trafnie zamknął sprawę Borek.

— Nie spieszyło się najjaśniejszemu panu do Starszej Polski — Jarosław powiedział to, o czym wszyscy wiedzieli. — Albo nas nie lubi.

— Chyba was — Mikołaj z Biechowa wyszczerzył zęby. — Nas, Doliwów, kocha.

Co prawda, to prawda. Mikołaj był synem Piotra z Dębna, kasztelana poznańskiego, który częściej bywał w Krakowie niż w Poznaniu na urzędzie, bo go król wciąż wzywał, jakby żyć bez niego nie mógł. Ale też i ród Doliwów w czasach Przemysła nie stał w pierwszym szeregu. Wypłynęli dopiero przy Łokietku.

— Mnie nie zależy — dorzucił drugi z Mikołajów, Grzymalita.

— Król pod zamkiem! — zaalarmował goniec wojewody i Mikołaj pierwszy odstawił piwo, by skoczyć do przodu.

— Ha, ha, ha — zaśmiał się Wincenty. Dopił piwo i zobaczył, że stoi sam. Wszyscy jego przyjaciele czmychnęli, żeby zająć jak najlepsze miejsca. Otarł ręce i pobiegł do Borka.

— Chodź, trzymałem ci — Borek pokazał rozstawione łokcie i zawołał: — Przejście dla kasztelana Przemętu!

Zagrały rogi i herold zawołał:

— Król Polski, Władysław!

Przodem jechali panowie. Kasztelan poznański, Piotr Doliwa, ojciec Mikołaja, otwierał orszak, bo choć przybywał z królem wprost z Krakowa, to jednak był tu gospodarzem. Za nim Toporczycy, Lisowie, jeden z Bogoriów, wszystkich Wincenty poznał w Krakowie, albo przynajmniej widział. Poprzedzały ich rodowe proporce, a potem królewski chorąży z niedużą, podróżną zapewne, chorągwią królestwa. Orzeł na purpurze załopotał na dziedzińcu jak za czasów króla Przemysła. Wincenty poczuł, że ma sucho w ustach. Borek otarł łzę.

— Ty płaczesz? — chciał zakpić Wincz, ale głos mu zadrżał.

— Domarat z Grzymalitów, biskup poznański! — zawołał herold, a po zgromadzonych przeszedł szept:

— Koronator…

Bo choć widywali swego biskupa często, to pierwszy raz w obecności króla i nagle we wszystkich odżyło wspomnienie, że poznański biskup był wśród tych, co dostąpili zaszczytu włożenia na jego skronie korony.

— Arcybiskup Królestwa Polskiego Janisław z Korabitów! — zapowiedział herold.

Wincenty zapatrzył się na niego. Widział go drugi raz w życiu, ale za pierwszym razem, Janisław był młodym chorążym Jakuba Świnki.

Jezu — jęknął w duchu. — Tak wygląda prawdziwy *Miles Christi*...

Wysoki, prosty w plecach, o sylwetce kopijnika nie duchownego. Sakra arcybiskupia leżała na nim, jakby hełm nosił. Miał mocno zarysowaną szczękę, bardzo jasne, przenikliwe oczy i potężne dłonie. Gdy uniósł prawicę, by zrobić znak krzyża na powitanie, Wincz miał złudzenie, że trzyma w niej miecz.

— Król Polski, Władysław! — raz jeszcze zakrzyknął herold i wreszcie wjechał władca.

Siedział na najwspanialszej klaczy, jaką Wincenty widział w życiu. Wysokiej w kłębie, o pełnej, wypukłej piersi, dumnej szyi i barwie przypominającej ciemne złoto albo polerowaną miedź. Nie gniadej, nie bułanej, ale właśnie złotej. Po jej zadzie spływał purpurowy płaszcz monarchy.

— Królowa klaczy polskich... uszczypnij mnie — szepnął Borek i też wlepiał wzrok w złotą klacz.

— Mojmira — usłyszeli za swymi plecami.

— Co? — dopytał Borek.

— Ta klacz — wyjaśnił wysoki, kościsty mężczyzna. — Król ją tak nazywa. Poprzednia była Rulka.

— Aha — powiedział Borek i nagle szturchnął Wincentego w bok, sycząc jeszcze ciszej: — A to kto, u licha?

Nałęcz nie wiedział, o kogo pyta druh, bo za królem pojawiły się dwie przyciągające uwagę postacie. Pierwszą był rycerz jeszcze niższy od króla, gdyby wypadało, pomyślałby „karzeł". Na zaskakująco szerokiej, jak na tak niewysokiego mężczyznę, klacie miał napierśnik noszący niejeden ślad po uderzeniu. Włosy w brudnych strąkach sterczały wokół twarzy dość pospolitej, ale w jakiś sposób groźnej i budzącej respekt. Gdy przejeżdżał obok nich, obrzucił Wincentego uważnym spojrzeniem jasnych, zielonych oczu. Przeszedł go dreszcz i zdał sobie sprawę, że jedyną nową rzeczą, jaką ma na sobie mały rycerz, był płaszcz z królewskim orłem.

Zaraz za nim na karym koniu jechał czarno ubrany młodzieniec, zupełne przeciwieństwo karła — rycerza. Ten wszystko miał nowe.

Czarny dopasowany kubrak i płaszcz czarny, dziwacznie zarzucony na jedno tylko ramię i przytrzymany łańcuchem. Czarne obcisłe nogawice i nawet buty czarne, w dodatku z niemożliwie długimi noskami. Pas z kosztownych ogniw, czarna pochwa sztyletu wysadzana kamieniami i tylko włosy jasne, niemal białe.

— To królewicz Kazimierz?... — niepewnie zapytał Borek. — No, mów, byłeś na Wawelu.

— To giermek króla — otrząsnął się ze zdumienia Wincenty i poznał go. — Słynny Borutka.

— Ten Borutka?!

— Ten sam — potwierdził Nałęcz — co w czasie ostatniej wyprawy na Brandenburgię, gdy mój stryj był jeszcze wojewodą poznańskim, ustrzelił płonącą strzałą czerwonego askańskiego orła.

— Do licha... — jęknął Borek, gapiąc się na Borutkę. — Wincz. Nigdy, ale to nigdy, nie słyszałem, by człowiek zabił herbową bestię.

— Ja też nie — potwierdził Nałęcz. — Ale Dobrogost widział to na własne oczy i opowiadał tyle razy...

— Ciekawe, że zaraz potem Askańczycy wymarli. Księżna Mechtylda i nawet niezwyciężony Waldemar.

— Nigdy tak o tym nie pomyślałem. — Wincenty spojrzał na Borka, jakby pierwszy raz go widział. — Nie zwróciłem uwagi na ten zbieg okoliczności.

Coś mu się przypomniało. Uniósł głowę i gwałtownie rozejrzał się.

— Czego szukasz? — spytał Borek, śledząc za jego wzrokiem.

— Królewskiego orła — powiedział Wincz. — Nie zabrali go z Wawelu.

Cały orszak był już na dziedzińcu. Ojciec Borka przytrzymał królowi strzemię, gdy ten zsiadał. Goście ruszyli do wejścia. Wojewoda kiwnął do syna, by ten szedł przy nim, ale Borek udawał, że nie widzi.

— Idź, będziesz bliżej króla — zachęcił go Wincenty.

— Trzymam z tobą — wzruszył ramionami Borek z Grodziszcza herbu Napiwon.

WŁADYSŁAW rozejrzał się po Okrągłej Sali poznańskiego zamku. Tyle złych wspomnień wiązało go z tym miejscem. Tu zaznał wyniesienia na tron książęcy, od którego zakręciło mu się w głowie nienawykłej do splendorów, i tu go z tronu strącono. Poniżono i zostawiono na poniewierkę.

Jak kazał przed laty, tapiserie ze scenami arturiańskimi zdjęto ze ścian i zastąpiono królewskimi orłami, ale spod nich gdzieniegdzie wyzierała krusząca się zaprawa. Już chciał zganić kasztelana, że zamek zaniedbał, ale zaniechał. To na jego rozkaz Piotr Doliwa częściej bywał w Krakowie. Usiadł na tronie, po jego prawicy arcybiskup Janisław, za nim Domarat, biskup poznański. Po lewicy kasztelan Piotr Doliwa i wojewoda Przybysław Napiwon.

Kanclerz streścił panom poznańskim ostatnie wydarzenia.

Ich Ruś nie obchodzi — myślał, przesuwając spojrzenie po Grzymalitach, Pałukach, Korabitach. — Równie dobrze można by mówić „za górami, za morzami". Z Poznania widzą Brandenburczyków, Krzyżaków i Głogowczyków. Tak jak Mazowsze Litwinów, a Śląsk Czechów. Ot, moje Królestwo. Blizny podziałów dzielnicowych wciąż widoczne, jakby kto je nożem naciął do kości.

— Straciliśmy Gdańsk — podsumowywał kanclerz. — Ruś zabezpieczała szlaki handlowe ze wschodu. Póki na tronie włodzimiersko-halickim siedzą chańscy urzędnicy, handel w królestwie jest zagrożony.

Władysław wyłowił w tłumie jasne włosy Wincentego Nałęcza. Z przodu stało kilku jego rodowców. Marcina Zaremby, wojewody kaliskiego, miało nie być i nie było. I dobrze. Bez Zarembów Starsza Polska była łatwiejsza do przełknięcia.

— Król dostał od Ojca Świętego bullę na krucjatę przeciw Tatrom — przejął głos arcybiskup Janisław. — Wspólna wyprawa z Węgrami ruszy lada miesiąc. Osadzimy na tronie małoruskim księcia mazowieckiego.

Szmer w tylnych rzędach. Janisław nie udawał, że go nie słyszy. Huknął:

— Syn ruskiej księżniczki Mariji Jurijewny, Bolesław. Ktoś z was ma lepszą krew na tron ruski? Wystąp!

Uciszyli się natychmiast. Potaknęli. I zamilkli głucho. Po długiej chwili odezwał się wojewoda poznański:

— Mieszanie się w sprawy ruskie może spowodować odwetowe ataki Litwinów.

— Nie na was — krótko i mocno uciął spekulacje Janisław. — Król uzgodnił z wielkim księciem co trzeba.

— Zabezpieczycie północ i zachód — wreszcie zabrał głos Władysław. — Krzyżacy mogą wykorzystać nieobecność wojsk małopolskich, a w Brandenburgii zamęt.

— Głośno się mówi, że ma być lennem młodego Wittelsbacha — odezwał się Wincenty Nałęcz.

Johanes von Osten ci mówił? — pomyślał Władysław uszczypliwie.

— Pożyjemy, zobaczymy — odpowiedział głośno. — Czasy bez władcy w każdym kraju niespokojne. Nie chcemy, by bandy rabunkowe zapuszczały się na nasze ziemie.

— Na kolebkę Królestwa! — zawołał z tyłu któryś z Grzymalitów. W jego głosie zabrzmiały pretensje.

— Król na wojnę, Ruś chronić! — zawtórował mu ktoś, kogo Władek nie znał. — A my mamy granic pilnować jak stare dziady, co podpierają ściany chałup!

— Wojny w Starszej Polsce wam brakuje? — odpowiedział im wojewoda krakowski. — Zapraszam do Małej Polski. Poczujecie oddech Tatarów!

— Nie patrzmy na wschód! — zawołał Nałęcz. — Patrzmy na zachód! Jak król Przemysł!

— Ten, którego życia nie ustrzegliście? — odgryzł się Bogoria. — Którego zabili margrabiowie z zachodu?

— A może takiej wojny baronom Starszej Polski trzeba? — zawtórował mu Toporczyk z Sandomierza. — Z królem Niemiec, Ludwikiem Wittelsbachem?

— Pożar domu zaczyna się od jednej ściany — uspokoił ich arcybiskup Janisław. — Gdy nie ugaszona w porę, zajmą się kolejne. Nasz król wie o tym więcej, niż kto inny.

Uciszyli się, Władysław pokazał, że chce przemówić.

— Jan Luksemburski nie ustaje w podnoszeniu pretensji do polskiego tronu. Nazywa mnie „królem Krakowa" i ma rację. Władam z Krakowa. Gdybym się z niego ruszył na dłużej, wojska czeskie podeszłyby pod Wawel szybciej, niż wojewoda poznański zebrałby wasze posiłki. Luksemburczyk podkupuje Śląsk. Tam książąt mrowie, każdy z nich już był u króla Czech na audiencji. Co ważniejsze, Śląsk czy korona? — Władysław zrobił przerwę. — Co ratować? — I znów zamilkł na chwilę. — Nie, wy nie musicie odpowiadać. Ja muszę. Mówię: korona.

— Racja — potwierdzili baronowie z pierwszych rzędów. — Racja.

— Wygraliśmy proces z Zakonem o Pomorze — podjął Władysław. — Czy Krzyżacy wykonają wyrok i je zwrócą? Nie musicie odpowiadać — rzucił wyzywająco. Wziął wdech i uniósł głos: — Ale powiedzcie mi, baronowie Starszej Polski, ile czasu zajmuje Tatarom droga z Halicza do Krakowa! Odpowiedzcie mi!

Patrzyli ponuro, nieprzyjaźnie.

— Cztery dni! — krzyknął Władysław. — Sześć z jasyrem i łupami!

Zamarli. Oto ich „za górami, za morzami". Tylko z Poznania daleko do Złotej Ordy.

— Macie odpowiedź, dlaczego król musi patrzeć dzisiaj na wschód — odezwał się z mocą Janisław.

Władysław wstał i powiedział cicho, zmuszając ich, by wstrzymali oddech.

— Zawrę każdy konieczny sojusz, by osłonić Królestwo. Nie cofnę się przed żadnym. Rozkazuję wam, baronowie Starszej Polski, bronić zachodniej i północnej ściany, gdy gasić będę wschodnią. Przyjdzie czas, wrócę do Poznania. Wtedy chcę widzieć was przy swoim boku. Nie żyjemy w spokojnych czasach. Wojny starczy dla każdego.

III

1324

HUNKA nie miała pojęcia, od kogo pochodzi zlecenie. Mężczyzna, który ją odnalazł w Tuluzie, przedstawił się jako Wolf i wiedział, że jest dziewczyną, choć przyszedł pytać o Hugona, iluminatora ksiąg króla Jana. Tym zresztą zmusił ją do spotkania, wyciągając z klitki na poddaszu zamku, którą Henry de Mortain przeznaczył na jej pracownię, gdy Luksemburczyk oznajmił, iż zostają w Tuluzie na dłużej. Wystraszyła się, że Wolf zdemaskuje ją przed królem, i przyjęła warunki spotkania: po zachodzie słońca w gospodzie nieopodal starego rzymskiego mostu nad rzeką Garonną. Wzięła ze sobą dwa ostrza: długi sztylet chowany wzdłuż ozdobnego pasa, który nosiła jako Hugo, bo iluminator lubił się stroić, i krótki nóż, ukryty w cholewce buta. Zamierzała pozbyć się Wolfa, lecz najpierw chciała poznać zagrożenie, jakie ze sobą przyniósł. Nie zaufała mu, gdy powiedział, że jest dawnym znajomym Jakuba de Guntersberga, ani gdy pochwalił jej dzieła — Vaška i Rudolfa. Prowadziła rozmowę zręcznie, tak jej się przynajmniej zdawało, i wywnioskowała, iż Wolf pojęcia nie miał, że znalazła się przy Janie z rozkazu Rikissy. Wiedział, iż widziano ją, jako damę dworu, na Turnieju Zimowego Króla, ale był pewien, iż to ona uratowała Jana Luksemburskiego od stratowania i od tamtej pory mu służy. Nawet pogratulował stylu, w jakim znalazła się w jego świcie. „Umiesz się ustawić, dziewczyno, nawet gdy ojciec nie żyje". W to, że jest prawdziwym iluminatorem, nie wierzył. Sądził, iż księgi robi za nią kto inny. „Stać cię, dziewczyno. Na służbie króla, pewnie zarabiasz krocie". Nie zaprzeczyła. Spytał wtedy, czy chciałaby wziąć robotę na boku. „Nie spieszy się" — dodał — „to znaczy masz pół roku. I trzeba się ruszyć z tej dziury. Do miasta nad Rodanem" — mrugnął znacząco. Zawiało wielkim światem. „Kto płaci?"

— spytała. „Ja" — odpowiedział Wolf, ale dodał z naciskiem: — „A mnie ktoś większy". „To za mało. Chcę wiedzieć, dla kogo robię" — zażądała na próbę, chcąc sprawdzić, ile jej powie. „Mężczyzna w białym płaszczu" — odpowiedział. „Ojciec nie lubił pracować dla Krzyżaków" — potargowała się. „Bo miał konkurenta" — zaśmiał się Wolf. — „Ale latka lecą i trzeba nam nowych ludzi, zdolniejszych". Nie zaufała Wolfowi, ale zlecenie wzięła. Miał rację, latka lecą, a ona musi się rozwijać.

W Tuluzie spędziła czas do Bożego Narodzenia wraz z dworem Jana, królewską rodziną francuską, Karolem i śliczną Marią, siostrą Luksemburczyka. Miała dużo sposobności, by wyjechać z miasta i wrócić, tym samym pierwsze zlecenie Wolfa wykonała jeszcze jesienią, przed upływem czasu, jaki jej wyznaczył. Zjawił się natychmiast, wypłacił dokładnie tyle, ile obiecał, i spytał, czy bierze następne. Zażądała o połowę wyższej stawki. Potargował się, ale przystał na jej warunki. „Kto płaci?" „Ja" — ponownie odpowiedział Wolf i dodał: — „Są zadowoleni. Roboty ci nie zabraknie". „Jeden warunek" — postawiła się Hunka. — „Nie biorę jak leci." „Jasne, dziewczyno. Jak to w naszym fachu. Oni płacą, ale to my decydujemy, co bierzemy". — Wolf był tak zadowolony, że zrozumiała, iż trzeba było podwoić stawkę. Następnym razem — obiecała sobie.

Ruchliwość Jana była jej sprzymierzeńcem; przy drugim zleceniu trasa króla ułożyła się dla niej doskonale. Po Tuluzie był Metz w Lotaryngii, znaleźli się tam tuż po Nowym Roku, potem Jan odwiedził stryja, arcybiskupa Trewiru. W każdym z tych miejsc dostawała swój kąt, de Mortain dbał o prace Hugona i niestety, dość często kontrolował ich postęp. Mimo to, gdy Jan na kilka dni, czasem tydzień lub dwa, zostawiał swój wędrowny dwór i wyjeżdżał, Hunka miała wolne ręce. Henry de Mortain zawsze wyruszał z królem i, co zabawne, Hunka wkrótce zorientowała się, że i król i Henry od czasu do czasu podróżowali incognito. Rozbawiło ją to, bo wyobraziła sobie, że jest na robocie dla Wolfa i przypadkowo spotykają się z Henrym i królem, choć żadnego z nich tam być nie powinno.

Człowieka, na którego przyjęła zlecenie, nie było trudno wyśledzić, przeciwnie, był szanowany, znany i charakterystyczny. Gorzej, bo unikał samotności, jakby miał lęk przed pustką. Za trzecim podejściem zrozumiała, że on w głębi duszy spodziewa się zamachu, a że nie umie tego przeczucia uzasadnić, wykonuje szereg czynności, które mają go ochronić. Stawia straże przed drzwiami sypialni, ale to dość oczywiste, tak robi większość ludzi o jego pozycji i majątku. Jej podopieczny nie chciał zostawać na noc sam, nawet w komnacie, której drzwi były strzeżone. Zapraszał więc starego przyjaciela, a jak go nie było w mieście, to choćby sługę i z nim się modlił, a następnie prosił, by ten został na noc i spał na sienniku przy drzwiach.

Za dnia był mniej podejrzliwy i dużo pracował. Czytał przy blasku świecy, sam poprawiał dokumenty ze swej kancelarii, więc Hunka postawiła na sprawdzony, dawny sposób; pracochłonny, lecz zwykle skuteczny. Wślizgnęła się za dnia, gdy jej podopieczny udał się na mszę do kościoła Świętej Katarzyny, i zatruła inkaust. Potem delikatnie zlepiła karty księgi rachunkowej, którą zostawił w pół pracy i schowała się za ciężką tkaniną osłaniającą północną ścianę komnaty przed chłodem. Jak większość ludzi na jego stanowisku, był przewidywalny; skrupulatnie pilnował rozkładu dnia. Po mszy wrócił, kazał słudze zapalić świecę i zagrzać wina. Ucieszyła się, bo wino szybciej rozpuści dość oleistą strukturę trucizny w inkauście. Słyszała, jak siada, przesuwa przedmioty na stole. Wrócił sługa z winem.

— Dziękuję, Antoni. Jesteś wolny — powiedział do niego. — Zawołam, jakbym cię potrzebował, ale muszę skończyć zestawienia dla Ojca Świętego, a zresztą, co cię to obchodzi. Idź, idź już. Muszę korzystać, póki światło jako takie…

Woń wina gotowanego z korzeniami przyjemnie drażniła nozdrza. Hunka odczekała, aż sługa zamknie drzwi, i cicho przesunęła kotarą. Teraz mogła podglądać przez dziurę, którą zrobiła dla siebie zawczasu, przygotowując komnatę do pracy. Jej podopieczny miał krótki wzrok i w przeciwieństwie do sługi, nie mógł zobaczyć otworu.

Otworzył inkaust, nabrał na czubek pióra. Pochylał się nad księgą. Odkrył, że to nie ta strona, na której skończył. Kropla inkaustu spadła na pergamin. Syknął i starł ją palcem, odruchowo. Rozmazała się, w czym pomogła oleista zawiesina.

— Ach… — westchnął i odłożył pióro.

Szukał szmatki, nie znalazł, bo ukryła ją pod oprawą innej księgi. Na chwilę zastygł bezradnie z uniesionym poplamionym palcem, ruszał głową, szukając czegokolwiek, czym wytrze czarną kroplę. Wreszcie zrobił to, co wszyscy chłopcy w szkołach przykatedralnych: zlizał inkaust, a mokry palec wytarł w kaftan na piersi. Zobaczyła, jak porusza ustami, oblizuje wargi. Czy wyczuł smak trucizny? Mało prawdopodobne, musiałby pamiętać smak czystego inkaustu. Był zbyt zajęty pracą, by się zastanawiać nad takimi błahostkami. Chciał odwrócić księgę na właściwą stronę. Sczepione karty stawiły mu opór. Poskrobał je paznokciem i odczepił. Dobrze, użył lewej dłoni. Przygładził kartę i znów sięgnął po pióro. Kap. Kolejny kleks.

— Co jest? — żachnął się.

Znów zmazał go palcem, znów palec oblizał. Lewa dłoń, dobrze. Odetchnęła lekko. Powinno wystarczyć. Napisał jedno słowo, nie więcej i poczuł pragnienie. Odłożył pióro, sięgnął po wino.

Pewnie trochę ostygło — pomyślała — takie lubię najbardziej.

Pił chciwie. Trucizna zaczynała niewinnie, od suszenia trzewi, ale kończyła gwałtownie, zaciskając tchawicę i paraliżując mięśnie. Upuścił kielich. Wyskoczyła zza kotary, bo mógł jeszcze próbować krzyknąć, albo w ostatniej chwili użyć dzwonka, który leżał na stole. Nie schowała go, nie chcąc budzić nieufności. Ludzie tacy jak on, lubili wszystko, co ważne, widzieć na swoim miejscu.

Jeszcze żył, ale już był siny. Konwulsyjnie próbował sięgnąć po dzwonek i wytrzeszczonymi oczami patrzył na nią. Odsunęła dzwonek i złapała go za usta, by umierał w ciszy. Wyprężył się w jej rękach i skonał. Odczekała ile trzeba i zabrała się do porządków. Niewiele tu miała roboty. Wylała zatruty inkaust do przyniesionego ze sobą pojemniczka. Wlała zwykły, trzymał go w skrzynce z rodowym herbem. Podmieniła pióro. Wyjęła spod księgi szmatkę i położyła po lewej, tam gdzie ją zastała. Czubkiem noża odlepiła zatruty wosk z kart księgi. Kielich na podłodze może zostać, jak go znajdą, najpierw pomyślą o winie. Spojrzała na nieboszczyka. Był siny, więc zdecydowała, że ułoży go głową na księdze, nad którą pracował, jakby krew odpłynęła mu do twarzy.

No, i po robocie — pomyślała zadowolona. — Teraz chwila dla mnie.

Rozejrzała się po komnacie. Było tu wiele rzeczy, które mogły się jej spodobać.

JADWIGA przyjęła Piotra Milesa z Veroli w zastępstwie swego męża. Władysława nie było w Krakowie, ruszył na wschód, osobiście dopilnować spraw związanych z przejęciem małoruskiego tronu. Wiedziała, że Miles jest dla nich bezcennym człowiekiem w kurii papieskiej, i zależało jej, by w niczym mu nie uchybić, więc celowo zaprosiła go do prywatnych komnat królowej.

— Najjaśniejsza pani — powitał ją młody, trzydziestoletni na oko, mężczyzna. Sprężysta sylwetka zdradzała, że równie dużo czasu spędza w kancelarii, co na fechtunku.

— Jak miło znów widzieć cię w Krakowie, Piotrze — odpowiedziała z uśmiechem.

Dopiero teraz zdała sobie sprawę, że Miles jest śmiertelnie poważny.

— Królowo, wybacz. Mam tak złe wiadomości, że chciałem je przekazać osobiście — powiedział.

— To świadczy o twej odwadze — chciała coś jeszcze dodać, by odwlec w czasie złą chwilę, ale zaniechała. Skinęła głową, by mówił.

— Biskup Gerward nie żyje. Zmarł nagle, późną jesienią w Awinionie.

Tylko nie Gerward — pomyślała rozpaczliwie. — Tylko nie on.

— Jak to się stało? — spytała, panując nad sobą. — Był w dobrym zdrowiu, gdy wyjeżdżał.

— Jesień w naszym klimacie jest zdradliwa. Zdarzają się słoty, od których ludzie chorują na gorączkę i febrę.

— Gerward zachorował?

— Trudno stwierdzić, ale i trudno inaczej wytłumaczyć tę nagłą śmierć — rozłożył ręce Piotr Miles. — Rozstaliśmy się z Gerwardem w piątek rano, w południe zabierałem Macieja, jego siostrzeńca, na wycieczkę do Glanum, to niedaleko Awinionu. Chciałem mu pokazać starą rzymską budowlę ku czci Juliusza Cezara i pobliski klasztor Świętego Pawła; biskup Gerward nie miał ochoty nam towarzyszyć, zażartował nawet, że jeśli klasztor nie jest na sprzedaż, to go nie ciekawi. Wróciliśmy z Maciejem do Awinionu w niedzielę, późno w nocy a w poniedziałek rano siostrzeniec zastał go martwego. Mówił, że biskup nie wstał na śniadanie, i to go zaniepokoiło. Wszedł do jego prywatnej komnaty, Gerward wydawał się spać w łożu, ale okazało się, że już nie żył.

— Śmierć we śnie — powiedziała w zadumie Jadwiga.

— Na pewno był przygotowany — zastrzegł Piotr. — Maciej mówi, że w sobotę byli razem na nieszporach w papieskiej kaplicy dla gości. Zmarł na służbie — dodał po chwili.

Myśli Jadwigi poszybowały do pewnego jesiennego dnia, gdy Władek był na wygnaniu, a ona ukrywała się u Gerka w Radziejowie. Pojechała do Łęczycy na wozie z braćmi Doliwami, Szyrzykiem, Chwałem i tym trzecim, którego imię zatarło się w jej pamięci, udawała kupcową. Gerward był wtedy świeżo po sakrze biskupiej. Spotkali się w kolegiacie, w sekrecie i tam dowiedziała się, że Władek żyje. Że nie dopadli go ani Przemyślidzi, ani margrabiowie, ani książę Głogowa. Przez tamto wspomnienie Gerward jawił jej się aniołem dobrej nowiny.

— Może i był przygotowany na swoją śmierć — westchnęła — ale my na jego odejście nie jesteśmy gotowi. Pomożesz mi, Piotrze z Veroli?

— Po to przyjechałem, moja pani — skłonił się.

Rozejrzała się po komnacie.

— Jesteś głodny, z drogi — stwierdziła raczej, niż spytała. — Zaraz zawołam, przyniosą wieczerzę.

— Nie trzeba, królowo. Gdy skończymy, sprawdzę, co podają w Krakowie — zarumienił się, zawstydził nawet.

— Piotrze, nie wypada, by gość korony jadał w byle gospodzie — skarciła go i zreflektowała się. — Chyba że ktoś czeka na ciebie.

— Ligaszcz, najjaśniejsza pani — przyznał. — Obiecał, że zaprowadzi mnie do gospody, gdzie podają „smoczego baranka".

— Co? — nie zrozumiała.

— Baranka upieczonego tak jakby w smoczym ogniu — zdziwił się, że nie wie. — To krakowska specjalność, z dawnych czasów, gdy w jamie pod Wawelem żył smok.

— Ach tak — kiwnęła głową. — Wybacz. Odkąd mieszkam na Wawelu, często nie mam pojęcia, co się dzieje pod nim.

— No, ale najjaśniejsza pani to królową Węgier urodziła w smoczej jamie — powiedział z uznaniem. — Przy okazji, chciałbym pogratulować. Wiem, że królowa Elżbieta spodziewa się dziecka.

— Ciii. Nie zapeszajmy — przeżegnała się. — A z tą smoczą jamą przestań i broń Boże nie opowiadaj o tym w Awinionie — żachnęła się. — Co o nas ludzie pomyślą? Urodziłam tam, bo trwało oblężenie, a mój mąż nie chciał się zgodzić, bym rodziła w obozie wojennym, ot co. Wracajmy do smutnych spraw, które cię sprowadziły na Wawel. Kto po Gerwardzie?

— Bogu dzięki, przyjechał z nim do Awinionu siostrzeniec, Maciej z Gołańczy. Papież od razu zamianował go następcą biskupa włocławskiego — powiedział Piotr.

— Dobrze. Nawet bardzo dobrze. Maciej był sekretarzem Gerwarda, świetnie rozumie stosunki z Krzyżakami.

— Jest i kolejna dobra wiadomość. Za podszeptem świętej pamięci Gerwarda papież Jan odsunął prokuratora Zakonu, Konrada von Bruel, od prowadzenia spraw związanych z podważeniem wyroku sądu w sprawie Pomorza. Zabronił mu nawet zbliżania się do siebie na mniej niż pięćdziesiąt kroków. To ważne, bo Bruel znalazł sposób, jak wydobyć kopie zaginionych bulli, tych niekorzystnych dla króla Władysława.

Odsunięcie go dało mi czas, by kopie również zniknęły, a póki nie ma wielkiego mistrza, sprawy ulegają zawieszeniu. Bo, że Karol z Trewiru zmarł nagle, jest już królowej wiadomym?

Jadwiga zamrugała.

— Nie... — powiedziała z namysłem. — Takie wieści do nas nie dotarły.

— Pewnie Zakon dba, by się nie rozniosło, zanim wybiorą nowego wielkiego mistrza — przypuszczająco rzekł Miles. — Tak, to prawda. Był w Awinionie w tym samym czasie co Gerward, ale wyjechał do rodzinnego Trewiru na Boże Narodzenie i zaraz po Nowym Roku zmarł. Pochowali go w kościele Świętej Katarzyny, który sam ufundował i przy którym mieszkał, odkąd opuścił Malbork.

— To śmierć naturalna? — wyraziła wątpliwość. — Karol nie był starcem.

— Młodzieńcem również.

Był młodszy od Władysława — pomyślała, ale nie powiedziała na głos.

— Mówi się — ciągnął Miles — że jego śmierć jest po myśli zakonnych jastrzębi, czyli komturów pruskich. Stał im na drodze. Kapituła odwołała go kilka lat temu ze stanowiska, on jednak nie przestał być wielkim mistrzem, choć po tamtym incydencie jego noga nie postała w Malborku. Prowadził ugodową politykę...

— My oceniamy ją inaczej — przerwała mu.

— Rozumiem — skinął grzecznie głową i dodał: — Mówię o perspektywie Awinionu. Karol z Trewiru był szanowany na wszystkich dworach, jego ród darzony jest estymą. On sam miał wielką kulturę osobistą i jakkolwiek dzieliły go z koroną interesy Zakonu, to jego działaniom nie można było zarzucić nic perfidnego czy podstępnego.

— A te bulle, które odsądzały Władka, wybacz, króla, od czci i wiary? — zdenerwowała się Jadwiga.

— To wyłączna zasługa Luthera z Brunszwiku i Ditricha z Altenburga. Zrobili przedstawienie dla papieża, po którym nasz Ojciec Święty, za wybaczeniem najjaśniejszej pani, klęknął. Napisał je pod ich dyktando, bo był pod wrażeniem i wszyscy wiedzą, jak jest czuły na punkcie pogan, ale udało się sprawę wyciszyć. Bulle zaginęły, a Gerward przed śmiercią zdołał upewnić papieża, że Luther i Ditrich nie pokazali mu nic wartościowego. Kończąc temat wielkich mistrzów: Karol z Trewiru nie był dla was najgorszym wyborem.

— Chcesz powiedzieć, że kolejny może być groźniejszy? — zmartwiła się, ale z całych sił dbała, by w jej głosie nie było to uchwytne.

— Nie wiem — pokręcił głową Miles. — W kurii mówi się, że trzy domy zakonne rzucą się teraz do walki o władzę. Niemiecki, pruski i inflancki.

— Jastrzębie są pruskie — westchnęła Jadwiga. — Papież będzie wywierał wpływ na wybór mistrza?

— Chciałby, ale nie bardzo ma dostęp. W Zakonie większe wpływy ma Ludwik Wittelsbach, król Niemiec.

— A Jan XXII nadal pochłonięty sporem z nim? — spytała Jadwiga.

— Bardziej niż kiedykolwiek — potwierdził. — Po wygranej przez Wittelsbacha wojnie wciąż odmawia mu praw do tronu Niemiec. Zażądał złożenia korony, król Ludwik odrzucił ultimatum.

— I? — z nadzieją spytała Jadwiga.

— Nie wiem — wzruszył ramionami Miles. — Wyjechałem z Awinionu przed rozstrzygnięciem sprawy. Jedno jest pewne, papież nie odpuści Bawarczykowi.

— A pamiętasz, Piotrze z Veroli, jak mówiło się po wyborze Jana na Stolicę Piotrową, że starzec, że nie porządzi Kościołem długo, że będzie można nim sterować — przypomniała Jadwiga.

— Tak było. Nikt go nie znał dobrze, kardynałowie nie przewidzieli, jaki ogień drzemie w tym człowieku. Osiemdziesiątka na karku i nie zamierza niczego odpuścić. W dodatku wszedł w gorący spór z franciszkanami, a ci szukając poparcia…

— …znaleźli je u króla Niemiec — weszła mu w słowo.

Znała sprawę. Krakowscy franciszkanie byli pod jej osobistą opieką i gdyby nie to, że Jadwiga przez całe życie starała się zachowywać zasady, jakich wymagało od niej urodzenie, przyznałaby otwarcie, że całym sercem stoi za franciszkanami. Oni głosili święte ubóstwo, on boskie prawo do własności, które sprowadzało się do papieskiego prawa posiadania na własność franciszkanów.

— Kazał uwięzić Wilhelma Ockhama w klasztorze — niechętnie powiedział Miles. — Ale franciszkański myśliciel ma więcej uczniów, niż Jan przewidział.

— Dobrze — zamknęła niezręczny dla niej temat. Jako królowa nie mogła pozwolić sobie na otwarte wspieranie buntowników przeciw papiestwu. Wystarczy, że robiła co w jej mocy, by usunąć krakowskie beginki sprzed oczu narzuconego im inkwizytora, Mikołaja Hospodyńca. Czasami dobrze jest żyć tak daleko od Awinionu — pomyślała z ulgą.

— Późno już — zreflektowała się po mroku, jaki zapadł w komnacie. Służba nie doniosła świec, bo Jadwiga zabroniła sobie przeszkadzać, póki ma gościa. — Przypalą ci baranka w gospodzie — dodała.

— O to ponoć chodzi, najjaśniejsza pani — zaświeciły mu się oczy do krakowskich cudów. — Muszę przekazać jeszcze jedną wiadomość, od Macieja, siostrzeńca i następcy biskupa.

— Tak, Piotrze? — spytała.

Poczuła na barkach cały ciężar tego długiego dnia.

— Jakkolwiek okoliczności śmierci Gerwarda nie budzą niczyich wątpliwości i wyglądają na naturalne, to Maciej stwierdził, że ktoś próbował podrobić dokumenty zmarłego.

— Co ty mówisz? — zapomniała się, krzyknęła jak ciekawskie dziecko.

— Znaleziono list, kierowany do króla Władysława. Zawierał szczerą zachętę do uderzenia na Brandenburgię — powiedział Piotr Miles.

— Mój mąż myśli o niej, choć nie sądzę, by planował wojnę — wyznała. — Skąd domysł, że list podstawiony?

— Maciej mówi, że Gerward używał specjalnych pergaminów. Porządny materiał, nie do podrobienia. I stosowali specjalny schemat pism, nieco różny od używanych na innych biskupich dworach. Jest pewien, że list, który znalazł na pulpicie wuja, nie wyszedł spod jego ręki.

— Przywiozłeś go?

— Nie. Maciej chce powęszyć w Awinionie, przyda mu się do porównania pisma, gdyby na coś trafił. Prosił jednak, bym przekazał królowi i uczulił.

— Idź, synu. Pomówimy jeszcze, nim wyjedziesz z Krakowa. Jesteś nieoceniony — pochwaliła go Jadwiga. — I pewnie głodny jak wilk.

— Jak smok, Wawelska Pani — zaśmiał się i nie była pewna z racji na półmrok, ale zdawało jej się, że do niej mrugnął.

JAN LUKSEMBURSKI wiedział, jak wykorzystać swój tryumf w bitwie pod Mühldorf. Objechał Europę i pokazał się wszędzie. Każdy chciał poznać słynnego króla Czech. „Tego, co przybywa ostatni, a zwycięża pierwszy!" Zawistny Wittelsbach zamierzał okraść go z obiecanej Brandenburgii, więc Jan ograbił go ze sławy.

Najpierw udał się ze swym podróżnym dworem do Rocamadour na południu Francji. Tam połączył się z francuską rodziną królewską, swym szwagrem, Karolem, i siostrą, słodką i piękną Marią, która kwitła jako królowa francuska. Wspólnie zachwycali się sanktuarium wykutym w litej skale, wczepionym w jej zbocze niczym piękne pnącze. Jan z Henrym de Mortain na wyścigi wspinali się po dwustu siedemdziesięciu ośmiu skalnych stopniach, przy czym obaj po stu dwudziestu musieli zrobić przerwę, ale Mathias, giermek Jana, zaświadczył później przed królem Karolem i królową Marią, którzy zostali na dole, że „obaj rycerze bez zadyszki i przestoju wbiegli na górę i pokłonili się Czarnej Madonnie". Mathias nie kłamał, ale rzecz jasna, nie mówił całej prawdy. Przed Madonną zgięli kolano, ale na szczyt gnało ich pragnienie ujrzenia słynnego Durendala, miecza hrabiego Rolanda.

— Tylko tyle? — rozczarował się Jan. — Rękojeść i końcówka głowni?

— W dodatku zżarła go rdza — zauważył Henry.

Z wysoko zadartymi głowami obchodzili skałę, z której wystawał miecz.

— Nie sądzisz, że to wygląda jak strzęp zebrany z jakiegoś pola bitwy? — wyraził powątpiewanie Jan i zdecydował: — Podsadź mnie, Henry!

— Chcesz go ukraść? — odruchowo ściszył głos de Mortain, choć na szczycie byli sami, tylko z Mathiasem i Baldrykiem, giermkami.

— Nie, król Czech nie kradnie! Podsadź mnie, jesteś z nas najwyższy!

Wspiął się na ramiona Henry'ego i chwycił rękoma skały. Podciągnął się, przeniósł stopę z ramienia przyjaciela na kamienny uskok. Złapał za zardzewiałą, wystającą z niej rękojeść.

— Nie puszcza! — zawołał do stojących na dole. Spróbował jeszcze raz i kolejny. — Nic z tego!

I wtedy przyszło mu do głowy coś, czego nie planował. Trzymając się jedną ręką miecza Rolanda wbitego w skałę, drugą wyciągnął swój z pochwy. Ucałował jego ostrze, które tyle razy życie mu uratowało i tyle razy odebrało je wrogom. I wsunął w szczelinę, pod Durendalem. Nie było to łatwe. Jego miecz wszedł mniej niż do połowy i niebezpiecznie się chybotał, rękojeść przeważała, ciągnąc go w dół. Jan nie dał za wygraną. Poruszył mieczem w górę, w dół, ze szczeliny posypały się drobne kamienie, piach. Ostrze weszło głęboko, pod innym kątem, tak że rękojeść miecza Jana i rękojeść Durendala skrzyżowały się.

— Taaak! — zawołał Jan, aż jego głos odbił się od skał. — Taaak! Będę sławny jak Roland! Nie umrę w łożu, lecz polegnę na polu wiecznej chwały! Taaak! — Obrzucił wzrokiem przyklejone do urwiska sanktuarium i zeskoczył. Otrzepał dłonie, wstał i dopiero wtedy zobaczył szeroko otwarte oczy swoich giermków. Klepnął stojącego bliżej Mathiasa w ramię.

— Nie bój się. Jeszcze nie teraz.

Z sanktuarium udali się do Tuluzy, tam czekał na Jana jego syn, siedmioletni Václav, już oficjalnie zwany Karolem. Został przedstawiony dworowi i król francuski zaakceptował to, na co Jan urabiał go przez całą zimę — zaręczyny swej kuzynki, Blanki de Valois, z jego pierworodnym. Dzieci miały po siedem lat, narzeczona była wyższa od narzeczonego, ustalono, że ze ślubem zaczekają jeszcze trochę.

— Ja miałem czternaście — przypomniał Jan.

— Ja tyle samo! — dorzucił Karol i ucałował dłoń Marii, dodając: — Przy pierwszym, nieszczęśliwym małżeństwie.

— Trzynaście może wystarczyć — odrzekła Maria, która opiekowała się Blanką. — Ona dojrzewa szybko. Twój syn pojedzie z nami do Paryża — zdecydowała. — Młodzi poznają się bliżej.

To było po myśli Jana, który chciał, by pierworodny wychowywał się tak jak on, na dworze francuskim. Udał, że się waha, potem zastanawia, aż wreszcie, po namyśle, zgadza.

Później, gdy spacerując, odeszli we dwoje nieco na bok, ucałował siostrę w policzek i szepnął:

— Dziękuję!

— To ja dziękuję — odpowiedziała pocałunkiem — że pozwoliłeś mi poczekać na niego. — Spojrzeniem wskazała na męża i pomachała mu z daleka. — Urodziłam się, by być królową Francji!

— Przy okazji, siostrzyczko — szepnął. — Jak to zrobiłaś?

— Stryj Baldwin ci nie powiedział? — zdziwiła się szczerze. — To jego zasługa.

— Nie wspominał…

— Zabrał mnie na polowanie, lasy walońskie słyną z pięknych saren — popatrzyła mu w oczy z tak bliska, że niemal zobaczył ją w siodle, płaszczu do jazdy pięknie układającym się na końskim zadzie, wysoką, elegancką, uwodzicielską. — Sprawił mi nawet maleńką kuszę, a ja udawałam, że potrafię z niej strzelać — uniosła powieki tak wolno, że nic więcej nie potrzebował, by zrozumieć, jak Karol zakochał się w jego siostrze.

— Chwała Baldwinowi — powiedział Jan.

— I tobie, braciszku, że pozwoliłeś mi przed laty nie przyjąć zalotów Karyntczyka. Starucha, w dodatku cuchnącego... — otrząsnęła się na wspomnienie.

— Niemiły oddech nie jest jego największą wadą — poważnie odpowiedział Jan. — A twoje miejsce zająć będzie musiała nasza kuzynka, Beatrice.

— Żartujesz? — siostra zbladła. — Naprawdę, przeze mnie...

— Nie żartuję — odrzekł. — Z tego, co pamiętam, nie lubiłyście się w dzieciństwie. Nazywałaś ją kozą.

— Owcą! — poprawiła go Maria. — Bo beczała tak słodko... Musisz wydawać ją za śmierdziucha z Karyntii? To zły człowiek, Janie, znam się na ludziach, uwierz mi.

— Źli ludzie czasami posiadają dobre ziemie — odpowiedział wymijająco. — Nie martw się, Beatrice już nie jest owcą, nie będzie beczała. A nawet jeśli, to osłodzę jej ten mariaż. Zgodziła się — dodał i było to prawdą. Obiecał jej wysoki posag.

Przyjrzał się synowi, gdy ten nie patrzył. Karol stał prosto, głowę trzymał wysoko i rozmawiał z Henrym de Mortain. Zawołał do niego marszałek króla, Karol przeprosił Henry'ego, skinął mu głową i niepewnym krokiem, który w zamierzeniu miał wyglądać godnie, ruszył w stronę marszałka.

Jak rasowe źrebię prowadzone na lonży — pomyślał o synu z uznaniem. — Ucz się na francuskim dworze, a gdy będziesz gotów, przejmę cię i założę wędzidło.

— Będę miała oko na nasze słodkie gołąbeczki, polubią się przed ślubem — obiecała Maria, kiedy się żegnali. — Nauczyciele już czekają na twojego syna.

— W niczym mu nie folguj — przestrzegł Jan. — Nie chcę, by wdał się w matkę.

— Ma być podobny do ciebie? — mrugnęła siostra.

— Ma być ode mnie lepszy — powiedział król Jan.

Na odjezdnym, prócz wielu szczodrych darów, od królewskiego szwagra dostał poetę.

— Poznaj Wilhelma de Machaut — przedstawił go Karol. — Kompozytora i twórcę poezji. Jest niezwykle utalentowany, potrzeba mu tylko mecenasa i wyzwań, a przy tobie, Janie, niczego mu nie zabraknie.

Nie mógł odrzucić kosztownego prezentu, choć zrozumiał, że być może na jego utrzymanie wyda więcej, niż jest wart. To drugie musiał sprawdzić; przyjął dwudziestoczteroletniego Wilhelma na swój podróżny dwór, polecił opiece Henry'ego i ruszyli.

Z Tuluzy udali się do Lotaryngii, która poza Brabancją i Limburgiem należała do księstw podporządkowanych Janowi, jako dziedzicznemu władcy Luksemburga. Nie miał dla niej w ostatnich latach zbyt wiele czasu i uwagi, ot, tyle co przejeżdżał przez Lotaryngię jak wicher, w drodze do Francji. W głównym mieście księstwa, Metzu, nabrzmiał spór, bo nieprzyzwoicie zamożny patrycjat zaczął skupować posiadłości ziemskie wokół miasta. Bogaty Metz był pewny siebie, a prawa do gruntów rościło czterech władców: Jan i jego stryj Baldwin, arcybiskup Trewiru, co oczywiste, ale i Edward, hrabia sąsiedzkiego Baru, i Fryderyk, książę lotaryński. Do miasta nie sposób było wejść bezpiecznie, mieszczanie traktowali Jana nieufnie, mógł zatrzymać się w Luksemburgu, ale zamiast tego wybrał towarzystwo stryja i arcybiskupi pałac w Trewirze.

Baldwin był tylko dziesięć lat starszy od niego, ale Jan od zawsze traktował go niemal jak ojca. Jednego wieczoru siedzieli w przestronnej komnacie stryja, a ciepły wieczór pozwolił na szerokie otwarcie okien. Patrzyli na potężną, tyleż piękną, co niemal ponurą sylwetę Porta Nigra i pili miejscowe, mozelskie wino z winnic Baldwina.

— Wiesz, że niewiele brakowało, bym był na twoim miejscu, Janie? — spytał Baldwin rozleniwiony winem i ciepłem.

— Co masz na myśli? — spytał Jan, który pił z umiarem.

— Gdy poselstwo czeskie przybyło do Luksemburga, twój ojciec zaproponował im mnie — odrzekł Baldwin.

— Przecież jesteś…

— Wtedy nie byłem — zaprzeczył. — Owszem, brat chciał, bym został biskupem, ale jeszcze nic nie było przesądzone. Czesi wybrali ciebie. Chcieli królewskiego syna, nie brata.

Jan udał, że go to nie rusza, że wypił więcej i wolniej myśli. Było odwrotnie; zastanawiał się błyskawicznie. Stryj, przez te wszystkie lata był jego doradcą, podporą i najbliższym z sojuszników. Rozwiązywał dla niego sytuacje niemożliwe, konflikty dyplomatyczne, knucia, wszystko to brał na siebie i załatwiał z korzyścią dla rodu i Jana. Przyzwyczaił go do tego, że można na nim polegać i że nie zawiedzie. Czyżby pod tym krył się podstęp?

— Żałujesz? — spytał Jan i wstrzymał oddech.

— Nie — zaśmiał się Baldwin szczerze. — Nie żałuję. Spójrz na mnie: odziedziczyłem wątpliwą urodę Luksemburgów, ty wziąłeś piękno po matce. Ja w sukni biskupiej kryję niedostatki męskiej sylwetki, wątłą klatę, krzywe nogi...

— Nie przyglądałeś się moim — przerwał mu Jan.

— Twoje to nogi jeźdźca i rycerza — kategorycznie stwierdził Baldwin. — Wiem, co mówię. Gdy się pojawiasz, wszyscy patrzą na ciebie i wzdychają: oto król. Podobasz się damom, imponujesz książętom, robisz świetne wrażenie. Chcę cię przestrzec.

Odwrócili się ku sobie jednocześnie i Jan zobaczył, że spojrzenie Baldwina było trzeźwe.

— Nie daj się temu zwieść, bratanku. Baw się światem, który cię uwielbia, ale nie pozwól, by ten świat zabawił się tobą. Używaj maski króla — rycerza, ale pod nią zamień się w zimnego jak lód dyplomatę. Ludzie będą widzieli szalone porywy twej rycerskiej fantazji, a ty zwódź ich. Kalkuluj, myśl i licz.

— Dlaczego mi to mówisz? — spytał Jan.

— Nie będę miał synów — odpowiedział Baldwin i dodał po namyśle: — Powiedziałem przed chwilą, że dzisiaj tego nie żałuję, ale to za mało. Chcę czegoś więcej, Janie.

Zmierzyli się wzrokiem. Król poczuł się jak pisklę, na które padł wzrok jastrzębia.

— Gdy będę umierał, mam odczuwać dumę, że byłeś moim bratankiem. Mam cieszyć się z losu każdego z twych dzieci, tak by nie przeszło mi przez myśl, że gdybym ja je spłodził, spotkałaby je świetniejsza przyszłość, rozumiesz?

— Aż nazbyt dobrze, stryju — odpowiedział Jan i chwycił za smukły dzban z winem. — Napijmy się za to.

Wychylili kielichy do dna, bez słowa. Dopiero po chwili, gdy wino zaczęło krążyć w ich żyłach, Jan odezwał się:

— Dziękuję za Marię i polowanie na Karola.

— Twoja siostra ma naturalny talent — odpowiedział. — Urodziła się na królową Francji. Przy okazji waszej wycieczki do Rocamadour — uniósł pusty kielich jak do toastu — szkoda, że poza giermkami nikt nie widział, jak wkładasz miecz w skałę i krzyżujesz z Durendalem. To było świetne, a następnym razem zadbaj o większą widownię.

— Dostałem od Karola poetę, Wilhelma de Machaut — zaśmiał się Jan przebiegle. — Napisać strofę o tym to jego pierwsze zadanie.

— Dobrze — pochwalił Baldwin. — Dobrze. Zmienię temat: co sądzisz o patrycjacie w Metzu? Do czego zmierzają?

— To sprawdzian? — uśmiechnął się Jan i westchnął. — Chcą tego, co wszyscy mieszczanie: wpływu na władzę.

Baldwin chwilę nie odpowiadał, bawił się pustym kielichem.

— A mnie się zdaje, że chcą signorii — odrzekł po chwili. — Jak wielkie italskie miasta, Mediolan, Verona, Mantua, wymieniać można bez końca.

— Nie widzę wśród patrycjuszy z Metzu nikogo, kto pretendowałby do roli Viscontich czy Sforzów — odpowiedział Jan po namyśle.

— Jeszcze nie — przyznał Baldwin. — I do tego właśnie nie możemy dopuścić.

Zachował tamten wieczór w pamięci, wracał do niego po wielekroć. Wyjeżdżał z Trewiru do Metzu, by mediować między stronami, i czuł się przez Baldwina obserwowanym.

Ugodą, którą wymyślił, nikogo nie zadowolił, co było do przewidzenia, bo każdy z władców chciał liczyć zyski, a póki co miał starty. Najbardziej poszkodowanym i przez to najgroźniejszym był Edward, hrabia Baru. Jan posłał w sekrecie do Czech i przywieziono stamtąd jego córkę. Dziewięcioletnia Bonna bardzo przeżyła, gdy Ludwik Wittelsbach ukradł jej narzeczonego z Miśni, by wydać za własną córkę. Teraz Jan zrekompensował jej tamto chybione narzeczeństwo i zaręczył z synem hrabiego Baru. Edward poczuł się doceniony, Bonna uspokojona, a stryj Baldwin skwitował krótko:

— Dobra droga, bratanku!

Jan zabawił w Trewirze jeszcze chwilę, uczestnicząc przy okazji w pogrzebie wielkiego mistrza krzyżackiego. Potem wysłał listy do papieża, prosząc go o pomoc w rozstrzygnięciu sprawy w Metzu i przy okazji nawiązując nić nieco cieplejszej relacji. Spór Ojca Świętego z Wittelsbachem był w rozkwicie, Jan uznał, że warto o sobie przypomnieć w Awinionie.

Zebrał swój dwór podróżny i wydał rozkaz wyjazdu na południe. Henry de Mortain spytał:

— Nie jedziemy do Czech?

— Jeszcze nie, mój drogi! Gdy oczy wszystkich zwrócone są na papieża i króla Niemiec, warto skorzystać i spojrzeć tam, gdzie nikt teraz nie patrzy. — Odwrócił się i w myślach powiedział do Baldwina: „Dziękuję, stryju!".

HUNKA z ulgą żegnała Trewir, z żalem przyjęła do wiadomości, że nie wracają do Czech, i ze zdumieniem zorientowała się, że orszak Luksemburczyka kieruje się na południe. Król Jan nikomu nie mówił, dokąd się udają; Henry de Mortain powiedział Hugonowi i poecie w tajemnicy, że przekroczą Alpy. Poeta nazywał się Wilhelm de Machaut, był szczupły, nieco starszy od Hunki i od początku chciał się zaprzyjaźnić z Hugonem, iluminatorem.

— My, ludzie sztuki, musimy dbać o siebie — powiedział, gdy zjawił się na ich dworze, jeszcze w skalistym Rocamadour.

Po wyjeździe z Trewiru, w podróży, przyszło im dzielić łoże lub wiązkę słomy w gospodzie czy stajni. Hunka musiała się zacząć pilnować, zwłaszcza że Wolf nie dostarczył jej drugiej części zapłaty za podopiecznego z Trewiru, obiecując, iż dogoni ich w drodze. Mógł zjawić się w każdej chwili. Była niespokojna. Raz, że nie dostała srebra, dwa, że nie miała o kunszcie Wolfa specjalnie dobrego zdania. Lecz dopiero gdy mieli za sobą pierwszy ciężki dzień górskiej wspinaczki, dotarło do niej, że Wolf może ją wystawić.

Nic na niego nie mam — zrozumiała. — Nie znam jego prawdziwego imienia, nie wiem, kim jest i gdzie go szukać. Zlecał i płacił w imieniu Zakonu, ale czy mówił prawdę? Mógł celowo rzucić podejrzenie na białe płaszcze, a pracować dla każdego króla, księcia, hrabiego lub byle kogo, kto dał srebro i nazwał ofiarę. Zapłacił za pierwszego, pozyskał moją ufność. Zbyt szybko zgodził się na podbicie kwoty za drugiego, ale był przygotowany. Zaliczkę dał od ręki. Jestem naiwna i bezdennie głupia — pomyślała o sobie uczciwie i potraktowała przeprawę przez Alpy jak pokutę. Nie korzystała z wozu, szła piechotą, aż naraziła się na pełne podziwu zaczepki poety. Jestem po dwakroć durna — skarciła się — zwracam na siebie uwagę, zamiast być niewidoczną. Za chwilę Wilhelm zacznie się dobierać do Hugona i zdziwi się, że nie znajdzie w jego portkach tego, czego się spodziewa.

— Złożyłem śluby — rzuciła od niechcenia przy ognisku, wieczorem.

Obozowali pod gołym niebem, bo król Jan nie chciał tracić czasu na nocleg w górskiej gospodzie, która stanęła na ich drodze krótko po południu. Uznał, że mogą jechać do zachodu słońca, i nie patrząc, czy jego ludzie, konie i woły dają radę, jechali. Rozbili obóz w kotlinie. Wieczór był pogodny, król nie kazał stawiać dla siebie namiotu, spał na gołej ziemi, przy ogniu. Henry siedział przy nim, jakby stróżował. Zbrojni, giermkowie i służba skupili się przy drugim, większym ogniu. Mathias śpiewał cicho o rzeczułce i dziewczynie, która się w niej kąpie.

Hunka i Wilhelm przycupnęli przy trzecim z ognisk. Wystarczająco daleko, by rozmawiać szeptem.

— Śluby? Opowiesz coś o nich? — zainteresował się poeta.

— Wystawianie grzesznego ciała na trudy — odpowiedziała Hunka. — I wzbranianie mu przyjemności.

Oczy Wilhelma zalśniły ciekawością.

Źle — skarciła się w myślach. — Teraz będę jego owocem zakazanym. Zrobi wszystko, by mnie odciągnąć od postanowienia.

— Przyjemność nie musi być grzechem — zaczął Wilhelm przewidywalnie.

Dostrzegła puchacza na pobliskim występie skalnym. Poeta miał go za plecami.

— Ale może się grzesznie skończyć. A kara dotyka tych części ciała, które zgrzeszyły — powiedziała, ściszając głos i rozglądając się, czy nikt ich nie słyszy. Dyskretnie złapała kamień, schowała ręce w półmroku za swoimi plecami.

— Bóg już mnie ukarał za niecne występki — szepnęła konfidencjonalnie do Wilhelma. — Zaraziłem się sekretną chorobą. Stąd moje śluby, rozumiesz? Nie chcę przenosić diabelskiego nasienia — mówiąc to, rzuciła kamieniem.

Puchacz zahukał złowróżbnie. Wilhelm podskoczył ze strachu.

— Sowa, wiesz czyja kuma — przeżegnała się Hunka. — Nie powinienem wymawiać imienia.

Do poety dotarło, czym może skończyć się zbliżenie z iluminatorem. Odsunął się od Hunki i w nocy nie prosił, by przykryli się jedną derką. Miała go z głowy.

Po tygodniu zeszli z gór i ruszyli drogą wzdłuż doliny Adygi. Hunka nie mogąc pracować w podróży, zajęła się obserwacją króla Jana. Od dawna nie miała dla swej pani nic, co by ją interesowało, bo mediacje między panami a patrycjatem Metzu pominęła, jako nieistotne dla *bis reginy*. Gdy dotarli do Trydentu, jeszcze nie miała pojęcia, co kieruje Luksemburczykiem, prócz tego, że droga, którą szli, była jedyną, jaka prowadzi do Italii. Zatrzymali się u biskupa Trydentu, Henryka. Pochodził z Metzu, więc pomyślała, że król będzie z nim ustalał coś, co pomoże mu w niedokończonej mediacji z miastem. Jan powiedział, że zabawią tu tydzień, przez pierwsze dni codziennie wysyłał gdzieś listy. Poeta ruszył na zwiedzanie miasta, Hunka zaś rozłożyła pulpit i farby, mówiąc, iż musi nadrobić zaległości w pracy. Poprosiła też o dostęp do potężnej biblioteki biskupa, by mogła zapoznać się z północnoitalską sztuką iluminacji. De Mortain załatwił wszystko, mogła poruszać się, gdzie chciała, pod warunkiem, że były tam księgi.

Odkryła, że Jan i Henry dwukrotnie wyjeżdżali z Trydentu na południe, za każdym razem w przebraniach. To ją zaciekawiło, ale niestety, nie było sposobu, by ich śledzić bez zwrócenia na siebie uwagi. Pozostawało jej dyskretne obserwowanie obu w pałacu biskupa, gdy wracali. Poszczęściło jej się pewnego wieczoru i to nie w pałacu, lecz w ogrodzie. Z okna zobaczyła gospodarza, Jana i Henry'ego, jak wychodzą w asyście kilku zbrojnych. Przekradła się za nimi. Szli kolumnadą cyprysów, w odurzającym zapachu róż, do niewielkiej ogrodowej altany. Zbrojni otoczyli ją, gdy goście weszli. Ktoś tam na nich czekał. Hunka mogła jedynie wejść w żywopłot i słuchać. Zrobiła to szybko, nieuważnie stanęła na gnieździe czerwonych mrówek. Zacisnęła zęby, gryzły ją boleśnie. Mówiono po włosku, nie wszystko, ale większość rozumiała. Głównie odzywał się obcy mężczyzna i biskup Henryk, wspominali czasy, gdy ojciec Jana był cesarzem. Ni stąd, ni zowąd ściszyli głosy i Hunka nie mogła rozróżnić ani jednego słowa. Spotkanie nie trwało długo, wyszli, wrócili do pałacu. Ona musiała zostać w żywopłocie, by jej nie dostrzeżono, mimo iż mrówki nie dawały jej spokoju. Przyjrzała się mężczyźnie, który wyszedł, gdy Jan, Henry i biskup odeszli. Młody, o orlim nosie i uważnych oczach drapieżnego ptaka.

— Senior Visconti — powiedział do niego zbrojny, który wyrósł jak spod ziemi. Hunka wstrzymała oddech.

Psiakrew — pomyślała. — Nie wiem, gdzie był. Czy widział, jak wchodzę w żywopłot?

— *Ritorno* — zażądał Visconti. Wracamy.

Zbrojny rozejrzał się uważnym okiem i ruszyli wysypaną kamykami alejką. Siedziała w krzakach, póki nie umilkły kroki, potem wróciła do pałacu. Otrzepała się z mrówek, ostatnie zgniotła mściwie w palcach. Miała wiele przemyśleń. To, że król Jan potajemnie spotyka się z jakimś Viscontim, było z nich najmniej istotne. Znów wylała na siebie potok wyzwisk. Była nieuważna, śledząc, weszła na niezbadany teren. Nie miała pojęcia, że nie ona jedna obserwuje z ukrycia. O mały włos mogła zostać zdemaskowana.

Bycie iluminatorem mi nie służy. Rozprężyłam się — podsumowała swoje doświadczenie i przewartościowała niemiłą przygodę z Wolfem. — Dobrze wyszło. Przynajmniej za jego srebro odbyłam krótką praktykę, przypomniałam sobie robotę. Nie muszę zabijać, ale muszę stale ćwiczyć.

Dostała też niewielką nagrodę: gdy znalazła się z powrotem w pałacu, natknęła się na Henry'ego i Jana idących krużgankiem. Przyczaiła się odruchowo i podsłuchała:

— Azzo Visconti ma wpływy wśród signorii italskich jak Lucyfer wśród książąt piekielnych — powiedział Henry.

— Nie tylko w Mediolanie — dodał Jan. — Jego macki sięgają wielu miast.

— Gdyby Wittelsbach się dowiedział...

— Co z tego — krótko zaśmiał się Jan. — Przyjechałem odwiedzić groby rodziców.

— Do Pizy z Trydentu daleko — ironizował Henry. — Chyba że przeniosłeś ich prochy, a nikt o tym nie wie.

— Pamiętasz Ludwika przed bitwą pod Mühldorf? Tę grubą żyłę na czole, która mu nabrzmiała, kiedy się wściekł, że się spóźniam?

— Widziałeś ją dopiero, gdy się zjawiłeś — wypomniał mu de Mortain. — Żałuj, że nie mogłeś zobaczyć obu żył. Pulsowały mu tu i tu. Ta była olbrzymia!

— Ona mu pęknie prędzej czy później — zimno powiedział król. — Ja będę gotowy. Nic nie zostawię przypadkowi.

De Mortain zaczął się śmiać. Stanęli. Gdy się uspokoił, powiedział:

— Janie, znamy się tyle lat, nie musisz przede mną udawać. Jesteś mistrzem improwizacji. Ona jest twoją siłą, nie skrupulatne przygotowanie, nie podchody prowadzone latami. A przypadek? Owszem, pozostaw mu wiele, bo nikt tak jak ty nie potrafi wykorzystać przypadku.

— Uważasz, że pochopnie spotkałem się z Azzo? — zdenerwował się Jan.

— Nie, przyjacielu. Uważam, że zrobiłeś coś, do czego wystarczy dodać kilkanaście przypadków, kilka zbiegów okoliczności i łut szczęścia.

— Ach, Henry, któż lepiej zna naukę o łucie szczęścia, niż syn hrabiny zwanej Klejnotem Mórz? — Ruszyli i ich głosy nie dochodziły do Hunki wyraźnie. — Ruszajmy do śmierdziucha... — tyle zrozumiała.

„Klejnot Mórz" — trawiła co, usłyszała, Hunka. — Nasz Henry ma równie ciekawe tajemnice, co król Jan.

Dwa dni później wyjechali z Trydentu; król Jan był tajemniczy, Henry też nie dzielił się wiadomościami o celu podróży. Powiedział wymijająco:

— Podziwiamy piękno północnej Italii. — Ale Hunka nie usłyszała w tej deklaracji entuzjazmu.

W Weronie zatrzymali się na jedną noc; gościł ich potężny Mastino della Scala. Wydał na cześć Jana ucztę i gdy siedziała z Wilhelmem na samym krańcu stołu, poeta szepnął jej na ucho:

— Della Scala prócz Werony ma pod sobą Lucę, Berscię i Parmę. To jeden z najbardziej wpływowych rodów.

Bardziej niż Visconti? — zaciekawiła się.

Od szczytu stołu, gdzie siedział gospodarz i Jan Luksemburski, trafił do nich półmisek z resztką pasztetu. De Machaut zręcznie zgarnął do siebie wszystko, co zostało. Zawstydził się i podzielił z Hunką.

— Przodkowie della Scali byli zwykłymi kondotierami — powiedział, nakładając jej.

— Po trupach do władzy? — spytała i wzrokiem wskazała na gobelin na ścianie. — Dlatego mają drabinę w herbie?

Wilhelm zaśmiał się z pełnymi ustami. Hunka chętnie pociągnęłaby go za język, ale weszli muzycy i zaczęli grać. Wilhelm de Machaut stracił zainteresowanie iluminatorem, bez reszty pochłonęło go słuchanie.

Nazajutrz, gdy ruszyli z Werony i, o dziwo, Henry powiedział im, dokąd jadą, Wilhelm wciąż był podekscytowany poprzednim wieczorem.

— Słyszałeś to, Hugonie? — pytał z wypiekami. — Ludzki głos jest najczulszym instrumentem, zrobi to, czego od niego zażądasz. Truwerzy chcąc posiąść uwagę słuchacza, muszą polegać tylko na sobie, najlżejsze załamanie głosu niweczy efekt pieśni. A przecież prosty lud potrafi śpiewać na głosy!

— Słyszałem to w kościele — opowiedziała na odczepnego.

— No właśnie! Cała muzyka dla Boga, nie, nie, żebym odbierał Panu, ale możemy cieszyć się nią, bawić, przetwarzać w nieskończoność motywy, które już znamy, na przykład…

Mogła się wyłączyć. De Machaut był opętany na punkcie muzyki. Nie potrzebował rozmowy, ale słuchacza. Podejrzewała, że podnieca się swoim głosem, gdy mówi. Jej to nie ciekawiło.

Na drugi dzień dotarli do Monselice, koło Padwy. Ugoszczono ich w zamku rodziny Carrarów, ale Hunka szybko przekonała się, że potężny ród italski nie jest celem ich wizyty, ale niewidocznym gospodarzem zupełnie innego spotkania. Powitał ich zarządca zamku i dał Luksemburczykowi pod rozkazy służbę, kuchnię, spiżarnię i kilkunastu ludzi dyskretnej straży. Jej ciekawość została pobudzona.

Chodziła po zamku, kamienne mury wydawały się jej lekkie, jakby bronić twierdzy miały przy okazji, przypadkiem i jednocześnie nie zakłócać widoku ze wzgórza. Co chwila odkrywała w nich furtki malowniczo okolone roślinnością, prowadzące na miniaturowe dziedzińce albo do niewielkich, starannie utrzymanych ogrodów, których twórca wiele wysiłku włożył w to, by wyglądały jak dzieła natury i przypadku, a nie rąk ludzkich.

Bis regina pokochałaby to miejsce — myślała i oglądała je jej oczami. — Doceniłaby bladoliliowy odcień róż pnących się po postumencie rzeźby. Albo tę kamienną studnię, która zdaje się prosić, by przysiąść przy niej. I tu byłaby bezpieczniejsza niż w Brnie. Mogłabym patrzeć na nią spacerującą po ogrodach i nie być widzianą. O tam, z tamtego południowego okna, gdzie urządziłaby dla mnie pracownię. Tyle światła, że malowałabym do samego zmierzchu. Tu niebo jest inne, słońce inne i barwy wysycają się intensywniej.

Przez chwilę oddała się fantazji, że oto Rikissa przeniosła się do Monselice ze swym dworem. Z Trinką, Katką, Gizelą i zrzędliwą Marketą. Z Anežką, która i tak nie zamierza wyjechać do męża. Dwór samych kobiet — zamarzyła — na którym znów byłabym Hunką, obrończynią pani i jej iluminatorką. A co z Lipskim? — przypomniała sobie niechętnie. Znalazłaby pomysł bez trudu, ale wiedziała, że nie uszczęśliwiłaby tym swej bogini.

— Hugonie! — zawołał ją Wilhelm.

Siedział na kamiennej ławce naprzeciw marmurowego lwa o ciekawym niebieskim odcieniu.

— Rodzina naszych niewidzialnych gospodarzy zbiła majątek na wydobyciu marmuru — powiedział, wskazując rzeźbę. — Podoba ci się?

— Wolę smuklejsze lwy. Ten sprawia wrażenie tłustego leniucha — miała głowę wciąż pełną mrzonek o Rikissie. W jej wyobraźni trzy lwy zeskakiwały z muru na murek. Przysiadła koło Wilhelma.

— Wiesz, że w tym zamku zatrzymał się Dante, gdy wygnano go z Florencji? — powiedział, wpatrując się w marmurowego lwa.

— Wyobrażasz sobie, że siedział na tej ławce, że zostawił ślad dłoni w kamieniu — odpowiedziała.

— Skąd wiesz? — zarumienił się.

— Można w tobie czytać jak w księdze — zaśmiała się i zreflektowała, że Wilhelma nie należy ośmielać. — Czytałem Dantego pobieżnie, nie porwał mnie — dodała, by stracić w jego oczach.

— Warto go czytać, tak jak on pisał — odpowiedział Wilhelm. — Po toskańsku. Dante mówił, że łacinę trzeba zachować dla uczonych rozpraw, a literaturę pisać w językach, którymi się mówi.

— Ciekawe — przytaknęła.

— Skąd pochodzisz, Hugonie? W jakim języku pisałbyś, gdyby nie łacina?

Pochodzę z krzaków przy polnej drodze — pomyślała. — Gdzieś na granicy Brandenburgii i Królestwa Polskiego.

— Po czesku — skłamała i uśmiechnęła się do poety. — Poznasz nasz język, gdy Jan zdecyduje, że skończył podziwiać północną Italię i odwiedzi swoje królestwo.

Zaśmiali się jednocześnie. W podróżnym dworze Luksemburczyka nie było nikogo, kto sądziłby, że król spieszy się do Pragi.

— Skoro nie lubisz Dantego, może umknęło ci, że pisał o ojcu naszego pana. — De Machaut wyciągnął się wygodnie i wystawił twarz do słońca. — Alto Arrigo w *Boskiej Komedii* to Henryk Luksemburski, wiedziałeś?

— Nie — odpowiedziała, nawet nie udając, że ją to ciekawi.

— Gdy Henryk Luksemburski jako król Niemiec ruszył do Italii po koronę cesarską, wywołał niesamowite poruszenie wśród tutejszych elit — ciągnął niezrażony poeta i Hunka momentalnie zmieniła zdanie. To jednak ją interesowało. — Słuchaj, przekroczył Alpy, mając przy sobie tylko pięć tysięcy zbrojnych, tyle co nic i opanował Italię w kilka tygodni.

— Ciekawe — mruknęła, nie okazując, jak bardzo.

— Dante napisał „De monarchia", traktat, który rozesłał do mieszkańców Florencji. W natchnionych słowach skarcił ludzi, którzy sprzeciwili się marszowi Henryka po cesarską koronę. Ale ojciec Jana nie docenił poety. Zranił Dantego, bo ruszył wprost do Rzymu, zamiast w pierwszej kolejności wkroczyć do Florencji.

— Wybrał złą drogę? — dopytała.

— Może czuł, że jego czas się kończy? Przez trudy podróży zmarła jego żona, matka Jana. Ponoć Henryk ją uwielbiał i śmierć Małgorzaty podłamała go.

— Są pochowani w Pizie — rzuciła leniwie, co podsłuchała.

— Możliwe — odpowiedział Wilhelm i wrócił do tego, co go pasjonowało. — Dante nie wybaczył cesarzowi Henrykowi. W krótkim czasie potępił jego rządy. Ciekawa lekcja, co, Hugonie? Cesarz, który naraził się na gniew poety.

— Kto dzisiaj jest największym poetą italskim? — przekornie spytała Hunka.

— Trudno wyczuć — wzruszył ramionami Wilhelm. — Pokazywano mi sonet jakiegoś Petrarki, napisany właśnie w języku mówionym, ale ja wiem, czy to będzie coś warte? — wykrzywił się. — Mnie się zdało jakieś wydumane.

Jak przystało na poetę — pomyślała o nim Hunka — najbardziej cenisz własne strofy.

— Król Jan jest szczęściarzem — powiedziała, by mu podziękować za cenną lekcję o ojcu króla.

— Pewnie — przeciągnął się de Machaut. — Młody, piękny, bogaty…

— A ty, Wilhelmie, zadbasz o jego sławę — dorzuciła. — I na pewno będą to strofy warte wiele.

— Tak sądzisz? — zaczerwienił się i potargał te nędzne włosy na brodzie, której nie mógł zapuścić.

— Jestem pewien — uśmiechnęła się i wskazała na niebo. — Wybacz, czas na mnie. Najlepsze światło dla farb.

Dwa dni później w zamku Monselice zjawił się skromny orszak gościa, na którego czekał król Jan. Dla Hunki, ustrojonej w zbyt ciepłe jak na początek lipca najlepsze szaty, było to niezwykłe spotkanie. Oto, jako dworzanin Luksemburczyka, oficjalnie i w świetle dnia, witała kogoś, z kim rozmawiała, dla kogo zabiła i wzięła za to srebro.

— Książę Karyntii i Tyrolu, Henryk — powitano go godnie na dziedzińcu, w asyście całego podróżnego dworu Jana.

Postarzał się — obejrzała go uważnie.

„Ruszajmy do śmierdziucha" — tyle podsłuchała w Trydencie. Wystarczyło powąchać gościa i wiedziała, że to spotkanie było najważniejszym celem ich podróży. Z ukłonem podsunęła mu miskę z wodą, a Wilhelm podał ręcznik.

— Co za skwar — zaskrzeczał, ochlapał ją i zagderał: — Nie umiesz trzymać równo, chłopcze?

— Wykonuję swoją pracę najlepiej jak potrafię — odrzekła pogodnie.

Zastygł w bezruchu. Łypnął na nią pożółkłym okiem. Zamrugał i sapnął.

Spuściła wzrok i zaśmiała się w duchu. Mam cię, wredny staruchu!

Rzucił mokry ręcznik Wilhelmowi i utykając, ruszył za Janem i Henrym na ucztę.

— Ale mu dogadałeś — pochwalił de Machaut.

Żebyś wiedział, jak bardzo — pomyślała.

Miała świetną pamięć. Tamtego dnia, gdy wraz ze swym mistrzem udała się do Pragi, po zapłatę za Rudolfa Habsburga, Karyntczyk wyznaczył im spotkanie w kościele. Siedział w konfesjonale, ona była przebrana za damę. Kazał sobie opowiadać, jak zginął jego rywal. Hunka mówiła, a Jakub de Guntersberg omal nie odgryzł sobie języka, tak był rozbawiony. Łgała bez mrugnięcia okiem, jednocześnie przywołując prawdziwe sekwencje zdarzeń, rekwizyty i postacie. Karyntczyk był mściwy i wścibski. Na koniec powiedział jej, że zasłużyła na zapłatę jak mało kto. Odpowiedziała mu wówczas: „Wykonuję swoją pracę najlepiej jak potrafię". On chciał dać im zlecenie na śmierć Rikissy. Wyłgała się za nich oboje i od tamtego dnia zapałała do niego czystą nienawiścią, i jednocześnie podjęła decyzję, że będzie strzec królowej, póki sił starczy.

Jesteś częścią mojej drogi, staruchu — pomyślała, idąc za Wilhelmem na górę. — I już wtedy, w Pradze, cuchnęło ci z gęby.

Podczas powitalnej uczty siedziała obok poety. Raz i drugi złapała błądzące ku niej spojrzenie Karyntczyka. Nie mógł jej rozpoznać, ale na pewno zepsuła mu nastrój.

Dobre i to — myślała mściwie. — W twoim wieku pewnie i bez złych wspomnień ciężko zasnąć.

Nazajutrz Jan przystąpił do rokowań z Karyntczykiem. Dzięki temu, że wcześniej było kilka wolnych dni, Hunka zdążyła poznać zamek i przygotować się jak należy. Wiedziała, że główne rozmowy odbędą się w wielkiej komnacie zwanej „gondolą" z racji na to, że wystawała poza obrys zamku. Odwiedziła ją kilkukrotnie i znalazła sobie świetne miejsce. Pod ścianą komnaty stało rusztowanie, majstrowie naprawiali ozdobny kasetonowy strop, a przybycie dworu Jana przerwało im pracę. Robotnicy zniknęli, rusztowanie zostało, bo stało na uboczu, nie rzucało się w oczy i nie było komu go rozłożyć. Wspięła się na nie i najpierw pomyślała, że ukryje się w stropie. Majster wyjął uszkodzone kasetony i zostało trochę wolnej przestrzeni, między obniżonym ozdobnym stropem a tym właściwym. Ale gdy podciągnęła się, drewno niebezpiecznie zaskrzypiało, i odpuściła. Jej oko przyciągnęło stojące na rusztowaniu drewniane koryto po zaprawie. Robotnicy przerywając pracę, wrzucili do niego narzędzia. Wyjęła je, weszła do środka. Mogła w nim leżeć na boku, było ciasno, ale ukryta w korycie nie rzucała cienia i to przeważyło. Wycięła sobie szparę między deskami, by widzieć, i czatowała na okazję, żeby przekonać się, czy z koryta słychać rozmowy. Ta nadarzyła się. Mathias, giermek Jana, wszedł do komnaty w poszukiwaniu króla, rozejrzał się i jęknął:

— Gdzie znów wywiało tego włóczykija?

Wszystko miała sprawdzone, gdy nadszedł czas, była gotowa do pracy.

Jan przyszedł tylko z Henrym de Mortain, Karyntczyk z ponurym typem, którego tytułowano hrabią Waltmanem i który, jak zrozumiała z rozmowy, był gościem Luksemburczyka na Turnieju Zimowego Króla w Pradze.

— Hrabio, czy jesteś potomkiem słynnego rycerza, który wędrował od turnieju do turnieju z damą, psem i krogulcem? — spytał Jan.

— Owszem — niechętnie przyznał Waltman. — Nawet w najlepszej rodzinie zdarzy się zakała.

— Przeciwnie! — wesoło zaprzeczy król. — Przygody Waltmana von Setilstet emocjonowały nas, prawda, Henry?

— Zaczytaliśmy ten rozdział w księdze — zaśmiał się de Mortain.

— Będziemy gadać o durnych rycerzach czy przejdziemy do rzeczy? — zaskrzeczał książę Karyntii. — Ile dokładnie lat ma moja narzeczona?

— Dzisiaj czternaście — odpowiedział Jan. — Ale nim dojdzie do małżeństwa, dorośnie.

— Dla mnie w sam raz. Nie chcę czekać na nie wiadomo co. Za rok stuknie mi sześć dziesiątek.

— Wiemy, wiemy — odrzekł Jan. — I nie będziemy stali na przeszkodzie szybkiej finalizacji małżeństwa. Ale najpierw musimy się porozumieć.

— Zacznijmy od twoich długów. — Karyntczyk postukał zakrzywionym paluchem w stół. — Ciężko brać nową żonę, skoro posag pierwszej wciąż w praskim skarbcu. Dziesięć lat minęło od śmierci Anny Przemyślidki, a ty wciąż nie wypłaciłeś ani grosza.

— Cóż, książę — przejął rozmowę Henry. — Przypomnę, co było powodem wstrzymania wypłaty. Wybory króla Rzeszy. Nieprawnie tytułując się królem Czech, zawłaszczyłeś głos, który przeważył w wyborze Habsburga i sprawił, że aż do bitwy pod Mühldorf mieliśmy dwóch królów.

— Dawne dzieje — lekceważąco prychnął Karyntczyk. — Jak zaczniemy sobie wszystko wypominać…

— Król Jan Luksemburski gotów jest wspaniałomyślnie puścić ci w niepamięć tamtą niezręczną manifestację. Lecz ustalmy na początku, by nie było wątpliwości: ostateczne zrzeczenie się przez ciebie pretensji do czeskiego i polskiego tytułu królewskiego jest warunkiem umowy małżeńskiej.

— Wypłacicie posag za moją czeską żonę? — natarczywie zapytał Karyntczyk. — Całe czterdzieści tysięcy?

— Dwadzieścia, co i tak jest ofertą nazbyt hojną — twardo powiedział Henry.

Nie wiedziałam, że umie być tak bezwzględny — z uznaniem pomyślała o nim Hunka.

— Potrzebuję czterdziestu. Mam długi — przyznał Karyntczyk.

— Dostaniesz pięćdziesiąt — nieoczekiwanie odezwał się Jan.

— O — ożywił się staruch pędzący do nowego ślubu. — Za Beatrice?

— Nie — chłodno odrzekł król. — Za zmarłą żonę dwadzieścia i trzydzieści za córkę.

— Co? Co mówicie? Mieliśmy o moim ślubie... — zaniepokoił się Karyntczyk. — Wcześniej nie było mowy o córce. Ona już obiecana.

— Odmówisz — lekko powiedział Jan. — Kimkolwiek jest narzeczony, odmówisz.

Ależ się robi ciekawie — pomyślała Hunka. — Będę miała o czym napisać mojej pani.

— Nie mogę, zbyt wysoko postawiony teść — wymijająco odpowiedział Karyntczyk.

— Nie obchodzi mnie twój były teść — w głosie Luksemburczyka usłyszała mściwość. — Ja będę teściem twej córki.

— Dla kogo ją chcesz? Dla pierworodnego? — zapytał łakomie Karyntczyk. Widać szybko przeliczył, co mu się opłaca.

— Karol już ma narzeczoną — wtrącił lekko Henry. — Księżniczkę francuską, kuzynkę króla.

— Ooo... — w głosie Karyntczyka zabrzmiała zawiedziona nadzieja. — To dla tego małego ją chcesz?

— Jan Henryk ma dwa lata, dla księcia każdy wiek jest dobry do korzystnych zaręczyn — odpowiedział Jan.

— Moja Adelejda ma osiem — odrzekł Karyntczyk, a w jego głosie zabrzmiała jakaś chytra nuta.

— Adelajda nas nie interesuje. Myślimy o Małgorzacie — odrzekł Henry. — A ona ma sześć lat. Gdy dzieci dorosną, różnica wieku przestanie mieć znaczenie.

— Ale Adelajda... — zaczął Karyntczyk.

— Jest niedojdą — przerwał mu de Mortain bezwzględnie. — Wybacz, książę, ale przygotowaliśmy się do spotkania i ubliżasz nam, chcąc księciu Janowi Henrykowi wcisnąć upośledzoną narzeczoną. Król zapłaci trzydzieści tysięcy za Małgorzatę wraz z gwarancją dziedziczenia Tyrolu i Karyntii.

— Zaraz, zaraz — oburzył się Karyntczyk. — Zwiedliście mnie na manowce rozmową o pięćdziesięciu tysiącach za zmarłą żonę i za córkę, a przecież najważniejszy jest mój ślub i nowa żona. Nie biorę jej tylko po to, by grzała mi łoże. Żenię się, bo chcę dziedzica! Chcę spłodzić syna!

— Owszem, książę — wrócił do grzecznego tonu Henry. — Jeśli nasza piękna Beatrice urodzi ci chłopca, on odziedziczy twe ziemie. Ale gdyby powiła kolejną córkę, chcemy, żebyś zapisał Tyrol i Karyntię Małgorzacie, która poślubi naszego Jana Henryka.

— Aha — Karyntczyk skojarzył, za co obiecują mu tyle srebra. — A jej posag? Mojej młódki?

— Dziesięć tysięcy.

— Mało! Za Przemyślidkę obiecali mi czterdzieści…

— A dostaniesz dwadzieścia. To była królewska córa — przypomniał Jan.

— Razem sześćdziesiąt, najjaśniejszy panie — podpowiedział mu Waltman. — To dużo więcej, niż…

— Ty mi nie licz! — skarcił go Karyntczyk.

— Prawda — powiedział Henry — to dużo więcej, niż mogliście przypuszczać. Dodatkowym zabezpieczeniem układów małżeńskich, na wypadek przedwczesnej śmierci…

— Czyjej? — ze złością przerwał Karyntczyk.

— Twojej, książę. Bez obrazy, sam zwróciłeś uwagę, że masz sześćdziesiąt lat. Gdybyś zmarł bez dziedzica i osierocił nieletnie córki, zanim Małgorzata poślubi naszego księcia, opiekunem twych dziewcząt zostanie król Jan.

— Bierzecie mnie na lep tych sześćdziesięciu tysięcy… chcecie złowić mnie w sidła jak tłustą rybę…

O Jezu — z politowaniem pomyślała Hunka. — Karyntia biedna i zacofana jak żadne księstwo w pobliżu, a wydała z siebie tłustą, złotą rybkę. Rybą to ty śmierdzisz — dodała złośliwe.

— I ostatnia rzecz — przerwał biadolenie Jan. — Zwrócisz mi korony.

— Co? — udawał, że nie zrozumiał.

Nawet Hunka wiedziała, że chodzi o insygnia Przemyślidów i Piastów. W czasach zamętu po śmierci Rudolfa, gdy młody Jan z luksemburskim wojskiem wkraczał do Czech, uciekający z nich Karyntczyk ukradł korony obu dynastii i nigdy nie zwrócił.

— Oddasz korony w dowód szczerości intencji — powtórzył Jan.

— Nie — odpowiedział książę Karyntii.

— Wobec tego podarujesz je Janowi Henrykowi i Małgorzacie w prezencie ślubnym.

— Zabrałbym je do grobu — odrzekł książę — gdybym je miał. Kazałem przetopić i sprzedać.

Zapadła ciężka cisza. Hunka pomyślała, że Rikissa będzie zrozpaczona.

Nie powiem jej — postanowiła. — Nigdy jej nie powiem.

— Zajmijmy się spisaniem kontraktów — przerwał nieznośne milczenie Henry de Mortain.

— To chyba mogą zrobić nasi ludzie — powiedział Karyntczyk. — Jestem zmęczony, chcę udać się na spoczynek.

— Naturalnie, w twoim wieku należy wypoczywać więcej — odpowiedział Jan.

— Jutro przedstawimy stosowne dokumenty — rzekł Henry. — Dobrej nocy.

Zaszurały ciężkie dębowe krzesła. Waltman i książę Karyntii wyszli. Jan i Henry zostali. Hunka odczuwała już niewygodę leżenia w drewnianym korycie.

— Co za człowiek — powiedział bezbarwnie Jan, gdy drzwi za gośćmi się zamknęły. — Mam nadzieję, że córka nie wdała się w ojca.

— A ja, że nie skrzywdzi twojej kuzynki — cicho dodał de Mortain. — Nie wyobrażam sobie, co może czuć młodziutka dziewczyna w łożu z kimś takim.

— Ty, szczęściarzu, znajdziesz sobie kiedyś damę, która ukradnie ci serce — powiedział Jan matowym, zmęczonym głosem. — My, władcy, płacimy bezlitosne ceny.

— Nie powiesz, że Eliška Premyslovna…

— Nie aż tak, ale póki moja żona żyje, za jedyne miłosne szczęście mogę uznać tajemną schadzkę. Nie będę dzielił życia z kobietą, którą podziwiam, z którą łączyłby się mój duch…

— Nie rozczulaj się nad sobą — miękko powiedział de Mortain i postawił przed Janem kielich z winem. — Dzisiaj kupiłeś Tyrol.

— Prawda — uniósł kielich Jan. — Niektórzy źli ludzie mają dobre ziemie.

Hunka zamyśliła się. Piją za Tyrol, nie Karyntię. Do czego Janowi Luksemburskiemu potrzebny jest dzisiaj Tyrol?

WŁADYSŁAW był potwornie zmęczony. Bój o Małą Ruś okazał się trudniejszy, niż przypuszczał. I nie w polu, a w dyplomacji. Jego zięć, król Węgier Carobert, był twardym graczem, nie przepuścił żadnej okazji, by wytargować coś dla siebie. W dodatku nie dopuszczał myśli, że cichą zgodę na osobę Bolesława, syna Trojdena, wydać musi wielki kniaź Giedymin. Carobert nienawidził Litwinów. To byli dla niego Dzicy, wartościowi o tyle, o ile szło się na nich z krucjatą.

Władek, który zawziął się, że nie odpuści wpływu na tron halicko-włodzimierski, musiał wić się jak wąż. Z pomocą przyszła mu niezawodna córka. Elżunia przysłała posłów z Wyszehradu z wiadomością, że za chwilę będzie rodzić. Carobert zostawił Władkowi wojsko węgierskie z palatynem Filipem Drugethem i w otoczeniu osobistej straży ruszył galopem na Węgry. Drugeth po wyjeździe Caroberta też chciał patrzeć Władkowi na ręce, w końcu na Węgrzech on drugi po królu. Władysław zaś nie zamierzał dzielić się z ludźmi Andegaweńczyka arkanami działań na Rusi. Tu jest wschód i pewne sprawy trzeba załatwiać inaczej. Z pomocą swemu panu przyszedł Borutka. Giermek, który podczas poprzednich spotkań z Węgarami opanował język równie dobrze, jak neapolitańskiego pochodzenia Filip Drugeth, zabawiał potężnego palatyna swym towarzystwem.

Ni stąd, ni zowąd zaczął dociekać, jakie ptaki ma Drugeth w herbie, palatyn twierdził, że to po prostu ptaki, nic więcej. Borutka uparł się, że odnajdą ptasie korzenie rodui każdego ranka o wschodzie słońca stał przed jego namiotem gotów do poszukiwań. „Palatynie Drugeth" — mówił — „to dzisiaj. To twój dzień" i wciągał zaspanego Filipa na siodło. Jeździli po lasach i szukali najróżniejszych gatunków. Borutka łapał je w sieć, jakim sposobem mu się udawało, nikt nie wie. Dość, że po tygodniu przed namiotem Drugetha leżało z sześć dziesiątek najróżniejszych ptaków. Borutka usypiał je, twierdził, że ziarnem moczonym w winie, kładł na prawym boku i porównywał z wizerunkiem na tarczy Filipa Drugetha.

Tydzień to było w sam raz tyle, ile potrzebował Władek. Bez wiedzy Węgrów dogadał się z bojarami, ci otruli baskaków chana tak zręcznie, że obaj urzędnicy padli dopiero po wyjeździe z Małej Rusi, w drodze do swego chana. Ozbeg uznał to za znak, bo jak każdy Tatar był przesądny i przystał na propozycję Władysława. Dał jarłyk dla trojdenowego syna. Władek mógł odetchnąć.

„To wrończyk!" — odkrył wtedy Borutka i pokazał Filipowi Drugethowi ptaszydło, które wyglądało jak to na tarczy. „Wroooończyyyk!" — darł się wniebogłosy jego giermek, podskakując i budząc uśpione ptaki. Część z nich zerwała się do lotu, inne zataczały się jak pijane, a całkowicie skołowany Drugeth nie rozumiał, czy powinien się cieszyć jak Borutka, czy raczej niepokoić. Giermek Władka przewracał oczami i z pasją opowiadał Drugethowi legendę o wrończyku, który kradnie knoty płonących świec albo węgielki z ognisk i rzuca ludziom w strzechy domów. „Ten ptak to urodzony podpalacz!" — cieszył się Borutka, ściskając w obu dłoniach wrończyka. „Jest pan, Filipie, największym szczęściarzem!".

„Już możesz przestać błaznować" — powiedział do niego po polsku Władek, gdy wrócili posłowie od Ozbega. „Zostaw palatyna w spokoju. Wszystko załatwione". Borutka błysnął zębami i z zadowolenia uściskał i wycałował w dziób ptaka. I go zadusił, niechcący.

„Borutka, jak król cię kiedyś podniesie do stanu rycerskiego, to nada ci herb. Duszona wrona" — kpił z niego Doliwa. Borutka był nieszczęśliwy. Płacząc, oskubał wrończyka i z jego czarnych lśniących piór zrobił sobie ozdobę do hełmu.

Pożegnali Węgrów.

— Droga na Ruś bezpieczna, aż po same Morze Czarne — powiedział Drughet, gdy się rozstawali. — Mój król będzie kontent.

Ja też — skinął mu milcząco Władek. — Bitwy wygrywa się rycerstwem i mieczem, ale wojny o wielkie pieniądze można nimi tylko osłaniać.

Drugeth wyściskał Borutkę jak syna i już z siodła krzyknął:

— Przyjedź na Węgry, chłopcze, poznasz wszystkich Drugethów! Jesteśmy twoimi dłużnikami.

— Pamiętam — wesoło odpowiedział Borutka.

I Węgrzy pojechali, zostawiając setkę zbrojnych na rozkazy młodego Bolesława — Jerzego Trojdenowica.

Władysław został w obozie pod Krzemieńcem, sam, z wojskiem Małej Polski i mógł odetchnąć.

Z przyjemnością usiadł wieczorem przy ognisku.

— Futro rozścielę na ławie — zaproponował Borutka, odkładając patyk, którym mieszał w kotle nad ogniem.

— Daj spokój, wieczór ciepły, a ty mi będziesz miśka pod tyłek wsadzał — machnął ręką Władysław. — Boże, jak cicho, jak dobrze.

— No, ptaszki pobudziły się i odleciały — smętnie powiedział Borutka.

— Król nie o ptaszkach mówi — dosiadł się Nawój — ale o Węgrach. Strasznie są głośni.

— Borutka, dziękuję, żeś wziął na siebie Drugetha i odciągnął jego uwagę od spraw istotnych — powiedział Władek.

— Do usług — uśmiechnął się giermek i dodał: — Co bym musiał zrobić, żeby na herb zasłużyć?

— Jak wpadłeś na to, żeby mu tego wrońca szukać? — nie odpowiedział na pytanie Władek.

— Wrończyka, najjaśniejszy panie — poprawił Borutka i zachichotał. — Przecież wstyd by był, jakby się okazało, że to kuropatwa, co?

— A ty szelmo! — dosiadł się do nich Grunhagen. — Wiedziałem, że o coś chodzi, ale dopiero teraz się zorientowałem, o co! Ha, ha, ha! Jesteś niemożliwy, giermku króla!

— Z czego się śmiejecie? — nie rozumiał Władek.

— Kuropatwa w herbie oznacza, że jego właściciel jest hmm... hmm... jak to się mówi... — Grunhagen rozglądał się po siedzących przy ogniu i szukał ratunku. Borutka robił zeza, żeby mu nie ułatwić. — Sodomitą — szepnął Grunhagen.

— Co? — nie dosłyszał Władek.

— Chłop z chłopem! — wrzasnął zielonooki.

— A, jasne — machnął ręką Władysław i zaciekawił się jednak. — Trzeba mieć to w herbie? Znałem takich, ale herby mieli rodowe. Co ty tam gotujesz? — spytał Borutkę.

— Później pokażę — odpowiedział giermek.

— A skąd ty wiedziałeś o tej kuropatwie, Grunhagen?

— Usłyszałem kiedyś w podróży — odpowiedział rycerz. — Książę albo hrabia Salisbury nadał ten herb jakiemuś swojemu wojakowi, który się zasłużył w bitwie.

— To jeszcze nie znaczy, że...

— Właśnie, że tak — poważnie odpowiedział Grunhagen — bo herold tego księcia w bestiariuszu wyczytał, że u kuropatw samiec kopuluje z samcem, i dlatego mu ten herb nadali. Tak mi powiedział jeden angielski rycerz, słowo daję.

Borutka zdjął kocioł z ognia i wyniósł kawał dalej. Wylał wodę, pogrzebał i wyjął coś z kotła. Syknął, chyba się poparzył. Wrócił do ogniska, ukrywając, co ma w ręku.

— Wracając do tematu — pisnął giermek, ruszając palcami. — Co muszę zrobić, żeby herb dostać?

— Co ty tam masz? — zaciekawił się Władek. — Pokaż!

Borutka otworzył dłoń. Leżała na niej biała, wygotowana ptasia czaszka.

— Mój wrończyk — powiedział czule.

Władek nie zdążył odpowiedzieć, bo usłyszeli podniesione głosy. Do ogniska podbiegł zdyszany Paweł Ogończyk.

— Królu... — wysapał.

— Siądź, odetchnij. Nie masz już pięćdziesięciu lat — zrobił mu koło siebie miejsce Władek.

— Poseł Litwinów przybył ze mną — wyrzucił z siebie. — Jest w obozie.

— Kto? — zerwał się na równe nogi Władek.

— Biksza — Paweł podał imię bojara, który u wielkiego kniazia odpowiadał za kontakty z Królestwem.

— Proś! Nie zwlekajmy z tym, co powinno być załatwione dawno — wyprostował się Władek.

— Panie, wojenna korona? — spytał Borutka.

— Nie wojenna, chłopcze, a podróżna — poprawił go Nawój z Morawicy.

— Podaj — zażądał król i spojrzał na siebie krytycznie. Skórzany kaftan, skórzane nogawice.

— Ale buty masz przednie, jaśnie panie — odczytał jego myśli Grunhagen. — Wiesz, że ja rozpoznaję, co drogie, dobre, nowe, a stare. Te są nowe, pańskie i drogie. Fortunę kosztowały.

— Węgierskie — przygładził wąsy Władek. — Od Elżuni.

— Przyniosłem jeszcze łańcuch na piersi — powiedział Borutka, który wrócił z królewskiego namiotu. — Wybrałem ten z orłem.

— Król ma teraz wszystkie z orłem — znów skarcił go Nawój.

— Nieprawda — odgryzł się Borutka. — Nie wyrzuciłem tych z rodowym herbem. Półlew i półorzeł to zacna bestia. Król, jak zechce, może nosić dwa łańcuchy naraz.

— Sam się tak obwieś — powiedział mu Władek. — Dobra, dawaj i proście Bikszę.

Po chwili w kręgu światła od ognia zjawił się niewysoki Litwin. Był jak oni wszyscy, ubrany podróżnie, bez zbytków. Przetykane siwymi pasmami włosy nosił założone za uszy. Pokłonił się i cichym głosem powiedział łamaną polszczyzną:

— Znaki pokoju od wielkiego kniazia. Znaki szacunku przynoszę.

— Pokój z tobą, Biksza — powiedział Władek. — Posiwiałeś, co?

— Roki idą — uśmiechnął się Litwin.

— Siadaj. Czego się napijesz?

— Jeśli zatrute, to wino, najlepsze — zaśmiał się cicho Biksza.

— Pewnie — przytaknął Władek. — Jak umierać, to z przyjemnością. Nie wożę wina. Kwaśnieje w drodze. Ale miód mamy dobry.

— Co król pije, i Bikszy smakuje — odpowiedział przezorny bojar.

— Borutka, daj miodu i złoty kielich dla gościa!

— Kto taki? — zaniepokoił się Biksza.

— Borutka, mój giermek — wyjaśnił Władysław.

— A — powiedział Litwin i patrzył na Borutkę uważnie, gdy ten podawał kielichy.

— Ozbeg dał Bolesławowi jarłyk — przeszedł do sedna Władysław. — Nasz chłopak już na tronie, odebrał przysięgi na wierność.

— Bojarzy dochowają, jak król odjedzie? — spytał Biksza.

— Ja odjadę, ale drużyna zostanie — powiedział Władysław. — Chłopak ochrzci się w cerkwi, zmieni imię na Jurij, tak, jak chcą poddani. Jest młody, ale mocny. Silny moim i węgierskim wojskiem, które będzie go wspierało, póki nie wychowa wiernych sobie ludzi. Carobert słowa nie cofa. Ja też.

Biksza popił miodu, pokiwał głową. Nic nie mówił.

— Nie milcz, tylko odpowiadaj. Co Giedymin na to? — ponaglił go Władek.

— Wprost czy naokoło? — spytał Biksza.

— Zgadnij, jak wolę — zażartował Władysław.

— Wielki kniaź chce Podlasie — bez ogródek wyznał Litwin.

Psiakrew — zaklął w duchu Władek. — To jakby w prezencie powitalnym zabrał młodemu wianek.

— Podlasie jest częścią Małej Rusi — odpowiedział.

— O część Królestwa nie śmiałby prosić — odrzekł bezczelnie Biksza.

W ognisku strzeliła mokra gałąź.

— Chcesz, bym dał zgodę na coś, co nie należy do mnie — powoli odpowiedział Władysław. — Zacznę od innej strony. Przyjadą do was posłowie chana Ozbega.

Biksza zaśmiał się cicho i zaszurał nogą, jakby chciał zmazać ślad na ziemi.

— Król miesza teraz dwie sprawy — odpowiedział.

— Jakoś się łączą — rzekł Władek — choć mógłbym udawać, że tak nie jest. Miodu, Borutko, miodu!

— Król chce coś osłodzić? — spytał Biksza i założył włosy za ucho.

— Nie. — Władek przygładził wąsy. — Chcę nazwać rzeczy po imieniu, żeby między nami nie było zwady.

— Prawda — powiedział Biksza i zamilkł.

Borutka uzupełnił kielichy, a Litwin znów obrzucił giermka czujnym spojrzeniem.

— Rzecz, o której mówimy, jest dla mnie ważną — odezwał się Władek po chwili. — Co oznacza, że zapłacę za nią wielką cenę.

— Mój kniaź poniesie ją podwójnie — szybko odpowiedział Biksza.

— I korzyść wyniesie podwójną — podbił Władek.

Znów zamilkli.

— Wszystko, co ustaliłeś z Pawłem Ogończykiem, podtrzymuję — oświadczył Władysław po długiej chwili ciszy. — I dorzucam Podlasie, którego chce twój kniaź.

Wstał. Poderwali się obecni. Wyciągnął rękę ze złotym kielichem nad ogniskiem i wylał resztę miodu w płomienie. Ogień błysnął niebiesko.

To samo zrobił Biksza, patrząc mu w oczy.

— Słowo — powiedział król Władysław.

— Słowo — odpowiedział Litwin.

Władek podał mu swój pusty złoty kielich.

— Zabierz go i podaruj wielkiemu kniaziowi na znak tego, co dzisiaj ustaliliśmy.

— Znaki pokoju przyniosłem, znaki pokoju odniosę. Bolesław Jurij Trojedenowic niech panuje w Małej Rusi w spokoju — poważnie odrzekł Biksza i stuknął pustym kielichem o kielich. Odpowiedziały mu dźwiękiem czystego złota.

ZYGHARD VON SCHWARZBURG miał fatalny czas. Zimą, gdy odkrył, że Lautenburg nie miał żadnego kontaktu z joannitami w sprawie śmierci jego przyjaciela, a Kuno mógł mieć rodzonego brata, sprawa, która ruszyła z miejsca tak gwałtownie, stanęła równie szybko. Śmierć książąt Małej Rusi i stanowczy rozkaz Wildenburga uniemożliwiły mu prowadzenie poszukiwań. Zamiast ponownie udać się do komandorii joannitów z nadzieją, że pozna Gerarda i dowie się prawdy o śmierci Kunona, musiał w przebraniu ruszyć na Ruś i trzymać rękę na pulsie. W dodatku, z rozkazu Wildenburga, towarzyszył mu Henryk Reuss von Plauen, jeden z siedmiu świętoszków Luthera, nie najgłupszy na szczęście, ale i tak będący kulą u nogi. „Przyuczysz Henryka. Nie może tak być, że w pewnych sprawach orientujesz się tylko ty" — powiedział mistrz krajowy, a Zyghard przyjął to narzucone towarzystwo jako przejaw nieufności. Chcą mnie sprawdzić i patrzeć mi na ręce — zrozumiał i postanowił, że nie będzie się przykładał do nauki von Plauena. To akurat nie okazało się trudne. Spędzili w okolicy Halicza i Włodzimierza mniej czasu, niż zajęła im podróż, i już dostali wezwanie powrotu do Malborka. Nagła śmierć wielkiego mistrza Karola z Trewiru postawiła kierownictwo Zakonu w stan gotowości. Gdyby nie obecność Plauena, skorzystałby z okazji, zboczył z drogi i zajechał do komandorii nad Wartą, ale z nim przy boku nie miał tam czego szukać. I jednocześnie nie chciał, by Henryk von Plauen doniósł komukolwiek o jego konszachtach z joannitami. Wszystko rozłaziło mu się w rękach i do Malborka wracał wściekły.

Zajechali do zakonnej stolicy tuż przed świętem Zesłania Ducha Świętego.

— Apostołowie już mówią we wszystkich językach — mruknął, obserwując niechętnie tłumy gości, gdy oddali konie do stajni i ruszyli zameldować się do Wildenburga.

— Co chcesz, na wybory nowego zjechali, skąd się dało — odpowiedział Henryk von Plauen i rozprostował barki. — Dobrze będzie się znów napić warmińskiego piwa. W przydrożnych karczmach podają szczyny.

— Współczuję, że musiałeś je pić — mruknął Zyghard.

— Kazali mi się od ciebie uczyć. Na kolejny wspólny wyjazd zabiorę własne wino — skwitował Plauen bez urazy.

Owszem, Zyghard swoimi zapasami dzielił się z nim oszczędnie. Wiedzą również i ciekaw był, jak Plauen wybrnie z tego na spotkaniu małej kapituły. Odmeldowali się w kancelarii, polecono im udać się na spoczynek i czekać na wezwanie.

— Kiedy wybory wielkiego mistrza? — dopytał Zyghard.

— W ciągu tygodnia, jutro podadzą termin, bo bracia z Inflant jeszcze nie przybyli i nie wszyscy z domów niemieckich — odpowiedział sekretarz Wildenburga. Jego opuchnięte oczy świadczyły, że od kilku dni pracuje nocami.

— Do zobaczenia. — Zyghard pożegnał się z Plauenem krótko.

— Nie idziesz do dormitorium? — zaczepił go uciążliwy towarzysz.

— Nie — uciął Zyghard.

— No tak, książę von Schwarzburg korzysta z przywileju prywatnej komnaty — w głosie Plauena zabrzmiała nuta zazdrości.

— Celi — uściślił Zyghard. — Komnatę mam w Grudziądzu. Z widokiem na Wisłę. Bywaj, spieszę się...

— Wiem, wiem — Plauen zatrzymywał go ponad miarę — ciepła woda w łaźniach tylko do południa.

— Jak wiesz, to uszanuj. Każdy za czymś tęsknił. Ty za piwem, ja za łaźnią. Spotkamy się na małej kapitule.

— Zyghardzie — w głosie Henryka von Plauen zabrzmiała prośba. — Nie wystawisz mnie do relacjonowania naszej misji?

— Jeśli przez ciebie będę musiał myć się w zimnej wodzie, wystawię — mściwie zakończył rozmowę Schwarzburg.

Dostał balię pełną ciepłej wody i zmył z siebie trudy podróży. Przebrał się w czysty strój zakonny, wysłał Klugera, by przyniósł mu wieczerzę i wino do celi, bo nie miał ochoty na jedzenie w towarzystwie braci.

Sam skierował się do zachodniego skrzydła warownego zamku. Szybko przebiegł schody dla służby i nie napotykając nikogo, stanął pod maleńkimi drzwiami do tajemnej komnaty. Klucz miał zawieszony pod koszulą na piersi. Otworzył, wślizgnął się do wnętrza i zamknął drzwi starannie. Pachniało kurzem. Ława i dwa stołki stały tam, gdzie zawsze, przed otworem do podsłuchiwania. Od razu zwrócił uwagę na dzban na ławie. Obok niego dwa czyste kubki. Zaśmiał się w duchu. Luther był tu wcześniej.

Nie tracąc czasu, zdjął pokrywę i wziął się za słuchanie. Szybko rozpoznał Wildenburga.

— ...nie wierzę, że są stracone — głos mistrza krajowego był wzburzony. — To niewiarygodne, że bulle, które takim kunsztem pozyskał dla nas Luther z Brunszwiku, zostały zaprzepaszczone. To kładzie się wielkim cieniem na zmarłym mistrzu, a pod jego nieobecność na tobie, Wernerze.

Rozmawia z Wernerem von Orseln — skojarzył Zyghard. — Lojalność Orselna wobec Karola z Trewiru była niepodważalna. Towarzyszył mistrzowi w przymusowym wygnaniu z Malborka, a gdy stało się jasnym, że papież nie przyjmie decyzji wielkiej kapituły, odbierającej tytuł mistrza Karolowi, Werner stał się pośrednikiem między mistrzem na uchodźctwie a Malborkiem.

— Nie pozwolę na takie stawianie sprawy — odpowiedział Werner i Zyghard z zaskoczeniem stwierdził, że po raz pierwszy słyszy w głosie Orselna hardość. Zwykle był cichym cieniem mistrza. Uległym, posłusznym, niemal niewidzialnym.

— Stwierdzam fakt — butnie odrzekł Wildenburg. — I przywołam go na kapitule, jeśli tylko pojawi się twoje nazwisko.

O! — zaciekawił się Zyghard. — Czyżby Orseln chciał kandydować na wielkiego mistrza?

— Moja osoba jest gwarancją, że wysiłki dyplomatyczne Karola nie pójdą na marne — twardo stawał za sobą Orseln. — A twoje zadanie, Fryderyku von Wildenburg, polegać ma na tym, aby ją przeforsować.

Zyghard zapomniał o niepowodzeniach w poszukiwaniu Gerarda, o uciążliwym towarzystwie Plauena podczas misji wschodniej. To, czego słuchał, było ciekawsze niż wszystko inne.

Wildenburg na oświadczenie Orseln zareagował śmiechem. Śmiech podsłuchiwany przez biegnący w murze przewód wydawał się złowieszczy. Ale gdy umilkł, ponownie odezwał się Orseln.

— Znam twoją rolę w śmierci Karola.

Zapadła cisza. Zyghard wstrzymał oddech.

— On przeczuwał, że targniecie się na jego życie. Był bardzo uważny. A jednak wyczekaliście, aż wyjadę z Trewiru, i otruliście go.

— Bzdura — usłyszał odpowiedź Wildenburga.

— Mam Wolfa — odrzekł Orseln. — Chcesz, bym wprowadził go na obrady kapituły?

— Nie znam żadnego Wolfa.

— Ale on zna ciebie, Fryderyku — głos Orselna był uprzejmy, lecz zimny.

Zapadło dłuższe milczenie. Zyghard myślał gorączkowo. Morderstwo na szczycie zakonnej drabiny mniej go zaniepokoiło, niż to, że on nic o nim nie wiedział. Czy Wildenburg działał sam, czy miał wspólników wśród komturów? A jeśli tak, to kogo?

— Zgoda — odrzekł wreszcie Wildenburg. — Ale w zamian za to...

W tej samej chwili Zyghard usłyszał szmer od strony drzwi. Zamknął otwór od podsłuchiwania, pamiętając, że dźwięk niesie się nim w obie strony. Do pomieszczenia wszedł Luther.

— Zyghardzie! — powitał go po przyjacielsku i obrzucił pomieszczenie spojrzeniem. — Dlaczego nie skosztowałeś wina?

— Postawiłeś dwa kubki, więc czekałem na ciebie — uśmiechnął się Schwarzburg.

— O czym mówią? — spytał niedbale Luther, siadając na wolnym stołku.

— O niczym nowym — skłamał Zyghard. — Wciąż biadolą na zaginione bulle. Ale muszę przyznać, że twoja rola w ich zdobyciu jest podkreślana każdorazowo.

— Kto na dole? — dopytał Luther.

— Wildenburg i Orseln. Jeśli chcesz posłuchać, musimy skończyć przyjemną pogawędkę.

Luther skinął głową i Zyghard otworzył otwór.

— ...regułą!

Zyghard rozczapierzył dwa palce, pokazując Lutherowi, że to głos Wildenburga. Rozdwojona broda mistrza krajowego ułatwiała zabawę.

— Moje kwalifikacje są bez zarzutu. Byłem komturem Ragnety.

Luther popatrzył w górę i zrobił zbolałą minę, naśladując Orselna. Zyghard przytaknął.

— I, przypomnę — kontynuował Werner — że kierowałem nawet wyprawą wojenną na Litwinów. Zbudowaliśmy na nią statek bojowy. Ja nim dowodziłem!

Luther spojrzał na Zygharda z niedowierzaniem. Schwarzburg odpowiedział uniesieniem brwi, udając, że też jest zaskoczony nagłą zmianą zachowania pokornego Wernera von Orseln. Poniekąd był. Do tej pory traktował go wyłącznie jak cień wielkiego Karola z Trewiru, do głowy mu nie przyszło, że Werner ma własne ambicje. Więcej, że by je spełnić, cynicznie wykorzysta śmierć przyjaciela.

— Wystąpisz jako kandydat domu pruskiego — w głosie Wildenburga zabrzmiała rezygnacja. — A teraz wybacz, mój sługa wyprowadzi cię tajnym wyjściem. Nie wypada, by widziano nas razem przed obradami.

— Pamiętaj, co ustaliliśmy — zastrzegł Orseln.

— Nie zapomnę — głucho odpowiedział mistrz krajowy.

Usłyszeli jeszcze głos otwieranych i zamykanych drzwi, potem zaległa cisza. Zyghard zamknął otwór.

— Niespodzianka? — spytał Schwarzburg, pilnie wpatrując się w Luthera.

Wiedziałeś czy nie? — myślał intensywnie.

— Ciebie to nie dziwi? — pytaniem odpowiedział Luther.

— Napijmy się za nowego wielkiego mistrza niespodziankę. — Zyghard sięgnął po dzban.

— Fryderyk Wildenburg rzecznikiem Wernera — w zamyśleniu powiedział Luther.

— Będzie musiał opuścić pokoje wielkiego mistrza — wesoło odrzekł Schwarzburg. — Które, jak obaj wiemy, zajął bezprawnie. Od tej pory będziemy podsłuchiwać Wernera von Orseln! Nasze zdrowie!

Unieśli kubki i upili. Wino było wyborne, ale obaj miny mieli kwaśne.

— Wiedza to władza. A my, dzięki temu wspaniałemu miejscu, mamy do niej dostęp — nieco rozchmurzył się Luther.

— Otóż to. Nasz niepisany, ale słuchany pakt. Swoją drogą, gdyby któryś z nas został wielkim mistrzem, miałby pewność, że ten drugi zawsze będzie go podsłuchiwał. To zobowiązuje! — bezczelnie uśmiechnął się Zyghard von Schwarzburg.

Luther z Brunszwiku wypił swoje wino duszkiem.

JADWIGA zwlekała z otworzeniem listu od Elżbiety. Znała radosną nowinę, można rzec, że wieść o tym dziecku niosła się wiatrem, powtarzana z ust do ust. „Królewicz węgierski", „Mały książę", „Andegaweńczyk". Cieszyła się, płakała ze szczęścia i, co zupełnie wymykało się rozumowi, bała się o nim przeczytać.

— Wina, moja pani? — czule spytała Stanisława.

— Nie — odruchowo zaprzeczyła Jadwiga.

Założyła dłonie na piersiach, jakby chciała odgrodzić się od pergaminu ozdobionego wspaniałą pieczęcią królowej Węgier.

— Więc podam — powiedziała Stanisława, a w jej głosie zabrzmiała rezygnacja.

Po chwili kielich stał przed Jadwigą. Dwórka przyjrzała się jej, a potem opiekuńczym, ale stanowczym gestem wzięła do ręki list i podała go królowej.

— Najjaśniejsza pani. Tam są dobre wiadomości. Przeczytaj.

Jadwiga uniosła wzrok na Stasię.

— Zostań przy mnie — poprosiła. — Usiądź blisko.

Posunęła się, w obszernym fotelu zmieściły się obie. Czuła ciepło płynące od Bogoriówny, to ją ośmieliło. Wzięła wdech i złamała pieczęć. Stanisława rozwinęła pergamin i pochyliły się nad nim.

„Najdroższa Pani Matko, ukochany Ojcze. Przypuszczam, że gdy czytacie te słowa, już wiecie o wszystkim, a jednak nie mogę się oprzeć i raz za razem powtarzam radosną nowinę. Królestwo Węgier ma następcę tronu. Carobert ma dziedzica. Ja mam syneczka".

Jadwiga objęła Stanisławę ramionami, przycisnęła głowę do jej piersi i zaniosła się szlochem. Gdy ona rodziła dzieci, Władysław był ledwie księciem. Przy dwójce pierwszych, księciem na dorobku, nikt nie przewidywał... Elżunię urodziła w czasie zdobywania Krakowa po latach tułaczki; Kazia w podróży, bo nikomu nie powiedziała, że jest brzemienna. W tamtych czasach Władek o koronie nawet nie marzył. Jej dzieciom nikt nie wróżył tak świetnej przyszłości, jaka czekała na tego chłopca, jej wnuka. Carobert przed Elżbietą miał dwie żony, żadna nie dała mu dziecka. Elżunia to pierwsze powiła równo rok po ślubie i straciła od razu.

Co czuła? Jak silnej poddawano ją presji? Jak wysokie były wobec niej oczekiwania? Czy mąż, potężny król Węgier, ze starej neapolitańskiej dynastii, czynił jej wyrzuty? Czy baronowie i żupani węgierscy patrzyli na nią podejrzliwie? Czy przez swe siostry i córki śledzili każdy jej ruch i zaglądali do jej alkowy? Ona ma sto dwórek, zastępy paziów, gwardię i banderię królowej. Własną kancelarię, osobną od królewskiej i biskupa Vesprem na jej czele. Brzmi to imponująco, ale każdy z tych ludzi to czyjeś oczy i uszy. I tego Elżbieta nie napisze w liście.

„Przyszedł na świat w Wyszehradzie, ale nie w tej słynnej twierdzy na szczycie góry, którą wybudował Twój Dziad, Pani Matko. Twierdza stoi, jak stała, niezdobyta. Król Carobert nad Dunajem, poniżej dawnej twierdzy, kazał postawić siedzibę. Trudno nazwać ją zamkiem, to raczej palatium, tyle że olbrzymie. Ma trzysta pięćdziesiąt sal. Tyle trzeba, by pomieścić moje i Caroberta dwory. Mistrzowie wciąż pracują nad wystrojem palatium, ale pokoje, w których mieszkam, były na czas narodzin gotowe. Nasz syn przyszedł na świat po królewsku. To duży i silny chłopiec. Mój medyk, magister Antonio, nie widzi w nim znamion żadnej choroby".

— Wiesz, co chce nam przez to przekazać? — Jadwiga uniosła wzrok znad pergaminu.

— Wiem, pani — skinęła głową Stasia. — I już się tym nie martwmy.

„Trudno powiedzieć, do kogo jest podobny. Król widzi w nim wyraźnie odbite własne rysy i dlatego pragnie znów nazwać dziecko Karolem. Ja zaś uważam, iż Karol, choć był z nami ledwie dwa dni, wciąż żyje w naszej pamięci i jestem przeciwna obdarzaniu kolejnego syna jego imieniem. Król rozważa także imię Robert, właściwe dla Andegawenów. Ja przychylam się do rad węgierskich panów, którzy chcieliby, aby ich następca miał w sobie i coś z Arpadów".

— Boże! — przerwała czytanie Jadwiga. — Ona ma rację, ale to już gra wpływów, w którą nie powinna się mieszać! Dwukrotnie odmówiła królowi...

— Pani — Stanisława objęła ją ramieniem. — Kiedy, jeśli nie teraz?

Spojrzały sobie w oczy.

— Dzisiaj, gdy po latach wyczekiwania, dała Carobertowi syna, który przeżył, może odmówić choćby i pięć razy. Elżbieta teraz może wszystko. I właśnie dzisiaj powinna postawić na swoim. Pokazać, że...

— Nie kończ — zabroniła Jadwiga. — Wszyscy wiemy, jak władczą i nieustępliwą była dziewczynką. Nie mów nic więcej.

„Narady wciąż trwają i gdy syn nasz wreszcie dostanie imię, powiadomię o tym Wawel. Tymczasem zależy mi, by z Królestwa Polskiego do Węgierskiego przybyło nieco ludzi. Potrzebuję rówieśnic, dobrze urodzonych. Może córka księcia gniewkowskiego Kazimierza? Jej obecność sprawiłaby mi radość. Dobrze mi służy także Bolesław, syn księcia bytomskiego, brat pierwszej żony Caroberta. Mam nadzieję, że dotarła do Was wiadomość, iż mój mąż mianował go biskupem Ostrzyhomia, co oznacza także, iż jest prymasem Węgier. Jak wielkim zaufaniem jest darzony na dworze, niech poświadczy, iż był posłem naszym do króla Wenecji, gdzie po myśli węgierskiej załatwił wszelkie sprawy. Jego młodszy brat, Mieszko, jest obecnie przeorem joannitów, często odwiedza mnie w nowym palatium".

— Miałaś rację — westchnęła Jadwiga. — Elżbieta już się wzięła do rządzenia. Córka księcia gniewkowskiego?

— Król go nie lubi, od czasu, gdy młody książę klęknął przed Krzyżakami — w zamyśleniu powiedziała Stanisława. — Ale co ta dziewczyna winna? Na świecie jej nie było.

— A Władek wciąż się losem bratanków przejmuje. Kazia, jak mówisz, nie znosi, ale martwi się o nich często. Poślijmy po dziewczynę, niech najpierw przyjedzie na Wawel.

„Mój magister agazonum..."

— Agazonum? — zdziwiła się Stanisława.

— Koniuszy — wyjaśniła Jadwiga i mrugnęła do niej. — Mój pradziad, Bela III, zorganizował dwór węgierski na wzór bizantyjski, a zięć przerobił go na modę francuską.

— Elżbieta zawsze kochała konie — powiedziała Stanisława. — Może mieć końskiego magistra.

— Ten koniuszy to jeden z sześciu najważniejszych urzędników jej dworu. Niby ostatni w hierarchii, ale znając moją córkę, może być równie wpływowy jak sam kanclerz. Poczytajmy.

„Mój magister agazonum, Dezso Hedervari, mówi, że w stadzie pojawiły się dwa źrebce o niebieskich oczach, jak Regos. Będziemy mieli na nie wielkie baczenie".

— I tyle? — Stanisława aż dotknęła palcem pergaminu.

— Powierza nas boskiej opiece — przeczytała Jadwiga. — I tyle.

— Źrebce o oczach jak Regos — powtórzyła Stasia. — Co to znaczy?

— Nie wiem, zapytam Władzia. — Jadwiga szukała w pamięci. Coś jej mówiło to imię. Czy Regos to nie był ogier, z którym zadała się Rulka? Ojciec Radosza. Wiedziała, że to nie jest bez znaczenia, bo jej córka nie pisała w tym liście o niczym nieważnym.

— Uspokoiłaś się, moja pani? — troskliwie zapytała dwórka.

— Ani trochę, Stasiu — szczerze odrzekła Jadwiga. — Boję się, że Elżbieta nie jest wystarczająco doświadczona, by brać udział w grze na węgierskim dworze.

— Jest młodą królową. Musi się wszystkiego nauczyć. Jeśli utrzyma miłość męża, ten wybaczy jej drobne błędy.

— Miłość? — podchwyciła Jadwiga. — Skąd wiesz, że ją ma? Carobert od niej prawie dwadzieścia lat starszy. Doświadczony, wojowniczy i jak mówią, bezwzględny. Ona w porównaniu z nim jest prowincjuszką, nawet jeśli jej ojciec królem. W najlepszym razie ma jego szacunek, dworskie maniery i bogactwo, jakiego nie znała na Wawelu. Ale miłość? Może nie mieć jej ani krztyny.

Stanisława westchnęła, spytała o pozwolenie i wstała. Obie wychyliły po kielichu czerwonego węgierskiego wina, które Elżbieta przysłała wraz z listem.

— Czerwone i mocne — rozmarzyła się Jadwiga. — Matka opowiadała, że na Węgrzech mówiło się o takim „można je ugryźć".

— Gęste jak krew — potwierdziła Stanisława i starła kroplę, która została jej na wardze.

— Otwórz okno. — Jadwiga odchyliła głowę i oparła ją o wezgłowie fotela. Przymknęła oczy. Myślała o córce. Węgierscy przyjaciele jej męża widzieli w Elżbiecie swą królową od chwili, w której przyszła na świat. To oni pilnowali wejścia do smoczej jamy, gdy Jadwiga rodziła.

Czy wówczas przewidywali, że spełnienie tego marzenia będzie jednocześnie ich końcem? Carobert obejmując władzę, wytoczył im wojnę, oni nie ustąpili mu w niczym. Potężnego Amadeja Abę zabił wraz z częścią synów. Ocaleli ci, którzy walczyli przy Władku, w Polsce. Mateusz Czak zginął po latach bojów, w swoim obwarowanym Trenczynie. Władek mówi, że królowi mniej chodziło o wpływy, jakie obaj mieli wśród Węgrów, a bardziej o kruszce, które tkwiły głęboko w ich koszyckiej ziemi. O miedź, srebro, złoto i inne cenne rudy. Carobert przejął kopalnie dawnych przeciwników. Nie miała złudzeń. Jej zięć był nieustępliwy i być może okrutny. Czy Elżunia z takim człowiekiem rozpoczęła walkę o wpływy?

Westchnęła głęboko. A jeśli Elżbieta wdała się we Władka? Ten też, całymi latami, rzucał się na wroga, nie czekając na posiłki, wybierał nie tego nieprzyjaciela, którego podpowiadała strategia, jakby zawołaniem rodowym Kujaw było nie „Pod wiatr!", a „Jakoś to będzie". Czy Elżbieta dobrze robi, naciskając męża na imię syna? Czy to potrzebne? Imię następcy to zawsze jest sprawa dynastyczna, pokazuje plan władcy, potęgę jego rodu. Daleko nie szukając, Władek wciąż chciał dawać ich synom na imię Bolesław, mój Boże, ile ona miała z nim zachodu! Marzył jej się ten Bolesław, przez pamięć jej ojca, „pogromcy Niemców", księcia Starszej Polski. Tak chciała uczcić rodziciela w którymś z własnych synów, bo cóż więcej może zrobić kochająca córka dla tego, który ją spłodził? Ale przystać na „Bolesława" nie mogła, bo Władysław widział w tym imieniu wyłącznie potęgę pierwszego króla. Nie krył się z tym, przeciwnie, za każdym razem podkreślał. I co? Skazałby syna na pośmiewisko, bo w dzisiejszych czasach nikt Chrobremu nie dorówna i ich potomek zasiliłby zagon Bolesławów dzielnicowych, tych, co wyrastali jak zielsko pod płotem. Musiała schować w sercu swe marzenia i być od Władka mądrzejszą. Taka jest rola żony. To musi przypomnieć córce.

I drugie, jeszcze ważniejsze, co trzeba jej przekazać, że kobieta po władzę musi sięgać niewidzialnie, jakby z cebra czerpała maleńką srebrną łyżeczką. Czy Elżunia to wie? Czy rozumie, że kobiecie prędzej wybaczą bezpłodność, niż otwarte chwytanie rządów?

Gdybym mogła, gdyby wypadało, spakowałabym się dziś jeszcze i rankiem ruszyła w drogę — pomyślała Jadwiga. Z całych sił pragnęła sam na sam pomówić z córką.

— Nie zamartwiaj się, pani — Stanisława odczytała tok jej myśli. — Ona sobie poradzi. To jej czwarty rok na węgierskim dworze…

— Słyszysz? — Jadwiga otworzyła oczy.

Z dziedzińca dochodził dźwięk rogu.

— Posłaniec — powiedziała Stanisława i pobladła. — Jest środek nocy...

— A Władek w podróży — złapała się za serce Jadwiga.

— Już biegnę — nie pytając o nic, powiedziała Bogoriówna.

Jadwiga została sama, przeciąg między otwartym oknem a drzwiami zgasił dwie z siedmiu świec. Modliła się, choć słowa jej się myliły. Po chwili Stasia weszła do komnaty z posłańcem. Był zdrożony, Jadwiga zmrużyła oczy, by poznać, kto to. Nie Ogończyk — przeszło jej przez myśl, zanim zrozumiała, że to już nie te czasy, by Pawła posyłano z najgorszymi wieściami. On teraz kasztelanem...

— Wieści od królowej Węgier, najjaśniejsza pani — powiedział zdyszany goniec.

— Jezus Maria — szepnęła i przeżegnała się.

Chłopiec nie przeżył — to pierwsze przeszło jej przez myśl.

— Królowa Elżbieta przekazuje, iż jej syn otrzymał imię Władysław — na jednym tchu wyrzucił z siebie posłaniec.

ZYGHARD VON SCHWARZBURG dobrze się bawił podczas wyborów Wernera von Orseln na wielkiego mistrza zakonu. Dla kogoś niewtajemniczonego procedura wypadła nadzwyczaj naturalnie. Mistrz krajowy Prus, Fryderyk von Wildenburg, przedstawił kandydaturę Wernera tak, jakby ten był największym z jastrzębi ziemi pruskiej. Jedna wyprawa wojenna sprzed dziesięciu lat rozrosła się do „wieloletniego doświadczenia" i zostało ogłoszone, że odtąd praktyka w sprawach litewskich i żmudzkich będzie kluczową w obsadzaniu tego stanowiska.

Przygotowują się do kolejnych wyborów — ocenił krótko. — Na miejscu Wernera w życiu bym się nie zgodził na taką cenę. Skoro już oznajmiono kryteria wyboru następcy, to tak, jakby Orseln podpisał na siebie wyrok.

W takich chwilach cieszył się, że nie jest już częścią „wielkiej piątki". Luther siedział za głównym stołem i minę miał ponurą. Za to krótko po wyborach wszystko ruszyło dawnym trybem, choć nie umknęło uwadze Zygharda, że Werner von Orseln otoczył się nową, własną służbą. Zaś Fryderyk Wildenburg pod bokiem nowego mistrza swobodnie zwołał spotkanie małej kapituły.

— Co za czasy! — zażartował Zyghard, kiedy się spotkali. — Żeby wielki mistrz rezydował w Malborku!

— Milcz, Schwarzburg. — Wildenburg nie miał nastroju do żartów. — Gdyby ktoś to usłyszał, wziąłby za zdradę.

— To w Malborku się podsłuchuje? — Zyghard nadal bawił się dobrze. — A może donosi? Ale my tu sami swoi.

Mistrz krajowy, Luther i połowa jego świętoszków.

Lepsza połowa — mrugnął do von Plauena, całego spiętego, że teraz mu każą referować, co było na Rusi.

No, przecież widać, jak się natrudził. Ciekawe, czy Plauen się przyzna, że zaczął golić głowę, odkąd nabawił się wszy w podróży. Łysy komtur z rudą brodą — śmiał się w duchu Zyghard. — Nowość w naszym towarzystwie.

— Ja zacznę — zignorował jego zaczepki mistrz krajowy. — Książę wrocławski, Henryk, złożył hołd lenny Ludwikowi Wittelsbachowi.

— Po tym, jak jego awanse odrzucił król Władysław — dodał Luther.

— Stał się lennikiem króla Niemiec w zamian za obietnicę, że jego księstwo odziedziczą córki — dodał Wildenburg.

— To nowość w koronie. Polacy nie pozwalają kobietom dziedziczyć. Ach, co ja mówię — Zyghard skinął na sługę i pokazał swój kielich. — Co Henryka teraz obchodzą zwyczaje w koronie! On już teraz księciem Rzeszy.

— Co w ciebie wstąpiło, Schwarzburg! — skarcił go mistrz krajowy. — Skup się, do licha!

— Nad czym? Nad hołdem śląskiego księcia? Jeśli liczycie, że to pierwszy krok Wittelsbacha postawiony na polskiej ziemi, to spotka was zawód, moim skromnym zdaniem.

— Zgadzam się — przytaknął Luther. — Interesy Wrocławia prowadzą do wielu miejsc, ale zawsze przez Czechy.

— To dlaczego nie klęknął przed Luksemburczykiem? — warknął Wildenburg.

— Bo mu się spieszyło — wzruszył ramionami Zyghard. — A król Czech ciągle zwiedza świat. Słyszeliście plotkę o rycerzu z Pragi, który go nie dogonił? Jeździł od dworu do dworu i zawsze król był przed nim. Rycerzyk zmarł w drodze, a swego pana nie spotkał.

— Warto byłoby zamieszać w śląskim kotle — skwitował Wildenburg. — Ten hołd Henryka uświadomił mi, że spuściliśmy Śląsk z oczu. Lutherze, ty przez powinowactwo z książątkami Głogowa pasowałbyś do tej misji.

— Zajmę się tym, choć przyznam, że sprawy litewskie wydają mi się ważniejsze. Mój człowiek w otoczeniu Giedymina donosi, że opozycja przeciw wielkiemu księciu wzrosła w siłę po tym, jak Giedymin zabił ich przywódcę, Sudargusa. W dodatku śmierć wielkiego mistrza na chwilę usunęła w cień litewskie podchody do papieża. Co nie znaczy, że one ustały. Przeciwnie.

— Nie wszystko naraz — zaprotestował Wildenburg.

Od wyboru Orselna zrobił się jeszcze bardziej nerwowy — skonstatował Zyghard.

— Wielki mistrz życzy sobie spotkania w tej sprawie — podjął Wildenburg jak się trochę uspokoił. — Przygotuj się, Lutherze, udamy się do niego za tydzień.

— Jestem gotowy — spokojnie odrzekł Luther.

— Powiedziałem, za tydzień! — znów zagotował się Wildenburg. — Henryku von Plauen, jak misja na Rusi?

Plauen poczerwieniał. Nie miał pojęcia, co mówić. Patrzył na Zygharda jak szczenię na sukę.

— Henryk sprawdził się znakomicie — podjął się roli wybawiciela Schwarzburg. — Urodzony do pracy w terenie i szybko uczy się języka...

— To niech opowie — przerwał mu Wildenburg. — Plauen, mów!

— Dłużej zajęła nam podróż na Ruś niż samo rozpoznanie — zaczął Plauen i przejechał dłonią po świeżo ogolonej głowie. — Odwołaliście nas z powodu śmierci wielkiego...

— No ale coś zwąchaliście? O trojdenowym synu wiemy, już się przechrzcił i koronował — uprzedził Wildenburg.

— Na tron wsadziły go wojska polskie i węgierskie — bąknął Plauen.

— Zostali z nim? — spytał mistrz krajowy.

— Tak, niewielkie, ale bitne oddziały strzegą księcia — wreszcie wiedział, co mówić, Plauen.

— Księcia i traktu — nie wytrzymał i wtrącił się Zyghard. — Węgrzy i Polacy mają interes w utrzymaniu swego władcy na małoruskim tronie. Odkąd Gdańsk dostał się w nasze ręce, znaleźli i umocnili nowe drogi handlowe z pominięciem bałtyckiego portu. Trakt na Ruś jest niezwykle cenny.

— Dobra, dobra — zbył go Wildenburg i przeszedł do sedna. — A najświeższa wiadomość, że Giedymin wkroczył na Podlasie?

— Wybacz, mistrzu — szybko odpowiedział Schwarzburg. — Kiedyśmy wyjeżdżali z Rusi, to nie było do przewidzenia, choć posłów litewskich widzieliśmy. Lecz nie do młodego księcia Małej Rusi, ale do obozu wojsk polskich. To potwierdza moją teorię.

— Jaką, u licha, teorię?!

— Tę, którą trzy lata temu wyśmiałeś. O możliwym sojuszu między Władysławem a Giedyminem.

— Nadal się z niej śmieję — warknął ponuro Wildenburg. — Bo jest durna.

Luther spojrzał na Zygharda szybko, jakby chciał powiedzieć „nie teraz", Plauen zaś obdarzył go pełnym nieukrywanej złości grymasem.

Mogłeś zapytać, co widzisz — pomyślał z pogardą o narzuconym sobie towarzyszu podróży. — A ty gapiłeś się, nudziłeś i nic nie zrozumiałeś.

— Plauen — zaczepił go mistrz krajowy — co posłowie litewscy ustalili z ludźmi króla?

Z królem — poprawił w myślach Zyghard i poczuł mściwą satysfakcję. Henryk von Plauen był pewien, że w obozie nie ma samego króla. Owszem, nie widzieli go na własne oczy, ale Zyghard kilka razy dojrzał wyjeżdżającego z obozu królewskiego giermka. Chłopak był charakterystyczny. A Plauen? Wymądrzał się, że w takim obozie nie może być koronowanego władcy. Spodziewał się chorągwi z koroną i orłem?

— Tego nie wiemy — odpowiedział na pytanie Henryk von Plauen. — O czymkolwiek mówiono, najprawdopodobniej nie porozumiano się.

Mistrz obserwacji — skwitował w duchu Zyghard. — Wydaje mu się, że wszyscy muszą debatować godzinami, jak u nas. A jak krótko, to rozmowy nieudane. Gratuluję.

— To by potwierdzało zajęcie Podlasia przez Litwinów — przytaknął własnej wizji Wildenburg. — Nie dogadali się i Giedymin zajął ziemie małoruskie.

— Przypuszczam, że zrobił to wojewoda Dawid, nie Giedymin — sucho wtrącił się Luther. — Giedymin siedzi w Wilnie.

— Jeden pies — machnął ręką mistrz krajowy.

— Niekoniecznie — zaprzeczył Luther. — Dawid ma wyjątkową rolę przy boku Giedymina.

— Dosyć — i jemu przerwał Wildenburg. — Mówiłem, że w sprawach litewskich pójdziemy do Orselna za tydzień. Plauen, podsumowując sprawy ruskie, Węgrzy i Polacy pilnują kniazia na tronie, a Litwini chcieli się na coś dogadać, nie wyszło i w odwecie zajęli Podlasie.

— Tak uważam — na pewniaka potwierdził Plauen.

Luther raz jeszcze dał Zyghardowi znak, by się nie wyrywał z poprawianiem Plauena. Nie musiał, Schwarzburg miał dość połajanek. Szybko okazało się, że to jednak nie koniec.

— Dziękuję wszystkim — powiedział Wildenburg — oprócz Schwarzburga.

— Nie zasłużyłem? — spytał Zyghard.

— Dla ciebie to nie koniec na dzisiaj. Idziesz ze mną do wielkiego mistrza. I ostrzegam, pohamuj przy nim swój język. Żadnych teorii spiskowych, żadnych wydumanych sojuszy.

— Nie odezwę się — zapewnił Schwarzburg i dorzucił lekko: — Lutherze, potowarzyszysz nam?

— Przecież mówiłem, że nie jest zaproszony. — Wildenburga można było dziś łatwo wyprowadzić z równowagi.

Luther powstrzymał śmiech zagryzieniem warg; wyszli. W komnacie wielkiego mistrza szybko okazało się, co było przyczyną fatalnego humoru Fryderyka Wildenburga.

— Komturze von Schwarzburg — bez specjalnych wstępów przeszedł do rzeczy Werner von Orseln. — Za czasów mistrza Karola dobrze się przysłużyłeś rokowaniom ze stroną polską. Chcemy użyć twych dyplomatycznych talentów i wysłać cię na spotkanie z królem Władysławem. Jesteś gotów do natychmiastowego wyjazdu?

— Służę — odpowiedział i zastanowił się, czy Luther już jest w ich tajnym pomieszczeniu.

— Dobrze. Odnosimy wrażenie — ciągnął mistrz — że w sprawie polskiej niewiele załatwimy w kurii papieskiej. Zaginione bulle stały się już niemal symbolem naszej walki. Musimy przejść do czynów i podjąć rozmowy z królem.

Wystarczyło spojrzenie na Wildenburga, by zrozumiał, że to jest powód jego dzisiejszej złości. Mistrz krajowy, podobnie jak kiedyś Plötzkau, był gorącym zwolennikiem wojny z Polską, a nie ugody.

— Nie wiem, czy komtur grudziądzki coś wskóra — powiedział Wildenburg.

— Pamiętam jego świetną robotę podczas spotkania we Włocławku — skontrował to Orseln.

— I taką sobie w Lipienku — przypomniał Wildenburg, a jego ciemne oczy zalśniły drapieżnie.

— Jak to w dyplomacji — znów wziął jego stronę wielki mistrz. — Raz sukces, raz porażka.

Jestem między młotem a kowadłem — zrozumiał swoje położenie Zyghard. — Jeśli załatwię coś, czego chce wielki mistrz, stanę się wrogiem mistrza krajowego.

— Wiele zależy od tego, co mam wynegocjować z królem — odezwał się wreszcie Zyghard.

— Masz stać się aniołem pokoju, Zyghardzie von Schwarzburg — wydał na niego wyrok wielki mistrz Werner von Orseln.

JEMIOŁA musiała wziąć na barki odejście Dziewanny. Młoda, delikatna dziewczyna porzuciła matecznik i powiedziała, że chce dołączyć do braci, którzy przed kilku laty zasilili oddziały Jarogniewa. W jej wypadku Jemioła była pewna, że za ucieczką stoi zauroczenie Michałem Zarembą. Kilka innych wahało się jeszcze, widziała ich zamglone oczy, słyszała gorączkowe szepty na boku, a imię smoka w ich ustach brzmiało jak wołanie kochanka.

Po Dziewannie odeszły Bylica z Lebiodką, matka i córka, które były w grupie schwytanej przez Paszka Doliwę i uwolnionej przez Janisława. I jeszcze kilkanaście następnych, co gorsza, odeszły dziewczyny z małymi dziećmi. Jemiołę bolało serce na myśl, że dzieciaki trafią w ręce Derwana, który szkoli młodych wojowników.

Będzie ich uczył mordowania — myślała. — Każe im oswoić wiewiórkę, psa, lisa, a potem zabić i oskórować. Za pierwszym razem zbuntują się, będą płakać. Derwan ich wydrwi, ośmieszy przed starszymi. Pochwali pierwszą, albo pierwszego, które się przełamie i zabije zwierzę. Będzie używał nagród i kar tak zręcznie, aż dzieci zamienią się w morderców. W tym samym czasie Jarogniew wykradnie im serca. Wsączy w nie jad tych wszystkich „odwiecznych wrogów", „krwi, co woła o pomstę", „zemsty, która słusznie się nam należy". Gdy spotkam za kilka lat na swej drodze Lebiodkę, nie będę dla niej Jemiołą — Matką, ale Jemiołą — zdrajczynią wyklętą przez Starców.

Odkrywała siłę słów podwójnie. Raz, w wojnie o dusze ludzi Starej Krwi, którą zaczęli Starcy i Jarogniew. Dwa, w księgach, na których uczył ją czytania i pisania Wojciech, wikariusz gnieźnieńskiej katedry, przyjaciel Janisława. Z nim poznawała łacinę, język zimny, elegancki, ale dla niej martwy. Wojciech mówił w nim swobodnie, a jednak słyszała, że gdy przechodzi na łacinę, zmienia mu się głos i wyraz twarzy. Stawał się kimś innym, jakby wkładał maskę, albo jakby łacina była jego wędzidłem. Uczyła się, potrafiła zapisywać proste zdania, pewną trudność sprawiały jej koniugacje, ale deklinacje przyswoiła szybko. Mimo to, po każdej lekcji, gdy Wojciech zostawiał ją sam na sam z woskową tabliczką i stylusem, zdrapywała łacińskie słowa i próbowała literami zapisać mowę. IEMIOLA. DEMBINA. To nie było trudne, ale Wierzbka? WIRZBKA. WIRBKA. WYRZBKA? A może: WIRZBCA albo WIRBCA?

Jej odejście przeżywała najgłębiej. Tkwiło jak zadra, jak kolec wbity w dłoń. Raniło przy każdej kolejnej decyzji.

Nigdy nie pożądałam kogoś tak bezgranicznie — pomyślała. — Tak, by zamknąć oczy i iść za nim w ogień. Praca w „Zielonych Grotach" mnie zmieniła. Sprawiła, że namiętność stała się narzędziem, nie uczuciem. Nie brakowało mi jej, moje lędźwie pragnęły, dostawały spełnienie, ale nie zakochałam się nigdy. A potem to się stało. Przemysł miał być zadaniem, stał się miłością. Bez odurzenia, euforii i w tajemnicy przed wszystkimi. Po prostu obudziłam się przy jego boku i kochałam go, rozum nie miał nic do tego. Prawda jest taka, że siłę tamtej miłości poznałam w żałobie po niej i w zemście. Byłam wdową po nie swoim mężu. Żałobnicą po królu, którego władzy nie uznawałam. Dębina chyba to wiedziała. Dlatego po zemście na czarnych Zarembach kąpała mnie w źródle wody żywej.

— Jemioło? — Kalina weszła do chaty bezszelestnie i wyrwała ją z ponurych myśli. — Martwię się o Jaszczurkę. Spójrz tylko.

Przyszła na świat w cienkiej, błoniastej skorupie, która rozdarła się podczas porodu. Mówiły na nią „Jaszczurka", bo pod takim imieniem powitano ją na świecie. Ostrzyca spodziewała się dziecka Zaremby, Starcy przepowiedzieli, że to będzie Żmij, a urodziła się dziewczynka z gadzim ogonem, więc została Jaszczurką. Myślano, że zmarła po narodzinach, bo była zasuszona i zimna, ale Kalina, która odebrała poród Ostrzycy, trzymała ją przy sobie. Mówiła potem, że pierwszej zimy, gdy Jaszczurka przestała oddychać, też pomyślała o tym, że dziwaczne dziecko zmarło, nie pochowała go tylko dlatego, że nie było ani sztywne, ani zimne. Ale wiosną, wraz z pierwszymi promieniami słońca, Jaszczurka otworzyła ślepia i jasnym się stało, że to był tylko długi sen zimowy. Ostrzyca znów była brzemienna i jak się zdawało, zapomniała o zmarłej córce, w leśnej warowni czekano już na narodziny drugiego dziecka smoka. Wtedy Kalina wykradła Jaszczurkę i uciekła do matecznika. Nikt nie wiedział, jak karmić to dziwne gadzie dziecko, jak się nim opiekować. Dębina poprosiła o pomoc naturę. Położyły małą na trawie, wokół niej rozstawiły miski z wodą, mlekiem, miodem. Okruszyny chleba, kawałki owoców. Jaszczurka była wtedy nie większa niż kocię. Miała korpus jak dziecko, choć nieco wydłużony i bardzo chudy.

Jej nogi i ręce były podkurczone, jak u noworodka, ale już widać było, że jedne i drugie zakończone są nie paznokciami, a pazurami. Główka ludzka, bezwłosa, też wydłużona. Czarne, lśniące oczy. I ten ogon, iście jaszczurczy. Na nim wyrostki i kolce. Gdyby urodziła się gdzieś na wsi, babka położna powiedziałaby, że potworek, kazałaby wynieść na rozstaje albo rzucić w bagno. One nie mogły tego zrobić, bo Kalina traktowała ją jak córkę. Wtedy, gdy położyły ją na trawie, mała podczołgała się do miodu. Popróbowała, zasmakował jej. Mleko ominęła, na chleb nie spojrzała. Za to dostrzegła między źdźbłami dżdżownicę i złapała ją z szybkością, jakiej nie spodziewały się po tak nieporadnej istocie. Od tamtej pory urosła, dzisiaj miała wielkość dwulatka, choć była ponad dwakroć starsza. Nie mówiła, ale Kalina świetnie rozumiała jej gardłowe dźwięki. Ze strachu syczała, z zadowolenia wydawała niskie pomruki, reagowała na imię i kilka innych słów. Na dwóch nogach poruszała się niezgrabnie, za to na czterech potrafiła biegać szybko jak prawdziwe jaszczurki. Była mistrzynią w łapaniu owadów, prócz nich jadła owoce, czasem małe rybki, ale surowe. Uwielbiała miód. Gdyby nie gadzi ogon, można by ją wziąć za ludzkie, źle rozwinięte dziecko. Dzisiaj, po niemal pięciu latach, wszystkie siostry przywykły do niej, była częścią matecznika i choć czasami złośliwie przezywały ją „Gadzinką", była w tym nuta pieszczoty.

Kalina szeroko otworzyła drzwi chałupy i dała znać Jemiole, by wyjrzała na zewnątrz. Jaszczurka stała na czworaka pośrodku placu. Zadarła wysoko głowę i przesuwała ją to wprawo, to w lewo. Gdy któraś z przechodzących dziewczyn zawołała do niej, lub chciała pogłaskać, syczała i obracała się tyłem.

— Tak jest od samego rana — powiedziała Kalina. — Nigdy wcześniej się tak nie zachowywała.

— Wygląda, jakby węszyła — zastanowiła się Jemioła. — Kiedy zapadnie w sen zimowy?

— Tuż przed przymrozkami, to jeszcze kilka tygodni.

W tej samej chwili usłyszały odległy świst, po nim następny.

— Ktoś zbliża się od strony mokradeł — powiedziała Jemioła. — Zabierz małą do chaty i nie wychodźcie. Może Jaszczurka naprawdę zwęszyła obcych.

— Jeśli tak, to raczej swoich — ponuro odpowiedziała Kalina.

Spojrzały sobie w oczy.

Matko, ile ty przez niego przeszłaś — przemknęło przez myśl Jemiole. Miłość do Zaremby zamieniła jej siostrę w staruszkę.

Kalina nie czekała dłużej, wzięła Jaszczurkę na ręce i mimo syków małej zaniosła do chaty.

— Pilnuj ich — rzuciła Jemioła do Miodunki, która przy wystawionej na jesienne słońce ławie łuskała orzechy buczyny. — Pobiegnę zobaczyć, co się dzieje.

— Dobrze, Matko! — wesoło krzyknęła Miodunka i sięgnęła po garnuszek, który stał przy niej. — Osłodzę Gadzince zamknięcie!

Jemioła ruszyła bez zwłoki. Ze świstów zrozumiała, że idzie jeden człowiek, kobieta. Wiedziała, kogo zobaczy.

— Ostrzyco! — powitała ją na skraju Mokradła Marzanny. — Czego szukasz na bagnach?

— Nie twoja sprawa — szorstko odpowiedziała dziewczyna. Była w męskim stroju z koźlej skóry, nogawice aż po uda miała mokre i ubłocone.

— Ale mój matecznik — odpowiedziała Jemioła. — Chcesz być intruzem czy gościem?

— Co za różnica? — Ostrzyca wyszła na suchy brzeg.

— Pokażcie jej, siostry! — krzyknęła Jemioła.

Z czatowni w koronie drzewa świsnęły dwie strzały. Wbiły się przed stopami Ostrzycy.

— O, dziewczynki nauczyły się strzelać z łuku. — Ostrzyca butem potrąciła strzałę. Ta sprężyście wróciła na miejsce. Wbiła się głęboko.

— Nie musisz kpić. Strzelałyśmy świetnie, jeszcze jak byłaś naszą siostrą.

— Zwłaszcza ty, Jemioło. Ilu Zarembów ustrzeliłaś?

— Może o jednego za mało? — sprowokowała ją Jemioła.

Ostrzyca spojrzała spode łba.

— Chcę pogadać — mruknęła. — Ale bez tych ptaszyn na drzewie.

— Na drzewach — poprawiła Jemioła. — Chodź za mną.

Ruszyła w stronę zagajnika; strażniczki miały tam swoje szałasy, kilka ław, na których wypoczywały po służbie. W środku dnia było tam pusto.

— Siadaj, proszę — pokazała miejsce Ostrzycy.

— Myślałam, że zaprosisz do domu.

— Chciałaś rozmowy bez świadków.

— Skąd wiem, że nie czają się tutaj. — Ostrzyca wciąż nieufnie wskazała na uplecione z gałęzi szałasy.

— Musisz mi zaufać — przestała kpić Jemioła. — I chyba jesteś na to gotowa, skoro przyszłaś sama, bez Zaremby i Jarogniewa.

Ostrzyca była zmieszana, niepewna, raz po raz poprawiała włosy, zakładając niesforne kosmyki za ucho. Przeczuwa, że mamy Jaszczurkę? — przemknęło Jemiole przez głowę.

— Chodzi o niego — powiedziała wreszcie. — Twoje dziewuchy za nim łażą.

Więc o mężczyznę, nie o dziecko — pomyślała Jemioła.

— Dziewanna, Bylica z Lebiodką, tak, tak. I matka, i córka nie mogą oderwać od niego oczu. A ta cała Wierzbka udawała, że chodzi jej o Jarogniewa, ale przyłapałam ją, jak poszła za Michałem nad jezioro. Rozebrała się, dziwka, i kusiła go, gdy się kąpał.

— Nie mam na to wpływu — odpowiedziała Jemioła.

Ostrzyca żachnęła się, aż uderzyła pięścią w siedzisko ławy.

— Pozamykałaś „Zielone Groty", nie mają się gdzie gzić! Otwórz je i poślij dziwki do roboty, jak kiedyś!

— Zapominasz się — Jemioła nie musiała unosić głosu, by uciszyć Ostrzycę. Dziewczyna zamilkła po tym, jak na nią spojrzała.

— Wybacz — przeprosiła i rozpłakała się nieoczekiwanie. — On jest dla mnie wszystkim...

— A ty dla niego? — spytała jak matka.

— Kiedyś byłam jego wybranką — otarła łzy wierzchem dłoni. — Szalał za mną. Potem zrozumiałam, że miewa i inne, ale wracał, a mnie nic nie ubywało, pogodziłam się z tym, że potrzebuje więcej... nas, kobiet jest tyle... takiego jak on nie ma drugiego...

Przerwała, wytarła nos, zamrugała, jakby chciała pozbyć się resztek łez. Spojrzała na Jemiołę z ukosa.

— Słyszałaś o naszych dzieciach? — spytała.

— Jaszczurka urodziła się martwa, Żmij przeżył, tyle wiem.

— To nic nie wiesz — odpowiedziała. — Jaszczurka, prawda, obumarła po narodzinach. Chłopiec przeżył, ale nie wiem, czy... — spojrzała na Jemiołę niepewnie.

— Możesz to powiedzieć — zachęciła ją łagodnie.

— Czasem myślę, że lepiej byłoby, gdyby nie przeżył — wyrzuciła z siebie jednym tchem. — Starcy wieszczyli Żmija, chłopca obdarzonego mocą pradawnych stworzeń, a to, co wydałam na świat... — jej dłonie drżały, twarz ściągnęła się bólem. — To dziecko jest gadzie — powiedziała wreszcie. — Ale słabe, niezdolne do samodzielnego życia.

— Opowiedz o nim — poprosiła Jemioła. Chciała pogłaskać Ostrzycę, ale powstrzymała się. Ta dziewczyna nie znosiła ckliwych czułości.

— Wyłam z bólu, wydając go na świat. Pokrywały go łuski i raniły mnie, gdy wychodził. Z początku wydawał się straszny i piękny. — Wyrzucała z siebie zdanie po zdaniu. — Był jak mały chłopiec, tylko z ogonem. Miał łuski i kolce. Krótkie nogi i łapy. Nie mogłam go karmić, kąsał mnie. Pił krew, która płynęła mi z sutków, nie mleko. Trochę urósł, ale nie bardzo. Nie nauczył się chodzić, pełza ledwie. Starcy zabrali go ode mnie, karmili mięsem. Mówili, że od tego nabierze mocy. Nie nabrał.

— Jak duży jest? — spytała Jemioła, gdy Ostrzyca zrobiła przerwę na oddech.

— Taki — pokazała.

Mniejszy od Jaszczurki — zrozumiała Jemioła.

— Wciąż poją go krwią — podjęła Ostrzyca, patrząc w ziemię — ale wcale nie nabiera od tego mocy.

— Daj mu miodu — powiedziała Jemioła. Ostrzyca uniosła wzrok.

— Miodu? — zdziwiła się.

— Jak choremu dziecku. Nie wiem, czym mógłby się żywić. Może owadami? Małymi zwierzętami?

— Jak wąż? — spytała.

— Tak myślę — nie powiedziała całej prawdy Jemioła. — Nie mam pojęcia, czym żywić takie stworzenie. Podpowiadam, co przychodzi mi do głowy.

— Mogę spróbować — bez przekonania rzuciła Ostrzyca. — Choć Starcy niechętnie dopuszczają mnie do Żmija.

— Mają żal do ciebie?

— Tak — potwierdziła Ostrzyca. — Żaden z nich tego nie powiedział, ale widzę, jak patrzą. Czuję ich gniew, nawet jeśli się powstrzymują... i zauważyłam, że...

— Szukają dla smoka nowej kobiety — domyśliła się Jemioła.

Ostrzyca skinęła głową.

— Obawiasz się, że któraś z tych nowych? Z sióstr, które odeszły z matecznika?

— Dziewanna albo Lebiodka. Chcą dziewicy, jałówki, która nie rodziła — powiedziała Ostrzyca, patrząc Jemiole w oczy.

— Miałaś dziecko przed tymi z Michałem?

— Tak. I też nie było normalne.

— Powiesz więcej? — spytała Jemioła.

Była ciekawa, ile zdradzi. Wiedziały o jej wcześniejszym synu, choć nie było żadnej pewności, iż to było jedyne. Urodziła je sama, w chacie bartników i skazała na śmierć, odkładając po narodzinach od siebie, nie podając mu piersi. Dębina wyczuła z daleka, co się dzieje, wysłała tam siostry, które zajęły się chłopcem i wydobyły od gorączkującej Ostrzycy imię ojca. Margrabia Waldemar. Ostrzyca zabrała je i oddała Jarogniewowi, na tym wiedza Jemioły kończyła się.

— Rósł szybciej niż zwykłe dzieci — powiedziała niechętnie. — Jakby w rok przeżywał dwa, czasem cztery lata. Ale nie był od tego mądrzejszy.

— Mówisz „był". Czyżby już nie żył?

— Półtoraoki go zabrał. Ja nie chciałam tego dziecka.

— Było jego?

— Nie.

Ostrzyca czubkiem paznokcia żłobiła rowek w siedzisku ławy. Nie unosiła głowy.

— Kazał mi kogoś uwieść — powiedziała niechętnie. — Na śmierć i życie. Rozumiesz? Ojciec zmarł, dzieciak został. Nie pozwolił mi spędzić płodu.

— Pogardzał „Zielonymi Grotami", a ciebie wysłał na taką robotę — nie zapytała, stwierdziła Jemioła. — Rozumiem, że cię upokorzył.

— Michał wszystko mi wynagrodził — odpowiedziała szybko, aż zachłysnęła się, wymawiając jego imię.

— Znów czujesz się wykorzystana?

Ostrzyca milczała.

— Oszukana, że Jaszczurka i Żmij miały być kimś więcej, niż były?

Westchnęła, ale nie potwierdziła.

— Zagrożona, że odbiorą ci miłość Michała? — po raz trzeci spróbowała Jemioła.

— Kpiłam z waszej Kaliny — odezwała się wreszcie. — Czułam się od niej lepsza, bo był ze mną, a ją odrzucił. Teraz jestem jak ona.

— Nieprawda. Wciąż jesteś silna, młoda.

— Dopóki kocha się ze mną — powiedziała. — Zacznę obumierać, gdy tylko przestanie. Na razie wciąż jeszcze umiem sprawić, że krzyczy w nocy, ale słyszę, że krzyczy coraz ciszej i nasze zbliżenia nie są już tak gwałtowne. Pomóż mi — złapała Jemiołę za nadgarstek z taką siłą, że mogło jej zmiażdżyć kości.

— Opanuj się — powiedziała Matka. Ostrzyca natychmiast rozluźniła uścisk.

— Wybacz. To przez niego. Mogłabym dla niego zabić.

— Mnie?

— Nie. Tamte, które przyjdą po mnie. Co ja wygaduję — puściła nadgarstek Jemioły i przetarła twarz. — Pomóż mi. Masz jakieś zioła, maści, cokolwiek, co sprawi, że utrzymam jego uczucie...

— Ostrzyco, wiesz, że to wszystko działa tylko przez chwilę. Uczyłyśmy się razem.

— Tak, ale ty... — urwała, nie chciała zagalopować się tym razem.

— A ty nie? Sama mówisz, że uwiodłaś kogoś, kogo podsunął ci Jarogniew. „Zielone Groty", wbrew temu, co gadają, nie były miejscami cudów. Robota, jak każda inna.

— Myślałam, że masz coś więcej. Nie mam pojęcia, co robić — nawet bezradność u Ostrzycy była drapieżna.

— Możesz wyprowadzić Michała od Starców? — to był okrutny podstęp, ale musiała spróbować.

— Co ty mówisz?

— Zabrać waszego syna i odejść od nich. Przyjmę was.

— Tutaj? — Ostrzyca prychnęła. — Wybacz, nie chciałam cię urazić. Ale to niemożliwe, nie odchodzi się od Starców.

— Bo co? — przeszła do ataku Jemioła. — Oni już dla niego szukają nowej dziewczyny.

— A tu są ich setki — wypaliła Ostrzyca. — I każda się grzeje na jego widok. Nie, nie. Poza tym Półtoraoki nas nie odda bez walki.

— Wiem o tym — odpowiedziała Jemioła. — Chciałam wziąć waszą trójkę pod ochronę.

— Nie obronicie nas. Nie przed nimi. I nie unoś się honorem, wiem, co mówię. Służę im.

— Nigdy nie używam słowa „honor" — spokojnie powiedziała Jemioła. — Jest bardzo niebezpieczne, rodzi „wrogów".

— Wiem, wiem — machnęła ręką Ostrzyca. — Dziękuję, ale przyszłam po co innego. Nie możesz mi tego dać, trudno. Pójdę już.

— Czy to, że żadna z przepowiedni Siwobrodych Starców nie spełniła się, nie daje ci do myślenia?

Ostrzyca spojrzała na nią szybko, nie chciała tego słuchać, poderwała się, ale Jemioła była szybsza. Ujęła jej dłoń po raz pierwszy.

— Dziewczyno. Zawsze możesz tu wrócić. Matecznik nie ma drzwi, choć jak widziałaś dzisiaj, ma strażniczki. Nieważne, co nagadał ci Jarogniew Półtoraoki. Nigdy nie jest za późno na powrót do domu. — Uścisnęła jej rękę. I puściła.

WŁADYSŁAW jechał na rokowania z Krzyżakami na Kujawy, do Brześcia. Pierwsze oficjalne spotkanie, odkąd został koronowany. Pierwsza decyzja nowego wielkiego mistrza.

— Król czuje na swych barkach ciężar odpowiedzialności — powiedział nowy biskup włocławski, Maciej, gdy wsiadali na koń po pierwszym popasie.

Puścił mimo uszu.

— Przed królem wielkie zadanie — zagadnął Piotr Doliwa po drugim.

Władek udawał, że nie słyszy.

— Męczy cię, panie, że tak trudna sprawa przed nami? — zagadał Paweł Ogończyk, gdy już ruszyli.

— Wy mnie męczycie — huknął na nich. — Starzejecie się szybko jak świat, skoro w kółko powtarzacie to samo!

— Świat się rozwija, nie starzeje — wesoło odpowiedział Borutka. — Z roku na rok jest coraz ciekawszy!

— Odezwał się ten, co przeżył wiele lat — zagderał na niego Paweł. — Gołowąs.

— Phi. Nie noszę wąsów, bo już nie są modne — prychnął Borutka.

— Co nie są? — zaciekawił się Władek.

— Ha, ha! Wybrnij z tego nicponiu — zaśmiał się z Borutki Doliwa. — No, dalej. Chcesz powiedzieć, że wąsy króla...

— Nie musimy mówić o moich wąsach — przerwał Władek. — Jak Borutka będzie w naszym wieku, zrozumie, że świat chyli się ku upadkowi. Kiedyś to były czasy!

— A jakie będą w przyszłości! — rozmarzył się niezrażony giermek.

— Zaraz, zaraz. — Doliwa nie chciał zostać w tyle i wcisnął się między Władka a Pawła. — Tyś widział, królu, co on ma na nogach?

— Jestem stary, nie ślepy — ofuknął go Władysław. — A na nogi się nikomu nie gapię. Jezus Maria! Borutka, coś ty założył?!

— Ciżemki. Podobają się? — filuternie spytał giermek.

— To jakiś żart — wychylił się z siodła Władek, by lepiej widzieć.

Buty Borutki były oczywiście czarne, co nikogo nie dziwiło. Płytkie, jakby noga miała z nich wypaść i, co okropnie rozśmieszyło Władka, miały niemożliwie długie, zawinięte w górę noski.

— W tym da się chodzić? — spytał podejrzliwie.

— Ja potrafię — pochwalił się giermek. — Ale nie jest łatwo.

— Będą się z ciebie śmiali — ciszej powiedział mu Władek.

— Może dzisiaj — wzruszył ramionami Borutka. — Ale za jakiś czas każdy będzie chciał takie same.

— A te paski? — Władek pokazał na białe linie na ukos, po trzy równoległe, z obu stron buta.

— Z perełek — wyjaśnił Borutka. — No co, król mi herbu nie chce dać, będę sobie trzy paski nosił. Póki nie zasłużę.

— Aha. — Władek nie lubił tego tematu. Wiadomo, kiedy najlepiej na herb zapracować, a oni przecież jadą na rokowania pokojowe. Dał znak Borutce, by się ku niemu wychylił, nie chciał, żeby Doliwa z Ogończykiem słuchali. — Powiedz no, moje wąsy są przestarzałe?

— Broda by je podreperowała — poradził giermek. — Dodałaby majestatu.

— Ale będzie siwa — szepnął Władek i pogładził się po wygolonym podbródku.

— No i co z tego? Siwy to srebrny, a srebro jest eleganckie.

— Aj, przestań — fuknął zniechęcony Władysław. — Nie chcę być jakiś elegancki.

Do Brześcia wjechali późnym popołudniem i Władek, jak zawsze gdy tu wracał, zsiadł z konia i przyklęknął na jedno kolano.

— Stąd mnie w świat posłano — powiedział.

— Na chwałę Królestwa Polskiego — poważnie skwitował biskup Maciej.

Borutka zręcznie zeskoczył z siodła i pokazał, że naprawdę umie chodzić w tych cudacznych butach. Doliwa z Ogończykiem chcieli się pośmiać, ale uwagę wszystkich przykuł arcybiskup Janisław, który wraz ze swą świtą już przybył z Gniezna i czekał na nich na dziedzińcu. Poszli radzić przed spotkaniem z Krzyżakami.

— Królu, zanim dotkniemy spraw Zakonu, muszę podzielić się z tobą nowiną — zaczął Janisław, gdy spoczęli.

— Poproszę tę dobrą — zażartował Władysław.

— Papież Jan XXII zdetronizował króla Niemiec Ludwika Wittelsbacha.

— Żartujesz? — Władysław nieomal zachłysnął się winem.

— Niestety nie — poważnie odpowiedział arcybiskup. — Mamy otwartą wojnę krzyża z koroną.

— Dobrze, że nie u nas — wzniósł toast Paweł Ogończyk. — U nas sakra z koroną w zgodzie! Na zdrowie!

— Ty się chyba przygadujesz Pawełku nowemu biskupowi włocławskiemu — zagderał Doliwa. — Bo chcesz, żeby cię pochowali w łęczyckiej kolegiacie.

— Wybacz im — powiedział Władek do Janisława. — Starzeją się i dzisiaj w kółko o śmierci gadają. A ty Pawłowi nie wypominaj — wskazał na Doliwę. — On kasztelan łęczycki i biskup go na pewno wsadzi w kolegiacie pod posadzkę, bez twojego pośrednictwa. A teraz proszę, mów, Janisławie.

— Fakty są takie — Janisław miał zwyczaj mówienia na temat — że ekskomunikował go wiosną, latem wytoczył mu proces i pozbawił praw do królestwa Niemiec i cesarstwa, tak na wszelki wypadek, gdyby Bawarczyk myślał o Italii. Przy tej okazji obłożył jego zwolenników klątwą i interdyktem. A teraz, jesienią, ogłosił detronizację.

Władysław milczał, czekał, co dalej powie Janisław. Sam był księciem wyklętym, wolał tego nie przypominać.

— Wokół Ludwika zgromadzili się wierni mu franciszkanie i profesorowie uniwersytetów, zwłaszcza paryskiego. Ogłosili uczoną rozprawę, w której dowodzą, że to Kościół jest zależny od państwa, a nie odwrotnie, jak życzyłby sobie papież. Posunęli się i dalej, do dowodu, że istnienie papiestwa jest zbędne, w przeciwieństwie do samego kapłaństwa, które ma być służbą wobec ludu. Tym samym podważyli świętość papieża i jego wpływy, a za najwyższą władzę w Kościele uznali sobór.

— A to się narobiło — jęknął Maciej, biskup włocławski po Gerwardzie.

— I tak, i nie — wzruszył ramionami Janisław. — Rozprawę *Defensor pacis* przeczyta ledwie kilkudziesięciu ludzi w Europie, jak to zwykle bywa z tekstem uczonym. A wojna papieża z Ludwikiem rozstrzygnie się na ulicach miast, dworach i ambonach kościołów.

— Klątwę trzeba będzie ogłosić — grobowym głosem wtrącił się biskup Maciej.

— Albo wstrzymać się z tym — odpowiedział Janisław — przynajmniej na pewien czas. Ogłoszenie ekskomuniki ma swoją siłę. Poczekajmy, aż jej użycie będzie nam na rękę.

— Co to nowa sytuacja oznacza dla nas? — zmierzał do rzeczy Władek.

— Papież i Ludwik zmierzać będą do zaostrzania nastrojów. Zaczną żądać od swoich sojuszników jasnych deklaracji. I popychać ich ku wojnom odległym od Awinionu i Monachium, które jednakowoż będą peryferyjnymi wojenkami papieża z królem.

— Brandenburgia? — wycelował Władek. — Słyszałeś o podrobionym pergaminie świętej pamięci Gerwarda.

— Tak — krótko skwitował Janisław. — Biskup zmarł przed ofensywą papieską, którą królowi streściłem, ale ten pergamin dobrze oddaje intencje stron.

— Możemy na tym skorzystać — zadumał się Władysław.

— Rozważałbym ostrożnie — wyhamował go arcybiskup. — Ale, być może, będzie to cena, jaką zapłacimy za zwycięstwo w drugiej sprawie. Mam wieści od Piotra Milesa.

— Dobre?

— Nie najgorsze — uśmiechnął się Janisław. — Nasza prośba zaskoczyła Jana XXII i potrzebuje czasu, żeby się oswoić z jej nadzwyczajnym charakterem.

— Nie rozgada? — niespokojnie poruszył się Władysław.

— Tego pilnują nasi ludzie w awiniońskiej kurii. Uzgodniłem z nimi, że w razie potrzeby siać będą zgoła przeciwne informacje. A jak dyskretny jest Miles, król mógł się przekonać po jego osobistym spotkaniu z królową Jadwigą.

— Bierzmy się za Krzyżaków — szybko zmienił temat Władek.

Na myśl, co kryje przed własną żoną, zrobiło mu się słabo.

ZYGHARD VON SCHWARZBURG wjechał na dziedziniec dawnej siedziby książąt kujawskich w Brześciu. Było piękne jesienne przedpołudnie, chłodne i przejrzyste. Z podgrodzi niosło zapach ognisk. Za jego plecami jechało dwóch komturów. Henryk Ruve, który od dnia wyboru Orselna nie odstępował wielkiego mistrza na krok i pewnie dla niego miał śledzić postępowanie Zygharda, oraz Herman von Anhalt, komtur nieszawski i jeden ze świętoszków Luthera.

Donosić będzie dla Wildenburga czy Luthera? — zastanawiał się Zyghard, obserwując go w drodze. — A może dla obu?

Wybór Hermana do delegacji miał drugie dno i jakiś sens, oczywiście o ile ich misja się powiedzie. Zaśmiał się w duchu. To, co będzie sukcesem dla wielkiego mistrza, w oczach mistrza krajowego stanie się klęską.

Tak czy inaczej, ktoś będzie zadowolony — skwitował Zyghard w duchu. — Choć wątpię, bym to był ja. — Obrzucił uważnym spojrzeniem dawną siedzibę książęcą. — Kurnik — pomyślał. — Bez urazy, przy moim Grudziądzu wszystko, poza Malborkiem, to kurnik. Nic dziwnego, że chłopak, który się tu wychował, chciał wiać z Kujaw na Wawel. I zaskakujące, ale mu się udało.

Wyszedł po nich Jan Grot, kanclerz kujawski, w asyście kilku urzędników i królewskiego giermka, którego Zyghard rozpoznał od razu po jasnych włosach i wytwornym, czarnym stroju. Nieco zbyt dopasowanym, jak na gust Zygharda, ale robiącym piorunujące wrażenie.

— Kto to? — szeptem zapytał Anhalt i jasnym było, że nie pyta o królewskich kancelistów.

Bękart króla, przyszły książę Kujaw — miał na końcu języka Zyghard, ale powstrzymał się, bo Anhalt, jak pozostali świętoszkowie Luthera, za grosz nie znał się na żartach.

Wprowadzono ich do sali przyjęć, niskiej i przytłaczającej, ale rozświetlonej niemal setką świec, od których zrobiło się w nieogrzewanym pomieszczeniu ciepło. Na niedużym podwyższeniu zasłanym purpurowym kobiercem stał pusty królewski tron, z lśniącym, białym orłem na tapiserii oparcia. Zaskakująco duży, jeśli się pamiętało, dla kogo był przeznaczony. Wokół niego zgromadziło się kilku królewskich urzędników.

Niedużo — z ulgą pomyślał Zyghard i rozejrzał się, sprawdzając, kogo zobaczy w królewskiej straży przybocznej. Tego, kogo szukał, nie było.

Czarny giermek pokazał mu, gdzie mają stanąć. Gdy ich podprowadzał na miejsce, przez chwilę spojrzeli sobie w oczy i Schwarzburg poczuł chłód.

Dziwne — pomyślał i odsunął od siebie nieprzyjemne wrażenie.

— Król Polski, Władysław — zakrzyknął herold przy wejściu.

Wszyscy obecni klęknęli, a herold rozpoczął pełną tytulaturę:

— Wladislaus, Dei gracia, Rex Polonie, nec non Terrarum Cracovie, Sandomirie, Lancicie, Cuyavie, Siradieque Dominus et Heres!

Zyghard zgiął jedno kolano, jego towarzysze zrobili to samo. Wstał, gdy tylko król go minął. Niewiele się postarzał — to pierwsze przeszło mu przez głowę, gdy władca lekko wszedł na podwyższenie i zajął miejsce na tronie. Giermek błyskawicznie podał mu berło i jabłko. Polski król miał na sobie majestatyczny płaszcz purpurowy podbity białym futrem popielic. Pod nim napierśnik ozdobnej zbroi na ciemnym kaftanie. Łańcuch złoty, z orłem w koronie. Na nogach wysokie buty z kurdybanu, wyjątkowo pięknej roboty. Zyghard nie widział nigdy polskiej korony; ta, która spoczywała na skroniach króla, nie była pewnie główną, ale przykuła jego oko na dłużej. Nad czołem zdobiły ją trzy złocone lilie, ostro zakończone, drapieżne. To nie lilie królewskie — zrozumiał — to groty strzał, tylko w pierwszej chwili przypominające kwiaty. Na każdym z nich rubin, jak kropla krwi. O rany — pomyślał z podziwem o złotniku, który to wykonał. Teraz też wyjaśniło się, dlaczego tron był tak duży. Gdy król spoczął na nim, skrzydła orła na tapiserii oparcia wciąż były widoczne z tyłu jego głowy. W orlich objęciach — skonstatował Schwarzburg.

— Arcybiskup gnieźnieński, Janisław, Korab — anonsował herold. — Biskup włocławski, Maciej Pałuka.

Za każdym z wywołanych wchodził sekretarz i dopiero teraz jasnym się stało, że ulga Zygharda była przedwczesna.

— Kanclerz Starszej Polski, Piotr Żyła.

Nie będzie łatwo, skoro zabrali najsłynniejszego doktora praw — jęknął w duchu Schwarzburg. Zauważył niepewne spojrzenie obu komturów. Nawet im nazwisko Żyły mówiło wszystko.

Wreszcie urzędnicy króla przestali wchodzić i zajmować miejsca. Wtedy herold przedstawił Zygharda i braci.

— Nie mieliśmy szczęścia podczas spotkania w Grabi — bez ogródek zaczął król Władysław.

— Przypomnę, iż prowadził je Henryk von Plötzkau i mój brat, Gunter von Schwarzburg. Obaj już nie żyją. Za to podczas późniejszego spotkania, we Włocławku, rozmowy nam się udały — szybko zareagował Zyghard. — Ówczesny wielki mistrz, Karol z Trewiru, był zwolennikiem ugody z Królestwem Polskim. Obecny, Werner von Orseln, przysyła nas z taką samą, pokojową misją.

— Karol z Trewiru we Włocławku obiecał przyjąć i wykonać wyrok papieski. Nie zrobiono tego do dziś.

— Wtedy rozmawialiśmy o innym procesie — wybrnął Zyghard.

— Co nie zmienia, że nie zastosowaliście się do żadnego z wyroków — twardo przypomniał król.

— Nasi prokuratorzy w kurii papieskiej wnieśli apelację. Pokornie czekamy na jej rozstrzygnięcie — powiedział Zyghard.

— Czyżby? — chłodno zakpił król. — Zatem po co chcieliście rokowań?

— Wszyscy wiemy, że w Awinionie sprawy potrafią ugrzęznąć na lata. Nowy wielki mistrz, Werner von Orseln, chciałby zacząć urzędowanie z czystą kartą. Przysyła przeze mnie…

Król przerwał Zyghardowi, unosząc berło. Na jego znak Piotr Żyła zbliżył się do tronu z pokaźnym pergaminem.

— Skoro powiedziałeś, komturze grudziądzki, że mistrz chce zacząć z czystą kartą, zróbmy to. Piotrze — skinął na doktora praw.

— To dokument wielkiego mistrza Konrada von Salza — powiedział Piotr Żyła, unosząc pergamin. — Potwierdzenie, iż otrzymał od księcia Konrada Mazowieckiego ziemię chełmińską w celu przeprowadzenia akcji chrystianizacyjnej i ujarzmienia plemion pruskich z jednoczesnym zapewnieniem, że po spełnieniu powyższego wszystkie ziemie zostaną zwrócone księciu lub jego potomkom. Król Władysław jest wnukiem rzeczonego Konrada i dziedzicem całego Królestwa.

Zyghard jęknął w duchu. Tylko nie zaczynajmy od Adamy i Ewy.

— W posiadaniu Zakonu jest Złota Bulla cesarza Fryderyka II nadająca nam wszystkie zdobycze na własność — odpowiedział zakonną formułką.

Równie dobrze, może to za mnie wyrecytować moja kobyła — pomyślał. — Nawet ciury zakonne znają właściwe odpowiedzi na te pytania, choć nie mają pojęcia, co znaczy „bulla".

— Tak zwana Złota Bulla to falsyfikat — spokojnie odpowiedział Piotr Żyła — ja trzymam w ręku oryginalne pismo waszego mistrza opatrzone jego pieczęcią.

— To jest podstawa naszych roszczeń wobec Zakonu — krótko podsumował arcybiskup Janisław.

— Nie żal stuletni dokument wyciągać? — grzecznie spytał Zyghard. — A gdyby się zniszczył?

— Jest w dobrym stanie. Dbamy o nasze archiwa — odpowiedział Żyła.

— Jak i my o zakonne — bez uśmiechu odpowiedział Zyghard i obudziła się w nim przekora. — Mogę zerknąć?

Doktor praw przyzwolił i Zyghard podszedł do niego. Nie był żadnym wybitnym znawcą starych dokumentów, chciał jedynie dać sobie chwilę do namysłu. Obejrzał pergamin, udając, że szczególnie przygląda się pieczęciom.

— Musieliby wypowiedzieć się przełożeni archiwistów naszej głównej kancelarii — odpowiedział, wciąż patrząc na pieczęć mistrza sprzed stu lat. Najwybitniejszego w dziejach, jak mawiał jego brat. — Oraz legiści z kancelarii domu niemieckiego, do którego należał von Salza. Chodzi o pergamin — odpowiedział na uniesioną pytająco brew króla. — Każda z kancelarii stosowała inny, to mogłaby potwierdzić lub obalić tezę, iż mamy do czynienia z oryginałem. Jak rozumiem, o wypożyczenie dokumentu nie możemy prosić? — spytał niewinnie.

— Zaproś ich do Królestwa. Udostępnimy pergamin w naszej siedzibie — odpowiedział król Władysław.

— To potrwa — wyślizgnął się Zyghard — ale, oczywiście, wystosuję zaproszenie, zgodnie z procedurą. Tymczasem mamy ofertę wielkiego mistrza Wernera von Orseln, która może zakończyć spór o Pomorze.

Król nieznacznie ruszył berłem i Schwarzburg zrozumiał, że każe mu wrócić na miejsce. Zrobił to. Przedkłada rozmowę z dystansu — skonstatował. — Ja też wolę powiedzieć z daleka, co mi kazano.

— W imieniu Zakonu Najświętszej Marii Panny oferuję Królestwu Polskiemu dziesięć tysięcy grzywien srebra w zamian za zrzeczenie się roszczeń do Pomorza, które w świetle posiadanych przez nas aktów własności, w tym wystawionego przez margrabiego Waldemara, zgodnie z prawem należy dzisiaj do Zakonu.

Król roześmiał się nieoczekiwanie i zwrócił do niego po imieniu.

— To już było, Zyghardzie. I to właśnie nie udało nam się w Grabi.

— Dlatego mam coś jeszcze, najjaśniejszy panie — uśmiechnął się Schwarzburg. — Proponujemy podarowanie królowi niektórych z kujawskich posiadłości Zakonu, w tym nadzwyczaj ważnej, w Nieszawie, gdzie swoim staraniem postawiliśmy zamek obronny. Komtur nieszawski, Herman von Anhalt, jest ze mną, by szczegółowo opisać komturię, która może stać się własnością Królestwa.

— Ona jest jego częścią, zagrabioną przez was bezprawnie — spokojnie powiedział Piotr Żyła.

— To najdalej na południe wysunięta komturia zakonna — ujął to samo innymi słowami Schwarzburg.

— Kogo ziemia, tego zamek — niepotrzebnie wtrącił się Anhalt.

— Nadzwyczaj cenny podarunek — z naciskiem dodał Zyghard.

Obie strony znały jego wartość. Nieszawa była jak gwóźdź wbity w Kujawy. Gdyby kiedykolwiek doszło do wojny, której pragnie Wildenburg, będzie naszą bazą wypadową — pomyślał Zyghard to, czego nie mógł powiedzieć na głos.

— Zamek jest murowany — odezwał się Anhalt, choć nikt go nie spytał.

Czy on wie, jak okropny ma głos? — przeszło Zyghardowi przez głowę. — Brzmi jak zardzewiałe zawiasy.

— Otoczony fosą... — ciągnął Herman.

— Król nie udzielił głosu komturowi von Anhalt — dźwięcznie przerwał mu czarny giermek, jakby był mistrzem ceremonii.

Za każdym razem, gdy go widzę, pełni rolę znacznie ważniejszą, niż mu przypisana — zauważył Zyghard.

— ...mury na podbudowie kamiennej, ceglane... — ciągnął Anhalt niepotrzebnie.

— Król nie życzy sobie, by komtur mówił o zamku — wciąż uprzejmie, ale tym razem głośniej powiedział giermek.

— Hermanie — szybko zareagował Zyghard — wystarczy.

— Nie będzie mi rozkazywał... — syknął czerwony z wściekłości Anhalt.

— Stoisz przed królem — musiał upomnieć go Schwarzburg. — Każdy jest tu głosem jego majestatu. Proszę o wybaczenie — zwrócił się do Władysława.

— Wybudowaliście zamek w Nieszawie, na naszej ziemi — zimno odpowiedział król.

— To nie wszystko, co wielki mistrz ma do zaproponowania — przeszedł do dalszej oferty Zyghard. — Zakon gotów jest wesprzeć króla Władysława czterdziestoma kopijnikami na każde zawołanie, o ile nie będzie nim konflikt zbrojny z Zakonem. Oczywiście opłacimy żołd wystawionego przez nas pocztu.

Szare oczy króla przez chwilę patrzyły nie na niego, ale przez niego, jakby Zyghard stał się przejrzysty. Nie miał wyjścia, musiał skończyć, co zaczął.

— Ponadto, by podkreślić duchowe przesłanie Zakonu, wielki mistrz chciałby ufundować i uposażyć klasztor z mnichami modlącymi się wyłącznie za zbawienie duszy króla i jego rodziców.

Wzrok Władysława znów spoczął na nim.

— Skończyłeś, komturze von Schwarzburg? — spytał król i nie drgnął mu żaden mięsień na twarzy.

— Propozycja Wernera von Orseln na tym się kończy — potwierdził. — By była pełna, muszę coś jeszcze dodać.

— Mów.

— By móc rozważać znaczenie przedstawionego tu dokumentu mistrza von Salzy, oczywiście po potwierdzeniu, że mamy do czynienia z oryginałem, należy rozważyć, czy przytoczone w nim warunki zostały spełnione. Według niego ziemie powinniśmy zwrócić po zakończeniu chrystianizacji, a ta wciąż jest w toku. Żmudź i Litwa...

— Dokument dotyczy ziem pruskich — przerwał mu arcybiskup Janisław. — Chcesz powiedzieć, komturze, że wciąż ich nie ochrzciliście? Że macie w Prusach pogan?

— Przeczą temu zapewnienia składane przez kolejnych mistrzów w papieskiej kurii — chłodno przypomniał Piotr Żyła. — Znamy każde z nich.

— Doceniam twe wysiłki, komturze grudziądzki — powiedział król Władysław. — Przekaż wielkiemu mistrzowi moją odpowiedź. Nie przyjmuję oferty. I, uprzedzając, nawet gdybyście podbili cenę, to ją odrzucę. Chcę zwrotu Pomorza, tak, jak mówi sentencja wyroku papieskiego.

Król wstał i nie żegnając się, ruszył ku wyjściu. Za nim arcybiskup, biskup, kanclerz i pozostali urzędnicy. Zyghard, Herman i Henryk stali w miejscu, patrząc, jak komnata duszna od świec pustoszeje. Na końcu został tylko czarny giermek trzymający w ręku jabłko i berło, oddane mu przez wychodzącego monarchę. Wyzywająco patrzył na Hermana von Anhalt, komtura nieszawskiego, ten odpowiadał mu wściekłym spojrzeniem. Mierzyli się tak przez dłuższą chwilę. Giermek zdawał się uśmiechać kpiąco. Pierwszy nie wytrzymał Herman.

— Zabiję cię — szepnął niemal bezgłośnie.

No i misję pokojową diabli wzięli — pomyślał bezbarwnie Zyghard. — Tak, jak się spodziewałem.

Udając, iż nie widzą zuchwałego giermka, odwrócili się i skierowali do wyjścia.

— Do zobaczenia, Hermanie von Anhalt i Henryku Ruve — powiedział do ich pleców giermek.

GRUNHAGEN przyjechał na Kujawy razem z orszakiem króla, ale na czas rokowań z Krzyżakami wyprosił kilka dni wolnego.

— Dziękuję — powiedział Władkowi. — Z serca dziękuję, odwiedzę starych znajomych.

— No już, przestań mi się kłaniać, zgłupiałeś, Grunhagen? — krótko załatwił sprawę król.

Nie zgłupiałem — pomyślał Grunhagen. — Dobrze wiem, co robię.

Gdy tylko wjechał w granice państwa zakonnego, przebrał się w szary płaszcz półbrata, ale unikał głównych traktów. Znał drogi i jechał wyłącznie tymi, które omijali bracia. To nie było trudne, Krzyżacy i służba zakonna trzymali się głównych traktów. Leśne ścieżki zostawiali dla zwierzyny i pruskich poddanych. Tych ostatnich, co zauważył ze zdumieniem, kręciło się sporo, znacznie więcej niż przed laty. Widział grupki młodych chłopców i dziewcząt spieszących gdzieś, zajętych swoimi sprawami. Przecież nie na sianokosy tak lecą — pomyślał zaskoczony. Była późna jesień, niemal początek zimy.

Przed Dzierzgoniem ostro skręcił w las, chciał obejść wioskę łukiem; dom Dagmar, jego starej przyjaciółki, stał na drugim krańcu wsi i, jak liczył, po zmroku dojdzie do niego niezauważony. Gdy podszedł bliżej, zdumiał się. Moreny, rodzinna wioska Dagmar, to kiedyś było siedem chałup. Teraz naliczył ich siedemnaście. Ho, ho.

Jak tylko zaszło słońce, w lesie zrobiło się zimno. Odczekał jeszcze chwilę i kiedy ściemniło się na dobre, wylazł z lasu. W kilku skokach dopadł domu i zastukał w drzwi.

— Wejdź, otwarte przecież — usłyszał jej głos z głębi chałupy.

— Spodziewałaś się mnie, przyjaciółko? — spytał, popychając drzwi.

Omal się nie wywrócił, kura wlazła mu pod nogi. Zaklął, ale kopnąć kury nie zdążył. Uciekła z obrażonym gdakaniem.

— Ciebie? — Dagmar wyszła z półmroku, wycierając ręce w fartuch. — Córki się spodziewałam… ach, stary druhu! — Wyciągnęła do niego ramiona uwalane mąką i uściskała go. Poczuł zapach kiszonej kapusty i słoniny. Wciągnął go w nozdrza razem z wonią Dagmar.

— Cieszysz się? — spytał, gdy go puściła. — Pewnie, że cieszysz.

— Co ty tu robisz, łobuzie? — pokręciła głową z uśmiechem. — Głodny?

— Kogo pytasz — rozparł się na ławie. — Ja zawsze głodny, a ty pachniesz jak leśna bogini, kapustą ze słoninką. Co tam pichcisz?

— Pierogi gniotę, mówiłam, córka przyjdzie na wieczerzę. Ty siedź, a ja będę lepiła, bo czas mi jakoś uciekł i nie zdążę nagotować. No mów, mów, co u ciebie. Zioła pomogły?

Patrzył na nią, jak zręcznie owija ciastem kapustę, lepi brzegi, jak szybko jej to idzie. Postarzała się, owszem, ale to wciąż była Dagmar, którą pamiętał z młodych lat i gdy na nią patrzył, znów czuł się młody.

— Pomogły — potwierdził. — Głupia sprawa, co? Żebym ciebie musiał prosić o takie rzeczy, trochę wstyd. No, ale sama rozumiesz, moja Berta to młódka i chce tyle, co młódka.

— Aj tam, przestań, nie ma się czego wstydzić.

— Cierp ciało, jak żeś chciało — zaśmiał się mimo wszystko zawstydzony.

— A dobrze wam się układa? — spytała i ramieniem odgarnęła włosy z czoła.

— Ach, Dagmar… — westchnął ciężko.

Bez słowa zostawiła pierogi, otarła umączone dłonie i poszła w głąb izby. Po chwili wróciła z dzbankiem i kubkiem.

— Napij się, póki wieczerzy nie zrobię — nalała mu. Piwo zapieniło się i wypłynęło z kubka, złapał go z wdzięcznością i szybko wysiorbał pianę.

— Dobre — powiedział. — Bardzo dobre.

Dagmar wróciła do zagniatania reszty ciasta.

— Mów, jak jest — rzuciła do niego. — Mnie kłamać nie musisz.

— Człowiek całe życie odkłada na później, a kiedy się zabierze za spełnianie marzeń… — zamilkł na chwilę i jeszcze sięgnął po piwo. — Przeszłość dopadła mnie w najmniej spodziewanym momencie. Myślałem, że jak już ją wydobędę z klasztoru, zaszyjemy się gdzieś na wsi i będziemy wieść życie spokojne, mlekiem i miodem płynące, w końcu wiesz, całe życie tyrałem, odłożyłem grosza. Dorwał mnie jeden z żelaznych braci, zaszantażował…

— Czym? — Dagmar zatrzymała się nad kulą ciasta.

— Bertą — powiedział wprost.

— Niedobrze — pokręciła głową i wróciła do ugniatania.

— Paskudnie — potwierdził. — Nie zdążyłem jej ukryć, choć taki był mój plan. Głupi nie jestem, wiedziałem, że nikt nie może poznać mej słabości. I oto w chwili, gdy miałem rozpocząć nowe życie, zostałem zmuszony do służby.

— Dla brodaczy? — spytała z niedowierzaniem.

— Dla tego jednego.

— To co ty teraz robisz?

— Chronię — powiedział niechętnie. Wstyd się przyznać.

— Nie taka zła robota na stare lata — odpowiedziała Dagmar z namysłem.

— Niby nie. Ale do ciebie lazłem przez lasy, bo pracuję dla jednego z nich, a pozostali mnie szukają. Malbork bez moich usług ledwie sobie radzi — zaśmiał się krótko. — I wierz mi, gdyby nie Berta, mógłbym wrócić na służbę.

— Coś za coś — powiedziała, otrzepując ręce. — No, mogę już nastawiać wodę.

— Pomóc? — spytał. — Może przyniosę?

— Lepiej, żebyś się nie kręcił po wiosce. Nie lubią tu obcych, a ty, jak sam mówisz, jesteś poszukiwany.

— No, ale bracia chyba do Moren nie zaglądają? — uśmiechnął się.

— Oni nie — odpowiedziała krótko i ustawiła kociołek nad ogniem. Przysiadła na chwilę na skraju ławy. — A poza tym? Układa się wam?

— Ach... Jest słodka — urwał, bo nie wiedział, co więcej ma powiedzieć. Dagmar jednak nie spuszczała go z oczu, więc dodał: — I trochę szalona. To chyba po tych latach w klasztorze, ona tak mówi. Chce nadrobić stracony czas, we wszystkim. Stroi się, zjeść lubi dobrze, boję się, co wyprawia, jak wyjeżdżam, a wyjeżdżać muszę...

— Nie myślałeś o dziecku? To by ją trochę w domu przytrzymało...

— Musiałbym nająć piastunkę i służbę, a na takie życie nas nie stać. Berta nie jest taka jak ty... — spojrzał na Dagmar, a ona wszystko w lot zrozumiała. Kiwnęła głową i powiedziała:

— Już się woda zagrzała, zaraz będą pierogi.

Wstała i zaczęła wkładać je do garnka. Patrzył z przyjemnością. Żeby tak moja coś kiedyś ugotowała — pomyślał tęsknie. — Nie można mieć wszystkiego, stara prawda.

— Grunhagen — odezwała się Dagmar, nie przerywając mieszania w garnku i nie patrząc na niego — dlaczego odszedłeś?

— Skąd? — spytał, bo w pierwszej chwili naprawdę nie zrozumiał.

— Od nas — powiedziała i uniosła głowę. Spojrzeli sobie w oczy. Teraz już nie miał wątpliwości, o co pyta.

— Dawne dzieje — odpowiedział i dorzucił wyzywająco: — Tutaj też rozpytują o mnie?

Nie odpowiedziała od razu; długą łyżką wyławiała pierogi.

— Jeszcze nie — odrzekła wreszcie. — Ale obawiam się, że ktoś kiedyś zapyta. Dzisiaj jest inaczej, Grunhagen. Dzisiaj każdy każdemu patrzy na ręce.

Postawiła przed nim miskę parujących pierogów. Położyła łyżkę.

— Jedz — powiedziała.

— Nie dasz słoninki? — upomniał się.

— Chcę, byś zdążył zjeść — powiedziała i usłyszał w jej głosie coś dziwnego. — Nie wiem, czy dobrze będzie, jeśli spotkasz się tutaj z moją córką. Ostrzyca jest teraz kimś ważnym; dopięła swego. Ona, Derwan, Wrotycz, Jarogniew...

— Półtoraoki? — spytał Grunhagen i poczuł, że naprawdę powinien zjeść i zniknąć.

— Ten sam — potwierdziła.

Zaczął jeść szybko, poparzył się. Przewidująco dolała mu piwa. Schłodził gardło.

— Czasy idą dziwne — powiedziała Dagmar. — Wiesz, że ja też całe życie byłam na służbie. U Starców. Cierpiałam, ale myślałam, że dobrze robię.

Łykał kolejne pierogi, zapijał zimnym piwem, spieszył się, ale patrzył na nią, nie chciał uronić ani słowa.

— A dzisiaj, kiedy widzę, co się dzieje, jak zbierają ludzi, jak uczą dzieci walczyć... — Dagmar potarła czoło i założyła dłonie na piersiach. — Nie jestem już tego pewna. A czasami zupełnie mi się to nie podoba. Boję się, że idzie na złą wojnę.

— Wojna nigdy nie jest dobra — powiedział między jednym a drugim pierogiem.

— Ale ta, którą zapowiadają, nie podoba mi się zupełnie. Dlatego pytałam, czemu ty kiedyś odszedłeś.

We wsi zaszczekał pies, po nim drugi i trzeci. Dagmar drgnęła i po raz pierwszy zobaczył na jej twarzy niepokój.

— Musisz już iść — powiedziała szybko. — Gdy psy jazgoczą, znak, że Ostrzyca nie idzie sama. To na niego szczekają. No, zbieraj się, przyjacielu.

Otarł usta i zerwał się od stołu. Złapał ją w ramiona i przycisnął, pocałował w policzek, tyle zdążył. Bez słowa wybiegł z chałupy i skoczył w las. Przywarował w zaroślach.

Psiamać — jęknął — co za kolce! Poszarpią mi kapotę.

Psy ujadały jak szalone, nie chciał zmieniać miejsca, przekręcił się tylko, by mieć widok na wejście do domu Dagmar. Księżyc wisiał nisko, ale odsłoniły go chmury i zobaczył wysoką, postawną dziewczynę, ubraną po męsku. To pewnie Ostrzyca, jej córka — pomyślał. — A ten obok niej? — wytężył oczy, bo gdy zobaczył mężczyznę z głową lśniącą od łusek, był pewien, że wzrok spłatał mu figla. — Na sto piekieł, toż on wygląda jak smok.

Ostrzyca i to dziwne stworzenie weszli do chałupy, Dagmar wyszła na próg i spojrzała w las, ale w inne miejsce, nie tam, gdzie warował w krzakach. Rozejrzała się ostrożnie i wróciła do środka, starannie zamykając za sobą drzwi.

JANISŁAW został w Brześciu przez kilka dni i uzgodnił z królem szczegóły czekających ich zdarzeń. Wszystko musiało zostać precyzyjnie zaplanowane; nikt wcześniej w Królestwie Polskim czegoś takiego nie robił. Gdy król wyjechał, pracował z biskupem Maciejem oraz kanclerzem Starszej Polski, Piotrem Żyłą, i kanclerzem kujawskim, Janem Grotem. Towarzyszyli im prawnicy, którzy zaraz ruszyć mieli do Awinionu. Kiedy sprawy korony wydawały się ułożone, Janisław pożegnał się i wyruszył z Brześcia.

— Niech Matka Najświętsza prowadzi — pożegnał go biskup Maciej.

— Z Bogiem! — krótko odpowiedział Janisław.

Ujechali jedno stajanie i na popasie Janisław przebrał się w prosty strój do konnej jazdy i szary płaszcz.

— Wyglądasz jak półbrat krzyżacki — skrzywił się Wojciech.

— A listy żelazne mam jak arcybiskup — mrugnął do niego Janisław.

— Kiedy się ciebie spodziewać?

— Po dwóch tygodniach możesz zacząć mnie szukać — odpowiedział poważnie.

— Wiesz, że to ryzykowne? — spytał wikariusz.

— Gdyby takie nie było, wysłałbym list, albo poprosił kogoś, by mnie zastąpił.

— Bywaj.

— Wracaj zdrów, Janisławie. Bez ciebie nie dźwigniemy tej misji — rzucił Wojciech, gdy arcybiskup już siedział w siodle.

— Dźwigniecie — uspokoił go. — Wszystko przygotowane. Ale wrócę. Chcę być świadkiem.

Ruszył na południe. Odnalezienie Doroty Zarembówny nie było łatwe. Jej nazwisko, a nawet imię, nie widniało w rejestrze żadnego zakonnego zgromadzenia. Pomogły mu informacje Jemioły i to, czego dowiedziała się od brzostkowskich kobiet. Gdy usłyszał o pasji do zwierząt, od razu wytypował klaryski. Wojciech badał listy nowicjuszek, aż znalazł we Wrocławiu jedną, której data wstąpienia do klasztoru zgadzała się z czasem zaginięcia Doroty. Zapisano ją jako „Juttę ze Starszej Polski, rycerską córę". Od kilku lat była opatką wrocławskiego zgromadzenia. Napisał do niej, odpowiedziała, ale wciąż nie ujawniła nazwiska. Wtedy podjął decyzję: on i Jemioła muszą do niej pojechać. Nie mógł wystąpić oficjalnie, jako arcybiskup, bo wzbudziłby sensację, której nie szukał. Biskupstwo wrocławskie dość miało własnych problemów, dwóch biskupów elektów i proces w Awinionie o to, który z nich ma sprawować urząd. W dodatku stosunki z Wrocławiem były zaognione po hołdzie lennym, jaki książę Henryk złożył Wittelsbachowi. Przyjazd Janisława do Wrocławia wywołałby konsekwencje tak dalekie, że nie wchodziło to w grę. Na szczęście, nie był charakterystycznej urody, tak przynajmniej oceniał siebie, a Wojciech pocieszył go, że wygląda jak pół-Krzyżak. W sam raz, by nikt nie chciał ze mną gadać po drodze — pomyślał i ruszył.

Z Jemiołą spotkał się, jak było umówione, w karczmie na Psim Polu. W pierwszej chwili nie poznał jej. Siedziała bokiem do wejścia, w półmroku. Głowę osłoniła wdowim welonem.

— Pochwalony! — powiedział głośno.

Wszyscy unieśli głowy, ale nie ona.

— Nie poznajesz mnie, siostro? Tak się postarzałem? — odezwał się, by ludzie słyszeli.

— Na złą służbę polazłeś — odpowiedziała gderliwie i uniosła się z ławy ciężko. — Aleś mój brat rodzony. Pyska daj!

Tego nie przewidział. Wyciągnęła do niego ramiona i wpadł w nie, jakby po to się urodził. Wciągnął w nozdrza woń wełnianego płaszcza, welonu, a spod nich wydostały się zapachy włosów, skóry, jakichś kwiatów i liści. Zachłysnął się nimi. Ściskała go w pasie, jej głowa wtuliła się w jego pierś, na chwilę i oderwała szybko.

— Tak długo — powiedziała, patrząc mu w oczy zupełnie poważnie.

Dopiero teraz, gdy miała osłonięte wdowim welonem włosy, zobaczył zmarszczki na jej czole i wokół oczu. Wcześniej wydawała się dziewczyną, choć wiedział, że musi mieć dużo więcej lat, niż każdy sądzi. Klepnęła go w plecy i odsunęła od siebie. Czar prysł.

— No to opowiadaj, braciszku — usiadła, jak to robią wiejskie kobiety, zamaszyście zagarniając poły płaszcza i sukni. — Siadaj — powiedziała. — Co tak stoisz i się gapisz?

Ramieniem starła okruchy ze stołu.

— Gospodarzu! — zawołała, a pochylając się do niego, powiedziała prawdziwym głosem Jemioły: — Głodnyś?

— Nie poznałem cię w tym stroju — szepnął. — Gdy masz osłonięte włosy…

— Musiałam — uśmiechnęła się nieznacznie. — Wiele lat pracowałam w pobliżu, na trakcie między Świdnicą a Wrocławiem. Ktoś mógłby skojarzyć, zacząć pytać, węszyć. Z ciebie też niezły sługa zakonny — uniosła lekko brwi, rozbawiona. — To dobre stroje, by wejść do klasztoru?

— Jak każde inne — powiedział. — Nie rzucają się w oczy. Wdowa i… — spojrzał na siebie krytycznie. — A może za kupca się przebiorę?

— Bo ja wiem — zadumała się. — Kupiec z takimi barami? O, jesteście! — odwróciła się do karczmarza. — Świdnickie macie?

— Półświdnickie — mrugnął gospodarz, co było wiadomym znakiem, że nie ma pozwolenia z cechu piwowarów na warzenie świdnickiego, ale wydaje mu się, że jego piwo tak samo dobre jak oryginał.

— Garniec — zaordynowała. — Ino z miodem!

— Dla mnie pół bochenka chleba — dorzucił się Janisław.

— Kiełbaski mam i prażonkę — zachwalał gospodarz. — Świniobicie było.

— Chyba dawno — pociągnęła nosem Jemioła, co Janisława tak rozśmieszyło, że parsknął. — Podziękujem — odpowiedziała za nich oboje. — Chyba że polewki z twarogiem?

— Mogę dać — wzruszył ramionami karczmarz. — I co? Wiązkę siana w stajni?

— Nie! — odpowiedzieli jednocześnie.

— Na noc ruszać będziecie w drogę?

— Nasza sprawa — zamknął temat Janisław. — Daj tego piwa, bo mi w gardle zaschło.

Karczmarz odszedł.

— Dobrze, że nam łóżka w pokoiku na stryszku nie zaproponował — zaśmiała się Jemioła.

Spuścił głowę, nie odpowiedział.

— *Campus Caninus* — odezwała się po chwili. — Psie Pole.

— Wojciech cię chwali — powiedział. — Mówi, że masz słuch do łaciny i uczysz się szybko.

— Bo chcę przeczytać pisma Floryny.

Córka karczmarza przyniosła piwo, polewkę i świeży chleb. Janisław odruchowo zrobił nad nim znak krzyża, potem rozerwał bochenek i podał Jemiole.

— My robimy tak — powiedziała, całując chleb.

Przez krótką chwilę chciał wziąć od niej ten pocałowany. Opanował się i wgryzł w swoją połowę.

— Floryna była jedną z nas — ciągnęła Jemioła. — Jej życie przypadło na ten moment, gdy zdawało się, że Stara Krew może powrócić i wygrać walkę o ludzkie dusze. W kraju panował chaos, książę Bezprym powrócił i stanął po stronie ludzi Starej Krwi.

— Wyrzekł się chrztu — powiedział Janisław. — W rękopisie Floryny jest wzmianka o tym, że królewskie insygnia Piastów złożył przed posągiem boga o trzech twarzach.

— To ważne — przerwała mu — żeby zrozumieć tragedię, która się wydarzyła później. Zwróć uwagę, Jani, że położył je u stóp krwawego Trygława...

Poczuł ciepło wędrujące od ust, przez szyję, ogarniające barki i schodzące niżej. Jani. Tak do niego powiedziała. Powinien poprosić, by tak nie mówiła. Nie poprosił.

— Przekaz Floryny sugeruje nam, że w tamtym czasie władza nie należała do Matki, ale do Starców wyznających krwawe rytuały Trzygłowego Boga. Dlatego to nie mogło skończyć się dobrze. Krew woła krew.

— I popłynęła — powiedział, przypominając sobie rękopis Floryny. — Kapłani Trygława zabijali kapłanów Chrystusa. Mnichów i mniszki. Chrześcijan, którzy stanęli za swym Panem, ale...

— Wiem — skinęła głową i odruchowo chciała przeciągnąć dłonią po włosach. Natrafiła na welon. Cofnęła rękę. — Nie było ich wielu. W miastach, owszem, ale po wsiach ludzie się cieszyli, że wraca stare. Nie mieli pojęcia, że wraz z nim, nadciąga wojna.

— I, co gorsza, nie chodziło wyłącznie o wiarę. Taką czy inną.

— Wiesz, ucisk prostych ludzi był od lat. Wasz król Bolesław prowadził liczne wojny, ich cenę płacili maluczcy, właśnie ci wieśniacy, którzy tak ucieszyli się, że czas można cofnąć. A nie można — powiedziała, sięgając po kubek z piwem.

Po raz kolejny patrzył, jak je. Była powściągliwa. Urywała drobne kawałki chleba, piła małymi łykami. Za każdym razem odnosił wrażenie, że potrafi panować nad głodem. To go frapowało. Też musiał panować nad swoim.

— Nie wszyscy możni, jak Doliwowie, co mi uświadomiłaś, stanęli po stronie Bezpryma odezwał się po chwili. — Dawni drużynnicy króla, jego baronowie skrzyknęli się i powstało tajne sprzysiężenie. Uradzili, że trzeba zabić Bezpryma, nikt nie chciał na siebie wziąć królobójstwa, ciągnęli losy...

— Swoją drogą — wtrąciła się — „ciągnąć losy" to okrutne sformułowanie. Wydobywać czyjś los z planów bogów, ale jednocześnie zmieniać swój własny. — Odstawiła kubek i przesunęła palcem po jego krawędzi, zagarniając krople piwa, które tam zostały. — I tak dochodzimy do Zarembów — powiedziała i spojrzeli sobie w oczy.

Niebo i ziemia — pomyślał o jej źrenicach. — Las i nurt rzeki płynącej dokąd?

— Siedzimy tu oboje — odpowiedział jej — by wejść za klasztorną furtę i prosić opatkę klarysek, by poskromiła smoka.

— Dobrze, że nikt tego nie słyszy — mrugnęła do niego. — Brzmi co najmniej niemądrze.

JEMIOŁA po raz pierwszy w życiu była w klasztorze. Cisza, jaka panowała w tych murach, koiła ją. Siedzieli z Janisławem w rozmównicy, niedużym pomieszczeniu podzielonym na pół kratą. Czekali w milczeniu. Wreszcie drzwi po tamtej stronie kraty uchyliły się cicho i do wnętrza weszły trzy mniszki. W pierwszej chwili wydawały się Jemiole identyczne, niczym siostry bliźniacze. Dopiero kiedy podeszły do kraty, zobaczyła, że podobieństwo jest w welonie, w bieli podwiki okalającej twarz, w fałdach podobnie układających się habitów i płaszczy. Rozpoznała Dorotę Zarembównę po sylwetce. Była niższa i drobniejsza niż dwie pozostałe siostry. Miała ciemne, uważne oczy, szczupłą podłużną twarz i po prostu była podobna do Michała.

Siostry, które jej towarzyszyły, patrzyły na Jemiołę i Janisława nieufnie.

— Niech będzie pochwalony Jezus Chrystus — powitała ich Dorota.

— Na wieki wieków — odpowiedział za nich oboje Janisław.

— Amen — chórem powiedziały siostry.

— To ja pisałem do wielebnej opatki — odezwał się Janisław.

W jej oczach na krótką chwilę pojawił się przestrach. Spojrzała na Jemiołę.

— Przynoszę pozdrowienia od Ochny i Przeborki — powiedziała.

Twarz Doroty nadal była spięta, niepewna.

— Nikt prócz nas dwojga nie wie o tym spotkaniu — dodał Janisław.

— To moje siostry, Betka i Anna. Są dyskretkami w naszym zgromadzeniu — odrzekła Dorota.

— Jeżeli taka jest wola wielebnej, będziemy mówić przy nich — oświadczył Janisław.

Wahała się chwilę, po czym odwróciła do sióstr i powiedziała:

— Zostawcie mnie z gośćmi.

Betka i Anna wymieniły się spojrzeniami i Jemioła pojęła, że obie chcą chronić Dorotę. Wiedzą, kim jest — zrozumiała.

Mniszki wyszły, Dorota przysunęła się do kraty dzielącej ją od nich. Złożyła ukłon przed Janisławem.

— Arcybiskupie — powiedziała.

— A ja nazywam się Jemioła. Jestem Matką zielonych sióstr, odkąd odeszła Dębina.

Dorota uniosła na nią spojrzenie. Było w nim wszystko. Zaskoczenie, że Dębiny nie ma, i żal za nią. Wspomnienie dni, gdy Ochna zabierała Dorotę na obrzędy do matecznika, stąd przecież Jemioła znała Zarembównę. Pamięć beztroskiej młodości, która odeszła i tak jak czas, nie wróci.

— Matko Jemioło — powiedziała mniszka i przed nią także się ukłoniła.

Usiedli. Dorota złożyła dłonie na kolanach, chwytając końcówkę sznura, którym była przepasana.

— Twój brat, wojewoda kaliski, Marcin Zaremba, nie wie o niczym. Także twoją siostrę Zbysławę pominęliśmy, prowadząc poszukiwania. Żaden z Zarembów nie ma pojęcia, gdzie jesteś — zaczął Janisław.

— A Michał? — spytała.

— To jego osoba nas tutaj sprowadza — powiedziała Jemioła. — Na ile dobrze znasz dzieje swojego rodu, Doroto?

— Jutto — poprawiła ją. — Zmieniłam imię.

— Ile wiesz o Zarembach, Jutto? — ponowiła pytanie.

— Wystarczająco dużo, bym świadomie podjęła decyzję — ciemne oczy Jutty spoczęły na Jemiole. — Wybrałam to miejsce, chcąc uciec od rodowców. Pragnąc przerwać długi łańcuch nieprawości, którego ogniwami było każde z kolejnych pokoleń.

— Czy znasz prawdę o Michale? — spytał Janisław.

Jutta zmarszczyła brwi.

— Jaką prawdę, ojcze?

— Wciąż nam nie ufasz? — odezwała się ostro Jemioła. „Długi łańcuch nieprawości" ją rozjuszył. Nie znosiła słów, które brzmiały mądrze, a nie niosły za sobą żadnych znaczeń. — Michał Zaremba zamienił się smoka — powiedziała wprost. — I pod tą postacią jest groźny. Teraz wiesz, po co przybyliśmy.

Jutta spuściła wzrok, ale nie pochyliła głowy. Wpatrywała się w swoje dłonie. Jemioła już miała się odezwać, gdy poczuła dotknięcie. Janisław położył rękę na jej dłoni, jakby prosił „dajmy jej chwilę". Odruchowo wysunęła rękę i uścisnęła jego palce. Odpowiedział uściskiem. I nie puścili swoich dłoni. Trwali tak chwilę, chyba niedługą i wpatrywali się w Juttę, nie chcąc spojrzeć na siebie. Gdy opatka uniosła wzrok, oboje równocześnie cofnęli dłonie.

— Widziałam, jak zginął mój ojciec — powiedziała Zarembówna.

— Mówią, że od pioruna — odezwał się Janisław.

— Tak, ale chwilę wcześniej klęknął przed Michałem. To stało się nagle. Michał przyjechał do Brzostkowa i rozpętała się burza. Szedł dziedzińcem, z nieba waliły gromy. Byłam w czeladnej, z Ochną i służbą. Uchyliłam drzwi, patrzyłam. W świetle błyskawic widziałam, jak Michał się zmienia. I mój ojciec też to widział. Chciał biec do Michała, ale gdy zobaczył, że ten kroczy ku niemu w smoczej postaci, przyklęknął na dziedzińcu i krzyknął: „Przybył złoty smok". Wtedy trafił go grom. Michał uciekł, widząc, co się stało, choć w niczym nie zawinił.

— Potem tułał się latami — Jemioła opowiedziała jej, co było dalej, aż po czas, gdy stał się nadzieją Starców.

Gdy skończyła, Jutta milczała tylko chwilę. Nie była zaskoczona, wyglądała, jakby składała w całość to, co usłyszała przed chwilą.

— Szukałam w księgach odpowiedzi — powiedziała wreszcie. — Tutaj ich nie znalazłam, ale wymieniamy się manuskryptami między klasztorami. I wreszcie klaryski z Denny Abbey przesłały mi to, czego potrzebowałam. To ciekawy klasztor we Wschodniej Anglii. Najpierw należał do benedyktynów, potem przejęli go templariusze wracający z Ziemi Świętej, a po kasacie zakonu — klaryski. Odziedziczyły bibliotekę po poprzednikach, a była bogata.

Jemioła pozazdrościła jej. Wyobraziła sobie klasztory jako porty rozmieszczone wzdłuż olbrzymiej rzeki, którą w każdą stronę płynął strumień wiedzy. Te kobiety, z pozoru odcięte od świata, mogły w spokoju oddawać się radości poznania.

Ile czasu minie, nim będę czytać swobodnie? — pomyślała.

— Przestudiowałam dzieje dynastii Cedryka, z której wywodził się nasz przodek, Edmund. I zrozumiałam, że w losie Michała skupiło się wszystko, co płynęło we krwi rodu. Królewskie pochodzenie i utrata korony przez angielskich przodków. Zdrada i ucieczka. Zaufanie króla. Wszystko, co przeżył Edmund i co zrobił, zabijając Bezpryma. Kierując się wiernością wobec Królestwa, które go przyjęło, musiał dokonać zbrodni na królewskim synu. A potem to, co spotkało Michała przy Przemyśle, gdy musiał wybierać między wiernością władcy a rodem. Wybrał króla i tym samym wydał wyrok na Wawrzyńca Zarembę. Odciął mu głowę tym samym mieczem, którym zabito Bezpryma.

Jutta zrobiła przerwę; być może pierwszy raz w życiu powiedziała to wszystko na głos. Nabrała powietrza i mówiła dalej:

— Czytałam stare bestiariusze, choć muszę przyznać, że wiele w nich bujd, fantazji i czystych zmyśleń. Jak zrozumiałam, smok jest bestią, w której dobro i zło toczą nieustanną walkę. Z tego, co powiedziałaś, Matko, rozumiem, że w Michale zwyciężyło zło.

— Musimy go powstrzymać — powiedział Janisław. — Wydaje nam się, że ciebie może posłuchać. Jesteś ostatnią nicią łączącą go z rodem. Ostatnią, którą szanuje.

— Szanował, nim się przemienił — poprawiła go Jutta.

— Pomożesz nam? — żarliwie spytała Jemioła.

Jutta biła się z myślami przez chwilę, potem spojrzała na nich, mówiąc:

— Uciekłam do klasztoru, by zamknąć się przed tym wszystkim, co widziałam i wiedziałam. Tu chciałam znaleźć schronienie, ale wróciło... — westchnęła ciężko. — Ślubowałam posłuszeństwo. Ojciec i Matka przybyli do mnie, nie mogę odpowiedzieć „nie".

Jemioła odetchnęła z ulgą.

— Nie możesz też opuścić zgromadzenia — zafrasował się Janisław. — Jak to zrobić?

— „Nie wolno jej wychodzić z klasztoru bez pożytecznego, rozumnego, wyraźnego i wiarygodnego powodu". Reguła świętej Klary, rozdział drugi — odpowiedziała Jutta. — Muszę to zgłosić przełożonemu franciszkanów, którzy sprawują duchową opiekę nad nami. I uważam, iż w tym przypadku „rozumność" nakazuje mi ukrycie prawdziwego powodu.

— Skłamiesz? — spytała Jemioła.

— Bóg jest miłosierny — wymijająco odpowiedziała Jutta. — I wszechwiedzący, w odróżnieniu od przełożonego naszych franciszkanów, który jest próżny i mściwy. Poradzę sobie. Tyle tylko, że nie opuszczę klasztoru z wami. To wzbudziłoby niepotrzebne zainteresowanie. Moje siostry, Betka i Anna, to księżniczki wrocławskie. Mają tu liczną rodzinę, poproszę, by ich dalsi krewni zaczęli mnie odwiedzać tak często, że zmylimy ślady.

— Życie w klasztorze nauczyło cię sprytu? — spytała Jemioła.

— Przeciwnie. Szkołą było życie pod okiem Zarembów. Tu odpoczywam.

— Jutto, trafisz do matecznika? — spytała Jemioła.

— Z zamkniętymi oczami. Najpierw prowadzała mnie do was Ochna, albo Przeborka. Na święta różne — mrugnęła klaryska. — A potem przychodziłam sama. Wiem, gdzie są wasze strażnice, ubierałam się w zielony płaszcz i suknię, a strażniczki nawet nie wiedziały, że jestem obca.

— To groźne. Muszę je uczulić — powiedziała Jemioła. — Nie na ciebie, ale w ostatnim czasie kręcą się wokół matecznika ludzie. Dobrze. Będę na ciebie czekała.

Poczuła gorąco, jeszcze zanim Janisław złapał ją za rękę.

— Jutto — powiedział poważnie — wiesz, w czym nam pomagasz?

Klaryska skinęła głową. Jemiole serce zaczęło bić gwałtownie.

— Nikt nie uleczy wściekłego zwierzęcia — powiedziała Jutta z mocą. — Ani człowieka, którego ono ugryzie. Jest we mnie promień nadziei na Bożą pomoc, na łaskę, która spłynie na Michała. Ale jeśli tak się nie stanie, trzeba będzie zabić wściekłe zwierzę i człowieka, w którego wstąpiło. Jeżeli ja, poświęcona Bogu siostra świętej Klary, mam wziąć na siebie ten grzech śmiertelny, to znak, że wciąż jestem Zarembówną, choć wyrzekłam się ziemskiego życia. Może moim przeznaczeniem jest los rodu, przed którym chciałam uciec. Ojcze, Matko, ja to rozumiem. I przyjmuję.

Janisław nie puszczając ręki Jemioły, wyciągnął swoją w stronę kraty. Jemioła zrobiła to samo. Przez pręty klasztornej rozmównicy uścisnęli palce Jutty — Doroty.

— Podzielimy ten grzech między nas troje — powiedział. — Co nie znaczy, że dla kogokolwiek z nas będzie mniejszy.

Kiedy wyszli z klasztoru, na zewnątrz panował mrok. Noc była pochmurna i wietrzna. Księżyc raz po raz przysłaniały chmury. Jemioła pamiętała Wrocław z czasów księcia Henryka. Znała „śliską furtkę", miejsce nad rzeką, gdzie można się niezauważenie wymknąć za miejskie mury. Szli równym krokiem, Jemioła poprowadziła go na wysoki brzeg rzeki i przystanęła.

Zdjęła z głowy ciężki welon. Wiatr targał wełnianą materią. Janisław stanął tak, by osłonić ją od podmuchów.

— Dlaczego przebrałaś się za wdowę? — spytał.

— Bo dobrze, gdy przebranie jest trochę prawdziwe — odpowiedziała, zwijając welon. Stanęła na chwilę i po namyśle wyrzuciła do rzeki. Wiatr porwał go, uniósł i puścił nagle w mętny nurt Odry. Ulżyło jej i zaśmiała się do Janisława. — Pytasz, dlaczego się przebrałam, a nie pytasz, dlaczego porzuciłam wdowi welon?

Milczał chwilę, mimo wiatru słyszała jego głośny oddech.

— Skończyłaś żałobę — odpowiedział zachrypniętym głosem.

— Po raz pierwszy od jego śmierci poczułam coś — wyznała. — Dziękuję ci, Jani.

Milczał, patrzył na nią.

— Nie bój się — powiedziała po długiej chwili. — Ja kocham, ja się nie zakochuję.

Skinął głową, ruszyli jednocześnie. Nie przeszkadzał im mrok. Szli na północ, pod wiatr.

RDEST musiał być ostrożny. Od czasu zatrzymania i stracenia Sudargusa atmosfera na dworze Giedymina zrobiła się gęsta. Rdest wiedział, że przyglądają mu się ludzie Ligejki. Bojar był oczami i uszami księcia, jego cichym człowiekiem, tyle że z zadaniem węszenia na własnym dworze. Giedymin bał się zamachu, zdrady, trucizny, a teraz, odkąd dominikanin Mikołaj dołączył do grona najściślejszych zaufanych księcia, ten zwiększył środki ostrożności. Czuł, że wielu Litwinom nie podoba się obecność klechów przy ich księciu. I słusznie. Na tej niechęci Rdest potrafił grać jak dziad na lirze: czule, zręcznie i przejmująco. Opowiadał Litwinom, co będzie, jeśli ich kniaź się ochrzci. Mówił o czarnych klechach, którzy najdą, jak robaki na truchło dzika. Jak będą im od środka wyżerać wnętrzności.

„Skóry nie ruszą" — tłumaczył — „przez otwory wpełzną wam do środka i złożą jaja, z nich wylezą larwy, które żreć będą wasze wątroby. Ścierwnice, trupnice, gnilne robaki wyciągną z was soki, aż zostanie padlina, pokryta siną skórą, kłaniająca się przed krzyżem i mamrocząca suchymi ustami: amen, amen, amen, co znaczy: poddaję się bożkowi Chrysta i będę jego rabem. A po śmierci nikt was nie spali na chwałę Perkuna, tylko zagrzebią was w ziemię, na wieczne zgnicie, smród i zapomnienie". Z Litwinami trzeba było dużo gadać, chcieli wiedzieć, jak to jest, jak to by było. Ze Żmudzinami inaczej. Wystarczyło im powiedzieć: „Kniaź się ochrzci, to was zniewoli. Będzie wam mówił, co wolno, czego nie". To starczyło. Żmudzin na słowo „musi" odpowiadał „nie", nie słuchając, co dalej. Żmudzin może, nie musi. Tak od powstania świata było i jest. „I będzie" — dopowiadał Erdwił, ich wódz i książę, jeden z wielu. Niby przed laty wielki Mendog pokonał żmudzkich kniaziów, ale ich posłuszeństwo wobec Litwy było chwiejne. Mogli stanąć na rozkaz, a mogli i nie przybyć. Wiele zależało od tego, co kapłan wyciągnie z końskich wnętrzności, co wyczytają ze słońca albo deszczu o wschodzie. Rdest różne rzeczy umiał sobie wyobrazić, ale nie to, że kiedyś Żmudź się ochrzci. Z nimi nie miał kłopotu.

Gorzej z Litwinami, którzy bali się swego kniazia, a ten, zabijając Sudargusa, pokazał, że nie toleruje najmniejszego nawet oporu.

Rdest jeszcze nie był w potrzasku, ale w trudnym położeniu, owszem.

Symonius twardo stawiał warunki; był pewien, że wojownicy Trzygłowa, Litwini i Żmudzini to stworzeni dla siebie sojusznicy. Rdest, im dłużej siedział na dworze wielkiego kniazia, tym mniej w to wierzył. Żmudzini, owszem, nadawali się do wspólnej walki, choć ich nieobliczalność w każdej chwili mogła stanąć sojuszowi na drodze. Ale Giedymin był zbyt silny. W dodatku zapatrzony w siebie, przekonany o własnej nieomylności. Nie mając się czego chwycić, na tym przez wiele miesięcy budował Rdest. W każdej rozmowie z Giedyminem podkreślał jego wyjątkowość, mówiąc wielkiemu księciu, że nie musi oglądać się na chrześcijańskich władców, że może budować na swoją miarę i wedle swojego wzoru. „To, kim jesteś, może stać się twą siłą, kniaziu" — powtarzał. Ten słuchał, oko mu lśniło. A potem kazał wołać klechę, zamykał się z nim i rozprawiał. Nie było dla Rdesta tajemnicą, że posłał ludzi do papieża. Wiedział z grubsza, co w poselstwie było — chrzest, byle nie przez Krzyżaków. Posłał Ostryża do Symoniusa, by Prus był świadom, jak daleko zaszły litewskie sprawy. Ostryż wrócił i przekazał Rdestowi: „Nie wątp. Przypomnij początek i koniec Mendoga".

Rdest nie zwlekał, pod nieobecność Giedymina i nieodstępującego go na krok Ligejki, spotkał się z Manste, bojarem, który tak jak zamordowany Sudargus, sprzyjał jego misji. Siedziba rodowa Manste, zwana Penkininkai, była niedaleko Trok, nad jeziorem Margis.

— Zabrałeś ościenie! — zaśmiał się Manste, gdy spotkali się nad brzegiem.

— Książęca zabawa — odpowiedział Rdest.

Potrzebował pół roku w Trokach, by zrozumieć, że Giedymin tylko udaje, że chodzi na ryby. Synowie Manste i dwóch jego zięciów spętali konie i poszli w las pilnować, by nikt im nie przeszkodził w spotkaniu. Służba zajęła się rozpaleniem ogniska na wysokim brzegu jeziora.

— Już ruszt stawiają na szczupaka — zaśmiał się Manste — choć ten jeszcze pływa.

— Giedymin ma chłopca, co za niego ryby łowi — rzucił Rdest, gdy ruszyli z ościeniami wzdłuż brzegu.

— Ja nie kniaź — krótko powiedział Manste. — Nie będę się nikim wysługiwał. Chcę rybę, to złowię.

— A jego wkrótce złowi papież i nabije na swój złoty oścień — mruknął Rdest.

— Może jest inaczej? Może to Giedymin zarzucił na papieża sieć i ten w nią wpłynie?

— Manste. — Rdest przytrzymał bojara za łokieć. — Tu, na Litwie, Giedymin największy książę. Ale przy papieżu on płotka przy szczupaku, albo i ukleja, albo gorzej.

Chwilę szli w milczeniu. Pierwsze przymrozki przerzedziły szuwary, wysokie buty mocno nasmarowane sadłem nie piły wody. Manste szukał dobrego łowiska, takiego gdzie szczupak przypłynie na żer.

— Mam rodzinę — powiedział po długiej chwili Manste. — Sam wiesz, co się stało z synami Sudargusa. Wybili jak psy. Żonę zostawili, ale ta nóż sobie wbiła w gardło. Jedna Vakare ocalała, bo wojewoda grodzieński grzeje nią łoże — splunął w wodę i westchnął ciężko. — Moich chłopców widziałeś, gołowąsy. Córki dwie bezpieczne, wydane. Ale następne dwie w domu, piękne jak jarzębiny. Dla siebie zrobiłbym co trzeba, ale o nich się boję.

— Jak nie zrobimy co należy, dla nich świata nie starczy. Wiesz to. Klechy wezmą ich w niewolę.

— Słuchaj, Prusie. — Manste zatrzymał się nagle. — Twoi Starcy daleko, nas nie osłonią. A twoi krajanie...

— Ja nie Prus — przerwał mu Rdest. — Ja Żmudzin. Pół życia tu spędziłem.

— Ale Prusom służysz i ich Siwobrodym!

— Wolnym ludziom służę — poważnie opowiedział Rdest. — Tym, co poświęcą życie, by ich dzieci karku nie zginały.

— Gadanie — fuknął Manste. — Słowa na wiatr.

Rdest nie odpowiedział, stanął. Pokazał Litwinowi krąg na wodzie. Żerowisko. Przysunęli się bliżej, stanęli po dwóch stronach z ościeniami uniesionymi nad powierzchnią. I zastygli, czekając, aż szczupak wróci.

— Jeśli papież w odpowiedzi na poselstwo przyśle biskupa, ten ochrzci kniazia — powiedział szeptem Rdest. Ryba nie nadpływała i szkoda mu było czasu na czekanie.

— Biskupa można zabić — syknął Manste.

Jednocześnie dostrzegli cień potężnego cielska pod wodą. Sunął wzdłuż szuwarów, czujny.

— To najgorsze, co mogłoby się zdarzyć — odpowiedział Rdest. — W Prusach był taki biskup, którego zarżnęli. Odcięli mu głowę, żeby przestał gadać.

— Dobre — cicho zaśmiał się Manste. — Podoba mi się.

— Niepotrzebnie. Prusowie myśleli, że jak mu urżną łeb, to będzie znak dla klechów, że ich ziemia nie dla gadania o krzyżu i wodzie. Stało się na odwrót. Polski kniaź wykupił od nich ciało i głowę za złoto, a potem z zamordowanego klechy zrobili świętość. Mówili, że jego kości czynią cuda, i w te cuda wierzyli.

— A cuda były? — zaciekawił się Manste.

— Nie wiem — cicho syknął Rdest. Na chwilę zgubił z oczu szczupaka. — Najazd był, to rzecz pewna. Polski kniaź pomścił biskupa i zaczął niewolić Prusów. Potem już byli tylko Krzyżacy, resztę sam sobie dopowiedz.

— Czyli biskupa nie zabijać — powtórzył w zamyśleniu Manste i wymierzył ościeniem w lśniący grzbiet, którego Rdest spodziewał się w zupełnie innym miejscu. Manste uderzył, woda zakotłowała się, raniony szczupak wyskoczył nad jej powierzchnię z taką siłą, że oścień Litwina pękł. Drapieżnik wpadł z powrotem w wodę, puścił smugę krwi i zniknął w zmętniałej toni.

— Wypłynie brzuchem do góry — syknął Manste. — Ale my już go nie upieczemy. Cwany był ten polski kniaź, tyle powiem. Kupił tego świętego.

Nic ci o nim więcej nie rzeknę — pomyślał Rdest. — Bo nie masz go podziwiać.

— Jego ojciec był tym, co wziął chrzest — powiedział głośno. — Wiesz, co zrobił z tymi, którym się nie podobało?

— Skąd mi wiedzieć? — wzruszył ramionami Manste i ruszył na brzeg po drugi oścień.

— Domyśl się — rzucił za nim Rdest.

Manste ciężkimi krokami wrócił na żerowisko. Zajął miejsce, poczekał, aż muł w wodzie opadnie.

— Wyrżnął? — spytał Rdesta.

— Co do jednego — potwierdził Żmudzin.

— Giedymin zrobi z nami to samo, jeśli podniesiemy łby — ponuro powiedział Manste.

— Chyba że uprzedzimy Giedymina — szepnął Rdest i ruchem głowy pokazał na kolejnego szczupaka wpływającego na żerowisko. Krew w wodzie go zwabiła.

Nie umawiając się, uderzyli jednocześnie. Rdest trafił wielką rybę w bok, Manste w drugi. Przyszpilili szczupaka do dna i trzymali na ostrzach ościeni, aż znieruchomiała.

— Piękna sztuka — powiedział Litwin, gdy go wyciągnęli.
— Książęca — dorzucił Rdest.
— Zawiadom Gingejke. Jeśli mamy to zrobić, nie ma na co czekać. Gdy wróci z Wilna, musimy być gotowi.
Rdest nie pokazał po sobie, że odetchnął z ulgą. Wreszcie jego misja przynosi coś więcej niż puste słowa. Skinął głową, że zrobi, co Manste proponuje. Zrobiłby dużo więcej.
We dwóch musieli dźwignąć szczupaka na brzeg. Był wielki jak ogar Giedymina.
Manste krzyknął na sługi, by przyszli go sprawić. Nie odpowiedzieli. Krzyknął znów.
— Ojcze! — usłyszeli po długiej chwili od strony ogniska. — Ojcze!
— Tu jesteśmy! — zawołał Manste.
Po chwili z zarośli wybiegł młodszy z jego synów, chłopaczek, może trzynastoletni. Twarz miał poczerwieniałą i w pierwszej chwili Rdest pomyślał, że to od mrozu albo od biegu. Ale płonące i przerażone oczy chłopca mówiły co innego.
— Ojcze! Z domu przysłali gońca... — chłopaka zatkało.
Manste doskoczył do syna i chwycił go za kożuch na piersi, potrząsnął nim gwałtownie.
— Mówże!
— Audre i Migle zabrali ludzie Giedymina... zaraz jak wyjechaliśmy z domu..
— Co im zrobili?! — krzyknął Manste, aż na twarz chłopca prysnął śliną.
— Nie wiadomo... powiedzieli, że do kniazia je biorą... do Wilna...
— Nie daruję — jęknął Manste.
Puścił syna, ten upadł. Odwrócił się gniewnie do Rdesta, jakby to była jego wina.
— Uprzedził nas — syknął wściekle. — Tyle z twojego knucia, żmudzki Prusie!
— Nie wszystko stracone — zimno odpowiedział mu Rdest. — Śmierć potrafi przynieść żniwo większe niż życie.

RIKISSA spacerowała po przyprószonym śniegiem ogrodzie wokół swej breńskiej siedziby. Już „jej", bo Jan Luksemburski zrobił to, co obiecał — przepisał na nią dom królewski. Lipski wyjechał do Pragi i, jak przekazał w liście, przeziębił się i musiał zostać na dłużej.

Uśmiechnęła się. Nie chciała być na miejscu jego ludzi. Pewnie klął na nich od rana do nocy. Szkoda, że nie zachorował w Brnie, mogłaby go pielęgnować i znosić te jego fukania, zżymania i złości. Nie martwiła się specjalnie; był silny. Pogorączkuje, wypoci się, otrząśnie i wróci. Spokój odbierało jej co innego. Czekały na gościa.

Książę Henryk Jaworski ze świeżo otrzymaną dyspensą papieską. Wydano ją pół roku temu, na szczęście długo trwało wydobycie aktu z kancelarii awiniońskiej.

Spodziewała się zięcia nazajutrz. To wciąż jeszcze trochę czasu, by po raz kolejny pomówić z Anežką. Poprzednia rozmowa zakończyła się płaczem ich obu. „Nie możesz go wciąż odtrącać. O siedmiu lat jesteś jego żoną, on cierpliwie czeka" — powtarzała po raz nie wiadomo który. „Nie chcę" — uparcie odpowiadała Anežka. „Byłam dwa lata młodsza, gdy urodziłam ciebie" — szukała argumentów Rikissa. „Wydano cię za mąż, nie pytając o zgodę" — zgodnie z prawdą oświadczyła jej córka i spytała: — „Chcesz mnie zmusić?".

Nie chciała. Owinęła się szczelniej płaszczem. Postawiła futrzany kołnierz, wiatr zacinał. Nagle rozszczekały się psy, zagrały rogi. Lipski — pomyślała z radością w pierwszej chwili i ruszyła ku wyjściu z ogrodu. Nie, to nie on — zrozumiała po kilku krokach, gdy rogi wciąż grały. Sygnał Lipskiego to trzy na trzy. Trzy krótkie na trzy długie, nic więcej. Stanęła za pniem lipy. Czarny orzeł ze złotym półksiężycem. Jaworski.

Nie wyszła go powitać, bo nie była gotowa. Rozmowa, której nie zdążyła odbyć z córką, zawisła nad nią jak cień. Stała w miejscu, aż usłyszała szybkie kroki od strony dziedzińca. Właściwie biegł, nie szedł. Gdy wpadł do ogrodu, nawet nie zdjął kaptura. Rozejrzał się. Nie mogła się chować za drzewem jak dziecko. Zrobiła krok, dobiegł do niej, klęknął. Zrzucił kaptur. Włosy w kolorze ciemnego miodu rozsypały się mu po plecach.

— *Bis regina* — powiedział. — Wybacz, że jestem szybciej.

— Henryku. Jesteś oczekiwanym gościem — uśmiechnęła się, choć było jej ciężko.

Wyciągnęła do niego rękę. Chwycił jej palce, ucałował. Nie puścił. Wysunęła dłoń z jego ręki. Zawstydził się.

— Wstań, nie klęcz na śniegu — powiedziała i zdecydowała nieoczekiwanie. — Przejdźmy się, pomówmy.

— Wiem o chorobie marszałka — odezwał się, gdy ruszyli w głąb ogrodu.

— Nic poważnego — uśmiechnęła się. — Pisał do mnie.

— Królewskiego medyka nie wzywa się z byle powodu — powiedział.

Zamarła.

— O czym ty mówisz? Lipski jest w Pradze, przeziębił się...

Zatrzymał się i nagle złapał ją za oba ramiona.

— Jest w Pradze, dopadła go zimna febra. Wezwał do siebie Henryka Juniora, a ten magistra Antoine, medyka króla Jana.

Dobrze, że ją trzymał. Zabrakło jej tchu, zaschło w ustach. Oczywiście... Przecież nie pisałby do niej o zwykłym przeziębieniu... Posłałby wiadomość, że wróci tydzień, dwa później. Napisał, bo wiedział, że się dowie. Chciał przed nią zbagatelizować chorobę. Poczuła chłód, jakby cały śnieg z ogrodu okleił jej skórę.

— Muszę jechać do Pragi — powiedziała. — Wracajmy, zostaniesz z Anežką.

— Pojadę z tobą, Rikisso — odpowiedział. — Jest zima, pogoda niepewna. Zajmę się podróżą.

— Dobrze — skinęła głową. — Jedźmy razem.

Podał jej ramię, odmówiła. Ruszyła szybko w stronę wejścia do domu. Poślizgnęła się na śniegu, przytrzymał ją. Podziękowała odruchowo.

Zimna febra. Zimna febra. Lipski.

— Anežka niech zostanie w Brnie. Jest słabego zdrowia — powiedział Jaworski. — Wrócę po nią. Albo wrócimy razem. Możesz mnie potrzebować.

Nie słuchała go; słyszała, że mówi z troską. Zimna febra? Lipski?

— Widziałeś go? — zatrzymała się nagle. — Henryka?

— Nie — zaprzeczył i pogładził jej plecy. — Mówiłem z Rosenem. Powiedział, że marszałek nieprzytomny, czuwa przy nim syn, a medyk puszcza mu krew.

Zachłysnęła się. To jest sen — wytłumaczyła sobie. — To mi się śni.

Wyruszyli o świcie; Anežka z ulgą przyjęła, że może zostać w Brnie. Rikissa zabrała kilkoro swoich ludzi, Trinę i Marketę, bo się uparły, że ich obecność ozdrowi marszałka. Wozy ze służbą spowalniały podróż. W połowie dnia zdecydowali, że ona, Jaworski i część straży jadą szybciej, przodem.

— Może wolisz sanie? — spytał Henryk.

— Jadę konno — zaprzeczyła.

Zadbał o wszystko; w gospodach po drodze czekały na nich świeże konie, mogli jechać niemal bez przerwy, choć gdy powiedziała, że chce jechać i nocą, zaprotestował. Zanocowali w Nowym Meste, mieście Lipskiego. Ludzie otoczyli ją, chcieli mówić, witać, gościć, Jaworski wziął ich na siebie i pozwolił jej się schować przed wszystkimi. „*Bis regina* jest zmęczona, w drodze powrotnej spotka się z wami". Była mu wdzięczna. Nie miała sił na rozmowę z kimkolwiek. Drugi nocleg wypadł w Kutnej Horze. Tyle wspomnień. Tu Henryk dwa razy był ranny. Był ranny i wyszedł z tego, dlaczego nie miałby dać rady zwykłej febrze? Pokona chorobę.

— Stajemy na noc — powiedział Jaworski.

— Jedźmy dalej — sprzeciwiła się.

— Potem zostanie nam już tylko jeden gościniec — zaprotestował. — A w Kutnej Horze masz przyjaciół…

— Z nikim nie chcę się widzieć — powiedziała jasno. — Niech będzie ten gościniec, cokolwiek.

Gdy dojechali do niego, była północ. Zbrojni jej zięcia byli szybsi, opróżnili gospodę z podróżnych. Czekała na nich wieczerza, której odmówiła, i małe łóżko w jedynym pokoju. Było jej wszystko jedno, przecież i tak nie zaśnie.

Usiadła na łóżku w płaszczu i kapturze. Pożałowała, że nie ma z nią Trinki i Markety. Nie miała siły rozebrać się, rozwiązać sukni. Z wysiłkiem zdjęła mokry od śniegu kaptur.

— Rikisso — ostrożnie uchylił drzwi. — Przyniosłem choć wino. Wypij, proszę, przez cały dzień nic nie miałaś w ustach.

Skinęła, by je podał. Odstawił na ławie przy łożu, podszedł do niej i spytał:

— Pozwolisz?

Skinęła głową, bezwiednie. Odpiął jej zapinkę od płaszcza i zdjął jego zimny, sztywny ciężar z jej ramion. Rozejrzał się po pokoju, znalazł kołek w drzwiach, odwiesił. Potem przyklęknął przy niej, chwycił ją za rękę i zaczął zdejmować jej mokre rękawice. Palec po palcu, ostrożnie. Zdjął je i pogładził, z namaszczeniem odłożył na ławę, obok wina. Wciąż klęczał, uniósł głowę i spojrzał na nią. Wyciągnął ręce po jej zmarznięte dłonie. Chwycił je i ogrzewał chwilę, a potem pochylił się i zaczął na nie chuchać. Chciała cofnąć ręce, ale je przytrzymał i zaczął całować. Poczuła jego język między palcami. Wyszarpnęła dłonie.

— To już nie jest uprzejmość — powiedziała. — Okoliczności, w jakich się znaleźliśmy, zanadto cię ośmieliły, Henryku.

Spojrzała mu w oczy karcąco. Nie uchylił się, odpowiedział spojrzeniem.

— Okoliczności sprawiły, że po raz pierwszy mogę ci okazać, co czuję — wyszeptał.

Sięgnęła po wino. Wypiła duszkiem pół kubka.

— Wstań — zażądała. — Nie życzę sobie, żebyś klęczał.

Trzęsły jej się ręce, odstawiła wino. Czuła nieprzyjemne ciepło w żołądku.

— Jeśli dobrze rozumiem twoje zachowanie, to, co czujesz, jest niestosowne.

Stał trzy kroki od niej. Wciąż za blisko. Odpowiadając, nie spuszczał jej z oczu.

— Wiem. Nic nie mogę na to poradzić.

— Jesteś mężem mojej córki.

— Uwierz mi, Rikisso, wolałbym czuć to do niej.

Wypite wino podeszło jej do gardła. Z trudem powstrzymała mdłości. Chryste, czy to także sen? Możliwe, że to się dzieje naprawdę? Że prowadzimy tę rozmowę? Nie mogła na niego patrzeć, ale nie chciała odwrócić wzroku, dać najmniejszej oznaki słabości. Patrzyła na swój płaszcz wiszący na kołku za plecami Henryka. Widziała, jak roztapia się czysty śnieg, jak płynie wolną strużką wzdłuż fałd płaszcza i skapuje brudną kroplą na podłogę.

— Ludziom zdarza się mylnie nazywać uczucia — jeszcze próbowała okiełznać sytuację.

— Młodym ludziom? Owszem. — Henryk niczego nie chciał jej ułatwić. Był zdeterminowany i zrozumiała, że on nie chce się cofnąć. — Ale ja już nie jestem młodzianem, Rikisso, i nie traktuj mnie tak. Jesteśmy niemal w jednym wieku.

— Jesteś moim zięciem — powiedziała, jakby to jeszcze mogło coś zmienić.

— I nie spędziłem z twoją córką ani pół nocy — odpowiedział jej na jednym wydechu. — Nie pocałowałem jej nigdy, jak mąż całuje żonę.

Był blady. Drgały mu skrzydełka nozdrzy. Była z nim sama, na dole tylko jego zbrojni. Nie bała się ani przez chwilę.

— Jest mi przykro, że tak potoczyło się między tobą a Anežką — powiedziała chłodno. — Ale nie możesz obdarzać mnie uczuciem, które jesteś winien żonie.

Zrobił gwałtowny krok w przód.

— Wciąż nie rozumiesz, że czuję to od lat, od pierwszego spotkania? Byłaś dla mnie czuła, uprzejma, miła. Jak mogłaś tego nie widzieć?

— Chcesz powiedzieć, że małżeństwo z Anežką było tylko pretekstem? — z trudem złapała oddech.

— Ty jesteś nieosiągalna! *Bis regina* może poślubić tylko króla! I jeszcze Lipski...

— Przestań! — zażądała. — To, co czujesz, jest niestosowne, niedozwolone i nieprawdziwe.

Pochylił się nad nią niespodziewanie i mocno złapał ją za łokcie.

— Niestosowne, tak. Niedozwolone? Owszem. Ale nie mów mi, że nieprawdziwe! — powiedział jej prosto w twarz.

Nigdy nie chciałam zranić niczyjej miłości — pomyślała, patrząc na Henryka zimno i z rozmysłem obojętnie. Nie był jej obojętny. Jeszcze przed chwilą lubiła go. Ale od teraz to niemożliwe.

— Puść mnie i cofnij się — zażądała.

Zrobił to. Objęła się ramionami, przesunęła dłońmi po łokciach, jakby chciała zmazać jego dotyk.

— Jutro pojedziemy do Pragi. I niezależnie od tego, co się wydarzy, nigdy więcej nie wrócimy do tej rozmowy, Henryku.

— Nie zabiorę Anežki do domu — odpowiedział.

— Zostanie ze mną. Tak będzie najlepiej. Możemy rozwiązać wasze małżeństwo. Znajdziesz inną żonę.

— Nie będę szukał.

— Rób, co chcesz. To twoje życie.

— Jeśli nie dasz mi żadnej szansy...

— Nie dam.

— Nie chcę takiego życia.

— Wyjdź — zażądała.

Nie zamykała drzwi od wewnątrz, wiedziała, że ze strony Jaworskiego nic już jej nie grozi. Wypiła wino, które zdążyło wystygnąć. W sukni i butach skuliła się na łożu. Objęła kolana ramionami. Czuła tylko zimno, nic więcej. Zimno, którym złamała Jaworskiego. Żal, że to spotkało Anežkę. Ulgę, że jej uległa i nie wysłała wcześniej do męża. I lęk, paraliżujący lęk o jej umiłowanego.

Złapała sztywny koc i zwinęła, przyciągając do siebie.

To miejsce jest zajęte — pomyślała, przytulając się do szorstkiej wełny. — Odejdź, książę Jaworski. Nie mam na ciebie siły.

HENRYK Z LIPY wstał z łoża, jakby nigdy nic mu nie było. Wystarczyło, że Rikissa przyjechała do Pragi, weszła w progi rezydencji złotnika Konrada, w której mieszkał, podbiegła do łoża, chwyciła go za ręce i poczuł, że zdrowie wróciło.

— Nic mi nie jest — powiedział zmieszany.

— Lipski! — zamknęła go w ramionach i przytuliła z całych sił. — Lipski...

Złapał w nozdrza jej różaną woń, przez mokry płaszcz, przez suknię i od razu poczuł się śmierdzący i brudny.

— Lipski — szeptała, jakby to jedno słowo znaczyło wszystko.

— Rikisso — odpowiadał jej zduszonym głosem. — Rikisso...

Gdy oderwali się od siebie, potarł dłonią policzek. Psiakrew, szorstki. Nie goliłem się tyle dni, pewnie wyglądam jak stary cap — pomyślał. Przeprosił ją, zaklął na sługę i poszedł się doprowadzić do porządku. Gdy wrócił ogolony, ubrany i czysty, w komnacie łoże było zaścielone, a na stole pod oknem parowała gorąca polewka.

— Marketę przywiozłaś? — spytał i poczuł się głodny, po raz pierwszy od dwóch tygodni.

— Dojedzie jutro, razem z Trinką — uśmiechnęła się.

— Boże, ale ty jesteś piękna — wyrwało mu się.

— Zeszczuplałeś — powiedziała, obejmując go w pasie. — Co ci było?

— Nic — wzruszył ramionami — zwykłe przeziębienie...

— A naprawdę?

— Kto ci powiedział? — skrzywił się, siadając do stołu.

— Jaworski.

— Skąd widział?

— Nawet nie wiesz, że był w Pradze, rozmawiał z twoim synem, albo z Rosenem, nie pamiętam.

— Przyjechał z tobą?

— Tak — uśmiechnęła się, siadając naprzeciw niego.

— To gdzie jest? Dlaczego nie przyszedł?

— Jedz — pokręciła głową. — Bo wystygnie.

Był głodny, choć jeszcze rano myślał, że umiera. Wystarczyło, że przyjechała — pomyślał, patrząc na nią z wdzięcznością. Czuł się teraz głupio, jakby jego dwutygodniowa choroba była zmyśleniem. Niewiele z niej pamiętał, tracił przytomność, chyba większość czasu spał. Ale teraz? Nic a nic mu nie jest.

— Lubię patrzeć, jak jesz — powiedziała.

— A ja nie lubię, jak ty nie jesz. Weź chociaż łyżkę, nie jest zła, nawet jeśli to nie dzieło Markety.

Chwyciła łyżkę i nabrała polewki z jego miski.

— Dobra — pochwaliła i wzięła jeszcze.

— To co z Jaworskim? Wydobył dyspensę? Anežka gotowa pojechać z mężem? — zasypywał ją pytaniami.

— Zostanie ze mną — powiedziała i wzięła kawałek chleba, mały jak dla ptaszka.

— Rikisso — odłożył łyżkę i otarł usta. — Ona musi dorosnąć. Jaworski to skarb, jak dziewczyna będzie mu ciągle odmawiać, może się zbuntować.

— Rozmawiałam z nim, nie martw się.

— I co? Zgodził się być mężem bez żony? — Lipski chwycił za wino.

— Właśnie tak — uśmiechnęła się do niego Rikissa. — Nie chce rozwodu, pasuje mu bycie powinowatym Przemyślidów.

— Komu by nie pasowało — mruknął. — Dobre to wino.

— Z piwnic Konrada. Jest nieoceniony.

— Wrócił do Chebu, odkąd Luksemburczyk dostał go od Bawarczyka. Ale czekaj...

— Nigdzie się bez ciebie nie wybieram — uśmiechnęła się do niego samymi oczami.

— Ja bez ciebie też. Jesteś uzdrowicielką. Wybawicielką. Jesteś...

— Twoja, Lipski. Tym jestem.

Czuł płynącą od niej czystym strumieniem miłość. Zapatrzył się na nią. Był głupcem, tyle czasu spędzając bez niej, myśląc, że Czechy bez niego upadną. Bzdura skończona. Czechy chętnie obyłyby się bez niego. Gdy przyjechał do Pragi, gdy zaczął załatwiać swoje sprawy, nagle, niemal z dnia na dzień zrozumiał, że jest sam. Luksemburczyk jeździ po Europie, obsikuje kolejne dwory, znacząc teren niczym młody kocur. Kto wie, co mu się śni? Może marzy, że będzie cesarzem, jak ojciec? Takie życie kosztuje krocie, Jan czerpie z Czech jak z otwartej szkatuły, a on, Lipski, musi się martwić, by król nie puścił z torbami królestwa. I jest z tym kłopotem sam. Wszyscy jego przyjaciele umarli albo postarzeli się i przekazali sprawy synom i wnukom. Peter z Rożemberka, jedyny z czeskich baronów, z którego wpływami Lipski mógłby albo i nawet musiał się liczyć, wyjechał z kraju na wezwanie króla. Nagle, podczas zebrania rady koronnej, Henryk z Lipy poczuł, że nie należy już do tego świata. Wokół byli sami młodzi. Jeszcze niedawno powiedziałby „źrebięta", „chłystki" albo i gorzej. Jak ci z dawnej „Drużyny Lodu", teraz piastujący urzędy z nadania króla Jana, albo po ojcach. Patrzył na nich i nie wierzył. Nie miał z kim rozmawiać, jego pokolenie odeszło przedwcześnie. Zaczął się z nimi barować, już nie pamięta, o jaką sprawę, podatki? Potem poczuł się źle, wyszedł z sali obrad i padł na dziedzińcu. Obudził się w łożu, gdy medyk wezwany przez Juniora puszczał mu krew.

— A ja twój, Rikisso — odpowiedział. — Naprawdę twój. Wrócimy do Brna, mam gdzieś Pragę i dwór królewski bez króla…

— Nareszcie — powiedziała i chyba zobaczył w jej oku łzę. — Pomożesz mi przy budowie klasztoru.

— Co każesz — odrzekł i był pewien, że tak właśnie zrobi.

— Daj mi wina — poprosiła.

Nalał jej chętnie. Podał kielich.

— Zatem Anežka zostaje — porządkował myśli. — Ale co z księstwem? Jaworski potrzebuje dziedzica.

— Naprawdę chcesz się tym przejmować? — spytała.

— Trochę tak. To nasze północne granice.

— Już nie — zaprzeczyła zgodnie z prawdą. — Teraz to granice Czech, zamieniłeś się z królem ziemiami.

— Niech ci będzie — niełatwo rezygnował. — A nie mogliby chociaż spróbować?

— Pójść do łóżka, by księstwo jaworskie miało dziedzica? Podniecająca perspektywa — powiedziała to z taką kpiną, że sam parsknął śmiechem.

— Rikisso, nasze dzieci nie mają takiego szczęścia jak my.

— Henryk Junior może się nie zgodzić. On i jego Agnieszka wydają się zgodną parą. — Czubkiem palca porządkowała okruchy chleba na stole.

— Uhm — spojrzał na nią i ziewnął.

— Naprawdę? — umiała unieść jedną brew w górę. Zawsze go to podniecało.

— Agnieszka z Blankenheimu jest zbyt dobrze wychowana, by się poskarżyć — powiedział. — Ale byłem u nich tydzień i wierz mi, nie widziałem ani jednego całusa. On się na nią nie patrzy, gdy ona nie widzi, ona nie szuka pod stołem jego dłoni, w tym piecu wygasło, chociaż dzieci się rodzą — kiwnął głową smutno.

Wstała i wyszła zza stołu. Dopiero teraz zauważył, że wciąż ma na sobie suknię podróżną, u dołu ubrudzoną błotem. Wzruszyło go, że tak się do niego spieszyła, aż poczuł, jak gorąco wypełnia mu piersi. Podeszła do niego i położyła mu dłonie na ramionach.

— Szkoda mi naszych dzieci, Lipski — powiedziała. — Żałuję, że nie mają takiej miłości jak my.

— Ja też — odpowiedział — ale wybacz, może nazwiesz mnie podłym, albo tym małostkowym, albo mów, co chcesz. Nie oddałbym żadnemu z dzieci tej miłości, jaką do ciebie czuję. Wiem, jestem zachłanny, zaborczy...

— Jesteś Lipski — odpowiedziała mu, pochylając się i całując go w usta.

ZYGHARD VON SCHWARZBURG po nieudanych rokowaniach z królem Władysławem nie mógł udać się do komandorii joannitów nad Wartą, choć z Brześcia nie było daleko, bo miał przy sobie dwóch aniołów stróżów — Anhalta i Ruve. Stawił się więc w Malborku, zdał mistrzowi sprawozdanie, wysłuchał utyskiwań Wernera von Orseln i złowił pochwalne spojrzenie Henryka Wildenburga. Wilk był syty, owca cała, a Zyghardowi dali spokój, choć nakazali, by nie opuszczał granic państwa zakonnego.

Pojechał zobaczyć Guntherusa w Pokrzywnie. Komturia bratanka była tak blisko Grudziądza, głupio mu się zrobiło, że nigdy go nie odwiedził. Zabrał ze sobą tylko Klugera, bo po Brześciu czuł przesyt ciągłą obecnością ludzi. Zima była słaba, śnieg ledwo przyprószył ziemię, jechało się wygodnie.

— Byłeś tu kiedyś? — spytał Klugera, gdy zjechali z głównego traktu i wjechali na wąską, leśną drogę.

— Po co? — wzruszył ramionami półbrat. — Póki tobie służę, nikt mnie nie ześle na takie zadupie.

— Pokrzywno było jedną z pierwszych komturii — odpowiedział mu Zyghard. — Postawili tu zamek ponad sto lat temu. Nie, chyba najpierw jakąś drewnianą budę, a zamek pobudowano z czasem. Żywy dowód, że Zakon w Prusach zaczynał od niczego.

— Twój bratanek zrobił coś bardzo złego, że kazali mu tu służyć? — spytał Kluger.

— Zamknij się — powiedział niechętnie Zyghard. I tak z chwili na chwilę narastało w nim poczucie winy, że nie kiwnął palcem, by pomóc Guntherusowi, odkąd ten wstąpił do Zakonu. Las z początku był rzadki, głównie sosnowy, ale ni stąd, ni zowąd zagęścił się. Robił ponure wrażenie starego, opuszczonego boru. Z drogi widać było powalone drzewa w głębi, skłębione, połamane korony drzew.

— Słyszysz? — spytał Klugera.

— Nic nie słyszę — zaprzeczył półbrat.

— No właśnie — powiedział Zyghard. — Głucha cisza. Dziwne.

Jechali dalej i Schwarzburg robił się coraz bardziej czujny. Nie umiał nazwać lęku, ale coś go niepokoiło. Co zrobiłby Kuno? — pomyślał i odpowiedział sobie. — Wjechałby w las sprawdzić, o co tu chodzi.

— Zjedźmy z traktu — zażądał.

Kluger skrzywił się, ale wykonał rozkaz przełożonego. Koń Zygharda parsknął i rzucił łbem, trzeba było go zmusić do jazdy w głąb lasu. Ujechali tyle, że droga zniknęła im z oczu, i wtedy usłyszeli odległy krzyk. „Derwan, Derwan!" A potem kilka gwizdów, które nie były ptasie. Zyghard wstrzymał konia. Kluger uniósł ramię i bez słowa wskazał daleko przed siebie. Schwarzburg nie był pewien, co widzi, coś migało między drzewami, jak odbity słoneczny promień, a dzień przecież był pochmurny.

— Co to jest? — szeptem spytał Klugera. — Ty wzrok masz lepszy.

— Biegnący ludzie — odpowiedział półbrat. — Ale nie biegną na nas, tylko jakby wzdłuż drogi.

Trwało to długą chwilę i z czasem można było usłyszeć równe kroki biegnących. „Derwan" — Zyghard gdzieś to słyszał, coś kojarzył. To imię — dotarło do niego, gdy biegnący zniknęli. — Kuno wymieniał je wśród tych, które słyszał w nadrzewnej warowni Dzikich. Ale to było za Dzierzgoniem, kawał drogi stąd.

Odczekali, w lesie ucichły odgłosy biegnących, nie było ich widać od dłuższej chwili. Kluger nie protestował, gdy Zyghard powiedział, że zsiadają z koni i idą zobaczyć.

— Tylko pośpieszmy się — powiedział. — Zmrok zapada szybko.

Ruszyli pieszo; musieli przedzierać się przez zwalone drzewa. Część z nich pewnie złamała się już kiedyś, w czasie jakiejś burzy, ale niektóre, między nimi, były powalone niedawno. Przy kilku zobaczyli wyraźne ślady ostrza siekiery.

— Ktoś celowo je wyrąbał i powalił — mruknął Zyghard.

— Jakby chcieli zrobić zasieki. — Kluger wskazał, że nowe drzewa uzupełniają luki w starych.

— A z daleka wygląda to na dzieło natury — stwierdził Zyghard.

Gdy przedarli się przez powalone drzewa i przeszli kilkadziesiąt kroków dalej, ich oczom ukazała się olbrzymia leśna polana.

W przeciwieństwie do lekko ośnieżonego lasu, całkowicie wydeptana. Ślady stóp widoczne były na obrzeżach, centrum polany było zadeptane.

Kluger złapał Zygharda za łokieć i przytrzymał boleśnie.

— Wilcze doły, komturze — pokazał na ziemię.

— Chryste — jęknął Zyghard.

Najpierw zobaczyli jeden, ten, do którego omal nie wpadł. Przykryty gałęziami sosny. Potem drugi, trzeci, czwarty, piąty. Cała polana otoczona była przez wykopy. Kluger kucnął, odchylił gałęzie. Dół miał głębokość wysokiego mężczyzny, w jego dno wbity był zaostrzony pal.

— Lepiej stąd chodźmy — powiedział Kluger i Zyghard przyznał mu rację.

Przedarli się przez zasieki powalonych drzew i dotarli do swoich koni. Dopiero gdy wyjechali z powrotem na drogę, odetchnął. Popędzili konie.

— Nie mam pojęcia, co widzieliśmy — powiedział Kluger. — Ale jedno wiem: tam nie szkoli się zakonnych braci.

Zyghard von Schwarzburg nie odpowiedział. Do Pokrzywna dojechali równo ze zmierzchem. Mały, nieregularny zameczek na wzgórzu, ze światłem bijącym z wieży bramnej, wydał mu się najgościnniejszym miejscem na świecie, choć nieufnie zlustrował pierwszą, suchą fosę i drugą, naturalną, ze strumieniem opływającym zamkowe mury. Krata bramna wydała mu się solidna, odetchnął.

— Stryj Zyghard? — powitał go Guntherus. — Słodki Boże, co za niespodzianka! Proszę, proszę, dawajcie konie. Albert! Albert! Zajmij się końmi szlachetnych gości! Witajcie na Górze Aniołów!

— Co? — jednocześnie spytali Zyghard i Kluger.

— A, nasze Pokrzywno tak właśnie zostało nazwane przez pierwszych braci rycerzy! Engelsburg! No, może nie wygląda imponująco, ale to jedna z tych twierdz, od których nasi poprzednicy zaczynali zbożne dzieło chrystianizacji Prus...

Guntherus zagadywał zaskoczenie, jakie mu sprawili. Zyghard nie odzywał się, póki byli wśród współbraci i podwładnych bratanka.

— Utykasz? — zauważył tylko.

— Wieczorami — lekceważąco powiedział Guntherus — jak się noga zmęczy. Ale bólu nie czuję, obiecałeś, stryju, że wyjdę z tego, i wyszedłem.

— Pozbądź się ich — szepnął Zyghard, wzrokiem wskazując na trzech braci.

Zaskoczony Guntherus nie umiał ich wyprosić, rozejrzał się nieporadnie i powiedział:

— Chciałbym ci pokazać, stryju, naszą kaplicę na piętrze. Jest pod wezwaniem świętej Elżbiety...

— Chodźmy — skinął głową Zyghard i pomyślał, że jego bratanek musi się nauczyć wydawać rozkazy.

Gdy wreszcie zostali sami, Guntherus spojrzał na niego pytająco. Zyghard najpierw cofnął się do drzwi kaplicy. Otworzył je nagle i wyjrzał na zewnątrz. Było pusto. Domknął starannie drzwi. Rozejrzał się po pomieszczeniu.

— Można podsłuchiwać? — spytał Guntherusa.

— Podsłuchiwać? — młodzian był zaskoczony. — Chyba nie... Zresztą, kto miałby i po co?

— Jesteś tak naiwny, że nic dziwnego, iż wlepili ci to piekielne Pokrzywno — syknął Zyghard. — Kto ci przydzielił tę komturię? Przypomnij sobie?

— Henryk von Plötzkau.

— Dobrze, więc być może to nie było specjalnie — uspokoił się nieco Zyghard. — Plötzkau był prostakiem, ale nie knuł.

— O czym ty mówisz, stryju? — zaniepokoił się Guntherus.

— Jak ci się tu wiedzie? — nie odpowiedział Zyghard. — Masz jakieś kłopoty z okoliczną ludnością?

— Nie — rozpromienił się jego bratanek. — Żadnych. Szczerze mówiąc, dlatego, że właściwie nie utrzymujemy kontaktów. Ja im w drogę nie wchodzę, oni mnie również...

— Byłeś kiedyś w tym starym borze wzdłuż drogi?

— Przejeżdżam tamtędy od czasu do czasu...

— Czy zboczyłeś kiedykolwiek z drogi — wolno i wyraźnie powiedział Zyghard — i wszedłeś w ten las?

— Nie, po co miałbym to robić? Grzyby i jagody dostajemy ze wsi służebnych...

— Co, poza swoim zamkiem, widziałeś na terenie powierzonej ci komturii? — wciąż jeszcze panował nad sobą Zyghard.

— Nic — cicho odpowiedział Guntherus.

— Chryste Panie! — jęknął Schwarzburg. — Żyjesz z gniazdem Dzikich pod bokiem i pojęcia o tym nie masz! *Mein Gott!*

Zyghard złapał się za głowę. Jego bratanek był bezbrzeżnie naiwny.

— Jeśli zgłosimy to w Malborku, by dostać zbrojnych na wyprawę przeciw nim, twoja głowa poleci pierwsza. Jako komtura odpowiedzialnego za powierzony teren. Musimy więc cię wydobyć stąd bez podawania prawdziwej przyczyny. Pogadam z Lutherem…

— Ja też mogę z nim pomówić, lubimy się — powiedział Guntherus, do którego wciąż nie dotarła powaga sytuacji.

— Ty nic nie rób — gwałtownie zaprzeczył Zyghard. — Siedź na dupie, zwiększ straże na murach i bądź czujny.

— Ale…

— Nic nie rozumiesz? Od dłuższego czasu na ziemiach zakonnych mamy Dzikich. Tak, dzieciaku, Dzikich. Odtrąbiliśmy sukces od papieża do cesarza: Prusy ochrzczone, czas na Litwę. A oni wyrośli nam pod bokiem, jak zielsko, niezauważalni. Zaczęło się od Starca z jedną ręką, którego złowiliśmy z Kunonem i którego nam wykradziono. A potem Kuno ich wytropił pod Dzierzgoniem, ale gdy zgłaszaliśmy problem w Malborku, nikt nie chciał o tym słyszeć. Śmiali się z nas. Jak to? Dzicy w państwie zakonnym? Ha, ha, ha. Nikt się do tego nie przyzna, bo to byłby blamaż wielkiego Zakonu. Ale oni nie zniknęli tylko dlatego, że w Malborku w nich nie wierzą. Przeciwnie, to, co zobaczyłem z Klugerem w twoim lesie, wskazuje, że rosną w siłę. Przeciw komu? Zgadnij.

— O Jezu! — Guntherus usiadł na ławie. — A tyle się mówi o „naszych Prusach". Ochrzczeni, wierni, zawsze można na nich polegać.

— Nie mówię, że takich nie ma — powiedział Zyghard. — Ale ktoś to powinien w końcu zbadać.

— A Symonius? — przypomniał bratanek.

— Moja porażka — przyznał Zyghard. — Oczyścili go z zarzutów, czytałem akta. Mimo to coś z nim nie gra, ja w każdym razie nie ufam mu ani trochę.

— Myślisz, że Symonius może prowadzić podwójne życie? Wydawać się najlepszym sługą Zakonu, wodzem Roty Wolnych Prusów, żywym przykładem skuteczności naszych braci, a jednocześnie w głębi duszy być poganinem? Czcicielem plugawych bożków?

Zyghard spojrzał na Guntherusa z wdzięcznością. Tak, bratanek, którego miał za naiwnego głupca, dokładnie nazwał to, co układało mu się w głowie od dawna.

— Jeśli jest, jak mówisz — powiedział do niego po chwili — to Symonius byłby lepszym graczem niż cała wielka piątka w Malborku.

SYMONIUS był zły, że sam musiał jechać na Litwę. Miał pilniejsze sprawy, bardziej osobiste. Na przykład Zygharda von Schwarzburg, który zaczął węszyć i, o czym dopiero teraz doniesiono Symoniusowi, był nawet u joannitów, w komandorii nad Wartą. Trzeba było coś zrobić ze wścibskim komturem, choć Luther nie pozwalał go tknąć. Zamiast tego kazał mu jechać na Litwę, mówiąc: „Twój człowiek zawiódł, napraw, co się da". Nie było wyboru, skrzyknął Rotę i ruszyli. W umówionym miejscu czekał na niego tylko Ostryż.

— Gdzie Rdest? — spytał Symonius.

— Przy kniaziu, w Wilnie. Do Giedymina przybyło poselstwo Ozbeg chana.

— Po co mu Rdest?

— Trzyma go przy sobie. Zrobił się nieufny — odpowiedział Ostryż.

Symonius wzruszył ramionami. Giedymin zawsze taki był, żadna nowość. Nad Wilią, jeszcze zanim wjechali do miasta, zobaczyli mongolskich posłów. Wyjeżdżali z Wilna w eskorcie straży litewskiej, która kazała Rocie ustąpić z drogi. Stanęli wśród gęstniejącego tłumu ciekawskich i patrzyli.

Przodem jechały dwie dziesiątki zwykłych, szarych jeźdźców, ubranych w proste, przeszywane wojłokowe kubraki i takież portki. Spod futrzanych czap z długimi nausznikami wyglądały wąskie, skośne oczy.

— Mówią na nich „cicha śmierć" — szepnął Ostryż, wskazując na mongolską jazdę. — Mają rozkaz walki w całkowitym milczeniu.

Symonius przyjrzał się ich małym, okrągłym tarczom, łukom i zakrzywionym ostrzom szabli. Łuskowym pancerzom narzuconym na kubraki. Cisza, w jakiej jechali szarzy jeźdźcy, miała w sobie coś upiornego. Nawet ich konie nie parskały, stawiając kopyta uważnie, równo, karnie. Jeźdźcy nie rozglądali się na boki, jakby po obu stronach drogi nikogo nie było. Tłum, w którym stał Symonius i jego ludzie, także zamilkł, w niemym przerażeniu wpatrując się w obcych. Za szarymi jeźdźcami, na takich samych, niedużych koniach jechali posłowie. Ci byli ich przeciwieństwem. Mieli bogato zdobione siodła z wysokimi ozdobnymi łękami. Ustrojeni w podbijane futrem płaszcze barwy szafranowej, zielonej, niebieskiej, czerwonej i małe, okrągłe także kolorowe czapki. Ich stroje krzyczały kolorami, bogactwem, zbytkiem, ale tak jak szarzy jeźdźcy, posłowie jechali w grobowym milczeniu. Skośne oczy patrzyły przed siebie niewidzącym wzrokiem, co robiło straszne wrażenie. Za posłami toczyły się trzy wozy, na każdym z nich długa okuta skrzynia, z dwuspadzistym wiekiem, jak dachem.

Może wiozą w nich dary od kniazia, może nic nie wiozą, nikt się tego nie dowie — pomyślał Symonius.

— W tym mogliby i trupa wywieźć — szepnął mu na ucho Ostryż.

Za wozami jechało jeszcze dziesięciu szarych jeźdźców i tylna straż Giedymina.

— Droga wolna! — krzyknął ktoś, gdy wreszcie przejechali.

Milczący dotąd tłum ożył setką głosów, wśród których najgłośniejsze były westchnienia ulgi.

Ostryż ruszył przodem, prowadząc. Symonius z Rotą pojechali za nim. Drewniany gród Giedymina pachniał świeżością. Główne domostwo, siedziba księcia, było rozległe, piętrowe. Domy dla służby już zdążyły ściemnieć, widać stawiano je wcześniej. Stajnie mogły pomieścić i pięćdziesiąt koni. Czuć było rozmach kniazia przy budowie nowej siedziby.

— Przeniesie się tutaj z Trok? — spytał Symonius, gdy oddali konie.

— Nikt nic nie wie, nikomu nic mówi — odpowiedział Ostryż.

— Jak przejeżdżaliśmy, widziałem dwa kościoły — powiedział Symonius. — Dwa lata temu nie było ich w Wilnie.

— Nowe — potwierdził Ostryż. — Pozwolił budować, mówi, że dla kupców i chrześcijańskich brańców. Ponoć polskich najwięcej, Mazowszan liczą w tysiące.

— Dziwne, że się jeńcami przejmuje — powiedział Symonius.

— Zaludnia nimi pustkowia, które podbił — rzucił Ostryż. — Ludność ruska uciekała przed Litwinami, ile się dało. Na co mu ziemia, bez chłopa, kto ją będzie uprawiał?

W tłumie kręcącym się na dziedzińcu dostrzegli Rdesta, podszedł i przywitał się oszczędnie.

— Tu ściany mają oczy i uszy — szepnął. — Bądźcie uważni, nawet gdy wokół sami swoi. Kniaź wściekły po spotkaniu z posłami Złotej Ordy, chociaż nie wiem, co poszło nie tak. — A głośno dodał: — Dzisiaj wielki kniaź wyprawia ucztę. Powiem, żeście przyjechali, może zaprosi!

Zaprosił. Nie usadził Symoniusa wysoko, ale i nie dał mu miejsca na końcu stołu. Przy samym Giedyminie siedział wojewoda grodzieński, Dawid, po drugiej stronie Biksza, małomówny bojar, z którym Symonius nigdy nie zamienił słowa, i Margoł, za którego pośrednictwem kontaktował się z wielkim księciem. Z daleka pozdrowił Symoniusa, co było dobrym znakiem, że nie wszystko stracone. Dutze i Wasilik siedzieli jako kolejni, a Ligejko krążył między gośćmi. Od Rdesta wiedział, że to oczy i uszy wielkiego księcia i że ludzie Ligejki obserwują wszystkich, choć sami pozostają niewidoczni. Uczta była hałaśliwa, Giedymin co jakiś czas wzywał do siebie któregoś z gości, rozmawiał chwilę i odsyłał. Symonius dostrzegł Manste, bojara, z którym Rdest spiskował. Siedział chmurny i sztywny, wpatrując się w dziewczęta roznoszące wino.

— To jego córki — szepnął Rdest, udając, że prosi o podanie chleba. — Kniaź porwał je na dwór.

Gingejke, drugiego ze spiskowców, Symonius nie mógł odnaleźć między gośćmi. Wtedy pomyślał, że nie jest dobrze, i w tej samej chwili niewielkie drzwi za plecami kniazia uchyliły się i wyszedł z nich klecha. Łysy, o żółtawej, niezdrowej twarzy i oczach przysłoniętych do połowy powiekami. Podszedł do księcia od tyłu, szepnął mu do ucha, Giedymin odpowiedział, ten skinął głową i wycofał się.

Cieszy się najwyższym zaufaniem kniazia — skonstatował Symonius. — Nikt ze straży nawet nie drgnął, gdy ten staruch pojawił się za plecami ich pana.

— ...musiał odmówić Tatarom.

— Nie może na dwóch koniach jeździć...

Symonius złapał rozmowę siedzących bliżej bojarów, bo muzyka umilkła na chwilę.

— Moje córki! — zaklaskał w dłonie Giedymin i na środek wbiegły cztery dziewczęta. Dziewczynki właściwie, dwie młodsze nie miały dziesięciu lat, najstarsza może trzynaście, zawirowały w tańcu z wstążkami; Symonius patrzył na nie nieuważnie, był zły, bo muzyka zagłuszyła rozmowę, która go interesowała znacznie bardziej od córek kniazia. W jednej chwili zrozumiał, że niesłusznie, gdy odezwał się Rdest:

— Na każdej większej uczcie każe im tańczyć.

Chce pokazać, że dorastają i że są dla niego wiele warte — pomyślał Symonius.

Gdy skończyły, wojewoda Dawid zerwał się z miejsca i podarował każdej z nich błyskotkę; dziewczęta podziękowały grzecznie i wybiegły tanecznym truchtem. Dawid usiadł z powrotem, z rękawa wyciągnął chusteczkę i przystawił do ust. W blasku świec zamigotały drogocenne oczka pierścieni na palcach wojewody.

Ligejko wyrósł przy Symoniusie cicho jak leśny kot.

— Kniaź chce z tobą pomówić, Prusie — powiedział i dał do zrozumienia, że tylko z nim, nie z Rdestem.

Symonius podszedł do Giedymina i pokłonił się nisko.

— Mówią, że żelaźni bracia chcieli rokować z polskim królem — zagadnął Margoł.

— Tak było — odpowiedział Symonius.

— Co uzyskali? — spytał Biksza.

— Nic. Król zerwał rozmowy.

Biksza i Giedymin wymienili się spojrzeniami, co nie uszło uwadze Symoniusa.

— Linas, wina — powiedział wielki kniaź.

Chłopiec za jego plecami spróbował trunku, nim podał swemu panu. Giedymin nie pił od razu, trzymał kielich w ręku.

— A co nowego mówią o mnie w Malborku? — odezwał się wreszcie do niego sam książę.

Symonius wiedział, że to pytanie padnie i że od odpowiedzi wiele zależy. I że to najtrudniejsza część jego misji. Uniósł wzrok i zobaczył, że kniaź wpatruje się w niego jak wąż w upatrzoną ofiarę.

— Liczą, że podzielisz los Mendoga — odpowiedział. — Że ochrzcisz się, koronujesz i zostaniesz zamordowany.

Oczy Giedymina zwęziły się w szparki. Przy stole książęcym zapanowała cisza. Przerwał ją wojewoda Dawid.

— Zabić go? — spytał, jakby to nie było nic więcej, niż rzucić pustym kielichem po skończonej uczcie.

Giedymin puścił mimo uszu pytanie, upił łyk wina.

— A ty, Prusie? Co ty myślisz? — odezwał się.

— Że jesteś zbyt wielki, kniaziu, by się chrzcić — odpowiedział Symonius.

Giedymin obrócił dłoń z kielichem tak, że pokazał drugą jego stronę. Był na niej krzyż z rubinem pośrodku.

— Widzisz, Prusie? Piję czerwone wino z mszalnego kielicha. I zagryzam białym chlebem. A może ja już ochrzczony?

Symonius skamieniał na chwilę. Wyparowały z niego wszelkie myśli, wszystkie możliwe odpowiedzi. Stał i wpatrywał się w Giedymina. I wtedy wojewoda grodzieński wybuchnął gromkim śmiechem. Uderzył pięścią w stół, aż zastawa podskoczyła.

— A to dobre! — ryknął. — A to najlepsze! U mojego kniazia dziś chrzciny, a jutro wesele!

Usta Giedymina rozciągnęły się w kpiącym uśmiechu. Dopił wino, przechylił kielich do góry dnem, aż ostatnie krople spłynęły na stół. A potem, wciąż patrząc Symoniusowi w oczy, przysunął go do ust i polizał rubin w środku krzyża. Margoł zaśmiał się, dołączył się Biksza, choć żaden z nich nie był tak gwałtowny jak Dawid. Ten wyskoczył zza stołu na środek sali i zaczął wirować w tańcu. Szeroko rozłożył ramiona, jakby leciał.

Symonius odetchnął.

— Tak — wolno powiedział Giedymin. — Jestem zbyt wielki, by się ochrzcić. Dobrze rzekłeś, Prusie. Chcesz wina? Linas i dla ciebie spróbuje.

Symonius skinął głową.

— Straszą mnie losem Mendoga. Zabił go szwagier, smutna sprawa. Ja nie mam już żadnego szwagra i mam Linasa. Linas, wino!

Prus widział, że chłopiec wino dla niego nalał z innego dzbana niż dla kniazia, a gdy ten przed chwilą zawołał „wino", Linas spróbował tylko książęcego, a jemu podał kielich, z którego nie ulewał do próbowania. To mogło być dziełem pośpiechu, ale Symonius miał pewność, iż nie było. Wielki kniaź wystawiał go na próbę. Upił śmiało i pochwalił trunek.

Giedymin nie spuszczał go z oka. Nagle Symonius został pchnięty w plecy z taką siłą, że przewrócił się na stół księcia. Kielich wypadł mu z ręki. Poczuł, że ktoś podnosi go za barki, lekko, jakby był piórkiem.

— Wybacz! — Wojewoda Dawid otarł mu mokrą od wina twarz rękawem. — Zatańczyłem się! Niedźwiedź ze mnie, nie tancerz!

Oczy wojewody lśniły, lecz nie był pijany. Klepnął Symoniusa w policzek poufale. Drzwi za plecami kniazia otworzyły się i ponownie wyszedł z nich łysy klecha. Jego na wpół przymknięte oczy obrzuciły Symoniusa krótkim, uważnym spojrzeniem. Pochylił się do ucha Giedymina, coś szepnął. Symonius przez uchylone drzwi zobaczył nie jeden, a trzy pulpity jasno oświetlone blaskiem świec. Przy dwóch stali mnisi i pisali. Giedymin wstał.

— Pomówimy kiedy indziej, Prusie. Wina ci dadzą, za to, co wylał mój Dawid.

Symonius nie zdążył się nawet ukłonić, Giedymin odwrócił się, nie czekając. Objął ramieniem plecy klechy i poszedł z nim do pokoju skrybów. Symonius stał jak wmurowany. Spojrzał po bojarach za książęcym stołem. Napotkał zimny wzrok Margoła. Biksza nawet nie patrzył na niego. Symonius nie był już mile widzianym gościem. Ukłonił się Margołowi sztywno i odwrócił. Gdy szedł na swoje miejsce, zobaczył, że wojewoda Dawid rozmawia z dwiema córkami Manste, a bojar zniknął z uczty.

Cokolwiek się tutaj dzieje — pomyślał zimno — nie wpłynie to na naszą decyzję. My zrobimy swoje, nawet jeśli krąg nie zechce się domknąć.

IV

1325

JEMIOŁA przez całe Szczodre Gody, noc w noc, chadzała do Dębiny. Wyschnięte ciało dawnej Matki leżało w gnieździe, które jej uwiły. Poprzerastane mchem, gdzieniegdzie przeplecione gałęzią pnącza, która znalazła miejsce między skórą, kością a suchym ścięgnem. Twarz Dębiny zapadła się nieco, ale wciąż zachowało piękno, którym obdarzała świat za życia. Jej siwe włosy zamarzły i teraz, zimą, wyglądały jak lodowy, misternie haftowany czepiec. Mimo tego, iż odeszła już dawno, a jej ciało powoli zespalało się z naturą, Jemioła wciąż potrafiła usłyszeć myśli Matki, jakby opiekuńczy duch Dębiny wciąż był blisko i czuwał.

W mateczniku trwało radosne święto, drugi tydzień bez ustanku palono ogień, by przy jego blasku przetrwać najdłuższe noce roku i być razem, gdy jasność zwycięży nad ciemnością. Odwiedzały je siostry z dalszych zakątków. Przychodziły te, które mieszkały między ludźmi, nawet dziewczyny z miast, stęsknione matczynych błogosławieństw i siostrzanych śmiechów, spragnione zielonego, domowego miodu i przełamania chlebem. I szczodraków Miodunki, placków w kształcie zwierząt, które ta piekła rok w rok i jak nikt inny w mateczniku miała do nich rękę. Tarnina śmiała się, że niepotrzebnie ocieplały chaty na zimę, bo przy tej liczbie ludzi, którzy przewijali się w czasie Szczodrych Godów przez matecznik, w każdej z chałup wciąż było ciepło, jak pod pierzyną.

Jemioła miała serce miękkie od czułości, jaka ją wypełniała na widok tych wszystkich kobiet, mężczyzn i dzieci, którzy garnęli się do matecznika. W jej pierwsze święto, gdy została Matką, przyszło wielu, z ciekawości, ale widziała ich niepewne spojrzenia, słyszała szepty za plecami. Potem były lata chude, czas odchodzenia dziewczyn i w Szczodre Gody czuło się to, jak przejmujące zimno. Przy ognisku czasem stały tylko siostry z matecznika, nikt więcej. Zagryzała zęby, ściskała szczupłą, pomarszczoną dłoń Kaliny i mówiły do siebie, jak zaklęcie „dobro wróci".

Wróciło, Dębino — pomyślała ocierając łzę i usiadła przy Matce. Popatrzyła na jej przyprószone śniegiem włosy. — *Wyglądasz przepięknie. Jak śnieżna pani.* — Pocałowała czoło Dębiny.

Rozkwitasz, Jemioło — usłyszała po chwili. — *Przestałaś myśleć o zmarłym, zdjęłaś żałobę, która ciążyła ci na ramionach jak za duży płaszcz.*

Zdjęłam wdowi welon — zaśmiała się w myślach Jemioła i przywołała dla Dębiny obraz. — *Najpierw porwał go wiatr, a potem wpadł w wodę jak kamień.*

Miłość jest poza czasem — Dębina odpowiedziała jej od razu. — *Ale z czasem, zwłaszcza tym mierzonym dziesięcioleciami, potrafi się zmieniać. Za rok minie trzydzieści lat od śmierci Przemysła i dobrze, że w końcu uwolniłaś się od niego. Widzę go czasem...*

Powiesz więcej? — spytała Jemioła.

Z daleka i z inną — odpowiedziała Dębina. — *Ich miłość rozkwitła po śmierci. Na ziemi mieli dla siebie zbyt mało czasu. Płaczesz ze szczęścia...* — stwierdziła.

Jemioła nie otarła łez. Chłodne krople toczyły się jej po policzkach i wsiąkały w kaptur płaszcza.

Ze szczęścia — przyznała i upewniła się tylko — *widzisz go z Rikissą, tak?*

Tak. I z synkiem, którego księżna nie zdążyła urodzić tam, wśród żywych.

A ty, Dębino? — spytała Jemioła po chwili. — *Czy ty w wyraju spotkałaś Jakuba Świnkę?*

Matka milczała długo, naprawdę długo. Potem odpowiedziała cicho, niemal niesłyszalnie:

To skomplikowane, Jemioło. Wciąż dzieli nas dużo.

Ale i wiele łączy — żachnęła się.

Usłyszała odległy śmiech Matki.

Chciała zapytać o tyle rzeczy, chciała wiedzieć, ale pojęła, że jest wiedza niedostępna żyjącym i taka, którą zmarli nie mogą się dzielić. Ucałowała chłodne czoło Dębiny, wstała, otrzepała płaszcz z sypkiego, lekkiego śniegu i poszła do matecznika. Po drodze wyściskała strażniczki, pochwaliła, że czujne, i dała każdej po buziaku, obiecując miód po służbie.

Ognisko płonęło raźno, Grab i Wrzos wirowali w tańcu przy ogniu. Dzieciaki biegały wkoło i gałązkami przeganiały noc, przekrzykując się śpiewnie:

— Poranek przychodzi, nocka odchodzi!

— Słoneczko wstaje, ciepło rozdaje!

Kalina pierwsza dostrzegła jej powrót.

— Prezent na ciebie czeka! — powiedziała wesoło. — Przy ogniu!

Jemioła ruszyła szybko. Bawiący rozstępowali się, robiąc jej miejsce. Poznała ich od razu i serce zabiło jej szybko.

— Woran! Manna!

Już miała ich oboje w ramionach. Włosy brata pachniały żywicą, włosy Manny najsłodszym miodem. Policzki bratowej, doskonale okrągłe, były rumiane jak zimowe jabłka. Jej ciemne oczy lśniły, usta w barwie płatków maku, pełne i rozchylone.

— Nie sądziłam, że taka piękność może wypięknieć — ucałowała ją Jemioła i uścisnęła Worana. — Ty szczęściarzu! Długo kazaliście na siebie czekać — skarciła ich pieszczotliwie. — Mówiłeś, że pójdziecie do rodziców Manny tylko na weselicho, a tu trzy i pół roku minęło!

— Pojęcia nie masz, jak długie wesela są u Kaszubów — zaśmiał się Woran.

— Matula chorowała — powiedziała Manna — nie mogliśmy jej zostawić samej. W chałupie jeszcze trzech młodszych braci, ale nie ma to jak opieka córki.

— Już zdrowa? — Jemioła otoczyła bratową ramieniem. Manna miała w sobie ten czar, że będąc blisko, nie można się było powstrzymać od dotykania jej.

— Jak rydz! — zaśmiała się Manna aż po dołeczki w okrągłych policzkach. — No i wróciliśmy! Przyjmiesz nas?

— Nie wypuszczę — ucałowała dziewczynę Jemioła. — Ach…

Poczuła to w jednej chwili. Manna jest brzemienna. Czy ona wie o tym? Przyjrzała się bratowej. Jej ciemne oczy wydawały się nie znać własnej tajemnicy. Spojrzała na brata. On chyba też nieświadom.

Czego? — czujnie zapytał ją w myślach.

Zaśmiała się na głos. Będą mieli niespodziankę.

— Zjedliście coś? Borówka ma gorącą polewkę, idźcie do niej. I kaszę z miodem, i kapustę z grzybami…

— Ty chyba jesteś głodna? — podejrzliwie przyjrzał jej się brat bliźniak. — Dziwne, bo nigdy nie byłaś łakoma.

— Smaki się zmieniają — pocałowała Mannę w czoło.

— Ja chętnie — nabrała apetytu bratowa.

Jemioła wypuściła ją z ramion. Manna poszła do Borówki, a Woran chwycił siostrę pod ramię.

— Pogadajmy na boku — powiedział.

Odeszli od ognia. Posłonek podstawił im ławę z dala od gwaru. Usiedli.

— Manna opiekowała się matką — zaczął bez zbędnych wstępów — a ja rozglądałem po okolicy. Jarogniew zwerbował wielu młodych, Wrotycz ich wyszkolił, są gotowi do walki.

— A nasi do obrony — odpowiedziała mu. — Nie traciłam czasu.

— Rozumiem, ale odkryłem coś jeszcze. Ludzie Starców Siwobrodych utrzymują ożywione kontakty z Litwinami. Jest taki człowiek, Rdest. Z urodzenia Prus, z wychowania Żmudzin. Pracuje dla Starców i niemal nie wychodzi z otoczenia Giedymina. Jego towarzysz, Ostryż, wciąż jeździ między Litwą a Prusami.

— Nosi wiadomości — zrozumiała.

— Rota Wolnych Prusów, słyszałaś o nich.

— Owszem — potwierdziła. Budzili w niej najgorsze obawy.

— Rota i jej wódz, niejaki Symonius, w ostatnim czasie jeździli do Giedymina.

— Uważasz, że Starcy nawiązali przymierze z wielkim kniaziem? — spytała wprost.

— Tego nie wiem, ale znaki wskazują, że są blisko — poważnie odpowiedział Woran.

Zamyśliła się chwilę.

— Pomogliśmy Giedyminowi pojmać Henryka von Plötzkau w bitwie na jeziorze Biržulis — powiedział jej brat.

— Tak, Woranie. Czas przypomnieć wielkiemu kniaziowi, co obiecał nam wtedy. *Vyrsenio Kraujo dvyniai.* Bliźnięta Starszej Krwi pamiętają. Ruszymy, jak puszczą śniegi — uścisnęła jego dłoń. — Dobrze znów mieć cię blisko, bracie.

Wstała z ławy i pociągnęła go ku ognisku. Otoczyły ich siostry ciekawe nowin Worana. Zostawiła go w ich czułych objęciach, a sama poszła do Miodunki.

— Gdzie chowasz szczodraki? — spytała.

— Nie dostałaś?! — Miodunka aż pobladła. — Matko droga...

Wyciągnęła spod ławy kosz przykryty lnianym obrusem i postawiła przed Jemiołą.

— Wybieraj! O, ten niedźwiadek ładny, brzuszek mi wyszedł okrągły… albo ta kaczuszka, spójrz…

— Wszystkie piękne — pochwaliła Jemioła — ale ja szukam dwóch identycznych.

— Ja każde robię inne — żachnęła się Miodunka. — Ale czekaj, poszukamy podobnych. Dzieciaki mi poprzebierały… każde chce co innego… daj wilka, albo daj kózkę, wiesz, jak to maluchy… no nie ma dwóch takich samych…

— A te kaczuszki? Zobacz ta i tamta, podobne. — Jemioła zręcznie wydobyła drugą spod kilku innych.

— A widzisz! — Miodunka podniosła jedną i przystawiły do siebie. — Pasują.

— Mogę?

— Co zechcesz, Matko — pokraśniała zadowolona Miodunka.

Jemioła wzięła ciastka i poszła z nimi do Manny i Worana. Jej brat tylko chwilę wytrzymywał bez żony. Pokazała im szczodraki z daleka, trzymając tak, by nie widzieli całych. Manna wyciągnęła pulchną dłoń.

— Jednego już zjadłam — zaśmiała się wesoło — drugiego nie odmówię. Nie mam pojęcia, jak Miodunka to robi, ale smakują, jakby były od mojej matuli.

— Każdemu — uśmiechnął się Woran. — My z Jemiołą moglibyśmy przysiąc, że piekła je nasza babcia, prawda?

— To jej sekret — potwierdziła Jemioła. — Miodunka piecze ciastka, a każdy w nich odnajduje swoje dzieciństwo. Ale dzisiaj… — głos uwiązł jej w gardle niespodziewanie. Ułożyła kaczuszki na otwartych dłoniach i podała Woranowi i Mannie jednocześnie. — Dzisiaj… — i znów poczuła łzy duszące ją za gardło.

— Są takie same — zauważyła Manna. — Dwie kaczuszki.

— Jak bliźnięta, które nosisz w łonie — powiedziała Jemioła i już całkiem otwarcie popłakała się ze szczęścia.

HENRY DE MORTAIN nie pierwszy raz był w Awinionie, ale po raz pierwszy z misją dyplomatyczną u papieża. Przygotowali się do niej starannie; dwa tygodnie spędził z Baldwinem, arcybiskupem Trewiru, królem Janem i prawnikami. Choć znacznie bardziej interesował go świat natury i jego dziwy niż tajniki teologii, przeczytał całe *Defensor* *pacis*. Dzieło Marsyliusza z Padwy, profesora uniwersytetu paryskiego, jawnie wymierzone było w papieża i musiał poprosić teologów i znawców prawa kanonicznego o wyjaśnienie co trudniejszych terminów. Król Jan śmiał się z niego, mówił, że papież nie będzie go egzaminował, ale Henry nie znosił być nieprzygotowany. Skoro kurię awiniońską przygniata spór teologiczny z najwybitniejszymi umysłami epoki, de Mortain chciał rozumieć, o co naprawdę chodzi. „Władza, wpływy, pieniądze" — streszczał mu to Jan, gdy tylko się mijali, oczywiście nie zaglądając do *Defensor pacis*. Henry przeczytał, nie zważając na kpiny Luksemburczyka, i zastanowił się nad tym głęboko. Trudno uczonym odmówić racji. Co by było — puścił wodze wyobraźni — gdyby te tezy przedarły się do ludu? Do mieszczan, chłopów płacących dziesięciny i inne uciążliwe świadczenia dla papiestwa? Czy wybuchłby powszechny bunt? Próbował rozmawiać o tym z Janem, ten zbył go kpiącym „Moi Czesi nie czytają rozpraw po łacinie". „A jeśli ktoś im to napisze przystępnie, po czesku i z charyzmą ogłosi?" — spytał go Henry. — „Objawi, iż to lud tworzy prawo, ustanawia rządy i wybiera sobie władcę, który stać ma na straży wspólnie ustalonych reguł?" Jan Luksemburski postukał się w głowę i zaśmiał.

Dwór podróżny króla chwilowo zatrzymał się w jego rodzinnym Luksemburgu, stamtąd Jan kierował rokowaniami z patrycjatem Metzu, na zmianę z wysyłaniem przeciw nim wojsk. Tam też chwilowo zabrał swą córkę, Bonnę, którą rok wcześniej obiecał synowi hrabiego Baru. „Małej lepiej będzie przy nas" — oznajmił, co znaczyło, że chce trzymać hrabiego w szachu i być może, choć niekoniecznie, wycofa ofertę narzeczeńską. Dziewczynka sprawiała wrażenie zahukanej, albo było jej już wszystko jedno.

W Luksemburgu odwiedzali go wysłannicy europejskich dworów. Henry z podziwem patrzył na to, jak Jan uczy się pośredniczenia w sojuszach niemożliwych. Dzięki zdolności do rozmawiania z każdym, dzięki kontaktom na zwalczających się dworach, wreszcie dzięki temu, że potrafił być ujmujący, czarujący, a jednocześnie skuteczny, z miesiąca na miesiąc stawał się coraz bardziej pożądanym sojusznikiem. Kogo to kłuło w oczy? Ludwika Wittelsbacha.

Jan nie zaniedbywał codziennych, porannych ćwiczeń. Nago, przy otwartym oknie, rozciągał ciało; potem trenował zręczność i raz na tydzień spotykał się z mistrzem tańca. Dopiero wczesnym popołudniem przyjmował posłów i dyplomatów. Co jakiś czas sprawdzał miniatury z cyklu „Król Jan Luksemburski", nad którymi pracował Hugon. Był z nich i z iluminatora zadowolony. Wołał też Wilhelma de Machaut, który pisał krótką wierszowaną kroniczkę do tychże miniatur. Zwracał uwagę obu, poecie i iluminatorowi, by w scenach dworskich pokazywali go majestatycznie, ale w podróżnych i wojennych skromnie. „Cnoty królewskie i cnoty rycerskie" — podkreślał — „to chcę widzieć w świadectwach o sobie".

Rozgłosili, że Henry de Mortain sam jedzie w poselstwie do Awinionu. Pojechali obaj, tyle że Jan w przebraniu. Wspólnie podróżowali do Lyonu, tam rozdzielili się i Henry z częścią ludzi ruszył do papieża, a Jan z pozostałymi do Trydentu, oczywiście wciąż incognito.

W Awinionie Henry`ego podjął Oderisius, kanonik na utrzymaniu luksemburskiego dworu. Pulchny i wiecznie nieco spocony, mimo iż początek roku, jak na południe Francji, był chłodny.

— Ojciec Święty przyjmie pana de Mortain jeszcze w tym tygodniu, bez zwłoki — zapewnił, oprowadzając Henry`ego po placach i zaułkach papieskiej części Awinionu. Co krok spotykali znajomych Oderisiusa; jednych przedstawiał Henry`emu, innym jego prezentował, a jeszcze innych jedynie pozdrawiał z daleka i tylko szeptem mówił, kto zacz.

— To Milesowie, stryj i bratanek, Andrzej i Piotr. — Pokłonił się im ze zdawkowym uśmiechem i dopiero gdy odeszli dalej, wyjaśnił: — Obaj są ludźmi króla polskiego, pracują w ścisłym centrum kurii. Piotrowi przypisuje się słynne „zaginięcie bulli" przeciw królowi Władysławowi. A ten, spojrzy pan, wysoki, czarniawy, to Wenecjanin, który pilnuje spraw węgierskiego dworu. Powiedziałbym: piekielnie wpływowy, gdyby uchodziło, ale nie uchodzi — zachichotał krótko i otarł czoło. — Towarzyszy mu jeden z kapelanów królowej węgierskiej, wysłany po specjalne przywileje dla jej syna, dziedzica tronu. Tam w podcieniu siedzą znów dwaj Polacy. Dzisiaj mieli audiencję i zdaje się, od razu wracają do kraju.

— O czym mówili z papieżem? — spytał Henry.

— Oficjalnie? — spytał Oderisius, przekrzywiając głowę. — O Krzyżakach.

— A nieoficjalnie?

— To nie wiem — wzruszył ramionami kanonik i dodał: — Król Jan nie zamawiał śledzenia polskich posłów. Jakby miał życzenie, to możemy się dogadać. Oczywiście, podam cenę. Dzisiaj mogę jedynie powiedzieć, że ten starszy nazywa się Piotr Zyla. Żyla, piekielne nazwisko, ale legista wybitny… A młodszy to Bogoria, świeżo po studiach w Bolonii i aplikacji u nas, w kurii.

Tyle dowiedziałbym się i od odźwiernego — pomyślał rozbawiony Henry.

— To są ciekawi goście — dyskretnie obrócił go Oderisius. — Poganie, z Litwy.

— Widzę wśród nich duchownych — zauważył Henry.

— Owszem, przywieźli ich z Rygi. To taka stolica Północy — wyjaśnił.

— Wiem, gdzie leży — dogryzł mu de Mortain. — Studiuję mapy.

— Naturalnie — obraził się na chwilę Oderisius.

Szli w milczeniu, aż uwagę Henry'ego przykuły białe płaszcze z czarnym krzyżem. Straż papieska zatrzymała na chwilę ruch na placu, by puścić ich przodem.

— Papież tak szanuje Krzyżaków? — spytał de Mortain.

— Wielkiego mistrza — uściślił Oderisius zadowolony, że znów może się popisać. — Widział pan przed chwilą samego Wernera von Orseln, w asyście prokuratorów Zakonu. Dzisiaj mają wyznaczoną audiencję. — Mówiąc „audiencję", minę miał, jakby sam ją umówił.

Dużo się dzieje — skonstatował Henry. — Jednocześnie Litwini i wielki mistrz. Czyżby ci pierwsi chcieli się ochrzcić? A Polacy? Tak długo jesteśmy w podróży, że Jan zupełnie spuścił z oka sprawy polskie.

W pamięci wciąż miał *Defensor pacis*, „Obronę pokoju", której autor celnie obronił tezę całkowitej zależności Kościoła od państwa. W praktyce, to, co widział na samym dziedzińcu papieskiej rezydencji, świadczyło zupełnie odwrotnie.

A gdyby tak — pomyślał, rozglądając się wokół — dziesięciny i świętopietrze przestały płynąć do papieskiej szkatuły? Przez ile lat Ojciec Święty utrzymałby ten dwór, nie mając nowych wpływów? Jak wielkie jest bogactwo Kościoła? I wreszcie, z jaką ulgą odetchnęliby prości ludzie uwolnieni od danin kościelnych?

Jan XXII przyjął go po tygodniu. Henry de Mortain pierwszy raz w swoim życiu klęknął przed Ojcem Świętym. Przed osiemdziesięcioletnim starcem o bystrych, ciemnych oczach i ruchliwych dłoniach. Szczupłym, gładko wygolonym, o łysej czaszce pokrytej ciemnymi plamami. Przypominał jaszczurkę w ten specyficzny sposób właściwy tylko ludziom wiekowym i wciąż ożywionym. Henry, zafascynowany światem przyrody, złapał się na tym, że przez pierwsze chwile ogląda papieża właśnie jak dziw natury. Otrząsnął się z tego. Wymienili kilka kurtuazyjnych zdań i to Jan XXII przeszedł do rzeczy.

— Ludwik Wittelsbach postąpił małodusznie wobec króla Jana — powiedział, nawiązując do Brandenburgii i kradzieży narzeczonego z Miśni.

Tego się spodziewali, przygotowując do spotkania; że papież będzie wbijał klin między nadwątlony sojusz. Henry potwierdził skinieniem głowy i czekał, co dalej.

— Za to król Francji na każdym kroku czyni mu honory — dodał Jan XXII i spytał nagle: — Jak to jest, być lennikiem dwóch tak różnych władców?

— Mój król ćwiczy się w zdolności łącznia przeciwieństw — odpowiedział Henry. Wciąż z ust papieża nie padło nic, czego by nie przewidzieli.

Król Francji, podobnie jak władca Neapolu, był główną podporą papiestwa. Dopiero za nimi szli król Węgier i Polski. Jan od dawna spodziewał się, że papież wyciągnie do niego rękę, bo odebranie królowi Niemiec takiego stronnika, jakim był Luksemburczyk, stałoby się najgorętszym sukcesem papieża.

— Co król Czech sądzi o italskich zapędach Wittelsbacha? — spytał papież i wreszcie zrobiło się ciekawie.

— Ojciec mojego pana koronował się na cesarza, jako pierwszy król Niemiec od wielu lat — powiedział Henry, co mogło znaczyć wszystko.

— Wesprze Wittelsbacha, gdy ten zechce taki wyczyn powtórzyć?

— Nie jest nam nic na ten temat wiadomym — odpowiedział, nie do końca zgodnie z prawdą, ale jednak bezpiecznie.

— Wittelsbach występuje przeciw królowi Neapolu! — żachnął się papież. — Stąd tylko krok do wysłania wojsk do Lombardii!

— To akurat król Niemiec już zrobił i jak wiadomo, skończyło się na demonstracji siły, nie poszły za tym żadne dalsze roszczenia — odrzekł Henry.

— Bo go zatrzymaliśmy — zatryumfował starzec, po czym płynnie zmienił temat. — Uczyniłem ślub, że nim umrę, oczyszczę kontynent z pogan. Spędzają mi sen z powiek, trudno uwierzyć, że chrześcijańscy władcy śpią spokojnie, gdy dzielą ziemię z wrogami naszego Pana.

Dochodzimy do sedna sprawy — w lot zrozumiał Henry de Mortain. — Papież słowem się nie zająknął o rozognionym konflikcie z królem Niemiec, o tym, że go zdetronizował, a tamten w odwecie wezwał do buntu uczonych, czego efektem dziełko, które czytałem; przecież to dzisiaj jego główne problemy. — Przez chwilę zaśmiał się w duchu — Jan miał rację, niepotrzebnie czytałem *Defensor pacis*. Papież robi krok naprzód, chce krucjatą zwrócić oczy na siebie i gdy uczeni krzyczą za królem Niemiec, że do niczego dzisiaj niepotrzebne papiestwo, Jan XXII chce udaną wyprawą krzyżową udowodnić, że jest zgoła odwrotnie. I zapewne sądzi, że taki sukces zatrzymałby cesarskie aspiracje Wittelsbacha.

— Każdy władca — ostrożnie zaczął de Mortain — krzewi idee Chrystusowe na swą miarę.

— Bo nie każdy mierzy dość wysoko — przyszpilił go wzrokiem starzec. Jego szczupłe dłonie poruszyły palcami, jak odnóżami owada — Jan Luksemburski jest czuły na punkcie rycerskiej sławy, a prawdziwym rycerzem może być tylko *Miles Christi*. — To ostatnie Jan XXII niemal wysyczał: milesss chrisssti. Zabrzmiało demonicznie i takież były jego ciemne, ruchliwe oczy.

Henry de Mortain nie odezwał się, stał nieruchomo, dając do zrozumienia, iż słucha, co dalej. Papież nie może być naiwny, jeśli chce przekonać Jana Luksemburskiego do swojej idei, musi mieć coś więcej — myślał. — Samo uderzanie w strunę sławy to mało, za mało.

A jednak Ojciec Święty zamilkł; oczekiwał, że de Mortain da znak, czy krucjata to coś, co interesuje Jana. W przeciwieństwie do niego, Henry znał odpowiedź. Ba, sam ją Janowi podsunął tamtej zimy, gdy byli w Rocamadour. Wieczorem po dniu, gdy Jan wbił swój miecz w skałę, krzyżując go z Durendalem hrabiego Rolanda, pili wino, patrząc na przełęcz i Henry powiedział: „Teraz musisz sprostać sławie Rolanda". „Mam polec w walce z Saracenami?" — spytał pijany Jan. „Bądź lepszy niż on. Pokonaj i przeżyj!". Rano nie wracali do tematu, bolały ich głowy, ale patrzyli na siebie inaczej, jakby tamte, przypadkowo wypowiedziane słowa zapadły im w serce aż do dna.

— Krucjaty są ryzykowne i kosztowne — odezwał się wreszcie Henry. — Wielu władców z nich nie wróciło, inni nie mieli do czego powracać.

— Nie jestem naiwnym starym głupcem. Nie chodzi mi o odbijanie Ziemi Świętej — spokojnie odpowiedział papież.

— Zatem w grę wchodzi Grenada — stwierdził de Mortain. — Maurowie są bitni i majętni.

— A ja walczę z franciszkanami — mrugnął do Henry'ego papież i niespodziewanie się zaśmiał. — Bo w przeciwieństwie do nich wiem, ile kosztuje sprawowanie władzy. Proponuję twojemu królowi układ: on weźmie krzyż, a ja sfinansuję tę krucjatę.

Henry zamarł. To ostatnie, czego się spodziewał. Jan XXII musiał być zdeterminowany. Do tej pory można było o nim powiedzieć wiele, ale nigdy, że był hojny.

— Dziesięciny — oznajmił papież. — Oddam Janowi Luksemburskiemu dziesięciny ze wszystkich majątków kościelnych w Czechach i hrabstwie Luksemburga. Od dnia wydania bulli na trzy lata.

To majątek — zrozumiał Henry de Mortain. — Majątek, który powinien wystarczyć nie tylko na wyprawę krzyżową. Sława i wpływy, o jakich nie może marzyć dzisiaj król Niemiec, i to za pieniądze papieża. Z tyłu głowy przemknęły mu słowa *Defensor pacis*, ale nie były mu w tej chwili wygodne. Mrzonki marzycieli.

— Bezzwłocznie ruszę do mego króla i zdam mu relację z naszej rozmowy — pokłonił się papieżowi Henry.

— Przynieś mi odpowiedź równie szybko, panie de Mortain — uśmiechnął się diabolicznie papież i choć wyciągnął dłoń do błogosławieństwa, zatrzymał ją, pytając: — De Mortain? Skąd pan pochodzi?

— Ród mojej matki wywodzi się od Wilhelma Zdobywcy — odpowiedział Henry.

— Od najsłynniejszego bękarta Europy — mruknął zaciekawiony Jan XXII i poprawił się: — To miał być komplement, Henry. A twój ojciec?

— Nie znałem go — odpowiedział i zaczerwienił się nagle. — Jak wielu walecznych zginął w Ziemi Świętej, zanim zdążyłem się narodzić.

— A zatem ty już masz w sobie krew krzyżowca, drogi Henry — powiedział papież i pobłogosławił go gestem tak szybkim, jak ruch jaszczurki.

RDEST nie był ani trochę przekonany do pomysłu Symoniusa na zdobycie dusz i serc Żmudzinów. Co innego latem, gdy oddają cześć słońcu, ale nie zimą, kiedy ciężko ich wyciągnąć z przysypanych śniegiem chałup. Symonius uparł się, powiedział, że czas dobiega końca i że jeśli nie zrobią czegoś teraz, to za chwilę Giedymin się ochrzci; Rdest nie miał wyboru. Wykonał rozkaz.

Pojechał do Erdwiła, ten skrzyknął innych wodzów — Sprudejkę, Pukeikę, Likika. Stawili się wszyscy na zamarzniętym jeziorze Dausinas, zwanym przez tutejszych Jeziorem Sennym, jednym z wielu czczonych przez Żmudzinów. Tu zwoływali zimowe wiece, stąd nie raz ruszali na wojny.

Leżało nieco z boku od traktu wiodącego do Kražē, głównej zamieszkanej osady. Tylko Judki nie przybył, przysłał najmłodszego syna.

— Ojciec ma gulę na nodze, taką wielką. Na sanie nie pozwolił się wsadzić, bo powiedział, że tylko raz na nich pojedzie. Na swój stos — wytłumaczył nieobecnego chłopak.

Rdest rozejrzał się po zebranych. Słońce ostro odbijało się od śniegu. Na pokrytym grubym lodem jeziorze stały trzy setki ludzi. Mężczyźni z żonami i dziećmi, zbrojni każdego z wodzów. Tych ostatnich trudno było odróżnić od zwykłych wojów; żmudzińskie elity nie miały w zwyczaju się stroić. Sprudejko, który miał pół Żmudzi na jedno gwizdnięcie, wyglądał jak prosty chłop i jak wszyscy na spotkanie przybył piechotą. Ubrany w barani kożuch, w wysokich śniegowych butach z filcu, nakładanych na zwykłe skórzane buty, z czapą naciągniętą na czoło tak, że wystawał jedynie zakrzywiony nos. A jednak potężnie myliłby się ten, kto by zlekceważył Sprudejkę. Konno jeździł, jakby się wychował w stepie, z łuku szył jak Tatar, a zapiekły był w boju jak każdy Żmudzin. Dzięki takim jak on Krzyżacy wykrwawiają Żmudź, ale choć pragną, zdobyć jej nie mogą.

— Bracie — przywitali się z Rdestem wodzowie. — Po coś nas tu wołał?

— Wasz kniaź chce się chrzcić — powiedział wprost.

— To nie jest nasz kniaź, tylko nam najbliższy — sprostował Sprudejko.

— Wasz jedyny — twardo odpowiedział Rdest. — Gdyby nie on i potęga Litwy, żelaźni bracia zgnietliby was dawno.

— Może tak, może nie — przeciągnął się Likik i osłonił dłonią oczy przed ostrym zimowym słońcem. — Robią na nas rejzy, prawda, ale to tak samo głupie, jak polowanie na wilki. My jak jedna wataha, gonić umiemy, rozpierzchnąć się umiemy, a jak trzeba, to i przywarować.

Jak na potwierdzenie jego słów z lasu okalającego jezioro rozległo się wilcze wycie. Rdest odliczył. Jeden głos, drugi, trzeci. I cisza, aż głucho. W niej podwójnie głośno zabrzmiał płacz dzieciątka. Matka próbowała je uciszyć śpiewaniem, nie udało się, za pierwszym dzieckiem poszły kolejne. Po chwili na zamarzniętej tafli jeziora łkały dzieci, a matki rzewnymi głosami zawodziły słowa, które miały koić, ale nie przynosiły ulgi. Mężczyźni patrzyli po sobie, przytupywali z zimna.

— Tak — powiedział Rdest i spojrzał w niebo. Wciąż było bezchmurne, ale z brzegu, z gęstwiny zaschniętych i przysypanych śniegiem szuwarów dało się słyszeć stukanie dzięcioła. Uspokoił serce, które zaczęło mu bić niespokojnie. To już, zrozumiał. Musiał pójść o krok dalej. — Jesteście watahą i bronić się musicie jak ona. Jeden drugiego. Mocny słabego. Pamiętacie Witenesa? — zapytał gromko.

— Kto pierwszy zapomni, zginie — uderzył się pięścią w pierś Sprudejko.

— To był kniaź! — tupnął Erdwił. — I Perkun go ukochał, zabrał w błyskawicy.

— A jam to widział na swoje oczy — walnął w obie piersi Likik. — Jam z nim był, kiedy grom z jasnego nieba uderzył...

Rdest zamarł. Teraz, albo nie wróci stąd żywy. Jeśli coś pójdzie nie tak, Żmudzini mu nie przepuszczą. Nie musiał sprawdzać, by wiedzieć, że każdy z nich pod kożuchem ma zakrzywiony nóż, a drugi, prosty sztylet w filcowym wielkim bucie.

— ...kiedy grom z jasnego nieba uderzył i Witenes razem z koniem, na którym siedział, stanął żywcem w płomieniach. Kniaź zaśpiewał, gdy ogień go chwycił, gdy żar zacisnął w objęciach, zamilkł, jeno rozkosznie jęknął, jakby...

I stało się. Wiatr targnął lasem okalającym jezioro Dausinas. Korony drzew zaszumiały nagle. Szuwary odpowiedziały im szalonym szeptem, a śnieg z zamarzniętej tafli uniósł się w tuman.

Jasne przed momentem niebo zasłoniły chmury, których nadejścia nic nie zapowiadało, ale ciemność trwała tylko chwilę, bo rozerwała ją błyskawica, a zaraz za nią, po krótkim tchnieniu grozy, z głębin nieba wytoczył się grzmot, który brzmiał, jakby pękał pod ich stopami lód jeziora. Płaczące dzieci zamilkły. Kobiety przestały śpiewać. To byli Żmudzini. Padli na kolana i równym głosem zakrzyknęli:

— Perkun!

I powtórzyli po trzykroć:

— Perkun. Perkun. Perkun.

Rdestowi wrócił oddech. Jeszcze chwilę temu liczył się ze śmiercią, teraz odżył. Błyskawica poprzedzała grzmot, ten gonił kolejną. Prus padł na kolana razem ze Żmudzinami, krzycząc:

— Perkun! Zawsze Perkun.

Uniósł głowę na zachód i być może jako pierwszy zobaczył go.

W ostrym drgającym świetle błyskawic szedł ku nim smok poprzedzany przez trzy stare wilki. Jeden z nich nie miał przedniej łapy, ale trudno było to dostrzec w znikającym blasku.

— Oto on! — krzyknął Rdest najmocniej, jak potrafił. — Oto zstąpił ku nam sam Perkun! — I pokazał, gdzie mają patrzeć.

Zaremba był majestatyczny. Wysoki, szeroki w barach. Szedł, lekko kołysząc się na mocnych smoczych nogach. Był nagi, jego pokryte łuskami ciało lśniło w świetle błyskawic, to znów zapadało w doskonały mrok, by znów po chwili wyłonić się w jaskrawym błysku i pokazać sterczące na grzbiecie ostre rogi. Stare wilki biegły niemal bezgłośnie, były olbrzymie, siwe, ich ślepia zapalały się czerwienią w świetle błyskawic. Wreszcie Zaremba doszedł do nich i stanął pośrodku gromady klęczących.

— Sprudejko! — krzyknął.

— Jam jest — szepnął wódz i pochylił się jeszcze niżej.

— Erdwił. Pukeiko. Likik. Judki — wywoływał smok.

Za ostatniego zgłosił się syn; chłopak jako jedyny chciał wstać.

— Waruj — warknął Zaremba i młodzik padł na lód na płasko.

Wilki obsiadły smoka z trzech stron i zawyły.

— Oto jestem — powiedział smok. — Was wybrałem. Żmudź ma być moja po kres czasów. Póki ostatnia burza nie zmiecie świata, póki mój piorun go nie spali, wy należycie do mnie.

Nagle któraś z młodych kobiet uniosła głowę i na kolanach podeszła do smoka. Objęła go za nogi miłośnie i zrzuciwszy futrzany kaptur, włosami przykryła jego stopy.

— Jam twoja — powiedziała z miłością. — Weź mnie.

Patrzyła na niego z uwielbieniem. Wyciągnęła smukłe ramiona i chwyciła jego kolana.

— Daj mi syna, Perkunica — jęknęła.

Zaremba otrząsnął się w jednej chwili i dziewczyna odrzucona upadła na lód, aż jęknęło.

— Kłaniacie się przed kniaziem, który jak ty, dziewczyno, na mnie, patrzy miłośnie na obcego bożka. Takich was nie chcę, takich was nie wezmę, takimi wzgardzę i zgładzę.

Dziewczyna zaszlochała, a Sprudejko podniósł głowę i z szacunkiem zdjął z niej futrzaną czapę.

— Perkunie Wielki, my się Giedyminowi postawimy, bo tyś nam to dzisiaj nakazał. Za cenę krwi, pożogę i śmierć, za co rozkażesz. My mu pokażemy żmudzkie rogi, bo dla nas wielki bóg jest jeden. Ty.

Zaremba skinął na Sprudejkę. Ten na kolanach podczołgał się do niego. Smok pochylił się szybko i w świetle błyskawicy nóż z cholewy buta żmudzkiego wodza wyskoczył w powietrze i wylądował w smoczej łapie. Ludzie jęknęli bezgłośnie, Rdest zobaczył tylko obłoczki pary unoszące się z ich ust. Zaremba przystawił nóż do szyi Sprudejki. Do szyi wodza, który na swoje gwizdnięcie miał pół Żmudzi.

— Przysięgasz? — spytał.

— Na każdy twój błysk — odpowiedział Sprudejko.

— Jeśli mnie zawiedziesz, wrócę, by spalić twoje dzieci. By zgwałcić twą żonę. I zdeptać matkę i ojca, których zostawiłeś w chałupie, ale ciebie, Sprudejko, nie ruszę. Chrzest Giedymina będzie pierwszym dniem twej zguby.

— Ten dzień nie nadejdzie, Perkunie Wielki — odpowiedział Sprudejko. Zawtórował mu błysk. W jego oślepiającym świetle smok ryknął. Włosy dziewczyny stanęły w ogniu, wilki zawyły. Z ciemności, która nastała później, dało się słyszeć syk:

— Dałeś słowo wśród ludzi. Każde dziecko słyszało, co mówisz...

Kobiety rzuciły się na pomoc dziewczynie, zarzuciły jej płaszcz na włosy. Jedno niemowlę zakwiliło. Uderzył podmuch wiatru i rozwiał chmury. W rozjaśniającym się świetle dnia wszyscy zobaczyli plecy smoka, znaczone kostnymi wyrostkami. Dwa wilki biegły po jego bokach, trzeci utykał na tyłach. Śnieg z powierzchni jeziora unosił się za nimi niczym orszak, którego nie było. Gdy smok wchodził w przybrzeżne szuwary, niebo znów było pogodne, a słońce odbite od śniegu raziło. Żmudzini wstawali z kolan, przecierali oczy. Kwilące dzieciątko łączyło ich z tym, co zapamiętali sprzed chwili. Z tym, co teraz, w jasności, wydawało się wręcz nierealne. Rdest otrzepał dłonie ze śniegu, spojrzał w oczy wstającego Sprudejki.

— Wszystko pamiętam — powiedział wódz krótko. — Giedymin prędzej zginie, niż się ochrzci.

— Perkun zobaczy — skinął głową Rdest. I pomyślał, że Symonius miał rację we wszystkim.

JADWIGA lubiła poświęcać czas na domowe sprawy i żałowała, że jako królowa już tego nie robi. Wszystkim zajmowała się ochmistrzyni wawelskiego dworu, Hanna Lisowa, wdowa po Pakosławie Lisie, dawnym kasztelanie krakowskim. Raz na jakiś czas udawało się jednak Jadwidze wydostać z królewskich obowiązków i razem ze Stasią zejść do kuchni i izb czeladnych. Tak zrobiły i dziś, zastając Hannę przy odprawie z Więcławem, kuchmistrzem.

— Nie przeszkadzajcie sobie — uspokoiła jedno i drugie Jadwiga. — Nie przyszłam was kontrolować, tylko odpocząć od... — zawahała się, nie umiejąc znaleźć słowa.

— Od królewskości — wyręczyła ją Stanisława.

Więcław stał na baczność, Hanna trąciła go łokciem, zreflektował się i podsunął ławę królowej.

— Na dworze w Kaliszu — zagadnęła Jadwiga, siadając — zakradałyśmy się z Elżbietą, moją starszą siostrą, do kuchni. Szukałyśmy ciastek z miodem, bo pani matka większość czasu pościła i nie gościły na książęcym stole. Pamiętam taką jedną kucharkę, jak jej było? Zochna? Nie, może Ochna? Ruda, młoda, piękna jak zorza. Ona piekła najlepsze ciastka. — Rozmarzyła się.

— Przynieść coś z kuchni? — zatroszczył się kuchmistrz Więcław.

— Nie, nie. Ja tylko tak — machnęła ręką Jadwiga. — No, może jedno. W końcu mamy zapusty... — zawstydziła się drobnego łakomstwa.

Więcław syknął na podkuchennego i ciastko zjawiło się w okamgnieniu. Jadwiga ugryzła. Nie to samo, co smak z dzieciństwa, ale pochwaliła, że dobre.

— Myśmy już z Więckiem skończyli rachunki, wszystko podliczone, może najjaśniejsza pani sprawdzić — powiedziała Hanna.

— Nie przyszłam sprawdzać. Mówcie, jak tu się gospodarzy. Kuchnia przestronna, spiżarnie dość chłodne?

— Bogu dziękować — odpowiedziała Hanna i natychmiast spytała: — Czyżby coś nie podobało się najjaśniejszej pani?

Jadwiga westchnęła i drugi raz ugryzła ciastko. Zeszła tu, by nie być „najjaśniejszą panią". Na chwilę chciała być zwykłą panią domu. Tam, u góry, tęskniła za tym.

— A jak się musiałam ukrywać z dziećmi w Radziejowie — powiedziała, zdejmując okruszek z sukni — wiadomo, kiedy mąż mój był na banicji, to w jednej izbie mieszkaliśmy wszyscy. Ja i dzieci...

— Trudno dzisiaj zrozumieć — nieśmiało powiedziała Hanna. — Najjaśniejsza pani wydaje się królową od urodzenia.

— Jak nowy jałmużnik? — spytała Stasia, wyręczając ją od ciągłych przytyków do królewskości.

— Skrupulatny — powiedziała Hanna i wymienili się z Więckiem spojrzeniami.

— Coś nie tak? — zaciekawiła się Jadwiga. — Mówicie, śmiało.

Hanna pokręciła głową i wygładziła fałdy sukni. Była skonfundowana.

— Na ręce nam patrzy, co dnia sprawdza, czy wszystkie resztki ze stołów oddane. A czasem, jak czeladzi więcej, to ze służebnego nic nie zostaje i się awanturuje — poskarżyła się. — A przecież nikt nie będzie służbie od ust odejmował, żeby zostało dla biednych. Co się ostanie, wszystko się oddaje.

Jadwiga zaśmiała się. Podobnie skarżył się koniuszy, a to znaczy, że jałmużnik dobry.

— Nic się nie może zmarnować — orzekła zadowolona. — Przy okazji, nowy dom dla wdów i sierot będziemy otwierać, trzeba zadbać o odzienie dla podopiecznych. Poślij, Hanno, kogoś, żeby przejrzeć stare ubrania dla służby, co tam by się nadało jeszcze do reperacji i wydania.

— Toż tam jest pusto! — żachnęła się Lisowa. — Jałmużnik wszystko wybrał jeszcze przed Bożym Narodzeniem, bo, mówi, „biedny marznie podwójnie". Jeszcze mi dwie dziewki z czeladnej zabrał do cerowania i to przed samymi świętami, jakby na dworze mało było innej roboty. Przy okazji, najjaśniejsza pani, rąk do pracy brakuje. Sporo młodych odeszło, a najgorzej z tą służbą, co się na tygodniówki najmuje. Pietrek przyjmuje ich do roboty co poniedziałek, w sobotę biorą zapłatę, w niedzielę pusto, nie ma komu robić. Pomyślałam, żeby spróbować na dłużej, zachęcić ich jakoś, żeby zostali. Teraz właśnie z Pietrkiem będziemy nowych brać, już tam na dziedzińcu czekają… — Hanna Lisowa spojrzała na Jadwigę niepewnie.

— Mogłaś mówić — zganiła ją Jadwiga. — Ja was tu wypytuję, a tam na mrozie ludzie stoją, nie uchodzi. Wołaj, chętnie popatrzę.

— Kiedy oni mogą się wstydzić przy najjaśniejszej pani — zamrugała Hanna.

— To im nie mów, kim jestem — uśmiechnęła się Jadwiga. — Przecież korony nie noszę. Tyś wdowa po kasztelanie krakowskim, ja mogę udawać… Stasiu, kogo bym mogła?

— Siostrę kasztelanowej — oceniła Stanisława.

— Nie uchodzi! — aż poderwała się z ławy Lisowa.

— Co, Hanka? Wstydzisz się siostry? — Jadwiga zgarbiła plecy i przekrzywiła głowę. — Nie gadaj, nie gadaj, ja od ciebie starsza, ale oko mam bystre. Pomogę ci, jeszcze podziękujesz.

Zaskoczony Więcek mrugał jak niedojda, Stasia zachichotała.

— Ale… najjaśniejsza pani… ja za to głową odpowiadam — powiedziała bezradnie Hanna.

— Przed kim? — zaśmiała się Stasia — Przed królową!

Jadwiga mrugnęła do Hanny i wzruszając ramionami, powiedziała:

— Wtrącać ci się nie będę, to twoja robota — obiecała królowa. — W końcu mamy zapusty! Wołaj, siostro!

Najpierw było pięciu chłopców, Pietrek przydzielił ich do stajni; potem jeden kulawy, ale doświadczony, jak sam twierdził, psiarczyk. Na koniec cztery kobiety, które nająć się chciały do kuchni. Dwie kasłały tak, że Lisowa odesłała je bez rozmowy.

— Jak wyzdrowieją, niech wrócą — powiedziała tak szybko, że Jadwiga nie zdążyła się wtrącić. — Tu robota, nie przytułek.

Dwie kolejne wyglądały na zdrowe; jedna całkiem młodziutka, druga mogła mieć ze trzydzieści lat i wyglądała na silną. Obie patrzyły śmiało, ciekawie.

— Skąd są? — zapytała Jadwiga.

— Ze Starszej Polski, proszę jaśnie pani — odpowiedziała starsza. — Za chlebem my przyszły.

— I chciałyśmy zobaczyć dwór króla — wesoło dorzuciła młodsza. — I królowej pani.

— Za chlebem? To w Starszej Polsce bieda? — zmartwiła się Jadwiga.

— Bieda nie bieda, wiadomo, jak w Poznaniu i Kaliszu był książę, to inaczej bywało — wyjaśniła starsza. — A rok temu pan, cośmy u niego pracowały, nas obumarł i pomyślałam, że trzeba iść tam, gdzie król. I królowa pani — dodała.

Wie, że to ja? — zastanowiła się Jadwiga. — Może mnie poznała? E, ja w ojczystej ziemi nie byłam tak dawno, a to krajanki moje.

Obie budziły ufność. Ubrane czysto, skromnie, w wełniane zielone suknie i bure płaszcze z kapturem. Ładne, urodą niewydumaną, prostą. Ta młodsza zdawała się nawet urocza.

— Co potraficie? — przejęła rozmowę Hanna. — I coście wcześniej robiły?

— Wszystko, proszę jaśnie pani — rozpromieniła się starsza. — Ja umiem sery warzyć, chleb upiec, jabłek, ogórków i buraków zakisić. Ryby i mięso soliłam, suszyć też wiem jak, a gdyby mi jaśnie pani kazała pierogów zagnieść, to w okamgnieniu!

— Jakie robiłaś u dawnego pana? — wyrwała się Jadwiga.

— Każde, jakie chcieli, ale najbardziej lubili z bobem — uśmiechnęła się szeroko dziewczyna.

Jadwiga poczuła, jak jej ślina napływa do ust. Z bobem — rozmarzyła się — w Kaliszu jadaliśmy latem pierogi z bobem i kwaśną śmietaną…

— Weź ją, Hanka — poprosiła Lisową. — Narobi nam pierogów…

— Ale z bobem? — skrzywiła się ochmistrzyni. Prawda, oni tu takich nie znali, a Jadwiga wpadła w sidła własnego żartu. Jako siostra Lisowej musiała jadać to samo.

— Ano, ciekawa jestem, jak smakują — powiedziała rozmarzonym głosem.

— Biedna jaśnie pani, że nie próbowała — współczująco wyrwało się tej młodszej.

— Bacz, do kogo mówisz! — skarciła ją szybko kasztelanowa.

— Przepraszam najmocniej... ja z serca, pożałowałam, bo jak moja siostra narobi pierogów, to nikt się im nie oprze — młodsza z dziewcząt chwyciła się za serce.

— A ty co umiesz? — ostro spytała Hanna. — W kuchni chyba nie robiłaś?

— Tyle, co mnie pomagała — szybko odpowiedziała za nią starsza. — Przynieś, wynieś, w lot łapie. Sprząta dobrze, bo oko ma bystre i od małego w czystości chowana.

— Do sprzątania mam swoje — wyniośle odrzekła Hanna.

— Nie możesz wziąć jednej siostry, a drugiej zostawić — wstawiła się za krajankami Jadwiga. — Bo to jakby nas rozdzieli w dzieciństwie, a pamiętasz, Hanka, że ja ciebie za sobą prowadzam, dokąd dojdę. No, sama widzisz, jakie one zżyte, jak ty i ja.

Biedna Lisowa nie umiała wczuć się w zabawę w młodszą siostrę królowej.

— Weź obie, może tę małą przyuczy się do komnat? Ostatnio u Kazi... u królewicza Kazimierza sługa szczura złapał, mówię ci taki wielki. Rabanu narobili i się okazało, że przylazł, bo pod łóżkiem było brudno.

— No co też Wichna mówi! — ochoczo włączyła się do zabawy Stanisława, która szybko pokonała opory, by spoufalić się ze swą panią. — A to nicponie! Sługa szczura złapał, a brudu nie widział! Za to, gdzie podjeść można, i po ciemku zobaczy!

— Co chcesz, słoninka pachnie, a brud śmierdzi, każden ciągnie do tego, co lubi — zachichotała Jadwiga.

— Ale wstyd, że u królewicza w alkowie gniazdo szczurów, dobrze, że go nie wystraszyły!

— Wstyd to by był, jakby taki duży chłopak gryzoni się bał — szturchnęła Stasię Jadwiga Wichna.

Lisowa pobladła, odebrała to osobiście jako przytyk do niechlujności służby, nad którą sprawowała pieczę, Jadwidze w jednej chwili zrobiło się jej żal, żart nie w nią przecież był wymierzony.

— Wezmę obie — powiedziała szybko Hanna. — I tę młodszą, jak jaśnie... jak jaśnie... sio...stra radzi, do sprzątania komnat każę uczyć.

— No i dobrze! — skwitowała Jadwiga, a zwracając się do dziewczyny, spytała: — Boisz się szczurów?

— Ja się niczego nie boję! — uśmiechnęła się szeroko, aż w policzkach zrobiły jej się dołeczki.

— Dziewczyny ze Starszej Polski — pochwaliła Jadwiga. — Odważne i śmiałe. A jak się nazywacie?

— Na mnie wołają Wierzbka — odpowiedziała starsza. — A siostra jest Dziewanna, ale mówimy na nią Dzieweczka, bo taka młodziutka.

— Wierzbka i Dziewanna — powtórzyła z zadowoleniem królowa. — Hanko, daj im miejsce w czeladnej. A ty, Wierzbko, pamiętaj, jak tylko młody bób dojrzeje, zrób pierogów i każ, by mi zaniesiono.

— Tak jest, jaśnie pani — ukłoniła się szybko Wierzbka. — O kogo mam pytać?

Jadwiga i Stanisława roześmiały się dźwięcznie.

— O królową — grobowo powiedziała Hanna Lisowa. — O samą królową.

LUTHER Z BRUNSZWIKU nie był naiwny, by całą swą wiedzę o tym, co się naprawdę dzieje na Litwie, czerpać od Symoniusa. Poza Prusem miał swojego człowieka u franciszkanów w Wilnie, wieści od niego przychodziły rzadko, ale mógł je porównać z tym, co zdobywał Symonius. Obraz chwilowo wyglądał wręcz wzorcowo, a Luther w odróżnieniu od wielkiego mistrza, nigdy nie cieszył się z wieści nazbyt dobrych. Wydawały mu się podejrzane. Umówił się więc z Zyghardem von Schwarzburg, by przeanalizować sprawy, zanim spotkają się z Wernerem von Orseln i Henrykiem von Wildenburg w Malborku. Okazja pojawiła się sama, Luther załatwił Guntherusowi awans i przeniesienie z Pokrzywna do Gniewu, zatem umówili się w Gniewie.

Obaj Schwarzburgowie czekali na niego przed bramą. Z daleka widział, że Guntherus objeżdża mury zamku, jak źrebak pierwszy raz wypuszczony na pastwisko. Młodzian nie umiał ukryć fascynacji. Prawda, zamek w Gniewie był nie tylko olbrzymi, ale i imponujący. Mistrz budowlany eksperymentował tu z wielkimi wzorami z barwnej cegły, które układały się na murze niczym gadzie łuski, w olbrzymie widoczne z daleka zygzaki, romby i powtarzalne, łamane linie. Zyghard stał spokojnie, z właściwym sobie dystansem i ironicznym uśmiechem na przystojnej twarzy.

— Ze stajni na królewskie pokoje — powiedział na powitanie, gdy Luther podjechał do niego. — Mój bratanek sprawdza, czy to nie sen. Guntherus! — krzyknął po niego. — Przywitaj się, przyjechał twój dobrodziej!

— Bez przesady — uśmiechnął się Luther. — Dawno należało zająć się jego losem. Był moim podkomendnym w Dzierzgoniu, powinienem o tym pomyśleć wcześniej. Dobrze, że zwróciłeś uwagę, Pokrzywno to było jakieś nieporozumienie.

Guntherus podjechał do nich i ukłonił się Lutherowi tak nisko, że Zyghard parsknął:

— Możesz zejść z konia, zamiast z niego spadać.

— Ja nie wierzę — powiedział rozgorączkowany. — Lutherze z Brunszwiku, ja wciąż nie wierzę. To najpiękniejszy zamek, jaki widziałem. Oczywiście po Marienburgu i po twoim Grudziądzu, stryju. Ja... ja... ja tylko chciałem zapytać, dlaczego ty, Lutherze, nie wziąłeś go. Dzierzgoń przecież mniejszy...

— Guntherusie, opanuj się, bo Luther zmieni zdanie, gdy do niego dotrze, że jesteś miły, ale głupi — uspokoił bratanka Zyghard.

Młodszy Schwarzburg zamrugał, nie zrozumiał, więc Schwarzburg podpowiedział mu, dlaczego Luther nie zamierza rezygnować z Dzierzgonia.

— Wielki szatny.

— A, no tak! — klepnął się dłonią w czoło. — Ja naprawdę jestem jakiś...

— Jesteś oszołomiony — wytłumaczył go Luther. — Wjedźmy, czekają na nas. Na ciebie, Guntherusie, bo my tu z Zyghardem tylko na chwilę, w gości. No dalej, młody człowieku! Jedź przodem.

Wewnętrzny dziedziniec potężnego zamku robił niezwykłe wrażenie. Jego wielkim walorem była regularna, prostokątna budowa, właściwa dla dzisiejszych zamków, a nie jak w Pokrzywnie, czy nawet Dzierzgoniu, składanka budynków dostawianych do siebie w miarę upływu czasu. Dwukondygnacyjny krużganek oplatający dziedziniec przypominał Malbork. Powitał ich zamkowy burgrabia i po zwyczajowych formułkach zabrał Guntherusa, by nowy komtur poznał swą siedzibę. Luther pokazał Zyghardowi kierunek i weszli na pierwszą kondygnację do kapitularza.

— Tu możemy spokojnie posiedzieć — powiedział. — Umówiłem się z Hansem, burgrabią, że pominą kapitularz w zwiedzaniu.

Guntherus będzie miał dość czasu, by to wszystko obejrzeć, jak pojedziemy do Malborka.

— Przypuszczam, że nie będzie spał przez kilka nocy — powiedział Zyghard i wybrał sobie krzesło w połowie stołu. — Jak dojdą do Malborka wieści, że w Gniewie straszy duch błąkający się ze świecą, to będzie o nim. O Guntherusie. Dziękuję ci, Lutherze, raz jeszcze — uśmiechnął się do niego i usiadł.

— Traktujesz go jak syna? — nieoczekiwanie wyrwało mu się pytanie.

Zyghard zmrużył jasne oczy i uniósł brwi.

— Jak syna? Skąd taki pomysł?

— Nie wiem — zmieszał się Luther. — Wybacz.

Schwarzburg wzruszył ramionami i dodał:

— Zdecydowanie nie chciałbym mieć dzieci. Co ja bym z nimi robił? A jeszcze jak są małe, to płaczą — skrzywił się. — Coś okropnego. Dobrze, że nam to nie grozi. No, opowiadaj o Litwie, bo zżera mnie ciekawość.

Mówiąc to, minę miał jak leniwy kocur. Lutherowi zachciało się śmiać. Opanował się i zaczął:

— Plan wypełniony. Giedymin się nie ochrzci. Moi ludzie okazali się skuteczniejsi, niż myślałem. Podburzyli Żmudzinów i doprowadzili do rozruchów.

— Symonius? — spytał zimno Zyghard.

— Tak — potwierdził Luther.

— Ciekawe — mruknął komtur grudziądzki. — Ciekawe, jak to zrobił. Przecież listy do papieża, delegacje litewskie w Awinionie, arcybiskup Rygi już kropidło szykował, a Jan XXII był pewien, że wielki książę szatkę chrzcielną wdziewa.

— Prusowie mają wśród Żmudzinów poważanie — odpowiedział Luther i zdał sobie sprawę, że sam nie do końca wie, jak Symonius dokonał tego cudu.

— To dziwne, nie uważasz? — spytał Zyghard. — Żmudzini dali się podburzyć ochrzczonym Prusom. Tak dziwne, że nielogiczne.

— Cel uświęca środki — odpowiedział. — Pozwalam Symoniusowi używać nieochrzczonych ziomków.

— Ach tak — powiedział Zyghard. — To wiele tłumaczy.

Zapadło kłopotliwe milczenie. Przerwał je Schwarzburg.

— Gratuluję, Lutherze. Jesteś piekielnie skuteczny.

— Dziękuję. Najważniejsze, że Giedymin wycofał się z niedorzecznego pomysłu przyjęcia chrztu.

Luther miał nieprzyjemne wrażenie, że w głosie Zygharda brzmi coś niedobrego. Cóż, nie mówimy o dobrych rzeczach — uspokoił sam siebie.

— Mimo to papież zmusił nas do przestrzegania postanowień pokoju wileńskiego. Do kiedy on ma trwać? — zapytał Zyghard.

— Jeszcze trzy lata — przypomniał Luther. Niepotrzebny pokój i rozkaz papieża pętały im ręce.

— Czy legaci papiescy siedzący na Litwie już wiedzą, że zamiast baranka mają rogatego kozła? — spytał przytomnie Schwarzburg.

— Tak. Giedymin pod naciskiem Żmudzinów wyprosił legatów z Wilna. Pojechali do Rygi i póki co, są gośćmi arcybiskupa. Drugi dobry zbieg okoliczności to najazd tego szaleńca, wojewody grodzkiego, Dawida, na Mazowsze. Moi franciszkanie już listy do papieża wysłali, opisując gwałty i świętokradztwa wyczyniane przez Litwinów.

— I teraz Papa w Awinionie ma dowód, że wcześniejsze deklaracje Giedymina były tylko taktyką.

Luther przesunął dłonią po wypolerowanym blacie stołu, jakby sprzątał nieistniejący kurz.

— Tak jest. Czczym gadaniem. Oszustwem. Zimną grą.

— Cyniczne — powiedział Zyghard i obaj parsknęli śmiechem.

— Giedymin wpadł we własne sidła — powiedział Luther po chwili. — Chciał mieć i posłuszeństwo swych ludzi i papieża. A to niemożliwe.

— Na dwóch kobyłach nie da się jeździć — przytaknął Zyghard. — Swoją drogą, ten najazd Dawida ominął ziemie księcia Wańki.

— Bo mamy z Wańką układ. Sam go wynegocjowałeś — przypomniał Luther. — Giedymin mógł się obawiać, że staniemy za sojusznikiem.

— Nie sądzę — pokręcił głową Zyghard. — Nie zrobilibyśmy tego wtedy, bo nam się nie opłacało. Jeszcze nie było pewnym, że Giedymin wycofa się z chrztu.

— To dlaczego? — spytał Luther.

— Bo wielki kniaź ceni sobie więzi rodzinne — odpowiedział Zyghard. — Pamiętaj, że wydał córkę za Wańkę. Póki dziewczyna żyje, Wańka może być spokojny, mimo iż teściowi nie pasuje układ z nami. Ale pozostali książęta mazowieccy, Siemowit i Trojden, który gra z królem Władysławem, bo mu synka na tron ruski wsadził, powinni teraz pomyśleć tak samo jak ty, Lutherze. Że najazd litewski ich ominął, bo Wańka jest z nami.

— Mamy z nimi tylko wstępne deklaracje sojusznicze — przypomniał Luther. — Mógłbyś przekuć to w sojusze, jak z Wańką?

— Powinienem spróbować. Czy się uda? Zobaczymy. — Roześmiał się nieoczekiwanie. — Nigdy nie dam głowy za żadnego z szalonych Piastów z Mazowsza.

— To twoi krewni — przypomniał mu Luther.

— Mam ci wypomnieć twoich? — odciął się Schwarzburg.

— Ja zamieszałem w kotle śląskim — pochwalił się. — Jak obiecałem.

— Wydałeś za mąż córkę księcia wrocławskiego?

— Nie jestem mściwy — uśmiechnął się. — I tak jak ty, nie chcę mieć własnych dzieci, więc mogę sobie cudze poswatać.

— Kto jest szczęśliwym oblubieńcem?

— Książę niemodliński, wnuk Władka Opolskiego. Pamiętasz Władka? — Luther celowo zmienił głos, by zabrzmieć jak stary dziad.

— Tego Władka? — podjął ton Schwarzburg. — Śląskiego spryciarza, co zawsze wiedział, skąd wiatr zawieje? Ach, Władek i jego złote orły na błękicie... To jego syna, Bolka, pobiła królowa Jadwiga, na Wawelu. Taki wierszyk był „zabieraj swoje złote orły i fru, do Opola".

— Ooo, nie słyszałem — udał starczy kaszel Luther. — Ale oblubieniec jest jego synem. I na imię mu, nie zgadniesz, kamracie, no, no? Bolko! Bolko syn Bolka.

— Ha, ha! To skłóciłeś kolejną śląską rodzinę...

Przerwał im ruch przy drzwiach kapitularza, ktoś próbował wejść do środka. Luther krzyknął swoim zwykłym głosem:

— Mówiłem, żeby nam nie przeszkadzać!

— Wybacz, mój panie — do wnętrza wpadł Symonius.

— Ty tutaj? — skrzywił się Luther.

Zyghard von Schwarzburg odruchowo sięgnął do pasa.

— Proszę cię, Zyghardzie — uspokoił go Luther ruchem dłoni.

Schwarzburg cofnął rękę i wbił w Symoniusa spojrzenie.

Nie chciałbym być na miejscu Prusa — pomyślał Luther.

— Panie — pokłonił się Symonius, udając, że nie widzi komtura grudziądzkiego. — Mam najświeższe wieści, będziesz chciał je znać, nim przyjdą oficjalną drogą do Malborka.

— Mów — rozkazał Luther.

— Legaci papiescy wysłani na Litwę rzucili klątwę na Zakon — powiedział pobladły Symonius.

— Co?! Przecież oni wyjechali do Rygi.

— Tak. I stamtąd, jak twierdzą, „obserwowali z bliska poczynania Zakonu i stwierdzili, że ten nieustannie łamie rozkazy papieskie i nie przestrzega pokoju wileńskiego".

Trudno, byśmy respektowali coś, co nie było naszym pomysłem — zagryzł wargi Luther.

— Klątwa na Zakon — głucho powiedział Zyghard. — To może sparaliżować nasze działania.

— Kiedy ją ogłoszą? — spytał Symoniusa Luther.

— Tego nie wiem, mamy być może kilka tygodni, zanim bulle rozejdą się od biskupstwa do biskupstwa — odpowiedział Prus. — To wszystko, komturze.

— Dziękuję ci — powiedział Luther. — Możesz odejść.

— Chwila — ostro odezwał się Zyghard. — Ja chcę z nim pomówić.

SYMONIUS wiedział, że ta chwila nastąpi. Dziwił się, że dopiero teraz. Gunter von Schwarzburg nie żył od lat. W sprawie jego śmierci Symonius był przygotowany, przeszedł przesłuchanie przez komtura Lautenburga, zeznania spisano, a jego oczyszczono z zarzutów. Gorzej, bo wiedział, że Zyghard węszył też u joannitów, czyli zadaje sobie pytania o śmierć Kunona. Naturalnie, w tej drugiej kwestii mógł być pewien subtelnej opieki Luthera, ale mimo to odczuwał niepokój, gdy komtur grudziądzki nagle go zatrzymał.

— W cztery oczy — powiedział Zyghard von Schwarzburg i Luther z Brunszwiku skinąwszy im głową, opuścił kapitularz. Drzwi zamknęły się za nim z głuchym zgrzytem.

Schwarzburg patrzył na niego zimnymi, jasnymi oczami. Dla Symoniusa był uosobieniem wszystkiego, co pociągało go w rycerzach Zakonu. Opanowany, chłodny, elegancki, inteligentny. Tego brakowało mu wśród swoich. Jeśli mieli siłę, jak Jarogniew Półtoraoki, którego kiedyś tak podziwiał, to nie mieli chłodnej głowy i brak im było wiedzy o świecie poza lasem. Jeżeli zaś byli opanowani, jak Rdest czy Wrotycz, to brakowało im siły. Stojąc przed Schwarzburgiem, Symonius czuł się jak naciągnięty łuk wymierzony w potężne grudziądzkie mury. Sam w sobie mocny, ale bez szans.

— Powiedz mi to, czego nie podyktowałeś do protokołu — odezwał się komtur po chwili, która dla Symoniusa była zdecydowanie za długa.

— Bałem się go. Bałem się Guntera von Schwarzburg — powiedział cicho. — I wstydziłem się zeznać to Lautenburgowi.

— Chrzanisz — nie dał się nabrać Zyghard.

— Wobec podwładnych był nieobliczalny — brnął dalej Symonius. — Wyczuwał każdą naszą słabość i potrafił wydrwić. Zawsze robił to w obecności współbraci. Chciał, żeby słyszeli. — Symonius spuścił wzrok i zaczął nerwowo poruszać palcami.

— Tak mi cię żal — beznamiętnie odpowiedział Schwarzburg. — Powiedz mi coś, czego nie wiem.

Twój brat zsikał się ze strachu, gdy puszcza na ramionach Starców ożyła — pomyślał Symonius, czując lekkie łaskotanie w podbrzuszu. — I patrzył w moje oczy, gdy konał. W te źrenice — mrugnął, jakby coś wpadło mu do oka.

— Nie wiem, co chciałbyś wiedzieć, komturze — odpowiedział na głos bezradnie i pokręcił głową.

— Może wiesz, co chciałbym ci zrobić, Prusie? — zimno powiedział Schwarzburg, a Symonius poczuł jednocześnie lęk i uderzenie gorąca.

To byłby mój pierwszy raz, panie — przeszło mu przez myśl i sam się spłoszył od tego wyznania.

— Kuno was rozgryzł? — niby spytał, ale to było stwierdzenie.

Tak. Wytropił warowny jesion, pewnie był blisko, mógł nas słyszeć, mógł wiedzieć za dużo. Ale naraził się nie tylko nam. Komuś jeszcze, kto nosi płaszcz z krzyżem, jak ty. Więc twój brat był moją samowolką i jednocześnie daniną wkupną złożoną Starcom. Ale na twojego przyjaciela wyrok wydał kto inny, a ja go tylko wykonałem. W pewnym sensie Kuno był ofiarą złożoną przeze mnie fałszywemu bożkowi, która jednak ma służyć tym bogom, którym ja służę. Skomplikowane, przystojny komturze von Schwarzburg? Owszem. Ale odkąd twoi bracia postawili okutą żelazem stopę na mej ziemi, wszystko zaczęło być trudne. Kiedyś zrozumiesz. Niedługo.

— Brat Kuno był straszny — powiedział na głos. — Wybacz, wiem, że byliście blisko.

— Nie twoja rzecz, Prusie — syknął.

— Powiedziałem, że komtur Gunter von Schwarzburg bywał dla nas okrutny, ale w porównaniu z bratem Kunonem wypadał jak owieczka przy dzikim wilku. Brat Kuno pastwił się nad nami, podejrzewał o najgorsze zbrodnie, bałem się przy nim nawet odezwać... — Symonius z łatwością udał, że się jąka. — Tak, to prawda — spojrzał na Zygharda spłoszony. — I wciąż spowiadam się z tego, że... — opuścił głowę i wymamrotał — że... ucieszyłem się na wiadomość o śmierci brata Kunona...

Z satysfakcją ujrzał na twarzy Zygharda von Schwarzburg wzburzenie.

— Bła-gam naj-święt-szą Dzie-wicę Ma-ry-ję, by wy-ba-czy-ła mi ma-łość, sła-bość, u-łom-ność — wyrzucał z siebie słowa, drąc je na cząstki, zacisnął dłonie w dwa węzły pięści i spojrzał na komtura niczym bity pies. — Z ulgą przyjąłem wiadomość o jego śmierci. Najmocniej tego żałuję. Jest mi wstyd. Przepraszam. Jestem podły...

Twarz Zygharda von Schwarzburg stężała. Symonius poczuł się pewniej i dokończył:

— Poczułem ulgę, że nie żyje i skończą się ciągłe podejrzenia, zaczepki i pogarda, którą darzył mnie i moją Rotę. Wiedziałem, że tak nie powinienem się czuć, ale co poradzić? Człowiek to słabe stworzenie. Dzisiaj, gdy minęły lata, żałuję. Pokutuję za tamte złe uczucia. Właściwie nigdy nikomu tego nie mówiłem. Dopiero teraz i przyznaję, ulżyło mi — spojrzał na Zygharda i dodał płochliwe, pokorne: — Wybacz.

Twarz Schwarzburga była doskonale obojętna. Gdyby nie sytuacja, w jakiej się znajdował, Symonius mógłby ją podziwiać. Nawet adorować. Tak jak do dziś czuł uznanie i szacunek wobec śmierci tego psa tropiącego, Kunona. Skurwiel wiedział, że umrze, a mimo to się nie bał. To nie był sikający po nogach Gunter von Schwarzburg. Kuno bronił się do końca, zranił jego chłopców z Roty i grubego Oetingena. Kpił, kiedy strzelali do niego. Gdyby nie nadjechał oddział księcia Leszka, dorżnęliby go na trakcie. Miał szczęście w nieszczęściu, pewnie na wozie im skonał.

— Ulżyłeś sobie przy mnie, Prusie? — spytał Schwarzburg i Symonius zastygł. Czyżby jego uczucia były aż tak widoczne? — Prawda, jesteś słabeuszem, ale kłamiesz zręcznie, nic dziwnego, że oszukałeś Lautenburga. To kmiot, między nami mówiąc. Mógłbym cię zabić tu i teraz, a Luther musiałby się natrudzić, by twój zgon wyjaśnić przełożonym. Mam w dupie, jak by to zapisał. Wiesz, dlaczego tego nie zrobię? Bo chcę, żebyś umarł w mękach, a ja brzydzę się torturowaniem. Znam takich, którzy to lubią. Którzy znajdą przyjemność w zadaniu ci śmierci. — Zyghard von Schwarzburg pochylił się ku niemu tak, że Symonius poczuł woń rozmarynu, szałwii i potu płynącą od komtura. — Gdy cię osaczą, będę blisko. Przysięgam, że będę patrzył na twą śmierć, Prusie.

Albo ja na twoją, komturze von Schwarzburg — pomyślał Symonius, zachłystując się jego wonią. Była upojna.

HUNKA o powrocie do Czech mogła tylko pomarzyć i z tym pragnieniem była odosobniona wśród dworzan Jana. Większość z nich to byli Luksemburczycy, kilku Francuzów, jak poeta Wilhelm Machaut czy Henry de Mortain, choć pochodzenia tego ostatniego nie mogła być pewna, odkąd usłyszała, jak wspomina dzieciństwo na Cyprze. Niedawno dołączyło do dworu dwóch Anglików, Italczyk, kilku synów południowoniemieckich grafów, ot, kompania obieżyświatów, których hojność króla Jana, jego rycerska sława i umiłowanie przygód ściągnęły na dwór. Jeden tylko Vojtech, pokojowiec króla, otwarcie wzdychał za „słodką Pragą"; reszta wydawała się nadzwyczaj zadowolona, że nie znają dnia i godziny, gdy padnie rozkaz „dwór wyjeżdża". Jan wyprawiał uczty, sprowadzał grajków i trubadurów, dla tych ostatnich zaczął pisać krótkie pieśni Wilhelm. Kręciły się przy nich dziewczęta, zjeżdżały córy okolicznych możnych, choć co pilniejsi ojcowie raczej strzegli swych latorośli przed wesołym dworem. Było barwnie, hałaśliwie i dla Hunki okropnie nudno.

Prawda była taka, że ugrzęźli w Thionville, dziurze nad Mozelą, o pół dnia drogi na północ od Metzu. Jan był pewien, że negocjacjami pozyska niepokornych mieszkańców, a pokazem siły sprzymierzonych, czyli arcybiskupa Baldwina, hrabiego Baru i księcia Fryderyka Lotaryńskiego, pod własnym dowództwem, zmusi ich do ustępstw. Przeliczył się. Metz zamknął bramy, a oni zostali pod nimi. Dla Jana sprawa była honorowa, był królem, co prawda odległych Czech, ale jako władca Luksemburga miał prawo do zwierzchniej władzy w Lotaryngii, do której Metz należał. Miasto jednak szczyciło się tytułem „wolnego miasta Rzeszy" i podobnie jak wiele innych, w istocie rządziło się samo. Póki nie wchodziło w paradę tytularnemu władcy, udawało się utrzymać równowagę, gdy zaś zapragnęło prowadzić własną politykę, Jan i ościenni książęta musieli wkroczyć. Wydawało im się, że załatwią sprawę zwyczajowym pokazem siły, ale Metz się oparł i teraz czterej władcy, czyli król Jan, arcybiskup Baldwin, hrabia Fryderyk i książę Henryk „stali pod murami z gaciami opuszczonymi do kolan" — jak to barwnie skwitował Vojtech. Hunka i pokojowiec wiedzieli coś jeszcze, co całą rzecz czyniło barwniejszą: czterej władcy już dawno podzielili się łupami, których póki co nie zdobyli.

Zaczęło się chaotyczne ściąganie wojsk, skąd się tylko dało. Siłą rzeczy największe możliwości posiadał król Jan. Hunka podsłuchała dość rozmów, by w porę wysłać swej pani ostrzeżenie, że będzie robił zaciągi wśród Czechów. Tak też się stało; Lipski nie dał nikogo, ale Peter z Rożemberka uległ królowi i nie dość, że przysłał porządny poczet zbrojny, to sam przybył na jego czele.

— Jeśli marzy o rycerskich przygodach, to się przeliczy, prawda, panie Hugonie? — kwaśno powiedział Vojtech.

Thionville było niedużą, pozbawioną wygód twierdzą, ale budynek mieszkalny zajmowany przez Jana i jego dwór przypominał nieco dawne rzymskie wille i miał kamienny krużganek na pierwszym piętrze. Z niego oboje patrzyli na przybyłych.

— Chyba że lubi przygody w dawnym, awanturniczym stylu — zaśmiała się Hunka i zmierzyła zwalistą sylwetkę Petera.

Pan z Rożemberka ciężko zeskoczył z siodła i rozprostował ścierpnięte barki.

— Plądrowanie klasztorów, okradanie wieśniaków i napady na kupców, to pan nazywasz przygodami? — rozeźlił się pokojowiec. — A, idź pan, Hugonie. Myślałem, że iluminator to jakaś kultura, a pan chyba pochwalasz te wyczyny, że się pan tak uśmiechasz, co? I teraz jeszcze, jak nasi dołączą do tej kompanii, to będzie, że „czeskie zbóje" — splunął Vojtech. — Wstyd na cały świat.

— Nie pochwalam — powiedziała Hunka lekko zarozumiałym tonem iluminatora — ale krytykować swego króla nieładnie. Zwłaszcza że całe dnie ślęczę nad miniaturą, która przedstawia go jako rycerza, w chwale i honorze.

— I będzie tam obrazek, jak król mówi „okraść mnichów"? — złośliwie spytał Vojtech. — Szturmować klasztorne spichrze? Łupić piwniczki?

— Na obrazku król nie mówi — pouczyła pokojowca. — To cały obraz musi przemawiać. Ale racja, mój pokazuje naszego pana jako rozjemcę, który zaprowadza pokój między zwaśnionymi.

— No i tak to z wami jest — zrzędliwie ocenił Vojtech. — Z uczonymi. Moja maminka mawiała, że człowiek nie ma być uczony, ino uczciwy, to się liczy, bo dobre czyny święty Piotr kładzie na wagę, a nie nauki, co ich nie widać. A wy kłamiecie. Poeta układa wiersze o honorowej wojnie, a oni zakonników grabią albo jeszcze gorzej, jak zeszłego lata, co król kazał niedojrzałe winogrona z krzewów ścinać. Pies ogrodnika, sam z tego pożytku nie miał, bo to jeden kwas był nie owoc, a innym nie dał, żeby po Bożemu dojrzało. Winny krzew to jest święty, wiem, co mówię, do kościoła chodzę. Jakbym ja miał wybór, to bym tu nie siedział, ino się wziął do uczciwej roboty.

— To wracaj do Czech, Vojtechu, do maminki — podpuściła go Hunka. — Szkoda życie marnować na królewskiej służbie. Tyś jest bratanek panów z Lemberka, jak pamiętam, a to przecież całkiem znacząca rodzina.

— Cioteczny bratanek i to tych dalszych — poprawił ją Vojtech i w tej samej chwili zgiął się w ukłonie po pas, bo przechodził obok nich Henry de Mortain.

— Ponoć szukałeś mnie Hugonie, Baldryk wspominał — zatrzymał się na chwilę.

— Już sobie poradziłem panie de Mortain — grzecznie odpowiedziała Hunka. — Brakowało mi inkaustu i barwnika, ale znalazłem go na wozach, które przyjechały od benedyktynów.

Przez twarz Henry'ego przebiegł skurcz. Wstydzi się — zauważyła Hunka.

— A ty, Vojtechu? — de Mortain nie skomentował wozów z łupami. — Niczego ci nie brakuje?

— Nie, jaśnie panie Henry — przymilnie odpowiedział pokojowiec. — Wszystko mam, jestem zadowolony i gotów wiernie służyć.

De Mortain uniósł brwi, nieco zdziwiony jego deklaracją, ale spieszył się, więc minął ich i poszedł dalej. Gdy zostali sami, Vojtech wzruszył ramionami i spojrzał na Hunkę bez cienia wstydu.

— Głupi nie jestem — parsknął i ruszył w swoją stronę.

Czas mijał, dni się ciągnęły i Hunka z nudów zaczęła naprawdę dobrze malować. Starała się nie wypaść z rytmu, mieć oko na wszystko, ale poza posłami od króla Francji długo nic ciekawego się nie działo. Aż wreszcie przybył niejaki Oderisius, pulchnawy kanonik z Awinionu, którego imię przeplatało się we wcześniej podsłuchiwanych przez nią rozmowach. Jak na złość, nie mogła posłuchać, jakie wieści przywiózł królowi, bo Henry zadał jej robotę w kancelarii. Za to zaczaiła się wieczorem na króla i nie spuszczała go z oka; gdy tylko usłyszała, że kazał podać wieczerzę do prywatnych pokoi, była tam dużo wcześniej. Wsunęła się pod łoże, nic stamtąd nie było widać, ale słychać, owszem. W myślach podziękowała Vojtechowi, że trzymał porządek i służba opróżniła nocnik.

Przez chwilę rozmawiali o damie, która Henry'emu przypominała jakąś Melisandę, potem o jagnięcinie, że kiepska, i o mieszkańcach zamkniętego Metzu, że ponoć jedzą tylko solone śledzie, odkąd wojska Jana zablokowały dostawy. Wreszcie przeszli do rzeczy.

— No i mamy swoją bullę — powiedział Jan. — Jestem ci wdzięczny, mój Henry. Urobiłeś papieża. Trzy lata dziesięcin. Kupa srebra!

— Trzy lata na wyprawę przeciw poganom — głos Henry'ego był bardzo konkretny. — Musisz ją odbyć, inaczej twój honor ucierpi.

— Nigdy nie łamię danego słowa — żachnął się Jan.

— Więc co? Skończmy z Metzem i jedźmy na kalifat Granady. Wyjmiesz ze skały swój miecz i klękajcie, Maurowie!

Któryś z nich gwałtownie odsunął krzesło i wstał. Po oddaleniu głosu zaraz poznała króla:

— Nie chcę walczyć z Maurami. Jeszcze nie oszalałem.

— Przecież nie popłyniemy do Ziemi Świętej! — gniewnie odpowiedział mu Henry. — To byłoby czyste wariactwo.

Przez chwilę panowała cisza, potem Henry odezwał się polubownie:

— Dostałeś dostęp do dziesięcin z przeznaczeniem na krucjatę. Owszem, jeśli część wydasz na swoje cele, nikt ci nie policzy. Ale tylko wtedy, gdy dopełnisz ślubu. Jan XXII wymaga, byś złożył go przed nim albo przed jego legatem, słyszałeś, co mówił Oderisius. Papież nie pójdzie na żadne ustępstwa, dla niego to także sprawa honoru, chce udowodnić Wittelsbachowi, że jest panem dusz.

— Nie będę walczył z Maurami — stanowczo powiedział Jan. — Jestem za młody, by ginąć od ich zatrutych ostrzy, dość się nasłuchałem na francuskim dworze, zresztą słuchałeś tego ze mną.

— To po co godziłeś się na propozycję papieża? — de Mortain był wyraźnie rozdrażniony.

— Bo mam inny plan, Henry — spokojnie odpowiedział król. — Jan XXII chce krucjaty i będzie ją miał. Ale nie pójdę na Maurów, tylko na Żmudź i Litwę.

Hunka wstrzymała oddech. Tam go jeszcze nie było — pomyślała.

— Janie, jesteś geniuszem! — krzyknął Henry. — Skoro, jak mówią, Giedymin nie chce się chrzcić, papież, który konferował z nim tyle miesięcy, znalazł się w niewygodnym położeniu.

— Ja go wybawię — spokojnie odpowiedział Jan.

— Jest tylko jeden problem i to niemały. Zakon krzyżacki.

Jan zaśmiał sie krótko, chrapliwie. Hunce przeszło przez głowę, że nawet niebezpiecznie i pomyślała, że pierwszy raz słyszy coś takiego w głosie króla.

— Nie wpuszczą mnie na swój teren łowiecki? — spytał przekornie i dodał po chwili: — Zakon został obłożony klątwą, to stawia ich w arcytrudnym położeniu. Pomyśl, Henry.

— Sądzisz, Janie, że poddani wypowiedzą im posłuszeństwo? W państwie zakonnym żyją nawróceni i ochrzczeni Prusowie.

— To się okaże, Henry. To się wkrótce okaże.

WINCENTY NAŁĘCZ wydawał jedyną córkę za mąż. Pojęcia nie miał, że to takie trudne. Czternaście lat nazywał ją „Małgorzatą", a przez ostatni rok, gdy toczyli rozmowy przedślubne, zaczął mówić na nią „Małgosia" albo i „Gosieńka". Im bliżej było do oddania córki, tym mu się wydawała młodszą, słodszą i bardziej kochaną.

Najdłużej trwały uzgodnienia z Wawelem. Król w pierwszej chwili się nie zgodził, nawet zezłościł. Nałęcz brał to pod uwagę, przekazał drugiej stronie i rozmowy zerwano. Odetchnął, Gosieńka znów była jego córeczką, a nie panną na wydaniu. Ona też zdawała się zadowolona; wróciła do dziewcząt, do biegania po łąkach i znoszenia do domu chorych jeży, ptaków, co wypadły z gniazda, i leczenia rannych psów. Zbysława patrzyła na to i kręciła głową niezadowolona. „O co ci chodzi?" — pytał. „Wdała się w ciotkę" — odpowiadała krótko i zacinała usta w cienką kreskę. Nie wiedział, co w tym złego, póki mu nie uświadomiła, że jej siostra, Dorota Zarembówna, przepadła. „Od dziecka wolała zwierzęta od ludzi. Chadzała sama po lasach, jak nawiedzona. Po śmierci ojca słuch po niej zaginął". Wincenty zląkł się o Gosię, chciał jej zakazać biegania po łąkach, ale zamiast tego, po namyśle, przydzielił jej syna sokolnika jako anioła stróża. I wtedy przybył posłaniec z Wawelu, z listem. Król nieoczekiwanie zgodził się na małżeństwo jego córki z Betkinem von Ostenem, możnym brandenburskim.

Rozmowy małżeńskie przywrócono i oto mieli wesele w zapusty.

— Coś taki spięty? — Borek dał mu kuksańca w bok.

— Pogadamy, jak będziesz wydawał córkę — odpowiedział mu Nałęcz.

— Ha, ha! Musiałbym ją najpierw spłodzić!

— Jak się od cycka nie oderwiesz, nic nie zdziałasz.

— Mamuni nie tykaj! — zagroził mu Borek. — Zobacz, jaka ona piękna, tylko spójrz! — pokazał na wojewodzinę rozmawiającą z mężem.

Pani Kachny nie dało się przeoczyć. Wysoka, postawna, o jasnej, promiennej twarzy i olbrzymich, sarnich oczach. W szerokim płaszczu z kapturem podbitym lisami, lekkim gestem przytrzymywała zapięcie, a ciężka materia okrycia na jej wysokiej sylwetce układała się równymi fałdami, jak na rzeźbie. Wincz dostrzegł, że piersi wojewodziny przykryte płaszczem unosiły się równym, wyraźnie dostrzegalnym ruchem i niechcący, odruchowo, wyobraził je sobie bez płaszcza. Speszył się jak młodzik. Matka Borka była w wieku jego żony. Ja chyba lubię starsze — pomyślał, a ona jakby wyczuła, że mówią o niej, i uśmiechnęła się do nich promiennie. Borek pomachał matce jak chłopczyk. Wincenty pokręcił głową i odchrząknął, odzyskując rezon:

— Skończymy zaślubiny mojej Małgosi, to wezmę się za ciebie. Znajdę ci żonę i zawlokę do ołtarza.

— Przestań — wzruszył ramionami Borek. — Mnie jest dobrze. Powiedz — zmienił temat — jak to się stało, że król wydał zgodę?

— Pojęcia nie mam. Chyba że Doliwa pomógł — pokazał głową na Mikołaja z Biechowa, który przytupywał z zimna na dziedzińcu. — Poprosiłem go o pomoc i w miesiąc był poseł z Wawelu.

— A Ostenowie też musieli prosić o zgodę?

— Nie mieli kogo. Ludwik Wittelsbach dał Brandenburgię w lenno swojemu synowi, ale dzieciak młody i wciąż siedzi przy ojcu. No, przyjechali!

Wesele wyprawiał w swych posiadłościach w Czarnkowie; stąd był najdogodniejszy dojazd z posiadłości Ostenów. Podwórze służba uprzątnęła ze śniegu, za dworzyskiem tworząc wysokie, białe hałdy, ale to, co napadało w nocy, mróz ściął nad ranem i trzymało się białą czapą spadzistego dachu domostwa. Wincz z samego rana kazał synom pourywać sople wiszące ze strzechy, nie daj Bóg, żeby w takim tłumie komuś miał wpaść lodowy sztylet za kaptur. Na dziedziniec wjechał orszak pana młodego. Wincenty widział się już z Ostenami, przywitał ich dwa dni temu we Wronkach i tam też dał im dwór, by się zatrzymali. Burchard von Osten, ojciec pana młodego, był wielkim, żylastym starym rycerzem. Ród pochodził z Saksonii, ale od dziesiątek lat zasiedlał Rugię i Pomorze, dzieląc się na liczne gałęzie. Pokrewieństwo między narzeczonymi było tak dalekie, że nie wymagało zgody kościelnej. Matka Wincentego, Odearda, pochodziła z rugijskich Ostenów, a Burchard z pomorskich. W Nowej Marchii znalazł się osiem lat temu, gdy kupił rozległe nadgraniczne dobra, w tym legendarny Santok i Drezdenko. Te, które kiedyś młody Przemysł odbił Brandenburczykom i które po jego śmierci margrabiowie krwawo zabrali. Od czasu wejścia w posiadanie Santoka Ostenowie do swego herbu dodali klucz. „Klucz do Królestwa" mówiono przez setki lat na Santok. Serce bolało, że klucz w rękach obcych. Teraz to będzie twoja rodzina — skarcił się w myślach.

Razem z Ostenami przybył ich powinowaty, Wedegon von Wedel z Wildenbruch. Przeciwieństwo surowego Burharda, na którego wystarczyło zerknąć, by widzieć, że to stary rycerz. Wedelowie pochodzili z Holsztyna, ale na Pomorze przybyli w złotych latach Nowej Marchii i rozrośli się szybko, zyskując na znaczeniu. Wedegon przy Burhardzie wydawał się nieduży, choć do niskiego mężczyzny było mu daleko. Miał w herbie czarne koło na złotym tle i właśnie, wiele w nim było krągłości. Łysa, dokładnie wygolona czaszka, lekko spadziste ramiona, oczy czarne i okrągłe i nawet podbródek nieostry, a właśnie zaokrąglony, jak u chłopca. Nie był gruby, nawet nie był pulchny, a mimo to zdawał się idealnie wpisany w herbowe koło. Betkin von Osten, przyszły zięć Wincentego, był dwudziestoośmiolatkiem. Wysoki po ojcu, z rzadką ciemną brodą na pociągłej twarzy. Lekko przekrzywiał głowę, jak robią to czasem ludzie wyżsi od swego otoczenia. Wincentemu nie podobało się, że przyszły mąż jego Gosieńki patrzy na niego z góry, ale na to akurat nic nie mógł poradzić. Poza tym Betkin był ujmująco miły, rycerski i co najważniejsze, był jedynym synem i dziedzicem Burharda.

— Doczekać się nie mogę chwili, gdy zobaczę przyszłą żonę — powiedział Wincentemu po polsku, gdy się już przywitali.

— Dzisiaj tylko przez okno! — pogroził mu palcem Wincz. — Żebyś się nie zapomniał, chłopcze!

Zbysława wyszła przed dwór, za nią kilka służek z dzbanami grzanego piwa z miodem i kubkami. Zaparowało od ciepłego na dziedzińcu. Jego żona była dziś w ciemnoniebieskim płaszczu na błękitnej sukni. Wyglądała jak królowa lodu. Olśniewająco i chłodno. Ich oczy spotkały się przez długość dziedzińca, Wincenty stał z brandenburskimi gośćmi. I wtedy dostrzegł, że Zbysława się boi. Znał tę minę. Zaciśnięte usta, naprężone szczęki, policzki naciągnięte do granic możliwości. Rzuciła mu spłoszone spojrzenie, przeprosił gości i podszedł do niej.

— Co jest? — spytał szeptem.

— Małgorzata nie chce wyjść z alkowy — odpowiedziała mu równie cicho. — Zamknęła drzwi na skobel. Idź, przemów do niej.

— Zajmij gości — rzucił przez ramię i już był w środku.

— Gosieńko — zastukał w drzwi dziewczyny delikatnie. — Małgoś, wpuść ojca.

Usłyszał szloch, skrobanie i zgrzyt wysuwanego skobla. Pchnął drzwi lekko, stała w półmroku trzy kroki za nimi. Zamknął za sobą.

— Co się dzieje, córuś? — spytał cicho.

Dopadła do niego jednym skokiem, zarzuciła mu ręce na szyję i przytuliła się z całych sił.

— Nie chcę wyjeżdżać — powiedziała zduszonym głosem. — Nie chcę poznawać tego Betkina i jego rodziny. Nie chcę być Brandenburką...

— Nie będziesz — pogładził ją po włosach. — Być żoną Brandenburczyka to co innego...

Pocałował córkę w czoło.

— Będą na ciebie mówili „piękna Polka" — dodał, udając wesołość.

— Tatuś... — rozszlochała się Gosieńka, zaciskając ramiona jeszcze mocniej. — Tatuś...

Jezu — jęknął w duchu, bo i jemu łzy napłynęły do oczu. Przez dłuższą chwilę nie był w stanie nic powiedzieć. W końcu uspokoili się oboje i uścisk córki zelżał. Odsunął ją od siebie na długość ramion. Zdjął z policzka mokry kosmyk.

— Jedną cię mam, dziewczyno — powiedział. — Twoje małżeństwo to mój najważniejszy sojusz. Sędziwój i Dobrogost odziedziczą rodowe dobra, twoje i Betkina będą za granicą, ale po sąsiedzku. Nałęczowie od lat strzegą zachodnich rubieży Królestwa, teraz i ty będziesz ich strażniczką.

— Tego chcesz? — spytała, unosząc na niego oczy.

— Tak — odpowiedział.

Uśmiechnęła się, ocierając resztki łez i skinęła głową.

— Dobrze, tato.

Kamień z serca — poczuł i pomyślał.

— No, to szykuj się. Matka tam zamarznie na dziedzińcu, zabawiając gości — powiedział.

— Jestem gotowa — w jej głosie niemal nie było już żalu.

Pocałował ją w czoło, ale nie przyciągał do siebie, by nie wzbudzić nowych wzruszeń. Odwrócił się do wyjścia.

— Czy mogę zabrać ze sobą moje jeże? — zapytała. — Nie zapadły w sen zimowy i trzeba się nimi opiekować.

A gdyby wzięła je do ślubnej alkowy? — przeszło mu przez głowę i bardzo mu się ten pomysł spodobał.

— Pewnie — rzucił spod drzwi. — Kto pannie młodej odmówi.

Dał znać żonie, że sprawa załatwiona; Zbysława wezwała kobiety do ciepłego, do dworu.

— Rozpleciny czas zacząć! — od razu weszła w rolę.

Jej chyba brakuje dworskich uroczystości — pomyślał Wincz, widząc, z jaką dystynkcją i wprawą jego żona zarządza gośćmi.

Kobiety weszły do środka, mężczyźni przytupując, otoczyli dwór. Dla pana młodego, jego ojca, Wincza i jego synów przygotowano wcześniej niewielki podest pod otwartym oknem. Z niego mieli obserwować rozpleciny. Wincenty zaprosił Burcharda i Betkina na stopień. Miejsca było dość, zmieścił się jeszcze Wedegon, wojewoda poznański Przybysław i Borek, który wcisnął się jako ostatni.

Na krześle obleczonym czyściutkim białym płótnem i przyozdobionym girlandą z jałowca już siedziała jego córka. Zasłaniały ją zebrane kobiety, otaczając dziewczynę szczelnym wianuszkiem, ale rozpoznawał czubki jej butów.

Żeby nie zmarzła od otwartego okna — pomyślał, wiedząc, że będzie tylko w sukience, nie płaszczu.

Kobiety zaśpiewały pieśń o dziewiczym wianku, pierwszy głos prowadziła wojewodzina Kachna.

— Mamunia śpiewa bosko — szepnął zza jego pleców Borek.

— Nie widać jej — powiedział do ojca niespokojny Betkin — nic nie widać.

— To wieczór dla kobiet — pouczył go Wincz.

— Myślałem, że chociaż trochę… — narzeczony był niespokojny.

— A myślisz, że po co to otwarte okno? — zdenerwował się Nałęcz.

Matka Borka zakończyła pieśń przeciągłym „żegnaj, wianeczku zielony" i kobiety rozstąpiły się. Małgorzata siedziała z nisko spuszczoną głową. Betkin zamarł, a potem naparł na okno, jakby chciał je sforsować.

— Co ty, wzrok masz kiepski? — powstrzymał go Wincenty. — Stój w miejscu.

— Betkin — głos starego Burharda zdyscyplinował syna.

— Skąd one wzięły zielony wianek zimą? — zdziwił się Wincz, patrząc na delikatne listki okalające głowę córki.

— To barwinek, nie wiesz? — odpowiedział mu Borek, stając na palcach. — Mamunia sadzi go pod domem, a on zielony nawet pod śniegiem. To ona uplotła wianek dla twojej dziewuszki.

On naprawdę wciąż siedzi przy cycku mamusi — pomyślał rozbawiony Nałęcz i niechcący rzucił okiem na wojewodzinę. Uhm. Było się do czego przytulić.

Gdy Małgosia wreszcie uniosła głowę, Betkin westchnął.

— Piękność, co? — powiedział Wincz, prostując plecy. — Moja krew.

Jego córka miała urodę matki, lecz ani cienia jej wyniosłego chłodu. Oczy patrzyły ufnie, serdecznie, usta same układały się do uśmiechu. Dwa piękne, kasztanowe warkocze płynęły po jej ramionach.

— *Mein Gott* — szepnął Betkin. — Moja żona....

— Jeszcze nie — powstrzymał go Wincz. — Popatrzymy na rozplatanie warkoczy i zamykamy okiennice, bo mi się dziecko przeziębi.

Teraz wojewodzina zaintonowała pieśń o tym, jak słodkie było życie przy boku matki; Wincz słyszał ją po raz pierwszy i ze zwrotki na zwrotkę był coraz bardziej rozczarowany.

— Słyszałeś? — poskarżył się Borkowi szeptem. — Słowa tam nie ma o ojcu.

Każda z obecnych pań, po starszeństwie, podchodziła do Małgorzaty i gładziła jej warkocz. Na końcu panienki i dziewuszki całkiem młode. Jakaś dziewczynka z nerwów pociągnęła Małgosię. Ta zachichotała i pieszczotliwie uszczypnęła małą w pulchny policzek. Wreszcie rozwiązały czerwone wstążki i zaczęły jej rozplatać warkocze. Piosenki, które wybierała wojewodzina, były coraz bardziej frywolne. Na końcu, gdy jego córka miała już rozpuszczone włosy, podeszła do niej matka i obcięła jedno długie pasmo.

— Co robi?! — szepnął zdenerwowany Betkin. — Co robi?!

Burhard uniósł oczy ku górze, najwyraźniej popędliwość syna wzbudzała w nim niesmak. Wincz parsknął śmiechem. Jego żona z długim pasmem włosów Małgorzaty podeszła do okna. Betkin wyciągnął rękę, ale Zbysława ominęła go z wzrokiem doskonale obojętnym i podała pasmo włosów Sędziwojowi. Ich pierworodny złapał je, ucałował i zeskoczył z podestu. Mężczyźni odwrócili się za nim, kobiety w izbie udawały, że ich nie widzą. Zbysława ponownie podeszła do okna, tym razem z czerwoną wstążką Małgorzaty. Betkin już się nie wyrywał, wstążkę dostał młodszy z braci panny młodej, Dobrogost i pobiegł za Sędziwojem. Na dziedzińcu stajenny czekał z koniem. Sędziwój Nałęcz przywiązał kosmyk włosów siostry jej wstążką do końskiej uzdy. Dobrogost uszczypnął konia i ten zarżał tak, że i kobiety w izbie słyszały.

— Jutro na tym koniu pojedzie do kościoła — wyjaśnił Betkinowi Wincz. — No, czas na nas! Pan młody widział rozplatanie dziewiczych warkoczy, reszta należy do kobiet!

Mówiąc to, zamknął okno przed nosem posmutniałego Betkina. W ostatniej chwili puścił oko do córki. Odpowiedziała mu uśmiechem.

Poradzi sobie z nim — pomyślał. — Owinie wokół palca.

— Zapraszam do świetlicy! — krzyknął i zeskoczył z podestu.

Kobiety bawiły się osobno, osobno mężczyźni. Wincz nie lubił zabaw z wieczorów kawalerskich, ale z przyjemnością zobaczył, jak jego przyszły zięć wychyla kielich miodu zaprawionego piołunem.

— Tylko się nie skrzyw! — krzyczał w pierwszym rzędzie. — Bo córkę zostawię w domu!

Oczy młodego Ostena zaszkliły się, ale uśmiech nie zniknął z jego podłużnej twarzy.

— Zakochał się — wesoło huknął mu do ucha Borek, pokazując tyczkowatego narzeczonego. — Oczu nie mógł od Małgośki oderwać.

— A ty byś mógł? — odpowiedział Wincz na odczepnego.

— Jakbyś mi ją dał — Borek udawał, że się zastanawia.

— Przestań — uderzył go w plecy. — Głupstwa gadasz. To tak jakbym dziecko miał wydać za brata.

— Dlatego nie prosiłem — wzruszył ramionami Borek. — Choć się zastanawiałem.

— Za młoda dla ciebie — odciął się Wincz. — Chodź, napijemy się ze Starszakami.

Ruszyli do swoich, choć z racji na uroczystość i obecność gości darowali sobie przygadywanie „Doliwa ciągnie do piwa" albo „Jarosław z Iwna i morda dziwna".

— Ty załatwiłeś z królem zgodę? — spytał Mikołaja Doliwy Wincenty.

— Nie. Po prostu zmienił zdanie. — Mikołaj z Biechowa, jak wszyscy jego rodowcy mówił prawdę. — Słuchaj, a krewni twojej żony nie przybyli?

— Wojewoda Marcin zajęty, a nikogo innego nie prosiła.

— Albo najważniejsi, albo wcale? — spytał drugi z Mikołajów w ich gronie, Grzymalita.

— Coś w tym rodzaju — przyznał im rację Wincenty, ale po chwili wytłumaczył żonę. — Jej siostra, Dorota, zniknęła. Nie ma bliższych krewnych, sami dalsi.

— A Michał Zaremba? Dawny chorąży króla? — zapytał Jarosław, też Grzymalita.

— Sami wiecie — wzruszył ramionami Wincenty Nałęcz — jak kamień w wodę.

— Wiatr się rozwiał za Czwartym Wichrem — dodał Andrzej, herbu Orla.

— Jedynym, który razem z królem nie zginął w Rogoźnie — dorzucił Mikołaj.

— A ja słyszałem coś dziwnego — odezwał się Borek. — Że on ponoć wrócił z Czech, od królewny, której był strażnikiem…

— Królowej — chórem poprawili go pozostali.

— Od królowej — ciągnął Borek — i że skrzyknął Zarembów półkrwi i z nimi widziano go w Starszej Polsce.

— Bzdura — ocenił Doliwa. — Jakby się pojawił, wojewoda Marcin coś by wiedział.

— Huczałoby w całej Starszej Polsce — szturchnął ich Mikołaj. — Przecież to nie pierwszy lepszy rycerzyk, a Michał Zaremba, ostatni, który widział króla żywym! I jeszcze ten proces o Wawrzyńca i że go uniewinniono, to byłaby sensacja. Nie wierzę, że mógłby przyjechać do kraju niezauważony. Ludzie zmyślają. Napijmy się, bom się zdenerwował.

— Pijcie — powiedział Wincenty — zabawię brandenburskich gości i wracam.

Wedegon von Wedel z pogodnym uśmiechem obserwował mężczyzn zebranych w świetlicy czarnkowskiego dworu. Przytupywał nogą i kiwał łysą głową w rytm skocznej muzyki.

— Dobre piwo — pochwalił, gdy Nałęcz zbliżył się do nich.

— Wojewoda poznański — wskazał Przybysława głową Wincenty — ma je w herbie, jak ty, Wedegonie, koło. A może wina?

— Nie, nie — zaprzeczył Wedel — piwo wspaniałe. Teraz wiem, że piję herbowe!

— Mój Betkin — przyłączył się do rozmowy Burchard — olśniony twoją córką.

— Pewnie tak samo jak przed laty mój ojciec, gdy Odeardę von Osten przywiózł do Pomorzan — uprzejmością za uprzejmość zrewanżował się Wincenty.

Burchard skinął głową z wysoka i też, jak Wedegon, przyglądał się bawiącym mężczyznom.

— Rycerstwo Starszej Polski umie się zabawić — powiedział Osten.

— Co przez to rozumiesz? — spytał ostro Wincenty.

— Was — pokazał na świetlicę. — Zadowoleni, rozluźnieni, śpiewy...

Wincz odetchnął. Burcharda nie było tu w czasach mordu w Rogoźnie, nic złego nie miał na myśli.

— Całkiem inaczej, jak Królestwo ma prawowitego władcę — dorzucił Wedel.

— Wedegon ma rację — smutno potaknął Burchard. — Nowa Marchia osierocona po śmierci margrabiego Waldemara i widzisz, Wincz, mści się na nas system elektorski. Król Rzeszy zarządził, synka nam wepchnął na władcę...

— O, żeby chociaż go przysłał — wciął mu się w zdanie Wedel. — Ludwiczek za młody, siedzi u ojca pod pierzyną.

— To możecie sami rządzić — roześmiał się Wincenty.

— Nie tak łatwo — zaprzeczył Burchard. — I stare rycerskie rody czują się dotknięte, że zdecydowano w Monachium. Daleko stąd!

Dołączył do nich tyczkowaty Betkin, zaczął się przysłuchiwać rozmowie starszych.

— Z tego, co mi wiadomo, jacyś potomkowie Askańczyków jeszcze żyją — powiedział Wincenty Nałęcz.

— Jacyś, dobre słowo. Krew w nich tak rzadka, że widzisz, Wincz. Żaden nie sięgnął po spuściznę po Waldemarze.

— Książęta pomorscy zajęli część ziem, niby prawem spadku po matce, księżnej Mechtyldzie, ten Ślązak, książę Jaworski, to samo, też po matce. Co za czasy, by kądziel była silniejsza od miecza — pokręcił okrągłą głową Wedel. — Nie to, co u was. Mały król, siła wielka.

— Niestraszna mu poniewierka — dorzucił Wincz i wyjaśnił: — To taka piosenka, krąży po kraju.

— Co znaczy „poniewierka"? — dopytał Betkin, który nieźle znał polski, ale jak słychać niedoskonale.

— Banicja, synu — pouczył go Burchard. — Polski król wiele lat był na wygnaniu.

— Ach tak, wiem — pokiwał głową na długiej szyi Betkin. — Chciałbym spytać, jeśli wolno? — zwrócił się do Wincza. — Czy to prawda, że wasz król jest karłem?

— Nie — gwałtownie zaprzeczył Nałęcz. — Nie jest. To niski mężczyzna, ale silny.

— Jak niski? — dopytał jego tyczkowaty zięć.

Wincz zagryzł zęby. Wyręczył go Wedel.

— Od ciebie każdy niższy, Betkinie, ale pomyśl, ty nigdy nie będziesz królem. A Polacy mają władcę niewysokiego, ale nieugiętego. I mają Królestwo, nie Marchię z nominalnym margrabią Bóg wie gdzie. I to jest wartość, chłopcze. Ciesz się, że żonę stąd dostajesz, i teściowi dziękuj.

— Dziękuję — w pas pokłonił się Betkin von Osten. — I drugi raz podziękuję po nocy poślubnej.

— Morgendeld naszykowany? — chciał lekko zabrzmieć Nałęcz, ale znów wyszło, jakby stawiał zięcia pod ścianą.

— Tak jest! — odpowiedział Betkin. — Pokazać?

Wedegon, Burchard i Wincz parsknęli śmiechem. Nałęcz poklepał dryblasa w plecy i zostawił Brandenburczyków w rękach wojewody Przybysława, który w porę podszedł. Sam wrócił do swoich.

— Czołem Starszaki! — podstawił pusty kubek Borkowi, który jak raz polewał.

— Jeszcze nie zwarzeni — zameldował Maciek, starszy brat Borka.

— Mów za siebie — wybełkotał Mikołaj Doliwa. — Ja żem się urżnął.

— Nie lej mu więcej — skarcił Borka Wincz.

— Ale żem się nie dorżnął — zaprotestował Doliwa. — Lej, lej. Nie mogę być trzeźwy na weselu.

— To jeszcze nie wesele — zaśmiał się Borek. — To kawalerskie Betkina. Jak się ma pan młody?

— Doczekać się nie może — ponuro odpowiedział Nałęcz. — Dobrze, że wasz ojciec zajął się na chwilę gośćmi.

— Jesteś rozdrażniony — zauważył Jarosław z Iwna. — To z powodu córki czy brandenburskiego zięcia? Czy może źle znosisz zapusty?

— Wszystko po trochu — przyznał się Wincz i przysiadł na ławie. — Ostenowie nic nie mieli wspólnego ze śmiercią Przemysła, Burchard mieszkał wtedy głęboko na Pomorzu. Kupił Santok osiem lat temu i gospodarzy, jak na każdej innej ziemi. A jednak, wiesz, ciężko, kiedy się to razem złoży. Santok margrabiowie Otto i Waldemar zagarnęli zaraz po śmierci króla i choć nigdy za jego porwanie nie odpowiedzieli, tu każdy wie, że tak było.

Jarosław przysiadł obok niego i powiedział po chwili:

— Bogusza Grzymała był bratem mojego dziadka. Nawój Nałęcz siostrzeńcem twojego. Michał bratem stryjecznym twojej żony. I tylko Łodziów dzisiaj z nami nie ma — trącił go kubkiem. — Trudno, byśmy w dzień zapustów nad brandenburską granicą nie wspominali. Doliwa się może urżnąć, bo jego rodowców wtedy z królem nie było, a u mnie w rodzinie po dziś dzień panuje zasada, że nie upijamy się w zapusty.

Dosiadł się do nich Andrzej, pożartowali z orła w herbie, ale bez głowy i znów zrobiło się ponuro.

— Król Władysław, jak przyjechał ostatnio, orła ze sobą nie zabrał. A mówiłem wam, że na Wawelu...

— Mówiłeś, mówiłeś — zgasili go.

— Nie wiem, czy to dobrze, że król Władysław patrzy na wschód — odezwał się Andrzej po chwili. — Mnie się zdaje, że idea naszego króla, Przemysła, była słuszniejsza. Pomorze i zachód. Gdyby poważnie nie myślał o lepszych układach z Brandenburgią, nie brałby margrabianki za żonę. I pamiętacie, córeczkę też chciał związać z nimi. A teraz? Straciliśmy Pomorze...

— Za Przemysła Zakon nie był tak silny.

— Skorzystali na jego śmierci.

— Jezu, skończcie! — dosiadł się do nich Borek. — Wesele twojej córki, a wy smęcicie o śmierci. Mamunia mówi, żeby złego nie wołać, bo ono i myśli słyszy.

— Racja — odpowiedział Wincz, ale pomyślał, że jego druh jest wolny od tych okrutnych skojarzeń, które wciąż ciążą nad każdym z czterech rodów. Spojrzał na Grzymalitę i skinęli sobie, na znak, że pamiętają, ale dość na dzisiaj.

Podszedł do nich zdenerwowany Betkin.

— W izbie u kobiet skończyły się śpiewy — powiedział. — To już?

— Tak — potwierdził Wincenty. — Chodźmy.

Na zakończenie dziewiczych wieczorów przyszłych małżonków dozwolone było, by na siebie spojrzeli i wymienili się jakimś skromnym podarkiem. Betkin stał już przy wyjściu ze świetlicy, trzymając w ręku niedużą skrzynkę. Po chwili drzwi od kobiecej izby zostały otwarte i wojewodzina Kachna, z zaróżowionymi policzkami i błyszczącym spojrzeniem, wyprowadziła Małgosię. Jego córka w rozplecionych włosach i zielonym wianku wyglądała jak leśna rusałka. Uśmiechnęła się najpierw do niego, a potem do narzeczonego i skinęła na służkę.

— Dostaniesz ode mnie szczenię — powiedziała do Betkina. — Żeby wyrósł z niego piękny pies myśliwski.

Spryciula — pomyślał o córce — kolejne z ulubionych zwierząt przemyca do domu męża.

Betkin podziękował tak wylewnie, że Nałęcz pożałował, iż Małgosia nie podarowała mu od razu jeży. Chciałby zobaczyć, jak je od niej bierze — przeszło mu przez głowę, gdy przyszły zięć chwytał smycz z przyprowadzonym przez służkę szczenięciem. Przy okazji zobaczył, że dziewczyna ma na palcu pierścień z perłą. Zbysława oddała jej mój dar poranny — skonstatował z uznaniem dla żony. Nie rozmawiali o tym nigdy, od chwili gdy go jej podarował.

— Ja dla ciebie mam podarek na jutro — wydukał spięty Betkin. — Chustkę na głowę...

— Chwila! — przerwał mu Wincenty. — Weźmiesz za żonę Nałęczównę, chustkę my mamy w herbie i ja ją podaruję córce! Ty, zgodnie ze swoim, podaruj jej klucz!

— Dostanie wszystkie klucze, jak tylko przekroczy próg domu — zapewnił szybko pokraśniały ze szczęścia Betkin. — Od komory, od skrzyń, od kufrów...

— Klucz do Królestwa — szepnęli jak jeden mąż Starszacy za plecami Wincentego.

Betkin nie usłyszał, i dobrze.

Wincz przepchnął się przed narzeczonego i wyjął z zanadrza piękną nałęczkę. Wziął Gosieńkę w ramiona i podał jej chustkę.

— Noś ją z głową — powiedział z dumą do córki.

Pohukiwania, oklaski i okrzyki weselne zagłuszyły ich, ale i tak pochylił się do jej ucha:

— A mężowskiego klucza z oka nie spuszczaj. Od jutra co jego, to i twoje.

ZYGHARD VON SCHWARZBURG jechał do Malborka prosto z Gniewu, w towarzystwie Luthera z Brunszwiku. Rota Wolnych Prusów nie towarzyszyła komturowi Dzierzgonia. Zyghard i Luther udawali, że nic ważnego nie zdarzyło się w Gniewie; jakby rozmowy Schwarzburga z Symoniusem nie było. Zyghard miał gdzieś, czy Luther podsłuchał, czy nie. Może nawet czułby się lepiej, gdyby tak było. Po drodze rozmawiali o drobnych sprawach, o papieżu i *Defensor pacis*, które każdy z nich przeczytał i rozumiał zupełnie inaczej.

— Umiesz wyobrazić sobie świat bez Boga? — spytał w pewnej chwili Luther.

— Nie mam z tym problemu. I tak na co dzień Go nie widzę — szczerze odpowiedział Zyghard.

— A świat sprzed czasów Jezusa z Nazaretu? — Luther chrząknął i poprawił się: — Sprzed cudu Zmartwychwstania?

Co to, spowiedź? — tym razem zastanowił się nad odpowiedzią Schwarzburg i po namyśle skłamał:

— Nie, Lutherze. Urodziłem się w świecie, którym włada Chrystus, a ja jestem Jego sługą. Nawet jeśli zawodzę, to On patrzy na mnie i mówi: umarłem za ciebie, weź się w garść. — Spojrzał z ukosa na Luthera i dodał: — To mi pomaga.

Luther wydawał się zamyślony, jego koń parsknął i komtur dzierzgoński otrząsnął się, jakby budził się z letargu.

— Czasami zastanawiam się — powiedział po chwili — jak wyglądała ta ziemia w czasach pierwszych braci. Gdy naprawdę walczyli z poganami.

A to ciekawe — pomyślał Zyghard. — I kto to mówi?

— Brakuje ci podniet — zaśmiał się na głos. — To normalne, gdy się siedzi dłuższy czas na jednej komturii. Ale nie bój się, jedziemy na kapitułę, która nas wszystkich ożywi. Dzięki twojemu szpiegowi jesteśmy przygotowani, czego nie można powiedzieć o jego świątobliwości wielkim mistrzu. Usłyszy o klątwie i się popłacze — dodał mściwie.

— Naprawdę sądzisz, że jest świątobliwy? — spytał Luther zaskoczony. — Przecież obaj słyszeliśmy, jak się targował po śmierci przyjaciela. To było niegodne.

Wiesz tyle, co ja? — zastanowił się Zyghard. — Na to wygląda, bo słyszałeś dużo mniej, druhu komturze.

— Niegodne, ale wygodne, przyznaj. — Zyghard wciąż grał rozbawionego. — Utargował sobie czarny krzyż na złocie, jak żegnać przyjaciół, to z fasonem.

— Nie kpij — zimno przerwał mu Luther z Brunszwiku. — Ja bym tak nigdy nie zrobił.

A masz przyjaciół? — w duchu spytał Zyghard i ugryzł się w język. Do samego Malborka rozmawiali o pogodzie.

Na dziedzińcu warownego zamku spotkali Hermana Anhalta, komtura nieszawskiego. Zyghard skrzywił się mimowolnie, wciąż miał w pamięci jego głupi występ podczas rokowań w Brześciu. Po chwili napatoczył się gruby Otto von Bonsdorf. Jeden i drugi byli zaskoczeni, że widzą Luthera i Zygharda razem. Otto zamrugał świńskimi oczkami i powiedział:

— O. Komtur Grudziądza.

— O — odpowiedział mu Zyghard — komtur Kowalewa. I, o, komtur Nieszawy. Zapuściłeś potężnego wąsa, Hermanie von Anhalt. W przeciwieństwie do Ottona — uśmiechnął się do Bonsdorfa zimno. — Zawsze chciałem cię spytać, to szczecina czy zarost? — Zyghard wskazał palcem jasne, niеładne włosy na brodzie Bonsdorfa.

— Jesteś wredny — powiedział Herman von Anhalt i Zyghard w jednej chwili zrozumiał, co maskować miał wąs. Anhalt stracił ząb z przodu. Luther wybił mu go za popis w Brześciu? — przeszło Schwarzburgowi przez głowę.

— Przestańcie, proszę — powiedział Luther.

— W takim razie muszę was zostawić, inaczej się nie powstrzymam — zaśmiał się Zyghard. — Zresztą widzę okrągłe oblicze, czyli truchta ku nam Markward von Sparenberg. Idę, chyba że Luther chce ze mną jeszcze wychylić kielich na pięterku, nim zacznie się kapituła? — zaczepił go specjalnie. „Pięterko" oznaczało podsłuchiwanie.

— Nie, wybacz — uchylił się. — Jestem zmęczony, chętnie odpocznę przed obradami. Wybaczycie mi, bracia? — powiedział do swoich świętoszków.

Stali niepewnie, z rozdziawionymi gębami. Zyghard nie oglądając się na nich, ruszył do swojej celi. Ale w połowie drogi zawrócił, bo dostrzegł, iż Luther wcale nie idzie do dormitorium. Nie szedł też do wschodniego skrzydła, gdzie mieściły się pokoje innych ważniejszych braci. Zaintrygowany Schwarzburg ruszył za nim.

Idzie do prywatnych komnat wielkiego mistrza — zrozumiał po dłuższej chwili. Luther kluczył, dwa razy obszedł krużganek, nim wszedł przez refektarz do przejścia wiodącego do komnat Wernera. Nie namyślając się dłużej, Zyghard pobiegł na górę. Wszedł do ich tajemnego pomieszczenia, zobaczył, że kubki są brudne, a wina w dzbanie brakuje. I roześmiał się nagle.

Przyzwyczaiłem się, że Luther obsługuję tę komnatę! Muszę go zaskoczyć i posprzątać tu kiedyś — przysunął sobie ławę i otworzył pokrywę przewodu. — Bez przesady — poprawił się w myślach. — Po prostu przyniosę wino.

— ...tak. Byłbym przeciwny — usłyszał głos Luthera.

Mam cię ptaszku. Odpoczywasz, śpiewając przed mistrzem.

— W mojej ocenie Schwarzburg nie spisał się należycie — to głos Wildenburga, mistrza krajowego. — Nie przywiózł z Brześcia tego, czego się spodziewałeś, mój Wernerze.

„Mój Wernerze?" Wildenburg włazi mistrzowi w dupę? — pomyślał Zyghard.

— Cóż, oczekiwania były wygórowane — odpowiedział Werner von Orseln. — A co sądzi o tym wielki szatny?

— Zyghard von Schwarzburg jest nienagannym dyplomatą. Bardzo zręcznie wybrnął z kłopotu z dokumentami, jakie przedstawiła strona polska. Moje zaufanie do niego i ocena jego pracy są na najwyższym poziomie.

— Fiu! — gwizdnął Zyghard i natychmiast się zamknął. Kanał działał w obie strony.

— Wobec tego zwołajmy obrady — powiedział Orseln i Schwarzburg skończył podsłuchiwanie.

Miał do wyboru, wybiec szybko i znaleźć się na krużganku tuż przed tym, zanim oni wyjdą z komnat, albo zwlekać i nieco spóźnić się na kapitułę. Wybrał to drugie, dobrze być konsekwentnym.

Ciekawe, czy ten Wolf, o którym kiedyś wspominał Orseln, nadal jest w Malborku? — skracał oczekiwanie rozmyślaniem. — A jeśli tak, to gdzie go trzymają? Człowiek, który sprzątnął poprzedniego wielkiego mistrza, to skarb, ale obecny mistrz nie ma w Malborku aż tylu przyjaciół, by trzymać tu bezpiecznie swoje skarby.

Gdy wyszedł, na krużganku panował ruch mniejszy niż zwykle. Szybkim krokiem wkroczył do kapitularza.

— Najmocniej przepraszam — ukłonił się zgromadzonym.

— Jeszcze nie zaczęliśmy *Pater noster*, ale wolałbym, aby każdy z zaproszonych przychodził na czas. Zajmij miejsce, Zyghardzie von Schwarzburg — łaskawie przywitał go Werner von Orseln.

— Komtur grudziądzki najwyraźniej bardziej szanuje swój czas, niż nasz — zgryźliwie dogryzł mu Wildenburg. — To u niego częsta przypadłość.

— Zacznijmy — przeżegnał się wielki mistrz. — *Pater noster*...

Po modlitwie strapionym głosem opowiedział to, co Zyghard i Luther już wiedzieli od Symoniusa. Klątwa.

— W obliczu tego dopustu Bożego trzeba nam zdecydowanych działań. Dobry dyplomata w Awinionie, który przekona Ojca Świętego...

Tylko nie to — pomyślał Zyghard. — Nie chcę kolejnej misji skazanej na porażkę.

— I dobry dyplomata u króla polskiego — dodał Luther.

— Albo i w Rydze, tam, skąd wyszła klątwa — odwdzięczył mu się Schwarzburg.

— Legaci papiescy wsiedli na okręt — odezwał się Henryk Raus von Plauen, który odkąd po wyprawie na Ruś musiał zgolić głowę, zaczął zapuszczać brodę i wyhodował ją długą, rudą i gęstą. — Moi wywiadowcy to potwierdzili. Wracają do Awinionu.

— Wobec tego potrzebny nam sztorm na Bałtyku — wyrwało się Zyghardowi. — Przepraszam — dorzucił szybko, widząc zgorszone spojrzenie Wernera.

— Z tym bym się wyjątkowo zgodził — zarechotał Wildenburg. — Ale klątwa nie zniknie po śmierci tego, kto ją rzucił.

— Musimy uregulować sprawy z polskim królem — stanowczo wrócił do tematu Orseln. — W obecnej sytuacji nie możemy sobie pozwolić na to, by Piotr Żyła zawiózł oryginał dokumentu mistrza von Salzy do Awinionu. Żeby to chociaż był polski dokument, ale nie! Nasz wielki ojciec założyciel czarno na białym opisał sytuację, na którą nie możemy dzisiaj się zgodzić.

— Mowy nie ma o zwrocie ziemi chełmińskiej! — huknął Wildenburg.

— To może Otto Lautenburg? — niewinnie zaproponował Zyghard. — Jako obecny komtur chełmiński jest bezpośrednio zainteresowany.

— Otto nie ma zdolności dyplomatycznych — bez ceregieli powiedział Wildenburg. — To taktyk i wojownik. Mam inną propozycję.

Zyghard zamarł. Nie uśmiechało mu się kolejne spotkanie z Władysławem i strzępienie języka na oferty, których polski król nie przyjmie, bo są poniżej jego godności.

Fryderyk Wildenburg przesuwał spojrzeniem ciemnych oczu po zebranych. Zatrzymał je na Zyghardzie i tylko na chwilę zmrużył powieki, a potem, jakby nigdy nic, patrzył dalej.

— Henryk Raus von Plauen! — powiedział tryumfalnie. — Nawet nasz nieoceniony Zyghard von Schwarzburg powiedział, że podczas misji na Małą Ruś sprawował się doskonale. Podtrzymujesz rekomendację, komturze grudziądzki?

To najgłupsza rzecz, jaką zrobicie. Plauen to kawał łatwopalnego drewna — pomyślał. — Ale lepiej, by spalił się on, niż ja. Ze wstydu.

— Tak — odpowiedział sztywno.

— No to mamy posła do króla Łokietka! — zawołał Wildenburg.

Małe kłamstwa się mszczą — skarcił się w myślach Zyghard. — Mogłem nie chwalić tego durnia po powrocie z Rusi. Spojrzał na Luthera. Siedział ze spuszczoną głową, uniósł ją i powoli przymknął powieki.

Fryderyk Wildenburg tryumfował. Kazał podać wino, nie zauważając, że wielki mistrz uniósł brwi.

Widzi, że komtur krajowy lekceważy go przy nas — skonstatował Zyghard. — „Mój Wernerze" było rzecz jasna wyrachowaną grą. Jak długo „jego Werner" będzie się dawał wodzić za nos?

— Chciałbym zająć się także sytuacją na Litwie — powiedział wielki mistrz, wstrzymując gestem sługę z dzbanem. — To, że Giedymin ogłosił, iż chrzcić się nie zamierza, jest dla nas doskonałą odmianą. Przy okazji, warto nagrodzić komtura Dzierzgonia, który tak doskonale wypełnił swą misję.

— No to poślijmy Luthera na Litwę — wyrwał się Wildenburg i łapczywie zerknął w stronę sługi stającego jak słup z dzbanem wina za plecami wielkiego mistrza.

Zyghard zobaczył, jak Luther z Brunszwiku unosi spojrzenie na Wildenburga. Jadowity wąż — pomyślał.

— A do Awinionu... — leciał na skróty Wildenburg.

— Fryderyku — powiedział Werner von Orseln. — Komturowie Prus — spojrzał po nich.

Zapadła cisza. Wildenburg głośno przełknął ślinę.

— Od czasu mego wyboru na wielkiego mistrza Zakonu Najświętszej Marii Panny minęło pół roku. Zgodnie z ustaleniami podczas Wielkiej Kapituły ani dnia nie spędziłem poza Malborkiem i, jak przysięgłem braciom, opuszczać go nie zamierzam. Wielki mistrz jest jednocześnie mistrzem krajowym Prus...

— Ale ja... — krzyknął Fryderyk von Wildenburg.

— Tak, Fryderyku — chłodno i uprzejmie powiedział Werner von Orseln. — Twój urząd jest już niepotrzebny. Spełniłeś swe zadanie, w czasie gdy mój poprzednik był na, nazwijmy to dyplomatycznie, wygnaniu i sprawował urząd z Trewiru. Przez pół roku udowodniłem, że wielki mistrz jest mistrzem krajowym, bo serce Zakonu bije w Prusach.

Zyghard widział, jak Wildenburg blednie, potem czerwienieje. Jak szuka poparcia w twarzach obecnych. Jego pominął. Luther odpowiedział mu wzrokiem wbitym w blat stołu.

— ...szanuję wszystko, co zrobiłeś dla nas do tej pory — ciągnął Werner von Orseln tym samym spokojnym głosem. — I dlatego proponuję ci honorowy urząd wielkiego komtura.

Brzmi dobrze, gówno znaczy — zauważył Zyghard i z ciekawością zerknął na wściekłego Fryderyka von Wildenburga.

— Nie chcę go — odpowiedział hardo ten, który wcześniej prowadził obrady i miał się za króla brodaczy.

— Wobec tego głosujmy — powiedział wielki mistrz, nie spuszczając ze śpiewnego, eleganckiego tonu. — Kto za obdarowaniem Fryderyka tytułem wielkiego komtura?

Nikt się nie odezwał. Orseln dodał:

— To albo nic — i teraz jego głos zabrzmiał jak ostrzone żelazo.

Unieśli ręce. Luther i jego siedmiu świętoszków. Zyghard. Wildenburg musiał milczeć we własnej sprawie.

— Zatem mamy werdykt — głos Wernera znów był doskonale spokojny. — Napijmy się za ostatniego w historii Zakonu mistrza krajowego, Fryderyka von Wildenburga.

Skinął na sługę, który do tej pory stał jak żona Lota zamieniona w słup soli.

Z mistrza na komtura. A to ci heca — pomyślał Zyghard von Schwarzburg, wychylając kielich. — Mój główny oponent właśnie tonie, a ja piję jego zdrowie.

Zmówili *Pater noster* na zakończenie obrad i ruszyli do wyjścia.

Zyghard przytrzymał Luthera z Brunszwiku za łokieć.

— Co sądzi o tym wielki szatny? — zapytał podsłuchanym dzisiaj zdaniem.

— W obliczu klątwy potrzeba nam spektakularnych sukcesów — odpowiedział książę Brunszwiku. — A potem mrugnął do niego i dodał tym samym tonem: — Oczekiwania były wygórowane.

Ty spryciarzu — dotarło do Zygharda. — Zrobiłeś to celowo. Chciałeś, bym podsłuchiwał. Chciałeś, bym usłyszał, jak mnie chwalisz.

— Fiu! — gwizdnął i rzucił przez ramię: — Idę się napić.

I poszukać Wolfa — pomyślał. — Werner von Orseln jednak trzyma swój skarb w Malborku. Inaczej nie odważyłby się odebrać Wildenburgowi godności.

JEMIOŁA nie zgodziła się na spotkanie ani w Trokach, ani tym bardziej w Wilnie, ale i Giedyminowi z jakichś powodów było to na rękę, bo przystał od razu, proponując wyspę na jeziorze Galwe. Przysłał po nich Bikszę z łodzią.

— Rozmarzło w tym roku szybciej, zwykle lód puszcza dopiero w czas Jarych Godów — powiedział Litwin i poprosił, by wsiedli.

Wiosłowało dwoje sług, bez broni. Woda była gęsta, jakby pod powierzchnią wciąż jeszcze pływały lodowe krupy.

Pierwszy raz widzę cię w płaszczu z ptasich piór — powiedział do niej Woran w myślach.

To prawda, nie założyła go jeszcze od odejścia Dębiny. Teraz jednak okryła nim ramiona i plecy, i choć była od Dębiny niższa i drobniejsza, płaszcz nie był ani trochę za duży.

Dorosłam — zaśmiała się do brata w myślach.

Pięknie ci w tych warkoczach — pochwalił. — *Masz na głowie koronę.*

Nauczyła się je pleść, odkąd została Matką. Czasem pomagała jej któraś z dziewczyn, ale potrafiła zrobić to sama. Zaplatała wiele drobnych warkoczy i okręcała nimi czubek głowy, zostawiając luźne, rozpuszczone sploty na plecach.

Dziób łodzi z szelestem wbił się w suche szuwary. Dopiero teraz dostrzegła niewielką przystań. Niski, przysadzisty mężczyzna czekał na brzegu, Biksza rzucił mu cumę.

— Margoł — przedstawił go Biksza, gdy wysiedli.

— Kniaź czeka — odpowiedział i przyjrzał się obojgu uważnie. — Pamiętam was z bitwy na jeziorze Biržulis.

Jemioła odpowiedziała spojrzeniem i skinęła głową. Spojrzała w niebo, słońce wyszło. Margoł poprowadził ich do obszernej chałupy schowanej między bezlistnymi drzewami na wyspie. Gdzieniegdzie widać było jeszcze łachy śniegu, kontrastujące z mchami, które miękko przerastały ściółkę. Oświetlony słonecznymi promieniami dach chałupy lśnił od wody ze stopionego śniegu. Spływała na ziemię wąskimi, żywymi strumyczkami. Przed wejściem siedziały dwa ogary, z daleka wydawały się identyczne, dopiero z bliska poznała, że to suka i pies. Suka zaskomlała, podbiegła do nich i zawarowała przed Jemiołą. Z chaty usłyszeli gwizdnięcie. Pies szczeknął na sukę. Ta nawet głowy nie odwróciła ku niemu. Uniosła pysk i wpatrywała się w Jemiołę. Pies wbiegł do chaty i po chwili wybiegł. Za nim wyszedł wielki kniaź Giedymin.

— *Vyresnio Kraujo dvyniai*! Bliźnięta Starszej Krwi! — powitał ich szerokim gestem.

Ona i Woran skłonili głowy.

— I Matka — dodał kniaź i teraz z kolei on jej się ukłonił. — Moja

Śmigła już cię czci — zaśmiał się i gwizdnął na sukę. Odwróciła do niego łeb i warknęła. — Już woli panią od pana! Proszę, bądźcie mymi gośćmi.

Weszli za nim do chałupy, suka poderwała się i szła przy nodze Jemioły. Biksza i Margoł bezszelestnie podążyli z tyłu. Pośrodku chaty płonął niewielki ogień, wokół niego stały ławy przykryte futrami. Poza Giedyminem, Bikszą i Margołem było jeszcze dwoje ludzi.

— Ligejko i Torwid — przedstawił ich kniaź.

— Nie widzę Butygeidisa — powiedziała Jemioła.

— On nas widzi — Giedymin wskazał ogień. — Poległ.

Ligejko podał kniaziowi róg okuty srebrem i wlał do niego miodu. Giedymin upił łyk i podał Jemiole, ona wychyliła i dała Woranowi. Róg okrążył Bikszę, Margoła, Torwida i wrócił do Ligejki. Ten upił niewiele i oddał kniaziowi. Giedymin wylał resztę w ogień.

Usiedli. Suka natychmiast przywarowała przy nogach Jemioły.

— Co was do mnie sprowadza? — spytał.

Jemioła w jego ciemnych, niedużych oczach dostrzegła zmęczenie. Przypomniała sobie go sprzed pięciu lat. W jego życiu minęło nie pięć, a piętnaście — zrozumiała.

— Obietnica — powiedziała.

Zmarszczył czoło, jakby nie mógł sobie przypomnieć. Jemioła siedziała wyprostowana, z dłońmi na kolanach. Woran zachowywał się, jakby był jej odbiciem w wodzie, wycofanym o krok za jej plecy.

— Jantarowe dziecko *Bišu Māte* — przypomniał kniaziowi Margoł.

— Ach — kiwnął głową Giedymin.

— Nie tylko — powiedziała stanowczo Jemioła. — Obiecałeś po bitwie, że gdy nadejdzie potrzeba, bracia Litwini staną przy dzieciach Starej Krwi.

— Obiecałem — przypomniał sobie kniaź. — A nadeszła?

— Ty nam powiedz. To u ciebie na dworze służy człowiek Starców Siwobrodych.

Wyłapała ledwie widoczny ruch Ligejki. Biksza i Margoł zostali nieporuszeni.

— Jest naszym gościem, ale czy nam służy? — wymijająco odpowiedział Giedymin. — Matka wypowiedziała wojnę Starcom? — zaciekawił się.

— Wiesz dobrze, że Matki nie znoszą wojen — powiedziała miękko. — Nie my karmimy synów krwią. Nie my poimy córki wrogością.

— Widziałem cię w walce — wtrącił się Margoł.

— Potrafię też prząść, choć nigdy nie pracowałam na życie jako prządka — odpowiedziała bez uśmiechu.

— Niejednemu już utkałaś śmiertelną koszulę — odezwał się Giedymin. — Jest nam wiadomym o zemście na pewnym rodzie winnym śmierci króla. Ale ty, Matko Jemioło, pozostajesz dla nas niewiadomą.

— Z szacunkiem — odrzekła. — Wzajemnie, wielki kniaziu.

— Tajemnice nie muszą nas dzielić — powiedział po chwili.

— Słusznie — przyznała mu rację. — Nie chcę znać twoich sekretów, kniaziu. Chcę tylko wiedzieć, czy dotrzymasz słowa złożonego przed laty w obecności jantarowego płodu, który ci zwróciliśmy.

— Odbili go Krzyżacy — powiedział kniaź i Jemioła poczuła zimno. Raz, że łączyła ją niewidzialna nić z dzieckiem ukrytym w jantarowej macicy, dwa, że słowa Giedymina zabrzmiały złowrogo.

— Jak trafili na jego ślad? — zapytała. — Skąd wiedzieli, że go macie? Jak udało im się go wykraść?

— Tak, wiele pytań — pokiwał głową Giedymin. — Ligejko i ja zadajemy je sobie od tamtego czasu. Wiele ciekawych pytań. I niewiele dobrych odpowiedzi.

Miga się — przebiegło jej przez myśl.

Przyduś go — podpowiedział Woran. — *Nie pozwól mu się wyślizgnąć z przysięgi.*

— Czasami odpowiedź leży za blisko, żeby ją zobaczyć — powiedziała Jemioła. — Żałuję, że straciliście dziecko Jaćwieży. Poznałam je. Jest silne i nie można na nie wpłynąć. Ten, kto je dostał, pewnie nie rozumie jego mocy, więc jej nie użyje.

— Obyś miała rację, Matko Starszej Krwi — powiedział Giedymin.

— Czego pragną Starcy Siwobrodzi? — zapytał nieoczekiwanie Margoł.

— Krwi — odpowiedziała Jemioła.

— Czyjej?

Wchodzę na cienki lód — pomyślała.

Jesteś zręczna, nie zarwie się pod tobą. I masz płaszcz z ptasich piór, w razie wpadki odlecimy — zażartował w myślach Woran.

— Piastów — odpowiedziała. — Chcą, by wróciło stare.

Twarz Giedymina stężała na chwilę.

— A ty nie chcesz, Matko? — spytał.

— Czasu nie można cofnąć, Giedyminie.

— A co można?

— Być przyzwoitym — spojrzała mu w oczy.

Nie umknął spojrzeniem, ale też nie potrafiła wyczytać z jego wzroku, co naprawdę myśli. Jeżeli Starcy i Jarogniew już namówili go na sojusz przeciw Piastom, nic nie wskóramy — pomyślała. — Ale może chociaż puści nas wolno. Choć, jeśli blisko mu do Półtoraokiego, zabije nas w puszczach litewskich i spali nasze ciała.

— Ty, Woranie, złowiłeś Henryka von Plötzkau żywcem — odezwał się Giedymin — choć mogłeś przypłacić to życiem, bo komtur ciągnął cię pod lód. Ty, Jemioło, uratowałaś swojego brata przed utonięciem. Każde z was dowiodło, że jesteście przyzwoici. Razem staliśmy przy stosie ofiarnym dla Perkuna. Stosie, na którym żywcem płonął Plötzkau. Przy jego śmierci złożyłem wam obietnicę. Byłbym nikim, gdybym jej nie dotrzymał.

Dał znać Ligejce, bo napełnił róg miodem. Wstali i znów pierwszy upił Giedymin:

— Zostawmy swoje tajemnice dla siebie, ale gdy będzie trzeba, możesz na mnie liczyć, Matko. A gdyby mnie zabrakło, moim następcom przekażę, że mają wobec ciebie zobowiązanie — napił się i przekazał róg Jemiole.

Wypiła i podała dalej. Suka uniosła się na przednich łapach i patrzyła na nią wilgotnymi, wiernymi ślepiami.

— Śmigła — poklepał ją po łbie Giedymin. — Moja najlepsza suka. Oddaję ją tobie, Jemioło.

— Nie mogę jej przyjąć — powiedziała. — To twoje stado.

— Już nie — zaśmiał się wielki kniaź. — Zmieniła pana na panią od pierwszej chwili. Weź ją, to dar.

Jemioła przykucnęła. Położyła Śmigłej dłoń na głowie. Suka przymknęła ślepia i zaskomlała. Jemioła odpięła jej kosztowną obrożę i podała Giedyminowi.

— Przyjmuję. U mnie może chadzać bez smyczy.

Uścisnęli sobie z wielkim kniaziem prawice. Chyży skomlał na brzegu, gdy Biksza wypływał z nimi z szuwarów. Śmigła stała na rufie łodzi i patrzyła za dawnym panem chwilę, ale gdy tylko odbili na dobre, zwinnym ruchem znalazła się przy nogach Jemioły.

— Wasza wizyta była dla nas cenna, Matko Jemioło — powiedział Biksza, kiedy wysadzał ich na drugim brzegu jeziora Galwe. — Na Litwie wiele się ostatnio zdarzyło. Żmudzini twierdzą, że ukazał im się sam Perkun w ogniu błyskawic.

— Widziałeś go? — spytała.

— Nie, ale wracając, pomów z nimi. Opowiedzą ci, jak było — wymijająco odpowiedział Biksza.

— Wierzysz, że to był bóg piorunów? — zapytał go Woran.

— Trudno uwierzyć, gdy się nie zobaczyło. Miał grzbiet pokryty łuskami i ponoć był olbrzymi. — Litwin mówiąc to, przyglądał im się uważnie. Jemioła i Woran ani drgnęli, choć oboje szepnęli do siebie w myślach: *Zaremba.*

— W świetle błyskawic wszystko wygląda straszniej — powiedział Biksza i dodał: — Powiedziałaś, Matko, Gedyminowi dużo więcej o Starcach Siwobrodych, niż wiedział. Powiedziałaś mu i to, czego się nie spodziewał. Ale życzę nam wszystkim, by kniaź nie musiał wypełniać przysięgi.

— Niech się spełni — odpowiedzieli na pożegnanie Jemioła i Woran.

WŁADYSŁAWOWI zupełnie nie na rękę były rokowania z Zakonem.

Nie teraz i nie tutaj — pomyślał. Nie mogę ich wpuścić na Wawel.

Zaproponował Brześć, jak poprzednio. Był zaskoczony, że w delegacji krzyżackiej nie ma Zygharda von Schwarzburg, tylko komtur Bałgi, jakiś Henryk Raus von Plauen.

— Dlaczego z Bałgi? — skrzywił się przed spotkaniem.

— Bałga to wschód, nawet podlega pod marszałka zakonnego w Królewcu — razem z nim zastanowił się kasztelan krakowski, Nawój z Morawicy, i spojrzeli na siebie ciężko. — Czyżby wielki sekret koronny wydał się za wcześnie?

— Nie! — machnął ręką Władysław. — Niemożliwe, nawet moja żona nie wie...

— Jesteś tego pewien, najjaśniejszy panie? — spytał Nawój.

— Tak. Gdyby się wydało, już by mnie...

— Nie o to pytam — zaprzeczył pan z Morawicy.

— Jestem — grobowo odpowiedział Władek. — Nie mogę podzielić się tym z królową, bo będzie przeciwna. Rozmawialiśmy o tym setki razy, nie wracaj do tematu, bo lżej mi od tego nie będzie. Wołaj Borutkę i Bachorzyca — powiedział do sługi. — Przebiorę się i idziemy. Kanceliści gotowi?

— Tak jest — potwierdził Nawój.

Na poprzednie rokowania zabrał ze sobą Piotra Żyłę, arcybiskupa Janisława, biskupa Macieja i sztab prawników. Teraz Janisław i Żyła mieli na głowie ważniejsze sprawy, zaprosił tylko Macieja i kilku legistów.

— Koło dupy im się pali — gderał, gdy Bachorzyc szykował brzytwę i miskę z wodą. — Borutka, jak pogoda?

— Pada — ziewnął giermek. — Już nie śnieg, tylko takie błocko.

— To buty mi daj te drugie — zaordynował do Bachorzyca. — Nie te z kurdybanu, od Elżuni, tylko te gorsze.

Pokojowiec stanął bezradnie. Nie wiedział, które z poleceń pana wykonać. Borutka zeskoczył z wnęki okiennej i wyjął Bachorzycowi z ręki brzytwę.

— Ja ogolę — powiedział. — Ty buty wyczyść.

— Tylko mnie nie zadraśnij! — przestrzegł Władek.

— W życiu — znów ziewnął Borutka. — Krwi króla bym nie utoczył. Czy mogę? — spytał.

— Możesz. Tylko ostrożnie!

Borutka chwycił go za podbródek i zręcznie przyłożył ostrze do szyi.

— Bachorzyc zaczyna od policzków — przerwał mu Władek.

— A ja od podgardla — błysnął zębami Borutka. — Niech jaśnie pan zamknie oczy, odpręży się i odda w me ręce.

Władek coś jeszcze chciał powiedzieć, ale posłusznie przymknął powieki i choć nigdy nie zdarzyło mu się to podczas golenia, zasnął. Zbudziło go lekkie uściśnięcie w ramię.

— Gotowe — oświadczył Borutka.

Władek otrząsnął się i przeciągnął.

— Ale miałem sen... — powiedział i pociągnął nosem. — A co tu tak pachnie?

Borutka i Bachorzyc stali i gapili się na niego. Giermek z zadowoleniem, pokojowiec z niedowierzaniem. Władek przejechał dłonią po włosach.

— O nie. Pomady mi nakładliście... — powąchał rękę. — No, pomada. Ile razy mam mówić, że nie lubię?

— Zapomniałem — zełgał w żywe oczy Borutka. — Cóż poradzić, że królowi w lokach tak ładnie...

— Jezus Maria — zdenerwował się nie na żarty Władysław. — Loków mi narobiłeś? Bachorzyc, jak ja wyglądam, mów szybko, tylko nie kłam, jak ten piekielny giermek!

— Nadzwyczajnie — jęknął Bachorzyc. — Król wygląda teraz nadzwyczajnie. Polerowane srebro podać?

— Dawaj. — Władek zaczął macać włosy. Rzeczywiście, całkiem były inne.

Bachorzyc podstawił lustro. W jego zamglonej powierzchni Władek nie zobaczył siebie, tylko kogoś innego. Mężczyznę z wąsami i krótką, ostro zakończoną brodą. Z włosami ufryzowanymi w wyraźne fale, w których pasma srebrne przeplatały się z ostatnimi ciemnymi. Ten z lustra wyglądał naprawdę nieźle.

— A gdzie moje brwi? — spytał, udając, że coś mu się jednak nie podoba.

— To, co tak wisiało nad okiem, delikatnie wystrzygłem — powiedział Borutka. — Z nosa też — dorzucił skromnie.

— Miałem włosy wystające z nosa?! — odsunął lustro Władek.

— Najważniejsze, że już ich król nie ma — pokłonił się Bachorzyc. — Ja już kiedyś próbowałem, ale jaśnie pan się nie zgadzał na żadne takie…

— Ty się nie tłumacz — skarcił go Władysław. — Bo się tobą sędzia zajmie, że naraziłeś majestat na pośmiewisko. Żeby król taki był wcześniej zarośnięty? Wstydu narobiłeś, Bachorzyc.

— Najmocniej przepraszam, najjaśniejszy panie — poczerwieniał pokojowiec.

Giermek uśmiechnął się szelmowsko.

— A ty się nie śmiej — dostało mu się od ręki — tylko powiedz mi, jakim cudem mam brodę, skoro jej nie miałem.

— Od dawna mówiłem królowi, że broda dodałaby urody.

— Ale sama nie może urosnąć! — Władek znów przybliżył lustro i dotknął zręcznie wystrzyżonej brody. Pociągnął za nią, zabolało.

— Sama nieee… — rozłożył ręce Borutka. — Powiem tak: brwi ukształtowałem w drapieżne łuki, które sprawiają, iż każde spojrzenie najjaśniejszego pana wydaje się jeszcze groźniejsze. Zaś w kwestii brody, wiadomo, że Krzyżacy strzygą ją kwadratowo, żeby się wydawali sroźsi. Ja zaś u króla zastosowałem cięcie trójkątne, które wydłuża oblicze i nasuwa skojarzenia z mędrcem, a jednocześnie razem z resztą ma w sobie coś wschodniego, odległego…

— Wschodniego? — zaniepokoił się Władek. — To tajemnica korony.

— Nie połapią się — mrugnął do niego Borutka. — O tym wiemy tylko ja i król.

— I ja! — przypomniał o sobie Bachorzyc.

— No nie wiem — pokręcił głową Władek. — Wolałbym nie dawać wskazówek nikomu.

— Mogę ciachnąć na kwadratowo — niechętnie zaproponował Borutka.

— Nie — raz jeszcze zerknął w lustro Władysław. Ciekawe, ledwie chwilę mam taką brodę, a już zdążyłem się przyzwyczaić. — Niech zostanie. Skoro mówisz, że kojarzy się z mędrcem…

— To może jeszcze przejrzę królewskie stroje? — rozochocił się Borutka.

— Nie teraz, posłowie czekają — zakończył nieważne sprawy Władysław. — Ale później możesz.

Komtur bałgijski Henryk Raus von Plauen miał łysą, lśniącą czaszkę i długą, intensywnie rudą brodę. Wydawał się sztywny i pozbawiony eleganckiego wdzięku Zygharda von Schwarzburg.

Wiadomo — przypomniało się Władkowi — Schwarzburg ma kapkę krwi piastowskiej.

Za plecami Plauena stało dwóch jeszcze, z których zapamiętał Albrechta von Ore, bo przedstawiono go jako komtura Gdańska. Szczęki Władysława zacisnęły się same. To obraza — pomyślał.

— W imieniu wielkiego mistrza Zakonu Najświętszej Marii Panny… — perorował Plauen. Władek przypominał sobie w tym czasie twarze poległych w Gdańsku, których znał osobiście. Powtarzał imiona tych, których nie zdążył poznać. Przyszedł mu także obraz bratanka, księcia Kazimierza, który klęknął przed Henrykiem von Plötzkau. Bogu dzięki, że rzeźnik gdański nie żyje — pomyślał. — Ubił go Giedymin, osobiście. Biksza opowiadał, jak półżywego wyciągnęli spod lodu i jak go spalili razem z koniem w ofierze Perkunowi. Żałuję, że nie wdychałem smrodu palącego się ciała — myślał, patrząc w twarz Plauena.

— Taka jest nasza oferta — skończył komtur bałgijski.

— Chyba byłem nieuważny — zwrócił się Władysław do biskupa włocławskiego Macieja. — Bo nie usłyszałem nic nowego.

— Każda z tych propozycji padła podczas spotkania z komturem Schwarzburgiem — potwierdził biskup.

— Pośle — król wskazał czubkiem berła na von Plauena. — Czemu służyć ma to spotkanie?

Komtur Bałgi poczerwieniał.

— Jak powiedziałem — oświadczył sztywno. — Chcemy ofiarować ci królu dziesięć tysięcy za zrzeczenie się praw do Pomorza.

— Odmówiłem tej hańbiącej oferty i nie zmieniłem zdania — odpowiedział Władek.

— Jeśli nie macie nic nowego, co mogłoby sprawić, że król wyrazi zainteresowanie — zaczął biskup Maciej, ale komtur Plauen przerwał mu.

— A gdybyśmy zaproponowali te same pieniądze za Gdańsk? I zwrócili wam część Pomorza?

— Jaką część? — spytał Maciej.

— Do ustalenia — warknął Plauen.

— Nie! — zdecydowanie przerwał Władysław. — Gdańsk jest perłą Pomorza i odzyskamy go od was prędzej czy później. Wyrok papieski już mamy.

— To go wykonajcie — bezczelnie odpowiedział Plauen.

Zapadła złowroga cisza. W niej nienaturalnie wysoko zabrzmiał głos komtura gdańskiego, Albrechta von Ore.

— Radzę, by Jego Wysokość jednak przemyślał naszą propozycję. Jeśli Gdańsk jest perłą, a Pomorze naszyjnikiem, to lepiej mieć pół naszyjnika bez perły niż nic.

Pomorze jest łodzią, Gdańsk jej masztem, żaglem i wiosłami. Bez niego łódź zamienia się w bezużyteczne koryto zbite z desek. Chcecie mnie kupić, pokazać papieżowi i światu, że cały nasz spór jest wart ledwie dziesięć tysięcy grzywien. Nie dam się nabrać. Wyszarpię wam wszystko, coście ukradli.

— Już przemyślałem — odpowiedział komturowi gdańskiemu. — Nie zgadzam się.

— To może was drogo kosztować! — porywczo powiedział Plauen.

— Grozisz mi? — spokojnie spytał Władysław.

Komtur Bałgi nie odpowiedział.

— A więc grozisz — stwierdził Władek. — Czym? Że Gdańsk to był tylko początek? Że wkroczycie do Królestwa Polskiego i pobijecie nas? Gratuluję ślepoty, komturze von Plauen. Pismo od legatów papieskich informujące o klątwie rzuconej na Zakon dotarło na Wawel. Jest nam wiadomym, że wasza sytuacja stała się co najmniej niezręczna. Zakon rycerski ekskomunikowany. Ciekawe, co powie papież na to nowe szachrajstwo.

— Papież jest daleko, a my blisko — błyskawicznie odpowiedział von Plauen. Oczy mu się zwęziły w szparki. — Nasze siły zbrojne nie mają sobie równych. A oferta, którą złożyłem, jest ostateczna.

— Moja odpowiedź też! — uniósł głos Władysław. — Żegnam.

Wstał z tronu i nie patrząc na Krzyżaków, ruszył do wyjścia. Biskup Maciej za nim. Plauen stał sztywno, gdy król go mijał.

— Klękniesz przed królem — usłyszał za swymi plecami szept Borutki. — Klękniesz i przeprosisz, komturze von Plauen.

JUTTA użyła burego habitu z kapturem, takiego, jakie noszą wrocławskie beginki. Pożyczyła ubranie od beginek z konwentu koło świętego Jakuba. Ubogie siostry raz na tydzień przychodziły do franciszkanów zabrać odzież braci do łatania albo odnieść zreperowaną. Wtedy Alberta, ich magistra, przełożona, odwiedzała klasztor Jutty. W rozmównicy wymieniały się nowinami ze świata, także i tymi, których beginki nie zdradzały franciszkanom.

„Spowiednik osoba święta" — miała w zwyczaju mówić Alberta — „nie należy narażać go na grzech".

Jutta, gdy była taka potrzeba, wspierała wrocławskie beginki groszem, a w czasach, gdy w Świdnicy szalał inkwizytor i proces waldensów, dobrą radą. Święta Klara czuwała i beginkom włos z głowy nie spadł, zresztą, jak wyznał Jucie gwardianin franciszkanów, inkwizytor pytał głównie o Trójcę Świętą, nie o Boga i Szatana, więc proces nie był prowadzony w kierunku lucyferianów. Niestety, kilkunastu waldensów spłonęło na wrocławskim rynku.

Świeć, Panie, nad ich umęczonymi duszami — modliła się Jutta — i przejrzyj Wszechmocny w niebiosach akta procesu. Człowiek jest omylny, nawet jeśli to kształcony u dominikanów Johanes Svenkenfeld.

Bogu dzięki, śląskie beginki cieszyły się poważaniem u kolejnych książąt. Królowa Jadwiga sprowadziła je do Małej Polski, a w Jaworze książę Henryk podarował im jeden z kościołów. Były bezpieczne, mimo złowieszczych bulli Klemensa V, zawieszonych zresztą i nierealizowanych.

Tak więc Jutta skryta pod habitem beginki, pod jej kapturem i płaszczem, podróżowała do Starszej Polski, korzystając z życzliwości kupca, a pewnie bardziej kupcowej. Kobiecina, którą mąż zwał Alwiną, nadzwyczajnie była zaciekawiona życiem sióstr ubogich.

— Panny, mówi siostra, wdowy jak najbardziej, a czy kobiety zamężne siedzą w beginażach? — dopytywała, gdy kolebały się na wyboistej drodze.

— Zamężnych miejsce przy mężu — odpowiedziała Jutta i dodała po chwili: — Póki żyje. A potem mogą przystać do nas.

— Na wszystko trzeba czekać — wywróciła oczami Alwina.

Jej mąż usłyszał to i batem smagnął wołu. Jutta syknęła, jakby ją uderzył.

— Dodam tylko, że u nas się nie siedzi — powiedziała Jutta. — Każda z sióstr pracuje od zmierzchu do świtu.

Kupiec na koźle zarechotał złośliwie.

— Tak, tak. Praca naszą modlitwą, a wiara bez uczynków jest martwa. Prócz tego — Jutta złapała się na tym, że trajkocze jak najęta — ćwiczenia w umartwianiu i pokorze oraz bezgraniczne posłuszeństwo magistrze.

Od strony kozła rozległ się już nie rechot, a śmiech pełną gębą.

— Co, Alwino? Co na to powiesz? Ha, ha, ha!

— Beginaż to życie — rzekła Jutta — a nie ucieczka od niego.

— E — krótko orzekła kupcowa.

— Kto pyta, nie błądzi — zakończyła sentencją Jutta.

— No to zapytam — od razu wyrwało się Alwinie. — A uboga siostra to gdzie się wybiera?

— Mówiłam. Do Starszej Polski. Jadę odwiedzić siostry.

— Rodzone? — zaciekawiła się kobieta.

— Nie. Ubogie — zamknęła rozmowę Jutta.

Sama uważała, że pomysł Janisława: ukrycie kobiet Starej Krwi pod płaszczykiem zgromadzenia, pod nominalną opieką Kościoła, jest tyleż ryzykowny, co genialny. Jutta patrzyła na Kościół od środka i widziała w nim tyleż samo świętości, co nieprawości. Kobiety z matecznika znała od czasów Dębiny i nigdy nie znalazła w nich nic fałszywego. Owszem, nie były ochrzczone, czciły Matkę Naturę, a nie Matkę Boską, ależ czy cały świat nie pochodził od Jedynego Boga? Czyż wszyscy nie byli w grzechu pierworodnym poczęci? W głębi duszy wierzyła, że i do matecznika kiedyś przyjdzie Jezus. A jeśli poprosi o kubek wody, dostanie go. Jeśli będzie mu zimno, okryją go Jemioła i siostry. A gdy zechce jeść, ugotują mu wieczerzę, tyle że nie podadzą koźlęcia, lecz groch lub rzepę. Cała reszta w rękach Pana — myślała.

Kiedy mijali Jarocin, z daleka dostrzegła wieżę Sędziwoja i przeżegnała się. Najpierw chciała tu wysiąść i dalej ruszyć piechotą, ale na trakcie zobaczyła mężczyznę ze starą blizną na twarzy, który tak bardzo przypominał jej Sowca z Brzostkowa, że nie ośmieliła się iść sama. Wysiadła dopiero w Wilkowyi, Alwina i jej mąż jechali dalej w stronę Dębna, miasta Doliwów. Pożegnała się i podziękowała za podwózkę.

— Z Bogiem!

Chwilę szła traktem, a potem rozejrzała się, czy pusto, i skręciła w las. Strażniczki wychwyciły ją przed zmierzchem. Wiedziały, kim jest, zaprowadziły do matecznika. Tam, w chacie, przyjęła ją jakaś starsza siostra.

— Jemioła wróci za kilka dni, najdalej kilkanaście. Ale ja wiem o wszystkim, Doroto.

— Znasz mnie? — zdziwiła się, zdejmując płaszcz. — Wybacz, ja ciebie nie pamiętam.

— Kalina — przedstawiła się.

— Opiekunka królewny Rikissy? — Jucie płaszcz wypadł z ręki. Schyliła się po niego i miała chwilę, by pokryć zmieszanie.

— Wiem, jak wyglądam — cicho odpowiedziała Kalina. — Nikt mnie nie poznaje. Siadaj, zaraz cię nakarmimy. U nas na przednówku nikt nie chodzi głodny.

Dostała polewki piwnej z wędzonym twarogiem, kaszy jaglanej z grochem, placków z żołędzi, a gdy nasyciła głód, siostry zniknęły, znów była tylko z Kaliną. Spojrzała na nią niepewnie.

— Miłość do smoka wyniszcza — blado uśmiechnęła się Kalina.

Do Jutty dotarło, że to o niej mówiła Jemioła. Poczuła, jak zaciska jej się serce. Co innego zobaczyć na własne oczy. Z kąta izby rozległo się syczenie i szelest. Kalina wstała z miejsca i ruszyła w tamtą stronę. Z półmroku ku światłu wypełzło stworzenie tak dziwne, że w pierwszej chwili Jutta cofnęła się. To było kilkuletnie dziecko, dziewczynka, o podkurczonych rączkach i nóżkach, na których nie stało. Pełzło gadzim ruchem, niezdarnym, lecz szybkim, a gdy znalazło się bliżej światła, Jutta dostrzegła, że dziecko ma ogon i wyrostki wzdłuż kręgosłupa.

— Poznaj Jaszczurkę — powiedziała czule Kalina. — To córka Michała.

Jaszczurka podpełzła do jej kolan. Zadarła główkę i okrągłymi oczami wpatrywała się w Juttę. Klaryska wyciągnęła rękę i położyła na głowie niezwykłego dziecka. Jaszczurka przymknęła powieki.

— Jaszczurka… — szepnęła wzruszona Jutta i natychmiast zdrobniła: — Jasia. Witaj, Jasiu.

Dziecko zagulgotało. Przysunęła się jeszcze bliżej, o parę kroków. Położyła głowę na kolanach Jutty. I zasnęła. Zarembówna spojrzała na Kalinę. Zobaczyła w jej oczach łzy.

— Nigdy wobec nikogo tak nie robiła — powiedziała cicho. — Jest dość nieufna.

— Rozpoznała ciotkę — odpowiedziała Jutta i poczuła drapanie w gardle. — On wie o jej istnieniu?

Kalina wstała, odeszła parę kroków. Wróciła z kocem. Nakryła Jaszczurkę.

— Myśleli, że urodziła się martwa. Zabrałam ją, trzymałam w powijakach i odżyła. A potem, gdy znalazłam w sobie siłę, by odejść od niego, zabrałam ją i przyniosłam Dębinie. Udało nam się ją trochę odchować. — Westchnęła głęboko i pogładziła grzbiet Jaszczurki pod kocykiem. — Ostrzyca później urodziła mu syna. Starcy zapowiadali jego przyjście na świat jako powrót dawnego Żmija, boga...

— Wiem, wiem — ucięła Jutta. — Mów o chłopcu.

— Niedawno dowiedziałyśmy się, że jest podobny do niej. Tylko znacznie mniej rozwinięty. Nie wiedzą, jak o niego dbać, żywią krwią, a to nieodpowiednie dla dziecka, nawet jeśli ma postać tak... dziwną. Więc Michał nie wie, że ona żyje. Zdaje się, iż nie bardzo interesują go te dzieci.

— Kochasz go jeszcze? — Jutta dopiero gdy zadała pytanie, zdała sobie sprawę, jak jest niezręczne. Natychmiast przeprosiła.

— Nie ma jednej odpowiedzi — wzięła głęboki wdech. — Tak, kocham go, ale już umiem żyć bez niego.

Opiekujesz się jego córką — pomyślała Jutta. — Jej dajesz tę miłość.

— Jak spotkam się z Michałem? — spytała.

— Za dwa dni w Brzostkowie. Przyjeżdża tam od trzech lat, zawsze w czasie Wielkiego Postu i siedzi tydzień, dwa. Ochna i jej dziewczyny znikają wtedy z dworzyska, bo ani one nie chcą spotkać Michała, ani on ich. Wszystko organizuje dawny towarzysz Michała, Sowiec.

— Nie myliłam się, więc to jego widziałam na trakcie! — powiedziała. — Wcześniej sądziłam, że nie żyje...

— Nie wiem, jak zwąchali się z Michałem — pokręciła głową Kalina. — Czy on znalazł Sowca, czy Sowiec jego. Ale ci Zarembowie z oddziału byli niezwykle Michałowi oddani.

— Mój rodzic nazywał ich rodową szarzyzną. Że niby ojciec Zaremba, a matka nieznana. — Jutta pamiętała to dobrze. — Sowiec wie o mnie?

— Nie wie, kim dokładnie jesteś, wie tylko, że z dalekiej rodziny. Wybacz, Doroto, ale inaczej nie pomógłby nam.

— Rozumiem. Zachowa tajemnicę?

— Przypomnij sobie „Zarembów rozrzedzonej krwi" i ich wierność, pewne przywiązania nie mijają.

Przez cały następny dzień Jaszczurka nie odstępowała Jutty.

— Jesteś dowodem na wyobraźnię Boga — powtarzała jej klaryska i całowała w łuski na czole.

Rankiem drugiego dnia wstały z Kaliną wcześniej i same ruszyły do Brzostkowa.

— Boże, jaka ruina — jęknęła Jutta, patrząc na połamane przez wiatr strażnice w koronach drzew, zarośnięte krzakami suche fosy i bagnisko wdzierające się w uprawne kiedyś łąki. Na podwórcu dworzyska było jeszcze gorzej, tam pożegnała się z Kaliną.

— Będę na ciebie czekać — obiecała zielona siostra. — Dalej nie mogę.

Bliżej nie możesz — uściśliła w myślach Jutta, przeżegnała się i poszła. Chaszcze rosnące na podwórzu czepiały się jej sukni, ciągnęły za płaszcz. Ale drzwi były wprawione nowe. Zastukała w nie. Nic.

Uderzyła pięścią. Nic.

Wreszcie krzyknęła:

— Michale Zarembo, otwórz!

Usłyszała ruch za drzwiami. Zapytał zduszonym głosem:

— Ktoś ty?

— Dorota — odpowiedziała i nabrała tchu. — Zaginiona córka Sędziwoja.

JADWIGA klęczała przed ołtarzem w kościele franciszkanów. Tu, pod kamienną posadzką spoczywały kości jej synów, Stefana i Władka. Dwóch chłopców kochanych, których Bóg dał i Bóg zabrał. Tyle lat minęło od ich śmierci, a wciąż w głębi serca nosiła żałobę, tyle że już nie powtarzała, iż byli ofiarą za Kraków. Spowiednik wytłumaczył jej, że tak mówić, a nawet myśleć nie wypada, bo to obraza Boga i Jego wyroków.

Wreszcie jej życie się uspokoiło. Kazimierz ma piętnaście lat i jest zdrowym młodzieńcem. Nie przejawia, jak życzyłby sobie ojciec, pasji do miecza, ale lekcje fechtunku odrabia sumiennie. Wysoki i przystojny, po jej stryjecznym bracie, królu Przemyśle. Zdolny, nauczyciele go chwalą, pojętny do języków. Czyta, pisze po łacinie. Węgierskiego nauczył się całkiem nieźle. Przyjemnie posłuchać, jak rozmawia z biskupem Nankierem albo legistami. I taki zupełnie inny niż Władek. Poukładany, spokojny, bardzo elegancki, każdą myśl waży, nie spieszy się z osądami. Ma dużo wdzięku, a gdy tańczy, to i ona, i Stasia, i każda dwórka oczu od niego oderwać nie mogą. Otarła łzę, która mimowolnie popłynęła po policzku.

To ze szczęścia, dzięki Ci, Boże. Żaden z poprzednich chłopców nie dożył wieku męskiego.

Był jej ulubieńcem, wstydziła się tego, bo serce matki musi bić jednakowo dla każdego z dzieci. Dziewczynki miała wspaniałe. Kunegunda dochowała się czworga dzieci. Jadwiga pasję odnajdywała u klarysek, jak dobrze pójdzie i Władek dotrzyma słowa, jeszcze w tym roku przywdzieje welon. Elżbieta... — Jadwiga westchnęła głęboko. Jeśli można jednocześnie odczuwać podziw i przerażenie, to właśnie czuła, myśląc o Elżbiecie. Wydali ją najlepiej, jak było można. Królowa Węgier. Jej drugi synek już pół roku na świecie, wygląda na to, że chowa się dobrze. A Elżunia, ulubienica ojca, nazwała go jego imieniem. I Carobert na to pozwolił, choć to ich pierworodny, po śmierci tamtego maleństwa. Boże. Samo szczęście, a ona odetchnąć nie może, aż ją tak dusi z lęku, czy Elżunia nie zrobi nic nierozważnego, czy poradzi sobie w obcym świecie, na tak wielkim dworze. Stanisława uspokaja ją, że to już piąty rok po ślubie, ale obaw Jadwigi nic rozwiać nie może. Elżbieta jest nieco nieprzewidywalna, jakby najbardziej z żyjących dzieci wdała się we Władka. A Kaziu? Tak, wstyd przyznać, jest jej oczkiem w głowie. Musi być, bo to następca tronu. A przy tym syn z niego taki dobry, taki wspaniały. Jak nikt nie widzi, to potrafi się przytulić, jak małe dziecko i szepnąć „mamuś". Znów łza jej popłynęła.

Dzięki Ci za niego, dobry Boże — szepnęła. — Błogosławione matki, co płaczą ze szczęścia.

— *Cor Iesus sacratissimum!* — zawołał ojciec Jan sprawujący liturgię.

— *Miserere nobis* — odpowiedziała odruchowo.

— *Benedicat vos omnipotens Deus, Pater, et Filius, ets Spiritus Sanctus.*

Pochyliła głowę przed błogosławieństwem.

— Amen — szepnęła.

Ależ mi dzisiaj przeleciało nabożeństwo — pomyślała, klęcząc jeszcze.

Stanisława pochyliła się ku niej i powiedziała cichutko:

— Ciągnęło się, co? Aż mi kolana całkiem zesztywniały, a to kawał drogi przed nami.

Przez cały Wielki Post chodziła do franciszkanów pieszo, ubrana skromnie, pokutnie, by dawać dobry przykład poddanym. Najgorzej na końcu, wspiąć się na Wawel, ale to ma być umartwienie, nie spacer. Dwórki pomogły jej wstać, pokazała, by wsparły i Stasię.

— Te kolana to ci za bardzo dokuczają — szepnęła do niej. — Okładałaś kapustą?

— Póki była świeża, okładałam — powiedziała Stanisława. — A teraz, na przednówku, co? Trzeba czekać. Chociaż mówiła Lisowa, że ta dziewczyna, co ją razem przyjmowałyśmy do kuchni…

— Ta Brzózka?

— Blisko — uśmiechnęła się Stasia — Wierzbka. Że ta Wierzbka pomogła jej na ból pleców. Jakieś maści ukręciła, bardzo ponoć dobre. Lisowa chwali sobie. To może i ja bym ją spytała, czy zna coś na kolana. Najgorzej, jak tak wilgoć ciągnie, jak dzisiaj.

Jadwiga poklepała starą przyjaciółkę po ramieniu.

— Każ sobie zawołać tę dziewczynę. No, chodź, czekają na nas.

Dwórki już stały przy wyjściu z kościoła, na zewnątrz zaś kilkoro ludzi ze straży królewskiej pilnowało, by biedni oczekujący na jałmużnę nie cisnęli się na nie.

Ileż to nieszczęścia — pomyślała Jadwiga, patrząc na tłum ubogich.

Chromi, kulawi, stare samotne wdowy, ich widok najbardziej ściskał ją w trzewiach. Samotność bez dzieci, bez rodziny, bez dachu nad głową, bez kromki chleba. Anna i Eufemia, Bogoriówny, miały przykazanie od Jadwigi, by po jałmużnie wyławiać te nieszczęsne istoty z tłumu i kierować do przytułku, kolejnego, który otworzyła w tym roku. Wojen nie ma, a wdów przybywa, mój Boże. Życia jej nie starczy bo zaradzić tej nędzy cisnącej się wokół.

— Królowa Jadwiga! — zawołał młodzian, który dowodził jej strażą.

Biedacy zaszemrali, zamarli i padli na kolana. Jeden chromy kulę upuścił wprost pod jej nogi. Strażnik rzucił się, by ją podnieść, widziała, że chciał nieszczęśnikowi wymierzyć kuksańca, ale nie śmiał. Jadwiga spojrzała na niego surowo.

— Najjaśniejsza pani nasza…

— Orędowniczka nasza… — popłynęły szepty z obu stron klęczących.

Stanisława podsunęła jej mieszek z miedziakami, Jadwiga wzięła kilka. Ręce wystrzeliły w górę.

— Ja!

— Ja!

— Ja, ja, ja!

— Dla mnie…

Palce zakrzywione, powyłamywane stawy, dłonie bez paznokci, dwie bez kciuków. Wkładała w nie miedziaki, pilnując, by robić to powoli, z czułością. Kobiecina stara, z pasmami siwych włosów przylepionymi do twarzy, z sinymi wargami, zacisnęła palce na miedziaku tak mocno, że drapnęła ją niechcący brudnym pazurem. Przez Jadwigę przeszedł dreszcz strachu i obrzydzenia. I współczucia. Zrobiła kilka kroków. Żebracy znów pochylili się w pokornym ukłonie.

— Pocieszycielka nasza!

— Królowa najjaśniejsza...

— Matka nasza...

Stasia znów podsunęła jej mieszek. Jadwiga zaczerpnęła pełną garścią. Ramiona w łachmanach znów wyrwały się w górę z natarczywością.

— Mnie!

— Ja!

— Ja jeszcze, ja!

— Dla mnie!

Wkładała w nie pieniądze, uśmiechała się współczująco.

— Mnie, mnie!

Zrobiło jej się duszno, ubodzy szczelnie wypełnili kruchtę.

Nie ich wina, że śmierdzą — przeszło jej przez głowę. — Na kąpiel w Wiśle za wcześnie, łaźni dla biedaków nie mamy. Trzeba im wybudować łaźnię. To dopiero początek Wielkiego Postu — pomyślała, robiąc kolejne kroki. — Władek powinien lada dzień wrócić z Brześcia. Ciekawe, co znów wymyślili Krzyżacy. Bardzo nie chciał jechać tym razem, opierał się, że wyśle kasztelana krakowskiego albo i kanclerza. Przemówiła mu do rozsądku, że na rozmowy z Zakonem powinien sam król jechać. Opierał się, ale posłuchał i dobrze.

— Ostatnia garsteczka — szepnęła Stasia z ulgą.

Jadwiga wyjęła miedziaki i zrobiła dwa dłuższe kroki. Och, wreszcie zawiało chłodnym powietrzem z zewnątrz, co za ulga.

— Niech Pan Bóg wam błogosławi — powiedziała, wkładając monety w wyciągnięte ku sobie dłonie.

— Pani nasza! — ci, co stali najdalej, jęknęli, widząc, że dla nich nie starczy. — Królowo nasza! Ulituj się nad nami!

— Bóg się ulituje nad każdym ze stworzeń — powiedziała współczująco i ostatniego miedziaka wcisnęła starcowi o twarzy tak chudej, jakby czaszkę kto obciągnął skórą. Oczy mu się zaszkliły, wargi rozciągnęły w uśmiechu, ukazując bezzębne dziąsła. Przekrzywił głowę jak dziecko. Serce zabiło jej żałośnie.

— Mnie nie dała! — jęknął z samego tyłu chromy. — Mnie znowu nie dała! A stary i tak zdechnie!

— Nie złorzecz — wyręczyła królową Stanisława. — Pan Bóg miłuje pokornych.

Już była na granicy kruchty, już straż królewska przytrzymująca wrota świątyni czyniła jej honory. Z ulgą wciągnęła haust świeżego powietrza i wtedy w jej uszy wdarło się coś dziwnego. Coś niespodziewanego.

— Ty słyszysz to co ja? — spytała Stanisławę, która dyskretnie ocierała pot z czoła.

— Fujarki? — zdziwiła się dwórka. — Muzyka skoczna? Skąd muzyka na ulicy w Wielki Post?!

Dwórki uformowały orszak, zbrojni otoczyli je. Jadwiga szła środkiem. Nie wierzyła własnym uszom. To nie była zwykła muzyka, jaką słychać w Krakowie na Sobótkę czy zapusty. To było coś dziwnego, czego jej ucho w życiu nie słyszało. Dźwięki dużo wyższe niż te, do których przywykła, bardziej piskliwie, skoczne, niepokojące i co rusz podkręcane uderzeniami w bęben. Wyszli już na Franciszkańską, mijani przez nich ludzie owszem, kłaniali się w pas królowej, przyklękali na chwilę, ale gdy tylko ich minęła, ruszali pędem w stronę traktu wawelskiego.

— Co to? — pokrzykiwał tłum.

— Orszak jakiś! — odpowiadali ci z przodu.

Jadwiga złapała się na tym, że sama szła coraz szybciej, aż zostawiła w tyle biedną Stasię.

Już niemal wychodzili na trakt, muzyka stała się niemożliwie głośna, jazgotliwa nawet.

— Co tam się dzieje? — spytała dowódcę straży.

— Pojęcia nie mam, najjaśniejsza pani. Zatrzymajmy na chwilę orszak dla bezpieczeństwa, a ja skoczę przodem, zobaczyć.

— Jak ci na imię? — zatrzymała go.

— Roch, najjaśniejsza pani — odpowiedział.

— Rochu, prowadzisz orszak królowej i jej dwórek — powiedziała stanowczo. — Jeśli to, co słyszymy, nie jest orszakiem króla, to nie widzę zasadności zatrzymywania się.

— Wybacz mi, najjaśniejsza pani — poczerwieniał młodzian. — Błagam o wybaczenie zniewagi.

— Chodźmy — uniosła podbródek. — Zobaczmy, kto śmie tak hałasować na trakcie wawelskim w Wielkim Poście. Dziewczęta, dzwonki!

Młodsze dwórki niosły dzwonki, którymi zwykły podzwaniać w czasie jej przemarszów pokutnych. Teraz karnie potrząsnęły nimi. Żałobny dźwięk na chwilę zagłuszył jazgot muzykantów. Piszczałki świsnęły w odpowiedzi głośniej. Dwórki zadzwoniły, przebijając grajków. Raz, drugi, trzeci. Dźwięki ścierały się ze sobą, tworząc nieznośny dla ucha hałas.

— Oszaleję przez ten kociokwik — wrzasnęła Stanisława, doganiając ją wreszcie.

— Przejście! Wolne przejście dla orszaku Jej Wysokości! — zawołał ktoś i to nie był nikt z jej straży.

Jadwiga poczuła, jakby ktoś ją w twarz uderzył, ale szybko pomyślała, że to jakiś żart, jak cała ta kocia muzyka, ktoś zaspał i pomylił zapusty z Wielkim Postem. To jakaś zabawa, jak te, gdy na ośle wożą biskupka.

— Z drogi! — usłyszała. — Księżniczka litewska jedzie!

Zabrakło jej tchu. Dwórki rozstąpiły się. Stanęła i spojrzała w tamtą stronę.

Jaskrawy orszak też stanął, zatrzymany przez jej straż. Muzyka umilkła w jednej chwili. Zobaczyła wszystkie barwy jednocześnie. Czerwień, zieleń, żółć kłującą w oczy i błękit. I muzykantów zastygłych w dziwacznych pozach, z bębenkami, fujarkami, lirami. I konie, dziesiątki ustrojonych koni. A na najwspanialszym z nich siedziała dziewczyna w purpurowym płaszczu i wianku na złotych, rozpuszczonych włosach. Z wysokości końskiego grzbietu patrzyła na ciemny, pokutny, pieszy orszak Jadwigi niemożliwie zaskoczonym wzrokiem.

LUTHER Z BRUNSZWIKU wściekł się, gdy Albrecht von Ore, komtur gdański, i Heidenreich von Haugwitz, komtur papowski, zdali mu relację z tego, co stało się w Brześciu. Z każdym z nich rozmawiał osobno, chciał mieć pełen obraz. Raus von Plauen był jego człowiekiem, ale występ, jaki zrobił przed polskim królem, był zdecydowanie przedwczesny. Siedzieli teraz wezwani przez wielkiego mistrza Wernera von Orseln na pilną naradę. Wildenburg, z ponurą miną już nie jako mistrz krajowy, a jako wielki komtur. Zyghard von Schwarzburg z twarzą elegancko ogoloną i doskonale obojętną. I kilku ze świty Luthera — Anhalt, który za pierwszym razem był z Zyghardem u króla, a teraz pod niezgrabnym wąsem krył dziurę po wybitym zębie. Altenburg z wiecznie spoconymi, rudymi włosami i zwalisty Lautenburg oraz nieszczęsny winowajca, Plauen. Łysa czaszka mu lśniła, jakby ją wypolerował.

— Ciebie winię, Fryderyku — zwrócił się do Wildenburga wielki mistrz. — Bo to ty z niezachwianą pewnością siebie wskazałeś na Plauena jako właściwego negocjatora.

— Zyghard go chwalił — osunął od siebie oskarżenie Wildenburg.

Jak on zdziadział, odkąd Orseln zabrał mu urząd — pomyślał Luther. I z ulgą skonstatował, że siebie nie splamił dotąd nieprawidłowym wyborem.

— Ale ty wyznaczyłeś na posła! — krzyknął Orseln i to był pierwszy raz, gdy Luther zobaczył wielkiego mistrza wyprowadzonego z równowagi. — Czy wy rozumiecie powagę sytuacji?! — gniewnie rozejrzał się po zebranych.

— Naturalnie — odpowiedział Zyghard. — Henryk Raus von Plauen postawił nas w obliczu wojny z Polską.

— Nie! — zaprzeczył Plauen.

— Tak — zimno odrzekł Zyghard. — Stracimy twarz, gdy jej teraz nie wypowiemy. Nasza wypracowana przez dziesięciolecia strategia legnie w gruzach. Do tej pory bowiem każda groźba Zakonu była realna. Skutkowała wojną.

Zapadła cisza. Luther co do słowa zgadzał się ze Schwarzburgiem.

— Ale powiem coś jeszcze — dorzucił Zyghard. — I nie po to, by usprawiedliwiać zachowanie komtura von Plauena, tylko by zwrócić waszą uwagę na coś, co mnie niepokoi. Dlaczego król Władysław nie wziął nas na przetrzymanie? Wystarczyłoby, aby powiedział Plauenowi: „Zastanowimy się, muszę przedyskutować z radą królewską". Miał ku temu okazję, spotkanie odbyło się poza Krakowem, nie było przy nim Janisława i Piotra Żyły, ledwie kilku legistów, jak zeznaje nasz orzeł dyplomacji. Król, słysząc groźbę wojny, jednoznacznie odrzucił jakąkolwiek szansę na pokój. A przecież mamy zmierzone jego siły zbrojne, on pewnie zna nasze. Wie, że nie pokona nas w otwartym boju. Co ma w zanadrzu?

Wszyscy wpatrywali się w Zygharda von Schwarzburg, jakby mówił w obcym, egzotycznym języku, a oni potrzebowali chwili, by zrozumieć. Nie dostali jej, bo wrota kapitularza otworzyły się i nie kłaniając się, wbiegł do środka Ulryk, komtur domowy Malborka. Przez otwarte drzwi wszyscy usłyszeli bicie dzwonów na dziedzińcu. Ulryk pochylił się do ucha Orselna, ten zbladł, przytrzymał posłańca za ramię i wstał.

— Bracia — oświadczył. — Właśnie dotarła do nas wiadomość. Wielki zastęp Litwinów wjechał do Małej Polski.

— Co?! — zerwał się Wildenburg. — Którędy? Książę płocki ma z nami układ...

— Nie naruszyli ziem mazowieckich. Wjechali przez Małą Ruś — wyjaśnił Ulryk.

— Oblegają Wawel? — zawołał Plauen, szczęśliwy, że oto jego błąd nagle przestał być istotny.

Werner von Orseln spojrzał na Ulryka i skinął, że ma powiedzieć.

— Przeciwnie. To nie pochód wojenny, to orszak ślubny. Wprowadzili córkę wielkiego kniazia Giedymina do Krakowa jako narzeczoną jedynego syna króla Władysława Łokietka.

Ci, którzy stali, usiedli. Ci, co siedzieli, zerwali się. Z miejsca nie ruszył się tylko Luther i Zyghard. Spojrzeli sobie w oczy.

— Zatem mamy odpowiedź na pytanie, które postawił Schwarzburg przed chwilą — powiedział grobowo wielki mistrz. — Oto, co miał w zanadrzu król Władysław.

— Sojusz Polski i Litwy przedstawił jako możliwy przed czterema laty ten sam Zyghard von Schwarzburg — przypomniał głośno Luther. — A komtur krajowy, Fryderyk von Wildenburg, go wyśmiał.

Oczy wszystkich skierowały się na zgarbione ramiona Wildenburga. Na jego posiwiałą, rozdwojoną brodę. Zwiesił głowę.

— *Mea culpa* — powiedział chrapliwie, nie podnosząc jej.

Luther nie chciał na niego patrzeć. Wołał znów spojrzeć na Zygharda. — Nie chcę mieć w tobie wroga, Zyghardzie von Schwarzburg — pomyślał. — Przewidziałeś to, na długo przed tym, nim ja wysłałem na Litwę szpiegów, śledzących każdy ruch Giedymina. Zedrę skórę z Symoniusa za to, że jego Prusowie zawiedli.

JANISŁAW był potrzebny w Krakowie. Królowi i królowej, Bóg tylko wie, któremu z nich bardziej. Czekały go jeszcze obrady kapituły archidiecezjalnej, znając dyskutantów potrwają tydzień, ale nie pozwoli na ani jeden dzień więcej. Gdy sługa zapowiedział, że przyszła uboga siostra z beginażu, zrobiło mu się gorąco. Nie spodziewał się Jemioły. W pośpiechu obrzucił wzrokiem komnatę arcybiskupią. Papiery, pieczęcie, pergaminy, dokumenty. Machnął na bałagan ręką i powiedział:

— Prosić!

Przejechał dłonią po włosach. Miał pot na czole? Mimo iż w komnacie nie było gorąco?

Weszła pewnym, mocnym krokiem i stanęła w miejscu. Spuściła

głowę, kaptur opadł jej na czoło, zasłaniając pół twarzy. Mimo to rozpoznał ją po ustach, które uśmiechnęły się lekko.

— Możesz iść — powiedział do sługi. — Dziękuję, Piotrku.

Gdy zamknęły się za nim drzwi, zrobił krok ku niej, rozkładając ramiona.

— Jemioło — szepnął.

Zrzuciła kaptur, jej twarz była promienna.

— Jani — odpowiedziała szeptem i zatrzymała w miejscu.

Stali naprzeciw siebie, radując się tym, że się widzą. Nie robiąc nic więcej. Opuścił ramiona.

— Chcesz usiąść? Nakarmić cię? Napoić? — spytał i nie wyczekał odpowiedzi. — Z daleka przyszłaś?

— Z Litwy. Od Giedymina — powiedziała i śmiały się jej oczy.

— To jednak usiądźmy — poprosił. Czy Jemioła już wie? Powiedzieć jej, skoro nawet król przed żoną zachował tajemnicę. Chryste! Ona nie jest moją żoną — upomniał się w myślach.

— Opowiadałam ci o jantarowym płodzie Jaćwieży — zaczęła, gdy usiedli. — Jak wiesz, wyrwali go z jaćwieskiej Matki Krzyżacy. Jakiś czas temu pewien człowiek zwrócił go mnie i Woranowi.

— Kto taki?

— Joannita.

— Pamiętasz coś więcej? — zaciekawił się Janisław.

Zdziwiła się.

— Powiedział, że jego brat wykradł płód Krzyżakom — powiedziała.

— Jak wyglądał? — natarczywie spytał Janisław.

— Jak ty — wypaliła i zaśmiała się. — Wybacz, dopiero teraz nazwałam to podobieństwo. Wtedy nie zwróciłam uwagi. Zresztą miał twarz pokrytą bliznami po poparzeniach.

— Gerland z Akki! — krzyknął Janisław.

— Tak — kiwnęła głową. — Znasz go?

— Nie. Tak. Czekaj… i ja dostałem od niego coś cennego. Wspominał o zmarłym bracie. — Janisław potarł dłonią czoło. — Służył w Pogorzelicy, w komandorii nad Wartą, musimy go odnaleźć. Dlaczego mówisz, że był podobny do mnie?

Rozłożyła ręce.

— Mnich rycerz? Zgaduję — zaśmiała się. — Nie wiem, dlaczego tak powiedziałam.

Wyciągnęła rękę i przejechała nią wokół jego twarzy, nie dotykając.

— Podobny kształt głowy, zarys szczęki — powiedziała i cofnęła dłoń. — Może naprawdę warto go odnaleźć? Kiedyś, gdy będziemy mieli więcej czasu.

— Mów o Giedyminie — poprosił. Wciąż czuł w powietrzu woń jej palców. Drzewną, żywiczną, jakby las wdarł się do arcybiskupiej kancelarii.

— Zanieśliśmy mu jantarowe dziecko — powiedziała i zawahała się na chwilę. — I wzięliśmy udział w bitwie z Krzyżakami na jeziorze Biržulis. Giedymin obiecał nam...

Drzwi otworzyły się i stanął w nich sługa. Janisław siedział twarzą do wyjścia, zobaczył, że jego Piotrek ma oczy okrągłe ze zdziwienia.

— Wielebny — pokłonił się. — Jeszcze jedna uboga siostra do ciebie.

— Proś — powiedział słudze, a gdy Piotrek odwrócił się, szepnął do Jemioły: — Nie wiem, co to za beginka. Nic nie mów, zostaw ją mnie.

Piotrek wprowadził drobną kobietę w kapturze. Janisław dał mu ręką znak, by poszedł.

— Ojcze arcybiskupie — zdjęła kaptur.

— Jutta! — odetchnął z ulgą.

— Matka — ucieszyła się klaryska, gdy Jemioła odwróciła do niej głowę.

— Widziałaś się z nim? — wstała z miejsca Jemioła.

— Tak — potwierdziła uradowana klaryska. — Obie korzystamy z tego samego przebrania.

— Wygodne — uśmiechnęła się Jemioła.

— Proszę, dołącz do nas. — Janisław zrobił jej miejsce. — Jesteśmy ciekawi, jak twoje spotkanie ze...

— Smokiem — powiedziała ciężko i spojrzała na nich z bólem. — Dajcie mu szansę, proszę.

Janisław i Jemioła spojrzeli na siebie.

— Pamiętam, we Wrocławiu powiedziałam, że nikt nie może uleczyć wściekłego zwierzęcia, ale on nie jest zwierzęciem. — Popatrzyła na nich rozwartymi źrenicami. — Jest cudem natury.

— Jutto — ostro zaprotestowała Jemioła. — Ten cud ma moc uwodzenia.

— Nie! — zaprzeczyła klaryska — nie zwiódł mnie, uwierz.

— Każda z moich sióstr mówiła tak jak ty — gorzko szepnęła Jemioła. — Każda, która poszła za nim. Poznałaś Kalinę? Widziałaś siłę zniszczeń?

— Jestem konsekrowaną mniszką — uniosła się dumą Jutta. — Zaślubioną Jezusowi. To jedyny oblubieniec, jakiego mam w życiu. Tym i następnym, którego nie mogę się doczekać.

Janisław spojrzał w oczy Jemioły. Czy kobieta Starej Krwi potrafi to pojąć? Siłę sakramentu kapłaństwa? Odpowiedziała mu spojrzeniem w barwie nieba i ziemi. Nie umiał nic powiedzieć.

— W mateczniku poznałam Jaszczurkę. To wspaniałe dziecko — odezwała się po chwili Jutta.

— Kogo? — nie zrozumiał Janisław.

— Ojciec nie wie? — zdziwiła się klaryska i spojrzała na Jemiołę.

— Nie powiedziałam ci o nich — przyznała. Uśmiechnęła się niepewnie. — Masz dość zmartwień z robieniem z zielonych sióstr beginek. Nie chcę narażać twej duszy na herezje.

Przy tobie wystawiam ją na coś znacznie groźniejszego dla mnie — pomyślał, patrząc na nią.

— Michał jest ojcem dwojga dzieci. Dwojga, o których wiemy. Jaszczurki i Żmija — powiedziała Jemioła i szukała w jego twarzy reakcji.

— Te imiona?... — spytał.

— Tak — odpowiedziała.

— I nie — dodała Jutta.

Kobiety spojrzały po sobie.

— Starcy wierzyli, że to będą pradawne potwory, obdarzone mocą większą niż Michał. Stworzenia, które pokonają Chrysta.

— Chrystusa — odruchowo poprawili ją Janisław i Jutta.

— To naiwność, zabobon — wyjaśnił. — Nawet Szatan nie mógł Go pokonać. Samo pojawienie się Zbawiciela na świecie, wśród ludzi, było pułapką zastawioną na siły zła. — Odetchnął. — To dzieci czy potwory?

— Dzieci — potwierdziły obie.

— Choć niezwykłe — dodała Jutta.

— Gdyby przyszły na świat w chłopskiej rodzinie, babka położna poradziłaby ojcu, by je zakopał żywcem przy rozstajnych drogach, a matce powiedzieliby, że zabrały je mamuny...

Był oszołomiony. Obie broniły dzieci Zaremby, a on wciąż nie wiedział, co to za stworzenia. Poprosił, by je opisały. Jemioła zrobiła to z chłodną czułością, a Jutta dodała żarliwie, że Jaszczurka rozpoznała w niej krewną.

— Kalina ci powie, jak było, Matko. Jak lgnęła do mnie — wytłumaczyła się przed Jemiołą zawstydzona.

— Spokojnie — rozsądził spór, którego między nimi nie było. — Dzieci nie są dla nas zagrożeniem, jak rozumiem?

Potwierdziły.

— Jutto. Czy Michał złożył ci jakąkolwiek deklarację? Czy obiecał, że odejdzie od Starców i wróci do naszego świata?

— Nie zrobił tego — przyznała. — Ale powiedział coś obiecującego. Wyznał, że czuje pustkę. Że to życie, które wiedzie, ciągnie go w nicość.

Milczeli chwilę, jakby każde z nich przykładało swoją miarę do wyznania kogoś, kogo być może nie byli w stanie zrozumieć.

— Poprosiłam go o jeszcze jedno spotkanie — powiedziała Jutta po chwili. — Zgodził się na to.

— Jak chory, który szuka leku? — spytała Jemioła.

— Czy jak grzesznik czujący lęk przed rachunkiem sumienia? — dopytał Janisław.

— Jak brat przerażony samotnością — odpowiedziała Jutta. — Kto wie, czy nie jest ostatnim takim stworzeniem na ziemi?

— Jest groźniejszy, niż myśleliśmy — zaprotestowała ostro Jemioła. — I ma niejasne cele. Na Żmudzi ukazał się ludziom jako żywe wcielenie Perkuna. Tak, zrobił to! Oddali mu cześć jako bogowi piorunów i burzy. Ukorzyli się przed nim i przysięgli go czcić. Czy wiecie, co robi z człowiekiem takie poczucie władzy?

— Upaja — ponuro powiedział Janisław i dotknęło go przeczucie. — Czy to nie z powodu tego widowiska wielki kniaź zaniechał decyzji o chrzcie?

— Spytaj Giedymina — ostro odpowiedziała Jemioła. — Mnie się nie zwierzył. Ale kolejność zdarzeń się zgadza. Pewna jestem tego, że po spotkaniu z Perkunem — Zarembą postawiła się kniaziowi Żmudź.

— Chryste — jęknął Janisław.

Jutta zasłoniła rękoma twarz, siedziała tak chwilę, aż wstała z ławy, padła na kolana i powiedziała:

— Błagam. Ojcze, Matko. Dajmy mu tę szansę.

Janisław spojrzał na Jemiołę. Nie była przekonana.

— Proszę, jako jego krewna… — wyszeptała. — On naprawdę już nikogo nie ma, kto by się za nim wstawił.

Skinęli głowami. Jemioła wstała.

— Idziesz ze mną? — spytała klaryskę i podała jej rękę.

— Jeśli mogę — podniosła na nią wzrok zmęczona Zarembówna. — Dwóm siostrom raźniej będzie wracać.

Jemioła pomogła Jucie wstać.

— Może zostaniecie? Piotrek przygotuje miejsca w izbie dla pielgrzymów?

— Lubię iść nocą — odpowiedziała Jemioła. — Las się budzi.

— Trakt w lesie po zmroku to nie jest miejsce dla kobiet — próbował zaprotestować.

— Las kocha swoje dzieci — odrzekła śpiewnie.

— A Pan Bóg kocha las — odpowiedziała Jutta.

Wyszły. Piotrek wsadził głowę po długiej chwili i pytał, czy podać wieczerzę. Zaprzeczył.

Usiadł, wyprostował się. Położył dłonie na kolanach. Kontemplował puste miejsce, jakie zostało po Jemiole. Potem przeniósł wzrok na krucyfiks, który odziedziczył po arcybiskupie Jakubie. W myślach opowiadał mistrzowi, co się zdarzyło, dzięki temu przeżywał ten wieczór po raz drugi.

Bogaty świat stworzyłeś, mój Panie. Dziękuję Ci, żeś uczynił mnie jego częścią. Nawet jeśli wyzwania, jakie przede mną stawiasz, są jak góra. Staję u jej podnóża, zadzieram głowę, nie widzę wierzchołka. Czuję lęk, ale jestem wdzięczny, że nie doświadczasz mnie pustką.

Wciągnął chłodne, nocne powietrze, w którym wciąż unosiła się żywiczna woń Jemioły.

JADWIGA stała naprzeciw męża i wiedziała, że nie wyjdzie stąd, póki nie wygra tego starcia. Byli sami w wielkiej sali tronowej.

— Jak mogłeś mi to zrobić? — powiedziała. — Jak mogłeś ukryć to przed własną żoną?

To nie była ich pierwsza kłótnia w życiu. Różnili się w tylu sprawach. Ale do tej pory nie okłamał jej w niczym tak ważnym.

— Wiedziałem, że będziesz przeciwna.

Stał na wprost niej. Pięć, może sześć kroków dalej. Odpowiedział bez cienia skruchy.

— Że użyjesz swych wpływów u Ojca Świętego, by wymusić na nim veto.

— Chcesz powiedzieć, że Jan XXII zgodził się na małżeństwo Kazimierza z poganką?! — krzyknęła przerażona i wściekła, bo od razu wybił jej z ręki argument, jak liczyła najważniejszy, koronny.

— Tak, Jadwigo — odpowiedział spokojnie. — Zgodził się. Córka Giedymina już dostała nauki w Wilnie od franciszkanów. Zna katechizm i do chrztu przystąpi w Wielkanoc. Tu, na Wawelu.

Z każdym jego słowem docierał do niej bezmiar zdrady, jakiej się dopuścił. Na zgodę u papieża czeka się długo. Na zezwolenie na małżeństwo z poganką jeszcze dłużej. Chryste, ilu ludzi było w to bezeceństwo zaangażowanych! Ilu kancelistów, prawników… Czy ten miły młodzian, Piotr z Veroli, także? Był tu w Krakowie, nic jej nie powiedział, pary z ust nie puścił.

— Kto wiedział? — spytała, zaciskając pięści. — Mów, przed kim mnie ośmieszyłeś!

— Przed nikim, Jadwigo — odpowiedział smutno. — Grono ludzi, którzy przygotowali to przedsięwzięcie, musiało być zamknięte, także po stronie litewskiej. Inaczej Krzyżacy dowiedzieliby się za wcześnie i uniemożliwili sojusz.

— Potraktowałeś mnie jak Krzyżaka?! — omal nie zabrakło jej tchu. — Jak wroga?

— Źle powiedziałem — pokręcił głową. — Jesteś moją żoną i cierpiałem, nie mogąc podzielić się z tobą troskami. Ale tak jest dla Królestwa najlepiej. Nie dla mnie, nie dla ciebie, nie dla Kazia, ale dla korony.

Odwróciła się od niego i weszła na podwyższenie. Usiadła na swoim tronie. Ciężko oparła głowę o pięść. On mówił dalej.

— Węgry to nasz największy sojusznik, ale w rozprawie z Zakonem pomogą wojskiem, nie sercem. Bo Krzyżak nie zabrał im Gdańska, nie zabrał Pomorza. Bo go nie mają na granicy. Litwini są w podobnej do nas sytuacji. Zakon jest ich najgroźniejszym wrogiem. Nasz sojusz, sojusz, którego nikt się nie spodziewał, bierze Krzyżaków w kleszcze. Już nie mają tylko Litwinów i Polaków. Mają ich połączone siły przeciw sobie. I muszą się z nimi liczyć.

— Od kiedy to planowałeś? — spytała matowym głosem. Patrzyła w posadzkę. W glazurowane płytki. Oczy bezmyślnie przeskakiwały po ich wzorze.

— Odkąd dotarło do mnie, że na drodze prawnej nic nie uzyskamy. Jest wyrok skazujący Krzyżaków i nie ma żadnej siły, by go wykonać. Papież nam sprzyja, ale jak Krzyżacy nacisną na niego sprawniej, sprzyja Krzyżakom.

Władysław zamilkł, zrobił kilka kroków. Myślała, że podejdzie do niej, ale nie. Uniosła wzrok. Stał pod krucyfiksem wiszącym na ścianie. Zadzierał głowę, wydawał się taki nieduży w tej wielkiej, majestatycznej sali. Nagle poczuła litość do niego. Szepnęła żarliwie:

— Władku! Litwini ci brata zabili!… Twojego Kazika utopili w Bzurze… A ty im naszego jedynego syna…

— Nie ja im — odpowiedział twardo, nawet nie odwracając głowy. — Oni nam dają córkę. Kazimierz rządzić będzie w Krakowie. Da Bóg, ona urodzi mu synów, nazwą jednego na pamiątkę mego brata, dług spłacą. — Głos mu zadrżał, wiedziała, że zamordowany brat jest jego czułym podbrzuszem. Już miała zagrać na tej strunie, na nieobliczalności Litwinów, gdy przerwał milczenie.

— Dość o tym. Życia Kazikowi nie wrócę. — Powiedział to ostro, niemal wyzywająco. Odwrócił się nagle i szybkim, zdecydowanym krokiem ruszył ku niej. Ale zatrzymał się przed podwyższeniem.

— Czy ty myślisz, że ja się nie boję? — spytał. — Boję się. Czasami lęk budzi mnie w nocy i trzyma za gardło pazurami, aż tchu złapać nie mogę.

Pożałowała go w jednej chwili. Tak, kilka razy ostatnio, gdy dzielili łoże, widziała to. Budziła się w nocy, on nie spał. Stał w ciemności przy oknie. Pytała: „Co ci, Władku". „Nic, Jadwigo" — odpowiadał i dodawał: „Śpij", a ona zasypiała. I przespała tę straszną rzecz, którą zrobił. Pożałowała go więc, ale tylko w duchu, jako żona. Na głos powiedziała, jako królowa:

— Wprowadziłeś koronę na drogę, której nie znasz, nie rozumiesz i nie jesteś w stanie przewidzieć konsekwencji. Jeszcze możemy z niej zawrócić, ja ci pomogę. Odeślijmy pogankę do domu.

— Nie — pokręcił głową. — Zrobiłem to, co konieczne.

Postawił nogę na podwyższeniu i w tej samej chwili Jadwiga usłyszała orli krzyk. Ptak królewski był tu cały czas? — zdziwiła się. Orzeł odbił się od ściany i sfrunął majestatycznie, rozkładając skrzydła. Władek wszedł na podwyższenie, a ptak zakołował nad jego głową.

Zadziobie go — przebiegło Jadwidze przez myśl, bo zobaczyła rozwarty dziób drapieżnika. Władysław nic sobie z niego nie robił, usiadł na swoim tronie. A królewski ptak spoczął na jego zagłówku, odwrócił łeb ku niej i na nią syknął.

A jednak przegrałam. Nie wyjdę stąd zwycięska — zrozumiała Jadwiga.

Władysław spojrzał na nią i wyciągnął rękę na zgodę. Walczyła ze sobą długą chwilę. Nie mogła się przemóc.

— Czy on się ochrzci? — spytała, chwytając się tego.

— Nie wiem — odpowiedział Władek, wciąż trzymając wyciągniętą rękę. — On uważa, że chrzest nie ma żadnego znaczenia w jego walce z Zakonem.

— Pamiętasz jeszcze, dlaczego przed laty nie mogłeś pospieszyć Gdańskowi z pomocą? — powiedziała to cicho, bez pretensji.

— Tak. Musiałem pojechać na Ruś, wesprzeć siostrzeńców w walce z Tatarami.

— Teraz znów była Mała Ruś, jak wprowadzaliście syna Trojdena na tron. I... — tak ciężko przechodziły jej te słowa przez gardło — ...sojusz z Litwą. Odwróciłeś głowę na wschód, Władku. A kiedyś serce Królestwa biło na zachodzie. W Starszej Polsce. Tam, gdzie się urodziłam. Tam, gdzie cię po raz pierwszy na tron wezwano.

— Nie zapomniałem o tym, Jadwigo — odpowiedział Władysław. — Udowodnię ci to szybciej, niż się spodziewasz. Ale pamiętaj o tym, żono, że serce Królestwa bije tam, gdzie jest król. I królowa.

Nie wybaczyła mu zdrady, ale wyciągnęła rękę na zgodę. Chwyciła jego suche, twarde palce.

— Nie dla ciebie to robię — powiedziała. — Ale dla Królestwa.

— Tak będzie najlepiej — odpowiedział jej Władysław.

GIEDYMIN jechał konno wzdłuż Prypeci. Dymy pożarów przygasły, ale nad zgliszczami wiosek wciąż unosił się smród pożogi. Wypalone żerdzie sterczały ze ścian domów pozbawionych dachów. Osmolone szkielety chałup, porąbane żurawie studni. Spalone sady i zadeptane zagony kapusty. Młode zboże spopielone żywcem. I głucha cisza unosząca się nad pobitą krainą. Ale najstraszliwsze wrażenie robiła stratowana ziemia. Rozdarta tysiącami końskich kopyt, których ślad pozostał jak blizna, po tych, co tu rodzili się i żyli, i po tych, którzy przyjechali ich zabić. Chyży oszalał od nadmiaru woni i tropów; najpierw biegał i węszył, raz po raz zmieniając kierunek, a teraz usiadł pośrodku pustego pola i zwiesił łeb.

Od północy galopem podjechał Dawid, za jego plecami pędziło kilkunastu ludzi. Zwolnił, wyjął z rękawa wyszywaną chusteczkę, przyłożył do nosa na chwilę. Robił to zawsze, gdy czuł swąd spalonych ciał.

— Tatarzy dojechali do Pińska — zameldował Giedyminowi. — Okrążyli gród trzy razy i zawinęli się. Wcześniej podzielili wojsko, tabory z jasyrem wracały pierwsze.

— Ani żywego ducha — powiedział głucho Giedymin. — Zabrali wszystko, do gołej ziemi.

— Pińska nie ruszyli — powtórzył wojewoda.

— Słyszałem — odpowiedział zniecierpliwiony.

— Obóz czeka — krótko oznajmił Dawid, wskazując na gęsty las majaczący na północy.

Kniaź skinął głową, obrócił się konno, szukając ogara. Gwizdnął na niego. Chyży nie ruszył się. Gwizdnął drugi raz. Ogar odpowiedział mu przeciągłym wyciem.

I ja bym wył, piesku — pomyślał Giedymin — gdyby mi wypadało. Ale prosty chłop może szlochać przy trupie żony, a wielki kniaź nie może przy trupie całej ziemi.

Wieczorem w obozie zjechali się zwiadowcy z całego Polesia. Kniaź zebrał meldunki i usiadł w namiocie z Dawidem, Bikszą i Wasilikiem. Chyży położył się w kącie, nie tknął jedzenia.

— Najazd był znaczny — podsumował Wasilik. — Ale przemyślany jako zastraszenie, a nie próba przejęcia Polesia.

— Chan Ozbeg groził, posłów przysłał, wielki kniaź odmówił i najechali — wzruszył ramionami Dawid. — Normalna sprawa. Kto grozi, a groźby nie wypełnia, traci twarz.

— Ozbeg krwawo ukarał nas za sojusz z Polską — pokiwał głową Biksza. — I za wcześniejszy sojusz wileński. Już wtedy nie podobało mu się, że wielki kniaź ma pokój z chrześcijanami.

— Ozbeg to lis — odezwał się Giedymin. — Sprawdza, jak głęboko może na mnie nacisnąć. Tatar myśli, że jak Litwini zajmują księstwa ruskie, to będzie mógł z nimi grać, jak z Rusinami. Podporządkować sobie tak, by cała władza zależała od dobrej woli chana.

— Król Władysław dobrze się ustawił — odezwał się Biksza po chwili. — Osadzając młodego Bolesława Jurija na tronie małoruskim, osłonił swoje królestwo przed Tatarami.

— Z głowy mi to wyjąłeś — zaśmiał się Giedymin do Bikszy. — Nam trzeba zrobić tak samo. Swoją drogą, co za czasy. Każdy chce ukarać wielkiego kniazia! — gwizdnął, sprawdzając, jak się ma jego ogar. Chyży uniósł łeb. Powęszył chwilę i wstał ciężko. Przeciągnął się i obwąchał kość. — Żmudzini zrobili ruchawkę, że chrztu nie zniosą, naszych podburzyli i cała Litwa zaczęła pyskować, choć nikt głosu nie podniósł.

— Wiemy, czyja to robota — odezwał się Biksza. — Ligejko mówił to dawniej.

W głosie Bikszy nie było pretensji, bojar zawsze mówił jednakowym, spokojnym tonem, ale Giedymin wiedział, że to osobisty przytyk. Mógł Rdestowi ukręcić łeb za pierwszym razem, za czasów, gdy zgadywał się z Manste. Manste dał głowę, a Rdesta Giedymin ocalił. Miał jakąś słabość do Żmudzina — Prusa.

— Żmijka okazała się żmiją — przyznał na głos. — Ligejko miał rację.

A może nie chodziło mu o Rdesta, tylko o Starców Siwobrodych, których był chłopcem na posyłki? Starcy żyli w wyobraźni Giedymina od tylu lat. Widział ich kiedyś z daleka, wysokich, potężnych, majestatycznych. A Witenes opowiadał mu w dzieciństwie o obrazach wykłutych na ich ciałach. Mówił, że na skórze każdego ze Starców żyją światy tak dawne, jakich ludzie nie pamiętają.

— Ciekawe rzeczy mówiła Matka w płaszczu z ptasich piór — odezwał się Biksza. — Margoł trochę powęszył, sprawdzał ją.

— Nie muszę jej sprawdzać, by uwierzyć — powiedział Giedymin. — Mówiła prawdę, ale ostatnią rzeczą, jakiej bym sobie życzył, to po sojuszu z Władysławem wystąpić jeszcze przeciw Starcom. Niepotrzebne to nam.

— O, wielki kniaź zyskałby sławę największego pogańskiego pogromcy pogan — zaśmiał się Dawid rozparty wygodnie na ławie. — Każda sława warta rozważenia! — uniósł kielich w stronę Giedymina i wychylił.

— Starcy nawet z wojskiem Jarogniewa i z nowymi zaciągami, o jakich słychać z Prus, wciąż za słabi, by stanąć przeciw Władysławowi, dlatego Symonius i jego żmijka chcieli sojuszu z nami — powiedział Giedymin. Co zrobią teraz?

— Margoł na boku rozmawiał z Symoniusem — przypomniał Biksza. — O innym układzie. A Symonius wycofywał się rakiem. Ciekawe.

— Ja nic nie wiem — zaciekawił się Dawid. Wstał z ławy, poruszył barkami i zrzucił płaszcz. W namiocie było parno. — Jaki układ?

Biksza spojrzał na Giedymina, ten skinął głową, by powiedzieć.

— Litwa, Starcy i wolni Prusowie przeciw Krzyżakom — wyjaśnił bojar wojewodzie grodzkiemu.

— A — skwitował Dawid. — No ładnie.

— Margoł ujął to tak: kogo żelaźni bracia raz wezmą pod but, spod niego nie wyjdzie — powiedział Biksza. — Krzyżaków nie ruszą, a na Polskę chcą iść. To nie jest dla nas poważny sojusznik.

— Ty tak myślisz — skarcił go Giedymin.

— A wielki kniaź? — spytał Biksza.

— Ja myślę teraz o czymś innym — zaśmiał się. Chyży skończył ogryzać kość. Oblizał pysk i machając ogonem, podbiegł do niego. — Ja myślę, że skoro już zapłaciliśmy Tatarom krwią za sojusz z Wawelem, trzeba nam zrobić tak, jak polski król zrobił z Małą Rusią. Tylko dalej. Trzeba nam zająć ziemie ruskie aż po Kijów, aż po granice Złotej Ordy i posadzić tam kogoś swojego, komu i chan da jarłyk. To będą nasze ziemie graniczne, tak szerokie, że żaden kolejny najazd nie będzie nam straszny. Co, Chyży? — Poklepał po rudym łbie ożywionego ogara.

Dawid grodzieński zaśmiał się szeroko, klepnął w pierś i kłaniając Giedyminowi, spytał:

— Zdążę zjeść wieczerzę, nim mnie poślesz na Ruś?

Giedymin wyciągnął do niego rękę, złapał go za łokieć.

— Najedz się, bracie! Ruszysz jutro, ale nie na południe, lecz na północ!

Dawid spojrzał mu w oczy, jakby chciał wyczytać dokładny rozkaz. Zgadł, przymknął powieki i powiedział:

— Gdzie każesz, tam pójdę.

WŁADYSŁAW nie czekał na rozwój zdarzeń, tym razem sam postanowił być siłą, która je rozwija. Skoro planował odzyskać ziemie w Starszej Polsce, które margrabiowie brandenburscy zagarnęli po śmierci Przemysła, musiał działać. Nowa Marchia była już lennem młodego Wittelsbacha, ale ten siedział przy ojcu, trzeba było coś przedsięwziąć, póki niepełnoletni. Książęta Zachodniego Pomorza skorzystali już dawno, po śmierci Waldemara zagarnęli tereny leżące na lewym brzegu Odry i teraz szukali sojusznika, który pomoże im je utrzymać. Do Władysława trafili przez Pałuków, którzy od lat siedzieli nad Notecią, w położonym na bagnistych brzegach Nakle i strzegli bramy wypadowej na Pomorze. Świętosław, brat biskupa Macieja i jego syn, Henryk, raz-dwa przejrzeli, w czym rzecz, i powiadomili króla.

Borutka się podśmiewywał, że dotychczas żaden z sojuszy z książętami Zachodniego Pomorza nie przyniósł nic, ale Władek wiedział swoje. Krzyżacy byli mistrzami zastraszania wrogów, tym razem on musiał zrobić to samo. Jego prawnicy spotkali się z książętami i dogadano się bez trudu, przyjechał do Nakła na gotowe. Nie mógł inaczej, czas go gonił.

„Królowi robota się w rękach pali" — chichotał Borutka. Władek ignorował giermka; od rozmowy z Jadwigą nic nie mogło wyprowadzić go z równowagi.

Był rozczarowany księciem szczecińskim Ottonem, chociaż mówiono mu, że syn księżnej Mechtyldy nie ma w sobie cienia drapieżności matki, to jednak słyszeć jedno, a zobaczyć drugie. „Rozmodlony, gnuśny, otyły" — ocenił go Henryk, kasztelan nakielski. Za to Warcisław, książę rugijski, wnuk słynnego Barnima, sprawiał wrażenie drapieżnego szczupaka. Ruszał się szybko, nerwowo i nieustannie obserwował wszystkich. Odczytano tekst sojuszu, w którym król Polski obiecywał książętom Pomorza zbrojną pomoc przeciw wszelkim wrogom, a gdyby z tej pomocy wyszła wojna, to z góry ustalono, że przyszła granica między Królestwem a książętami oprze się o rzekę Drawę.

Władysław uścisnął dłoń nad przymierzem Ottonowi i Warcisławowi i wyjechał z Nakła bez zwłoki. Na wschód, do Pawła Ogończyka, który na Kujawach trzymał wojsko w gotowości. Kasztelan nakielski, Henryk Pałuka, odprowadził go kawał.

— Ile czasu potrzeba, by wieść o przymierzu z Pomorzem dotarła do Krzyżaków? — spytał kasztelana, nim się pożegnali.

— Zależy, jak gadatliwi będą książęta — odpowiedział Henryk.

— Mogliby być, wyjątkowo — mrugnął do niego Władysław.

— Jak bardzo wyjątkowo? — spytał przytomnie kasztelan.

— Na Wniebowzięcie Marii Panny zwykle mają kapitułę, to jeszcze za wcześnie. A dwa miesiące później ślub królewicza, w Krakowie być muszę. I to by było w sam raz — uściślił Władek.

— Najjaśniejszy pan ma ręce pełne roboty — pokiwał głową Pałuka. — Zrobię, co w mojej mocy, by wyznaczony termin zachować.

— E, tydzień w te czy w tamte — machnął ręką Władysław. — No, bywaj, kasztelanie.

W Łęczycy czekał na nich Paweł Ogończyk, a z Brześcia nadciągnął wojewoda kujawski, Wojciech Leszczyc.

— Wojtuś, Wojciech, Woj, Wojewoda… — wzruszył się Władysław na jego widok.

Chłopak był ze mną na banicji, zwaliśmy go Wojtusiem, póki nie odznaczył się męstwem, wyciągając mnie z bazyliki na Lateranie, z tłumu, który chciał nas zadeptać i udusić. Za to z Wojtusia stał się Wojciechem, mój Boże, ileż to lat temu było?

— Dwadzieścia pięć lat, szmat czasu, jak żeśmy się w Rzymie spotkali — powiedział w tej samej chwili Grunhagen przy Władka boku. — Pamiętasz, królu? Tyś był książę wyklęty, ja żebrak, co się połakomił na odpusty, a dzisiaj ten chłopaczyna, co wtedy się tak spisał, wojewodą. Słodki Jezu!

Władysław spojrzał na zielonookiego, jakby pierwszy raz go widział. Prawda, Rzym był jednym z wielu miejsc, gdzie los ich zetknął ze sobą.

— Hi, hi, hi — zaśmiał się Grunhagen. — To może ja znów króla opuszczę, wrócę za parę lat, a król będzie cesarzem! Hi, hi, hi!

— Za kilka lat to my wszyscy zajdziem, ale do grobu — skomentował Doliwa. — Przecież każdy z nas jest już stary. Ty też — wskazał paluchem karła. — Tylko on nie — głową kiwnął w stronę wojewody brzeskiego. — Dla mnie on zawsze będzie Wojtusiem.

— Wojciechu! — Władysław wyminął zrzędzącego Doliwę. — Dobrze cię widzieć, wojewodo! Co nowego twój krewniak nawywijał?

— Królu — pokłonił się Leszczyc. — Mogę tylko przypomnieć, panie, że ród Leszczyców dał ci wielu dobrych synów i tylko jedną zakałę.

— Pech chciał, że to biskup. — Doliwa dołączył do nich za szybko.

— Myśleliśmy, że po śmierci Gerwarda się uspokoi — powiedział Wojciech, nawiązując do gorszącego sporu dwóch krewnych biskupów, w dodatku sąsiednich diecezji, włocławskiej i płockiej. — Ale on przelał swą niechęć na Macieja, nowego biskupa Włocławka.

— Tworzą z księciem Wańką piekielną parę — dorzucił swoje Doliwa. — No co? Żadna to tajemnica, że Wańka nienawidzi króla. Nawet orła w herbie przemalował na czarno, żeby się wyróżnić.

— Oficjalnie, nie przemalował — powiedział wojewoda Wojciech. — Tylko po matce Przemyślidce, z czarnej płomienistej orlicy zrobił orła bez płomieni.

— Będziemy radzić, królu? — zapytał Paweł Ogończyk. Minę miał taką, jakby o niczym innym nie marzył, a przecież zgodnie z jego rozkazem już trzymał w gotowości rycerstwo łęczyckie.

— Nie ma nad czym — wzruszył ramionami Władysław. — Przecław, kanclerz kujawski już wrócił z Płocka.

— I co? — spytał zaskoczony Wojciech, bądź co bądź, wojewoda Kujaw. — Nic król nie mówi, co zdziałał, z czym przybył?

— Z niczym. — Władysław popatrzył po nich zdziwiony. Nie domyślili się? — Wańka odmówił. Jedziemy go pobić.

— Ale, królu... — wojewoda Wojciech wciąż nie był przekonany. — Książę płocki ma sojusz z Krzyżakami. Mogą przyjść mu z pomocą... sami prosimy się o wojnę...

— Przesadzasz, młodzieńcze — poklepał go po plecach, jak dawniej. — Zrobimy to tak szybko, że w Malborku nie zdążą zmówić *Pater noster*.

Wojciech Leszczyc był zdezorientowany. Piotr Doliwa przekrzywił siwą głowę. Pozostali też patrzyli na króla niepewnie. Paweł Ogończyk podrapał się za uchem i uśmiechnął cwanie, on jeden wiedział, w końcu od dawna paktował dla Władka z Bikszą i Litwinami.

— No, powiedz im Pawle — zachęcił go Władysław. Niech ma, niech się wykaże.

— Król przez kanclerza kujawskiego przekazał Wańce żądanie, by książę płocki wycofał się z sojuszu z Krzyżakami. Zależy nam na tym, bo chcemy, by każdy z książąt mazowieckich, a najbardziej Wańka, przepuszczał na królewskie żądanie Litwinów przez swoje ziemie. Skoro Wańka odmówił, najedziemy go, podejdziemy pod Płock, zastraszymy i siłą wymusimy wypowiedzenie sojuszu z Krzyżakami. W tym samym czasie Litwini najadą księstwo Siemowita od wschodu. Trojdena zostawimy w spokoju, bo jego chłopak królem Małej Rusi, a trojdenowe porty na Wiśle obsługują nasz szlak solny i węgierski miedziany — tryumfalnie skończył Paweł.

Zebrani byli teraz jeszcze bardziej skołowani.

— Krótki, szybki i ognisty pokaz sił nowego sojuszu — wyjaśnił Władysław dobitnie. — Co tu jest niezrozumiałe? Mamy trzy dni, nie więcej.

Ruszyli nad ranem. Władysław lubił tę mobilizację. Kilka godzin snu; wojak przed walką nie potrzebuje więcej. Sam zrywał się na równe nogi szybko, wzuwał buty, naciągał kaftan i był gotów. Borutka kolczugę zakładał mu w okamgnieniu, raz-dwa napierśnik, rękawice, hełm sekretny, to nie parada czy turniej, żeby się stroić. Rycerz musi być zwinny, szybki i skuteczny.

— Wojenna korona — giermek z namaszczeniem założył ją na hełm.

Na jej przedzie groty włóczni udające lilie, albo kwiaty drapieżne jak ostrza, każdy widział to po swojemu. Jedyny ciężar na skroniach, z którym Władek czuł się dobrze. Odetchnął, ruszył do wyjścia.

— Najjaśniejszy pan nie ucieka! Jeszcze pas! — jęknął Borutka.

— To żeś mi pasa nie założył, nicponiu? — trzepnął go w ucho, ale giermek się uchylił. — Wiesz, że nie znoszę się cofać, jak już wyjdę z namiotu! To przynosi pecha!

— E, tam. Najjaśniejszy pan nie jest przesądny! — Borutka zręcznie owinął mu biodra pasem i przełożył go przez sprzączkę.

— Nie jestem — fuknął Władek i trzy razy potarł prawą nogą o ziemię.

— Jeszcze w maszt namiotu — szepnął Borutka i przypomniał — łokciem.

W granice księstwa płockiego wjechali tuż przed świtem, Gostynin minęli łukiem, ukrywając w lasach pod nim odwody z rozkazem, że mają walczyć tylko, jeśli wojska Wańki ich ruszą. Pomknęli pod Płock, bez taborów, jazda szła szybko. Nikt ich nie zatrzymywał. Zaskoczeni ludzie widząc chorągiew z białym, nie czarnym orłem, uciekali z drogi. Inni z przerażeniem gapili się na króla w wojennej koronie mknącego na złotej klaczy. Przy jego boku wojewoda Wojciech i kasztelan Paweł Ogończyk. Pleców strzegli Borutka i Grunhagen. Giermek hełm miał ozdobiony pękiem czarnych, lśniących piór. Jego wrończyk — domyślił się Władek.

Pełnia lata była ich sprzymierzeńcem. Woda w Wiśle opadła, bród znaleźli bez trudu, przeprawili się nocą. Rankiem otoczyli Płock.

Nie mieli ze sobą machin, Władysław nie był głupi, nie zamierzał wdać się w oblężenie trwające miesiącami. Liczył, że sam widok jego wojsk pod Płockiem wystraszy Wańkę i książę otworzy bramy.

Nie otworzył. Władek wydał rozkaz podpalenia podgrodzi. Borutka pierwszy ruszył nakładać płonące strzały. W suchym letnim powietrzu strzechy chałup, kramów i składów przyklejone do miasta, jak huba do pnia drzewa, poszły z dymem szybko. Biskup Florian kazał bić w dzwony płockiej katedry.

— Prowokuje króla! — wrzasnął usmarowany sadzą Borutka i okręcił się na karym koniu. — Precz z biskupem!

— Ochłoń — skarcił go Władek. — Biskupa nie ruszamy. Nie mam zamiaru być królem wyklętym.

Denerwował się, bo dwa z trzech dni, jakie sobie wyznaczył, minęły. Tyle że miał pewność, iż z zamkniętego Płocka Wańka nie pośle nikogo do Krzyżaków. Liczył się jednak z tym, że któryś z jego ludzi spoza miasta może być już w drodze do Malborka. Założyli wprawdzie na Wiśle pod Włocławkiem czujki, które miały wyłapać łodzie płynące z Płocka do Krzyżaków, ale rzeka jest wielka i rzecz to niepewna, czy złowią tego, co trzeba.

Na pocieszenie zwiadowca Ogończyka przywiózł wiadomość:

— Litwini palą Pułtusk! Okoliczne wioski już splądrowane.

— Wywiązali się — odetchnął Władek.

— Dla nich to rzecz normalna — wtrącił się Doliwa. — I bez naszej zachęty poganie wyprawiali się na mazowieckich. Kimś muszą zaludniać zdobyczne pustkowia. Osadzili tam już tysiące Mazowszan.

— Marudzisz — zdenerwował się Władysław. — Kto dowodzi?

— Wojewoda Grodna, Dawid — przekazał zwiadowca.

— Giedymin postawił na najlepszego — pochwalił Ogończyk. — Traktuje sojusz poważnie.

— Dobra, wysyłaj posła do Wańki — rozkazał Władek.

Poseł wieczorem wrócił z niczym.

— Książę płocki Wacław nie pozwoli się zastraszyć najazdem króla Władysława. Płock jest gotowy do obrony, a zakonni sojusznicy w drodze — wyrecytował odpowiedź.

— Musieliby lecieć na miotłach — wyrwało się Borutce.

— Okropną wyobraźnię ma ten młodzian — oburzył się wojewoda Wojciech. — Skąd takie pomysły?

— Widziało się to i owo — błysnął zębami Borutka.

— On żartuje! — klepnął Wojciecha Władysław. — To jego wojenny humor, kiedyś ci opowiemy, co wygadywał w czasie buntu wójta Alberta.

Wojciech Leszczyc przeżegnał się mimowolnie i odsunął od giermka.

— Co robimy, panie? Będziemy radzić? — dopytał Ogończyk.

— Daj spokój. Nie ma nad czym. Wracamy — pokręcił głową Władek. — Z państwa zakonnego zbrojny hufiec jest w Płocku w dwa dni. Nie możemy dać się zaskoczyć w czasie odwrotu.

— A możemy chociaż katedrę podpalić? — wyrwało się Borutce. — To nie Dom Boży, tylko przyczółek wrażego biskupa Floriana, który...

— Zamknij się — warknął Władysław. — Podpalać będziemy po drugiej stronie Wisły.

Przeszli ją nad ranem, musiał dać ludziom trochę odpocząć pod osłoną nocy. Potem wysłał przodem zagon ogniowy, z Borutką, choć nie pozwolił mu dowodzić. Chłopak był szybki, niezmordowany, lecz nieobliczalny. Niewrażliwy na krzywdę ludzką, czuły na każdą, która dotykała zwierzę. Dziwak, ale skuteczny.

Wojska królewskie opuszczały księstwo płockie, za nimi szły dymy pożarów, smród pożogi.

— Można powiedzieć, wyprawa nieudana — ocenił Piotr Doliwa, gdy zjechali do Łęczycy, do Pawła.

Zdjął rękawice, hełm, otarł spocone czoło i siadł na ławie, ciężko jak jakiś staruch. Dopiero wtedy zorientował się, że król jeszcze nie usiadł, i poderwał się. Strzeliło go w krzyżu. Zgięty wpół, przeprosił.

— Nie mamrocz, tylko siadaj — machnął ręką Władek. — Psiamać. Byłem pewien, że Wańka się ugnie.

— Litwini porządnie nastraszyli Siemowita — rzucił Paweł, a jego służba wniosła dzbany z winem.

— Czy mogę? — Borutka pochylił się nad głową Władysława. Bachorzyc został na Wawelu, giermek pełnił w podróży przy nim wszelkie służby.

— Co? — nie zrozumiał intencji Władek.

— Wojenna korona w Królestwie niepotrzebna — szepnął giermek.

— I Bogu dzięki — powiedział wojewoda kujawski. — Jeszcze tego by brakowało, by wojna była w domu.

— Tylko schowaj dobrze — przypomniał mu Władysław, gdy Borutka zdejmował mu koronę.

— Piwa bym wolał, zgrzałem się, tak król pędził — zagderał Piotr Doliwa, a Paweł raz-dwa przyzwał służbę.

— Ja też — przyznał Władysław.

— I ja! — dorzucił Grunhagen.

— Ty krwawisz? — zauważył Władek. Rycerz brudną szmatą ocierał krew z czoła.

— Jakaś strzała z lasu mnie drasnęła pod Gostyninem, już przy samej granicy. Nic wielkiego.

— Rycerz nieduży, to i rana mała — pogodnie odezwał się Doliwa. Piwa popił, od razu był weselszy.

— Weź to Borutce pokaż — zatroszczył się Władek. — On na ranach się trochę zna.

— E, nie ma zmartwienia — pocieszył Grunhagen. — Poszło wierzchem.

— Pawełku — Władek poczuł, jak mu te trzy dni schodzą z barków. — Kogo poślemy do Malborka?

— Postawiłbym na Wojtusia — zachichotał Ogończyk. — Urząd ma przedni, młody, to nie musi długo wypoczywać.

— Wojewodo kujawski — kiwnął na Wojciecha Władysław. — Pojedziesz do wielkiego mistrza.

— Król żartuje? — Leszczyc naprawdę nie wiedział, w co grają.

— Nie, chłopcze — spoważniał Władysław. — Z Zakonem nie ma żartów.

— Z królem też — dodał Borutka, zamykając wojenną koronę w skrzyni.

WIERZBKA poruszała się po Wawelu śmiało. Szybko przywykła do zamku i jego gwarnego życia, w przeciwieństwie do Dziewanny, która nawet po pół roku wydawała się zagubiona i zdarzało jej się szlochać w nocy.

„Do czego chcesz wracać, głupia?" — nakrzyczała na nią Wierzbka ostatnio. — „Do lasu?". „Do matecznika" — wyznała zapłakana dziewczyna. Wierzbka ofuknęła ją porządnie, choć cicho, bo tamtej nocy dzieliły izbę służebną z dziewuchą świeżo najętą do kuchni. Następnego dnia wyczekała na dobry moment i gdy były same, zrobiła Dziewannie niezłą połajankę. Przypomniała jej, że matecznik to przeszłość, Jemioła wiedzie siostry na zatracenie, a prawdziwą drogą jest Jarogniew Półtoraoki i trzej Starcy Siwobrodzi, wcielenie siły Trzygłowa. „On patrzy jednocześnie w trzy świata strony, weź się w garść, mała, bo i nas teraz widzi".

Jarogniew wyznaczył im obu zadanie i wykonają je, bo oto jej czas, czas Wierzbki, nastał. Zawsze była tą trzecią, czwartą, niewidzialną. W czasach Przemysła wciąż za plecami Jemioły i Kaliny. Razem z Jemiołą w „Zielonej Grocie", ale to nie ją wybrał książę Henryk i książę Przemysł. Wierzbce trafiali się ledwie rycerze, a często tylko giermkowie. Przez nich czuła się zwykłą dziwką, a nie panną nierządną do specjalnych zadań.

Nie ona uwodziła Piastów, choć mogłaby, w niczym nie była gorsza od Jemioły. Tak samo znała sztukę miłości, zmysłowego dotyku, zioła na pożądanie, na pragnienie, na zaspokojenie i wieczne niespełnienie. Umiała je zebrać w lesie, na bagnie, na łące. Potrafiła dobrze ususzyć i uwarzyć. Maść ukręcić, po której męskie lędźwie będą gorące, gotowe i oddane. Znała sztukę robienia eliksiru przedłużającego młodość, wypiła go przed laty tyle samo, co Jemioła, a może i więcej. Wciąż oglądali się za nią chłopcy, dojrzali mężczyźni w jej obecności prężyli muskuły, a starcy prostowali zgarbione plecy. Była mistrzynią, której Dębina nigdy nie pozwoliła się wykazać. Zawsze wybierała Jemiołę. I ten ostatni raz, gdy przed umieraniem znów wskazała na nią, był kroplą goryczy, która przepełniła czarę. Wierzbka podjęła decyzję i nie cofnie się na krok.

Jarogniew błyskawicznie docenił skarb, który przyszedł do warownego jesionu. Owszem, chwalił każdą z sióstr, które przybyły do niego z matecznika, każdej mówił, że gdy zasłuży, zostanie jego bratanicą, ale Wierzbkę otoczył prawdziwie męską opieką od pierwszego dnia. On wiedział, że była dziewczyną z „Zielonej Groty", i on, a nie Dębina, dał jej szansę. Powiedział: „Król ma jednego, jedynego syna". Wiedziała, co ma zrobić, nim skończył mówić.

Przez pół roku oswajała ze sobą ludzi. Ochmistrzyni Lisowej robiła maści, dbając, by jej lecznicze zdolności ujawniały się niejako przypadkiem. Ot, gdy Lisowa skarżyła się na ból pleców, rzuciła, nie unosząc głowy znad moździerza, w którym rozcierała siemię lniane: „A moja ciotunia to na plecy robiła sobie maść". Ochmistrzyni się zaciekawiła, a Wierzbka, że jak sobie przypomni, jak to szło, to i jaśnie pani ukręci. Podobnie z kuchmistrzem, podstajennym, podczaszym, który zachodził coraz częściej z drętwą gadką: „A panna Wierzbka to taka do roboty zdatna, jak mało która. I śliczna jak żadna". Uśmiechała się, rumieniła i myślała skrycie: „Nie dla psa kiełbasa, moczymordo". Pilnowała, by nikt jej z leczeniem za bardzo nie kojarzył, bo wiadomo, jak która kobieta leczyć umie, to i chorobę ściągnąć potrafi, a od tego do oskarżeń o czary droga krótka. Starała się także, by nie zwracano uwagi na jej ani Dziewanny urodę. Tajna broń nie może być trzymana na wierzchu. Na początku miały więcej niż szczęście: przyjęła je do pracy sama królowa, kupiły jej serce Starszą Polską i obietnicą pierogów z bobem. O, będą i pierogi, najjaśniejsza pani, niech ino bób dojrzeje, już ja ci je ugniotę. Wierzbka zrobiła co trzeba, by w pół roku na Wawelu uznano je za swoje, za takie, co są tu od początków i bez których ten Wawel się zawali. Jak coś nagłego na kuchni, w piwnicach, na podwórcu, to dalej, wołać Wierzbkę. Jak coś szybko załatwić trzeba, to Dziewankę, o jaka ta mała szybka!

Dziewanna wywiązywała się należycie, robiła wszystko, co Wierzbka kazała, skrupulatnie, dokładnie, można było na niej polegać. I tylko te chwile tęsknoty i załamania sprawiały, że jak starsza siostra, jak matka, musiała dziewczynie raz na jakiś czas przygadać. Oby nie musiała jej przylać, a nie zawaha się przed niczym, by wypełnić zadanie. „Zaprzepaszczone szanse się mszczą" — powiedział Jarogniew, niby nie do niej, ale usłyszała.

Teraz, gdy na Wawel zjechała litewska księżniczka, gdy ogłoszono córę Giedymina narzeczoną następcy tronu, czas nastał. Piętnastoletni Kazimierz od dnia, gdy powiedziano mu: „żenisz się", zaczął się zachowywać jak każdy młody kocur. Dostępu do koteczki mu broniono, królowa Jadwiga trzymała Litwinkę z daleka, katowała katechezą od jutrzni do nieszporów, a młodziana nosiło, jakby w portki ktoś włożył mu węża.

Do Dziewanny sprzątającej jego komnatę zdążył się przyzwyczaić, ale w tych dniach, jak mówiła, celowo się ociągał, zostawał dłużej, choć zwykle wychodził na lekcje, gdy tylko pojawiała się poranna służba. Mała była tylko przynętą; zarzucała na niego sieci starannie. Żadnego wypinania biustu, żadnego schylania, by podkreślić krągłości tyłka. Oczy w podłogę i nieśmiały uśmiech. Niewidzialna, ale zostawiająca po sobie w komnacie przyjemny zapach. Od tygodnia wcierała go w poduszki i prześcieradło królewicza, a ten chodził coraz bardziej odurzony i błędny.

Trzeba przyznać, komnaty Kazimierza pilnowano starannie, choć straży nie trzymano pod drzwiami. Czuwał przy nich jedynie na zmianę któryś z młodych Toporczyków, krewnych kasztelana Nawoja, ale już to sprawiało, że nikt tam nie mógł wejść niezauważony.

Wyczekały na dzień większego sprzątania, gdy do komnaty wchodziła nie jedna Dziewanna, ale kilka panien. Jedną z nich dzisiaj była Wierzbka. Weszły cztery, wyszły trzy, ale tak trajkotały, że Toporczyk nie doliczył się brakującej. Wierzbka ukryła się za kotarą łoża i czekała. Miała przy sobie bukłaczek z gęstym odwarem z maku. Cierpliwości jej nie brakowało, czym jest dzień w porównaniu z latami?

Kazimierz w ciągu dnia wchodził ze trzy razy, kładł się na chwilę, zmęczony po lekcji fechtunku, potem pokojowiec przebierał go, wychodził na posiłki. Wreszcie po zmroku przyszedł i padł na łoże.

— Rozbiorę najjaśniejszego pana — zaproponował pokojowiec.

— Później — jęknął królewicz.

Pokojowiec stał pod ścianą, wpatrywał się w czubki butów, czas płynął.

— Rozbiorę najjaśniejszego pana — odezwał się po naprawdę długiej chwili.

— Nie chce mi się — wymamrotał.

Zapadł zmierzch, w komnacie zaczęło robić się ciemno.

— Czy mogę zapalić świece? — spytał pokojowiec.

— Jestem skonany — odpowiedział Kazimierz.

Ciekawe czym? — pomyślała złośliwie Wierzbka.

— Pozwoli najjaśniejszy pan, że zapalę — powiedział pokojowiec i zrobił swoje.

Przyjemna woń rozgrzewającego się wosku dotarła do czekającej na swoją kolej Wierzbki. Kazimierz wciąż leżał na łożu, tak jak padł. Nawet się nie obrócił.

— Czy mógłbym zdjąć najjaśniejszemu panu buty? — zapytał pokojowiec. Królewicz nie odpowiedział. Przez maleńką szparkę w kotarze Wierzbka widziała, jak leży. Pokojowiec podszedł do niego i delikatnie zaczął zdejmować mu długie, pięknie wyszywane buty. Odstawił je i chwilę wyczekał. Królewski młodzian nie ruszył się z miejsca.

— Gdyby najjaśniejszy pan był łaskaw wstać na chwilkę, zdjąłbym resztę ubrania.

— O Jezu... — jęknął Kazimierz. — Ale ty dzisiaj się nade mną pastwisz...

Zwlókł się i stanął. Pokojowiec przypadł do niego jednym susem, zręcznie rozwiązał i zdjął pas, po nim piękny, lśniącą zieloną nicią haftowany kaftan. Rozwiązał koszulę i sam, niezwykle delikatnie, podniósł ramiona królewicza. Szybko rozebrał go z koszuli, a potem klęknął i odwiązał sznurowania nogawic, spuszczając je niemal równocześnie.

Ma wprawę — z uznaniem pomyślała o jego pracy Wierzbka.

Królewicz Kazimierz stał nagi, tyłem do niej. Obejrzała go na tyle, na ile pozwalała szpara w kotarze. Smukły i kształtny — oceniła. — Choć byle chłystek od Jarogniewa ma krzepy dwa razy tyle.

Pokojowiec skoczył ku skrzyni i wyjął z niej koszulę nocną. Kazimierz w tym czasie nie drgnął.

— Obmyć? — spytał pokojowiec, wskazując na miskę z wodą przygotowaną na stołku.

— Daj spokój, wczoraj mnie mordowałeś myciem. Dzisiaj nie dam rady, jestem potwornie zmęczony — ziewnął. — Czy ty to rozumiesz?

— Rozumiem i współczuję — odpowiedział sługa, zręcznym ruchem zakładając mu koszulę do spania, po czym rzucił się, by zdjąć nakrycie łóżka. Wierzbka widziała je za dnia. Piękna kapa z brokatu zdobiona wielkim kwiatem o ostrych płatkach. Teraz podglądała, jak męczy się z nią pokojowiec; była ciężka i zahaczyła rogiem o górny skraj łóżka. Zdenerwowany sługa ciągnął i ciągnął, raz po raz zerkając na swego pana. Wierzbka nie wytrzymała i będąc nie do zauważenia, zza kotary, zwinnym ruchem odczepiła kapę od zadry w ramie. Pokojowiec odetchnął z ulgą, zwinął ciężką materię i w tej samej chwili Kazimierz jak stał, tak runął do łóżka.

— Jeszcze kołdra! — niemal krzyknął pokojowiec i rzucił kapę na posadzkę. Skoczył, by przetoczyć leżącego jak bela królewicza i choć jako tako nakryć kołdrą.

A ochmistrzyni tyle razy upominała sprzątające o tę kapę — zaśmiała się w duchu Wierzbka. — Że obchodzić się trzeba z najwyższą godnością, jakby to był „płaszcz królewski jaśnie pana". Dobrze, że nie wpadła w nocnik.

Sporą chwilę trwało, nim pokojowiec uporał się z garderobą zdjętą z Jego Wysokości. Pochował wszystko, poodstawiał na miejsce, przyciął knot świecy, zgasił trzy, zostawił jedną, nalał do kielicha wina, zmieszał z wodą, pokrzątał się jeszcze i wreszcie poszedł sobie, kłaniając się nisko śpiącemu. Zamknęły się za nim drzwi, czujne ucho Wierzbki wyłowiło meldunek składany Toporczykowi:

— Jaśnie pan śpi, wszystko w codziennym porządku.

— Zmęczony? — w głosie Toporczyka zabrzmiała filuterna nuta.

— Skonany jak nigdy wcześniej — zachichotał sługa.

Zapewne — pomyślała Wierzbka, słysząc chrapanie królewicza. — Jak drwalczyk, nie następca tronu.

Odczekała naprawdę długi czas, dzwon na wawelskiej wieży uderzył, obwieszczając północ. Wtedy wyswobodziła się z sukni, zdjęła buty i czepek. Przeczesała palcami włosy, wcierając w nie pachnidło. Chuchnęła sobie w dłonie, by je rozgrzać, i z bukłaczkiem odwaru wyszła zza kotary. Odsunęła kołdrę wypchaną gęsim puchem, lekką i dzięki Dziewannie wonną, i wślizgnęła się do łoża Kazimierza. Przekręcił się w międzyczasie i leżał teraz na boku.

Przestałeś chrapać, kocurku — pochwaliła go w myślach i na chwilę przylgnęła do jego pleców.

Musiała być uważna, nie mógł się obudzić. Otworzyła bukłak i w zagłębienie dłoni wylała porcję makowego, gęstego odwaru. Delikatnie natarła nim piersi i plecy Kazimierza, a potem czubek palca mokry od brunatnej cieczy przesunęła po jego wargach. Oblizał je odruchowo, grzeczny chłopiec. Dla niego miała pozostać snem i nawet przez myśl nie może mu przebiec, że była tu naprawdę. Zamknęła bukłak i odłożyła, żeby jej nie przeszkadzał. Przeciągnęła czubkami palców po smukłym udzie młodzieńca. Poruszył się. Przysunęła biodra mocniej do jego pośladków. Odpowiedział odruchowo, wciskając w nią swoje. Tego nie trzeba się uczyć — mruknęła w myślach Wierzbka. — To się wie. Planowała tę noc dziesiątki razy, wyobraźnia podsuwała jej najbardziej wyuzdane pomysły, co mu zrobi i jak. Ale teraz wystarczyło, że wsunęła dłoń pomiędzy jego uda i zrozumiała, że tu nie ma czasu na lubieżne zabawy. Najjaśniejszy królewicz chrapał jak syn drwala i jak on, był gotów od razu.

Jest młody i nigdy nie był z kobietą — pojęła. — Tak działa natura i nie daje mi wiele czasu.

Przestała go dotykać w jednej chwili. Mruknął przez sen, niezadowolony. Wstała i przeszła na drugą stronę śpiącego, chroniąc łoże przed nadmiernym uginaniem się. Na szczęście wypchany trawą materac był twardy. Piastowie nie rozpieszczali jedynaka.

Położyła się na boku, przodem do niego i przysunęła, prosząc w myślach — niech mój odwar zadziała, śpij i się nie obudź. Ujęła jego męskość, którą od razu nazwała berłem, i wsunęła się na nie, szeroko rozwierając uda. Tylko się nie obudź. Wyprężył się niczym struna, otworzył usta przez sen i jęknął. Tej chwili bała się najbardziej. Gdy pierwszy raz zniknie w kobiecie. Ze strachu, by się nie ocknął, delikatnie położyła mu dłoń na oczach. Poruszyła biodrami, aż zassał otwartymi ustami powietrze. Powoli zwierała uda, zaciskając się na jego berle.

Junak, jurny, jędrny — powtórzyła w myślach żartobliwą przyśpiewkę z „Zielonej Groty". *Pilnuj, siostro, by się nie popłakał, nim zacznie* — odpowiedziała to, co odśpiewywały dziewczęta. Jej junak był uczniem Matki Natury i wiedział, co robić. Gorliwym uczniem, odpowiadał szybko, jakby chciał pokazać, że jest gotów na sen, który mu się przyśnił. Oddychał głośno, przez szeroko otwarte usta, chrapliwie. Jęczał nisko, choć głos raz czy drugi spłatał mu figla i skoczył wysoko, chłopięco. Wciąż lękała się tylko o to, by się nie zbudził, by nie odkrył jej obecności w swym łożu. Ona ma zadanie do wykonania, więc on musi zebrać z niej soki, nie raz, nie dwa i nie cztery. Nie, nie wszystko dzisiaj, do tego trzeba go przyzwyczaić. Jego biodra zaczęły poruszać się gwałtownie, tracić rytm pchnięć, wpadać w spazmatyczny taniec. To już — wiedziała. Wyprężył się, jęknął:

— Och! — i powtórzył spadającym, głębokim: — Oooch...

Zamarł na ułamek chwili, a potem przewrócił się na plecy, wypływając z niej jednym ruchem.

Gdyby kiedykolwiek był z kobietą, szukałby jej, wyciągał po nią ramiona. Pewnie wcześniej robił to sam, w tajemnicy przed wszystkimi, przed Toporczykiem czającym się pod drzwiami, wścibskim pokojowcem i oczywiście Jej Wysokością Panią Matką Dewotą.

Zwinnie przetoczyła się przez bok i wyskoczyła z królewskiego łoża, zabierając swój cenny bukłaczek. Osłoniła Kazimierza kołdrą. Weszła za kotarę i ubrała się. Pozostaje jej czekanie do rana. Usiadła, odchyliła głowę i oparła o ścianę.

Więc to dzisiaj — pomyślała. — Stało się.

Nagle poczuła się pobudzona, podekscytowana. Jej łono pulsowało, gdy była z nim, nie myślała o sobie, tak była skupiona na robocie. Teraz poczuła, że jest otwarta, gotowa i rozgrzana. Palce znalazły drogę. Znały ją. W mateczniku nie miała wielkiego wyboru. Tych kilkunastu chłopców, cóż wielkiego. Gdy trafiła do warownego jesionu, poczuła się jak ryba wrzucona do wody pełnej wijących się wodorostów. Wojownicy Starców byli wiecznie głodni, każdą z sióstr witali pożądliwym spojrzeniem. Miała ich kilkunastu, mogła przebierać. Nasycali jej ciało na chwilę, ale jej marzył się Jarogniew. Jego dwubarwne oczy wabiły ją podwójnie. On jednak był wobec niej nieporuszony. Cenił, szanował, poważał i nigdy nie wyciągnął po nią ręki. Teraz wsunęła palce tam, gdzie czekało na niego pulsujące, wilgotne miejsce. Otwarte na oścież.

Jej osobiste wrota. Jej zielona grota. Jej namiętność i jej ochota. Nic nikomu do tego.

Palce, zwinne, zręczne i niezawodne. Ach! Aaaach. Wyprężyła się sama dla siebie. Potem zasnęła na krótką chwilę zwinięta za kotarą królewskiego łoża. Obudził ją chłód poranka i pchnięcie otwieranych drzwi. Pokojowiec wszedł na palcach. Najpierw obszedł komnatę, sprawdził, czy wino wypite, nie, nietknięte. Wszedł na stołek, pchnął okiennice. Rześki powiew zza okna otrzeźwił Wierzbkę.

— Najjaśniejszy panie — śpiewnie zaczął dzień pokojowiec. — Czas wstawać.

Z głębi łoża dobyło się jęknięcie.

— Jaśnie pan źle spał?

— Booosko... — odpowiedział Kazimierz.

— To wspaniale — ucieszył się sługa. — Będzie królewicz tak łaskaw i wstanie?

— O nieee...

— Najjaśniejszy pan skonany? — w głosie pokojowca zabrzmiał wczorajszy żart.

— Żebyś wiedział, jak bardzo — jęknął Kazimierz.

ZYGHARD VON SCHWARZBURG nie znalazł Wolfa w Malborku. Szukał kogoś, kto pojawił się w zakonnej stolicy w podobnym czasie co Werner von Orseln po śmierci Karola z Trewiru, i jedyną osobą, która spełniała to kryterium, był niejaki Sander von Pfau z Kolonii. Nie brat zakonny, nawet nie rycerz, tylko młodziutki mieszczanin, którego bracia przysłali do Malborka, by nabrał ogłady w wielkim świecie, a przy okazji zadbał o rodzinne interesy. Handel suknem czy wełną, to już Zygharda nie interesowało. Sander nie mógł być sekretnym człowiekiem, nie tylko dlatego, że wyglądał na cheruba, nie zabójcę, ale ponieważ nie umiał trzymać języka za zębami. Rozmawiał z każdym, chętnie i na wszelkie tematy. Owszem, przyszło Zyghardowi do głowy, że to rodzaj pozy, zasłony, ale po kilku spotkaniach z kolończykiem był pewien, że to trop fałszywy. Jeśli Werner von Orseln miał w ręku zabójcę Karola, to albo pozbawił go życia, albo ukrył jeszcze głębiej.

Zresztą nie bardzo mógł się tym dłużej zajmować, mistrz angażował go nieustannie w sprawy zakonne.

Sytuacja dyplomatyczna zmieniała się z chwili na chwilę i Zyghard był pewien, że idzie ku wielkiej wojnie. Owszem, czerpał rodzaj satysfakcji z tego, że przewidział bieg rzeczy. Czuł się jak zwycięzca turniejowej gonitwy.

Obym nie wygrał całego turnieju — myślał. Jego dalekosiężne przewidywania nie były optymistyczne.

— Ty wygrałeś, ja wygrałem, a mimo to nie wznosimy toastów — zagadnął go Luther na krużganku.

Coraz rzadziej spotykali się na podsłuchiwaniu, bo od degradacji Wildenburga wielki mistrz to z nimi dwoma dzielił się większością przemyśleń. Czasami zawężał spotkania tylko do nich.

— Skoro nie podsłuchujemy — odpowiedział mu Zyghard — to może ktoś nas teraz podsłuchuje? Awansowaliśmy, komturze dzierzgoński.

Luther uniósł brew i ruchem głowy pokazał mu, by poszli. Zyghard z zaciekawieniem patrzył, dokąd go powiedzie. Przez chwilę sądził, że idą po prostu na mury, ale Luther szedł dalej i w końcu Zyghard zorientował się, że prowadzi do wieży ostatecznej obrony, tej, którą wysunięto daleko poza mur malborskiej twierdzy. Wspinali się po wąskich, spadzistych schodach, Luther szedł przodem. Na ich szczycie odwrócił się i spojrzał na Zygharda, jakby oczekiwał pochwały, że tu, a nie gdzie indziej go przywiódł. Weszli do najwyższego z pomieszczeń.

— Oto miejsce... — zaczął Luther, ale Zyghard wyminął go i ruszył prosto na podest. Wszedł na niego i pchnął okiennice.

— Gdzie nikt nie podsłuchuje. Tak przynajmniej sądził mój brat, Gunter — powiedział i wyszczerzył zęby.

Luther parsknął śmiechem:

— Znów prowadzisz!

— A bierzemy udział w gonitwie do pierścienia? — udał zdziwienie Schwarzburg. — Lepiej powiedz, kto tobie pokazał to urocze miejsce.

— Wildenburg — odpowiedział Luther. — Jeśli pamięć mnie nie myli, po śmierci Guntera.

— Czyli każdy musi zostać tu wprowadzony — zaśmiał się Zyghard.

— Miejsce, do którego nie można trafić samemu? Ależ można, to wieża, widać ją z daleka — zadrwił Luther. — Chwilowo pusta, ale straż malborska zacznie pełnić na niej wartę, gdy tylko dojdzie do wojny.

— Przechodzimy do sedna — powiedział Zyghard i wychylił się przez okno, by spojrzeć na ciemnozieloną wstęgę Nogatu. — Cisi ludzie donieśli o sojuszu króla Władysława z książętami szczecińskimi. Pomorze, Litwa...

— Bierze nas w kleszcze.

— Podejdź do mnie, Lutherze z Brunszwiku — poprosił Zyghard i posunął się, robiąc mu miejsce przy oknie. — Wyjrzyj. Stąd wszystko wygląda inaczej, jakby sprawy urastające do rangi problemów w kapitularzu z wieży wydawały się małe.

— Malbork widziany stąd daje poczucie siły — potwierdził Luther. — Pokazuje, co naprawdę osiągnęliśmy, kim jesteśmy...

— I co możemy stracić — wszedł mu w zdanie Schwarzburg.

Odsunął się od okna, zszedł z podestu i przysiadł na jego krawędzi.

— Gdyby nie to, że lubię miejsca sekretne, poradziłbym mistrzowi, by od patrzenia w to okno zaczynał każdą kapitułę.

— Dla wielu komturów stałoby się to źródłem przekonania o niezwyciężoności Zakonu — powiedział Luther i zszedł do niego. — A ty chyba chcesz przekazać mi coś zgoła innego?

— Kruchość świata, który zbudowaliśmy — lekko rzucił Zyghard. — Legaci papiescy obłożyli nas interdyktem. Pogańska Litwa nawiązała sojusz z arcychrześcijańską Polską. Ochrzciliśmy Prusów, a oni zbierają się po lasach i szkolą. My zaś siedzimy zamknięci w naszych niezwyciężonych zamkach, zapatrzeni w ich fosy, mury, wieże.

— To cię przeraża? — poważnie spytał Luther z Brunszwiku.

Zyghard nie odpowiedział. Luther dodał:

— Wyliczasz zagrożenia jedno po drugim.

Zyghard von Schwarzburg roześmiał się:

— Tak zbieram siły. To moje ćwiczenia codzienne. Zamiast lekcji fechtunku — mrugnął do Luthera.

Komtur dzierzgoński odetchnął i powiedział szybko:

— Poganami się nie martw. Czuwam nad tym.

— Jak można sprawować kontrolę nad Dzikimi, którzy kryją swoje sekrety po lasach?

— Poprzez innych Dzikich — wymijająco odpowiedział Luther.

— Symonius i Rota Wolnych Prusów?

— Mniej więcej — kiwnął głową Luther. — Nie mówiłem ci, bo wiem, jak go nie znosisz, jak mu nie ufasz.

Tobie też nie ufam ani trochę, Lutherze z Brunszwiku — pomyślał Zyghard.

— Po co to robisz? — spytał.

— Gdy nadejdzie wielka wojna, będziemy potrzebować ludzi gotowych na wszystko — odpowiedział Luther głosem tak doskonale spokojnym, że tym dopiero zaskoczył Zygharda. — Takich, którzy zrobią to, czego nie wypada robić rycerzom Zakonu.

— Mój brat w ten sposób myślał o Henryku von Plötzkau. Po to go ściągnął do Gdańska. A jednak, gdy już było po wszystkim, Gunter powiedział wprost, że nie spodziewał się tego, co Plötzkau zrobi.

— I co z tego? — wzruszył ramionami Luther. — Twój brat wyszedł na tym świetnie. Gdańsk został przejęty, zadanie wykonane. Tytuł „rzeźnika gdańskiego" przylgnął do Henryka von Plötzkau, a Gunter von Schwarzburg pozostał nieskazitelnym, eleganckim komturem, ojcem tryumfu.

— Igrasz z ogniem — szczerze powiedział Zyghard. — Uruchamiasz siłę, której nie rozumiesz, nie znasz i nie okiełznasz.

— Nie. Uczę się od najlepszych — odpowiedział Luther. — Co przypuszczasz o rozwoju zdarzeń, Zyghardzie?

— To, że przewidziałem sojusz Giedymina i Władysława, nie czyni mnie prorokiem. Zresztą, póki co, jeden i drugi władca zachowali się nieprzewidywalnie. Giedymin poprosił papieża o chrzest, a gdy legaci przybyli, odmówił go.

— Mam swój udział w tym „nieprzewidzianym" biegu zdarzeń — przypomniał Luther.

— I chwała ci za to — kiwnął głową Zyghard.

— Jak sądzisz, co zrobi teraz polski król? — natarczywie zapytał Luther.

— Pewnie zatańczy na weselu syna — zaśmiał się Zyghard i wstał z podestu. — Gdyby chciał w pełni cieszyć się wrażeniem, jakie na nas zrobił, powinien zaprosić wielką piątkę z Malborka na zaślubiny. Ty niósłbyś płaszcz za panną młodą — poklepał Luthera po ramieniu. — No co, jesteś wielkim szatnym zakonu. Wracajmy, bo Werner von Orseln wyśle straże, by nas do siebie ściągnąć.

Zyghard ruszył do wyjścia, nie oglądając się za siebie, ale stanął przy stromych schodach, słysząc, co mówi do jego pleców Luther:

— Szanuję cię i cenię, Zyghardzie. Zawsze chcę mieć cię po swojej stronie.

Czyżbyś szykował kolejny przewrót, Lutherze? — pomyślał po tej deklaracji. Nie umknęło jego uwadze, że komtur dzierzgoński powiedział, iż chce mieć go po swojej, a nie, że pragnie być po jego stronie.

Schodzili powoli; dla wysokiego Schwarzburga było to mniej wygodne, niż wspinanie się na wieżę. Ostatni bieg schodów przechodził w szeroką drabinę; stąd był wreszcie widok na pomieszczenie u dołu wieży. Zyghard pierwszy zobaczył, że ktoś tam jest, ale dzieliło go ledwie kilka szczebli, nie zdążył ostrzec Luthera, że nie są sami. Zeskoczył i jednocześnie zawołał:

— Sander von Pfau! Kupiec sukienny z Kolonii! Czekasz na kogoś, młodzieńcze?

Sander zarumienił się, jak przyłapany na niecnym uczynku.

— Komtur Zyghard… — przywitał się i spojrzał na drabinę. — I komtur…

Nie zna go? To dziwne, siedzi w Malborku od ponad roku — przemknęło przez głowę Zygharda. — A może tylko udaje? Co robi w wieży, do której, jak stwierdziliśmy obaj, trzeba być wprowadzonym?

Luther zeskoczył z drabiny lekko jak kocur.

— Znasz go? — spytał Zygharda.

— Kolończyk, gość Zakonu — odpowiedział.

Młodzian wciąż stał, czerwony na twarzy, zakłopotany patrzył to na jednego, to na drugiego.

— Czego tu szukasz? — ostro zapytał Luther.

— Zabłądziłem — bąknął Sander.

— Wyprowadzimy cię z błędu — uprzejmie odpowiedział Zyghard. — I z wieży. Chodź, Sanderze, w asyście dwóch komturów nic ci nie grozi.

Pchnął go lekko, Luther otworzył drzwi. Wyszli na mury.

— Prosto — powiedział Sanderowi Zyghard. On i Luther szli za plecami chłopaka.

— Co z nim zrobimy? — szeptem spytał Luther.

Zyghard wzruszył ramionami. Stojąc na dole, nie mógł słyszeć ich rozmowy na górze, ale zabłądzenie do wieży ostatecznej obrony było słabym wytłumaczeniem.

— Z tych murów będziemy zrzucać trupy, gdyby kiedyś przyszło do oblężenia Marienburga — powiedział głośno.

Sander skulił ramiona i potknął się.

— Masz na myśli gnijące trupy służby, półbraci i nieproszonych gości — dorzucił Luther.

Gdy doszli do zejścia z murów spotkali Bernolda, młodego komtura Radzynia. Stanął jak wryty, widząc Sandera idącego ze spuszczoną głową przed nimi.

— Niech będzie pochwalony — wyszeptał. Przeniósł wzrok na Luthera, potem na Zygharda.

— Dobrze cię widzieć, Bernoldzie — wyszczerzył zęby Schwarzburg i znów lekko pchnął młodziana. — Ten gość Zakonu zabłądził w Marienburgu. Czy mógłbyś odprowadzić go tam, skąd wyszedł? My z komturem spieszymy się do wielkiego mistrza.

— Oczywiście — pospiesznie przytaknął Bernold. — Zajmę się Sanderem.

— Znacie się? Tym lepiej — chłodno dorzucił Luther.

Wyminęli ich i zeszli na dziedziniec obronny. Sander i Bernold stali w miejscu jak wryci.

— Tajemna schadzka, jak myślisz? — spytał Zyghard, gdy odeszli od nich.

— Być może — kwaśno odpowiedział Luther. — Ale to oznacza, że nie ma już w Marienburgu miejsc ustronnych.

— Nie my jedni szukamy spokoju i ciszy — zaśmiał się Zyghard.

— Dobrze, że tylko my dwaj mamy klucze do pomieszczenia na górze.

— Racja. Być może tam powinniśmy przenieść naszą rozmównicę. Komnata sekretów podsłuchanych i wypowiedzianych. No, rozchmurz się, Lutherze z Brunszwiku!

— Nie podoba mi się to — powiedział Luther, gdy przechodzili na dziedziniec warownego zamku.

— Mamy już inne zajęcie. — Zyghard pokazał mu na ruch przy stajni.

Ulryk, komtur domowy Malborka, sztywno witał gości. Proporzec poselski rzucał się w oczy od razu.

— Przyleciał do nas biały orzeł — gwizdnął. — Może za chwilę poznamy odpowiedź na pytanie, które zadałeś mi na górze.

Pospieszyli do prywatnych komnat Wernera von Orseln, zdążyli jeszcze wychylić z nim kielich, nim sługa Ulryka przekazał, że goście czekają. Wielki mistrz chciał przyjąć ich w kapitularzu.

— Nie mogę się doczekać końca budowy — westchnął Werner po drodze. — Pomyślcie, to będzie dopiero splendor, gdy w pałacu wielkiego mistrza, piękniejszym, niż cokolwiek wcześniej wybudował człowiek...

Szybko się przyzwyczaił do zaszczytów — pomyślał Zyghard o Wernerze. Karol z Trewiru nie przykładał wielkiej wagi do rozbudowy Malborka, trudno się dziwić, skoro przebywał poza stolicą. Skromny, nierzucający się w oczy Werner wraz z tytułem wyszedł z cienia i z tygodnia na tydzień coraz lepiej czuł się w mistrzowskiej roli.

Władza jak mocne wino — pomyślał. — Uderza do głowy.

W kapitularzu panował przyjemny chłód. Służba zdążyła już przygotować salę, wstawiając do niej majestatyczne krzesło, właściwie tron dla mistrza. Zyghard i Luther zajęli miejsca za jego plecami. Dołączył do nich Markward von Sparenberg, Otto Lautenburg i Ditrich Altenburg, dwaj ostatni mieli opuścić Malbork wieczorem, mistrz wezwał ich więc, by uczestniczyli w przyjęciu posła. W stolicy przebywał też Plauen, ale jemu, po fatalnych zajściach w Brześciu, mistrz zabronił się pokazywać.

— Wojewoda kujawski, Wojciech Leszczyc, poseł króla polskiego Władysława — zapowiedział gościa Ulrik.

Wojewoda był wysokim, postawnym mężczyzną nieco młodszym od Zygharda. Nosił krótką, okalającą szczęki brodę, ale w jego twarzy uwagę przyciągały duże, jasne oczy.

Krewniak nieżyjącego Gerwarda, krewniak Floriana — przećwiczył pamięć Zyghard. — Dobrze ustawiony. Ale za jego plecami nie ma tych twardych prawników króla. Z czym przybył? — Zyghard poczuł mrowienie w czubkach palców. — Dotychczasowe propozycje rokowań wychodziły od nich i król zerwał obie. A potem zaskoczył ich sojuszem z Litwą i wspólnym atakiem na Mazowsze. I jeszcze sojuszem z książętami Pomorza. — Ekscytacja Zygharda była coraz silniejsza. — Z czym przybył wojewoda? Z wypowiedzeniem wojny?

— W imieniu władcy Królestwa Polskiego chcę zaproponować rokowania pokojowe — powiedział wojewoda kujawski.

Wymienili się z Lutherem spojrzeniami. Czy któryś z nich mógł to przewidzieć? Król Władysław zrobił wszystko, by mieli pewność, że szykuje się do wojny.

GRUNHAGEN był piekielnie przemęczony, nieustannie pobudzony i w najwyższym stopniu niespokojny. Ślub królewicza Kazimierza i Litwinki stał się największym wyzwaniem, przed jakim miał stanąć

Wawel i królewska straż przyboczna. A on, rycerz Grunhagen, był ważną częścią królewskiej straży. Król, kasztelan, wojewoda i kanclerz, a nawet spokojny jak skała arcybiskup Janisław, każdy z nich powtarzał, że podczas uroczystości weselnych zdarzyć się może coś niedobrego. Spodziewano się zamachu z inspiracji Krzyżaków, przede wszystkim na pannę młodą, lub kogoś z jej orszaku, by popsuć układy polsko–litewskie, zanim na dobre się zaczną. O to samo podejrzewano książęta Mazowsza, zwłaszcza księcia Wańkę, przydupasa krzyżackiego. Równie mocno stawiano na rozruchy z podszeptów czeskich; Jan Luksemburski w ostatnim czasie uaktywnił się w kurii awiniońskiej, arcybiskup podkreślał, że król Czech zyskał jakieś bliżej nieokreślone względy u papieża. Jakby tego było mało, niepokojące sygnały płynęły z Węgier; zięć króla, wielki Carobert Andegaweński, nie był zadowolony z sojuszu z poganami. I do tego drobnica, której, jak trzy razy podkreślał kasztelan, nigdy nie wolno lekceważyć: wieczni wrogowie Władysława — książęta Głogowa.

Nikt jednak, poza Grungahenem, nie brał pod uwagę ukrytego wroga: wojowników Jarogniewa. O tym, że z bezładnej gromady zamienili się w zwarte siły, przekonał się, wracając od Dagmar. W państwie zakonnym, pod bokiem Krzyżaków, wyrosło leśne wojsko. Ich nienawiść do Piastów mogła stać się siłą napędową jakiegoś brutalnego ataku. Grunhagen pamiętał tę wrogość z dawnych czasów. Bardzo dawnych. Był młody, głupi i nie tylko zielonooki, ale i zielony. Latał z nimi po lasach, czcił Trzygłowego i wykrzykiwał: „Śmierć — Krew — Walka". Raz czy dwa przeszło mu przez głowę, że powinien wspomnieć królowi, ale ugryzł się w język. Ludzie Jarogniewa żyją w Prusach, jak huba na krzyżackim drzewie i to problem żelaznych braci. Zresztą, tkwi tutaj, przy Władysławie, nie z własnej woli, tylko z lęku o Bertę, jedyną miłość jego życia. Po co się wychylać?

Uroczystość ślubna w katedrze wawelskiej była najprostsza do ochronienia. Wnętrze przeszukano trzy razy przed mszą i wpuszczano ludzi wyłącznie jednym wejściem. Do tego straż otaczająca katedrę z zewnątrz, bramy wjazdowe na zamek, podwojone obsady na murach, prosta robota.

Weselisko na Wawelu już było wyzwaniem: gości mnóstwo, zamek pękał w szwach, obcych, nowych twarzy mrowie. Do tego istne zagony służby, weź to wszystko spamiętaj! I hałaśliwe występy grajków, kuglarzy, sztukmistrzów, a wiadomo, w zgiełku i tłoku najłatwiej ukryć jakąś podłość. Potrawy były próbowane przez służbę dyskretnie ustawioną za krzesłami najważniejszych gości. Nad winem czuwał podczaszy, któremu też przydzielono kilku najbardziej zaufanych ludzi.

Grunhagen stał przy drzwiach dla służby, pilnując wchodzących i wychodzących. Był niski, wiadomo. Przed samym jego nosem przesuwały się wszystkie wnoszone półmiski. W pewnej chwili już tak był skołowany, że zatrzymał prosiaka z rożna i kazał go podnieść, obrócić i jeszcze dla pewności rękę mu wsadził w dobrze wypieczony ryjek, i wymacał.

— Czysto, droga wolna — wypuścił prosiaka na oczach zdumionych kuchcików. — No, dalej, dalej. Nie tamować ruchu!

Chwile oddechu, gdy potrawy z kuchni przestawały płynąć groźną flotyllą mich i półmisków, były rzadkie i krótkie. Wtedy zerkał na stół królewski. Panna młoda ładniutka, złotowłosa, jak każda dama. Królewicz Kaziu ożywiony, pokraśniały.

He, he, he, pewnie mu się już śni noc poślubna — pomyślał. — Tu chrupnie prosiaczka, a myśli tylko o tym, jak się dobrać do swojej świnki.

Za to królowa Jadwiga siedziała sztywno i niemal nic nie jadła. Woda i chleb suchy. Mówią, że z żalu pości i by Boga przebłagać za małżeństwo z poganką. A ta mała już ochrzczona, Grunhagen sam słyszał, jak ładnie modli się po łacinie, lepiej niż on sam. Zresztą, nie wygląda jak poganka. Włos złoty, bujny, liczko jasne, rumieniec jak przystoi dziewicy. Nie pamiętał, jak jej tam było na imię po litewsku, teraz nazywała się Anna. Anna Giedyminówna żona królewicza Kazimierza. Trzeba przyznać, wielki kniaź nie oszczędzał na córce. Ustrojona była po królewsku. Suknia złota, płaszcz błękitny, błyszczący, ozdób sporo. Dobrze, że jego Berta tego nie widzi, bo by zaraz chciała. O, już słyszy to jęczenie: nogawiczki, rękawiczki, zauszniczki, nauszniczki, spódniczki, podwiczki, Jezus Maria.

Poczuł, jak zemdliło go z głodu. Cały dzień nadzorował pieczoną dziczyznę, duszony drób, ryby wielkie i małe podawane na tak zmyślne sposoby, że się chwilami zastanawiał, jak to będą jedli. Przed jego nosem sunęły wędzone pstrągi, pasztety pieczone w kształcie zamków, michy kaszy kraszonej słoninką i boczkiem, pieczona rzepa, kapusta z grochem, rydze w śmietanie, garnce najróżniejszych pierogów, kiszone grzybki, kluski jaglane ze śmietanką, smażone śliwki, manna na słodko, owoce w miodzie i całe góry placków. A teraz, kiedy te kuchenne zastępy zniknęły w brzuchach biesiadników, a służba wyniosła puste michy, poczuł, jak jego kiszki skręcają się z głodu.

Nic, tylko robię — westchnął i porwał służce gnat z tłustym kawałkiem mięsa, który chciała rzucić psu kasztelana. Dziewuszka wróciła do niego po chwili z kubkiem zimnego piwa.

— Cały dzień na nogach — zagadnęła przyjaźnie.

— Służba nie drużba — odpowiedział, łykając piwo szybko. — Dobre.

— Może coś jeszcze z kuchni wyniosę? — zatroszczyła się. — Póki nie przyjdzie jegomość jałmużnik i nie zabierze dla biednych.

— Jakby tam co panienka znalazła — podroczył się trochę i mrugnął do niej. — Tylko nie kaszy, bo nie wypada łychą machać na służbie. Coś tak, w rękę.

Sprytna mała obróciła raz-dwa i przyniosła mu dwa kacze udka pod zapaską.

— Skarb nie dziewczyna — pochwalił ją. — Jak zwą panienkę?

— Dziewanna — pokraśniała od komplementu. — Dla przyjaciół Dzieweczka.

— Zapamiętam! — Uuniósł paluch do góry i zlizał z niego kaczy tłuszcz. — I jakby było trzeba kiedyś, szepnę królowi słówko.

— Ojojoj, nie trzeba — schowała główkę w ramionach, zawstydzona, jak tylko wspomniał o królu. Na dziewczynach znajomości robią zabójcze wrażenie. — Ja już pójdę, żeby mi się nie dostało na kuchni — powiedziała i zawinęła się w okamgnieniu.

Grunhagenowi zaspokojony głód pozwolił wrócić do pracy. Obrzucił salę wzrokiem, wszystko było w porządku. Zerknął na najważniejszy stół. Król ziewa dyskretnie, królowa sztywna, Kaziu wierci się, Anna porusza głową w rytm muzyki. Oczy śmieją jej się do tańczących.

Pobawiłaby się, dziewczyna — pomyślał — ale widać księżniczkom nie wypada tańczyć na własnym weselu.

W posagu Kazimierzowi przywiodła tysiące jeńców, co jej tatuś porywał latami z Królestwa. Chwała Bogu, że tej zgrai nie przyprowadzono do Krakowa, bo chyba sam Szatan musiałby bezpieczeństwa pilnować. Dość, że i tak nazjeżdżało się kupców, wieśniaków i wszelakiej gawiedzi ciekawej weselnego widowiska.

To spędzało mu sen z powiek. Dzisiaj wesele, jutro wesele, ale pojutrze uroczysty przejazd pary młodej przez Kraków. I to będzie najtrudniejszy dzień tego weseliska.

Sam nie wie, jak do niego dotrwał. Przez obie noce spał ledwie po chwilce, bo zabawa ciągnęła się w nieskończoność, a kiedy znużeni goście udawali się na spoczynek, on i reszta straży musieli od nowa sprawdzać każdą dziurę, czy ktoś nieproszony nie ukrył się w jakimś kącie. Potem kasztelan naznaczał straże i każdy mógł na chwilę oko zmrużyć, ale taki to sen, jak u zająca na miedzy. Nawet butów nie zzuwał i ledwie głowę położył na ramieniu, jak już go tarmosili, by budzić. Jesienne poranki chłodne i wilgotne; Grunhagen wstawał jak mgła, powoli.

W dzień trzeci, dzień przejazdu, kasztelan zrobił im odprawę zaraz po jutrzni. Powiedział, że w miasto wysłano dwudziestu zwiadowców, cichych ludzi, którzy krążą w tłumie, udając gawiedź i mają wyłapywać wszelkie sygnały o zagrożeniach.

— Każdy z nich, byście go rozpoznali, ma zieloną chustkę na szyi — oznajmił pan Nawój. — Prawdopodobieństwo, że do członka królewskiej straży zgłosi się z meldunkiem mężczyzna między dwudziestym a czterdziestym rokiem życia w zielonej chustce na szyi i że nie będzie on naszym człowiekiem, jest niemal żadne. Więc takie sygnały należy traktować poważnie. Zrozumiano?

— Tak jest — odpowiedział Grunhagen jako członek królewskiej straży.

I zaczęło się. Założyli swoje płaszcze z białym orłem, wsiedli na konie i ruszyli osłaniać orszak. Starał się trzymać jak najbliżej króla. W końcu to było jego główne, ukryte zadanie. Złowił zmęczone spojrzenie Władysława, kiedy wyjeżdżali z Wawelu.

— Król Polski Władysław! — zawołał herold. — Królowa Polski Jadwiga! Królewicz Kazimierz z małżonką Anną Giedyminówną!

Dzień był piękny. Po chłodnym poranku chmury rozeszły się i słońce świeciło mocno jak latem. W lekkim wietrzyku drżały liście na drzewach, złote, purpurowe i gdzieniegdzie jeszcze zielone. Wciągnął haust rześkiego powietrza i pomyślał, że jesień piękną oprawę zrobiła młodej parze.

Uformowali orszak. Straż przednia, chorągwie Królestwa, giermkowie, damy dworu, ale chyba królowej, po wieku sądząc. Wojewoda, kasztelan, arcybiskup, biskup, księża zwykli, choć postrojeni uroczyście. Wreszcie król i królowa. I Grunhagen z Borutką wciśnięci z boku króla. Za nimi Anna i Kazimierz, i straże, straże, straże. Trasa wiodła traktem wawelskim do rynku, tam powitać miał ich burmistrz i rajcy, wszystko nowi, po buncie Alberta przez króla osobiście wybrani.

— Uwielbiam wesela i pogrzeby — powiedział Borutka. Wystroił się, jak zawsze na czarno, ale na krótkiej, nowej pelerynce miał naszyte trzy białe lśniące paski. — To moje pierwsze — dorzucił.

— Jak pierwsze, to skąd wiesz, że lubisz? — przygadał mu Grunhagen, lustrując pilnie tłum, w który właśnie wjeżdżali.

— Stąd — zatoczył głową Borutka. — Wszystko mi się tu podoba. I stroje, i tańce, i kuglarze. Wiesz, że na rynku ma być połykacz ognia? Doczekać się nie mogę tej sztuczki. Myślisz, że zje całą pochodnię?

— Nie zajmuję się głupotami — pokręcił głową Grunhagen. — W pracy jestem.

— Co to za robota! — lekceważąco pisnął giermek. — Same przyjemności. A wiesz, że ja ciebie nie lubiłem, Grunhagen?

— To dziwne, bo ja cię polubiłem od początku — odpowiedział z pretensją.

— Bo ty się znasz na ludziach — pochwalił go Borutka. — A ja się raczej znam na zwierzętach. Na przykład, powiem ci, że koń kasztelana pod wieczór może okuleć.

— Co ty gadasz — zaciekawił się Grunhagen.

— Może, ale nie musi. Czuję to w kopytach.

— To jak wiesz, że mu coś w kopyto dolega, czemuś mu nie pomógł?

Borutka nie odpowiedział, zresztą tłum zgęstniał i zaczął pokrzykiwać, Grunhagen przestał gadać z giermkiem i podwoił uwagę.

— Niech żyje król Władysław!

— I królowa Jadwiga!

— Niech żyje królewicz Kazimierz!

— Niech żyje król Władysław!

— Nie pamiętają, jak Litwinka ma na imię — zauważył Borutka. — Podpowiem im, żeby nie było jej przykro, zresztą zobacz, Litwinów też trochę widać w ciżbie, szkoda, żeby się czuli pominięci. — Uniósł się w strzemionach i wrzasnął: — Niech żyje księżniczka Anna!

— Niech żyje Anna! — podchwyciła ciżba.

Gdzie on widzi Litwinów? — zmarszczył czoło Grunhagen i popatrzył w tłum. — Psiakrew, zlewa mi się wszystko, za mało snu.

Potarł oczy pięścią, trochę pomogło, ale Litwinów nadal nie widział. Może Borutka tak sobie tylko rzucił, to gaduła jest i zmyślać lubi. W tłumie mignął mu mężczyzna z zieloną chustką na szyi. Grunhagen natychmiast wyostrzył czujność. Wyglądał jak flisak, ale ta chustka, wiadomo. Przeciskał się w trzecim szeregu gapiów, zmierzając od rynku.

Aha, coś namierzył i chce nam przekazać — pomyślał. — Przejmę go.

Spróbował przebić się do niego, ale konno nie było to łatwe. Przecież nie stratuje wiwatujących.

— Niech żyje księżniczka Anna!

— Niech żyje królewicz Kazimierz!

Przed Grunhagenem jechał chłopak Bogoriów, też w królewskiej straży i do niego dopadł ten w chustce. Bogoria pochylił się w siodle, zamienili parę słów, Grunhagen nie usłyszał jakich. Ściskało go w dołku, jak czegoś nie wiedział, ale co robić, wiadomość odebrana, orszak musi jechać. Pewnie nic takiego, skoro młody Bogoria nie przekazuje dalej. Uniósł się w strzemionach. Bogu dzięki, już widać rynek, zaraz będą na miejscu. Otarł pot z czoła. Na razie bez większych kłopotów.

Ciżba na krakowskim rynku była przeogromna. Na szczęście, straż przednia rozsunęła tłum i zrobiła wolną drogę przejazdu. Pośrodku ustawiono wielką trybunę honorową, mieszczanie swoim kosztem usłali ją czerwonym suknem. Na niej stały trony dla królewskich gości, przystrojone jesiennym kwieciem. Grunhagen się na kwiatach nie znał, choć bardzo lubił, jak Berta znosiła je do domu i ustawiała w dzbanku na stole. Nie lubił tylko, jak brała do tego jego dzban na piwo, ale odkąd kupił jej taki malowany w kogutki, to już używała do kwiatów tylko tego nowego.

— Niech żyje król Władysław!

— I królowa!

Majestatycznie, czyli piekielnie wolno, przesuwali się w stronę trybuny. U jej stóp stali rajcy miejscy i gięli się w pas. Grunhagen znów wyłapał mężczyznę w chustce. Ten wyglądał jak raubritter, co raczej było normalne dla takiej służby. Stał na palcach zwrócony w stronę straży i coś próbował pokazać. Kręcił rękoma w powietrzu.

— O co mu chodzi? — spytał na głos Grunhagen.

— Pojęcia nie mam — odwrócił się do niego młody Bogoria. — Nie rozumiem.

— Mówi, że ktoś tańczy — stwierdził Borutka. — Tańczy i wywija.

— Co nas obchodzi, że ktoś tańcuje? — wzruszył ramionami Grunhagen i wtedy mężczyzna pokazał na swoją szyję. — Jezu, komuś podcięli gardło?!

— Coś z chustką — podpowiedział Borutka. — Mówi o chustce.

Nie mogli się nad tym zastanawiać dalej, bo orszak dotarł do trybuny i trzeba było osłaniać królewską parę, która zsiadała z koni i szła na podwyższenie. Tu kolejność była odwrotna. Najpierw zajmowali swe miejsca król, królowa, królewicz i Litwinka, potem arcybiskup,

biskup, wojewoda, kasztelan. Kolejni urzędnicy ustawiali się niżej i niżej, a całości dopełniały panny dworskie. Oni, straż, stawali według rozkazu wokół trybuny i za nią. Z przodu, od strony ludzi, porządku pilnowali nie konni, a piesi. Grunhagenowi przypadło miejsce z dala od króla, na lewym skrzydle trybuny. Trudno. Konno i tak nie przepcha się do Władysława, bo mu nie wolno. Nie takie miejsce mu wyznaczono.

Uroczystości się zaczęły. Korowód mistrzów cechowych przesuwał się pod trybuną, by pokłonić się młodej parze. Burmistrz przedstawiał ich kolejno.

— Cechmistrz sukienników krakowskich, Baltazar. Cechmistrz rękawiczników, Adebar. Cechmistrz...

Czapnicy, szewcy, rzeźnicy, powroźnicy, krawcy, wszyscy postrojeni, ale ze stosownym umiarem, bo pamięć buntu wójta Alberta wciąż była żywa w Krakowie. Sam burmistrz tego najżywszym przykładem, król zlikwidował dziedziczne wójtostwo i każdy z rajców sprawował urząd burmistrza naprzemiennie. Szli mistrzowie najbogatszych cechów, tych, co pod opieką mają po dwie baszty — piwowarzy, słodownicy, karczmarze. Ale i biedniejsi — gwoździarze, ślusarze, kotlarze, którzy na spółkę strzegą baszty Wiślnej.

— Cechmistrz złotników, Petrus. Cechmistrz piekarzy...

Prezentacja i pokłony szły gładko. Grunhagen na lewym skrzydle trybuny, górując nad tłumem z końskiego grzbietu, rozejrzał się, szukając mężczyzn w zielonych chustkach. Psiakrew, ani jednego — poczuł się z tym niespokojnie. Dwudziestu ludzi kasztelan puścił w tłum, a ledwie dwóch się pokazało.

— Borutka — szepnął do giermka. Musiał powtórzyć głośniej: — Borutka!

— Co?

— Rozejrzyj się no po tłumie. Widzisz cichych ludzi kasztelana?

Czarne oczy giermka zlustrowały teren. Uniósł się nawet w strzemionach, opadł na siodło i pokręcił głową.

— Ani jednego.

Korowód cechmistrzów skończył się, mistrz garbarzy zamykał pochód.

— Szkoda, że nie ma pokłonów partaczy — zachichotał Borutka i szepnął poufale: — Znam kilku, co w sztuce bieglejsi od cechowych.

— To czemu się nie zrzeszają? — nieuważnie zapytał Grunhagen. Wciąż przepatrywał tłum.

— Żeby nie płacić danin do cechu — odpowiedział Borutka. — Buntownicy z wyboru. Jakby Grunhagen chciał rękawiczki zamówić o połowę taniej, to powiem, gdzie pójść. Tylko trzeba zapukać sekretnie. Specjalną skórę z Genui sprowadzają, a barwią pod Krakowem, w takiej jednej wiosce. Wzór można narzucić, ja na przykład chciałem w trzy paski.

To by było niegłupie — pomyślał. — Przywiozłem Bercie czerwone rękawiczki z Węgier, ale jej się teraz marzą żółte. Wykombinowała, że za każdy wyjazd dłuższy niż dwa tygodnie musi być solidny prezent, a z tego, co się szepce koło króla, to zdaje się ruszymy wczesną wiosną i wcale nie na krótko.

— Ja się zgłoszę — rzucił, ale giermek już go nie słuchał, bo na placyk pod trybuną wbiegli kuglarze i ściągnęli całą uwagę Borutki. Teraz będą występy — zrozumiał Grunhagen i w tej samej chwili zabrzmiały skoczne dźwięki. Krzykliwie przebrani kuglarze zaczęli fikać koziołki. Grunhagen odwrócił wzrok. Nie lubił jarmarcznych popisów. Ileż to razy się zdarzało, że pstrokato ubrane karły wywijały hołubce. Wystarczyło, by spojrzał na nie, a już czuł gorąco oblewające go od stóp do głów. Haruje całe życie, udowadnia, że karzeł może być lepszy niż wysoki, a ci co? Jarmarczne kundle ku uciesze gawiedzi. „Patrz, patrz, Kachna, jaki kurdupel. Ha, ha, ha, ha". „Oj, matulu, jakie toto ma krzywe nogi!" „A karlica ma cycki jak prawdziwa kobieta, o Jezu!" Rzygać się chce na samą myśl.

Nie wszyscy zgromadzeni na rynku byli zapatrzeni w kuglarzy. Grunhagen zauważył, że część ludzi stojących z tyłu, sporo za trybuną, odwraca się od niej i patrzy w zgoła przeciwną stronę. Z daleka wyglądało to tak, jakby w drugiej części rynku działo się coś równie ciekawego, co przykuło uwagę tłuszczy. Więcej, z chwili na chwilę, odciągało ją od głównych uroczystości. Na placyk przed trybuną wbiegli połykacze ogni. W żelaznym kotle rozpalono.

— Borutka! — Grunhagen musiał potrząsnąć ramieniem giermka, bo ten wzroku nie mógł oderwać od ognia. — Jadę zobaczyć, co tam się dzieje. Słyszysz mnie?

— Uhm. Ja się stąd nie ruszę.

— Pełnij służbę za nas obu, rozumiesz?

— Rozumiem.

Grunhagen z trudem zawrócił konno i powoli zaczął się przeciskać na tyły. Jego koń bojowy potrafił rżeć naprawdę głośno, ludzie usuwali się z drogi. Dobrze popatrzeć na innych z góry — uśmiechnął się pod nosem. Po chwili dotarł do miejsca, gdzie stykały się kręgi zainteresowań — wyjechał z ciżby tych, co patrzyli na połykaczy ogni, i wjechał między odwróconych plecami ludzi, wyraźnie skupionych wokół kolorowej jarmarcznej budy. Dochodziły z niej dźwięki fletu, raz po raz przerywane oklaskami publiczności i okrzykami.

— Jeszcze! Jeszcze!

Gdy flet zaczynał grać, gawiedź zamierała w ciszy. Dźwięk instrumentu nie był głośny, ale niezwykle melodyjny. Przywodził na myśl egzotyczne krainy. Tak, Grunhagen w Italii widział arabskiego zaklinacza węży, grał tak samo. Do barwnego kramu podjechał od tyłu. Najpierw zobaczył ciżbę ludzką zastygłą w podziwie, karnie ustawioną w krąg. Na pustym placyku przed jarmarczną budą sunął korowód mężczyzn. Jeden za drugim, z zamkniętymi oczami, rozanielonymi i natchnionymi twarzami uniesionymi ku niebu. Trzymali się za ręce i poruszając biodrami niczym wschodnie hurysy, tańczyli jak we śnie. Potem dostrzegł ją, mistrzynię widowiska. Stała do niego tyłem. Wysoka, majestatyczna, w złotym turbanie na głowie, poruszała ramionami w czerwonych rękawiczkach. Gdy unosiła ręce na boki, szeroki płaszcz rozkładał się jak skrzydła motyla. W dłoni trzymała bicz.

Psiakrew — jęknął. — To bicz skręcony z zielonych chustek.

Nie mógł się mylić. Powiązane ze sobą chusteczki cichych ludzi kasztelana Nawoja. To oni tańczą z zamkniętymi oczami jak arabskie węże? Raz, dwa, trzy — naliczył ich osiemnastu. Jezus Maria, a my się zastanawiamy, gdzie nasze służby wywiadowcze! Co robić?

Flecista umilkł nagle, korowód mężczyzn zastygł w bezruchu, nie otwierając oczu. Tłum zaskandował:

— Anabello! Anabello, jeszcze!

Mistrzyni widowiska ukłoniła się, strzeliła z zielonego bata i flecista zaintonował kolejną melodię. Grunhagen nie zastanawiał się dłużej. Ścisnął końskie boki kolanami i ruszył do Anabelli. Tłum rozstępował się, bo jego rumak na sygnał przestał się zachowywać jak koń straży królewskiej, a zaczął jak bojowy. Gryzł i wymierzał kopniaki. Raz-dwa Grunhagen był przy Anabelli. Pochylił się w siodle i złapał kobietę od tyłu za ramiona.

— W imieniu straży króla Władysława jesteś zatrzymana! — krzyknął groźnie i wciągnął ją na siodło. Tłum zafalował groźnie, flecista umilkł, tańczący mężczyźni stanęli. A kobieta ugryzła go w rękę. Przydusił ją do siodła i w tej samej chwili dotarło do niego, że jest mała. Maleńka. Że stała na wysokiej, osłoniętej materiałem beczce. Że miała za długi płaszcz, sięgał ziemi. Że jest karlicą, jak on. I że zna ją świetnie. Zabrakło mu tchu. Chyba wolałby z gołą dupą bez gaci przemaszerować po wawelskiej katedrze. Musiał stąd uciekać i to szybko. Wywieźć ją z tego miejsca, zanim zrobi się gorąco. Wierzgała i piszczała. Tłum wielbicieli krzyczał:

— Wredny karzeł!

— Oddawaj Anabellę!

— Oddawaj, karle, Anabellę!

Ścisnął rumaka kolanami, ten zachował się jak w stłoczeniu bitwy. Zarżał przerażająco i zatańczył kopytami w powietrzu. Ciżba natychmiast rozstąpiła się przerażona. Pchnął konia do najbliższej pierzei rynku, równoległej do traktu wawelskiego.

— Uspokój się! — krzyknął do Berty. — Uspokój się, zanim będzie za późno.

Wydawało mu się, że trwa to wieki i że wstrzymywał oddech, póki nie wyjechali z rynku. W uliczce było luźno, pustawo, ale przejechał jeszcze kawał. Zatrzymał konia w przycmentarnym zaułku. Zeskoczył z siodła i zsadził z niego Bertę. Była rozczochrana, łzy rozmazały jej się z kurzem na policzkach.

— Gdzie mój turban? — dotknęła ręką głowy. — Zgubiłeś mój turban!

— Nie będzie ci już potrzebny — powiedział głucho. — Decyduj. Albo ślub w kościele i zakładasz chustę jak przyzwoita niewiasta, albo wracasz do klasztoru i welon. Nie będę tego dłużej znosił.

— Czego? — próbowała numeru z drżącą bródką i wachlowaniem rzęsami.

— Twoich błazenad, głupot i narażania siebie i mnie na śmierć. — Ściszył głos i wyszeptał jej wprost do ucha: — Przypomnij sobie Krzyżaka w Pradze. No, przypomnij!

— Przesadzasz — odsunęła się od niego Berta i wytarła nos. — Nic się takiego nie stało. Przyjechał mój rycerz na lśniącym koniu i mnie ocalił. Szkoda tylko turbanu…

Rozeźliła go, chwycił ją za rękę mocno.

— To po to ci węgierskie rękawiczki kupowałem, żebyś jak nierządnica tańczyła w nich na rynku?!

Teraz dopiero zauważył, że wokół prawej ręki ma owinięty bat z zielonych chustek. Zerwał go jej.

— A to co miało znaczyć?!

— Ach, to… — zachichotała. — Wprost nie mogłam uwierzyć, że

tylu mężczyzn założyło na ślub królewicza zielone chustki. Niemożliwe, co? Tacy byli paradni…

— Berto — rozejrzał się nerwowo. — Gdyby kto inny z królewskiej straży zobaczył cię przede mną, wtrąciliby cię do lochu i odpowiadałabyś za najcięższe przestępstwo. Zabieram dowód rzeczowy. — Zwinął zielone chustki i wsadził do sakwy przy siodle. — A ty nigdy nikomu nie wspominaj, żeś ich owinęła sobie wokół palca. Czy to jasne?

Przekrzywiała główkę z jednej strony na drugą, wciąż ważąc, czy jeszcze się z tej błazenady nie wyłga. Ale już nie z nim takie zabawy. Przejrzał na oczy. Złapał ją za szyję.

— Loch? Klasztor? Małżeństwo? Wybieraj!

Wybałuszyła oczy i pobladła. Poluźnił uścisk, rozkaszlała się.

— Nie przestałem cię kochać, ale przestałem tolerować te wybryki, Berto. Ja nie żartuję. Muszę wracać do króla i orszaku, ukryć twój zdradliwy wygłup. Jeśli mi się uda, wrócę wieczorem, a ty mi odpowiesz, co wybrałaś. Jeśli mi się nie uda, przyjdzie po ciebie pomocnik kata i spotkamy się dopiero, gdy oboje kłaść będziemy głowy na pieńku. Rozumiesz?

Pokiwała głową żarliwie. Puścił ją i nie oglądając się, wskoczył na siodło. Zawrócił konia, ruszył na plac. Był przerażony. Zaschło mu w ustach, bo z każdą chwilą docierał do niego bezmiar jej głupoty. Anabella, mistrzyni zaklinania mężczyzn. Gdyby złapał ją na tym figlu kasztelan, nie byłoby zmiłuj. A ci, pożal się Boże, cisi ludzie? Jak mogli tak opuścić służbę? Przedarł się na plac, gdy sprzątano po połykaczu pochodni.

— Ale jestem podjarany — powtarzał w kółko Borutka. — Nauczę się, podpatrzyłem to i owo. Zobaczysz, Grunhagen, za miesiąc sam będę pożerał ogień.

Zajęty sobą giermek nie zauważył zmieszania Grunhagena. Ten, korzystając, że królewska para jeszcze rozmawia z burmistrzem i rajcami, sięgnął po bukłak u siodła. Wychylił cały.

— I co tam się działo? — przysunął się do niego młody Bogoria.

— Nic — sapnął Grunhagen. — Drugie widowisko. Tańce arabskie czy coś takiego. Ludzie zawsze wygłupów ciekawi.

— A, to dobrze — machnął ręką młodzian. — Zaraz ruszamy, jeszcze tylko powrót na Wawel i mamy wolne. Po weselu.

Niczego nie pragnął bardziej. Zerknął na króla. Mina Władysława mówiła to samo, choć on nie przyłapał swej ukochanej w roli mistrzyni tańca wschodniego. Królewicz Kazimierz i księżniczka Anna rzucali w tłum miedziaki. Ciżba wyła z uciechy, ale ochroną zajmowali się piesi u stóp trybuny, jeszcze mógł odetchnąć. Gdy królewskie pary wsiadły na konie, znów uformowano orszak i wraz z Borutką zajęli miejsca blisko Władysława. Grunhagen był ledwo żywy, ale miał wyczulone ucho i oko. Przepatrywał tłum, bystry jak jastrząb. Jeśli wrogie siły planują cokolwiek, to mają wolne ręce. Osiemnastu wywiadowców porzuciło pracę i nie sprawdzało tłumu. Ciekawe, czy już obudzili się po tańcu zaklinaczki Anabelli? Dostrzegł mężczyznę w kapturze nasuniętym na oczy. Pokazał go Bogorii, młodzian przebił się i zdarł mu kaptur ze łba. Tonsura. Mnich, co nawiał ze zgromadzenia, by widowiska oglądać. Nie z Grunhagenem takie numery, znał sekretnych, co pod przebraniem zakonników robią w jego fachu. Wyjechał z szeregu do złapanego. Zeskoczył z siodła i obszukał go. Wyjął mu z buta sztylet i rzucił Bogorii.

— Mistrz z pana, panie Grunhagen — pokręcił głową zaskoczony młodzian.

— Zabierz go do lochu, panie Bogoria — odpowiedział. — Słuchać będziemy później. Po pierwsze, eliminować.

Już wskoczył na siodło i wrócił na swoje miejsce w kolumnie. Nim dojechali do podnóża wawelskiego wzgórza, wyłapał jeszcze dwóch. Jeden był Niemcem na usługach Luksemburczyka, Grunhagen widział go na Turnieju Zimowego Króla i rozpoznał bez trudu. Drugi był dla niego nowy, bezbarwny, wymoczkowaty, w stroju handlarza starzyzną, ale pod płaszczem miał cały arsenał noży do rzucania.

— Tego ptaszka trzeba będzie przesłuchać szczególnie dokładnie — pouczył przybocznego kasztelana, któremu oddawał łotrzyka.

— Pan Grunhagen przechodzi dzisiaj samego siebie — pochwalił go przyboczny. — Nagroda nie ominie takiego mistrza.

Kiwnął głową, nie zależało mu na nagrodzie, ale na tym, by uniknąć podejrzeń. Gdy wjechali na zamek, odetchnął po raz pierwszy.

— Wasza wielodniowa praca zasługuje na najwyższy szacunek — oznajmił Nawój z Morawicy, gdy zebrał ich wszystkich w zbrojowni. — Akcję „ślub z Litwinką" udało się przeprowadzić doskonale. Zagrożenia nie były wydumane, świadczą o tym trzej zatrzymani przez Grunhagena.

Pohukiwaniami i stukaniem w stojaki na miecze straż królewska okazała mu swe uznanie. Żelazo w zbrojowni zagrało. Kiwnął głową, jakby mówił „taka moja robota". Kasztelan rozdzielił wolne dni. Jemu, jako zasłużonemu najbardziej, dostały się od razu.

— Idź do domu i wyśpij się — klepnął go Nawój z Morawicy w ramię. — Król doceni zasługi.

On jednak nie mógł iść wprost do domu. Przed zmierzchem wyszedł z Wawelu, nagrodzony salutem straży bramnej.

Wieści szybko się rozchodzą — mruknął do siebie w myślach i zmęczony piekielnie poczłapał do karczmy „Pod Wawelskim Smokiem". Nie pomylił się. Tam ich znalazł. Ze spuszczonymi głowami obsiedli ławę, pili piwo.

— Czołem, cisi utracjusze! — powitał ich.

Podnieśli głowy i popatrzyli na niego, jakby chcieli udusić. Wyjął z zanadrza bicz z zielonych chustek i rzucił na ławę. Najwyższy strzyknął śliną i wstał.

— Nie pluj — syknął do niego Grunhagen i zakręcił biodrami. — Ty tańczyłeś najładniej.

Dryblas jak stał, tak siadł.

— Ode mnie nikt się nie dowie — powiedział Grunhagen. — Wy też macie zamilknąć i zapomnieć. Powiedzmy: nie ma świadków. Pasuje?

— Pasuje — odpowiedzieli jak jeden mąż.

Dryblas zerkając spode łba, spytał:

— Kolejeczka?

— Nie piję z tancerzami — odpowiedział Grunhagen. — A cichych ludzi tu nie widzę.

Wyszedł. Od Wisły szła woń ognisk. Pospólstwo też chce się zabawić na królewskim weselu — pomyślał i powlókł się do domu. Było już ciemno, mijał rozbawione grupki z pochodniami.

— Ona śliczna, ta poganka...

— ...nic a nic nie było widać, że nie chrzczona...

— Bo chrzczona! Ha, ha! — kobiecina polała chłopa piwem z bukłaczka. — Po krakowsku chrzczona!

— To teraz nas Litwini nie najadą, jak za dawnych czasów, dziad mówił, jak było...

— Ja żem myślał, że Litwini są inni. No wiesz, że inaczej wyglądają. Oczy takie tego...

— To Tatarzy, głupku. To Tatarzy.

— Ale najładniejszy to nasz królewicz. Jak laleczka malowana!

Im był bliżej, tym bardziej biło mu serce. Co zastanie w domu? Czy ona zrozumiała, jakie niebezpieczeństwo ściągnęła na nich? A jeśli nie wróciła? Na myśl, że wejdzie do pustego domu, zrobiło mu się słabo.

Rymarz stał w podwórzu, częstował z bukłaczka, jak zwykle, jednak Grunhagen odmówił. Gardło miał ściśnięte, nic nie był w stanie przełknąć.

Przeżegnał się i pchnął drzwi.

Coś było nie tak, poczuł to od razu. W nozdrza wdarła mu się woń, niepasująca do tego domu. Zrobił krok z sieni w stronę izby z kuchnią. Kapusta gotowana z wędzonym boczkiem — nazwał zapach, który unosił się wszędzie.

W izbie było jasno. Ogień w palenisku, nad nim kołysał się kocioł z kapustą. Berta w białej chusteczce na głowie, koszuli i w zapasce pasiastej, krakowskiej, stała przodem do wejścia i mieszała w garnku. Zamrugał, bo to mógł być tylko sen.

— Mam też kaszę ze skwarkami, już doszła — powiedziała cichutko. — Wolisz kaszę czy kapustę?

Zrobił krok w jej stronę. Nie był pewien tego, co widzi. Nie był gotów na taką przemianę.

— To dam ci jedno i drugie — szepnęła. — Siadaj sobie.

Klapnął na ławę, bo kolana miał miękkie. Berta w zapasce i chustce, Berta gotująca, krzątająca się po kuchni to było coś, co przyprawiło go o szybkie bicie serca.

Jeśli to sen, to chcę umrzeć we śnie — zdecydował. — Teraz albo nigdy.

Zakręciła się, ale tak, że ciągle była do niego przodem, jakby chciała zwrócić uwagę na pasiastą zapaskę gospodyni. Postawiła przed Grunhagenem michę parującej sypkiej kaszy okraszonej skwarkami. Obok na świeżym podpłomyku sporą porcję kapusty z kawałkiem wędzonego boczku. Wziął łyżkę i spróbował. Poparzył usta.

— Dobre? — zapytała troskliwie. — Gorące, bo dopiero co z ognia zdjęłam.

— Dobre — szepnął. — Najlepsze. Bertulko moja…

— Co, kochany? Co ci?

Usiadła na ławie naprzeciw niego i podparła brodę na piąstce. Niebieskie oczy patrzyły na niego czule. Kosmyk jasnych włosów wymykał się spod białej chustki.

— Nie obudzę się? — spytał.

— To nie sen, głuptasie — zaśmiała się perliście. — To ja, twoja Berta, nie poznajesz?

— Nie poznaję — przyznał. — Ale gdybyś pytała, którą Bertę kocham najmocniej, to tę. Tę, którą teraz widzę.

— Piwa ci przyniosę — uśmiechnęła się.

— No nie poznaję — powtórzył.

— Już dobrze, dobrze — powiedziała, wstając z ławy. — Wszystko będzie dobrze, karle.

Idąc po dzban, odwróciła się do niego tyłem. I dopiero teraz zobaczył, że pod zapaską nic nie ma. Pośladki Berty wdzięcznie poruszały się w rytmie jej kroków.

Wszystko będzie dobrze? — kasza stanęła mu w gardle. — Chusteczka, zapaska i goły tyłek.

Postawiła przed nim piwo. Pociągnął łyk. A niech tam, raz się żyje — pomyślał. — Taką ją kocham najbardziej.

V

1326-1327

ZYGHARD VON SCHWARZBURG asystował wielkiemu mistrzowi Wernerowi von Orseln w spotkaniu z książętami Mazowsza. Trudno, żeby było inaczej, skoro to on był ojcem sukcesu. Przed kilku laty, gdy skłonił księcia płockiego, Wacława zwanego Wańką, do zawarcia sojuszu z Zakonem, Wildenburg żądał od niego takich samych sojuszy z dwójką pozostałych książąt. Co nie było do zrobienia przez cztery lata, stało się wykonalne teraz i pomógł im w tym król Władysław. Najechał Wańkę, chciał siłą wymusić zerwanie układu z Zakonem, nie udało mu się, za to skutecznie wystraszył pozostałych — Siemowita i Trojdena. Z tym ostatnim było najtrudniej, wciąż lojalnie trzymał z królem, wdzięczny za osadzenie Bolesława Jurija na tronie ruskim. Jednak od czegóż jest Zyghard von Schwarzburg, jak nie od spraw niemożliwych?

Spotkał się na osobności z księżną, Mariją Jurijewną, wykorzystał jej lęk przed Litwą, przypomniał o Tatarach i ich niedawnym najeździe na Polesie. „Chcesz być bezbronna, jak bezpańskie szczenię?" — spytał na ucho. „Twój wuj, król Władysław, teraz druh Litwinów. On cię obroni, skoro pozwolił, by Giedymin twemu synkowi oderwał od Rusi Polesie? I palcem nie kiwnął, gdy Tatar najechał to kradzione Polesie, pomyśl, moja piękna, pomyśl". I sączył jej do ucha: „Giedymin Wańki nie najedzie, bo to jego zięć. Ale Siemowita i was? Siemowita już złupił, Pułtusk puścił z ogniem straszny wojewoda Dawid. Słyszałaś o Dawidzie?"

Kto na Mazowszu nie słyszał. Imię namiestnika Grodna podawano sobie z ust do ust, aż sam Zyghard był ciekaw tej bestii; Dawid większość potyczek z Zakonem wygrał i już to sprawiało, by gościł w wyobraźni Zygharda.

Na koniec spotkania z Mariją Jurijewną pochwalił jej suknię, upięcie włosów i urodę, która nie przemija. Księżna żegnając się z nim, była czuła, nawet zbyt dalece czuła, skoro tłumaczyła przed sobą, że to więzy rodzinne. Pachniała słodko, ale jej pocałunki zostawiały na jego policzku ślad nazbyt mokry, nie znosił tego. Ocierał się ukradkiem, warto było. Oto w Brodnicy stawili się Trojden, Siemowit i Wańka.

— Mamy komplet — odetchnął Werner von Orseln, gdy książęta wjechali na dziedziniec brodnickiej komturii.

Mróz był ostry. Czekali na nich, grzejąc dłonie przy żelaznych paleniskach ustawionych po obu stronach wejścia na zamek. Służba zakonna odgarnęła z dziedzińca resztki brudnego śniegu, tak, by siedziba brodnicka wyglądała schludnie. Tutejszy zamek z racji na graniczne położenie z Królestwem szczycił się najwyższą wieżą w państwie zakonnym, choć Werner już zapowiedział: „Nowa, malborska będzie wyższa".

— Im wyższy urząd, tym wyższe wzniesienie — odpowiedział mu na to Zyghard, a w myślach dorzucił: i szybko się spada z takiej wysokości. Nie kontynuowali tematu, bo książęta już szli ku nim.

— Smok, czarny orzeł i lwisko — szepnął, patrząc na ich osobiste herby. — A ojciec, Bolesław Mazowiecki, nosił się z Madonną na purpurze.

— Który jest który? — spytał Werner, ale zdążyli podejść.

Zyghard wziął na siebie oficjalne przedstawienie gości.

— Po starszeństwie, książę rawski Siemowit, książę czerski Trojden i książę płocki Wacław.

— Nasz drogi współpracownik — wielki mistrz przywitał najpierw ostatniego, pokazując starszym, że w państwie zakonnym ceni się sojuszników. — Jestem rad, że przekonałeś braci.

Na twarzy Wańki wykwitły czerwone plamy. Zyghard uspokoił go dyskretnym skinieniem głowy. Wszyscy wiedzą, że to on skłonił braci Wańki, ale dla każdego będzie zręczniej utrzymywać, że zrobił to książę płocki.

— Prosimy do kapitularza — Zyghard przepuścił gości przodem.

Wielki mistrz zabawiał rozmową księcia Wacława. Wypytywał o matkę, nieżyjącą księżniczkę czeską.

Głupek — skomentował w myślach Zyghard. — Gdy ma dwa starsze ptaszki podane na talerzu, nie wypada sugerować, że młodszy z lepszej matki. Jeśli jeszcze doda coś o żonie Wańki, córce Giedymina, to padnę trupem.

Powinien paść, bo usłyszał po chwili:

— ...ciekawe, że poganin Giedymin tak dotrzymuje wierności zięciom, że nie puszcza na ich księstwa zagonów tego, jak go zwą, Zyghardzie?

— Dawida — odpowiedział ponuro.

Trojden najeżył się. Siemowit aż sapnął, to jemu Dawid puścił z dymem Pułtusk jesienią.

Może i w Awinionie albo na zachodnich dworach Werner wie, co powiedzieć i komu, ale nijak nie rozumie duszy mazowieckich książąt — pomyślał z rosnącą irytacją Schwarzburg. — Tu ruski albo litewski szwagier to swoista tajemnica domu, każdy wie, nikt o tym nie mówi na głos. Czy Wańce przyjemnie z tym, że na rozkaz jego teścia najechano mu brata? Czy Trojden, mając ruską księżniczkę za żonę i teraz syna na małoruskim tronie, używał tej siły przeciw braciom?

— Ach tak, Dawida, namiestnika Grodna — powtórzył Werner von Orseln. — No, przystawimy pieczęcie pod porozumieniem i nikomu już nie będzie groził Dawid.

— Jesteśmy na miejscu — wszedł w słowo mistrzowi Zyghard. — Proszę, zaraz służba poda wino.

Musiał czymś przykryć grube słowa mistrza. W każdym układzie sojuszniczym są słabe punkty. Zyghard mawiał o nich „na wodzie pisane". W tym było ich kilka, ale groźba litewskich najazdów stała na samym czele.

Werner von Orseln chyba zreflektował się, bo zamilkł. Rozmowy po winie stały się gładsze, Zyghard zręcznie omijał kwestie zaognione, używając swej niezawodnej formuły „jak było umówione wcześniej". Kanclerze każdego z książąt sprawdzali z legistą zakonnym przygotowane już dokumenty. Należało tylko dopłynąć do brzegu i nie zahaczyć o żadną wystającą z wody gałąź. Mogła stać się nią lojalność Trojdena wobec króla Władysława, walcząca z jego lękiem przed Litwinami.

Co zrobi mały król z portami wiślanymi Trojdena? — myślał Zyghard z niekłamaną ciekawością. — Czy wielicka sól i węgierska miedź wciąż będą podróżować Wisłą, gdy ukradniemy mu sojusznika?

— ...wielki mistrz reprezentując Zakon, gwarantuje księstwom mazowieckim niezależność od obcego władcy — reasumował Zyghard. — W przypadku, gdyby obcy władca najechał któreś z waszych ziem, Zakon wyśle wam wojska na pomoc. — Tę część układu Zyghard zawsze podkreślał, choć w zapisie nie brzmiała krócej niż następna: — I odwrotnie, gdyby obcy władca najechał państwo zakonne, wy pospieszycie nam z pomocą. A jeśliby doszło do wojny między Zakonem a obcym władcą, wy, jako nasi sojusznicy, nie udzielicie temu władcy wsparcia, nawet gdyby o nie prosił. Panowie kanclerze — zwrócił się szybko do książęcych legistów — zapis zgadza się z tym, co powiedziałem? Zgadza się. Zatem przystawmy pieczęcie.

— I przysięgnijmy na krzyż — wrócił do głosu Werner.

Podano mu krucyfiks, nad którym z każdym z książąt wymienił uścisk dłoni.

Zyghard przyglądał się ceremonii.

Kto z nich złamie przysięgę? — myślał. — Kto pierwszy? Kto ostatni? Kto zachowa?

Lubił przewidywać, obstawiać, jak na turnieju, rachować prawdopodobieństwo. To go bawiło, choć często nie dzielił się swymi przewidywaniami. Mazowieckie ptaszki były w potrzasku. Między Zakonem, królem Władysławem i Litwą. On, Zyghard von Schwarzburg, pomógł tylko założyć na nie klatkę. Oto dzieło i jego twórca — pochwalił się w myślach, gdy woń rozgrzanego wosku uderzyła w nozdrza. Uwielbiał czarny wosk, którego używano do odciskania pieczęci wielkiego mistrza. Jego zapach wabił Zygharda jak drogocenne wschodnie olejki.

Powinieneś zostać kancelistą, Zyghardzie — skarcił się w myślach, gdy jego nos rozkoszował się wonią mistrzowskiej pieczęci. — Siedzieć na tyłku w Malborku, mieć celę z widokiem na Nogat i przykładać pieczęcie od rana do wieczora. Skonałbyś z rozkoszy.

Trzej mazowieccy bracia użyli jednego, czerwonego wosku. Tym razem poszli po starszeństwie. Pieczęć Siemowita, z wyobrażeniem stojącego księcia, i obok sekretna, z lwem pochylonym nad parą lwiątek. Pieczęć książęca Trojdena, konna, a za nią sekretna, ze smokiem na dwóch łapach. I wreszcie największa z pieczęci, jakich używano na piastowskich dworach, stojący książę, Wacław płocki. Pomieszanie złośliwości, buntu i manii wielkości. Na sekretnej był orzeł bez korony, w wosku nie było widać tego, co na proporcu: czarny. Wszystko, byle inaczej niż król Władysław.

Gdy wosk stygł, Zyghard skinął na sługę z dzbanem. Dobrze wzmocnić sojusze winem — pomyślał.

Potem była uczta w brodnickim refektarzu. Ścianę zdobiło piękne malowidło z mistrzem mistrzów, Hermanem von Salzą.

— Właściwie powinien znaleźć się tu wizerunek mojego brata, Guntera von Schwarzburg — powiedział cicho do Wernera von Orseln.

— Skąd taki pomysł? — chłodno zapytał mistrz.

— Stąd, że misterne zabiegi Guntera wokół książąt kujawskich doprowadziły najstarszego z nich, księcia Leszka, do zastawienia Zakonowi ziemi michałowskiej. Mój brat umiał spisywać umowy zastawne. Leszek nigdy nie zdołał wykupić ziemi i na wieki została w Zakonie. Dzięki temu pobudowaliśmy tę piękną komandorię. To było za mistrza Feuchtwangena. I na początku Karola z Trewiru — przypomniał Orselnowi.

— Ach tak — upił łyk wina mistrz.

Zyghard dawno zauważył, że Werner umie zachować umiar w piciu, co nie było częste wśród komturów ziem pruskich.

— Pamiętam twojego brata, Zyghardzie — odezwał się po chwili niespodziewanie ciepło. — Brakuje nam ludzi jego pokroju. Gunter von Schwarzburg zawsze wydawał mi się taki... przejrzysty.

To chyba go nie znałeś, Wernerze von Orseln — zdumiał się Zyghard i nie wracał do tematu. Zajął rozmową gości, należała im się uwaga od nowych przyjaciół.

Nazajutrz ruszyli w drogę powrotną do Malborka. Mistrz chciał być tam na Trzech Króli. Po zamarzniętym trakcie podróż szła gładko, śnieg szczęśliwie nie padał od kilku dni, droga była rozjeżdżona i sucha. Zyghard z przyjemnością patrzył na przyprószone śniegiem gałęzie przydrożnych sosen, na parę unoszącą się z końskich nozdrzy. Słuchał parskania wierzchowców na zimnie i równego dźwięku ich kopyt.

— Należy ci się pochwała, Schwarzburg — powiedział Werner, który życzył sobie, by Zyghard jechał u jego boku. — Wyśmienita robota. Jesteś tym dostojnikiem, na którym nigdy się nie zawiodłem.

Ooo, brzmi jak groźba — pomyślał Zyghard i mimowolnie zwrócił uwagę, czy ktoś może słyszeć ich rozmowę. Pozostali jednak jechali w dyskretnym oddaleniu.

— Wszyscy pracujemy na chwałę Najświętszej Marii Panny — odpowiedział zgrabną formułką.

— Ale nie wszyscy mają takie rezultaty. Na przykład komtur dzierzgoński, nasz drogi Luther z Brunszwiku.

— Ośmielę się przypomnieć, że jego działaniom zawdzięczamy odsunięcie groźby chrztu Giedymina — zdziwił się szczerze Zyghard, ale zastrzygł uchem. Plotki życiem konwentu, cóż robić. — To dzięki niemu wzburzony wielki kniaź powiedział legatom: „Niech mnie diabeł ochrzci", co zostało szybko przekazane do Awinionu.

— Tak, tak — lekceważąco odpowiedział Werner. — Ale jak Luther, trzymając swoich ludzi na dworze Giedymina, mógł nie wiedzieć z wyprzedzeniem o sojuszu z Polską?! Powiedz.

Sam zachodzę w głowę — pomyślał. A na głos powiedział:

— Nic nie wyszło i z wawelskiego dworu. Najwyraźniej obaj władcy trzymali sprawę w ścisłej tajemnicy. Przypomnę, że chociaż Władysław zwrócił się z prośbą o zgodę ma małżeństwo do papieża, także z Awinionu nie przedostało się nic.

— Bronisz go? — spytał Werner. — Jesteście przyjaciółmi?

W Zakonie nie ma przyjaciół — powtórzył w myślach formułę Kunona.

— Doceniam jego pracę — odpowiedział wymijająco.

— Myślałem o księciu Leszku — po chwili odezwał się wielki mistrz. — Straciliśmy go z oczu.

— Bo już nam niepotrzebny — zaśmiał się Zyghard. — Ziemia michałowska należy do nas.

— Gdzie on przebywa?

— Wrócił z niewoli, odwiedził księstwo, pochował matkę, zawarł z jednym z braci układ o przeżycie, co jest śmieszne, bo ani on, ani książę Przemko nie mają dzieci ani żon. Potem zaszył się w kryptach włocławskiej katedry i wertował pergaminy, chcąc znaleźć cokolwiek, co pozwoli mu odzyskać ziemię michałowską. Ale ponieważ wspomniałem wczoraj, że mój brat Gunter wiedział, jak spisywać umowy, misja księcia Leszka zakończyła się fiaskiem. Ostatni raz widziano go na naszym procesie z królem Władysławem. Zeznawał jako świadek strony polskiej i potem wyjechał z Kujaw.

— Dokąd?

— Nie wiemy. Nie stanowił dla nas zagrożenia, więc nikt się tym nie zajął.

— Rozumiem. Pomyślę o tej sprawie.

Zamilkli. Konie szły stępa; klacz Zygharda nadawała rytm, koń Wernera dopasował się do niej. Od pewnego czasu Schwarzburg myślał o tym, by mieć z niej piękne źrebię i mimowolnie oglądał się za ogierami. Ciekawa maść — przyjrzał się wierzchowcowi Wernera i natychmiast stracił zainteresowanie — to wałach, na nic się mojej dziewczynie nie przyda.

— Muszę poprosić o cztery tygodnie wolnego — powiedział Zyghard. — Chciałbym odwiedzić dom rodzinny.

— Naturalnie — uśmiechnął się Orseln. — Ale nie teraz. Nie wyobrażam sobie spotkania z królem Władysławem bez ciebie. Szczerze mówiąc, nawet zwykłego funkcjonowania w Malborku bez ciebie bym nie chciał.

Co on wygaduje? — wzmógł czujność Zyghard.

— Oczywiście przygotuję rozmowy, spotkanie ze stroną polską za miesiąc. Czy później mogę liczyć na wolne?

Chciał wreszcie pojechać do komandorii joannitów i porozmawiać z bratem Kunona, ale tego nie może wyznać mistrzowi.

— Rozważysz moją ofertę?

— Jaką, mistrzu?

— Nie zechciałbyś przyjąć funkcji komtura domowego w Malborku?

Tylko nie to — najeżył się Zyghard.

— Więcej zdziałam jako dyplomata — odpowiedział. — Nie mógłbym pełnić obowiązków komtura domowego, nie nadaję się.

— Racja — zaśmiał się nieco sztucznie Werner. — Szkoda by cię było, wybacz, uległem pokusie częstszego obcowania z tobą. To bardzo ożywcze.

Jak dla kogo — pomyślał Schwarzburg i nagle oblała go fala gorąca. — Czy on mnie uwodzi?

— Chciałbym cię spytać o pewną rzecz, czy mogę? — od teraz głos Orselna wydawał mu się dziwny.

— Jeśli to nie nazbyt prywatne — odpowiedział sztywno.

— Nie sądzę. Pamiętam kwestię Starca Siwobrodego, którego pojmałeś osobiście. I którego, jak twierdziłeś, wykradziono ci. Wtedy sugerowałeś, że to Plötzkau.

— Owszem.

— Przed laty, jeszcze jak żył twój brat, obiło mi się o uszy, że ktoś znów widział tych kapłanów Dzikich. To prawda?

— Wzbudzali wiele emocji — wyłgał się od odpowiedzi. — Mistrz Zygfryd von Feuchtwangen chciał przesłać takiego w darze papieżowi, to było w czasie, gdy rozprawiono się z templariuszami i władze Zakonu rozpaczliwie szukały żywego dowodu na naszą działalność w Prusach.

— I co? — melodyjnie zapytał Werner, wzbudzając kolejną falę niechęci Zygharda.

— I nic. Starzec przepadł jak kamień w wodę. Minęło tyle lat, przypuszczam, że dawno nie żyje.

— Szkoda — westchnął Werner. — Wielka szkoda. Za jego skórę papież zdjąłby z Zakonu interdykt, to byłoby coś.

— Musimy sobie radzić inaczej — twardo odpowiedział Zyghard. — Ja go spod ziemi nie wyciągnę.

Milczeli chwilę. Zyghard w myślach liczył, ile jeszcze postojów. Komturie po drodze były rozmieszczone wygodnie. Po Brodnicy nocleg w Redhen, Radzyniu Chełmińskim. Tam zaczęło padać, na szczęście tylko w nocy. Kolejny jego Grudziądz, będzie musiał wielkiego mistrza ugościć. Potem Werner może powołać się na dawny obyczaj, że urzędnik, który wyjeżdża z mistrzem z Malborka, powinien z mistrzem do niego wrócić i dopiero udać się do własnej komturii. A to by oznaczało jeszcze kolejne dni wspólnej jazdy, która właśnie stała się dla Zygharda nieznośna. Werner von Orseln chyba to wyczuł, bo nie poruszał kłopotliwych tematów. W Grudziądzu wspaniałomyślnie darował mu odprowadzanie swego majestatu do Malborka.

— Zostań, odpocznij i zajmij się przygotowaniem spotkania z królem Władysławem. Jego oferta była niespodziewana i zaskakująca. Może uda ci się dowiedzieć, o co chodzi, nim siądziemy z nim do obrad.

— Zrobię, co w mojej mocy — powiedział.

Werner już niemal wsiadał na konia, Zyghard rzecz jasna musiał mu przytrzymać strzemię jako oddany gospodarz. Cofnął jednak nogę i pochylił się do jego ucha, mówiąc:

— Nie chcę urazić twych uczuć przyjacielskich, ale uważaj na Luthera z Brunszwiku, Zyghardzie. To z kręgów braci dzierzgońskich wychodzą najnowsze pogłoski na temat pojawiania się Starców.

WIERZBKA szła przez podwórze dla służby. Zimowy świt, słońce z trudem przebijało się przez ciężkie chmury. Sypnie śniegiem — ziewnęła, zadzierając głowę i mocniej opatuliła się chustą. Lisowa kazała jej znaleźć dostawcę jaj, przyjeżdżał co trzeci dzień. Miała go zatrzymać i doprowadzić do ciepłej izby ochmistrzyni. Przy ciemnej furtce stała długa kolejka służby, na jej widok Wierzbce przypomniało się, że dzisiaj poniedziałek. Najmowali na tygodniówki. Niedługo rok minie, jak sama w takiej stałam — pomyślała. — Roboty tu tyle, że czas minął nie wiadomo kiedy. Przepatrzyła nieliczne wozy, które już wjechały z towarami. Skopki mleka, garnce śmietany i kręgi twarogów, kosze rzepy okrytej przed mrozem słomą. Wreszcie znalazła to, czego szukała.

— Hej, ty tam! — krzyknęła do woźnicy przytupującego na mrozie. — To twoje jaja?

— Nie, to kurze — odpowiedział. — Moje zamarzają w gaciach.

Służba stojąca w kolejce zarechotała. Wierzbka też parsknęła:

— Wyszczekany jak pies, choć tylko jaja znosi na Wawel. Chodź, ochmistrzyni cię wzywa.

— Mogę pójść — rozciągnął usta w uśmiechu, pokazując, że brakuje mu zęba na przedzie. — Za piękną panną to ja bez proszenia. Ino, prawda taka, że jaja nie moje. Ja tylko powożę.

— Wierzbka! — Z kolejki czekających wyskoczyła wysoka dziewczyna i złapała ją za ramiona. — Siostrzyczko!

— Ostrzyca... — wyszeptała Wierzbka, nie wierząc jeszcze, że ją widzi. — Ledwie cię poznałam w tej chuście... Co tu robisz? — dodała całkiem cicho.

— Powiedziałaś, że dobrej służby szukają na zamku — odpowiedziała głośno — to brat nasz się zgodził, żebym poszła. No to jestem! — Objęła Wierzbkę mocno.

— Nie mogę cię wprowadzić na zamek. Jest zakaz — szepnęła jej do ucha Wierzbka. — Jeśli chcesz wejść, to musisz przez tę kolejkę. Tylko ochmistrzyni może...

— O, to on — klepnął ją w ramię woźnica i paluchem pokazał baryłkowatego chłopa, który stanął przy wozie z jajami. — To jego jaja. E, Ryboń! — rozdarł się, wołając chłopa. — Ta pannica chce cię zaprowadzić do jejmość ochmistrzyni! Dawaj, dawaj!

Ostrzyca chwyciła jej rękę, co z daleka zapewne wyglądało na siostrzany uścisk, ale było tak mocne, że Wierzbce łzy napłynęły do oczu. Baryła już był przy niej.

— ...dziemy? — wymamrotał. — Sie spiesze. Jaja czeba schować.

— Za mną — powiedziała sztywno. Ostrzyca nie puszczała jej ręki.

— Jak się dobrze złożyło — szczebiotała słodko, co nie brzmiało dobrze — przedstawisz mnie pani ochmistrzyni, powiesz, że przyjechałam i że zatrzymam się na kilka dni.

— Wawel to nie przytułek — szorstko odpowiedziała Wierzbka.

— Dobra, dobra. To mogę się nająć na tygodniówkę. Słyszałam w kolejce, ile płacą i za co.

— Do stajni kobiet nie przyjmują — docięła jej Wierzbka.

W warowni leśnej Ostrzyca nie brudziła sobie rąk pracą przy kuchni, a w dawnych czasach, gdy była jeszcze w mateczniku, też wolała brać służby wartownicze, niż stać przy garnkach.

Wierzbka poczuła jej palce wciskające się w tętnicę nad nadgarstkiem.

— Nasz brat się rozzłości, jeśli wrócę z niczym — postraszyła ją Ostrzyca.

Przez resztę drogi milczały, Ryboń też się nie odzywał.

— Tędy. — Wierzbka wyrwała się z uścisku, gdy wchodzili do sieni. Teraz miała przewagę, w labiryncie zamkowych korytarzy tylko ona mogła prowadzić. Ostrzyca wyminęła Rybonia i już szła tuż za jej plecami. Wierzbka zastukała do niskich drzwi i czekała na wezwanie Lisowej.

— Wejść — padło po długiej chwili.

— Jaśnie pani — pokłoniła się ochmistrzyni. — Przyprowadziłam dostawcę jaj.

— To dziewczyna? — Uniosła głowę znad woreczków z kaszami Lisowa. Raz na tydzień kazała sobie przynosić po trochu z każdego wielkiego worka i dokładnie badała dostawy.

— Nie — zawstydziła się Wierzbka. — To moja siostra. Gdzie ten Ryboń? — odwróciła się.

Baryły zza wysokiej sylwetki Ostrzycy widać nie było.

— No wyjdźże, człowieku, jejmość nie będzie czekać — skarciła go.

— Siostra, mówisz — zainteresowała się Lisowa. — A robotna jak ty?

— My wszystkie jednakie — z szerokim uśmiechem odpowiedziała sama za siebie Ostrzyca. — Matula w domu nie pozwalała się lenić. Kto rano wstaje, temu Pan Bóg daje!

— Do pracy przyjechała? — spytała Wierzbkę Lisowa.

— Tak — potwierdziła dziewczyna. — Szuka roboty.

— To weźmy ją — poklepała Wierzbkę w ramię pani Hanna. — Twoją siostrę w ciemno przyjmę, Wierzbinko. Jak ci na imię, panno?

— Ostróżka — skłamała Ostrzyca z wdziękiem.

— Zabierz ją do kuchni, niech zacznie od sprzątania palenisk. A ja się rozprawię z nicponiem, co zgniłe jaja przesłał na królewski zamek. Znikajcie, dziewczęta. Szkoda, by wasze uszy ucierpiały.

Lisowa niemal wypchnęła je za drzwi. Wierzbka nie zdążyła zebrać myśli, gdy znalazła się sam na sam z Ostrzycą.

— Masz tu poważanie, Wierzbinko — kpiąco zaczęła tamta. — „Twoją siostrę przyjmę w ciemno". No, no. A to się Jarogniew ucieszy.

— Cicho. Tu ściany mają uszy.

Ostrzyca błyskawicznie wykręciła jej ramię i szepnęła:

— To prowadź tam, gdzie uszy zatkane. Musimy się rozmówić.

Wierzbka zabrała ją do kuchni. Razem wymiotły popiół z palenisk i wsypały do wielkiego kubła.

— Teraz przykrywka — pokazała Ostrzycy, tak by podkuchenne mogły potem potwierdzić Lisowej, że ją przyuczała. — Zamykamy, żeby nic wiatr nie porwał, i niesiemy. We dwie zawsze łatwiej. Tędy.

Ostrzyca była wysoka, źle się z nią niosło ciężki kubeł. Wierzbka wyprowadziła ją do jamy, gdzie zrzucano popioły, potem pokazała, że muszą przejść za niski murek i tam, schowane przed wzrokiem ciekawskich, mogły pomówić.

— Brudna robota — wytarła ręce Ostrzyca.

— Nikt nie obiecał, że będzie łatwo — odpowiedziała. — Na zaufanie ochmistrzyni trzeba pracować od świtu do późnej nocy.

— Nie chwal się — ucięła Ostrzyca. — Jarogniewa nie interesuje zaufanie Lisowej, tylko Kazimierz. Cały ten sojusz rozjuszył go.

— Nie moja wina — przerwała jej Wierzbka.

— Wiem — wzruszyła ramionami Ostrzyca. — Ale jesteś na służbie. Jarogniew żąda, byś przyspieszyła.

— Jak on sobie to wyobraża? — żachnęła się Wierzbka i ściszyła głos. — Siedzi w warownym jesionie i wydaje niemożliwe polecenia. Czy on kiedykolwiek widział Wawel? Pojęcia nie ma, jak wygląda życie zamku. To nie wioska, że może wejść, kto zechce, byleby go kundel nie pogryzł, to królewski zamek!

Ostrzyca poruszyła się błyskawicznie, Wierzbka nie zdążyła dostrzec, jak to się stało, i już miała nóż przystawiony do gardła.

— Nie podskakuj — zagroziła jej. — Ja też dostałam rozkazy. Albo wykonasz swoje zadanie, albo mam cię zastąpić. Jasne?

Byłam głupia, myśląc, że jestem jedyna. Że Półtoraoki potraktował mnie wyjątkowo — przebiegło przez głowę Wierzbki. — Że jestem dla niego nie do zastąpienia. Oto wysłał swą niezawodną wojowniczkę, swą ulubienicę. Dziewczynę, którą wybrał smok, która urodziła mu Żmija. Dziewczynę, która uwiodła Woldemara, wielkiego zimnokrwistego margrabiego, tylko po to, by przywieść go do zguby.

— Jasne — odpowiedziała.

Ostrzyca schowała nóż tak szybko, jak go wcześniej wyjęła.

— Musisz o czymś wiedzieć — powiedziała Wierzbka i choć bardzo chciała dotknąć szyi, nie zrobiła tego.

— Mów — niedbale rzuciła Ostrzyca.

— Byłam z nim, kilka razy. Zebrał moje soki.

Ostrzyca przyjrzała jej się z zainteresowaniem.

— No, mów, mów, co dalej? — pogoniła ją.

— Po pierwsze, wiedz, że osobista służba królewskiej rodziny to sami możni. Synowie pierwszych panów korony i ich córki. My jesteśmy do posług zamkowych, nie dopuszcza się nas do najjaśniejszych. Ja pracuję na kuchni, Dziewanna sprząta komnatę królewicza, ale zawsze pod nadzorem. Mimo to wypracowałyśmy sposób, by królewicz ją zauważył, a mnie udało się dostać do jego łoża i wychodzić stamtąd niezauważoną. Ale to już było na granicy bezpieczeństwa.

— Jak chciałaś bezpiecznych zadań, było zostać w mateczniku — zadrwiła Ostrzyca.

Wierzbka puściła to mimo uszu, mówiła dalej:

— Tuż przed ślubem wszystko się zmieniło. Jakiś miesiąc wcześniej zaczęli strzec jego komnaty z najwyższą starannością. Zresztą nie tylko jego. Dostępu do pokoi Litwinki, królewicza i pary królewskiej strzeże po zęby uzbrojona służba. Mowy nie ma, by jakiś strażnik zasnął na warcie. Nie rozmawiają z nikim, poza swymi przełożonymi. Próbowałam ich zaczepić, ale przepędzili mnie.

— Spodziewają się zamachu? — spytała zaciekawiona Ostrzyca.

— Na to wygląda. Myślałyśmy z Dziewanną, że to minie po weselu, na sam ślub ściągnęli do Krakowa zdwojone siły, zamek był obstawiony niczym twierdza. Ale weselisko skończyło się, goście wyjechali, a komnat królewskich bronią.

— Dobrze kombinują — zimno powiedziała Ostrzyca.

— Co? — Wierzbka nie zrozumiała jej w pierwszej chwili.

— Jarogniew zmienił rozkaz — źrenice Ostrzycy zwęziły się. — Mówiłam ci, że sojusz z Litwą go rozjuszył.

— Nie moja wina — powtórzyła to samo, co wcześniej, Wierzbka, tyle że znacznie mniej pewnie.

— Ale zadanie wciąż twoje? — spytała Ostrzyca, a Wierzbka przytaknęła stanowczym skinieniem głowy, choć usłyszała w jej głosie i podstęp, i groźbę. — Jarogniew chce śmierci Kazimierza. Natychmiast.

Wierzbka zamarła. Nie tak miało być. Kazał jej sprawić, że królewicz nigdy nie spłodzi syna, mowy nie było o zabijaniu chłopaka. Zrobiło jej się zimno, jakby cały chłód tego zimowego dnia w jednej chwili wtargnął jej pod koszulę.

Ostrzyca wyczuła jej wahanie, jak drapieżnik strach cofającej się ofiary. Poruszyła barkami. To wystarczyło, by Wierzbka wzięła się w garść i wydukała:

— Rozumiem.

— No dobra — zmierzyła ją wzrokiem Ostrzyca. — To się nazywa wyzwanie. Skoro jestem i twoja Lisowa pozwoliła mi zostać, pomogę.

Znów będę tą drugą — panicznie pomyślała Wierzbka. — Znów

jest ktoś lepszy ode mnie. Jarogniew już pomyślał, że sama nie poradzę sobie z zadaniem, i wysłał tu ją. Swoją niezawodną. Już widzę jej plecy.

— W porządku — odpowiedziała sztywno. — Wybacz, ale na początku musisz robić, co każę. Na Wawelu wszystko dzieje się w odpowiednim porządku. Najważniejsze, nie rzucać się w oczy.

— Chodźmy — klepnęła ją poufale Ostrzyca. — Wyjaśnisz mi po drodze.

Nie dam się wygryźć — pomyślała Wierzbka, gdy prowadziła ją do ciemnych izdebek dla służby. — To moje zadanie, ja zaczęłam i ja je dokończę. Choćby miał się zawalić Wawel.

WŁADYSŁAW opuszczał Kraków niezadowolony, że ani Luksemburczyk, ani książęta śląscy nie zaatakowali podczas wesela Kazia i Giedyminówny. Po cichu liczył na to i co więcej, był przygotowany. Miasto na czas zaślubin było obstawione strażą, jego ludzie gotowi, by wyłapać prowokatorów, a on — by pokazać ich światu. Nic złego się jednak nie stało i być może winny temu Grunhagen, który bezbłędnie wyłowił ich z tłumu, niestety, zanim zdążyli mrugnąć. Tym samym Władek miał w lochu trzech poturbowanych i wstępnie przypieczonych osobników, z których żaden nie przyznał się, kto mu płaci, i pozostawało wróżyć z uzbrojenia, jakie przy nich znaleziono, bo niestety dwóch z nich już nie będzie mówić, a trzeci się tak zawziął, że kat już przy nim cierpliwość stracił.

Po ostatnich śniegach mróz puścił nagle i zrobiła się odwilż. Czapy śniegu wiszące na gałęziach drzew zaczęły się topić i raz po raz spadały z mokrym chlupnięciem na ziemię. Kopyta koni rozjeżdżały brudną breję.

— Jedziemy do Łęczycy! — gwizdnął sobie wesoło, kiedy Kraków zostawili za plecami. — Co ty na to, Borutka?

— Ja zawsze przy królu — odpowiedział giermek.

— Nie inaczej, ale co ty na Łęczycę, się pytam?

— Nic — zaciął usta Borutka.

— To już nie pamiętasz, że pod Łęczycą znaleźliśmy cię na trakcie? — zdziwił się Władek.

— Było inaczej — oświadczył giermek. — Po pierwsze to ja znalazłem króla, po drugie nie pamiętam, gdzie dokładnie, bo po trzecie byłem wtedy mały.

— A nawet mała — zarechotał Władek i zaklął. Jego klacz wjechała w błoto i chlapnęło mu na płaszcz.

— Król ma kiepską pamięć — nastroszył się Borutka. — Bo obiecał mi, że do pewnych tematów nigdy nie wrócimy. I król też ze słuchem ma pewne kłopoty, bo ilekroć ja się pytam, co zrobić, żeby herb zyskać, to król tego nie słyszy. Zadziwiająco to jest nieuprzejme.

— A niech mnie! — zbliżył się do nich Grunhagen. — Mnie się zdawało, że moja to umie przygadać, ale tu słyszę, jak się samemu królowi dostało od giermka. Ho, ho. Narobiło się.

— A co tam u twojej? — zaciekawił się Władek. Dawno z Grunhagenem nie gadał, bo wiadomo, na Wawelu nie bardzo jest sposobność.

— No i proszę! — piskliwie żachnął się Borutka. — Jak mówiłem.

— Gotować się nauczyła — pochwalił swoją żonę Grunhagen i poprawił się — uczy się raczej. Kapustę z boczkiem albo żeberkiem i kaszę ze skwarkami.

— Dobre — uznał Władek.

— Dobre przez miesiąc — powiedział Grunhagen. — A ja to jem codziennie od, powiedzmy, czasów wesela królewicza. Trzy miesiące z okładem.

— Jak coś jest raz dobre, to za każdym razem smakuje. Narzekasz?

— Nie — bez przekonania powiedział zielonooki karzeł. — Dojadam po gospodach. I z zamkowej kuchni coś skapnie czasami. Z resztek! — zastrzegł.

— Chleb biednym od ust odbiera — grobowym głosem skrytykował Borutka. — Bo mu kapusta z boczkiem się znudziła, którą kochająca żonka gotuje. A pewnie, jak czeka i gotuje, to podśpiewuje sobie coś tęsknego o mężusiu, co?

— A ty skąd wiesz? — zaatakował go Grunhagen. — Chadzasz do niej? No powiedz, chadzasz?

— Ooo! — uspokoił ich Władysław. — O Grunhagenową się pobiją i to przy królu, kompletne lekceważenie majestatu. Opanuj się, druhu — powiedział do Grunhagena. — Borutka łobuz, ale twojej by nie tknął. Prawda, Borutka?

— Najszczersza. Po prostu wyobraziłem sobie, jak pani Grunhagenowa czeka na męża, jak czule miesza łychą w garnku nad ogniem, jak sobie podśpiewuje z tęsknoty. Tak to sobie wyobraziłem: dobra kobieta, w białej chusteczce na głowie i pasiastej krakowskiej zapasce i rękawiczkach czerwonych…

— Zamilcz! — rumieniec oblał Grunhagena w jednej chwili. — Bo nie zdzierżę!...

— Sam pan Grunhagen mówił, że jej kupił takie...

— Niewiasty to chyba w rękawiczkach nie mieszają w garnku — rozsądził ich Władek.

— Nie? — zdziwił się Borutka. — Oj, to ja się nie znam... Co mam zrobić, żeby dostać herb? — przyszpilił go pytaniem.

— No to tak. Teraz rokowania z Krzyżakami — powiedział Władek. — I musimy sprawić się szybko, bo nasi goście już, że się tak wyrażę, w drzwiach stoją.

— Ja to bym chętnie pojechał powitać — odezwał się Grunhagen.

— Dwa razy prosić nie musisz!

— Uhm — chrząknął Borutka. — Niektórzy o nic nie muszą się prosić.

Władysław uznał, że nie usłyszał przymówki.

— W rokowaniach i tak mi się nie przydasz. Jedź do sandomierskich i witaj... albo nie! — zmienił zdanie nagle. — Ruszysz do Szczecina.

— Do Szczecina? — skrzywił się Grunhagen. — Wolałbym nie.

— Nie twoja wola się liczy, tylko króla — mściwie powiedział Borutka. — I teraz jest sprawiedliwie.

— Pojedziesz przodem, załatwisz szybciej sprawę. Na popasie kancelaria przygotuje ci listy — oświadczył Władek.

— To już mam jechać? — zdziwił się Grunhagen — myślałem, że...

— U mnie decyzja szybka — pochwalił się Władek. — Pędzisz do wnuka Barnima, przyjacielu. Ja to mam teraz wiatr w skrzydła.

Że się nie myli, potwierdził posłaniec, który dogonił orszak królewski na trzecim postoju.

— Wiadomość z Awinionu, najjaśniejszy panie!

— Borutka, wołaj Bogorię — zarządził Władysław.

Jarosław Bogoria, w czasach walk o Kraków kanonik, co śpiewał bojowe psalmy, wreszcie wrócił do kraju po długich studiach w Bolonii. Na co dzień kanclerzował biskupowi Nankierowi, ale Władek wypożyczał go raz po raz, bo dobrze się czuł w jego obecności.

— Niech będzie pochwalony — tyczkowaty Jarosław zgiął się wpół, by wejść do namiotu.

— Nie kłaniaj się, tylko czytaj — pokazał mu wiadomość rozgorączkowany Władek.

— A jak zła, to podrzyj — zażartował sobie Bogoria.

— Znasz króla — pochwalił go. — Borutka, wino w gotowości.

— Jak dobra, będziemy pić, jak zła, to się upijemy — dodał Jarosław i złamał pieczęć Piotra Milesa z Veroli.

Przybiegł oczami tekst, uniósł wzrok na Władka i szepnął:

— Giermek może polewać.

— Do kielichów czy od razu do wiadra? — niewinnie spytał Borutka.

— Do kielichów, chłopcze — uśmiechnął się Jarosław Bogoria. — Piotr donosi, iż Ojciec Święty na wieść o tym, że król Niemiec Ludwik Wittelsbach pojednał się z Fryderykiem Habsburgiem i wypuścił go z niewoli, w której był trzymany od czasu bitwy dwóch królów…

— Co? — zdziwił się Władek. — Co takiego?…

— Wypuścił i dogadał się z nim — powtórzył Bogoria wolno i wyraźnie. — Ofiarował Habsburgowi urząd współregenta.

— Wittelsbach z nienawiści do papieża pojednał się ze swym konkurentem… nie wierzę… — Władysław aż zachłysnął się wiadomością.

— I uczynił współregentem — powtórzył Bogoria. — Czyli tak, jakby uznał, że dziesięć lat walk, które w dodatku wygrał, było bezzasadne.

— Może ten Habsburg ledwie żywy — pisnął Borutka.

— Zawsze musisz wtrącić trzy grosze — skarcił giermka Władek.

— Ale to nie jest głupi pomysł — wziął go w obronę Bogoria. — Kto wie? Tego Piotr z Veroli nie pisze. Ale nie będziemy pić za wolność Habsburga, nie my go braliśmy do niewoli — zaśmiał się tubalnie. — Najważniejsze dalej. Papież tak zdenerwował się posunięciem Wittelsbacha, że przypomniawszy, iż już go obłożył ekskomuniką i zdjął z tronu, wyraża aprobatę i zachętę dla króla Władysława do tego, by zaatakował posiadłości niesłusznie objęte przez wyklętego króla!

— Chwała Bogu! — krzyknął Władysław.

— I nienawiści jątrzącej słodkie serce Ojca w Awinionie — ze świętoszkowatą miną dodał Borutka.

— Mamy wsparcie papieża! — zakręcił się tanecznie Bogoria.

— Lej wino, chłopcze! — ucieszył się Władysław. — I wołaj wodzów, dobra nowina nie może czekać.

Gdy Borutka wybiegł z namiotu, Jarosław Bogoria spoważniał nieoczekiwanie.

— Królu — powiedział. — Masz ważny atut w ręku przed spotkaniem z Krzyżakami, ale obchodź się z nim ostrożnie. Zgoda papieża przyjdzie w kolejnym liście z Awinionu, wiemy o niej szybciej dzięki Piotrowi Milesowi, ale nikt nie wie, co dokładnie napisze papież. Jan XXII to cwany lis. Jego przyzwolenie nie uchroni nas przed konsekwencjami przegranej.

Władysław wstał i przeszedł się po namiocie. Stanął i oparł się plecami o solidny maszt.

— Poszedłbym na tę wojnę i bez zgody papieża — powiedział poważnie. — Psy spuszczone ze smyczy, Bogoria. Już dawno obiecałem coś baronom Starszej Polski.

ZYGHARD VON SCHWARZBURG zastanawiał się, w co gra wielki mistrz. Po raz kolejny w życiu przekonał się, iż nie należy lekceważyć nikogo.

Wydawał się rozmodlonym dworakiem, cieniem poprzednika, a jednak miał dość siły, by sięgnąć po władzę po nim, i dość bezczelności, by sprzeciwić się komuś tak potężnemu jak Wildenburg — myślał. — Dobrze, miał w ręku dowód zabójstwa swego poprzednika, jakiegoś Wolfa, który pewnie był sekretnym człowiekiem, ale równie dobrze ów Wolf mógł sprzątnąć samego Wernera i uciec. A jednak to Werner dysponował Wolfem i co gorsza, skutecznie go ukrył. Wolf, co to za imię. Pojęcia nie mam, jak ten człowiek wygląda, ale mimo to nie wierzę, iż to młody mieszczanin, Sander von Pfau.

Sandera na polecenie Zygharda śledził Kluger i nie natrudził się, by wykryć, że rzeczywiście, młodzian ma tajne schadzki z Bertoldem, komturem radziejowskim. Nakrycie chłopaka w wieży ostatecznej obrony przez Zygharda i Luthera było zwykłym zbiegiem okoliczności. To nie on.

Zyghard zaczął się zastanawiać, czy nie powinien powiedzieć Lutherowi, co podsłuchał o Wolfie, ale po pierwsze, nie chciał się przyznać sam przed sobą, że bez Luthera nie umie rozwiązać zagadki, a po drugie, wolał mieć kilka spraw, o których komtur dzierzgoński nie ma pojęcia. W dodatku, sugestie wielkiego mistrza, że to z kręgów dzierzgońskich wydostają się informacje o pojawieniu się Starców, nie były wyssane z palca. Jeśli ktokolwiek w Zakonie mógł widzieć tajemniczych kapłanów, to obsada tej właśnie komturii. Tam wyśledził ich Kuno, w czasach gdy to Zyghard zarządzał Dzierzgoniem.

Jechał teraz do Łęczycy, w orszaku wielkiego mistrza, na rokowania z polskim królem. Dyplomatycznie skrytykował Wernera za to, że zgodził się przyjechać na spotkanie do Królestwa. Skoro Władysław miał sprawę, powinni zaprosić go do Malborka. Pokazać staremu królowi siłę.

— Zaprosimy, gdy rezydencja mistrzowska w Marienburgu będzie ukończona — skwitował jego uwagi Werner von Orseln.

Zaczął traktować Malbork jak osobisty majątek — nasunęło się Zyghardowi. — Jasne, każdy z nas jest chciwy, choć ślubujemy ubóstwo. To najmniejszy z naszych grzeszków codziennych. Ale gdy zaczyna szkodzić Zakonowi, powinno się go poskromić. Polski król spokorniałby, wchodząc na malborski dziedziniec. To odwróciłoby kartę ostatnich, nieudanych spotkań.

Na granicy podjął ich orszak kasztelana łęczyckiego, Pawła Ogończyka. Zyghard widywał go w otoczeniu króla, więc skorzystał z okazji i w drodze do Łęczycy zbliżył się ku niemu i zaczął rozmowę.

Nie kleiła się; najwyraźniej Ogończykowi przykazano, by nie przybliżał zakonnym tematu, o którym mówić chce król. Zyghard spróbował jeszcze z pozornie neutralnym weselem Kazimierza, ale gdy Ogończyk uciął, że nie był na ślubie, bo miał w rodzinie pogrzeb, zaniechał.

Król wyglądał tak dobrze, że Zyghard poczuł się niezręcznie, iż wcześniej mówił o nim „stary". Pleców nie garbił, chodził szybko, sprężyście jak w dniu, gdy spotkali się po raz pierwszy. Był tylko szczuplejszy, bardziej żylasty. Zapuścił nieduża spiczastą bródkę, która dodawała drapieżnego uroku. Włosy w idealnie skręconych, luźnych puklach sięgały mu do ramion. Zyghard od razu zwrócił uwagę, że głowę króla zdobi inna korona niż ostatnio. W Brześciu miał na skroniach trzy złocone groty do złudzenia przypominające lilie. Teraz założył diadem z wyobrażeniem rozpostartych orlich skrzydeł okalających królewskie czoło. Gdzieś już to widziałem — pomyślał Schwarzburg, ale nie miał czasu zastanawiać się nad tym, bo nastał czas na powitalne grzeczności.

Królowi towarzyszył biskup Maciej i wielekroć groźniejszy od niego Piotr Żyła, legista. I nieznany mu Jarosław Bogoria, przedstawiony jako kanclerz. Do tego kasztelan Ogończyk, wojewoda kujawski Wojciech Leszczyc i dawno przez Zygharda niewidziany wojewoda gnieźnieński, Marcin Zaremba.

W herbie ma półlwa za murem — pomyślał Schwarzburg. — Ciekawa sugestia. Lew broni się w twierdzy, czy lew, co twierdzę zdobył? Jak na swoje lata wygląda krzepko. Kiedyś jego krewni byli potęgą, świetność rodu minęła wraz z zamordowanym Przemysłem, choć biskup Andrzej, póki żył, znaczył sporo. Marcin pewnie ostatnim wojewodą w rodzinie Zarembów.

— Każde nasze spotkanie odbywa się w nowych okolicznościach — powiedział Zyghard, gdy wymieniono uprzejmości.

— Dziękuję — odpowiedział król. — Ja też żałuję, że nie żyjemy w nudnych czasach.

— Zacznijmy tradycyjnie — powiedział Żyła. — Kiedy Zakon wykona wyrok sądu papieskiego w sprawie Pomorza?

— Odpowiem ostatecznie — odezwał się Werner von Orseln. — Nie wykonamy wyroku. Nasi prokuratorzy zaskarżyli sposób przeprowadzenia procesu i osoby sędziów jako stronnicze. Kuria awiniońska uznała wreszcie tę skargę za zasadną i nakazała wybór sędziów, na których zgodzą się obie strony.

— Sędziowie polubowni — skinął głową Piotr Żyła i Zyghard zrozumiał, że Polacy już znali stanowisko kurii.

Tym ich nie zaskoczyliśmy — pomyślał.

— Czy możemy zatem przystąpić do ich wyboru? — spytał wielki mistrz. — Zakonowi zależy na tym, by strona polska przestała szargać jego dobrym imieniem na awiniońskim dworze.

— Bez zbędnej zwłoki — powiedział Piotr Żyła. — Potrzebujemy ledwie kilku miesięcy, by przedstawić kandydatury. Najpierw do kancelarii królewskiej musi wpłynąć oficjalne zawiadomienie z kurii awiniońskiej.

Kpi z nas, ale na jego miejscu też bym grał na czas — skonstatował Schwarzburg. Postanowił się włączyć.

— Byliśmy przekonani, że to właśnie sprawa wyboru sędziów jest powodem tego zaproszenia — powiedział. — Bo na powiadomienie nas o sojuszu z pogańską Litwą nieco za późno. Ślub królewicza Kazimierza i córki Giedymina już się odbył, a my nie mieliśmy szans na przygotowanie weselnych podarków.

Usta króla Władysława drgnęły w łobuzerskim uśmiechu.

— Wystarczy modlitwa za młodą parę — powiedział. — I potomka.

— Zawsze to jedna ochrzczona litewska dusza. — Zyghard postanowił pojechać jeszcze chwilę na sojuszu z poganami. — Mam na myśli Annę, bo jak mówią, takie imię przyjęła Giedyminówna.

— Wiele jesteśmy gotowi zrobić, by pokojowo przekonać Litwę do przyjęcia Słowa Bożego — w głosie króla znów zabrzmiała przekorna nuta. — Papież Jan XXII wysoko ceni nawracanie pogan.

— Temu całą duszą służymy — odpowiedział Zyghard. — Niestety, nie wolno nam się z nimi żenić, nawet po to, by przysparzać papieżowi owieczek.

— Można powiedzieć — uśmiechnął się szeroko król Władysław — że wsparliśmy wasze dzieło. To znaczy, mój syn wziął na siebie osobiście ciężar wykonania zadania.

— Jeśli talenty są dziedziczne — z trudem panował nad śmiechem Zyghard — w krótkim czasie papież będzie miał stadko nowych żarliwych wyznawców.

Siedzimy i żartujemy — pomyślał, przyglądając się królowi i jego urzędnikom. — A przecież jeśli nie dogadamy się w sprawie Pomorza, wybuchnie między nami wojna na śmierć i życie. Gdzie wtedy będę? Werner będzie mnie trzymał przy sobie, bym mu radził? Czy postawi na czele oddziału, który na polu walki stanie naprzeciw wojewody Zaremby, albo wojewody Leszczyca?

— Pojęcia nie mam, co Kazimierz odziedziczył po mnie — uniósł brwi król Władysław. — Na pewno nie wzrost.

— W przyszłości Królestwo Polskie — przypomniał Schwarzburg. — Dobrze by było nie zostawiać mu w spadku nierozwiązanych spraw z nami. Wybierzmy sędziów polubownie i dogadajmy się w sprawie Pomorza.

Król poruszył się, mówiąc:

— Mnie się na tamten świat nie śpieszy, ale na zachód, owszem.

No to przechodzimy do rzeczy — pomyślał z satysfakcją Zyghard.

— Chcę poinformować wielkiego mistrza i Zakon, jako moich północnych sąsiadów, że zamierzam przekroczyć zachodnią granicę Królestwa, by odebrać ziemie zgrabione przez margrabiów brandenburskich po śmierci króla Przemysła — oświadczył polski król.

Więc po to był układ z książętami szczecińskimi — zrozumiał Zyghard von Schwarzburg. — Nie przeciw nam, jak sądziliśmy, ale przeciw Brandenburgii. Wszystko jasne, papież nie uznaje decyzji Ludwika Wittelsbacha, więc nadanie jej jako lenna jego synowi Władysław może potraktować jako niebyłe. Chce skorzystać, póki mu watr wieje w skrzydła.

— Nie zamierzamy wtrącać się w sprawy między królem Polski a Brandenburgią, o ile nie naruszą naszego stanu posiadania — powiedział wielki mistrz.

Ja bym się potargował — żachnął się w duchu Zyghard i wtrącił szybko:

— Martwimy się jednak mającą wybuchnąć wojną. Iskra przenosi się szybko.

— Nie naruszymy posiadłości zakonnych — stwierdził król. — Chcemy jednak zagwarantować sobie na ten czas rozejm z Zakonem.

— Nie jesteśmy w stanie wojny — przytomnie zauważył Werner.

— I nie bądźmy, do końca roku — uściślił król.

— Zatem Jego Wysokość nie planuje dłuższych działań w Brandenburgii? — spytał niewinnie Zyghard.

Król spojrzał na niego. W siwych oczach tliła się iskra sympatii i Schwarzburg wyczuwał to dobrze.

— Nie planuję — odpowiedział i dodał: — Zaprosiłem do udziału w tej wyprawie moich nowych sojuszników, Litwinów. Zależy mi na zagwarantowaniu im tych samych praw, co moim wojskom, bowiem występują jako wsparcie armii Królestwa.

No nieźle — zaśmiał się Schwarzburg w duchu i nie powstrzymał od komentarza:

— Chrześcijański król, nazywany przez papieża „drogim synem", będzie walczył z poganami przy boku? Czy to się godzi?

Król Władysław wyglądał na nieporuszonego przytykiem. Odpowiedział przekornie:

— Jarosław Bogoria będzie im śpiewał psalmy na każdym popasie. Pieśń potrafi wniknąć w serce głębiej niż słowo. A Bogoria uczony, pracuje nad przekładem psalmów na język litewski.

— Papież wie o tym? — spytał Werner von Orseln.

— O psalmach? Nie sądzę, by był przeciwny — uśmiechnął się król półgębkiem.

— O wyprawie brandenburskiej — uściślił surowo Orseln.

— Tak jak powiedziałem — uśmiech króla tym razem naprawdę był szelmowski.

To może być prawda — zrozumiał Zyghard. — Papież publicznie wzywał do wypowiadania posłuszeństwa Wittelsbachowi. Musimy być ostrożni.

— Tak więc, życzy sobie Jego Królewska Mość, byśmy zachowali wobec Królestwa pokój do końca roku — powiedział Orseln.

— I wobec Litwinów przebywających przy moim boku — dodał szybko król.

— Nie wiem, jak zachowają się wobec nich książęta Mazowsza — zastrzegł mistrz. — Ostatnio nasiliły się ataki na Siemowita. I sam król najechał księcia Wacława.

— Okazał się wierny wam, swoim nowym sojusznikom — źrenice króla zalśniły niebezpiecznie.

— Warto wspomnieć, że sojuszników mamy już więcej — Zyghard nadał swemu głosowi tyle uprzejmości, ile zdołał, by nie przekroczyć granicy dobrego smaku. — Książę Trojden, książę Siemowit i książę Wacław, wszyscy dziedzice Mazowsza, zawarli z nami przymierze.

Po minie króla i jego świty trudno było wnioskować, czy wiedzieli o tym, czy nie.

— Zatem — odezwał się król — proszę o to, by i wasi nowi mazowieccy sojusznicy zachowali wobec moich nowych litewskich sojuszników pokój.

— A jeśli się nie zgodzą? — spytał Werner.

— To znaczy, że czują się na siłach, by przyjąć wojnę ze mną i Litwą? — przekornie spytał Władysław. — Czy też chcą Zakon wciągnąć w nią i pogrążyć, proponowane przez wielkiego mistrza na wstępie rozmów, ugody?

Chce wytargować zgodę na wojnę i Litwinów, rzucając na szalę wagi ugodę o Pomorze — kwaśno pomyślał Zyghard. Rok zawieszenia broni. Niech Werner wyciśnie z niego szybki proces, nic innego nie ugramy w tej chwili.

Miał rację, wielki mistrz zgodził się na rozejm i zagwarantował, że potwierdzą go trzej książęta Mazowsza. W zamian za to zmusili króla do szybkiego spotkania w sprawie sędziów polubownych. Zgodził się na Wielkanoc, choć początkowo chciał przekładać to na jesień. Dobre i tyle.

Mimo zaproszenia króla, by zostali na noc w Łęczycy, mistrz zdecydował, że wracają od razu po zakończeniu rozmów. Orszak kasztelana Ogończyka znów eskortował ich w stronę granicy. Zyghard podjechał do Wernera i otoczeni rycerzami zakonnymi, mogli rozmawiać spokojni, że Polacy ich nie słyszą.

— Pokażemy w kurii awiniońskiej kopię tej ugody — zaproponował Zyghard. — Może to ułagodzi stanowisko papieża i zdejmie z Pomorza i ziemi chełmińskiej interdykt?

— Klątwa legatów to jedno, ale interdykt zaczyna nam ciążyć. Poddani się buntują, że żyją na wyklętej ziemi. Ani dziecka nie ochrzczą, ani nieboszczyka nie pochowają spokojnie.

— Wojna z Polską w takiej chwili byłaby przeciwko nam. Nie wyczerpaliśmy jeszcze wszystkich środków prawnych — wzruszył ramionami Zyghard.

— Wciąż mam w pamięci kasatę templariuszy, Zyghardzie — powiedział Werner. — Stąpamy po kruchym lodzie, a jednak nie wolno nam się zatrzymać. Musimy iść. Ostrożnie, krok za krokiem, ale iść, nie cofać się. W końcu zbudowaliśmy potęgę, Marienburg jest dziełem niedościgłym, nie można tego zaprzepaścić. Ale wierz mi, przyjacielu. Czasami budzę się przerażony w środku nocy i myślę o nich. O rycerzach świątyni. Oni zaszli dużo dalej niż my. Byli strażnikami grobu naszego Pana, lwami pustyni, wydawało się, że są niezwyciężeni, że postawili stopę na górze, z której wierzchołka widać cały świat.

— I spadli z niej, ich kości potoczyły się we wszystkie strony, a ostatniego mistrza pochłonął ogień. Ja też o tym myślę, Wernerze von Orseln. Nie ma szczytu, z którego nie można spaść — powiedział ponuro Zyghard.

— Jestem zmęczony — pokręcił głową Werner, jakby to ostatnie zdanie zupełnie nie przypadło mu do gustu.

Zamilkli. Schwarzburg wpatrywał się w białe płaszcze braci zakonnych jadących przed nimi.

I nagle olśniło go, gdzie widział diadem króla. Miał go na rokowaniach w Grabi, gdy Plötzkau po zajęciu Gdańska po raz pierwszy zaproponował mu wykup Pomorza. Tyle tylko, że wtedy nad czołem Władysława lśnił rubinowy krzyż, a orle skrzydła osłaniały mu potylicę. Założył diadem tyłem do przodu.

On jest dziwniejszy, niż myślałem — zrozumiał Zyghard.

OSTRZYCA nie lubiła brawury, wbrew temu, co myślała o niej Wierzbka. Kiedyś, owszem, ale już nie teraz. Czas upływał i ona czuła na sobie jego brzemię, zwłaszcza odkąd te nowe dziewczyny zaczęły kręcić się wokół Michała. Mogła postarać się o eliksir, o „piękne krople", jak je drwiąco nazywała w myślach, ale nie zrobiła tego ani nie zamierzała. Magii użyła kilka razy w życiu, wyłącznie do jednego zadania: uwiedzenia Woldemara. Do uzależnia go od siebie i doprowadzenia do tego, że błagał o śmierć i miłość jednocześnie. Po każdym ze zbliżeń z nim chorowała i wiedziała, że to skutek uboczny eliksiru, który piła, i maści, którą się smarowała, by z Ostrzycy stać się Blute, kochanką Woldemara. Niektóre z dziewczyn Dębiny dostały od niej „piękne krople", gdy były młodziutkie, gdy nie przyszło im do głowy prosić o nie. Matka wybierała dziewczęta jeszcze nierozkwitłe i planowała dla nich przyszłość, a w prezencie dostawały wieczne piękno. Jemioła, Wierzbka, Tarnina, Jarzębina, Trzmielina.

Któregoś razu, jednego z tych, gdy Michał Zaremba zabierał ją na całe noce nad rzekę i kochali się w blasku księżyca aż po zimne świty, pokazał jej w ciemności jakiś kształt sunący pod powierzchnią wody. „To szczupak" — powiedział. — „W jego brzuchu leży niestrawione pisklę perkoza. Połknął je rano, ale wciąż widzę kawałki ptasiej głowy". Wzdrygnęła się i zrozumiała w tamtej chwili, że dla kogoś, kto widzi takie rzeczy, piękno zewnętrzne nie ma większego znaczenia. Nie zatrzyma jego miłości na siłę, chwytając młodość, to na nic. Albo będzie miała szczęście i ją zachowa, albo nie. Już dawno postanowiła, że jeśli smok złamie jej serce, zabije się. Chyba że nauczy się żyć bez niego, ale to byłby cud, a Ostrzyca nie wierzyła w cuda.

Na Wawelu posłuchała Wierzbki; zachowywała się jak potulna siostra. Nie odzywała przy ludziach, chyba że ktoś spytał, i spuszczała głowę, gdy spotykały kogokolwiek, idąc przez labirynty korytarzy. Wierzbka niczego jej nie ułatwiała, ale Ostrzyca zawsze wolała pracować samodzielnie. Po trzech dniach znała zasady i rozkład zamku, a po pięciu zyskała pewność.

— Miałaś rację — powiedziała Wierzbce, gdy przysiadły za murem, jak pierwszego dnia. — Wejście do komnaty królewicza nie jest obecnie możliwe, zaczajenie się na którymś z korytarzy również. Każdego posiłku i łyka wina strzeże ten rudzielec.

— Toporczyk — Wierzbka przypomniała nazwisko.

— Niezłe — zaśmiała się Ostrzyca. — Gdybym miała syna, tak bym go nazwała. Dobra, dobra. Wiem, że to rodowe, nie gderaj, panno mądra.

— Dziękuję ci — wyszeptała Wierzbka.

— Za co? — obruszyła się Ostrzyca. — Każda ma swoją robotę do wykonania, moja była taka, że miałam cię sprawdzić, przekazać nowe rozkazy...

— I zastąpić — weszła jej w zdanie Wierzbka.

— Ale nie ma takiej potrzeby. Spisałaś się świetnie. Patrząc na to, jak strzegą chłopczyka, trudno uwierzyć, że już spałaś z nim.

— Tak było — szybko potwierdziła Wierzbka.

— Spokojnie, siostro. Ja ci wierzę. — Ostrzycę zdumiał strach Wierzbki. — Moim zdaniem, trzeba wyczekać, aż Kaziulo ruszy na jakieś polowanie, cokolwiek, byle poza zamkiem. Na tym trzeba się skupić: wiedzieć wcześniej i wkręcić się do orszaku. Albo wybyć z Wawelu i zaczekać na ptaszka w lesie. O, tak by było najlepiej.

— Sądzę, że to szaleństwo z pilnowaniem go skończy się lada tydzień — powiedziała Wierzbka, skubiąc nitkę wystającą z rękawa sukni. — Przecież nie mogą piastować następcy, póki nie zajmie tronu.

— Bo ja wiem? — zastanowiła się Ostrzyca. — To ich ostatni. Gdybym była na ich miejscu, może i tak bym zrobiła. Gdzie można się dowiedzieć o planowanych wyjazdach?

— U ochmistrzyni — uśmiechnęła się wreszcie do niej Wierzbka. — Lisowa planuje posiłki na ilość biesiadników.

— No to wkręć się do Lisowej, wymyśl coś. A Dziewanna niech nadstawia ucha od strony nocnika.

— Nie lubisz jej? — spytała Wierzbka.

Nie znoszę, odkąd usłyszałam jej imię w ustach Starców — pomyślała Ostrzyca.

— To bez znaczenia — wzruszyła ramionami. — No, nie przejmuj się, ja mało kogo lubię, więc ta mała nic nie traci.

— Co zrobisz? Tydzień dobiega końca.

— Umiem liczyć — skrzywiła się w odpowiedzi. — Wezmę wypłatę i zabawię się w Krakowie. No co? Zarobiłam uczciwie. — Wyciągnęła przed siebie długie nogi. — Spójrz na moje buty — pokazała jej dziurę.

— Na buty musiałabyś pracować miesiąc — odpowiedziała Wierzbka.

— Naprawdę? — szczerze zdziwiła się Ostrzyca. — Drożyzna w tym Krakowie. I powiem ci całkiem od serca: obie harujecie tu od świtu do nocy. Wyobrażałam to sobie trochę inaczej.

— Biały chlebek i miękkie łóżeczko? — parsknęła śmiechem Wierzbka.

— Miękkie łóżeczko kilka razy zaliczyłaś — szturchnęła ją poufale. — Nie, nie chciałabym takiego życia. Robota co dzień ta sama, łeb spuszczony i nic tylko: „Proszę, jaśnie pani, przepraszam jaśnie pana, tak jest, nie inaczej". I ukłony, ukłony, ukłony. To nie dla mnie.

— Dla mnie też nie. — Wierzbka potarła szczupłymi palcami nadgarstek. — Jestem tu tylko, by wykonać zadanie, ani dnia dłużej. — Wzięła wdech i wypuściła powietrze głośno. — Wtedy da się wytrzymać. Zagryźć zęby, kłaniać się i znosić humory państwa. Las to co innego.

— W leśnej warowni też nie wszyscy są równi — przyznała Ostrzyca.

— Ty jesteś kimś wyjątkowym.

— Myślisz, że od początku tak było? A mnie się zdawało, że akurat ty nie jesteś naiwna.

— Dlaczego? — nastroszyła się Wierzbka. — Bo pracowałam w „Zielonej Grocie"? Bo byłam dziwką?

— Przestań, nie mów tak o sobie. — Ostrzyca zawstydziła się. Tak, właśnie tak pomyślała o Wierzbce i teraz zrobiło jej się głupio. — Wiesz, kiedy przyszłam do warowni, byłam zachwycona. Mogłam robić to wszystko, czego nie wolno było u Dębiny. Byłam jak pies zerwany ze smyczy. Rwałam się do każdej akcji, byleby poczuć krew. To mnie podniecało, ja chyba zawsze taka byłam. Najpierw Jarogniew chwalił mnie: „O, dziewczyna, a taka odważna" albo „Taka ładna i taka bezwzględna", to mi się podobało. Potrzebowałam czasu, by zrozumieć, że wymaga ode mnie więcej i wciąż mnie sprawdza. „Jak zrobisz to czy tamto, wreszcie zasłużysz i może staniesz się moją bratanicą". — Zrobiła przerwę. Właściwie mówiła to po raz pierwszy. — Aż wreszcie zaczął mi stawiać zadania podobne jak Dębina wam w „Zielonych Grotach", tylko, powiedzmy, bardziej krwawe.

— Naprawdę? — piękne źrenice Wierzbki rozszerzyły się.

Ostrzyca założyła za ucho pasmo włosów, które wymknęło jej się spod chustki.

— Stosował różne metody — przyznała. — Prośbą, groźbą. A jak się postawiłam, to mnie ukarał.

— Jak? — głos Wierzbki zadrżał.

— Wziął na dystans — wzruszyła ramionami. — Upokarzał. Dawał byle jakie zadania. Jak jesteś najlepsza, nie zniesiesz tego. Zrobisz wszystko, byleby się wykazać. Aż nadszedł czas Zaremby, smok wybrał mnie i Półtoraoki mógł mi co najwyżej miód podawać.

— A teraz? — spytała Wierzbka.

— Czas Zaremby jeszcze się nie skończył — odpowiedziała Ostrzyca. — Ale ja już muszę być gotowa na to, co nastanie po nim.

— Chcesz odejść z warowni? — W głosie Wierzbki nie było niedowierzania. Po prostu spytała.

— Nie wiem — szczerze odpowiedziała Ostrzyca. — No dobra, dość tych łzawych zwierzeń.

— Dorzucę ci na buty. — Wierzbka chwyciła za mieszek przy pasku. — Zarobiłam na kilka par, nie patrz się tak. No co? Sobie kupiłam, nie potrzebuję kolejnych. Na Wawelu jeść dają, niczego mi nie brak.

Wyjęła monety i wcisnęła jej w rękę.

— Bierz, to prezent — uśmiechnęła się i Ostrzyca pomyślała, że jednak „piękne krople" nie są takie głupie.

— Dzięki — odpowiedziała i schowała pieniądze.

— To ja dziękuję — odpowiedziała Wierzbka. — Ta rozmowa nauczyła mnie więcej o mężczyznach niż kilka lat w „Zielonej Grocie".

Ostrzyca wstała, otrzepała płaszcz i przeciągnęła się.

— Wracam do Jarogniewa, powiem, żeby cię nie poganiał. Zrobisz, co w twojej mocy, Wierzbko. A nim się nie przejmuj. Tak jak mówiłaś: Półtoraoki zszedł z drzewa i pojęcia nie ma o Wawelu.

— Tak nie powiedziałam — parsknęła śmiechem zawstydzona Wierzbka.

— A, to źle usłyszałam — puściła do niej oko Ostrzyca.

Wierzbka nieoczekiwanie przytuliła ją z całych sił.

— Dziękuję ci, siostro — szepnęła. — Kup sobie najpiękniejsze buty krakowskie. I idź w nich, dokąd zechcesz.

Poszłabym jeszcze tej nocy — odpowiedziała jej w myślach Ostrzyca. — Gdyby tylko wiedziała, czego naprawdę chcę.

RIKISSA stała w ciemnym korytarzu swej brneńskiej rezydencji i nasłuchiwała. Uczta z tańcami i maskaradą zacząć się miała niebawem, goście zjechali już w południe, kuchnia była gotowa do wydawania najwymyślniejszych potraw, za które odpowiadał Alberto, italski mistrz kuchni przysłany jej w podarunku przez króla Jana z jednej z jego nieustających podróży. Alberto przywiózł „list uwierzytelniający"; był to pergamin z miniaturą namalowaną przez Hunkę. Przedstawiała ucztę, w której zasiadała dama i kawaler. Na stole między nimi piętrzyły się potrawy, które po bliższych oględzinach okazały się księgami upozowanymi na pieczoną dziczyznę i zwojami pergaminów ułożonymi na półmiskach niczym pieczone ryby. Zrozumiała przesłanie Jana — zaproszenie na intelektualną ucztę, której przedsmakiem miał być Alberto. Gdy obejrzała miniaturę i nacieszyła się jej żartobliwym tonem, Italczyk pokazał jej, żeby spróbowała pieczęci przywieszonej do pergaminu. Okazała się twardym migdałowym ciastkiem wypełnionym czerwoną galaretką, zamiast woskiem. Marketa nie wpuściła Alberta do kuchni bez walki. Zrobiła mu tyle przykrości i afrontów, ile potrafiła. Sypała sól do śmietany, „niechcący" wsuwała ząbki czosnku między orzechy i oczywiście zaprawiała miód Alberta piołunem. Znalazła zresztą sojusznika w osobie Lipskiego. Ukochany Rikissy powiedział, że woli kuchnię Markety, a nie frymarczenie Italczyka, i tak na brneńskim dworze powstała frakcja „kapusty ze skwarkami" i „makaronu". Rikissa wyjaśniła Markecie, że nie może odesłać Alberta królowi, bo byłby to niegrzeczne, i obiecała, że w nowym roku wybuduje dla niego osobną kuchnię, by nie wchodzili sobie w drogę. Marketa zmieniła zdanie natychmiast, oznajmiła, że nowa kuchnia będzie dla niej, a Italczyk niech bierze starą. Tym sposobem miała kilka miesięcy wolnego, a Alberto przygotował dzisiejszą ucztę.

Lipski wymyślił, że będą się bawić w maski. Zaskoczył ją, bo zwykle unikał dworskich zabaw, nazywał je „wymysłami zniewieściałych paniczyków" i stawiał w kontrze do prawdziwie męskich rozrywek — polowań i ćwiczeń rycerskich. Pomyślała, że jej luby się zmienia, że nadchodząca starość nastraja go łagodniej i otwiera. Miała na te późne lata życia tyle planów, dzisiaj już wie, że niektóre z nich się nie spełnią. Nie będzie kołysała dziecka Anežki. Jej ukochana córka jest białą małżonką. Nigdy nie legła w łożu z Henrykiem Jaworskim, a póki książę żyje, pozostanie jego żoną. Na uwięzi ślubnej przysięgi, którą złożyła jako dziecko, ufając jej, swojej matce, że tak właśnie trzeba. Rikissa czuła się winną, chociaż nie zrobiła nic złego. Rozpamiętywała każde ze słów przez siebie wypowiedzianych, każdy z gestów, które zapamiętała. Nie znalazła w nich nic, co mogłoby Henryka zachęcić, ośmielić, dać mu nadzieję. A jednak stało się i jej zięć darzył uczuciem ją, nie jej córkę.

Nie powiedziała tego Anežce. Zrobiłaby wszystko, by ją ochronić. Ale jej córka była istotą wyjątkową od chwili swych narodzin i Rikissa nie zdziwiłaby się, gdyby Anežka, na swój sposób, czuła, o co chodzi w tej zawiłej sytuacji. Póki co, jak zawsze, przyjmowała życie takim, jakie było. Radowała się, że nikt nie zmusza jej do wyjazdu do Jawora. Że pan mąż przysyła sporadyczne listy, w których zapewnia ją o swym oddaniu i przeprasza, iż tak bardzo pochłaniają go sprawy księstwa. Cieszyła się, że może spędzać czas u boku matki, pomagała Rikissie w sprawach związanych z budową klasztoru, razem z nią dyskutowała z mistrzami murarskimi, jak ustawić kolumny, jak osadzić portyki i co zrobić, by światło słoneczne przenikało i kościół, i klasztor z każdej strony. Dla Rikissy to był *opus vivandi.* Aula Sanctae Mariae, wcielenie boskiego piękna w morawskiej krainie. Podziękowanie za to, że Bóg włożył w jej ręce tyle bogactwa, iż mogła zamienić je na Jego chwałę wymurowaną na ziemi. Człowiek czuje się spełniony, gdy może tworzyć, a ona teraz tworzyła. Wymyślała lekkie, strzeliste linie murów, a mistrz wykuwał je z kamienia.

Tak, czuła całą sobą, że teraz, gdy skończyła trzydzieści siedem lat, zaczęła wykuwać swój ślad na ziemi. To przejmowało ją dreszczem.

Stała w mroku, słuchając, jak muzycy stroją instrumenty i z pojedynczych dźwięków wykluwa się lekka, zmysłowa melodia. Patrzyła w długi ciemny korytarz, na końcu którego migotało światło, i była gotowa w nie wejść.

Światło zafalowało i przesłonił je ciemny kształt. Kto to?

Mężczyzna ze skrzydłami u ramion, imponujący i potężny. Szedł do niej czarny ptak. Muzycy zgrali się w jednej chwili i wyprowadzili ze smyczków melodię, od której wzruszenie zatrzymało jej oddech, jakby wtłaczało go z powrotem do płuc. Ptak przyspieszył, jego skrzydła zafalowały, podszedł do niej i podał ramię.

— Polecisz ze mną? — spytał.

— Tak — odpowiedziała — ty jesteś moją drogą, Henryku z Lipy. Drogą, na którą skierował nas Pan.

HENRYK Z LIPY patrzył na swoją królową i nie wierzył. Najpiękniejsza z kobiet, najmądrzejsza, jaką znał, oddawała mu pocałunki. On przebrał się dla niej za orła, ona dla niego za lwicę. Miała na sobie suknię z płowych futer, dopasowaną tak mocno, że trzymał w ramionach kocicę. Orzeł i lew, to piękne znaki, ale to była zabawa. Ona owszem, miała w herbie trzy lwy, które teraz jak stado czuwały u jej kolan, ale on tylko przebrał się za orła. Był pniem lipy, niczym więcej. I chociaż owdowiał — jego żona, Scholastyka, zmarła w klasztorze, który dawno temu przedłożyła ponad małżeńskie łoże — nie pojmie za żonę kobiety swego życia. Ona jest podwójną królową, a on tylko drzewem lipy. Potomkiem rycerskiego rodu, który owszem, stał się pierwszym po królu panem Czech, marszałkiem i hetmanem ziemskim, ale nigdy nie dorówna rodem koronowanym głowom. Nawet jeśli ma w swojej więcej oleju od nich.

Może całować *bis reginę*, może dzielić z nią łoże, ale nigdy nie zwiąże się z nią przed Bogiem. Nie stanie z nią w majestacie prawa przed ołtarzem i nie powie „biorę ciebie". Będzie ją brał naprawdę, chwytając jej szczupłe biodra w swoje twarde, pokryte bliznami dłonie, będzie budził się z nią rano i całował jej senne powieki o świcie, ale nie usłyszą „co Bóg złączył". I dlatego zdobywał ją każdego dnia od nowa. By człowiek nie mógł rozłączyć.

Porwał ją do tańca. Nie znosił tańców. Wydawał się sobie niezgrabnym, ciężkim niedźwiedziem. Ale dzisiaj, w stroju orła, musiał być gotów na taniec godowy. Na toki!

Wokół nich wirowali goście. Przebrani za kwiaty, drzewa, szuwary. Ptaki i zwierzęta. Mignęła mu Aneżka jako biały łabędź, prześliczna. Zataił przed nią i Rikissą, że zaprosił Jaworskiego. Miał nadzieję na pojednanie tego małżeństwa, szkoda tak pięknej dziewczyny i tak rycerskiego młodzieńca. Stworzeni dla siebie, może zejdą się wreszcie? Książę Jaworski przebrał się za sir Lancelota z Jeziora. Skoro ona jest łabędziem, może popłynie wreszcie? Przybył i jego syn, Henryk Junior, z żoną, Agnieszką z Blankenheimu. Paw i Róża. Co z tego będzie? Chwała Bogu, mają już dzieci.

Jego lwica tańczy z nim i właściwie, co go obchodzi reszta? Dobrze, chciałby zaplanować im wszystkim dobre życia. Poobdzielać urzędami, ziemiami, powiedzieć, ile dzieci powinni spłodzić i jak je wykierować na ludzi. Kształcić w prawie i mieczu, to najważniejsze. Italski kucharz podał na stoły makarony z jakimś zielskiem. I ryby pieczone bez boczku, całkiem suche. Na słodko ryż, cenny jak złoto. Dobry. Rozpływa się w ustach. Wstyd przyznać, że mu smakuje, ale może nie dowie się o tym Marketa, bo pojechała odwiedzić siostry. Jeśli kobiecina go spyta, skłamie, że był ohydny. Kleił się i był słodki.

Muzyka nagle ucichła, jakby wszyscy zasłodzili się tym ryżem. I wtedy do sali wkroczył lew.

Młody, piękny i złotooki.

— Niech żyje król Jan! — pierwsza rozpoznała go Rikissa.

A Luksemburczyk nie ryknął, tylko mruknął:

— Wyczuwam, że tu jest jakaś królewska lwica.

Lipskiego sparaliżowało.

WINCENTY NAŁĘCZ nie spał trzecią noc z rzędu. Kładł się zmęczony, ale gdy zamykał oczy, sen odchodził od niego. Wstawał, ubierał się, wskakiwał na siodło i jechał, sprawdzał nocne warty, które trzymał, odkąd dostał wiadomość z Wawelu. Wojna zacznie się lada dzień. A on właśnie wydał Gosieńkę za Ostena. Jego jedyna córka, jego ukochana dziewczynka, spodziewa się dziecka. Co robić?

Król przekazał „dobra twych przyjaciół będą bezpieczne", ale czy to prawda, czy tylko uspokaja go, by Nałęczowie pozostali wierni? Gdy rok temu niespodziewanie zgodził się na małżeństwo Nałęczówny z Ostenem, wiedział już, że uderzy na Brandenburgię? Zgodził się, by powiązać nadgranicznych możnych brandenburskich niepisanym sojuszem? Pytania kłębiły się w głowie Wincentego i na wiele z nich nie było dobrych odpowiedzi. Starsza Polska postawiona była w stan najwyższej wojennej gotowości. Wojewoda poznański trzymał wojska od tygodnia, bo król każdego dnia mógł nadejść. Król w liście do wojewody napisał, że ruszą odebrać to, co Starszej Polsce siłą zabrano. Odzyskać ziemie zagarnięte przez margrabiów po śmierci Przemysła. Do diabła! Te ziemie kupili Ostenowie i oni tam mieszkają! I jego córka, jego Gosieńka, która teraz urodzi im dziedzica. Strasznie się życie skomplikowało. Zatoczył krąg wokół Czarnkowa i wrócił do dworu nad ranem. Śnieg pryskał spod końskich kopyt, szedł silny mróz. W drzwiach dworzyska zamajaczyła szczupła sylwetka okryta futrem. Zeskoczył z siodła i sam zaprowadził konia do stajni. Służba budziła się niemrawo.

— Wincenty — usłyszał za plecami głos żony. Odwrócił się.

— Dlaczego nie śpisz? — spytał.

— Z tego samego powodu co ty — odpowiedziała.

Zdjął siodło z konia, odwiesił je. Pogłaskał wałacha po mokrym od potu grzbiecie.

— Pojadę do Ostenów — powiedziała Zbysława. — Wezmę sanie i przywiozę Małgorzatę do domu.

— Co im powiesz? Nie wolno nam... — żachnął się.

— Tobie nie wolno. Ja jestem matką i chcę opiekować się ciężarną córką. Co mi zrobią? — uniosła podbródek wysoko.

— Betkin byłby głupcem, nie mężem, gdyby ją ci wydał — odpowiedział.

— Więc pomówię z Burchardem — nie dała się zawrócić z obranej drogi. — Nie ma innych synów niż Betkin, więc dziecko Małgorzaty będzie jego dziedzicem. Musi być dla niego najdroższe. Drezdenko to dziura, kto jej tam pomoże? Powiem, że zamieszkam z nią w Poznaniu, w domu, który należał do biskupa Andrzeja. W Poznaniu dwóch medyków, a kobiety w naszej rodzinie ciężko znoszą poród.

— Naprawdę? — doskoczył do niej i chwycił ją za szczupłe nadgarstki.

— Nie — odpowiedziała zimno. — Ale skoro ty dałeś się nabrać, Burchard też uwierzy.

Odetchnął. Brak snu i lęk o córkę sprawiał, że stał się przeczulony. Przycisnął Zbysławę do piersi.

— Weź zbrojnych — szepnął do niej.

— Nie. Nie jadę jej odebrać siłą i nie ma się czego bać. Kraj jest bezpieczny — powiedziała z takim przekonaniem, że był gotów jej wierzyć. — Wezmę zwykłą służbę. Idę się pakować, zaraz świt.

Bez czułości wysunęła się z jego uścisku.

— Dziękuję, Zbysławo — powiedział.

— Weź się w garść, Nałęczu — odpowiedziała twardo Zarembówna. — Wojna u bram, masz wyjść z niej jako wojewoda.

— Tak jest — szepnął do jej pleców oddalających się w kierunku dworzyska.

WŁADYSŁAW w wojennej koronie na skroniach szedł do kolegiaty łęczyckiej.

Granit, piaskowiec i polne kamienie, z tego wykuta jej potęga. Uniósł głowę. To nie są majestatyczne wieże kościoła. To wieże obronne i otwory strzelnicze. I chorągiew królestwa, biały orzeł równym rytmem łopoczący na wietrze. Oparła się Tatarom, oparła się Krzyżakom, spalił ją Witenes wraz z ludźmi, co się w niej schronili. Niżej, na murach świątyni, wciąż czarny ślad po ogniu. Jakby ją diabeł oblizał — pomyślał i przeżegnał się.

— Wieczny odpoczynek memu bratu, Kazimierzowi, księciu na Łęczycy — powiedział — i jego poddanym, którzy stracili życie w litewskim najeździe.

— Światłość wiekuista niechaj im świeci — odpowiedział Paweł Ogończyk, kasztelan Łęczycy, i weszli w progi świątyni.

Ludzie rozstępowali się i klękali przed królem idącym do ołtarza. Stanął. Za jego plecami Jarosław Bogoria, Paweł Ogończyk i dwaj wojewodowie: kujawski, Wojciech Leszczyc, i kaliski, Marcin Zaremba. Wokół ołtarza Piotr, proboszcz kapituły łęczyckiej, a wokół niego konfratrzy, wszyscy w uroczystych strojach i czarnych płaszczach ze złotymi krzyżami. Przeszedł go dreszcz.

— Zgodnie z wolą Ojca Świętego przesłaną nam w tym oto liście — Piotr uniósł wysoko pergamin i pokazał zgromadzonym — ogłaszam, że Ludwik Wittelsbach, książę bawarski, nie jest już królem Rzeszy Niemieckiej, bo został przez papieża zdjęty z tronu.

Przez tłum zgromadzony w kolegiacie przeszedł szmer. Co innego słuchać plotek o sporze króla i papieża, co innego usłyszeć to na własne uszy przed ołtarzem. Konfratrzy ustawili się półkolem za plecami Piotra, a służba liturgiczna wyniosła z prezbiterium czarne, zapalone świece. Prowadził ją Borutka, w czarnej pelerynie. Niósł największą ze świec i stanął z nią przy samym proboszczu. Konfratrzy wzięli od służby liturgicznej zapalone świece i unieśli nad głowami. Świecę Piotra trzymał Borutka. Kapłan rozwinął pergamin i czytał dalej:

— Ja, Ojciec całego Kościoła, Jan XXII mocą nadaną mi przez urząd, który sprawuję, wyklinam Ludwika Wittelsbacha, rodzinę jego i popleczników jego. Wykluczam Ludwika i każdego, kto mu służy, z grona dzieci Bożych. Od tej chwili łaska Pana naszego zostaje mu odebrana. Bóg go nie widzi!

W tej chwili rozdzwoniły się kolegiackie dzwony dźwiękiem grubym, żałobnym, niskim. Konfratrzy na znak Piotra zeszli ze stopni ołtarza i na kamienną posadzkę rzucili zapalone świece.

— Bóg go nie widzi! — powtórzyli chórem.

Piotr wciąż trzymał w rękach wielki pergamin, Borutka wyręczył proboszcza i rzucił jego świecą. Poszybowała najpierw w górę, obróciła się i spadając na posadzkę, zgasła w locie.

— Ach... — jęknął tłum.

— Bóg go nie widzi! — wyskandował Borutka, przekrzykując dzwony.

— Bóg go nie widzi! — podjął lud zgromadzony w kościele, aż wreszcie proboszcz uniósł obydwa ramiona i uspokoił wiernych.

— Królu Władysławie — zawołał — i wy, rycerze Królestwa Polskiego! Pochylcie głowy do błogosławieństwa.

Zebrani klęknęli, Władysław wyszedł kilka kroków do przodu. Stanął przed leżącymi w nieładzie, połamanymi od uderzenia czarnymi świecami.

— Papież wspiera tych, co ruszają na wojnę przeciw wyklętemu Ludwikowi. Niech i Bóg Ojciec wam błogosławi! Niech otoczy swą chwałą tych, co polegną, oddając duszę Jemu. Rannych uleczy, a którym blizn zagoić nie zdoła, niech ukoi ich cierpienie, amen.

Władysław potoczył wzrokiem po klęczących wokoło. Rycerstwo sandomierskie, krakowskie, kujawskie, łęczyckie. Starzy i młodzi. Silni, zdrowi. Ilu z nich nie wróci?

— Amen — odpowiedział kapłanowi. — Bóg z nami.

Wyszedł ze świątyni. Zimowe, niskie słońce odbijało się od śniegu ostrym światłem. Zakuło go w oczy, osłonił je.

— Gdzie Litwini? — zapytał Ogończyka.

— Pod Koninem — odpowiedział Paweł.

— Dobrze — skinął głową Władysław. — Przez pamięć mego brata nie powinni pojawiać się w pobliżu Łęczycy. Ilu ludzi?

— Mówią, że tysiąc dwustu.

Władysław gwizdnął.

— Jest siła. Pod czyją wodzą?

— Wojewody Grodna, Dawida.

— Od wschodu nic nam nie grozi — z namysłem powiedział Władysław. — Bolesław Jurij na tronie halickim strzeże przed Tatarami. Od południa Węgrzy, moja córka lada dzień urodzi, a w listach upiera się, że znów syna. Tak czy inaczej, południe bezpieczne. Luksemburczyk wciąż jeszcze w podróżach po świecie. Północ uspokojona rozejmem z wielkim mistrzem i książętami Mazowsza. Trojden póki co obiecał wszystkich umów handlowych dochować. Sojusznicza Litwa nadciągnęła z wojskiem. I pozostaje ostatnie pytanie: czy nie zawiodą swoi?

— Boisz się, królu, że najsłabszym ogniwem będzie Wincenty Nałęcz?

— Boję się, że on się boi — wymijająco odpowiedział Władysław.

JADWIGA nie mogła sobie znaleźć miejsca na Wawelu, odkąd wyjechał Władek. Odwykłam od wojny — pomyślała, nakłuwając igłą materiał rozciągnięty na tamborku. — Bunt wójta Alberta był już tyle lat temu, człowiek młodszy to jednak bardziej odważny. — Przeciągnęła nitkę, przytrzymując palcem materiał, by przeszła równo. — Powiedział, że na Zielone Świątki będzie w Krakowie, ale to tyle czasu, mój Boże, ledwie minęło Matki Boskiej Gromnicznej. Jak sobie czas zapełnić? Wiem, wezmę dzieci, pojadę do Sącza. Tam zimą tak pięknie. — Wkłuła się od spodu. Wyszywała kwiat, który śnił jej się czasami, a ostatnio coraz częściej. Nie widziała takiego w naturze. Miał płatki jaskrawozielone, przechodzące w czerwień. Układały się w smukły kielich, zakończone były ostro, jakby wywinięte na zewnątrz. — Dzieci? — złapała się na tej niemądrej myśli. — Ja już nie mam własnych dzieci. Jadwinia dorasta i w tym roku zacznie nowicjat, a Kazimierz ma żonę i właśnie przestał być dzieckiem. Musiałabym zaprosić i Litwinkę, a nie chcę.

Nie polubiła jej. Nie mogła się przemóc. Dla niej to była córka poganina, która ochrzciła się tylko dlatego, że jej kazano. Nagle Wawel zrobił się dla Jadwigi ciasny, bo wszędzie mogła spotkać synową. Drażnił ją jej śmiech, jej skłonność do tańca i zabawy. Nie wybaczyła Giedyminównie pierwszego spotkania, choć starała się Władkowi wybaczyć sojusz z Litwą. Starała się.

— Mamo? — głos Kazimierza zabrzmiał tak niespodziewanie, że

Jadwiga ukłuła się igłą w palec. Kropla krwi rozlała się po naciągniętej materii i zabarwiła wnętrze kwiatu purpurą.

— Synu? Co się stało? — oderwała błędny wzrok od wyszywania.

— Nic — uśmiechnął się do niej promiennie, jakby Litwinki nie było między nimi. — Chciałem cię zobaczyć, zapytać, czy niczego ci nie brak.

— Brak — wyznała z zawstydzeniem. — Brak mi moich dzieci. Nagle poczułam się stara.

Podszedł do niej, klęknął i wyjął jej tamborek z rąk.

— Mamo — powiedział. — Dla mnie zawsze jesteś młoda. Chcesz? Wyjedźmy gdzieś razem. Ty, ja i Jadwinia. Może do klarysek, do Sącza? Nigdy nie byłem tam zimą.

Uściskała go. Mój Boże — pomyślała tkliwie — najsłodszy synuś, czyta mi w myślach.

Otarła łzy ukradkiem, by nie widział. Co za szczęście, wciąż był jej Kazimierzem. Kaziulkiem.

Wyruszyli tydzień później, zimową podróż trzeba przygotować. Wawel został w rękach Nawoja z Morawicy, a smutna Litwinka żegnała Kazimierza, jakby miał nie wrócić.

— Co jej powiedziałeś? — spytała Jadwiga, gdy Kraków został za plecami.

— Prawdę — odpowiedział zaskoczony. — Że królowa matka mnie potrzebuje.

— Zrozumiała?

— Dlaczego miałaby nie zrozumieć? — zdziwił się. — Jest kobietą, wkrótce sama będzie matką.

— Co ty mówisz? To już? — zaskoczona złapała za łokieć Jadwinię. Obie jechały na saniach, ze Stanisławą, jako trzecią. Kazimierz towarzyszył im konno.

— Mamooo — zaśmiała się Jadwinia. — To jakbyś im wchodziła nocą do alkowy.

— Ja was urodziłam — odpowiedziała urażona.

— „Od przyjścia na świat nie macie przede mną tajemnic" — wyrecytowali Kaziu i Jadwinia jednocześnie, robiąc przy tym przemądrzałe miny.

— Ja się tak wykrzywiam? — spytała niepewnie.

— Nie aż tak — ucałowała ją w policzek Jadwinia. — Teraz przesadziliśmy.

Pierwszy nocleg wypadł w Wieliczce. Zajęli dawny dom Gerlacha de Culpena, wójta wielickiego sprzed czasów buntu; Władysław zarekwirował dobra rebeliantów, a de Culpen zbiegł z Królestwa i nigdy nie wrócił do Polski. Dom stał się wygodną stancją, czasami Władysław umieszczał tam królewskich gości. Na co dzień stał pusty, zarządzał nim burmistrz wielicki, który zastąpił Gerlacha de Culpena.

— Nieźle sobie tu mieszkał — Kazimierz myszkował po kątach.

— Widziałyście alkowy? — krzyknął z głębi domu.

— Spałyśmy w nich! — odkrzyknęły jednocześnie.

Do Sącza jeździły wspólnie dwa razy każdego roku.

— Co za wygody! — dobiegło z oddali.

— Najjaśniejsza pani — odezwała się Stanisława — położę się. Podróż mnie umordowała.

— Nie poczekasz na wieczerzę? — zmartwiła się Jadwiga.

— Dzień postu dobrze mi zrobi — ukłoniła się Stasia i poszła. Zaszeleściła za nią sztywna suknia.

— Ale łoże! — krzyknął z głębi domu Kazimierz.

— Ciekawe, które mu przypadło do gustu — Jadwiga puściła oko do Jadwini.

— Stawiam na biskupie — odmrugnęła córka i obie ruszyły za Kaziem.

Nie myliły się. Królewicz leżał wyciągnięty na łożu z purpurowym baldachimem. Za czasów świetności de Culpena należało do jego szwagra, Jana Muskaty, który był częstym gościem w Wieliczce.

— Nie dam się stąd wygonić! — zastrzegł, gdy weszły. — Objąłem je w posiadanie. Jest moooje!

— Obawiam się, że same pojedziemy do klarysek — mruknęła Jadwiga.

— Rozbił solidne obozowisko — potaknęła córka. — Albo będziemy go oblegać, albo odbierzemy w drodze powrotnej.

— To drugie — mruknął, układając się wygodniej.

— To pierwsze! — wrzasnęła Jadwinia, rzuciła się na łóżko i zaczęła łaskotać Kazimierza.

— Nie! — zawył. — Tylko nie to! Poddaję się! Matko, ratuj!

— O której podać wieczerzę, najjaśniejsza pani? — za plecami rozbawionej Jadwigi dygnęła służka.

— Brzózka? — nie była pewna, czy poznaje dziewczynę.

— Niemalże — uśmiechnęła się w odpowiedzi. — Wierzbka.

— Ach tak, mistrzyni pierogów z bobem. — Jadwiga miała do niej słabość. — Nie widziałam cię wśród służby.

— Pani ochmistrzyni kazała jechać przodem, dom naszykować przed przyjazdem najjaśniejszych państwa.

— Co dla nas ugotowałaś? — spytała Jadwiga i zobaczyła, że Jadwinia chce jeszcze się bawić, ale Kazimierz pilnie nasłuchuje. Łasuch — pomyślała o synu.

— Dzisiaj środa, jaśnie pani pości, więc jest polewka na wędzonej rybie i grochu. Do tego pierożki z grzybami i potrawka z kaczki i kapłona, bo nie wiedziałam, czy królewicz też trzyma posty.

— Nie przy potrawce! — krzyknął Kaziu i połaskotał Jadwinię.

— Zostaw, to boli — pisnęła. — Puszczaj!

— Podaj, jak będzie gotowe — powiedziała Jadwiga Wierzbce i dodała: — Gdy opuszczają Wawel, znów są dziećmi.

— Niełatwo tak żyć na widoku — odpowiedziała dziewczyna, ukłoniła się i zniknęła.

— No puszczaj... — westchnęła Jadwinia. — Mamooo...

Zaklaskała.

— Koniec zabaw! Pora na modlitwę przed wieczerzą.

— Najpierw dziękujemy, dopiero potem jemy — wyrecytowali zgodnie.

Do stołu podawała ta druga, młodsza siostra Wierzbki.

— Jak ci na imię, przypomnij — spytała Jadwiga.

— Dziewanna — odpowiedziała dziewczyna i zawstydziła się.

— A mówią na ciebie Dziewanka. Nie, czekaj! Dzieweczka. Królowa pamięć ma długą, to znaczy długo trzeba czekać, aż sobie przypomni — uśmiechnęła się do Dziewanny.

— Ale też niczego nie zapomina, uważaj, dziewczyno — pogroził jej palcem Kazimierz i nagle, ni stąd, ni zowąd się zarumienił.

Podobają mu się ładne dziewczyny? — pomyślała Jadwiga i zdała sobie sprawę, że nigdy wcześniej tego nie zauważyła. — To wpływ Litwinki. Mówią, że one uwielbiają rozkosze łoża.

Gdy dziewczyna podała i poszła sobie, Jadwiga wróciła do tematu.

— Mówisz, że ona spodziewa się dziecka?

Kazimierz uniósł wzrok znad potrawki. Jadwinia zaprotestowała.

— Mamo, „ona" jest żoną Kazia. Na imię jej Anna. Pogódź się z tym.

— Ale ja nie protestuję! Pytam tylko, czy ona, Anna, spodziewa się dziecka. To ważne dla rodu. I dla całego Królestwa.

— Nie wiem — odpowiedział na wcześniejsze pytanie Kazimierz.

— Ale sam powiedziałeś, że wkrótce będzie matką — przypomniała Jadwiga.

— No bo będzie — wzruszył ramionami i jadł dalej. — Staramy się, jak trzeba, więc to tylko kwestia czasu.

— Wiesz, że tylko ty nam zostałeś — powiedziała czule.

— Robię, co mogę. Więcej się nie da — mrugnął do niej znad miski.

Jadwinia spuściła oczy, zawstydzona. Jadwiga też się speszyła, chyba rzeczywiście, chciała dowiedzieć się za dużo.

— Ale to dobre — powiedział po chwili. Miskę miał pustą, sięgnął po garnczek z potrawką ustawiony na stole. — Jadwiniu, chcesz spróbować?

— Nie jem mięsa, ani ryb — uśmiechnęła się jej córka. — Od dawna, ale nie zauważyłeś.

— Ryby powinnaś, w klasztorze dwa razy w tygodniu są ryby. Sącz ma swoje stawy, tamtejsze...

— Mamo, poradzę sobie — powiedziała Jadwinia.

— Co? Może i ty już nie jesteś dzieckiem? — chciała zabrzmieć wesoło, ale wyszło płaczliwie. — Ach, co ja gadam, wybaczcie.

— A Elżunia lada dzień będzie rodziła — zmieniła temat Jadwinia. — Tak chciałabym, żeby miała teraz córkę. Pewnie dałaby imię po mamie i byłoby dwoje węgierskich wnuków: Władysław i Jadwiga. Jak to po węgiersku, mamo?

— Ulaszlo i Hedvig — odpowiedziała odruchowo.

— Ona urodzi syna — wtrącił się Kazimierz. — Nasza siostra jest tak uparta, że jak powiedziała, iż będzie syn, to będzie.

— Najważniejsze, żeby było zdrowe — zamknęła dyskusję Jadwiga. Nie znosiła rozmów o nienarodzonych dzieciach. Władek śmiał się z niej, że jest przesądna, jak chłopka. „Mam zasady i się ich trzymam" — odpowiadała mu.

— Podać coś jeszcze? — spytała Dzieweczka, bezszelestnie stając w wejściu.

— Dla mnie napar z lipy — poprosiła.

— Dla mnie wino — powiedział Kazimierz.

— A dla mnie bicz — bez mrugnięcia okiem powiedziała Jadwinia. — No co? Będę biczowała Kazia, bo się obżarł.

— Nie słuchaj ich, dziewczyno — zaśmiała się Jadwiga. — Poza Wawelem błaznują. Przestańcie peszyć Dzieweczkę.

Rozeszli się na spoczynek późno. Jadwiga zasnęła jak dziecko. Głęboko i mocno. Obudził ją świdrujący krzyk. Było ciemno, zerwała się z łóżka, nieprzytomna. Przez chwilę nie wiedziała, gdzie jest, potem ktoś uderzył w drzwi alkowy.

— Wejść — zawołała.

W drzwiach stanęła Stanisława ze świecą.

— Królowo... — wyszeptała i dopiero teraz Jadwiga zobaczyła, że Stasia jest w samej koszuli nocnej.

— Co?... Co?...

Stanisława nie mogła wykrztusić słowa, cofnęła się o krok, odwróciła, jakby chciała ją gdzieś prowadzić. Jadwiga poszła za nią. Krzyk dochodził z alkowy Kazimierza. Z dawnej sypialni Jana Muskaty.

— Nie... — wyszeptała Jadwiga i zachwiała się.

Stasia podała jej ramię i powiedziała:

— Nie. Nie on.

Na łożu pod purpurowym baldachimem leżała Jadwinia, na twarzy miała sine plamy. Przy niej stała Dziewanna i to ona krzyczała przerażona. Do komnaty wbiegła Wierzbka, w rozchełstanej nocnej koszuli. Obrzuciła wzrokiem łoże, Jadwigę i Stasię skamieniałe w jego nogach.

— Trzeba ją ratować! — krzyknęła Wierzbka. — Nie drzyj się, tylko mi pomóż — skarciła siostrę.

Odrzuciła ciężką kapę, zerwała z Jadwini kołdrę i przypadła uchem do jej piersi.

— Cicho! — rozkazała. — Nie słyszę oddechu.

Jadwiga była jak skamieniała. Nie wierzyła w to, co się działo.

— Masuj dłonie — rozkazała Wierzbka siostrze. — Niech ktoś masuje stopy!

Stasia i Jadwiga ożyły, rzuciły się do nóg dziewczyny i zaczęły je rozcierać. Zimne, trupio zimne — przebiegło jej przez głowę, ale masowała stopę córki, bo nie mogła nic nie robić.

— Co tu się dzieje? — W drzwiach stanął rozbudzony Kazimierz. — Jadwiniu...

Dopadł do siostry, odsuwając Wierzbkę wciąż przyciskającą ucho do nieruchomej piersi Jadwini.

— Ona nie żyje — powiedział. — Ona nie żyje. Nie oddycha.

— Trzeba ją ratować — upierała się Wierzbka i zaczęła z całych sił rozcierać jej siniejące policzki. — Trzeba ją ratować!

— To na nic — wyszeptał Kazimierz. — Ona nie żyje...

Zwinął się nagle wpół, zerwał i odwrócił. Zwymiotował za łoże.

— Przepraszam — wymamrotał i wybiegł.

Dzieweczka puściła dłonie Jadwini i zaczęła sprzątać po nim. Wierzbka stała nad łożem i mamrotała:

— Trzeba ją ratować… nie można tak zostawić…

Kazimierz wrócił do alkowy, klęknął przy łożu i chwycił zimne dłonie siostry.

— Szliśmy spać — powiedział matowym głosem — gdy poprosiła mnie, żebym ustąpił jej łoże Muskaty. Powiedziała: „może to ostatni raz". Dlaczego tak powiedziała?

— Bo po powrocie ojca z wojny miała zacząć nowicjat — wyszeptała Jadwiga. — To był jej ostatni wyjazd przed pójściem za klasztorną furtę.

— No i nie doczekała welonu — rozpłakała się nagle Stanisława. — Nie doczekała welonu…

Jadwiga pocałowała zimną stopę Jadwini, wstała i położyła się obok niej w łożu. Zaczęła głaskać sine policzki. Blade wargi. Jasne, rozrzucone na poduszce warkocze.

— Jak to się mogło stać? — powtarzał Kazimierz. — Wczoraj była zdrowa, wesoła… jak to się mogło stać…

— Wstawałam do pracy — odezwała się stojąca pod oknem Dzieweczka — i usłyszałam charczenie. Myślałam, że to jakiś pies, ale skąd tu pies? Szukałam, skąd to idzie, i podeszłam pod drzwi komnaty. Nadsłuchiwałam, ucichło i potem jakby westchnienie, jakby królewna się dusiła, i zapukałam. Nie odpowiedziała i weszłam. Wiem, że nie wolno wchodzić, ale się bałam, że jakiś pies… A panienka już leżała bez tchu. Może gdybym słuch miała lepszy i szybciej usłyszała…

Jadwiga zamknęła oczy. Trzecie z sześciorga dzieci umarło. Stefan na gorączkę i zimne poty. Władek po upadku z rusztowania. I Jadwinia, najmłodsza z córek, najbardziej do niej samej podobna. Na co umarła Jadwinia? Na charczenie? Jakie, mój Boże, jakie to ma teraz znaczenie? To zemsta Muskaty zza grobu? Otworzyła oczy i spojrzała w górę, na baldachim. Serce załomotało jej tak, jakby z piersi miało wyskoczyć. Baldachim był purpurowy, ale rozpościerał się na nim kwiat o smukłym kielichu i ostrych jaskrawozielonych płatkach wywiniętych na zewnątrz. Kwiat, który wyszywała, bo jej się przyśnił. Kwiat, który poplamiła krwią na tamborku.

— Boże — wyszeptała. — Do czego mnie przywiodłeś?

WINCENTY NAŁĘCZ z Borkiem z Grodziszcza, synem wojewody poznańskiego, jechał do Rogoźna. Tam król Władysław naznaczył zbiórkę rycerstwa na wyprawę.

— Omijałem to miejsce od lat — powiedział Borek, gdy zbliżali się do przeklętej kasztelanii.

— A ja spotykam się tu raz na cztery lata z Mikołajem. Ognisko palimy, wspominamy zmarłych.

— Z którym z Mikołajów? — spytał Borek.

— Oj, dziecko, dziecko — westchnął Nałęcz. — Z Grzymalitą. Szczęśliwy z ciebie synek.

— Przestań dogryzać. Mamunia mnie trzy razy krzyżem żegnała, jak żem wyjeżdżał, a wycałowała tak, że cały byłem obśliniony. Mamunia kochana, ale jak przydusi do piersi, to dychać ciężko. Weź sobie wyobraź, że mi zapakowała...

On naprawdę nie rozumie — pomyślał Nałęcz — że cztery rody Królestwa niosą na karkach ciężar Czterech Wichrów. Ta wojna jest spóźniona o równe trzydzieści lat. Wtedy wzięlibyśmy odwet na winnych. Na margrabiach Ottonie ze Strzałą i Waldemarze. Dzisiaj Askańczyków już nie ma i będziemy bić ich poddanych. Moich, psiakrew, powinowatych. Bogu ducha winnego Burcharda i Betkina. Wedegona von Wedela, któremu piwo lałem na weselu Gosieńki. Bogu niech będą dzięki, że Zbysława przywiozła dziewczynę do Poznania. Twarda z niej żona. Zarembówna z krwi i kości. Lwica, która za mur zaniosła młode. Córkę ukryła, ale synom nie pozwoliła opuścić ziemi. Sędziwojowi kazała zostać w Szamotułach, Dobrogosta wysłała do Czarnkowa. Powiedziała: „Waszego ojca nazywają brandenburskim murem. Udowodnijcie, że jego synowie to baszty". Sama osiadła we Wronkach, nad Wartą. I Wincenty mógł być pewien, że Wronki nie padną.

Daleko przed Rogoźnem powitały ich czujki królewskiego obozu. Potem straże, aż wreszcie zobaczyli samo obozowisko.

— A niech mnie! — jęknął Borek.

Rozciągało się jak niekończący się, wielobarwny kobierzec na śniegu. Podzielone na równe kwadraty kwater, jakby kto nożem je wyciął.

— Andrzej jest oboźnym, zakładam się! — krzyknął Borek, gdy zauważył ten porządek.

— Sam ze sobą — parsknął Wincenty. — Toż trzeba być ślepym, by jego twardej łapy nie zauważyć.

— To jest dziwne — westchnął Borek — on w herbie ma orła bez głowy, a w życiu łeb wiecznie na karku.

— I naoliwiony! A w obozie żadnej prowizorki.

Mijali chorągwie rodowe i ziemskie. Trzy róże Doliwów, trzy wieże Grzymalitów, łódź Łodziów i łódź Korabitów, borg Leszczyców i orlę i topory Pałuków.

— Obóz Starszej Polski pierwszy od zachodu — pochwalił Wincenty. — Andrzej to porządek trzyma nawet po stronach świata.

— Wincz. — Borek wstrzymał konia i wskazał coś na szarym końcu ich obozu. — Ty to widzisz?!

— Jezus Maria — jęknął Nałęcz. — Zarembowie półkrwi powstali.

Najmniejszy z podobozów, ale namioty na nim ustawione równiutko. Szare, ciężkie, bez ozdobnych masztów. Z jedynym proporcem: półlwiątkiem wystającym zza czarnego półkrzyża.

— Zobacz, bękarty Zarembów stawiły się na wojnę, a prawdziwi rodowcy nie — pokręcił głową Borek.

— Wojewoda Marcin dostał rozkaz pilnowania Kalisza i Gniezna — usprawiedliwił ich Wincz.

Pojedyncze ognisko płonęło w ich obozie. Stał przy nim niemłody, posiwiały mężczyzna z twarzą przeciętą starą krechą blizny.

— To Sowiec — uniósł się w strzemionach Borek. — Słyszałem o nim.

— Od ojca? — zdziwił się Wincenty.

— A gdzie tam! Od siostry mamuni. Kochała się w nim za młodu. O Chryste, jak ciotuli Zochnie powiem, że jej Sowiec żyje…

— Nie spiesz się, bracie — powstrzymał go Wincz. — Dopiero idziemy na wojnę.

Zobaczyli miejsca wyznaczone dla siebie. Pod Napiwonem już rozłożył namioty Maciej, starszy brat Borka. Ich ojciec, wojewoda Przybysław, pewnie teraz przy królu. Kwatera dla Nałęczów też zapełniała się powoli. Dobrogost i Tomisław, bracia Wincentego, przywitali się z daleka. Jechali dalej, chcieli zameldować przybycie w namiocie dowództwa. Patrzyli na chorągwie panów sandomierskich i krakowskich. Złamane strzały Bogoriów i topory Lisów i Toporczyków, półksiężyce z gwiazdą Lelewitów.

— Mrowie, bracie, mrowie — jęknął Borek. — Aż mnie przydusza! Oddychać nie mogę.

— To spójrz tam — głos Wincza zachrypiał. — Litwa. Oto Litwa.

Śnieg stopniał w ich obozie, palili mnóstwo maleńkich ognisk. Pochylały się nad nimi twarze brodate, głowy długowłose. Wydawali się drobniejsi od polskiego rycerstwa, smuklejsi, ciut niżsi? Mieli na sobie skórzane pancerze, nieliczni kolczugi, pojedynczy napierśniki na nich. Rzutcy, zwinni w ruchu. Gdy kucali, wydawali się przyczajeni. Gdy wstawali, ich ruch był zręczny. Długie włosy mieli puszczone na plecy luźno, ale pasma wokół czoła zaplecione. W puklach możniejszych połyskiwały barwne paciorki. Czyścili broń. Natłuszczali cięciwy łuków, polerowali niewielkie, jeździeckie tarcze. Ostrzyli miecze i noże. Niektórzy, wyciągnięci na skórach przy ogniu, podśpiewywali pod nosem tęskne pieśni.

— Ten w futrze niedźwiedzim śpiewa o miłości — powiedział Borek, gdy mijali go.

— Albo o śmierci — odpowiedział zasłuchany Wincz.

Ponad głowami Litwinów łopotała chorągiew z jeźdźcem na wzniesionym koniu i taki sam jeździec wyskoczył nagle z ich obozu i galopem ruszył ku chorągwi królewskiej.

— Ki diabeł? — wstrzymał spłoszonego wałacha Wincenty.

— Litewski — zaśmiał się Borek. — I bogaty jak książę piekielny.

Jeździec, który zajechał im drogę, wysforował się o kilkanaście końskich kroków. Na jego plecach pyszniło się piękne, rude futro, włosy przytrzymywał mu złoty diadem. Zdążyli zobaczyć, że nawet buty ma podkute czymś lśniącym jak złoto.

Wjechali na plac przed królewskim namiotem oznaczonym chorągwią z białym orłem.

Litwin wstrzymał konia w pędzie, ten stanął, jak na ich sztandarze.

— Wojewoda Dawid! — przywitał go Paweł Ogończyk.

— Pauluk! — serdecznie zawołał Litwin i zeskoczył z siodła.

Pyszne futro zatańczyło w mroźnym powietrzu, Ogończyk pokłonił się Litwinowi, a ten jemu, jeszcze niżej. Zaśmiali się obaj i wpadli sobie w ramiona, jak przyjaciele.

— Prosimy, prosimy. Król czeka! — powiedział kasztelan Łęczycy.

Przed Winczem i Borkiem zjawił się czarno odziany młodzian.

— Kogo witam? — spytał śpiewnie.

Borek zbladł i nie zapanował nad sobą.

— Jezus Maria — powiedział, wpatrując się w młodziana.

— Wręcz przeciwnie — odpowiedział grzecznie giermek króla Władysława.

— Nie chciałem urazić — przeprosił Borek. — Ale czyż mam zaszczyt ze słynnym Borutką?

— Kogo miłego witam? — powtórnie zapytał giermek.

— Brandenburski mur — wyszeptał Borek, nie mogąc oczu oderwać od Borutki.

— Kasztelan Przemętu, pan na Szamotułach, Wronkach i Czarnkowie, Wincenty Nałęcz i syn wojewody poznańskiego, Borek z Grodziszcza — załatwił sprawę Wincz.

— Nie mogliśmy bez panów zacząć narady — uprzejmie powiedział czarny młodzian. — Prosimy, król czeka. — I dorzucił: — Tak. Ja jestem Borutka.

— Ten, co zabił czerwonego orła? — spytał pobladły Borek, gdy zeskoczył z siodła.

— Ten sam — odpowiedział giermek i uniósł dłonie. Poruszył palcami tak szybko, jakby miał ich nie dziesięć, ale sześćdziesiąt. I mrugnął.

— Nie będę mógł spać — wyszeptał Borek.

Borutka zbliżył do niego bladą twarz i powiedział:

— My nie śpimy. My się bijemy.

I poruszył nosem jak węszący ofiarę kot.

— Za mną proszę — oznajmił i odwrócił się, tak że tylko trzy białe linie mignęły na jego płaszczu.

W namiocie królewskim było parno od ludzi. Do tego płonął ogień w żelaznym koszu. Król Władysław siedział u szczytu długiego, ustawionego na kozłach stołu. Służba podawała wino.

Gdy weszli, wojewoda Dawid wstawał z ukłonu.

— Książę pskowski i namiestnik Grodna — powiedział król. — Chwała Giedyminowi!

— On mój kniaź — uderzył pięścią w pierś wojewoda strojny jak książę. — Jemu służę. Od dzisiaj pod twoim dowództwem.

— Jesteś słynny — powiedział król.

— Moje czyny mają sławić wielką Litwę — odpowiedział Dawid.

— Siadaj po mej prawicy, Dawidzie — zaprosił go król. — Borutko, podaj wojewodzie kielich!

— Mur brandenburski przybył — oświadczył wywołany Borutka i wskazał na nich, stojących u wejścia.

— Nareszcie — powiedział król Władysław i oczy wszystkich wielkich panów Królestwa spoczęły na Wincentym. Ukłonił się nisko.

— Nie stój w wejściu, mój kasztelanie — zawołał go król. — Podejdźcie, spocznijcie z nami.

Słudzy odsunęli dla nich krzesła i Wincz nagle znalazł się tuż obok ojca Borka, wojewody poznańskiego.

— Co słychać na granicy? — bez zbędnych ceregieli zapytał król, gdy tylko usiedli.

— Nic — odpowiedział Nałęcz. — Cisza. Zwykłe życie. Nikt niczego się nie spodziewa.

— A twoja córka? — przeszedł do sedna władca.

— Brzemienna. Żona zabrała ją do Poznania. Wiadomo, medycy w pobliżu, gdyby byli potrzebni — odpowiedział.

— Poznańscy magistrzy są w naszym obozie — wtrącił się zaniepokojony wojewoda Przybysław i dodał: — Musieliśmy ich zabrać. Siła wyższa, wojna.

— Kobiety w moim rodzie są dzielne — twardo odrzekł Wincenty.

— No i dobrze. Moja żona urodziła Elżbietę, kiedyśmy oblegali Wawel — z uśmiechem powiedział król. — Wojenne dzieci rodzą się silniejsze i twardsze.

— Wykute w ogniu, skąpane w żelazie — zanucił Borutka, polewając wino.

— Coś cię trapi? — spytał król.

— Nic. Poza tym, że zabijemy mego zięcia i jego ojca. To uczciwi ludzie — odpowiedział Wincenty, zaciskając szczęki.

— Kto mówił, że ich tkniemy? — napił się wina król, patrząc znad brzegu kielicha w oczy Wincentego.

— Skoro idziemy odbić, co nam po śmierci króla Przemysła zabrano... — zaczął Wincenty.

Król Władysław wstał zza stołu nagle. Zerwali się i zebrani.

— Trzydzieści lat temu równo, co do dnia — krzyknął — margrabiowie brandenburscy zdradziecko uprowadzili naszego króla. Zabili go na śniegu takim samym, jak spadnie tej nocy! Nie mogliśmy dokonać zemsty wtedy, bo Królestwo, któremu koronę zdarto z głowy, zamarło, ale dokonamy jej teraz! Nie żyją margrabiowie Otto i Waldemar, Bóg sprawiedliwy zabrał im życie dawno. Naszym celem jest ziemia. Odzyskajmy ją i pokażmy Wittelsbachom, że Królestwo Polskie żyje i pamięta o królu, którego krew przelano na śniegu. Ruszamy o świcie z miejsca, gdzie go uprowadzono. Niech każdy z nas pamięta o Przemyśle, o jego młodym życiu, skończonym przedwcześnie. O zdradzie. O hańbie. O pomście.

— Sława! — krzyknęli zebrani.

Wincenty zobaczył, że król przyzywa go dyskretnie.

— Nie bój się, Nałęczu — powiedział Władysław, gdy Wincz stanął przy nim. — Nie tkniemy ziem twych powinowatych.

— Dziękuję, królu.

— Podziękuj książętom szczecińskim — wymijająco odpowiedział władca. — I sobie. — Położył mu rękę na ramieniu i popatrzył w oczy. — Słowem przed nimi się nie wydałeś. Nawet córkę zabrałeś im tak zręcznie, że się nie zorientowali.

— Skąd Jego Wysokość wie? — spytał sam zaskoczony.

— Mam swoich ludzi — mrugnął do niego król. — Nie poznałeś jeszcze Grunhagena. Zdziwisz się — zaśmiał się nagle. — Oj, zdziwisz!

WŁADYSŁAW już wiedział, że książęta szczecińscy nie wezmą udziału w wyprawie. Grunhagen był na Pomorzu wcześniej. Warcisław, wnuk Barnima, wdał się w wojnę o spadek po Wisławie, księciu rugijskim, a Otto sam nie chciał się ruszyć, w lęku, że jego ziemie ucierpią. Tym samym Borutka mógł odśpiewać swoją dawną pieśń o książętach Pomorza, z którymi układy „zawsze poważne, zawsze nieważne". Złośliwy giermek się mylił. Sojusz z Ottonem i Warcisławem wyraźnie mówił o nowej granicy na Drawie, a to znaczyło, że tam Brandenburczycy spodziewali się najazdu. Władysław, jak w dawnych, złych czasach znów mógł być mistrzem szybkiej zmiany. Uderzą nie na północ od Noteci, ale na południe. Ominą widły Noteci i Warty, w których są nieprzebrane puszcze, ominą Santok i Drezdenko, dobra von Ostenów, i uderzą poniżej linii Warty, gdzie, jak podpowiadał zwiad, nikt się ich nie spodziewał. Tym samym układ z książętami Pomorza przydał się — do zmylenia przeciwnika. Tamtej części granicy strzegła potężna kasztelania międzyrzecka, kiedyś w rękach książąt Głogowa, póki nie zamienili jej z Brandenburczykami na Zbąszyń, leżący znacznie bliżej ich głównych posiadłości. I to o niej pomyślał Władysław. To ją chciał przywrócić Królestwu.

W straży przedniej szedł Wincenty Nałęcz, przez kilka dni wojsko przemieszczało się po jego ziemiach i dobrach wojewody Przybysława. Władek ufał Nałęczowi, ale i tak dał mu Grunhagena do oddziału. Sam stał na czele głównych sił krakowskich i sandomierskich. Tyły zabezpieczał Doliwa i Ogończyk. Litwini, pod Dawidem, byli jak przyczajeni, mieli rozkaz trzymać ręce przy sobie, póki nie wkroczą do Brandenburgii. A potem? Ich wynagrodzeniem był rabunek. Odwieczne prawo wojny.

Obudził się wcześnie, było ciemno. Nocą mróz zelżał, ale i tak woda w cebrzyku pokryła się cienką warstewką lodu. Władysław odmówił gościny u Borkowiców, rankiem mieli przekraczać Obrę, chciał być na miejscu. Kucnął przy cebrze, dotknął palcem lodu i przebił go.

— Na rzece grubszy — powiedział Borutka.

— Nie śpisz? — zdziwił się Władysław.

— Nikt nie śpi — odpowiedział cicho. — Starszaki wcale się nie kładli. Teraz odprawiają modły za duszę króla Przemysła.

— Starszaki?

— No, Wincenty Nałęcz, Borek Borkowic, Mikołajów dwóch, jeden Doliwa, drugi Grzymalita i ten Andrzej, co ma orła bez głowy.

— Ach tak — zrozumiał Władek.

— Litwini kulbaczą konie, sandomierscy i krakowscy kończą zwijać namioty, a Jarosław Bogoria kończy jajecznicę.

— A ty to wszystko widziałeś?

— Byłem się przejść i lód na rzece sprawdzić. Przejedziemy, królu. Już nie ma na nas rady.

Władysław zanurzył dłonie w wodzie z lodem i przemył twarz. Parsknął, przeczesał palcami włosy i chciał wytrzeć ręce w kaftan, ale Borutka był szybszy i dał mu ręcznik.

Przyniósł ulubione buty Władka. Trochę zniszczone, prawda, ale wiedział, że będzie chciał je mieć na nogach, gdy dzień zapowiada się taki jak ten, co wstaje. Pomógł mu założyć kolczugę, starannie zapiął napierśnik i o pasie nie zapomniał.

— Tęskniłem za tym mieczem — powiedział giermek. — Do Płocka król go nie wziął i...

— Ale teraz wziąłem — uciął Władysław.

Radził się Janisława, czy to wypada, by miecz koronacyjny znów był mieczem bojowym? Arcybiskup oświadczył krótko: „tym żelazem król osłania i walczy o swoje Królestwo".

Więc trzymał go teraz w ręku. Patrzył na złocone płytki i inskrypcje, których nie rozumiał, ale którym ufał. Ważył jego ciężar.

Borutka stanął przed nim z potężną szkatułą i spojrzał znacząco. W Krakowie, gdy stroił go w majestat Bachorzyc, mieli swoje rytuały, ale one zostały na Wawelu. W pięknym zamku na wzgórzu, który uczynił sercem swego Królestwa. Wśród bliskich, za którymi teraz, chwilę przed bitwą, tęsknił najmocniej. Jadwiga, Jadwinia, Kaziu. Daleko na Węgrzech Elżunia. U franciszkanów groby synów.

Postawił miecz ostrzem do ziemi. Zaplótł ręce na rękojeści i oparł się na niej. Giermek przyklęknął na jedno kolano, postawił szkatułę na ziemi i otworzył.

— Wojenna korona — powiedział uroczyście Borutka.

Władysław skinął głową. Borutka wyjął ją i nie wstając, założył mu na skronie. Spojrzeli sobie w oczy, skupieni.

— W drogę — powiedział Władek i trzy razy potarł prawą nogą o ziemię.

Borutka zamknął szkatułę, wstał i spakował ją do kufra.

— Jeszcze łokietek — rzucił od niechcenia przez ramię. — Póki nie złożą nam namiotu.

Władek dotknął łokciem masztu.

— Nie jestem przesądny — mruknął.

— To nie przesądy — oświadczył Borutka. — To przyzwyczajenia.

— Wszystko zabrałem? — Władysław obrzucił wzrokiem wnętrze.

— O mnie król zapomniał — zachichotał giermek. — Ale ja się nie dam zostawić.

— A gdzie ty masz kolczugę? — zaciekawił się Władek.

— Na sobie! — Borutka podciągnął kaftan z czarnej, miękkiej skóry. — Tu, pod spodem.

— Nie widzę.

— Bo jest czerniona. Zamówiłem u takiego jednego płatnerza z Wieliczki. Wziął mniej, niż wołają krakowscy.

— Cienka jakaś — ocenił Władek. — Ochroni cię to?

— Odpowiem wieczorem — błysnął zębami Borutka.

Wyszli przed namiot. Stajenny zameldował:

— Radosz osiodłany, jak król kazał.

— Przyprowadź — zażądał.

Złotą klacz, którą zwał Mojmirą, też zabrał ze sobą. Mówił na nią „klacz majestatyczna", bo kto ją zobaczył, nie zapomniał. Ale dzisiaj zostanie z koniuszym, a on pojedzie na Radoszu, synu Rulki.

Z jego grzbietu kierował przeprawą. Obra w miejscu, które wskazał Wincenty, nie była szeroka. Lód trzymał mocno. Podzielił wojsko. Wziął chorągiew krakowską, Litwinów i Wincentego Nałęcza, jako przewodnika. Przekraczali rzekę na północy i okrążali Międzyrzecz od zachodu, odcinając go od dwóch głównych dróg wiodących w głąb Brandenburgii. A reszta wojsk Starszej Polski pod wojewodą Przybysławem i chorągiew sandomierska pod wojewodą Tomisławem uderzyć miała na Międzyrzecz od wschodu. To oni ciągnęli machiny oblężnicze. Paweł Ogończyk i Piotr Doliwa osłaniali trakt na południe, wiodący do głogowskiego Zbąszynka, choć Władek nie sądził, by książęta osłabieni niedawną wojną z księciem brzeskim Bolesławem byli skorzy do pomocy Brandenburczykom.

— No, to jesteśmy na zachodnim brzegu — powiedział Grunhagen i zrównał się z Władkiem, patrzącym na dwie, niedaleko położone wsie. Chałup od siebie odróżnić nie było można, wyglądały jak ciemne plamy na białej łasze śniegu.

Podjechał do nich Wincenty Nałęcz ze swymi ludźmi.

— To twoi Starszacy? — spytał Władysław.

— Tak, królu.

— Starszaki ze Starszej Polski — powiedział, patrząc na nich kolejno. — Tu wciąż jest Starsza Polska, choć jeszcze dzisiaj w rękach Brandenburgii. Puścimy Litwinów przodem, wiem, co mówię. Wojewodo Dawidzie — zaprosił wodza litewskiego i pokazał na zachód. — Tamte dwie wsie są twoje.

Jasne oczy Litwina zalśniły, skinął głową i krzyknął:

— Pogoń!

Litwini ruszyli, jakby tylko czekali na zawołanie wodza. Ich konie dobrze biegły po śniegu, zaprawione w krzyżackich rejzach zimowych. Rozwinęli się w galopie jak krucze skrzydło, słychać było tylko tętent kopyt, żadnych okrzyków, żadnych nawoływań.

— A mówią, że to dzikusy — pokręcił głową Nałęcz.

— Powtarzasz krzyżackie plotki? — zaśmiał się Grunhagen. — Znasz te o piciu krwi wrogów?

— Ja nie słyszałem — zaciekawił się Borutka. — O co chodzi?

— Litwini się dzielą — zauważył Nałęcz. — Uderzą jednocześnie na obie wioski.

Rzeczywiście, wielka litewska chmara rozdzieliła się na dwie części, było wyraźnie widać, jak okrążają wsie. Po dłuższej chwili z obu naraz zaczęły unosić się słupy dymu.

— Na Międzyrzecz — powiedział Władysław i ruszył, nie oglądając się za siebie.

Liczył, że załoga kasztelanii dostrzeże płonące wsie i wyjedzie z grodu, by sprawdzić, co się dzieje, i ratować. Nie miał pojęcia, jak liczną obsadę ma Międzyrzecz, ale był pewien, że nie taką, by bronić się długo. Wpuścił właśnie na te ziemie tysiąc dwustu Litwinów zaprawionych w szybkich i gwałtownych rajdach konnych. Dwie wsie to dla nich tylko dobry początek rejzy brandenburskiej. Czuł w nozdrzach woń dymu, płonące wsie miał za plecami, parł na kasztelanię, którą jako pierwszy włączył do swego państwa Mieszko, a Chrobry uczynił jednym z grodów strzegących Królestwa od zachodu.

Boże, to jest ciągle to samo Królestwo! — zagrało mu w duszy i popędził Radosza.

— Strzeżcie króla! — usłyszał za plecami i zrozumiał, że wysforował się na czoło.

Nie zwolnił. Zaśmiał się w duchu — jak chcecie mnie ustrzec, to najpierw dogońcie!

— Radosz, prędzej! — zawołał.

Wincenty, Borek i Borutka dogonili go, zaraz za nimi był Grunhagen.

I właśnie wtedy w pustym śnieżnym polu zamajaczyła sylweta grodu.

— Jesteśmy pierwsi! — zawył Borutka. — Przed wojewodą Przybysławem!

Władek zaczął zwalniać.

— Nie! — protestował Borutka.

— My widzimy, nas widzą — uciął jego jęki.

Przegrupowali się szybko. Krystyn, syn nieżyjącego kasztelana krakowskiego, rozwinął wielką chorągiew koronną. Władysława otoczyła straż królewska, w niej Borutka i Grunhagen. Wincenty Nałęcz ze Starszakami ruszył w szpicy.

— Gdzie Litwini? — obrócił się konno Władek.

— Palą — ponuro wskazał na dymy Nałęcz.

— Jedziemy odbijać bramę Królestwa! — krzyknął król i ruszył, tym razem pozwalając, by wyprzedziła go straż przednia. Gdy zbliżyli się nieco, z kasztelanii dało się słyszeć dzwony bijące na trwogę.

— Wojewoda Przybysław zaczął oblężenie — powiedział Władek.

— Albo nas się wystraszyli — obstawał przy swoim Borutka.

— Poznaniak — po chwili obwieścił Grunhagen. — Słyszycie?

Rzeczywiście, dało się słyszeć uderzenie w mury.

— Nałęcz mówił, że gdy Brandenburczycy objęli Międzyrzecz... — zaczął Władek.

— Nazwali je Meseritz, ha, ha, ha — wtrącił się Grunhagen. — No bo kto to wymówi?

— Ja — przerwał Borutka. — Międzyrzeczmiędzyrzeczmiędzyrzec...

— Pomyliłeś się ha, ha, ha! Pomyliłeś!

— Nie znoszę was razem! — wrzasnął Władek. — Półdiablę i karzeł, dobrana kompania! Boże, za jakie grzechy ukarałeś mnie takimi sługami!

— Ja jestem nagrodą — pisnął Borutka.

— A ja nienawidzę, jak się o mnie mówi „karzeł" — nadął się Grunhagen. — Kto jak kto, ale król powinien to zrozumieć.

— Gdy Brandenburczycy objęli Międzyrzecz — podjął wywód Władek, jakby nie było tej głupiej kłótni przed chwilą — wybudowali mur miejski od strony wschodniej, od Królestwa. Ale od zachodu zostały tylko wały grodowe. Dlatego Przybysław ciągnął machiny.

— A my? — pokornie spytał Borutka, a czarne pióra na jego hełmie zakołysały się do taktu. — Co my będziemy robili, gdy wojewoda będzie kruszył mury? Bo boję się, że nic nam nie zostanie. Role przydzielone: Litwini palą i grabią, Przybysław wali i zdobywa, a my co?

— Zobaczysz — obiecał mu Władek.

Nie przepadał za naradami wojennymi, bo drażniło go gadanie o tym, co może się zdarzyć, co nie może, co powinno albo co by było, gdyby. Od gadania w jego kompanii był Jałbrzyk. Ale to nieprawda, że nie starał się przewidywać, co może się zdarzyć. Wysłuchiwał tych, co mieli coś do powiedzenia; w sprawach obecnych polegał na Wincentym, bo to on z synem wojewody Przybysława każdego dnia był prawdziwym „murem brandenburskim". I usłyszał, gdy Nałęcz mówił, że Brandenburczycy mają swoje sposoby na szybkie przekazywanie wiadomości o zagrożeniu. Te dzwony w Międzyrzeczu biły nie tylko na trwogę. Nałęcz był pewien, że dzwony mają usłyszeć warty w lasach za wsiami, które już spalili Litwini. Jeśli to prawda i jeżeli dalsze domysły Nałęcza są realne, to wiadomość o ataku jeszcze dzisiaj będzie we Frankfurcie nad Odrą. Stamtąd przyjdą posiłki. I to dla nich podzielił wojsko, a sam znalazł się po zachodniej stronie. Tu, pod wałami Międzyrzecza, przyjmie brandenburskie uderzenie. Pewnie nie dzisiaj, może dopiero pojutrze, ale kto lepiej niż on potrafi czekać? Zresztą nie zamierza wyczekiwać bezczynnie.

— Stać! — powiedział, a jego rozkaz przekazano do przodu.

Wincenty Nałęcz z piątką Starszaków zawrócił.

— Tu rozbijamy obóz — oznajmił im.

— Doskonałe miejsce — powiedział jeden z ludzi Nałęcza. — Zwłaszcza jeśli przesuniemy je tam — i wskazał nieznaczne wywyższenie terenu. — W dwa dni wojsko zadepcze śnieg, najjaśniejszy panie, a nikt nie lubi mieć bajora w namiocie. Jak zrobimy to tam, będzie spływało na zewnątrz.

— Ktoś ty? — zaciekawił się Władek.

— Andrzej z Koszanowa i bez orła głowa — wyrecytował Borutka.

— A! — przypomniał sobie król. — Ty byłeś obożnym w Rogoźnie.

— To niemądre, bo on jest orłem bez głowy, a nie na odwrót — zauważył Grunhagen.

— Każdy lubi małą nieprawdę — mrugnął do niego Borutka i choć Starszacy nie zrozumieli, Władek przyjął, że Andrzej ma rację.

— Rób, co do ciebie należy. Teraz jesteś obożnym pod Międzyrzeczem.

— I z takim mianem przejdziesz do historii — pogroził mu palcem Borutka.

Kasztelania broniła się pełnią sił. Na noc ostrzał ustał, rankiem wrócili Litwini i zaskoczeni, że Andrzej Orla wytyczył i dla nich obóz, zajęli swoje miejsca. Równo z nimi dojechały tabory z Rogoźna. Na wozach kolebało się dwanaście straszliwych żelaznych haków i jezdne konstrukcje do nich. Chorągiew krakowska zabrała się do skręcania machin.

— Dobre — kiwnął głową wojewoda Dawid, stając obok Władysława patrzącego na składanie zabójczych haków.

— Jak wioski? — spytał go król.

— Tłuste — odpowiedział Litwin. — Na Mazowszu chudsze.

— Będą kolejne — powiedział Władysław.

— Ja myślę — skinął głową Dawid.

Przez Władka przeszedł dreszcz. Patrzył, jak jego ludzie stawiają z elementów machinę, a obok niego stała ludzka machina do zabijania, stokroć groźniejsza od tej żelaznej, bo napędzana duszą żądną krwi. Zerknął na Dawida. Wojewoda Grodna i książę Pskowa był urodziwym mężczyzną, choć trudno było powiedzieć, na czym dokładnie polega jego uroda. Niewysoki, ale barczysty, niezwykle zwinny, szybki w ruchach. Jego jasne oczy nieustannie lśniły, były czujne jak u drapieżnika. Nad nimi brwi, czarne, gęste, mocno wygięte jak napięty łuk. Miał skłonność do zbytku. W jego włosach połyskiwały srebrne, misternie zdobione paciorki. Na wszystkich palcach lśniły pierścienie. Nosił się jaskrawo, nawet portki miał z jakimś kwiatowym wzorem, a kaftan jedwabny. Futro, gdy się poruszał, ukazywało perły i złote blaszki wszyte od spodu. Teraz te barwne portki miał zbrukane śnieżnym błotem, przez środek kaftana biegła zastygła krwawa pręga.

— Masz żonę, wojewodo? — spytał.

— Miałem — odpowiedział i drgnęły mu nozdrza.

— A dzieci?

— Dwie córki i syn.

— To tak jak u mnie — kiwnął głową Władysław.

— Nie żyją — dokończył Dawid.

— Wybacz, nie wiedziałem.

— Chłopak dzisiaj byłby mężczyzną. Córki miałyby dzieci — głos Dawida zabrzmiał głucho. — Krzyżacy.

— To i mój wróg śmiertelny — powiedział Władysław.

Dawid z rękawa wyjął wyszywaną w kwiaty chustkę. Kiedyś pewnie była śnieżnobiała. Przytknął ją do nosa.

— Kiedyś pachniała nią. Moją Jurate — powiedział. — Dzisiaj wspomnienie jej zapachu to smród pożogi. Jak wróciłem do domu, ich ciała były spopielone. Kiedy dotknąłem żony, rozsypały się jej piersi — jedną ręką przytykał chustkę do nosa, drugą poruszył, jakby teraz właśnie dotykał spalonej Jurate.

Milczał chwilę. Potem z namaszczeniem schował do rękawa chustkę.

— Krzyżacy zabili ją i dzieci dwa razy — odezwał się. — Raz, gdy odebrali im życie, a drugi, gdy spalili ich bez należytego obrządku. Jak ściernisko pod lasem — splunął. — U nas jest tak, że zmarły musi być spalony na stosie, w obecności rodziny. Trzeba nad nim zapłakać, trzeba miodu wylać na płonące żagwie, dać mu zapasy na drogę, mężczyźnie konia, miecz i tarczę. Kobiecie wrzeciono i nóż, by się mogła przed złymi obronić. A tak? *Vėlė*, dusza, się zagubi. Nie przejdzie przez Dźwinę, rzekę, co wiedzie do krainy zmarłych. Stos pogrzebowy to pochodnia, która oświetla umarłemu drogę, bez niego ciemność i miotanie się w pośmiertnej matni, zatracenie wieczne, rozumiesz? — gwałtownie spytał wojewoda.

Władysława zamurowało. Nie było gotowy na takie wyznanie Dawida. Odpowiedział sentencjonalnie:

— Chrystus daje mi moc spotkania moich bliskich po śmierci.

Usłyszał, jak obco to zabrzmiało, i dodał z serca:

— Dwóch moich synów nie żyje. Wiem, że gdy umrę, spotkam się z nimi.

— Będą chłopcami czy mężczyznami? — zapytał Dawid.

— Tego właśnie jestem ciekawy — odpowiedział mu Władek.

Milczeli, patrząc, jak krakowscy mocują olbrzymie haki do złożonych platform jezdnych. Jak poruszają nimi, sprawdzając gotowość bojową.

— Zerwą te wały obronne jak mięso z kości — powiedział Dawid, a potem odwrócił się do Władka i zapytał tym samym tonem: — Jeśli teraz się ochrzczę, to pomogę Jurate i dzieciom?

— Nie — opowiedział Władek i to było najgorsze „nie" w jego życiu.

— Szukam jej — powiedział Dawid. — W każdej dziewczynie, którą widzę.

I odszedł. Bogate futro zatańczyło wokół jego nóg.

W południe przypuścili atak od zachodu, zmuszając obrońców do podzielenia sił.

Przodem pchano wielkie pluteje, ich masywne powierzchnie osłaniały przed ostrzałem z wałów. Za nimi ciągnięto haki. Na bokach każdej z machin kolebały się żelazne kosze z ogniem. Gdy tylko podciągnięto machiny bliżej wałów, zaczął się ostrzał.

— Ogniomistrz Borutka! — krzyknęli Starszacy, a jego giermek zrobił to, w czym naprawdę był dobry. Zaczął szyć ognistymi strzałami z łuku, raz po raz, jakby miał sześć, a nie dwie ręce.

— Płoń czerwony orle! — wycelował w chorągiew brandenburską na baszcie. — Płoń szybko!

Zajęła się płomieniem posłuszna.

— No, teraz jesteś ładny! — pochwalił płonący proporzec Borutka.

Obrońcy byli wyraźnie zmęczeni tym, co od wczoraj zgotował im Przybysław. Nie mieli siły, by wystarczająco ostrzelać z łuków pluteje. Haki oblężnicze bezpiecznie stanęły pod zachodnim wałem. Wystrzelono pierwsze. Było, jak powiedział Dawid. Zerwały darń z wałów, jakby odrywały ciało od kości. Wciągnięto je pod osłoną plutei, załadowano ponownie. Ciężkie koła machin grzęzły w zmieszanym ze śniegiem błocie. Nagle zrobiło się ciemniej, Władek spojrzał w niebo i na twarz spadły mu grube płatki śniegu. Starł je szybko.

— Pożeramy! — ryknął rozochocony Borutka. — Pożremy was do gołej kości! Ogryziemy i wyplujemy! Wyplujemy!

I właśnie wtedy Władysław usłyszał gwizd jeden, drugi. I krzyk:

— Wojsko idzie!

— Idzie na nas Brandenburgia!

Obrócił się gwałtownie. Od zachodu galopowało wojsko. Dziesiątki wąskich proporców z czerwonymi orłami, jakby stado drapieżnych ptaków leciało na nich w tumanie śniegu.

— Krakowska! — krzyknął.

— Gotowa — odpowiedział wojewoda, a Krystyn już był przed nim z chorągwią koronną.

— Biały na czerwone — wrzasnął Borutka.

— Szpica! — zawołał Wincenty Nałęcz. — Do ataku, Starsza Polsko!

— Litwa, Pogoń! — zawołał Dawid, wskakując na siodło.

— Radosz, do boju! — warknął do ogiera Władysław i ścisnął kolanami jego boki.

W tej samej chwili Grunhagen uderzył go tarczą w bark. Od tarczy odbiły się trzy strzały.

Zaskoczony Władysław ugiął się w siodle i jęknął.

— Do mnie strzelali z wałów?!

— Tylko głupek nie mierzyłby do króla — odpowiedział Grunhagen, wyciągając jedyny grot, który wbił się w jego tarczę.

— Osłoniłeś mnie — powiedział zaskoczony Władysław.

— Za to mi płacą — Grunhagen otarł z czoła pot zmieszany ze śniegiem. Strzałę wyjętą z tarczy rzucił w śnieg i splunął za nią. — Na pohybel, chuj strzelił. Jedziemy? — spytał.

— Z kopyta! — pchnął Radosza Władek.

Mieli wiatr w plecy, nie jak kiedyś, „Pod wiatr", śnieg nie sypał im w oczy. Władek rozpędzał swego ogiera z trudem. Zawsze lepiej biec w szpicy niż w środku. Ale Radosz, krew Rulki. Umiał się znaleźć tam, gdzie był. Złapał rytm wspólny. Władysław na chwilę przymknął oczy i wsłuchał się w tętent kopyt.

Boże, co za psalm — pomyślał w uniesieniu. — Konie zbrojne pędzące w śniegu. Wyciągnął ramię nad bark i złapał rękojeść miecza, który miał na plecach. Płynnym ruchem wyjął go z pochwy i uniósł nad końskim grzbietem.

Władek — powiedział sam do siebie. — Jesteś królem. Wojennym królem!

Jechał tak chwilę, wdychając mroźne powietrze i wsłuchując się w narastający huk końskich kopyt i łopot chorągwi. Aż dotarło do niego: Pobudka. Ty tu dowodzisz! Rozkazuj.

Otworzył oczy.

Śnieg przestał padać równie nagle, jak sypnął. Brandenburczycy byli o pięćdziesiąt końskich skoków od nich. Białe, pochylone do ataku, ośnieżone stalowe łby i wycięte w hełmach oczy. Nie włócznie, ostrza mieczów i toporów skierowane na nich.

— Dawid! Litwa oskrzydla — krzyknął. — Nałęcz, kopie, odepchnij ich! Krakowska, miecze w dłoń, dorżniemy, co wpadnie!

I już zwarli się z zgrzytliwym dźwiękiem żelaza.

Starszaki w biegu osadziły kopiami pierwszy brandenburski szereg, aż śnieg, który osiadł na ich zbrojach, uniósł się białą chmurą.

— *Mein Gott!* — usłyszał Władek.

— Twój Bóg cię nie słyszy! — wrednie odpowiedział Borutka. — *Dein Gott kann dich nichthören!*

— I nie widzi — wrzasnął Grunhagen, dźgając z dołu mieczem tych, co przedarli się przez Starszaków.

Szyki przemieszały się. Część Brandenburczyków przerwała linię naporu Nałęcza i jego ludzi, wpadając na Władka i stojących za nim krakowskich. Zaczęła się konna walka wręcz, na miecze, z bliska, bez dystansu i bez zmiłowania. Bez brania jeńców. Widział topniejący śnieg spływający po napierśnikach ich zbroi. Mieszający się z krwią. Radosz gryzł i kopał okryte stalą wierzchowce brandenburskie. Władysław ciął, a miecz koronny sam prowadził jego rękę. Był jak *gladius Dei*, miecz Boży. Szybki i skuteczny. Nie chybiał, nie ześlizgiwał się z pancerzy i kolczug. Gdzie ciągnął, tam była śmierć. Konie rżały w śmiertelnym przerażeniu.

— Nasz wojenny pan! — darł się Krystyn pod chorągwią z białym orłem.

— Krwiożercza korona! — krzyczał Borutka, tnąc mieczem na oślep.

— Litwa jedzie! — usłyszał głos z pola bitwy.

— Pogoń nadciąga! — zawołał Borek z Grodziszcza, rzucając złamaną kopię.

— *Gott mit uns!* — Przed twarzą Władysława wyrósł skrwawiony miecz.

Władek szarpnął Radoszem, by uciec przed śmiertelnym sztychem. Zdążył poczuć zimny pot wzdłuż krzyża i wciągnąć mroźny haust powietrza, wraz z którym jego nozdrza wessały woń żelaza i krwi.

— Nie dla ciebie — strzyknął śliną Borek z Grodziszcza. — Nie dzisiaj!

I okryte kolczugą ramię poszybowało jak strzała. Spadło przed łbem Radosza. Władek potrząsnął głową z niedowierzaniem.

— Życie mi uratowałeś — sapnął.

— Służę! — zawołał Borek z Grodziszcza, a z jego miecza spłynęła purpurowa krew. — Służę królowi! Jezu Chryste — jęknął, wpatrując się w niego.

— Co? — złapał oddech Władysław.

— Twoja korona, panie — powiedział Borek. — Ściął ją szron.

Władysław sięgnął ręką ku głowie, dotknął i cofnął dłoń. Spojrzał. Na palcach rękawicy biel.

Borek szarpnął koniem, gwałtownie odwrócił się w lewo, Władysław zdążył zobaczyć nadjeżdżającego z boku brandenburskiego jeźdźca. Przed oczami mignął mu miecz Borka, ten, którym przed chwilą odrąbał ramię mierzące w króla. Borek odwinął się skrwawionym ostrzem.

— Padnij! — wrzasnął, wbijając sztych w szyję nadjeżdżającego.

Radosz zatańczył pod Władkiem i odskoczył w bok. Zarżał, bo natknęli się na walczącego Borutkę.

— Bóg cię nie widzi! Bóg cię nie wi-dzi! — skandował jego giermek, stojąc w strzemionach i uderzając z góry na brandenburskich rycerzy.

— Ja widzę — krzyknął Władysław, gdy trzeci z rzędu spadł z konia. — Wyrąbałeś sobie herb, Borutko!

— Ku chwale… — wrzasnął czarny chłopak i uchylił się przed ciosem istnego olbrzyma w hełmie z psim pyskiem.

Rozpędzony Brandenburczyk zachwiał się w siodle, ale odzyskał równowagę z kolejnym skokiem bojowego ogiera. Jak koło zamachowe uniósł miecz i wycelował we Władysława. Radosz wspiął się na tylne kopyta, z rżeniem rzucając się na wierzchowca olbrzyma. Władek skurczył się. Nie miał szans. Nie zdążył odparować, jego ostrze było w dole. I nagle przed jego twarzą świsnęła stal. Dojrzał iskry lecące z ostrzy.

— *Raus!* — usłyszał krzyk Grunhagena. — Poszedł od króla!

— Do piekła! — zawołał wracający Borutka.

Po raz kolejny odbił moją śmierć — Władysław pomyślał o zielonookim karle z wdzięcznością.

— Litwa jedzie — usłyszał z oddali tak dalekiej, jakby wołano z zaświatów.

A potem w jego uszy wdarł się metaliczny dźwięk, jakby znalazł się w kuźni.

WINCENTY NAŁĘCZ miał wrażenie, że jego żebra pękają, a wnętrzności cisną się do gardła. Ścisk bitewny był nieopisany. Konie rżały i strzykały krwawą pianą. Ludzie wrzeszczeli w śmiertelnym spazmie. Brandenburczycy walczyli jak lwy, a obecność króla na polu walki podniecała ich dodatkowo. Z całych sił napierali w stronę koronnej chorągwi, przez co wokół władcy zrobił się morderczy ścisk, w którym coraz trudniej było się poruszać nie tylko koniom, ale i ludziom. Nałęcz wiedział, że wystarczyłoby, żeby Krystyn opuścił chorągiew, a wygraliby tę bitwę w mig. Potrzeba im było tylko możliwości ruchu, ale od dłuższej chwili go nie mieli. Po lewicy miał Andrzeja z Koszanowa, po prawicy Mikołaja Doliwę. Przed nim próbował przebijać się przez tłum koń bez jeźdźca, śmiertelnie przerażone zwierzę z wytrzeszczonymi oczami i żyłami nabrzmiałymi z wysiłku. I właśnie w tej chwili z gardeł szczęśliwców, którzy byli na zewnątrz zabójczego młyna, wydobył się krzyk:

— Litwa idzie!

To może być koniec — pomyślał Nałęcz. — Litwini uderzą w bitewne kłębowisko siłą rozpędzonych koni i zduszą nas niechcący.

Uniósł głowę, szukając haustu świeżego powietrza. Zobaczył słońce przebijające się z wysiłkiem przez ciemne, nabrzmiałe śniegiem chmury. I orła na chorągwi Królestwa. Wziął wdech i Litwa uderzyła.

Zachwiało nim, tłum docisnął go do konia bez jeźdźca, ten już nie rżał, charczał tylko. Wałach Wincentego oddychał ciężko, oszczędzając resztki sił. Nałęcz trzymał miecz uniesiony, ramię miał przyciśnięte do tułowia. Nie mógł nim ruszyć, a nawet gdyby był w stanie, to najpierw zraniłby Doliwę, który był za blisko.

Trwało to długą chwilę, ten bezruch, aż wreszcie ścisk puścił, jego wałach poruszył się. Andrzej przesunął się o kilka kroków, Mikołaj tak samo.

— Jezu! — jęknął Doliwa. — Myślałem, że nas uduszą!

— Czujnie! — przestrzegł Nałęcz, łapiąc wreszcie powietrze. — Kolejne starcie może być lada chwila. Oczy dookoła głów — rozkazał.

Koń bez jeźdźca wyminął Wincza. Nie biegł, szedł wolnym krokiem, oddychając ciężko. Nałęcz okręcił się, sprawdził, co się dzieje. Chorągiew królewska była na swoimi miejscu, król też, przy nim karzeł i Borutka. Giermek zbryzgany krwią wyglądał strasznie. Przed królem dwa szeregi jego straży, władca na pewno był bezpieczny.

— Tu nie ma ani jednego Brandenburca — krzyknął Andrzej.

— Są — odpowiedział Mikołaj — na ziemi.

Rzeczywiście, pod kopytami koni było aż gęsto.

— Trzeba się stąd przesunąć, bo konie połamią na nich nogi — powiedział Wincz.

Ujechał kawałek między rycerzami krakowskimi. Stali, z wciąż uniesioną bronią. Rozglądali się jak i on. Wincenty wyjechał z tłumu stojących. Starszaki szeregiem jechali za nim. Są szpicą, muszą znów zająć pozycje, bo zaraz może się zacząć kolejne starcie. Dotarli na zewnątrz stratowanego pola bitewnego.

— Gdzie Brandenburczycy? — spytał Wincz brodacza, który zdjął hełm.

— Litwa ich zgniotła — brodacz otarł krew z czoła. — Ten wojewoda to jakiś szaleniec. Widziałem wszystko, walczyłem na zewnątrz młyna. Pędzili na nas i wyhamowali w ostatniej chwili. Wbili się klinami między nas i Brandenburczyków, rozdzielili walczących na małe grupy, jakby ich łowili. A potem wojewoda gwizdnął i Litwini zawinęli się. Czerwone orły poleciały za nimi, Litwini odjechali kawałek, dla rozpędu, zatoczyli koło i zobacz — pokazał ręką na ciemną plamę na śniegu. — Tam ich dobili.

— Po bitwie — głucho powiedział Wincenty, patrząc z daleka, jak Litwini zsiadają z koni i odzierają trupy z broni, hełmów, napierśników.

— Międzyrzecz się poddał! — usłyszeli za plecami.

Odwrócił się gwałtownie. Nad wałem powiewała biała chorągiew.

— No i po robocie — powiedział Mikołaj Doliwa.

— Sprzątamy po wojnie? — spytał Andrzej.

— Jedźmy do króla — zdecydował Wincz.

Późnym popołudniem Władysław w majestacie wjechał do kasztelanii. Nad każdą z bram zawisła chorągiew z białym orłem. Wincentemu przeszło przez głowę, że król przywiózł je w taborach aż z Krakowa. Pomyślał o tym, ale nic nie poczuł. Głośno, hucznie i radośnie świętowano zdobycie Międzyrzecza. Król zajął siedzibę kasztelana, ucztowano wszędzie, u króla, na dziedzińcu i w obozie, który pod Międzyrzeczem rozbił Andrzej. Wojska było tyle, że wszyscy nie pomieściliby się w kasztelanii. Wincz wziął nocne warty, obstawił całość Starszakami i ich wojskiem. Nie ufał obcym.

Chodził z miejsca na miejsce, sprawdzał. Był potwornie zmęczony, ale tak już miał: nie spał przed bitwą i nie mógł usnąć po niej. Piekielnie bolał go prawy bark. Zdjął więc kolczugę, by odciążyć plecy i teraz, chodząc, poruszał nim raz po raz. Wysłuchiwał relacji Borka.

— Wincz, nigdy czegoś takiego nie widziałem. Szron. Na wojennej koronie osiadł szron. Te trzy groty, które są nad czołem, oszronione. Trzy rubiny, jak krople krwi ścięte mrozem. Jezu Chryste… — Borek powtarzał to trzeci raz.

Mówiono, że król Przemysł skonał w koronie śniegu i krwi — kołatało mu się po głowie. — Ale Przemysł był nagi. Koroną były jego włosy, co zamarzły w posoce. A nasz król wygrał bitwę w koronie na głowie. Zwycięskiej, choć oszronionej.

— Król cię wzywa. — Jarosław z Iwna złapał go na dziedzińcu. — Są w świetlicy.

Wincz skinął mu głową, zostawił Borka z obchodem posterunków i ciężkim krokiem wspiął się po schodach. Gdy wszedł do gwarnego, jasnego pomieszczenia, pierwsze, co usłyszał, to niski głos Grunhagena:

— Borutka herbu Wrończyk!

Królewski giermek stał na środku izby wyprostowany jak struna. Zdążył się umyć i przebrać po bitwie, bo jego twarzy nie szpeciły już potworne plamy krwi. Liczko miał białe, bez śladu ran. Dopiero gdy Wincz podszedł bliżej, zobaczył, że pod okiem Borutka ma jedno krwawe znamię.

— Gratuluję herbu — powiedział, mijając go.

— Ja sobie też! — zawołał uszczęśliwiony Borutka.

Król siedział na szerokim krześle, na skroniach wciąż miał tę samą, drapieżną koronę, co w bitwie. Wincz złapał się na tym, iż wpatruje się w nią, szukając szronu.

Otrząsnął się. W świetlicy było zbyt ciepło.

Obok króla, na ławie, wpółleżał wojewoda Dawid. Zdjął futro, na jego szerokiej piersi pysznił się zielony kaftan wyszywany w złote kwiaty. W upierścienionej dłoni trzymał kielich i popijał leniwie, spod wpółprzymkniętych powiek obserwując bawiących się. Za nim siedział jakiś wódz litewski, którego imienia Wincz nie znał. Sprawiał wrażenie starszego od Dawida i nie nosił się tak strojnie. Przy nich był jeszcze Żmudzin. Po drugiej stronie Dawida siedział wojewoda Przybysław, ojciec Borka. Dalej Paweł Ogończyk i Piotr Doliwa, dwaj starzy rycerze, najbliżsi druhowie króla.

— Nałęczu! — przywołał go król — świetnie się dzisiaj sprawiliście. Siadaj z nami, świętujemy!

— Pełnię służbę — odpowiedział ukłonem.

— Choć na chwilę — poprosił Władysław. — Wojewoda ma kilka pytań.

Dawid grodzieński uniósł się i usiadł. Zrobił to powolnym, ale zręcznym ruchem.

Jak drapieżny kocur — przeszło Wincentemu przez myśl.

— Jakie jest najbliższe duże miasto brandenburskie? — spytał Dawid.

— Frankfurt, nad Odrą. Miasto strzeże brodu po zachodniej stronie rzeki.

— Bogate? — wzrok wojewody spoczął na nim.

Wincz zrozumiał.

— Bogate — potwierdził.

— Jak daleko?

— Dla konnych bez taborów dwa dni.

— Więc to nie stamtąd przyszły posiłki, które dzisiaj rozbiliśmy? — wtrącił się król.

— Za szybko — potwierdził Wincenty. — Trzeba jeńców spytać.

— Ja ich nie brałem — niedbale odpowiedział Dawid.

— Mamy kilku — powiedział król.

— Sądzę, że wojsko ściągnięto z Landsbergu — odezwał się wojewoda Przybysław.

Wincenty skinął głową, to raczej pewne.

— Ruszymy rano — powiedział Dawid nie do niego, ale do króla. — Torwid — odwrócił się do siedzącego za nim Litwina. — Co myślisz?

— Nie ma na co czekać, im mniej wojska przeciw nam ściągną, tym więcej łupów powiedziemy na Litwę — odpowiedział Litwin.

— Frankfurt — powoli powtarzał Dawid. — Lubię nowe nazwy miast. Frank-furt.

— Tylko pamiętaj, wojewodo! — zaśmiał się król. — Nad Odrą! Bo jest jeszcze jeden Frankfurt, nad rzeką Men.

— Daleko? — zaciekawił się Dawid.

Ogończyk i Doliwa zaśmiali się szczerze.

— Daleko — powiedział król Władysław. — W samym środku Rzeszy.

— A — krótko odrzekł Dawid. — Ciekawe.

Wincenty patrzył na wojewodę Grodna i myślał, że nigdy nie chciałby mieć w nim wroga. Mógł już współczuć frankfurtczykom tego, co ich czeka. Ale nie współczuł. Zastanawiał się, co będzie, jeśli król wyda mu rozkaz prowadzenia wojsk Dawida. Za to Borutka wyraźnie miał na to ochotę.

— Chętnie poznałbym Frankfurt — przymówił się do króla. — Na początek nad Odrą.

— Już obrastasz w piórka, Wrończyku? — zaśmiał się Władysław.

— Żal mu, że było mało ognia — włączył się Paweł.

— To nie Wrończyk, przypomnę — zaskrzeczał stary Doliwa — to duszona wrona.

— Nie napalił się chłopak — dorzucił Ogończyk i Wincz zrozumiał, że starzy druhowie króla lubią docinać giermkowi.

— Przy Litwinach, z uszanowaniem pana Dawida i pana Torwida — pokłonił się im Borutka — gorąca robota.

— Mało mu było walki — pokręcił głową król i wyjaśnił Litwinom: — Mój giermek, szelma, ma wyjątkowe umiłowanie do ognia.

— Bo płomienie są skuteczne — oznajmił Borutka. — Marzy mi się taka... broń palna...

— Broń palna? — zakaszlał Doliwa. — Co ty zmyślasz?

— Wymyślam — powiedział giermek. — I kiedyś wymyślę. Najjaśniejszy panie, wojenna korona na skroniach, czy my też ruszymy nad Odrę?

— Nie — zaprzeczył król. — Frankfurt czeka na Litwinów. My mamy dość roboty w naszej nowej kasztelanii. Wincenty, jak odeśpisz wartę, przyjdź do mnie. Będziemy radzić, jak to wszystko zorganizować.

Nałęcz odetchnął z ulgą, że król nie wyśle go z Litwinami. Wstał, ukłonił się i pożegnał. Ale gdy tylko ruszył ku wyjściu, do świetlicy wbiegł jeden z krakowskich rycerzy. Był blady.

Co się stało? — przebiegło przez głowę Wincentego. Zatrzymał się.

Rycerz też stanął w miejscu. Potoczył nieprzytomnym wzrokiem po bawiących się wesoło.

— Żegota! — zawołał do niego król. — Chodź do nas, co tak stoisz, Toporczyku?

Żegota zrobił kilka kroków w stronę władcy, król musiał zauważyć jego zmieszanie, bo dodał:

— Co ci jest? Świętujemy zwycięstwo, chodź, napij się z nami.

— Przynoszę wiadomość z innego świata, królu — powiedział, a głos mu zachrypiał.

W świetlicy ucichło w jednej chwili.

— Mów — rozkazał Władysław. Z jego głosu wyparowała wszelka wesołość.

— Jadwiga — powiedział Żegota i natychmiast poprawił — księżniczka Jadwiga, twoja córka, nie żyje.

Wincz poczuł, jak chwyta go za gardło lęk o własną, o Gosieńkę, co teraz może rodzi w bólach. Oczy wszystkich zwróciły się ku władcy. Król skamieniał. Zbladł. Wstał i nie patrząc na nikogo, wyszedł.

JAN LUKSEMBURSKI przybył do Czech pełen werwy. Rikissa w przebraniu lwicy była olśniewająca. Jego własna żona, Eliška, powitała go jak zawsze, zrzędliwie.

— Wróciłeś wreszcie — fuknęła.

— Przyjechałem — wyprowadził ją z błędu.

— Ale najpierw do niej. Do Brna! Ludzie gadają.

— Słyszę tylko twoje pretensje.

Rozejrzał się po jej komnacie. Tak wita się trzy lata niewidzianego męża? Kurz. Nieporządek. Niedbała suknia. A przecież wiedziała, że przyjeżdża. Liczył, że tym razem się uda? Nie, nie liczył, ale i tak się rozczarował.

— Mówią, że Lipski zachorzał — odezwała się po chwili i usłyszał w jej głosie nieznośną nutę tryumfu. Eliška nigdy nie wybaczyła marszałkowi, że ją upokorzył. — Dlaczego nic nie mówisz? — złościła się szybko. — No powiedz, co mu jest?

— Nie wiem — pokręcił głową. — Wyślę do Brna swojego medyka.

— Po co? — żachnęła się. — Ją stać na magistra, niech sama leczy swojego kochasia. Czy wiesz, że ona kościół i klasztor stawia? Tyle pieniędzy... To pewnie, by odkupić grzeszne życie, ale Pana Boga nie można tak łatwo przebłagać, Jego ręka nierychliwa, ale sprawiedliwa, poraziło grzesznika, porazi i grzesznicę...

Uderzył pięścią w stół.

— Eliško! — krzyknął. — Bóg mi świadkiem, że próbowałem się z tobą pojednać, ale nie mogę żyć z kobietą, która strzyka jadem jak żmija!

— A ja nie mogę być żoną utracjusza! — odpowiedziała zawzięcie. — Paniczyka, co po świecie fruwa, tak! Tak o tobie mówią: „Król nie jeździ, król fruwa na koniu". Przyjeżdżasz do Czech, gdy potrzebujesz pieniędzy! I nawet wtedy najpierw do Brna, ją zobaczyć, a potem dopiero do prawowitej królowej i dzieci.

— Dzieci wyjadą — oświadczył zimno. I tak miał jej powiedzieć, sprowokowała go. — Henryk do Karyntii, na dwór przyszłego teścia i narzeczonej.

Pobladła, broda zaczęła jej się trząść.

— Nie... już zabrałeś mi Václava, to jest Karola... nie zabieraj ostatniego synka... on ma cztery lata, to jest małe dziecko...

— Książę nigdy nie jest zbyt mały, by podjąć obowiązki.

A Karyntia, którą odziedziczy, jest moją drogą do lepszego świata — pomyślał.

— Zostaw bliźniaczki — powiedziała po chwili, godząc się z tym, że syna nie zatrzyma.

Jan złapał się na tym, że ich jeszcze nie widział. Przyszły na świat, gdy był w tej wielkiej podróży. W Tuluzie albo Trydencie? Gdzieś na północy Italii. Nadał im imiona listownie, Anna i Elżbieta; swatał w tym czasie ich starsze siostry, ciągle najgorzej wychodziła Bonna, trzeci raz zmieniał plany z nią związane.

— Zostawisz je? — spytała łagodnie.

— Pomyślę — odpowiedział wymijająco i wyszedł bez pożegnania. Miał tyle na głowie.

Henry de Mortain czekał na niego.

— Już wiesz, Janie? — doskoczył.

— Wittelsbach umarł? — zażartował wrednie.

— Król Władysław go najechał — tryumfalnie obwieścił Henry.

— Co? — Jan w pierwszej chwili nie uwierzył. — Zmyśliłeś to?

— Nie! — Henry niemal skakał, jak chłopiec, co się rwie do psoty. — A teraz najlepsze: najechał go w Brandenburgii z litewskim wojskiem! Tysiąc dwustu Litwinów, wyobrażasz sobie?

— A Krzyżacy, co? Pozwolili, by im poganie przeszli taką armią pod nosem?

— W głowie się nie mieści, ale palcem nie kiwnęli. Król pobił Brandenburczyków, potem zdobył jakąś potężną nadgraniczną kasztelanię i włączył do Królestwa Polskiego, a Litwini poszli dalej i złupili Frankfurt.

— Nad Menem?!

— Nie wariuj, nad Odrą. Potem zawrócili, zagarniając wielkie łupy i teraz ciągną na Litwę, a Zakon udaje, że ich nie widzi.

Weszli do komnaty Jana.

— Boże, jak tu ciemno — jęknął. — Vojtech, zapalaj więcej świec. Oszaleję od praskich mroków. Mamy wino?

— Co pierwsze? — grzecznie spytał pokojowiec.

— Wino — zaśmiał się Jan. — Mamy co opijać. Myślałem — usiadł wygodnie i położył nogi na skrzyni — że król krakowski ożenił dziedzica z Litwinką przeciwko Krzyżakom, a tu? Ruszyli razem na Brandenburgię… Jestem zaskoczony!

— Ty? Pomyśl, jak zaskoczony był król Niemiec — roześmiał się Henry de Mortain.

— Uderzy na Władysława? Nie sądzę — sam sobie odpowiedział Jan Luksemburski. — Nie teraz, kiedy ma takie kłopoty z papieżem. Mały król dobrze wybrał moment.

— Wróciliśmy w ciekawych czasach — wzniósł kielich Henry.

— Pomyślmy, jak je wykorzystać — upił łyk Jan. — Nie mam szpiegów w otoczeniu krakowskiego króla.

— Wyślij mnie — zaproponował Henry. — Z jakąkolwiek misją.

— Ciebie? — Jan szybko rozważał za i przeciw. — Nie lubię się rozstawać ze swoim przyjacielem. I doradcą — żartobliwie pogroził mu palcem.

— Nie będziesz się tu nudził — puścił do niego oko de Mortain. — Skoro Lipski zachorował, powinieneś częściej odwiedzać *bis reginę*.

— A ty, Henry? — spytał Jan. — Nudzisz się przy mnie?

— Skąd taki pomysł? — zaśmiał się de Mortain.

— Jesteś synem najsłynniejszej hrabiny Normandii. „Klejnot Mórz" to jak klucz, który otwiera wyobraźnię naszych czasów. Musisz mieć we krwi zamiłowanie do przygód.

Henry wypił wino jednym haustem, otarł usta dłonią.

— Zawsze sądziłem, że Filip Piękny przyjął mnie na swój dwór wyłącznie ze względu na matkę — powiedział zimno. — Zresztą, przez całe życie zmagam się z jej legendą. Nazwano ją na pamiątkę pirackiego statku. Moja matka przeżyła coś, co wykracza poza doświadczenia dam o jej pozycji. Ale to ona, nie ja. Chcę zacząć tworzyć własną sławę, a nie żyć odbitą sławą rodzicielki. Wyślij mnie do Królestwa Polskiego, będę tam twoim piratem — mrugnął do niego, ale Jan nie wyczuł w przyjacielu wesołości, raczej determinację.

Henry wyciągnął rękę w stronę Vojtecha. Pokojowiec dolał mu wina. De Mortain napił się jeszcze. Milczeli. On zmagał się ze sławą ojca, cesarza. Henry miał matkę, która nim go urodziła, przeżyła pasmo awanturniczych przygód.

— Niech będzie, jak sobie życzysz — powiedział Jan. — Jedź do Królestwa.

— A ty, przyjacielu, zajmij się najpiękniejszą damą Czech — odzyskał humor Henry.

Jan ściągnął nogi ze skrzyni i wstał. Przeszedł się po komnacie.

— Mam w Brnie zaufanych ludzi. Wiedziałem, że Rikissa będzie przebrana za lwicę — wyznał. — Specjalnie wybrałem to samo przebranie. Teraz mam wyrzuty sumienia, że Lipskiego poraziło przeze mnie.

— To może minąć — rzeczowo odpowiedział de Mortain.

Jan dotknął gorącym czołem ściany. Cały czas ma ten widok przed oczami. Zaskoczenie marszałka, gdy zobaczył go, jak wchodzi z Peterem z Rożemberka za plecami. Nie zabierał Petera, by zdenerwować Lipskiego, po prostu tak wyszło. Przyjechali do Pragi, dowiedział się o uczcie i maskach i niezręcznie było wiernego Rożemberka oddalać. Właściwie co wywołało porażenie Lipskiego? Widok jego konkurenta przy królu? Czy on sam przebrany za lwa, jak para dla Rikissy?

— Wysyłam im swego medyka — powiedział. — Vojtechu, wołaj Baldryka, on pojedzie do *bis reginy*.

— Iluminator Hugo pytał, czy nie mógłby odwiedzić swej dawnej pani — przypomniał Vojtech.

— Jeszcze nie teraz — zaoponował Luksemburczyk. — Musi skończyć, co mu zadałem.

— Zatem prosił, by przekazać jej to coś — pokojowiec wskazał na niewielką skrzyneczkę.

— Dobrze, dobrze — kiwnął głową Jan. — Niech Baldryk to zabierze. Idź po niego.

— Hugo w każdej poczcie dyplomatycznej wysyłał książkę do *bis reginy* — powiedział Henry de Mortain. — Nie zastanawia cię ta ożywiona korespondencja?

Spojrzeli na siebie i Jan chwycił skrzynkę zostawioną przez Vojtecha. W środku rzeczywiście była niewielkich rozmiarów książka. Przekartkował ją. Zilustrowana do połowy drobnymi scenkami rodzajowymi. Henry podszedł do niego zaciekawiony, zajrzał mu przez ramię.

— Tu jest liścik — wskazał drobną, złożoną na pół kartkę.

Jan odłożył książkę i rozłożył list.

— „Uniżony sługa Hugo z pytaniem, czy *bis regina* zadowolona z wizerunku Pani z Jeziora" — przeczytał na głos.

Henry wertował książkę i otworzył na ostatniej ilustracji.

— Jest i Pani z Jeziora — potwierdził.

A potem nagle odwrócił książkę i mocno odgiął skórzaną oprawę.

— I drugi liścik — powiedział, wyjmując spod niej kartkę.

— „Ogier upatrzył sobie pastwisko na dalekiej północy, ale nie galopuje tam, choć Gospodarz obiecał zapłacić za owies. Ogier ciekawski, bawi go wszystko po drodze. Tu skubnie, tam łeb wsadzi, jak to młody koń" — przeczytał Henry.

Spojrzeli na siebie.

— Ciekawe — mruknął Jan.

— Jeszcze ciekawsze byłoby, gdybyśmy zrozumieli ten tajemny język — dodał Henry de Mortain.

RDEST był zwycięzcą i przegranym jednocześnie. To on przyprowadził smoka Żmudzinom, doprowadzając do tego, że wodzowie klęknęli przed Zarembą jako Perkunem i stawili Giedyminowi tak gwałtowny opór, że wielki kniaź zrezygnował z chrztu, choć przyjechali do niego legaci papiescy z samego Awinionu. Za to powinien dostać trzy żony, stado swejków i kawał ziemi. Poszło inaczej. Giedymin zatrzymał go przy sobie i traktował jak wroga. Ligejko, mistrz wywiadu kniazia, otoczył swymi ludźmi, tak że Rdest nie mógł iść za potrzebą za chałupę, by ktoś go nie pilnował dyskretnie. Zapraszali go na uczty, gdy chcieli. A kiedy nie życzyli sobie, trzymali z dala od księcia. Oficjalnie, wciąż nazywano go „miłym gościem", ale nie był głupi, by w to wierzyć. Kiedy sojusz Piasta i Giedymina wyszedł na jaw, zrozumiał, co przed nim ukrywano. Symonius był wściekły, że nie dowiedział się wcześniej, ale Rdest naprawdę o niczym nie miał pojęcia. Zatajono przed nim wszelkie przygotowania. Mimo to Giedymin życzył sobie zatrzymać go dalej na dworze.

Gdy wezwał Rdesta u progu zimy i kazał ruszyć do kraju, by przygotować spotkanie dwóch wodzów, wojewody Dawida i Jarogniewa, nadzieje w nim odżyły. Może nie wszystko stracone? Szczegóły dawkowano mu ostrożnie, już przywykł do nieufności Litwinów. Dopiero kiedy był w Prusach, dowiedział się, że Dawid na czele wojsk litewskich, ruszył z królem Władysławem na Brandenburgię. Jako sojusznik.

„W co gra kniaź?" — zastanawiali się z Symoniusem, kiedy przekazano, że spotkanie odbędzie się podczas powrotu Litwinów do kraju. „Może Dawid spełni sojuszniczy obowiązek Giedymina wobec małego Piasta" — rozważał Symonius — „a podczas powrotu obróci przeciw niemu wojsko i zaatakuje króla? Oficjalnie Giedymin wyprze się Dawida i powie, że nic z tym nie miał wspólnego?" „Po czterech latach spędzonych na dworze Giedymina nie umiem przewidzieć jego kroków" — szczerze powiedział Rdest. — „Jedno, czego jestem pewien: nie znam go". „Bylibyśmy skończonymi głupcami, odrzucając ofertę takiego spotkania" — podsumował Symonius.

I oto Rdest siedział w gospodzie „Zielona Grota" w Starszej Polsce, w Miłosławiu, suszył przy palenisku buty, co mu zamokły od błota roztopów, i czekał na gości. Jasnym było, że po stronie Jarogniewa nie może wystąpić Zaremba. Nikt nie wiedział, czy któryś ze żmudzkich wodzów nie przybędzie z Dawidem. Symonius też się wycofał i dobrze. Spełniał zbyt wiele ról, a przy żelaznych braciach pełnił oficjalną służbę.

W gospodzie o umówionej porze pojawił się Jarogniew Półtoraoki, Derwan i Wrotycz.

Rdest szybko wciągnął buty. Rozgrzana skóra przyjemnie ociepliła mu stopy. Zrobił krok ku wchodzącym.

— Dawno cię nie widziałem, bracie. — Półtoraoki ściskając przedramię Rdesta, zbliżył się do jego ucha i szepnął: — Ze smokiem doskonałe! Sława na wieki.

— Dzięki, ale wymyślił to Symonius.

— Nie on zrobił, a ty — klepnął go w plecy Jarogniew, a jego dwubarwne oczy zalśniły. — Dawno tu nie byłem — przeciągnął się i uważnie rozejrzał po wnętrzu gospody. — Ludwino, piwo!

— Ludwiny nie ma — ostro odpowiedziała dziewczyna o krzepie oszczepniczki.

— A piwo?

— Jest gospoda, jest piwo — odpowiedziała, choć w jej głosie nie było cienia gościnności.

— A dziewczyny? — zarechotał Derwan. — Jakieś milsze niż ty?

— Są chłopcy — odpowiedziała, patrząc im w oczy. — Poprosić?

Z głębi wyszedł barczysty i smolistooki mężczyzna.

— Wiąz — powiedział Jarogniew i Rdest wyczuł w jego głosie niechęć. — Jesteś teraz gosposią?

— Nie. — Wiąz odrzucił długie włosy na plecy. — Gospodarzem. Co podać gościom?

— Piwo — zażądał Jarogniew i wskazał ławę w kącie. — Kto wybrał to miejsce na spotkanie?

— Nie ja — zaprzeczył Rdest. — Dostaję rozkazy co jakiś czas. Litwini są nieufni.

— Ja też — powiedział Wrotycz, który w leśnym wojsku odpowiadał za wywiad. — Ta stajnia w lesie nie bardzo mi się podoba. Słabo jej pilnują.

— Nie twój kłopot — machnął ręką Derwan. — Oddaliśmy konie, odbierzemy konie.

— Mówcie, co słychać — poprosił Rdest.

— Najpierw ja ci powiem: dziękuję. — Jarogniew zbliżył do niego twarz i wyszeptał, patrząc mu w oczy uważnie. — Wszystko, coś mi przekazał, jest bezcenne. A skoro pytasz, co po naszej stronie, to słuchaj — odsunął się od niego i uderzył dłońmi o ławę. — Niedługo zrobi się ciekawie. Pracujemy na wiele sposobów. Przeszło do nas sporo zielonych panien.

— Z sióstr na bratanice? — zaśmiał się Rdest.

Wrotycz dał mu znak, by zamilkł. Wiąz szedł z dzbanem i kubkami. Postawił je na stole i odwrócił się. Jarogniew zwinnie chwycił go za nadgarstek i spytał:

— Mogę dostać garść jałowca?

Wiąz wyszarpnął rękę i skinął głową. Po chwili dziewczyna przyniosła suszone owoce w miseczce. Jarogniew mrugnął do Rdesta, on zdziwił się, odpowiedział uniesieniem brwi.

Wrotycz patrząc na plecy odchodzącej dziewczyny i na Wiąza krzątającego się przy palenisku, szepnął:

— Pijemy u wrogów.

— Giedymin ma Linasa, chłopca, co próbuje każdego kielicha wina nalanego kniaziowi — powiedział Rdest.

— To wyliczamy, kto dzisiaj naszym Linasem — zaśmiał się Półtoraoki, ale wypił pierwszy kubek duszkiem.

— Co robią u nas dziewczyny, które przeszły z matecznika? — zaciekawił się Rdest.

— Dzielą się wiedzą o ziołach. Także tą złą — odpowiedział Jarogniew i zsypał jałowiec do woreczka. — To zręczne panny, a kiedyś Dębina wiedziała, jak ich użyć. Ja umiem uczyć się od wrogów.

— Zręczne — szyderczo powtórzył Derwan. — Jedna ostatnio się pomyliła. Nie odróżniła królewny od królewicza.

Wrotycz zachichotał ze świstem.

— Poprawi się — uniósł dłoń Jarogniew.

W tej samej chwili drzwi „Zielonej Groty" pchnięto i do wnętrza wszedł wojewoda Dawid.

— Pokój temu domowi! — zawołał.

— I gościom jego — odpowiedział spod paleniska Wiąz.

Rdest zerwał się z ławy. Nigdy nie siedział w obecności wojewody. Za Dawidem wszedł Torwid i Żmudzin, Erdwił.

Wrotycz i Derwan wstali razem z Rdestem. Jarogniew nie.

Rusz dupę — pomyślał gniewnie Rdest. — Demonstrujesz siłę przed niewłaściwym człowiekiem.

Dawid ubrany był na zielono. Miał jedwabne portki w barwie mchu i kaftan wyszywany w paprocie na jasnej, soczystej zieleni. Na ramionach rosomakowe futro, na nogach wysokie buty zdobione paciorkami. Zmrużył oczy, patrząc na rozpartego na ławie Jarogniewa, ale kto go nie znał, nie zobaczył drgnięcia czarnych brwi.

Półtoraoki wstał wolno, jakby od niechcenia. Pancerz z ptasich kości zabrzęczał na jego potężnych piersiach. Był o głowę wyższy od Dawida i teraz obdarzył go dwubarwnym spojrzeniem z góry.

Rdest przełknął ślinę, myśląc: To nie mogłoby się zdarzyć na dworze wielkiego kniazia.

I w tym momencie znów otworzyły się drzwi „Zielonej Groty".

Wbiegła przez nie Śmigła, ukochana suka Giedymina, a za nią weszła kobieta w płaszczu z ptasich piór. Rdest poczuł ukłucie w piersi, jakby ktoś dźgnął go nożem pod żebro. Kobieta spojrzała na niego najpiękniejszymi oczami, jakie w życiu widział. W barwie nieba i ziemi. Miała włosy w kolorze orzechów buczyny zaplecione w korony warkoczy. Nausznice złote zwisały do jej ramion, poruszając się jak gałęzie młodej wierzbiny. Wyciągnęła przed siebie smukłe ramię opięte rękawem zielonej sukni.

— Jestem Jemioła. Matka Starszej Krwi — powiedziała, a Śmigła stanęła jak posąg u jej stóp.

JEMIOŁA przyprowadziła Dawida i jego towarzyszy na szczyt wzgórza wieńczącego Mokradła Marzanny. Z Litwinami przywiodła tu trzech wodzów wojsk Starców i tego czwartego, Rdesta.

Choć było po roztopach, doprowadziła ich suchą nogą; ona i jej siostry znały wszystkie ścieżki w tych starych lasach. Wiosna budziła się wzywana przez ptaki; świergotały w bezlistnych gałęziach wiązów i olch. Wydeptana przez zwierzęta dróżka wiodła między drzewami, to ich korzenie były swoistą krętą kładką między moczarami. Z rozłożystych gałęzi małej osiki zwieszały się pierwsze kotki. Ziołorośla zieleniły się już nieśmiało i przeszło jej przez głowę, że w tym roku trzeba szybciej zacząć zbierać pączki i młode łodyżki roślin.

Jej chłopcy rozpalili wielki ogień na wzniesieniu otoczonym pulsującą wodą bagna. Jej dziewczyny przygotowały ucztę, w końcu to był czas Jarych Godów. Na stołach zasłanych płóciennymi obrusami piętrzyły się kołacze, które piekła Miodunka. Misy barwionych jaj. Garnce żuru na młodym chrzanie. Dzbany piwa i miodu. I wiechcie brzozowych, leszczynowych i wierzbowych witek pokrytych nabrzmiałymi pąkami.

— Nadchodzi Jary Pan! — zawołała, wzywając wiosnę.

— Jarun! — krzyknął Dawid. — Jary Boh!

— Ja jestem Jarogniew — zaśmiał się pełną piersią Półtoraoki. — Gdzie moja stara Marzanna? Utopię ją w bagnach ku radości ludu!

Chcecie, bym zadusił zimę i dał miejsce wiośnie? No, dalej, mówicie! Zrobię to, zrobię!

— Na Rusi Maruna sama rzuca się w wodę — nie podnosząc głosu, powiedział wojewoda Dawid. — Nikt jej nie może niewolić, bo to zły znak.

— Ja mogę! — wrzasnął Jarogniew.

— Możesz — powiedział Dawid — ale wielikij kniaź mówi moimi ustami, że widzi, co ty robisz. I to mu się nie podoba.

— Co? — zaczepnie spytał Półtoraoki.

— Że występujesz przeciw Matce. Matka to bogini.

— Ona nie jest moją matką — syknął złowrogo Jarogniew.

— Ale jest przyjaciółką mego kniazia — spokojnie obwieścił Dawid. — Widzisz? — wskazał na Śmigłą. — Spytaj żmijkę, co to za ogar.

— To ukochana suka Giedymina — odpowiedział Rdest. — Nie wiem, kiedy zniknęła ze dworu.

— Oddał ją Matce — odezwał się Torwid. — Byłem przy tym.

— Co jeszcze chcesz wiedzieć dwuoki o kniaziu i Matce? — uniósł głowę Dawid.

Jemioła wyszła naprzeciw i stanęła przy boku wojewody.

— Pojednaj się. Dzisiaj dzień i noc są równe.

Śmigła uniosła łeb. Węszyła. Półtoraoki ominął Jemiołę wzrokiem.

— Twój pan stanie przeciw Piastom? — zapytał wyzywająco.

— Mój pan dał im swą córkę — powiedział Dawid. — A on dzieci swe szanuje.

— Nie będzie pokoju — strzyknął śliną Jarogniew. — Starcy Siwobrodzi wieszczyli, że razem z nami zamkniecie krąg, ale wy się wyłamujecie.

— To były ich przepowiednie — spokojnie odpowiedział wojewoda. — Giedymin sam tworzy przyszłość.

— Kto nie słucha wieszczby Starców, usłyszy ich gniew. Przeklną was i waszego kniazia!

— Ja mam tysiąc dwustu wojów — uniósł głowę Dawid. — A ty, chłopcze dwuoki?

Jarogniew odwrócił się wściekle, aż warkoczyki na jego głowie załopotały jak proporce.

— Nie jestem chłopcem — syknął przez ramię. — I nikt nie może mnie obrażać bezkarnie. Nawet wojewoda Grodna.

— Obraża cię, że mam tysiąc dwustu wojów? — kpiąco spytał Dawid.

Jemioła zamarła. Wystraszyła się, że Półtoraoki rzuci się na Dawida. Broń wszyscy goście zostawili u strażniczek, ale kto wie, czy nie ma jakiegoś ostrza ukrytego pod szerokim pasem. Jarogniew zastygł na chwilę. Patrzyła na jego potężne plecy, napinające się mięśnie barków i profil z wydatną, kwadratową szczęką. Nagle Półtoraoki rozluźnił się.

— Nic tu po nas — powiedział dość spokojnie. — Derwan, Wrotycz, idziemy.

— A ja? — szybko zapytał Rdest.

— Ciebie Giedymin chce widzieć w Wilnie — zdecydował za niego Dawid.

Jarogniew odwrócił się i ruszył bez pożegnania. Obaj jego wodzowie za nim. Uszedł kilka kroków i krzyknął:

— Jeszcze się spotkamy, wojewodo!

Dawid nie odpowiedział, wzruszył ramionami. Jemioła wysłała za odchodzącymi wartowniczki. Nikt, kto nie znał Mokradeł Marzanny, nie przeszedł ich samotnie.

— Idę do Matki — powiedziała Dawidowi. — Dzisiaj noc spotkań żywych z martwymi.

— Ja z tobą — krótko odpowiedział Dawid.

Wesoła biesiada zaczęła się po odejściu Jarogniewa. Chłopcy i dziewczęta stukali się barwionymi jajkami. Rdest usiadł pod drzewem, ze spuszczoną głową. Trzmielina z daleka skinęła Jemiole, że czuwa. Mogła odejść spokojna.

— U nas w jare święto dusze umarłych wracają — powiedziała do Dawida, gdy szli przez zarośla ku pałacowi natury.

— Troska o moją Jurate nie opuszcza mnie żadnej nocy. Dławi mnie lęk — wyznał — że nie trafiła do krainy umarłych. Że jej *vėlė* zapodziała się w zaświatach.

— Dusza, tak? — upewniła się Jemioła.

— Dusza — potwierdził, a po chwili dodał: — Szukam Jurate w żyjących. Sprawdzam każdą, są ciepłe i gładkie, ale żadna nie ma jej urody.

— Czasami żyjemy dla śmierci — powiedziała. — W niej ukojenie.

— To po co żyć? — spytał Dawid.

Nie odpowiedziała. Sama ledwie pożegnała żałobę.

— Może Matka do ciebie przemówi — rzuciła po chwili.

Kolumnada grabów i dębów jeszcze była bezlistna, naga, ale powietrze kipiało od woni nadchodzącej wiosny. Pokazała Dawidowi źródło wody żywej, przemyła w nim twarz. On zanurzył dłonie i napił się.

Potem pokłonił się Dębinie i przysiedli po dwóch stronach jej ostatniego gniazda. Jemioła skrzesała ogień i zapaliła kaganek. Siedzieli długą chwilę, aż zdmuchnął go wiatr, potem wstali i ruszyli w drogę powrotną.

— Powiedziała, że mam przestać szukać Jurate, że to mnie zabije — odezwał się Dawid.

— Posłuchasz? — spytała Jemioła.

Nie odpowiedział. Szli w milczeniu, a w lesie powoli zapadał zmierzch. Śmigła biegła przodem, prowadząc.

— Ten wódz nosi gniew w imieniu — powiedział po długiej chwili Dawid. — I ma niedobre oko. Powiem ci, młoda Matko, to, co już wiesz: musisz przyjąć wojnę z nim. Nie unikniesz jej. Ale powiem ci jeszcze coś, czego chyba nie wiesz: jesteś silniejsza niż Jarogniew.

— Posłucham cię — odpowiedziała Jemioła i złapała go za ramię. — Chodź, Dawidzie. Powitajmy wiosnę.

WŁADYSŁAW nie pierwszy raz łączył chwałę z żałobą. Dwóch synów stracił, gdy dwa razy zdobył Kraków. Śmierć Jadwini za pobicie Brandenburgii.

— Nie należy tak myśleć — tłumaczył mu cierpliwie Jarosław Bogoria, ale Władek nie słuchał go. Bogoria duchowny, nie ma dzieci.

Gdy wrócił, Wawel był w żałobie. Jadwiga wyszła go powitać w czerni. Wziął żonę w ramiona i milczeli długo, długo.

— Gdzie Kazimierz? — spytał, gdy królowa wysunęła się z jego objęć.

Za jej plecami stała Anna Giedyminówna, ale syna nie widział.

— Zaniemógł po śmierci siostry — powiedziała matowym głosem. — Przejął się tym tak bardzo, że...

Mężczyzna musi być silny — miał powiedzieć Władysław, ale ugryzł się w język. — Sam mu powiem — pomyślał.

Ruszyli na górę. Jadwiga wspierała się na jego ramieniu.

— Żałuję, że nie byłem przy tobie — powiedział.

— Nic byś nie zrobił — odpowiedziała ponuro. — Położyła się do łóżka wesoła i zdrowa, a...

— Widać była Bogu pisana — zacisnął szczęki Władysław, aż zabolały.

— Elżbieta urodziła — westchnęła Jadwiga.

— Coś nie tak z dzieckiem? — zaniepokoił się.

— Nie, dlaczego? — spytała.

— Bo głos masz, jakby…

— Mam, jaki mam — ucięła. — Cierpię. Nie umiem się cieszyć cudzym szczęściem w takiej chwili.

— Jakim „cudzym"? — żachnął się ostro. — To dziecko naszej córki, Jadwigo!

Usłyszał jej westchnienie, ciężkie, jak krok, którym szła.

— Co urodziła Elżbieta? — spytał łagodniej.

— Syna. Dali mu na imię Ludwik.

— Drugi syn! — z podziwem powiedział Władysław.

— Trzeci — poprawiła go. — Pierwszy umarł, ale to nie tak, że już można o nim nie pamiętać. — Rozpłakała się nagle i powiedziała: — Zostaw mnie. Chcę być sama.

— Żono — pogładził ją po dłoni. — W takich chwilach dobrze jest być razem.

— Nie wiem — odpowiedziała bezradnie i zatrzymała się. Wysunęła ramię z jego ramienia i spojrzała mu w oczy. — Bóg tak chciał, Władku. Jadwinia pragnęła należeć do niego — znów westchnęła głośno, przeciągle, jakby powietrze ulatywało z jej piersi bezpowrotnie. — Bóg tak chciał i nie wypada nam pytać „dlaczego". Człowiek nie może podważać wyroków Wszechmocnego. Matka może jednak płakać. Idź już — pokręciła głową.

Przekazał żonę w ręce Stanisławy i dopiero teraz zorientował się, że cały czas szła za nimi synowa.

— Anno — powiedział do niej.

— Królu — ukłoniła się.

— Jak się czujesz na Wawelu?

— Ja dobrze, ale Kazimierz…

Zobaczył w jasnych oczach Giedyminówny niepokój.

— Co takiego? — spytał. — Królowa mówiła, że to z żalu po śmierci siostry.

— Królowa nie widziała go od trzech dni — powiedziała Anna. — A gdy mówię jej, że chory, odpowiada, że od tego ma młodą żonę, by go pocieszała. Ale Kazimierz nie potrzebuje pocieszenia, tylko uleczenia.

— Co ty mówisz? — nie zrozumiał jej.

— Twój syn jest chory! — krzyknęła i wystraszyła się swego wybuchu. Przeprosiła.

— Chodźmy do niego — zdecydował Władysław.

Szli szybko, ludzie, których mijali, odskakiwali, z ukłonem schodzili im z drogi, co nie wiedzieć dlaczego, rozzłościło Władka. Na zakręcie dogonił ich Borutka.

— Najjaśniejszy panie…

— Nie teraz — uciął Władysław, ale w tej samej chwili dopadł do nich spocony biegiem Jelitczyk.

— Borutka zdążył przekazać? — spytał, kłaniając się tak, jakby miał się przewrócić.

— Co znowu? — rzucił zniecierpliwiony Władysław.

— Mamy rozboje na granicy z księciem Bolkiem Niemodlińskim. Z jakiegoś drobnego sąsiedzkiego zatargu wyszła burda i Bolko wysłał z ziemi wieluńskiej oddział, który spustoszył dobra na południu Starszej Polski.

— To wyślij Strasza ze Smoczą Kompanią, niech zrobi z tym porządek. Wypoczęty jest, nie był w Brandenburgii. No już, nie mam teraz na to czasu.

— Tak jest — zrozumiał Jelitczyk.

Władek odwrócił się, pchnął przed sobą Borutkę.

— Chodź z nami, możesz być potrzebny.

Przed drzwiami Kazimierza czuwała straż. Ustawili ją z kasztelanem Nawojem, jak tylko rozniosła się wieść, że zawarł sojusz z Giedyminem; dobrze, że Toporczyk nie odwołał zbrojnych. Niech pilnują.

Wewnątrz panował półmrok. Przy łożu czuwał pokojowiec.

— Kazimierz mówi, że światło go razi — powiedziała szeptem Litwinka.

— Otwórz okiennice — rozkazał pokojowcowi Władysław. — Nic nie widać. Muszę obejrzeć syna.

Kazimierz spał. Jego ładna, chłopięca twarz była trupio blada. Usta sine. Władysław dotknął czoła.

— Zimne — powiedział.

— Za zimne — dodała Anna. — Nie jadł od dwóch dni. Spójrz, panie — odchyliła ciepłą kołdrę.

Długie nogi Kazimierza wydawały się nienaturalnie szczupłe. Dotknął ich. Były chłodne, choć nakryto go porządnie.

— Nie jestem magistrem, ale nie podoba mi się to — powiedział.

— Kładę się przy nim, rozgrzewam go, ale on z rzadka się budzi. Otwiera oczy, pyta o Jadwinię, mówię mu, że poszła do Boga, i on zasypia. — Litwinka złapała go za rękę gwałtownie. — Królu, zrób coś z tym! Wylecz go, proszę!

— Medyk go widział? Co mówił? — nerwowo zapytał Władysław.

— Nie było tu żadnego medyka — powiedziała zrozpaczona Anna. — Królowa twierdzi, że to żałoba!

— Chryste Panie — złapał się za głowę Władysław. — Borutka, biegnij po magistra.

— Tak jest — odpowiedział Wrończyk i zniknął.

— Jadwinia — powiedział, targając brodę — teraz Kazimierz...

Anna objęła się ramionami, jakby i jej zrobiło się zimno. Pociągnęła nosem.

— A ja wciąż nie mogę przestać myśleć, że gdyby nie te łoża w Wieliczce, to on, mój mąż, mógłby nie żyć, jak siostra — wyszeptała. — To głupie, prawda? Nie mówiłam królowej, bo ona ciągle mruczy na mnie „poganka"...

— O czym nie mówiłaś? — spytał szybko.

— O tych łożach ona wie... — Anna zamrugała i pokręciła głową, jakby chciała czemuś zaprzeczyć.

— Co? — nie zrozumiał.

— W tę noc, co zmarła Jadwinia — popatrzyła na niego niepewnie. — Jadwinia zamieniła się z Kazimierzem na komnaty, bo chciała pospać w łożu po jakimś biskupie. Wyspać się wygodnie, przed klasztorem — próbowała wyjaśnić. — Pani Stanisława mówiła, że się zamienili, przed snem. I mnie wciąż się zdaje...

— Czekaj — przerwał jej Władysław. — Ty możesz mieć rację, dziewczyno.

Myślał gorączkowo. Tak, to trzyma się kupy. Ktoś zasadził się na następcę tronu, a trafił na jego siostrę. Jezus Maria. Jadwinia już złożona w grobie, za długo wracałem z Brandenburgii, z pogrzebem pozwoliłem nie czekać i przepadło. A można było wezwać joannitów, jak po śmierci Przemysła, by obejrzeli ciało i powiedzieli, jakie nosi śmiertelne znaki. Już na nic to, na nic. Służbę trzeba przesłuchać dokładnie. Pojechać do Wieliczki, dom de Culpena przeszukać. Ale co z Kazimierzem? Czy go kto otruł? Jak? Tu wejść nie wolno nikomu, pod drzwiami straże. O Wszechmogący... Czy moje dzieci wciąż będą płacić za mnie?

Anna stała naprzeciw niego, przyglądała mu się niepewnie. Bystra, mądra z niej dziewczyna. Władysław pogłaskał synową po policzku i spytał:

— Powiedz, czy wcześniej, przed śmiercią Jadwini, był zdrów?

— Był, królu — popatrzyła mu w oczy.

— Czy... — nie śmiał tego powiedzieć.

— Tak, królu — w lot zrozumiała dziewczyna. — Daj rękę — powiedziała z dumą.

Wyciągnął dłoń, nie wiedząc, co Anna chce zrobić, a ona złapała ją, pociągnęła i położyła na swoim brzuchu. Zaskoczyła go. Nie spodziewał się takiej śmiałości.

W tej samej chwili do komnaty wparował Borutka i medyk.

— Przepraszam, najmocniej przepraszam — wymamrotał magister Sylweriusz i cofnął się skonfundowany.

— Wracaj natychmiast — zażądał Władek i zabrał rękę z brzucha Anny. — Moja synowa oznajmiła, że jest brzemienna — wyjaśnił.

— Co za szczęście! — z ulgą powiedział Sylweriusz. — Co za wielkie szczęście!

— I ja się cieszę — Władek uśmiechnął się do Anny. — Ale ty zajmij się moim synem. To nie jest normalne, żeby młody, zdrowy mężczyzna zapadł w taką senność, że nie je od dwóch dni.

— Śpiączki się zdarzają, choć u młodych rzadko. — Sylweriusz uniósł palec, poruszył nim i nabrał powietrza, by kontynuować wykład.

Władysław jednym skokiem był przy nim. Chwycił go za płaszcz na piersiach.

— Mówisz o następcy tronu! — krzyknął. — O moim jedynym synu! Masz sprawdzić, czy nie został otruty!

Puścił go i odepchnął, aż medyk zatoczył się na Borutkę. Giermek złapał go za ramiona i ścisnął.

— Słyszałeś rozkaz króla, medyku? — syknął do niego. — Nie odejdziesz od łoża królewicza, póki nie wstanie zdrów.

— Nie dopuszczam innego rozwiązania. Wylecz go, albo cię skażę na śmierć — zimno powiedział Władysław. I wyszedł.

DAWID czuł, jak nowa krew szumi mu w żyłach. Spotkanie z dwiema Matkami, Jemiołą i Dębiną, żywą i umarłą, otworzyło mu oczy. Co się skończyło, trzeba zamknąć. Nie odwracać się za siebie, nie grzebać w mroku. Pić młody miód.

Wartowniczki Jemioły przeprawiły ich przez Wartę, wysadziły na drugim brzegu o świcie. Ptaki krzyczały, jakby tej wiosny miały pierwsze w swym życiu gody.

— Prosto i do „Zielonej Groty" — wskazała drogę rudowłosa, którą zwano Jeżyną. — Tam was napoją, nakarmią i możecie się przespać, nim dołączycie do wojsk.

— Żegnaj, siostro — ucałował ją siarczyście na pożegnanie, a ona odruchowo otarła jego ślinę z policzka. Zaśmiał się, aż wystraszył kosy i szczygły. Zamilkły.

— Oparzyłem? — spytał Jeżynę.

Uśmiechnęła się i szeroką dłonią odsunęła włosy opadające na piegowate czoło.

— Mam chłopaka — odpowiedziała zadziornie. — Niech Matka prowadzi!

W gospodzie buzował ogień i pachniało wędzonym twarogiem. W garnku bulgotała rybna polewka z kaszą. Wiąz, wysoki, smolistooki chłopak, ten sam, który gospodarzył, gdy byli tu po raz pierwszy, uprzątnął dla nich ławę. Napoił, nakarmił. Dawid nie chciał spać. Jego ludzie, Torwid i Erdwił, też byli rześcy. Rdesta nikt o zdanie nie pytał. Wzięli od gospodarza po bukłaku miodu na drogę i poszli odebrać ze stajni swoje konie. Prowadziła ich córka Wiąza, dziewuszka może sześcioletnia, zabawna, ubrana w zieloną, za krótką kieckę i zielone portki. Bosa.

— Jak ci na imię? — zagadnął ją.

— Kulka — odpowiedziała, drapiąc się w nos.

— A twoja mama gdzie?

— Zostawiła nas. Ale tato mówi, że odeszła do boga. — Kulka mówiąc to, przeskakiwała kałużę. — Stajnie są w lesie — wyjaśniła, choć nie spytał.

— Jesteś ochrzczona? — zdziwił się Dawid.

— W życiu — otrząsnęła się mała.

— To do jakiego boga poszła twoja mama?

— Do tego, co ma smoka, półtora oka i trzy pyski — rezolutnie streściła Kulka.

— To musi być bardzo brzydki bóg — pocieszył ją Dawid, rozumiejąc, że kłopoty Jemioły są złożone.

— No — potwierdziła poważnie dziewczynka. — Tak myślę. Brzydki jak strzygoń. Ale ci powiem, panie gościu, mój tato za to jest ładny. Bardzo ładny. I ty też niczego sobie. Ubranie masz wprost prześliczne. Zielone i w liście. Jak jakiś książę. Jesteś może księciem?

Torwid za jego plecami parsknął śmiechem. Kulka odwróciła się i obdarzyła go karcącym spojrzeniem.

— Ty za to jesteś zwykły — skwitowała. — A śmiać się z dzieci niełdnie.

— Przepraszam — wymamrotał rozbawiony Torwid.

— Przyjmuję — z łaską odpowiedziała Kulka. — Tu jest stajnia. I koniki.

— Nikt ich nie pilnował? — zdziwił się Dawid, wchodząc przez wiklinową bramkę do wnętrza.

— Pilnowała Gorczyca. Ale teraz pewnie sobie poszła. A co, czegoś brakuje? — dopytała fachowo.

W półmroku zbitej z bali stajenki Dawid odliczył trzy konie. W głębi stał jeszcze nieduży swejk.

— To mój — przypomniał o swej obecności Rdest.

Klacz Dawida stała przy żłobie najbliżej wejścia i powitała go rżeniem. Klepnął ją w szyję. Siodła wisiały na przeciwległej ścianie.

— Wszystko w porządku — odpowiedział Kulce.

— Chyba nie — powiedziała dziewczynka i stanęła na końcu stajni, pochylając się.

— Co? — spytał i podszedł do niej. Klacz za jego plecami parsknęła dziwnie. Jakby chciała go przestrzec.

— Mamy gościa — oznajmiła Kulka i kucnęła nad kimś śpiącym na słomie. Dawid zbliżył się, zobaczył drobną postać przykrytą szarym płaszczem, odwróconą tyłem do nich.

Kulka wyciągnęła wskazujący palec i dźgnęła śpiącego w ramię, mówiąc:

— Ty. Obudź się.

Śpiący drgnął i mruknął. Kulka klepnęła go w ramię, chichocząc:

— Pobudka, wstać! Koniom wody dać!

— Ach! — z piersi śpiącego wydobyło się lekkie, ale głośne westchnienie i zerwał się, odrzucając płaszcz.

— To dziewczyna — zauważyła Kulka.

I Dawid też. Ciemne długie włosy zatańczyły od nagłego ruchu i opadły na ramiona i plecy. Dziewczyna obudzona przez Kulkę odwróciła się ku nim i Dawid poczuł uderzenie serca tak potężne, jakby miało mu rozsadzić piersi.

— Jurate! — wrzasnął.

— Dawid? — spytała dziewczyna zaskoczona i przetarła oczy. — Dawid, to ty?!

— Jurate... — padł na kolana przed nią. — Jurate, żono, kochana moja...

Jej niebieskie oczy zaszły łzami w jednej chwili. Nie mogła złapać tchu.

— Dawid... Dawid, miły... Dawid... — powtarzała pobladłymi wargami. — Ty żyjesz? Mówili mi, że ciebie Krzyżacy ubili, że spalili... ja nie wierzyłam... ani słowu, nie wierzyłam... nie! uwierzyłam, że Krzyżacy, ale pomyślałam: mój Dawid ich przechytrzył, ukrył się między trupami na polu walki i wyszedł, kiedy oni poszli, i wróci do mnie, jak będzie mógł... och, miły, miły! Ja wiedziałam....

— Jurate — jęknął.

— To zwidy — powiedział za jego plecami Torwid, a Dawid słysząc jego zimny głos, odwrócił się i sięgnął po nóż przy pasie.

— Jesteś ślepy? — szepnął zduszonym, złym głosem. — To patrz!

Wyciągnął lewą rękę i dotknął Jurate. Była ciepła. Prawdziwa. Wczepił palce w jej szary płaszcz.

— Widzisz? — tryumfalnie powiedział do Torwida.

— Widzę — ponuro odpowiedział druh. — Widzę kobietę podobną do niej.

— Ja jej nie znam — usłyszał za plecami dziecięcy głos i przypomniał sobie o Kulce. — Pierwszy raz widzę.

— A ja czekałem na ten widok tyle lat — wyszeptał Dawid. — Tyle, tyle...

— ...tyle, ile ja? — zapytała Jurate i jej głos zadrżał. — Dawid, masz chusteczkę?

Wyszarpnął ją z rękawa. Ona spojrzała na niego niebieskimi, tymi niebieskim oczami, które tyle razy całował, gdy spały.

— Więc cię nie zabili? — spytała Jurate.

— Ciebie zabili, pani — zimno powiedział Torwid. — Dawidzie, to jest *vėlė*, zła *vėlė*, która cię kusi. Ja stałem przy tobie, kiedyśmy dotykali jej prochów...

— Milcz — rozkazał mu. — To jest cud. Chciałem go i dostałem. Matka powiedziała, że mam nie szukać wśród umarłych, i miała rację. Bo ona żyje. Ty żyjesz? — spytał Jurate.

— Dawidzie... — uśmiechnęła się tak słodko. — Dawidzie... nie poznajesz mnie?

— Poznaję — powiedział na przekór niedowiarkom.

I porwał na siodło. Mała Kulka stała we drzwiach stajni i przecierała piąstkami oczy. Co ona wie, głupie dziewczątko! Torwid. Czy Torwid znał Jurate, jak on? Widywał ją z daleka, spowitą sukniami i płaszczem. Schowaną w welonach jedwabnych chust. Miała znamię na czole. Ciemny okrągły znak między brwiami i odnalazł go. Owszem, przed laty była większa. Wyższa, tęższa, ale pamięć jest zawodna. Wszystko mówiło mu, że to ona, jego żona, Jurate, piękna, ciemnowłosa, niebieskooka. Trzymał ją mocno w ramionach przed sobą na siodle. A ona ufnie opierała głowę o jego pierś. Oddychała głęboko. I była ciepła, pachnąca jałowcem, jak zawsze, jak kiedyś.

Klacz parskała, gdy galopem pokonywali drogę. A on się śmiał:

— Cicho, mała! Odnalazłem swoje szczęście! Jedź! — popędzał ją. — Jedź!

Pomyślał, że odda Torwidowi dowództwo, jak tylko wkroczą na Litwę. Jego druh zawiedzie wojsko, tabory i tłuste łupy do Wilna, a on, z Jurate, pojadą od razu do Grodna. Giedymin wybaczy, jak się dowie, co go spotkało. W sercu dusił pytanie, czy w Grodnie, które odbudował po tamtym krzyżackim najeździe, zastanie syna i córki żywych? Chyba tak. To możliwe. Skoro ona, jego Jurate, żyje, skoro go odnalazła?... Tak. Tak będzie. Ale po chwili dopadały go chłodne, jak nocne powietrze, wątpliwości. Ich dzieci nie ma w Grodnie. On, Dawid, od lat mieszka w Grodnie sam. Nie, nawet nie mieszka. Odbudował spalony dwór, ale od tamtej chwili nie chce tam żyć. Spać, jeść. Tam nie ma ich dzieci. One spalone, nie żyją. Musi o tym powiedzieć Jurate, ale jeszcze nie teraz, nie chce jej złamać serca. Powie, później.

Do obozu wojsk dojechali nocą. Straż polska przepuściła ich, straż litewska powitała Dawida, stając na baczność.

— Jestem taka senna — wymruczała Jurate w jego szyję. — Ledwie żyję.

Wtedy na chwilę złapał go za gardło lęk. A jeśli to zwidy i ona nie żyje? Jeśli w siodle przed sobą ściska zjawę?

Uszczypnął ją, a ona obruszyła się. Z jego ust wydobył się jęk ulgi.

— Ty żyjesz...

— Ty też — odpowiedziała, jakby myślała o tym samym. — Dawid, miły. Ty też. Tak się bałam, że zmyśliłam cię, że jesteś snem, dobrym, gdy śnię, złym o poranku. Ile ja ich miałam? Nie pytaj. Każda noc to ty. To tęsknota za twoim zapachem — wcisnęła twarz w jego pierś. Zaciągnęła się, aż poczuł gorąco jej oddechu.

Zatrzymał klacz gwałtownie przed swoim namiotem. Zaryła kopytami.

— Wojewoda! — pokłonił mu się sługa i wyciągnął rękę po uzdę.

— Łoże stoi? — spytał, czule obejmując Jurate.

— Tak jest! — wyprężył się sługa.

Dawid delikatnie położył żonę na szyi klaczy. Zsiadł. Wyciągnął ręce po Jurate, a ona wpadła w nie bezwładnie.

— Podaj wino! — zażądał. — Najlepsze. I dwa kielichy.

— Jak pan każe — odpowiedział chłopak, unosząc brwi.

Jurate była lekka. Ciepła, miękka i słodko lekka. Poły namiotu musnęły go po policzkach, gdy wchodził z nią do środka.

— Obudź się — dmuchnął jej w twarz.

Otworzyła oczy i spojrzała na niego tak, jak wtedy, gdy ujrzał ją pierwszy raz. Gdy wielki kniaź Witenes przyprowadził ją spowitą w białe płótno zakrywające ciało i twarz. I powiedział: „Dawidzie, oto żona twoja". A on rozwinął zawój, jęknął z zachwytu i odpowiedział: „To ja. Twój mąż".

Położył ją delikatnie na miękkim łożu. Sługa wślizgnął się z kielichami. Gdy pospiesznie lał wino, pochlapał kraj jej sukni. Dawid dotknął wilgotnej materii, mimowolnie przesunął palcami po jej szorstkiej powierzchni.

— Jesteś mokra — powiedział.

— Odkąd cię znów ujrzałam — odpowiedziała, przymykając powieki.

Wolnym ruchem odpięła zapinkę płaszcza. Rozpłynął się miękko po jej bokach.

— Usłużę ci, Jurate — chrapliwie szepnął, pomagając jej rozsznurować suknię.

Była szara. Cienka i uboga.

Przez co ty musiałaś przejść, by mnie znaleźć? — pomyślał, dotykając skromnej, poplamionej materii. Przed oczami stanął mu obraz jej spalonego ciała, które rozsypało się w pył. Odepchnął wizję.

Myliłem się — zrozumiał. — Nie rozpoznałem popiołów. To były zwłoki jakiejś innej. Obcej.

Pomagała mu. Jej jasne ciało, drobne, piękne piersi sterczące w górę niczym dwa szczyty bliźniaczych wzgórz zachwyciły go. Ucałował je z czcią.

— Ach… — jęknęła. — Zaczynaj.

Wdarł się w nią. Rozsunęła uda, otwierając wejście do swych dolin.

— Moja córa morza — jęknął, wbijając się w nią. — Ju-ra-te. Córa Mórz.

— Dawid, pasterz — odszepnęła ich miłosnym szyfrem zapożyczonym od brodatego kapłana, którego Dawid trzymał w lochu kilka lat.

Była wąska, tym go zaskoczyła. Wąska, jak za pierwszym razem. A przecież potem było troje ich dzieci i on, jego ostrze chowane w jej pochwie, pamiętało to. Otrząsnął się. Pamięć jest zawodna.

— Jurate? — spytał. — To naprawdę ty?

— Dawidzie? — jęknęła. — To prawda?

Wyprężyła biodra nagle, a on krzyknął, szczytując:

— Tak! Ja. Ja. Ja.

— Co ukrywasz, miły? — spytała, prężąc się jak kotka.

— Zabijałem dla ciebie, Jurate — wyznał, pochylając się nad nią. — Paliłem wsie. W ofierze — oddech mu się rwał, lędźwie nakarmione rozkoszą, drżały. — Bo bałem się, że nie dostałaś świętego ognia, który chłonie ciało, by duszę uwolnić w zaświaty. Bałem się, że ona, twoja dusza, błądzi, bez darów... — wpatrywał się w jej twarz, w oblicze, za którym tęsknił tyle lat. W kobietę, którą brał za zmarłą i zagubioną w groźnych, mrocznych zaświatach. Z oczu zaczęły kapać mu łzy, wprost na jej policzki. — Oni ci nawet noża nie dali, żebyś złe *vėlė*odpędziła od siebie. Przegnała. Ach... — jęknął z rozkoszy, bo Jurate pod nim znów zaczęła miłosny taniec, łagodnie poruszając biodrami. Ale musiał skończyć. Musiał jej to wyznać, by mogli zacząć wszystko od nowa. — Słuchaj, Jurate — poprosił. — Posłałem dla ciebie setki, ach, może tysiące ludzi na śmierć. By służyli tobie w zaświatach. Byś miała niewolników... Ale ty żyjesz, prawda? — spytał, gdy rozkosz zaczęła rwać mu oddech.

— Żyję, ukochany, żyję... — odpowiedziała.

Wbił się w nią i wyprężył w rozkoszy.

— Tylko pojęcia nie mam, kim jestem — jęknęła pod jego pchnięciem. — Kim byłam, pamiętam. Ciebie, nasze życie, a potem, jakby mrok, aż do dzisiaj. Ale co tu jest, ach?! — napięła się.

— To ja — odpowiedział Dawid, wbijając się w nią jeszcze raz.

Wtedy poczuł gorąco. Uderzenie w kark? W plecy. Krew? Ukłucie, szybkie i głębokie, aż odebrało mu dech.

Nie teraz — pomyślał. — Nie teraz, gdy odnalazłem Jurate. Na wszystkich bogów świata...

JAN LUKSEMBURSKI czekał na taki moment długo. Jego dobijanie się o prawa do polskiej korony od pięciu lat przechodziło bez echa, bo król krakowski był ulubieńcem papieża. Ale teraz, gdy Europę przeszła wieść jak błyskawica, że Władysław spustoszył Brandenburgię z Litwinami przy boku, gdy Ludwik Wittelsbach wściekł się i otwarcie nazwał króla krakowskiego „bratem pogan", Jan miał drogę otwartą. Teraz, nie kiedy indziej. Teraz trzeba sięgnąć po Kraków. Bo teraz nikt się nie ujmie za królem, który jest w sojuszu z Dzikimi.

Miał srebro z dziesięcin, które papież podarował mu na krucjatę, i śmiał się w duchu, że za kościelne pieniądze odbije polską koronę. Nie, wiedział, że to za mało, to nie starczy na tak wielką wojnę. Przed dziesięcioma laty w Domżalicach przysiągł baronom Czech, że nie będzie ich zmuszał do wojen poza granicami Królestwa. Że nie zażąda podatków na taką wyprawę. Ale w Domżalicach stał nad jego głową Lipski. A teraz marszałek nie może ruszyć ani ręką, ani nogą. I nie może mówić.

Tak. To był ten moment, którego się Jan doczekał.

RIKISSA siedziała przy Lipskim. Głaskała go po dłoni. Zdarzały się takie dni, że drgnął mu kciuk. Na przykład wczoraj. I raz, w zeszłym tygodniu.

— Wiem, że wyzdrowiejesz — powiedziała do niego. — Dzisiaj przyjedzie nowy medyk, od króla Jana. Nie wiem, czy jest lepszy niż nasz, ale trzeba próbować. Żałuję, że nie ma z nami Kaliny. Pamiętasz Kalinę?

Wpatrywała się w niego, a on pustym wzrokiem patrzył w przestrzeń, jakby jej nie widział. Przełknęła łzę. Najgorsze było to niewidzące spojrzenie. Pocałowała go w usta. Jego wargi były ciepłe i suche. I nie oddawały pocałunku.

Nie mogę się załamać — powiedziała sobie i jeszcze mocniej chwyciła jego rękę.

— Kalina i jej siostry znają się na leczeniu, jak nikt inny — wróciła do monologu. — Ale boję się posyłać kogoś do Starszej Polski. Michał Zaremba nie wrócił. Kalina nie wróciła. Idą tam i przepadają, jak kamień w wodę.

— Mamo? — do komnaty zajrzała Anežka.

— Wejdź, skarbie — powiedziała Rikissa.

— Henryk Junior przyjechał.

— Niech przyjdzie do nas. Tu z nim pomówię.

— Ale...

— Jestem pewna, że on nas słyszy — oświadczyła z mocą Rikissa. — I nie chciałby być pominięty w rozmowie. Wołaj Juniora.

Gdy najstarszy syn Lipskiego stanął w drzwiach, pomyślała, że tylko z przyzwyczajenia mówią na niego „Junior". Od dawna był dojrzałym mężczyzną.

— *Bis regina* — ukłonił się i pocałował ją w policzek. — Co z nim?

— Dobrze — uśmiechnęła się. — Dużo słucha i nie zaprzecza.

— Jest jakaś zmiana? — niepewnie spytał Henryk.

Anežka bezceremonialnie przysiadła na wezgłowiu łóżka.

— Nie — powiedziała prawdę Rikissa. — Jest tak, jak było. Ale jesteśmy dobrej myśli. Ja jestem.

— A ja nie — przysunął sobie stołek i usiadł przy nich. Chwycił drugą dłoń Lipskiego. — Ojciec, obudź się.

— On nie śpi, Henryku.

— Wiem. Ale mamy kłopoty i jest nam wszystkim potrzebny. Od zaraz. — Henryk potrząsnął ramieniem Lipskiego. — Słyszysz? Bez ciebie się wali. Luksemburczyk dokazuje.

Pociągnął go za ramię zbyt mocno. Nieruchomy korpus ojca przesunął się bezwładnie na bok. Henryk puścił jego ramię i złapał się za głowę z bezsilności. Rikissa spokojnie poprawiła Lipskiego, Anežka jej pomogła.

— Mów — powiedziała do Henryka. — Mów, co się dzieje.

— Mamy burdy nadgraniczne. Po śmierci Mateusza Czaka jego zwolennicy nie poddali się węgierskiemu Carobertowi i niczym dzikie hordy pustoszą, co się da. Po naszej morawskiej i po węgierskiej stronie, po równo. Ale to tylko pretekst, Rikisso — spojrzał jej w oczy.

— Słyszysz, Lipski? — ścisnęła jego dłoń. — Mateusz dawno nie żyje, a dwóch królów ciągle ma z nim kłopot — uśmiechnęła się, pamiętając, że Lipski białym niedźwiadkiem wyjednał Czakowi możność bronienia się do końca przed potężnym Carobertem.

— Rozbójnicy to tylko pretekst — powtórzył Junior. — Król rozesłał gońców do wszystkich możnych. Wzywa na wielkie zgromadzenie. A Cenek, który przyjaźni się z bratankiem Petera z Rożemberka, mówi, że będzie uchwalał podatki na wojnę. Nie na rozbójników.

— Nie może — powiedziała Rikissa niespokojnie. — Układ z Domżalic zabrania.

— W tym rzecz. Chce skorzystać, że ojciec chory, bo marszałek by mu się postawił.

Anežka objęła nieruchomego Lipskiego ramieniem i szepnęła do niego czule:

— Słyszysz? Jesteś potrzebny Czechom. Skoro nie dla mnie i mamy, to dla Czech wyzdrowiej, marszałku Lipski.

— Mrugnął! — krzyknęła Rikissa. — Widzieliście? Kochany — rzuciła mu się na szyję i przycisnęła go. Nie odpowiedział. Zagryzła wargi. — Ale mrugnął — powiedziała ciszej.

— *Bis regina* — głucho odezwał się Henryk. — Nie zapytałaś, na jaką wojnę chce ciągnąć nasz król.

Puściła dłoń Lipskiego i wstała. Podeszła do okna.

— Ja to wiem, Henryku — powiedziała. — Ale wiem, że nie wszystko stracone. Zrób, co możesz, by odwlec w czasie zwołanie zgromadzenia. Twój ojciec ma jeszcze jakichś przyjaciół?

— Ma tylko nas, synów — odpowiedział Henryk Junior, zaciskając szczęki. — Jego przyjaciele umarli dawno, a wrogowie czekali na jego słabość zbyt długo, by teraz sobie odpuścili.

— Wobec tego ja pomówię z królem Janem — powiedziała Rikissa. — To tylko gra, nic więcej. Prawda, Henryku z Lipy?

Jego powieka nie mrugnęła. Oko patrzyło matowo, ale ona nie może się poddać. Ani dla siebie, ani tym bardziej dla niego.

ZYGHARD VON SCHWARZBURG wrócił z Włocławka w kiepskim nastroju. Oczywiście, nie mógł pojechać od razu do Grudziądza, najpierw trzeba było złożyć meldunek w Malborku. Wychodząc ze stajni, niemal zderzył się Lutherem z Brunszwiku.

— Piękny ogier — pochwalił. — Kiedy go wałaszysz?

— A co, chciałbyś pokryć nim swoją klacz?

— Zgadłeś. Wyobrażam sobie siebie jako rycerza na białym koniu. Mam siwą rozjaśnianą klaczkę, twój chłopak byłby dla niej w sam raz.

— Dorobiłem się stad w Dzierzgoniu. — Luther zdjął sakwy z siodła, klepnął ogiera w zad i oddał stajennemu. — Możemy się dogadać. Idziesz do kancelarii?

— Jak i ty. — Zyghard uśmiechnął się, wskazując na pergamin wystający z sakwy Luthera. — I co? Zamieszałeś w kotle śląskim?

— Owszem, ale chwilowo czarty zgłaszają się pod sztandary luksemburskie — skrzywił się komtur dzierzgoński.

— Jan wrócił z wojaży, światowy, piękny, młody i skradł śląskie serca? — zaśmiał się Schwarzburg.

— Jakbyś tam był — przytaknął Luther.

— Byłem, przed pięciu laty. Na Turnieju Zimowego Króla — przypomniał. — Zapowiadał się świetnie, a z tego, co słychać po jego podróży, rozwinął wszystkie możliwe talenty. Wżenił się podwójnie we francuską rodzinę królewską, przez swą siostrę i syna.

— Drugiego zaręczył z Karyntią. Ciekawe, co?

— Francuskie bogactwa i karyncka bieda.

— Bieda owszem, ale kierunek dobry. A jak poszło tobie? Wybraliście sędziów polubownych?

— Nowy biskup włocławski jest odporny na mój urok — powiedział Zyghard. — Użyłem wszystkich talentów dyplomatycznych, ale nic nie wskórałem. A tak szczerze: Polacy nie chcą zgody. Liczą... — urwał w pół zdania, bo naprzeciw nich pojawił się wielki mistrz w asyście urzędników. Ukłonili się.

— Zyghardzie, Lutherze — przywitał ich Werner von Orseln. — Zabieram was do siebie. Musimy pomówić, pilnie!

Poszli za nim do prywatnych pokoi, słudzy podali wino, Werner odprawił świtę i zostali we trzech.

— Dawid, wojewoda Grodna nie żyje — powiedział wielki mistrz.

— To Giedymin jest bez ręki — skwitował Zyghard. — Prawej, która trzymała miecz.

— Zamordowano go podczas powrotu z wyprawy brandenburskiej! Na terenie Królestwa Polskiego! — krzyknął podekscytowany Werner.

Zyghard spojrzał na Luthera. Komtur dzierzgoński nie okazał żadnych emocji, a przecież Litwa stanowiła teren działań jego wywiadowców. Ciekawe.

— Nie rozumiecie? — zdziwił się Werner. — Musimy wykorzystać to, by złamać sojusz Giedymina z Władysławem.

— Oczywiście — powiedział Zyghard. — Trzeba działać szybko. Tylko czy możemy powiązać jego śmierć z osobą króla? Wiemy, jak zginął?

— Na pewno nie z rąk Litwinów — powiedział Werner. — Ubóstwiali go. Zajmijcie się tym w pierwszej kolejności.

No i już pojechałem do Grudziądza — wściekł się Zyghard i zażartował ze złości:

— Pogrzeb ma być komturski? Wojewoda to chyba ranga marszałka.

— Zyghardzie — wielki mistrz skarcił go łagodnie. — Nie pierwszy raz zauważam, że kpisz, kiedy się denerwujesz.

— Koniec mojej kariery w dyplomacji — brnął dalej. — Przyznaję, we Włocławku nic nie uzyskałem.

— Och — przeżegnał się Werner. — Naprawdę?

— Polacy zbijali każdą naszą kandydaturę, a ich propozycje były nie do przyjęcia.

— Jakie?

— Biskup krakowski Nankier, biskup włocławski Maciej, ten

koszmarny opat mogilski, co wygląda jak trup wyjęty z krypty, kto tam jeszcze? Ach, nowy poznański biskup, Jan Doliwa. Kompan króla z młodych lat, jakby się kto pytał. I oczywiście Piotr Żyła, który otwiera usta i lecą dekrety. Albo kanonik Jarosław Bogoria.

— A jakikolwiek kandydat spoza Królestwa? — spytał zawiedziony mistrz.

— Dwóch — grobowo odpowiedział Zyghard. — Kanonik Andrzej z Veroli, krewniak Piotra z Veroli, ich człowieka w kurii, i Piotr z Alwerni, nuncjusz apostolski.

— Jezus Maria, tylko nie Piotr z Alwerni! — znów przeżegnał się mistrz. — A nasz biskup sambijski?

— Nie do przyjęcia. Głową tłukłem w mur, wierzcie mi.

— Pokaż guza — uśmiechnął się Luther.

Co tak ci wesoło? — spytałby, gdyby był kapusiem. — Na Śląsku też osiągnąłeś piękne nic.

— Niedobrze — pokręcił głową Werner. — No trudno, dla porządku nasz prokurator w Awinionie znów wniesie o przygotowanie kopii zaginionych bulli. Król Niemiec rozsyła po dworach europejskich list, w którym oskarża papieża o wspieranie pogan, a króla Władysława nazywa ich bratem. Oczywiście chodzi o tę rejzę brandenburską. Musimy się włączyć w obieg informacji. Dobrze by było, gdyby z kręgów pomorskich wyszły tak zwane świadectwa mordów. Mamy tam kogoś, kto nie budzi podejrzeń o nasze podpowiedzi?

— Opat cystersów z Bierzwnika — podpowiedział Luther. — Od książąt szczecińskich nic nie wydusimy, są w sojuszu z małym królem.

— Znasz tego opata? — spytał Luthera mistrz.

— Przesłaliśmy im datek — odpowiedział komtur dzierzgoński, a w jego głosie Zyghard usłyszał pogardliwe „myślę z wyprzedzeniem, stary głupcze". Werner nie wychwycił tego, bo kiwnął głową zadowolony i dodał:

— Przydałyby się też płaczliwe listy z samej Brandenburgii. Skargi, opisy bezeceństw wyprawianych przez pogan i królewskich rycerzy. Żeby zrównać ich w występkach. To bardzo pomoże nam w rozprawie o uznanie naszych zdobyczy na Pomorzu. Niech teraz świat dowie się, jak dwulicowy jest mały król…

Władza deprawuje — pomyślał Zyghard von Schwarzburg, słuchając Wernera. — Cichy i pobożny, do czasu gdy po trupie przyjaciela wziął tytuł i Malbork. Mnie, odkąd straciłem Kunona, podnieca sama gra. Ale jedna gra to za mało, bo mój templariusz był wieloma ludźmi skrytymi w jednym ciele. Muszę grać w kilka i dlatego od pięciu lat płacę zielonookiemu karłowi, by osłaniał tego małego króla. Mam do niego słabość, choć pewnie jest o wiele silniejszy niż ja. Może dlatego chcę dać mu drugą szansę? Kupuję mu życie, które odbierać chce każdy. Każdy głupi, bo co to za przyjemność wygrać w nieczystej walce?

— Twój pomysł jest doskonały, mistrzu — powiedział Luther. — Zniszczymy reputację króla Władysława. Ale mam też poufne wieści z Wawelu.

— Och, czyżby? — zdziwił się Werner.

Z Wawelu? — szybko wyłapał Zyghard. — A kogo tam masz?

— Następca tronu, królewicz Kazimierz, zachorował ciężko — powiedział Luther z Brunszwiku i oczy mu zalśniły. — To już szesnastolatek, nie dziecko — przypomniał.

— O! — wyraził uznanie Zyghard i upewnił się, kto jest jego prawdziwym przeciwnikiem w grze. — Ich ostatni syn.

— Co ty mówisz… — Werner von Orseln aż dostał rumieńców.

— Straszne — włączył się Zyghard. — Córka Jadwiga ledwie co zmarła z niewiadomych przyczyn, a teraz choroba królewicza. Pewnie Giedyminówna, jego żona, czuje się okropnie. Jest brzemienna, a mąż choruje. Biedactwo. Dobrze, że jak każda Litwinka świetnie znosi ciążę.

Za miny ich obu mógłby kupić stado koni albo piwnicę alzackich win starych jak świat.

Wyszli z komnat wielkiego mistrza razem. Werner powiedział, że chce się położyć.

Owionął ich mokry, zimny wiatr.

— Jak zginął Dawid? — spytał Zyghard.

— Przez kobietę — powiedział Luther.

— Nie wierzę — pokręcił głową Zyghard. — Takiego wodza zabiła dziewczyna?

— Nie. Mąż zhańbionej żony. Albo kochanki, tego nie wiem. To był straszny jebaka, Zyghardzie.

— Kobiety są groźne — powiedział kpiąco Schwarzburg. — Dobrze, że reguła nam ich wzbrania. Za każdą pięknością stoi jakiś mąż.

— Mówią, że uwiodłeś księżną Mariję, żonę Trojdena, i stąd mamy z nim sojusz.

— Bzdura — zaśmiał się. — Gdyby tak było, książę Czerska byłby „mężem zhańbionej żony", a ja jak Dawid, dałbym łeb.

— Nie mówię, że w to wierzę — zaśmiał się Luther. — Powtarzam ci plotki. Znam jeszcze jedną.

— Jaką?

— Że wracając z Włocławka, nadrzuciłeś drogi.

— Ciekawe.

— Byłeś ponoć w komandorii joannitów nad Wartą — powiedział Luther.

Ty chuju — pomyślał Zyghard. — Kto mnie śledził?

— Ktoś musi czasem zapalić świecę na grobie brata Kunona — odpowiedział na głos.

— Dobrze, że o nim pamiętasz — skinął głową Luther. — Cóż po nas zostaje, jeśli nie pamięć?

— Idę spać, jestem skonany — powiedział Zyghard i ruszył w stronę swojej celi.

— Zostaw mi tę klaczkę — rzucił na odchodnym Luther. — Zabiorę do Dzierzgonia i oddam ze źrebakiem.

Zyghard zrobił kilka kroków i zatrzymał się. Odwrócił głowę i rzucił przez ramię:

— Rozmyśliłem się. To kiczowate, być rycerzem na białym koniu.

— Skądże — zaprzeczył Luther z Brunszwiku. — Biały płaszcz, biały koń, wygląda przednio.

— Niech twoje ogierki pobawią się z kimś innym. Moja panna chwilowo nie jest na wydaniu — odpowiedział Zyghard von Schwarzburg.

GIEDYMIN stał we wrotach dworu w Trokach i czekał. Za jego plecami synowie. Olgierd, Jawnuta, Kiejstut, Koriat, Witold, Lubart, Narymunt, Monwid. I trzy córki: Milda, Gintare i Vaidilute.

Przy jego boku Biksza, Margoł, Wasilik, Dutze, Ligejko. A przy nodze Chyży, samotny, odkąd jego Śmigła wybrała Matkę. Gdzieś z tyłu dominikanin Mikołaj rozgrzewał dłonie, chuchając w rękawy.

Rogi zagrały, sfora psów trockich z ujadaniem rzuciła się szukać panów wśród nadjeżdżających. Straż przednia wjechała na dziedziniec i uniesione proporce z Pogonią opuścili ku ziemi na znak Torwida, który wiódł pochód. Przy jego boku jechał żmudzki wódz, Erdwił. Giedymin jeszcze przez jedną chwilę chciał się łudzić, ale zobaczył klacz Dawida, osiodłaną i bez jeźdźca, i już wiedział, że posłańcy mówili prawdę. Za nią wjechały sanie ciągnięte przez wielkie psy. Chyży zawył przeciągle.

— Mikoła, powiedz mi jeszcze raz, że zwierzę nie ma duszy — syknął Giedymin do klechy.

— Na Litwie ma — odpowiedział dominikanin. — Odszczekuję. Zresztą, ja też jestem psem pańskim.

— Wojewoda Grodna, książę Pskowa, Dawid, wrócił do swego pana, wielkiego kniazia Giedymina! — zawołał Torwid i zeskoczył z siodła.

Zadęto w rogi przeciągle.

— Czekaliśmy go! — odpowiedział Giedymin.

Żywym — dodał w myślach i przełknął. Wyszedł ku nim. Zziajane psy z zaprzęgu położyły się na śniegu. Na saniach ułożone były tarcze z czerwonym brandenburskim orłem. Na nich stała wielka, zbita z prostych desek skrzynia. Torwid i Erdwił podeszli ku saniom. Doskoczyło do nich czterech zbrojnych. Odkuli zawiasy i odrzucili wieko. Skrzynia wyłożona była śniegiem. I w tym śniegu, jak w puchu, leżał Dawid. Miał na sobie zielone jedwabne portki w barwie mchu, zielony kaftan w liście paproci. Na nogach wysokie buty wyszyte paciorkami, a na plecach futro rosomaka.

— Dawid, jak żywy — zapłakał Giedymin i dotknął jego ciemnych brwi przyprószonych śniegiem.

— Żyje jego sława — powiedział Torwid i po twarzy zaczęły płynąć mu łzy. Zacisnął szczęki, aż zgrzytnęło.

W dłoń wojewody wetknięto chusteczkę jego Jurate.

— Zamknijcie go — rozkazał Giedymin — i trzymajcie straż, z honorami. W nocy zapalimy mu stos nad jeziorem Galwe. Proszę do środka. Gości z Korony też — dopiero teraz zauważył, kasztelana Pawła Ogończyka i jego ludzi. — Proszę — wskazał gestem na rozwarte wrota dworu.

Sam wszedł pierwszy i stanął przy palenisku.

— Napijmy się — powiedział i machnął ręką, odprawiając chłopca do próbowania. — Linas, daj spokój. Sami swoi. Torwidzie, mów, jak było — poprosił, gdy wszyscy zebrali się przy ogniu.

— Wyprawa udała się nadzwyczajnie — zaczął druh Dawida. — Król odbił tę kasztelanię, co chciał, a my złupiliśmy Brandenburgię. Piękne miasto nad Odrą.

— Frankfurt — rzucił Erdwił.

— Bogate — skinął głową Torwid. — Nabraliśmy łupów. Dawid, jak zawsze, szukał wśród kobiet Jurate.

— I jak zawsze nie znalazł — dopowiedział Erdwił.

— Król dowiedział się o śmierci córki i pojechał do Krakowa. My zabraliśmy łupy i ruszyliśmy do domu. W Starszej Polsce żmijka zrobił spotkanie, którego chciałeś. Wypadło w Jare Gody. Dawid, ja i Erdwił spotkaliśmy się z Matką Jemiołą i wodzem Starców. Nazajutrz jej strażniczki odprowadziły nas przez bagna do gospody. I w stajni przy gospodzie była dziewczyna. Dawid krzyknął: „Jurate", chwycił ją.

— Była choć podobna? — spytał Giedymin.

— Miała błękitne oczy i ciemne włosy — wymijająco odpowiedział Torwid. — Takich Jurate wiele znajdziesz, kniaziu. Ale on był pewien, a i ona rozpoznała go od razu.

— Wiedziała, kim był — wtrącił Erdwił i to przykuło uwagę Giedymina.

— Zabrał ją z gospody — zmęczonym głosem kontynuował Torwid — dołączyliśmy do wojska i w nocy, w obozie, dopadł nas mąż tej „Jurate". Nie wiem, jak oszukał straże. Nad ranem wdarł się do namiotu Dawida i dźgnął go w plecy. A dziewczyna zniknęła.

— Nie złapaliście jej?! — dopiero teraz dotarło do Giedymina.

— Nie — krótko odpowiedział Torwid. Wziął głęboki, ciężki wdech i dodał: — A jego zabili nasi strażnicy, nie wiedzieli jeszcze, co zrobił. Zobaczyli wymykającego się z obozu obcego, nie zatrzymał się na wołanie, strzelili do niego. Wtedy ponoć krzyknął, że „nie daruje pohańbienia żony". I skonał. Strażnicy podnieśli alarm i odkryliśmy martwego Dawida.

— Zostawiliśmy w Królestwie Sprudejkę — dopowiedział Erdwił — żeby zbadał sprawę. On umie tropić. Po śladach odróżni lisa od lisicy. A Rdesta, żmijkę, przyprowadziliśmy na postronku. Będzie więźniem, póki Sprudejko nie dowie się, jak było naprawdę.

— Nie daje nam spokoju Półtoraoki. — Torwid potarł szeroką dłonią czoło. — Skłócił się z Dawidem podczas Jarych Godów. Wyzwał Matkę. Ale żadnych dowodów nie mamy.

— Tak szybko podstawiłby tę „Jurate" do „Zielonej Groty"? — powątpiewał na głos Erdwił. — Skąd by ją wziął? Naprawdę była podobna. Dość podobna.

— I jakeśmy znaleźli martwego Dawida — dodał Torwid — z nieba sypnęło śniegiem, choć to już było po Jarych Godach.

— Paulius! — zawołał Giedymin na królewskiego kasztelana. — Czy to możliwe?

— Nie byłem proszony na spotkanie, o którym mówi Torwid i Erdwił — powiedział Ogończyk. — Nie poznałem Półtoraokiego. I nie pilnowałem namiotu wojewody w noc, gdy to się stało. Ale płakałem po jego śmierci, jak po bracie. Stałem między twoimi Litwinami i Żmudzinami, gdy go znaleźli, gdy nagle wiosenne powietrze ściął mróz, a z nieba sypnął śnieg. Kiedy mój król się dowie, pęknie mu serce.

— Jak nam wszystkim — odpowiedział Giedymin.

I pomyślał: Dla mnie był bratem bardziej niż rodzony. Witenes nigdy nie był mi bliższy niż Dawid. Od lat bałem się, że źle skończy, kobiety, jedna za drugą, brał je do łoża, na raz, mówił, że szuka Jurate, potem wyrzucał, zniecierpliwiony, zły jak wściekły pies. Nie można szukać umarłej między żywymi. Jej *vėlė* pociągnęła go do grobu.

— Powiesz swemu królowi, Paulius, że śmierć Dawida nas łączy i nigdy nie podzieli — oznajmił Giedymin, choć głos mu zadrżał. — Co nie znaczy, że przestaniemy szukać winnego.

— Matka Jemioła przysyła ci dar, kniaziu — powiedział Torwid i skinął na sługę.

— Dar? — zdziwił się. Pił miód za pamięć Dawida. Opłakiwał go. Nie spodziewał się żadnych darów i chyba ich nie chciał.

Sługa Torwida przyniósł jakieś zawiniątko. Chyży skoczył spod nóg Giedymina ku niemu. Zaszczekał, zajazgotał radośnie.

— Cicho — warknął na ogara Giedymin. — Waruj.

Ale pies nie usłuchał.

— Dała to Dawidowi na koniec Jarych Godów — powiedział Torwid i podał mu zawiniątko. — To...

— Szczenię Śmigłej — rozpoznał Giedymin i pogłaskał psiaka. Ciepło zwierzęcia rozgrzało mu serce. Uklęknął i pokazał je skaczącemu Chyżemu. — Masz, chłopaku, swojego dzieciaka.

Ogar wylizał rudę szczenię. A ono otworzyło ciężkie powieki i spojrzało na Giedymina okiem w barwie bursztynu.

— Nazwę cię Jantar — powiedział. — Będziesz moim klejnotem.

Zostawił szczenię ojcu, wstał i dopił miód, resztę wlał w ogień.

— Idziemy zapalić stos pogrzebowy Dawida! — rozkazał. — I pić na jego sławę.

Ruszyli. Paweł Ogończyk znalazł się przy jego boku. Dotknął łokcia i spytał:

— Kniaziu, chyba powinienem widzieć, kim jest Matka?

— Ty, Paulius, najpierw musisz wiedzieć, kto to Półtoraoki — odpowiedział szczerze.

HENRYK, książę wrocławski, po raz kolejny czuł, że wszystko, czego się tknie, rozpada mu się w rękach. Miał trzydzieści lat, był władcą najbogatszego miasta Śląska, które odziedziczył, choć nie był pierworodnym synem. Z boku wszystko mogło wydawać się doskonałe, jakby Bóg i fortuna mu sprzyjały.

A jednak on, nikt inny, był przykładem, że pozory mylą.

Wrocław dostał, bo jego starszy brat, gruby i rozrzutny Bolesław, chciał go przechytrzyć i w podziale ojcowizny wziąć uboższe księstwo brzeskie i pięćdziesiąt tysięcy grzywien srebra rekompensaty. Pięćdziesiąt tysięcy. Niebotyczne pieniądze. Góra srebra. Oprawa wdowia słynnej *bis reginy*, o której plotkowano na śląskich dworach, że uczyniła młodą Rikissę najbogatszą wdową w historii, wynosiła dwadzieścia tysięcy za każdego męża. Bolesław łyknął pięćdziesiąt, oblizał się i wyciągnął łapę po więcej. Do tego ich najmłodszy brat, szalony i nieobliczalny Władysław, ani groszem się nie dołożył do spłat, na skutek czego Bolesław wydziedziczył go z księstwa legnickiego. Henryk po matce, Elżbiecie, księżniczce Starszej Polski, odziedziczył okropną cechę: prawość. Nie łamał słowa, dotrzymywał umów i nie umiał inaczej. Wstawił się za najmłodszym bratem i w zamian za zrzeczenie się przez Władysława praw do księstwa wystarał o święcenia, karierę duchowną i trzydzieści tysięcy na otarcie łez i marzeń o byciu panem na Legnicy.

Gdyby jeszcze i Bolesław był prawy i choć trochę umiarkowany, wszystko mogłoby się ułożyć. Ale jego brat, wychowany na złotym dworze Przemyślidów na ich zięcia, wpadł w sidła rozrzutności. Nie było dla niego kwoty nie do roztrwonienia. Ubierał się jak król, jadał jak cesarz i bywać chciał jak pierwszy wśród książąt. Orszaki, turnieje, służba, uczty, gdzie się pojawiał, tam musiał bić blask. Co jest krową dojną? Nie Brzeg, który wybrał przy podziale księstwa, nie Legnica, którą odebrał Władysławowi. Wrocław. Wrocław to zdaniem Bolesława szkatuła bez dna. Oficjalnie zaproponował Henrykowi zamianę, gdy ten się nie zgodził, najechał go. „Wojna między braćmi?" — krzyknął mu wtedy w twarz oburzony Henryk. „To nasza tradycja!" — zaśmiał się tubalnie Bolesław.

Najgorsza z możliwych.

Jego straszy brat miał trzech synów, także i pod tym względem trzymał śląskie zwyczaje. Trzech synów z Przemyślidką, a gdy nieszczęsna Anna zmarła, rodząc tego ostatniego, odczekał żałobę i już wziął nową żonę. Jakby zawołaniem mu było nie „Czerń i złoto", ale „Jeść i płodzić".

Henryk miał trzy córki. Trzy dziewczynki. Nie będzie miał syna, bo jego małżonka jest od niego starsza o szesnaście lat. Już naprawdę nie może rodzić. Słodka Anna Habsburg. Dostał ją, będąc chłopcem, ona była wdową. Doświadczoną i prawda, opiekuńczą. Zastąpiła mu matkę, otoczyła czułością. Dała Elżbietę, Ofkę i Małgorzatkę. Nie odsunie jej od siebie, teraz, gdy weszła w jesień życia. Teraz to on musi zadbać o nią. I o to, co stanie się, gdy jego zabraknie.

Zrobił to wszystko dla córek. Najpierw ofiarował swe służby i Wrocław królowi Władysławowi. Zrobił to, choć potężny patrycjat Wrocławia był przeciwny. Ani jeden z rajców nie powiedział „tak". Wszyscy mówili: „Każdy, byle nie król Polski. Łokietek nie szanuje mieszczan. Pamiętamy bunt wójta Alberta". I właśnie „Łokietek", z pogardą. Polski król mu odmówił. Nie chciał zatargu z Bolesławem, który wtedy, pod nieobecność Luksemburczyka, był namiestnikiem króla Czech w Pradze. I nie pomogła królowa Jadwiga, rodzona siostra jego matki Elżbiety.

Dlatego klęknął przed Ludwikiem Wittelsbachem. Oddał mu Wrocław w lenno. Król Niemiec w zamian za to dał jego córkom prawo do dziedziczenia księstwa. Obiecał osłonę przed pazernym bratem. Ale znów wszystko poszło źle. Sądził, że dobrze wybrał zięciów. Elżbietkę wydał za Konrada Oleśnickiego, syna księcia Głogowa. Chciał trzymać tym małżeństwem z wrogiem Bolesława w szachu. Dziewczynka była za młoda, miała jedenaście lat, kiedy musiał ją wydać. Dzisiaj ma piętnaście i wciąż nie ma dzieci. Małżeństwo nie jest szczęśliwe, a Konrad nie okazał się wiernym zięciem. Źle zrobił, że dał dziecko synowi wroga. Przecież to stary Głogowczyk więził w żelaznej klatce ich ojca.

Ofkę ożenił z Bolkiem, pierworodnym synem Opolczyka, księciem na Niemodlinie i ziemi wieluńskiej. Ten wydawał się rozsądniejszym wyjściem. I był, do niedawna, kiedy to nie upilnował swoich rycerzy, nie powstrzymał burdy w zarodku. Jego ludzie wdali się w zatarg sąsiedzki, Bolko pozwolił im rozwiązać go mieczem i wtargnęli na południe Starszej Polski. A król Władysław wysłał na nich okrytą czarną sławą Smoczą Kompanię, zaprawioną przed laty w bojach z biskupem Muskatą. Smocze zbóje raz-dwa pokonały Bolka i odebrały mu ziemię wieluńską. Trzeba było być skończonym głupcem, by tak się królowi podstawić. Nieduża ziemia wieluńska łączy Małą Polskę ze Starszą Polską i od lat kusi swym bezcennym położeniem. Gdy książę wrocławski Henryk porwał przed czterdziestu pięciu laty Przemysła, łamiąc ich wieloletnią przyjaźń, też zażądał od niego ziemi wieluńskiej za wolność. Jego zięć właśnie ją bezmyślnie stracił, a Śląsk dostał wyraźne ostrzeżenie od króla Władysława. Przesłanie brzmi: biorę, co chcę. Z Litwinami uderzyłem na Brandenburgię, odebrałem Międzyrzecz. Uderzyłem na Mazowsze. Wy będziecie kolejni.

I nie pomógł Brandenburgii król Niemiec, Ludwik Wittelsbach. Palcem nie kiwnął. Ten Ludwik, któremu Henryk złożył hołd lenny w nadziei na odmianę losu.

Los odmienia się tylko na gorsze — myślał. — A ciosy przychodzą po równo, od obcych i bliskich.

Dzisiaj dotarła do niego wiadomość, której się nie spodziewał. Jego młodszy brat w tajemnicy przed wszystkimi porzucił śluby zakonne, podeptał sutannę i ożenił się. Z siostrą książąt mazowieckich, małą Matyldą. Teraz tylko patrzeć, jak wróci, by objąć Legnicę. Z trudem wypracowane braterskie porozumienie legło w gruzach.

— Jestem w matni, Anno — przyznał się żonie. — Nie wiem, co robić, moja przyjaciółko.

— Czasami lepiej nie zrobić nic, niż postąpić pochopnie — odpowiedziała, gładząc go po dłoni.

— To mnie przytłacza — powiedział. — Moi niemądrzy zięciowie, obojętny Wittelsbach, wojowniczy król Władysław, pragnący przejąć Wrocław starszy brat, młodszy, co podeptał śluby.

— Pomyśl o Luksemburczyku — podsunęła Anna. — Wrócił do Pragi, nasi mieszczanie od tylu lat zabiegają o czeską protekcję. Kiedyś książę wrocławski Henryk to zrobił.

— I źle skończył. Sięgnął po Kraków i go otruli. Był zbyt ambitny.

— Ty jesteś powściągliwy, stateczny — w jej głosie usłyszał dumę, ale co mu po pochwale małżonki?

— Jeszcze raz rozważę Krzyżaków — powiedział. — Komtur Luther z Brunszwiku jest krewnym naszego zięcia, Konrada.

— To nic nie znaczy — przestrzegła go. — Oboje doświadczyliśmy niegodziwości od krewnych.

— Ale rady Luthera wydają mi się słuszne — obstawiał przy swoim. — Książęta Mazowsza wynieśli korzyść z protekcji Krzyżaków.

— Henryku, Mazowsze ma do Zakonu po sąsiedzku. My jesteśmy daleko. Musimy szukać bliskich sojuszników. Poza tym patrycjat Wrocławia nie zgadza się na sojusz z Krzyżakami.

— Patrycjat! — fuknął. — Oni wtrącają się nawet w sprawy biskupie. Od sześciu lat nie mamy biskupa, bo co drugi z naszych rajców ma kogoś bliskiego w kapitule i obalają każdą kandydaturę, która nie jest po ich myśli. Za chwilę wtrąci się w to papież i znów źle na tym wyjdziemy, zobaczysz.

— Nie chcesz iść do Luksemburczyka, bo boisz się potężnego sąsiada — spokojnie powiedziała jego żona. — Ale tylko silny sojusznik może ci pomóc. Taktyka wiązania się ze słabymi padła na naszych zięciach. Z odległym, na Wittelsbachu.

— Krzyżacy też są potężni — odpowiedział.

— I niebezpieczni — przestrzegła żona.

Do komnaty wszedł Walter, kanclerz Henryka.

— Nie chcę kolejnych złych nowin, Walterze — przywitał go książę.

Kanclerz rozłożył ręce.

— Wolę, byś się dowiedział ode mnie, mój panie.

Anna mocniej chwyciła go za dłoń.

— Mów, Walterze. Razem zniesiemy to mężnie — zachęciła go.

— Słyszałeś panie o wyroku wykonanym wczoraj przez sąd miejski?

— Powiesili jakiegoś łotrzyka — przypomniał sobie Henryk. — Pospolitego złodziejaszka, tak?

— Tak myśleli, bo przyłapano go na pijackiej burdzie w karczmie, a że poharatał szwagra jednego z sędziów, wyrok zapadł szybko i wykonano od ręki. Dzisiaj okazało się, że to nie był pospolity łotrzyk, tylko łotr królewski.

— Kto?

Walter westchnął, jakby imię nie chciało mu przejść przez usta.

— Sam Strasz, wódz Smoczej Kompanii króla Władysława.

Jezu, bądź mi miłosierny — jęknął w duchu Henryk.

— Dlaczego nie rozpoznano go wcześniej? — spytała Anna. — Nie podał imienia?

— Podał — smętnie odpowiedział Walter. — Ale sędzia mu nie uwierzył, myślał, że łotrzyk się przechwala, żeby uniknąć kary. A on był sam, bez swoich strasznych druhów, których zostawił w Wieluniu. Wpadł do Wrocławia zabawić się, teraz się mówi nawet, że miał tu jakąś pannę.

— Musisz otworzyć sąd książęcy, zbadać sprawę i jeśli sędziowie zawinili, ukarać ich — szybko powiedziała Anna.

— Muszę ustrzec nas przed skutkami gniewu króla Władysława — odpowiedział Henryk. — I nie mam na to wiele czasu.

RIKISSA przyjechała do Pragi. Nie chciała ryzykować zatargów z Eliśką, więc o gościnę poprosiła benedyktynki. Mimo iż Kunhuta nie żyła, nowa przełożona przyjęła ją, jakby nic się nie zmieniło. Król Jan nie zaprosił jej do rezydencji złotnika Konrada, w której mieszkał z żoną, spotkanie wyznaczył na praskim zamku. Rikissa zobaczyła, że pod jego zniszczonym murem robotnicy zaczynają stawiać rusztowania. Czyżby król zdecydował się wreszcie na latami odkładany remont? Uniosła głowę. Ślad wielkiego pożaru wciąż szpecił mur czarną plamą.

— Usłyszałem niezwykłą plotkę o tym ogniu — powiedział tuż za jej plecami Jan.

Odwróciła się. Stał za blisko.

— Nie słucham plotek, królu — ukłoniła mu się.

— Jeśli są o tobie, *bis regina*, chętnie nadstawiam ucha — oddał ukłon.

Prowokuje mnie od pierwszej chwili — pomyślała. — Wie, że ma przewagę.

— Jak się ma marszałek? — spytał. — Co cię do mnie sprowadza?

— Troska o Lipskiego — odpowiedziała. — Wejdziemy?

Skinął głową.

— Ponoć mieszkałaś w Białej Wieży?

— Każda z nas w niej mieszkała. Księżniczka Anna, twoja żona, Eliška. Dobrze, że będziesz odnawiał zamek. To kiedyś była piękna, królewska siedziba. Królowa pewnie się ucieszyła.

— Królowa niebawem wyjeżdża z Pragi — odpowiedział i spytał: — Jak Lipski?

Szli korytarzem, który kiedyś nigdy nie bywał pusty. Tędy przechodzili goście Václava, jego kochanki, służba, dworzanie.

To było wieki temu — pomyślała. — W innych czasach.

— Marszałek wyzdrowieje — powiedziała, nadając swemu głosowi pewność, której już nie miała. — Potrzebuje tylko trochę czasu.

— Mój medyk mówi co innego — odpowiedział Jan i podał jej ramię.

Weszli do dawnej sali audiencyjnej wielkich Przemyślidów. Puste ściany, tynk odpadający wraz z freskami. Święty Wacław na centralnym wizerunku stracił prawe ramię. W jego miejscu zieje dziura.

— Gdy rozmawiałam z nim w Brnie, powiedział „trzeba czasu" — odrzekła.

— „Trzeba czasu" — powtórzył Jan — to znacznie więcej niż „trochę czasu", o jaki prosisz.

— Skąd wiesz, że proszę o czas? — zatrzymała się i spojrzała mu w oczy.

— Bo syn Lipskiego mnie o niego prosił, chcąc, bym odsunął zjazd możnych do przyszłego roku — odpowiedział.

— Umysł Henryka z Lipy nie choruje — szukała w jego oczach współczucia. — On słyszy i rozumie. Jeśli zwołasz możnych bez niego, zanim wyzdrowieje, odbierze to jak degradację. Wykluczenie z życia. To może być dla niego śmiertelne.

— Nie odbieram mu tytułu — powiedział Jan. — Chociaż Czechy potrzebują sprawnego marszałka. Nie robię tego tylko przez wzgląd na te wszystkie lata. Zasługi Lipskiego. I nie chcę urazić ciebie, *bis regina*.

— Więc daj mu czas — poprosiła. — Ty masz go dużo, jesteś młody.

— Kiedyś Lipski nazywał mnie „młodym królem" — odpowiedział, przyglądając jej się uważnie. — I mówiąc to, miał na myśli, że jestem szczeniakiem, a on dorosłym psem.

Odwrócił się od niej nagle i unosząc głowę, przeszedł wzdłuż ściany.

— Każę zbić te stare tynki — powiedział — nowe malowidła będą chwalić Luksemburgów. Muszę przysporzyć sobie czynów, by zapełnić tę wielką salę.

— Słyszałam o Lombardczykach, których sprowadziłeś do kraju, i o mennicy — powiedziała. — Pokazano mi twojego nowego złotego florena. Szukasz pieniędzy, Janie.

— Oczywiście — zaśmiał się. — I wciąż umiem je znaleźć. Królewskie czyny kosztują, ale sława jest bezcenna.

— Daj mu czas — poprosiła ponownie.

— Lipskiemu czy tobie? — spytał chłodno. — To ty zaprzeczasz moim prawom do polskiego tronu, *bis regina*!

Powiedział to na głos. Chce tej wojny — zrozumiała.

— Václav dostał koronę wraz z moją ręką — odpowiedziała. — Nie możesz dziedziczyć korony przez małżeństwo z jego córką. Eliška dała ci prawa do czeskiej.

— Twój pierwszy mąż podbił Kraków i Małą Polskę. Jak ruszył, to zatrzymał się dopiero w Poznaniu.

— Václav sięgnął i po węgierską koronę. Miał wielkie ambicje, ale jego śmierć wszystko obróciła w pył, bo zdobywał, a nie budował.

Jan roześmiał się nagle, zupełnie nieoczekiwanie.

— Inspirujesz mnie, Rikisso! Gdy cię słucham, wiem, że chcę zapełnić te ściany malowidłami o wielkich czynach Jana Luksemburskiego. Hugon naszkicuje miniatury, jest świetny, naprawdę świetny. A mistrzowie przeniosą je tutaj. Jak nazwiemy tę salę? Aulą Luksemburską? Przy okazji Hugona, kim jest „ogier"?

Zrobiło jej się gorąco. Ostatni list Hunki. Zna wcześniejsze? Chyba nie, zareagowałby prędzej.

— Tobą, Janie — powiedziała. — Jak widać, przydomek dobrany świetnie. Wiadomość Hugona byłaby sensacyjna, ale wyprzedziłeś jej doręczenie. Ogier znów był najszybszy.

Szedł ku niej wolno, nie spuszczał jej z oczu.

— Nie rozumiem. Wyjaśnij mi treść tego liściku.

— To wiadomość, że papież dał ci dziesięciny na krucjatę. Ogłosiłeś już to publicznie, składając przysięgę krucjatową.

— Dużo było wcześniejszych wiadomości? — spytał.

— Kilka — odpowiedziała. — O sukcesach w Metzu, o tym, jak pokonałeś wszystkich rycerzy króla Francji. O tym, jak bez zadyszki wbiegłeś na szczyt Rocamadour i wbiłeś miecz w skałę przy Durendalu. O dokonaniach, którymi już możesz zapełnić ściany tej sali.

— Kazałaś Hugonowi mnie śledzić? — zatrzymał się przed nią, blisko.

— Śledzą cię oczy świata, Janie. Ja chciałam jedynie wiedzieć, co robi mój król, gdy jest poza Czechami.

— Lipski wiedział o listach Hugona? — spytał.

— Nie — odpowiedziała i spuściła oczy.

— A więc miewasz sekrety przed marszałkiem Czech. — Zbliżył twarz do niej tak bardzo, że poczuła jego oddech na czole.

— Nie takie, jak ty przed Eliśką — odpowiedziała, unosząc wzrok. — O luksemburskim synu wie wielu ludzi w królestwie, ale bez obaw. Nie ma tu odważnego, który powiedziałby twojej żonie.

Odsunął się. Oddychał szybko, Rikissa zrobiła krok w tył. Nie chciała igrać z ogniem.

— Moja żona wyjeżdża, jak już ci mówiłem — wpatrywał się w Rikissę, szukając jakiejkolwiek zachęty z jej strony. — Ja też. I powiem ci, co będę robił, żebyś nie musiała się martwić ani fatygować Hugona. Papież poprosił mnie o pomoc, jestem teraz jego „nowym synem". Chce użyć moich talentów dyplomatycznych do godzenia przeciwieństw. Będę negocjował dla niego między delfinem Gwidonem a hrabią Sabaudii Edwardem i panem Henrykiem z Montauban. Więc dam ci czas, *bis regina*, i trochę czasu dla Lipskiego. Dobry marszałek przyda mi się na wojnie.

Dobry marszałek przestrzegłby cię przed nią, Janie — pomyślała, biorąc wreszcie wdech.

Potem ukłoniła się królowi i ruszyła do wyjścia. Była blisko, kiedy usłyszała za plecami:

— Tobie czas służy, Rikisso. A przydomek „ogier" jest dość trafny. Kocham szybkie konie, królowo, dlatego potrafię dojechać z Pragi do Paryża w dwanaście dni. Prędko wrócę, moja pani, więc wykorzystaj ten czas równie szybko, jak ja.

WŁADYSŁAW nie mógł uwierzyć w śmierć wojewody Dawida. Wciąż stał mu przed oczami pod Międzyrzeczem, barwny, strojny, mówiący o swej Jurate. Żywa machina wojenna. Z ulgą przyjął wiadomość od Giedymina o utrzymaniu sojuszu, którą przywiózł Paweł Ogończyk. Trzeba mu było teraz dobrych wieści, po tych wszystkich złych.

U progu lata zmarł Bernard, książę świdnicki. Kunegunda lała łzy za mężem, on za zięciem. Twardym, śląskim księciem z głową na karku. Takim, co się Czechom nie kłaniał. Ich syn, Bolko, był rówieśnikiem Kazia. Rwał się do rządów po ojcu. Ta śmierć była zupełnie nie w porę teraz, gdy Śląsk wrzał.

Po śmierci Strasza, wodza Smoczej Kompanii, Władek się wściekł. Wdrapali się z Grunhagenem na wieżę, sami, we dwóch. Napili i pogapili na Wisłę.

— Bardziej się wściekasz na Strasza czy na Wrocławian? — trafnie ocenił Grunhagen.

— Po równo — potwierdził Władek. — Co za głupek z niego, pojechać pić i awanturować się do Wrocławia?

— Babę tam miał — strzyknął śliną z wieży Grunhagen.

— A bo to w Krakowie mało kobiet?! — wściekł się Władek.

— Co zrobić, jak kochał Kaśkę z Wrocławia? Dawid, taki wojownik, i też przez kobitę zginął. Baby nas zgubią — pokręcił głową Grunhagen.

— Mów za siebie — szturchnął go król. — Ja mam jedną i tę samą ślubną od stu lat.

— Jezu, ale my jesteśmy starzy — jęknął Grunhagen.

— Starzy, ale jarzy — przypomniał mu Brandenburgię Władek. — Nagrodziłem cię? Bo już nie pamiętam.

— Nie — szczerze wyznał Grunhagen. — Król obiecał, król nie dał.

— Przypomnij, ty chciałeś, jak Borutka, herb?

— Wolę srebro.

— A, to dobrze. Załatwimy, jak zleziemy z wieży.

— Jak tam królewicz? Lepiej trochę?

Teraz Władysław splunął. Nie było lepiej. Było tak samo, a to znaczyło źle. Miał jednego, jedynego syna, następcę. I każdego dnia budził się zlany zimnym potem, że może go stracić.

— Moja Jadwiga oddała go pod opiekę świętego Ludwika — powiedział.

— O, to ten mały królowej Węgier już święty?

— Głupi jesteś, Grunhagen. Jakby mój nowy wnuk był święty, to by nie żył. Wawel dość ma już wszelakiej żałoby. My już nawet jemy tylko czarny chleb!

— Przyniosę jutro królowi bułkę z miasta — na przeprosiny powiedział Grunhagen. — Na bułkę to mnie jeszcze stać.

— Już nie wypominaj — cyknął Władek. — Zejdziemy na dół, to ci dam.

— Co to znaczy, że królowa oddała Kazimierza pod opiekę świętemu? Wybacz, królu, ale ja kiepski jestem w świętościach.

— Poleciła go Ludwikowi w niebie. Były specjalne msze i do papieża napisała, i w Awinionie Ojciec Święty odprawiał...

— Król nie jest przekonany do leczenia świętymi?

— Nie. To wszystko kojarzy mi się, wiesz z czym. Jadwinia, Dawid, Strasz, Bernard. Za dużo tych mszy żałobnych.

— No, za Dawida to raczej nie mszę odprawiali — wypomniał Grunhagen.

— Ja dałem na mszę za niego — przyznał się Władek.

— Za poganina? To tak można?

— Jeszcze trochę bym nad nim popracował, to kto wie. A mszę można zamówić w intencji Panu Bogu wiadomej, to zamówiłem.

— Biskup Nankier wiedział, za kogo się modli? — dopytywał Grunhagen.

— Nie on odprawiał, tylko Jarek Bogoria.

— A, to jakby nasz — zrozumiał wszystko od razu. — Może ten święty Ludwik pomoże? Królewicz był zdrów, w końcu Giedyminówna z brzuchem chodzi.

— Polej — poprosił Władysław.

Był przerażony. Wypił piwo duszkiem. Nie pomogło ani trochę.

— Jeszcze może i Litwinka urodzi ci wnuka — rozważał Grunhagen.

We Władysławie wzburzyła się krew, krzyknął:

— Chcę odzyskać syna, nie mów o wnuku, jakby Kazimierz już nie żył!

Wychylił się mocno z wykuszu wieży. Chciał odetchnąć, chciał poczuć wiatr. Zakręciło mu się głowie. Grunhagen złapał go za kaftan na karku, jak psa.

— Wracaj, królu — powiedział. — Nie masz dokąd lecieć. Tu jest twój Wawel, twój tron i twój biały orzeł. Masz tu robotę do wykonania.

— Chodźmy na dół — powiedział Władysław po długiej chwili.

Gdy schodzili, myślał, że to wszystko dziwne jakieś. Jakby się co złego zalęgło na Wawelu. Chwała Bogu, że Jadwiga jeszcze ani razu nie powiedziała, że to przez sojusz z Litwą. Paliła go złością decyzja księcia Trojdena, który z braćmi przystał do zakonnego sojuszu. Gadają, że to przez niego, przez najazd na Płock. Że Trojden się wystraszył, iż będzie następny.

Bzdura — Władek splunął pod nogi. — Nie ruszyłbym go. Trojden ugadywał się z Krzyżakami, a jednocześnie słał kanclerza na Wawel, zapewniając, że port w Solcu na Wiśle wciąż będzie służył jemu i węgierskim ładunkom, które eskortował. Jednak Władek nie mógł mu zaufać jak kiedyś. Musiał mieć coś w zanadrzu. I miał. Już posłał do Warszewy cichych ludzi. Nie spał, działał.

Na dziedzińcu złapał ich Jarosław Bogoria.

— Mamy wiadomość z Awinionu — powiedział i od razu uspokoił: — Dobrą.

— Jak dobrą, to mów — zgodził się Władysław.

— Papież Jan XXII zatwierdził przeniesienie biskupa Nankiera z Krakowa do Wrocławia.

Zabiegali o to z arcybiskupem, gdy stało się jasne, że wakans wrocławski przeciąga się i kapituła nie zgodzi się z Janisławem w sprawie kandydatów. Diecezja wrocławska wymagała twardej ręki, bo tam Kościół, jak i całe miasto, zalał żywioł niemiecki. A Nankier był pracowity, silny i bezkompromisowy. Kraków po Muskacie oczyścił, z Wrocławiem też sobie poradzi.

— Tyle tylko — dodał Bogoria — że Nankier nie chce jechać.

— Wiem, że woli Kraków — wzruszył ramionami Władysław. — Ja też nie chcę się z nim rozstawać, ale biskup jak król. Jest na służbie. W Krakowie zrobił porządek, musi iść na kolejną robotę.

— Wrocław nie przyjmie go z otwartymi ramionami — powiedział Bogoria. — Uznają go za naszego poplecznika, jeszcze teraz, po tym sporze i awanturze ze Straszem. Zła chwila.

— Sam pomówię z Nankierem — westchnął Władysław. — Na początek powiem mu, o ile bogatsze biskupstwo wrocławskie od krakowskiego.

— To nie świętej pamięci Gerward — zganił go łagodnie Bogoria. — Nankier zupełnie niełasy na pieniądze. O, kasztelan krakowski idzie! — wskazał na zmierzającego do nich Nawoja z Morawicy.

— Królu — ukłonił się Nawój. — Nasi ludzie donieśli, że książę wrocławski Henryk udał się z orszakiem do Malborka.

— A niech mnie! — gwizdnął Grunhagen i spytał: — To mamy w Malborku swoich ludzi?

Nie odpowiedzieli mu.

— Mówiłeś, Bogoria, że to zła chwila na przeniesienie naszego Nankiera do Wrocławia? To ostatnia chwila — poważnie skwitował Władek.

LUTHER Z BRUNSZWIKU był w Malborku, gdy przyjechał książę Henryk, za to Zygharda nie było. Werner von Orseln sprawiał wrażenie, jakby ociągał się z zaproszeniem Luthera do sali kapitularza. Ale nie mógł go pominąć, bo to on pracował nad księciem Wrocławia.

— Wielki szatny, prosimy — powiedział chłodno Orseln, a Luther udał, iż nie słyszy w jego głosie rezerwy.

— Naturalnie — odpowiedział grzecznie i ruszył za mistrzem.

Książę Henryk przyjechał ze swym kanclerzem, Walterem.

— Pierwszy raz w Malborku? — spytał Werner, choć znał odpowiedź. — Jak wrażenia?

Co za pacan — pomyślał Luther. — Tylko ślepiec by ich nie miał, ale tylko głupiec o nie pyta.

— Olśniewająca siedziba — powiedział książę.

— Potęga Zakonu — potwierdził Werner i Luther musiał wbić wzrok w posadzkę, by nie wybuchnąć.

— A wszystko to na chwałę Bożą — dodał mistrz przewidywalnie. — Mów, książę, co cię do nas sprowadza.

— Zagrożenie — odpowiedział Henryk.

Luther rozmawiał z nim pół roku temu, ale książę Wrocławia wyglądał, jakby postarzał się o kilka lat. Miał ledwie trzydzieści, sprawiał wrażenie pięćdziesięciolatka umęczonego życiem. Wysoki, złotowłosy, mówi się, że to uroda Piastów Starszej Polski. Jego starszy brat był wesołym, popędliwym grubasem, a młodszy czarniawym dziwakiem. Każdy inny, jak kocięta w miocie.

— Zagrożenie — powtórzył po nim Werner.

Luther zacisnął szczęki. Ściął się z Zyghardem ostatnio, ale już żałował, że Schwarzburga dzisiaj nie ma. Z jego kpiącą pogardą łatwiej znosić tego prostaka, Orselna.

— Świat jest pełen zagrożeń — powiedział mistrz. — Nazwij swoje, mój książę.

— Wspólny wróg — powiedział ze ściśniętym gardłem Henryk. — Król Władysław.

— Król ci grozi? — spytał mistrz.

Werner zgłupiał, czy chce bawić się księciem jak kot myszą?

— Po ataku na Brandenburgię na wszystkich książąt piastowskich padł strach. Obawiam się, że Wrocław będzie kolejnym celem króla. Księciu niemodlińskiemu odebrał ziemię wieluńską.

— Słyszeliśmy — odpowiedział mistrz. — Wzburzyło nas to. Ale czego oczekujesz od nas, książę?

Henryk spojrzał na Luthera zaskoczony.

— Rozmawiałem z wielkim szatnym — powiedział zdezorientowany. — O sojuszu obronnym przeciw królowi, tak jak książęta Mazowsza, których wzięliście pod swą obronę.

— Tak było — potwierdził Luther niespokojny o to, w co próbuje grać Werner.

— Owszem, owszem, ale wówczas nie mieliśmy rozejmu z królem — powiedział mistrz.

Przestań błaznować — chciał krzyknąć Luther. — Bierzmy Wrocław i uderzmy na Władysława szybko, póki jego imię w niełasce na dworach Europy.

— Rozejm obowiązuje tylko do końca roku — powiedział Luther na głos. — Jeszcze dwa miesiące.

— Więc wrócimy do rozmowy w nowym roku — uparł się Werner von Orseln.

Książę Henryk był zdezorientowany, Luther też.

— Oczywiście podtrzymujemy nasze zainteresowanie sojuszem — powiedział Werner polubownie — ale zdecydowanie nie w tej chwili. Zakon nie złamie rozejmu z królem.

Wielki mistrz wstał, dając do zrozumienia, że audiencja skończona.

— Będziemy się za was modlić — oznajmił. — Możecie zostać w Malborku kilka dni, podziwiać naszą siedzibę i czuć się gośćmi Zakonu.

Książę wrocławski wychodził, z trudem panując nad nerwami.

— Lutherze, zostań — zatrzymał go mistrz. Gdy zostali sami podniósł głos. — Nie życzę sobie, byś samowolnie kształtował politykę Zakonu! Nie wolno ci podważać mojego autorytetu!

— Nie rozumiem, skąd ta zmiana. Mistrz życzył sobie, bym przekonał ku nam książęta śląskie, a Henryk i Wrocław są wśród nich najcenniejszym nabytkiem — odpowiedział Luther, panując nad gniewem.

— Wyraziłem się jasno: nie złamiemy sojuszu z polskim królem. Jeśli Władysław ruszy na nich, zastanowimy się w nowym roku.

— Nie mamy sędziów polubownych do nowego procesu z królem — odpowiedział Luther. — Zyghard wyraźnie mówił: Polacy idą na zwarcie. Wrocław był wspaniałym pretekstem, który właśnie przechodzi nam koło nosa.

— Poczeka — machnął ręką Werner.

— Nie poczeka — mściwie odpowiedział Luther. — Wciąż ma lepszą ofertę niż nasza na stole. Luksemburską.

— Gdyby była lepsza, pojechałby do Pragi — lekceważąco skwitował mistrz.

Skąd wiesz, że Praga nie przyjedzie do niego? — pomyślał już całkiem na zimno Luther.

Odwrócił się na pięcie i ruszył do wyjścia.

— Zapomniałeś o czymś — zawołał do jego pleców Werner von Orseln.

Luther odwrócił się i ukłonił.

— Teraz dobrze — powiedział wielki mistrz.

Potrzebował chłodu jesiennego powietrza, by ochłonąć. Nade wszystko nie chciał spotkać księcia Henryka. Nie dzisiaj. Zbiegł schodami i wyślizgnął się z głównego dziedzińca na boczny. Symonius czekał na niego w umówionym miejscu.

— Dowiedziałeś się, czego szukał Zyghard w komandorii joannitów? — spytał Prusa.

— Wciąż węszy po śmierci Kunona — odpowiedział Symonius. — Starzy bracia wyznali mu teraz, że rannego przywiózł książę Leszek.

— Leszek — w zamyśleniu powtórzył Luther. — Leszek mógł powiedzieć komuś o nas?

— Tego nie wiem, panie. Wtedy zaczailiśmy się z Rotą w lasach pod komandorią. Widzieliśmy, że po trzech dniach pogrzebano Kunona, i patrzyliśmy, jak książę Leszek odjechał. Mówiono, że do Sandomierza.

— Od tamtej pory tylko raz wrócił do Królestwa, był świadkiem w naszym procesie o Pomorze. Potem nikt go nie widział, ale nie mógł zapaść się jak kamień w wodę. To w końcu dawny książę Inowrocławia. Jego bracia żyją. Symoniusie, pojedziesz do Sandomierza, oczywiście sekretnie. Powęszysz za księciem, a jeśli go odnajdziesz…

Symonius pochylił głowę i dotknął rękojeści noża z figurą Najświętszej Marii Panny.

— Jak sobie życzysz, mój panie — odpowiedział.

JAN LUKSEMBURSKI chciał zaprosić *bis reginę* na zjazd do Trnawy, bo i tak podróż wiodła przez Brno. Ale gdy zobaczył ją opiekującą się Lipskim, nie strojną, jak zawsze ją widział, w brokaty, futra, jedwabie, lecz w prostej niebieskiej sukni, przewiązaną fartuchem, z włosami zawiniętymi turbanem, był zmuszony zmienić plany. Nie dlatego, by mu się taka nie podobała. Przeciwnie. Dopiero brak ozdób wydobył pełnię jej piękna. To głupie, ale na jej widok zaparło mu dech. Tyle tylko, że ona poza Lipskim, którego pielęgnowała, nie widziała świata. Podjęła Jana i jego dwór wieczerzą, lecz towarzyszyła mu ledwie chwilę. Oddaliła się, mówiąc, iż Henryk z Lipy nie może być sam, że jego leczenie wymaga towarzystwa i ona chce mu je dać.

Jan chciał ją widzieć na tym wielkim zjeździe z królem Węgier przy swym boku, ale nie umiał być okrutny. A nawet jeśli, to nie wobec niej. Na dowód, iż Lipski wciąż się dla niego liczy, zabrał ze sobą dwóch jego synów, Henryka Juniora i Pertolda. Rikissa podziękowała mu, jej oczy były nieobecne.

Wyjeżdżał z Brna przeraźliwie smutny i, zrozumiał to, samotny. Myślał o sobie, o tym, że o niego nikt nigdy tak się nie troszczył. Otrząsnął się, gdy minęli Prešpurk i przekroczyli granice Królestwa Węgier. Jestem młody, silny i zdrowy — pomyślał. — Nie potrzebuję troski. Wystarczy mi miłość.

Była późna jesień. Trawy na łąkach pożółkły, niektóre zbrązowiały i z daleka tworzyły fascynujący, uginający się pod powiewem wiatru kobierzec. Część z drzew straciła liście, ale na przydrożnych dębach i bukach trzymały się mocno. Gdy przejeżdżali pod nimi, furkotały powitalnie. Pogodny dzień i ciepłe promienie słońca łaskoczące go w policzki, sprawiły, że poczuł się niemal radośnie.

Trnawa leżała blisko granicy, na szlaku wiodącym z Czech przez Małe Karpaty do węgierskiego Ostrzyhomia. Nieduże, bogate miasto miało własny herb i na zjazd monarchów udekorowało nim mury. Na niebieskim tle złote koło z głową Chrystusa w środku. Od samego Preszpurka ciągnęły się winnice trnawskich mieszczan i towarzyszący mu Peter z Rożemberka powiedział:

— Całkiem jak w Metzu, mój panie, całkiem jak w Metzu, tyle że tutaj już po zbiorze.

Puścił to mimo uszu, zbyt wiele czasu zmarnował w Metzu, dobrze, że wreszcie uspokoił niepokorny patrycjat. Z negocjacji, o które prosił go papież, też wywiązał się lepiej, niż delfin i hrabia sądzili, iż można. Czasami wspaniale jest być bezstronnym! Choć nie bezinteresownym — zaśmiał się w duchu.

Tak, Jan XXII wziął go do łask, Ludwik Wittelsbach ze swoich też nie chciał wypuścić. Póki co Jan Luksemburski, zręczny jak linoskoczek, był mistrzem przeciwieństw i twórcą kompromisów niemożliwych. Dzięki protekcji papieża Carobert wyznaczył to spotkanie w czasie dogodnym dla Jana, czyli błyskawicznym.

Czy stryj Baldwin jest już ze mnie dumny? — pomyślał, wjeżdżając pod bramą z niebiesko-złotym herbem Trnawy w obręb miejskich murów. — Czy dumny jest Lipski? Może byłby, gdyby słyszał i rozumiał, ale zdaje się, iż to tylko imaginacja Rikissy.

Mury ozdobiono chorągwiami Luksemburgów i Andegawenów. Król Węgier przyjechał w otoczeniu własnej banderii. Jan wiedział, że Carobert wprowadził na dwór węgierski dużo zwyczajów wziętych z Neapolu. Mówiono, że osobną banderię miała i jego żona. Ta, za plecami Caroberta, była imponująca. Ubrana w jednakowe pancerze, ze złoconym herbem króla na napierśnikach, usadzona na słynnych, węgierskich koniach.

Carobert nie miał jeszcze czterdziestu lat, był o osiem starszy od Jana. Szczupły, niewysoki, o ciemnych włosach sięgających ramion. Ubrany bogato, w krótką dopasowaną tunikę powyżej kolan, zdobioną liliami andegaweńskimi haftowanymi szczerozłotą nicią. Na niej nosił podbity białym futrem płaszcz. W każdym z ogniw pasa lśnił rubin.

Król złota — pomyślał Jan, gdy szli ku sobie. — Florentczycy liczą, że nawet połowa złota krążącego po Europie pochodzi z węgierskich kopalń. Szkoda, że puszcza je w świat z pominięciem czeskich komór celnych. Gra ze swym teściem, królem krakowskim, w jednej drużynie i przez Królestwo Polskie prowadzi kupców. Popracuję nad nim. Nie ma sojuszów niezmiennych. Nie ma teściów nieśmiertelnych — rozmarzył się, ale przerwał mu herold.

— Król Czech i hrabia Luksemburga, Jan z dynastii Luksemburgów.

— Król Węgier i Chorwacji, Carobert z dynastii Andegawenów.

Ramię w ramię ruszyli do sali, gdzie przygotowano ucztę.

— Wiele lat czekaliśmy na osobiste spotkanie — powiedział Carobert w drodze.

— Pożegnalny dar Mateusza Czaka — uśmiechnął się Jan. — Zalazł za skórę nam obu, by po śmierci nas połączyć.

Oto dwie odmienne metody sprawowania władzy — pomyślał Jan. — Carobert musiał wyciąć nieprzychylnych możnych do gołego pnia, do ostatniego człowieka, by móc sprawować rządy twardej ręki. Ja przegrałem z Lipskim, ale od dnia, gdy się z nim pogodziłem, nie mam opozycji.

Sposób na poradzenie sobie z rozbójnikami, „synami i wnukami Czaka", znaleźli, jeszcze zanim na stół wniesiono pierwsze półmiski. Przy kielichu dziwnego, mocno przyprawionego wina.

— Pozsonyi ürmös — przedstawił trunek Carobert. — Z tutejszych winnic.

Wybrali po jednym z możnych z każdej ze stron i uczynili ich odpowiedzialnymi za wyłapanie rozbójników. Jan wskazał na Lipskiego Juniora, w końcu Morawy graniczą z Węgrami.

— Moja żona, królowa Elżbieta, chciała cię poznać — powiedział Carobert, gdy wnoszono pieczyste.

— Królewskie imię — odpowiedział Jan. Eliška już wróciła do Melnika.

— Ale niedawno urodziła mi syna i nie zgodziłem się na podróż — dodał z dumą Carobert.

— Gdyby moja siostra, Beatrycze, nie zmarła tak młodo, wciąż bylibyśmy szwagrami — przypomniał Jan.

— Mężczyźni giną na wojnie, kobiety przy porodzie — odpowiedział Carobert i w jego głosie Jan nie wyczuł żalu za słodką Beatrycze. — Moja Elżbieta pokonała klątwę.

— Klątwę? — zaciekawił się Luksemburczyk.

— Walczyłem o tron Węgier, odkąd skończyłem dziesięć lat. Z twoim teściem i jego synem, potem z Ottonem Wittelsbachem, ale prawdziwy bój toczyłem z Amadejem Abą. Mówiono, że Aba rzucił na mnie klątwę, że nie będę miał synów. Prawda czy nie, coś zabiło dwie pierwsze żony, ale moja Elżbieta silniejsza od klątwy. Ona ma krew Arpadów, po babce, i niezłomność po ojcu.

Wysoko ustawił stawkę — pomyślał Jan, ale nie zraziło go to, przeciwnie. Starł kawałkiem chleba ostry szafranowy sos, który ściekał mu po brodzie. Podano inne wino.

— Białe sremskie — powiedział Carobert, gdy wznieśli kielichy.

Nie było tak przyprawione jak pożońskie i znacznie bardziej przypadło Janowi do gustu.

— Dwóch synów — podjął wątek Jan.

— Dwóch dzisiaj — zaśmiał się Andegaweńczyk. — Moja Elżbieta młoda!

— Życzę wam i dwunastu — wypił toast Jan. — Choć im więcej synów, tym trudniej znaleźć dla nich dobre królestwa.

— Doszły nas słuchy, że ty, królu Janie, już zabezpieczyłeś obu swych chłopców — przybliżył się do tematu Carobert.

— Wspaniałe wino — pochwalił Jan. — Pierworodnego połączyłem z francuską rodziną królewską. A młodszy niebawem wyjedzie do Karyntii. Jeśli jego teść nie spłodzi z mą kuzynką syna, księstwo karynckie przejdzie na mojego Jana Henryka. To znaczy, na córkę Karyntczyka — mrugnął.

— Winszuję — powiedział Carobert. — Winszuję. Bieługa! — powitał półmisek z rybą. — Moja żona ją uwielbia.

Był rozdrażniony, król Węgier nic by nie stracił, okazując szacunek nieżyjącej Beatrycze. „Moją Elżbietą" kłuł go w serce. Jan uwielbiał swoje siostry.

— I wino z Sopron! — Carobert wyjął z ręki podczaszego dzban i sam nalał Janowi, jakby chciał nieświadomie zmazać złe wrażenie.

— W Luksemburgu kochamy alzackie — powiedział Jan, upijając łyk. — Sopron, bardzo dobre.

Spojrzał po gościach usadzonych wzdłuż długich stołów. Żupani komitatów, wicežupani, baronowie, możni, rycerze. Wśród nich zobaczył kilku Kumanów, ubranych ze wschodnia, w długą, dopasowaną do ciała suknię, zapinaną na drobne guziczki od dołu po samą szyję. Pomiędzy gośćmi uwijała się służba z dzbanami. Węgrzy pili nieprawdopodobnie dużo. Te trzy kielichy, jakimi do tej pory uraczył go Carobert, były niczym wobec morza wina, jakie lało się na stołach żupanów i baronów. Zobaczył poczerwieniałą od trunku twarz Petera z Rożemberka. Spojrzał na obu młodych Lipskich pijących co trzeci kielich.

Piwnice węgierskiego króla muszą być równie zasobne jak kopalnie jego złota — pomyślał i wziął się w garść, by dotrwać ze świeżą głową do końca uczty.

Carobert wyczuł jego wahanie, bo powiedział szeptem:

— Pokochałem tutejsze winnice i *aszu*, najsłodsze wina. Ale urodziłem się w Neapolu i nigdy nie nauczyłem się pić jak Węgier.

— Gdzie oni to mieszczą? — spytał równie cicho Jan.

— Mają po dwa żołądki — poważnie odpowiedział Carobert. — Jeden tylko dla wina.

— U nas mówi się na to bukłak — powiedział Jan.

Król Węgier zaniósł się śmiechem, gdy skończył, wyjął z rękawa bielutką chusteczkę haftowaną w orła, który w dziobie trzymał lilię. Otarł nią łzy, złożył na czworo.

— Moja Elżbieta wyszywała — powiedział, chowając ją do rękawa.

Nie Amadej Aba rzucił na ciebie klątwę, tylko żona cię zaczarowała — pomyślał Jan.

— Władysław ma dwa lata skończone, Ludwik urodził się w tym roku — o kolejny krok do sprawy zbliżył się Carobert.

— Mam bliźniaczki, Annę i Elżbietę, pół roku młodsze od twojego Władysława.

— Identyczne? — szczerze zaciekawił się Andegaweńczyk.

— Jak dwie krople wody — powiedział Jan. — Błękitne oczęta, złote włosy, różane usteczka, które z łatwością nauczą się węgierskiego.

— To konieczne — od razu zastrzegł Carobert. — Węgrzy są czuli na tym punkcie. Nie lubią obcych.

— A jednak pokochali ciebie — powiedział Jan nieco na wyrost.

— Bo pokazałem im siłę — odpowiedział krótko i dorzucił z naciskiem. — Ja nie jestem obcy. Moja babka była córą Arpadów.

I Kumanów — dorzucił w myślach Jan Luksemburski. Dobrze wiedział, że Carobert woli podkreślać węgierskie, nie pogańskie korzenie.

— Język jest trudny, uczyłem się go i płakałem. — Wrócił do tematu Carobert. — Ale moja Elżbieta mówi po węgiersku jak rodowita.

— Moja też się nauczy — powiedział Jan.

— Jeszcze nie wybrałem, czy to nie będzie Anna.

— Wybacz, chciałem twą miłość do żony już przelać na synową.

— Ha, ha, ha! Nie ja będę ją kochał, ale mój Władysław.

— Czyli właśnie poznaliśmy następnego króla i królową Węgier! — wzniósł wciąż pełen kielich Jan Luksemburski.

Odetchnął. Od początku chciał dla bliźniaczki pierworodnego, ale po wymykach Caroberta nie był pewien, jak wysoko Andegaweńczyk stawia nowy sojusz.

— Czy nasze dzieci nie będą potrzebowały dyspensy papieskiej? — spytał Carobert.

— Dostaną ją bez oczekiwania, jakby ślub miał się odbyć już jutro. Papież jest moim dłużnikiem — uśmiechnął się.

— Twoja córka przyjedzie na mój dwór, gdy tylko skończy pięć lat — zażądał Carobert.

— Kto wybierze bliźniaczkę? Ty czy mały Władysław?

— Już wybrałem. Annę — odpowiedział Andegaweńczyk.

Jan powstrzymał się od złośliwości. Szybciej osiągnął sukces, niż myślał.

Gdy na stół wniesiono figi, pomarańcze w miodzie i misy rodzynek, przeszli od umów małżeńskich do złota. Tu poszło Janowi trudniej. Chciał ustalić z Carobertem wspólną wartość florena, który zaczęli mu bić w Czechach sprowadzeni z Lombardii i Florencji złotnicy. Carobert wstrzymał go, mówiąc, że właśnie zmienia floreny na forinty, nową monetę ze swym imieniem. Jan ugiął się na długość kolejnego kielicha, a potem wrócił do sprawy. Carobert obiecał następne spotkanie w przyszłym roku.

— Jutro turniej na cześć dwóch królów! — obiecał, gdy uczta miała się ku końcowi. — Masz sławę turniejowego rycerza.

— O tobie, Carobercie, też mówią, że stajesz w szranki chętnie — przeciągnął się Jan.

— Szkoda, że nie możemy zabawić się wspólnym pojedynkiem — spojrzał mu w oczy król Węgier.

— Zrobią to nasi poddani, o ile wstaną po tej pijatyce — odpowiedział Luksemburczyk. — Lecz, jeśli chcesz, możemy zmierzyć się w rzutach włócznią.

— To moje ukochane zawody! — uderzył się dłonią w pierś Andegaweńczyk.

Nie przyjechałem tu nieprzygotowany — wesoło pomyślał Jan. — Wiem, co lubi mój nowy sojusznik.

W nocy, gdy udawał się na spoczynek, wezwał do siebie Wilhelma de Machaut.

— Spałeś? — zdziwił się. — Widziałem cię na uczcie.

— Wymknąłem się, królu. Nie mam tyle sił, co Węgrzy. — Podkrążone oczy poety mówiły same za siebie.

— Weź się w garść i napisz listy.

— O czym, królu? — Z trudem opanował ziewnięcie Wilhelm.

— O nowym sojuszu króla Czech, tak ważnym dla króla Węgier, że przypieczętował go małżeństwem pierworodnego syna.

— Gratuluję, mój panie.

— Nie gratuluj, tylko pisz. Chcę, by wiadomość rozniosła się lotem błyskawicy.

— W Krakowie zrobi piorunujące wrażenie — powiedział Wilhelm.

— Obudziłeś się! — pochwalił go Jan i tanecznym krokiem ruszył w stronę łóżka.

JEMIOŁA zostawiła Śmigłą u Wojciecha. Janisław prosił, by przyszła do niego po lekcjach z wikariuszem, uczyli się u niego i jakoś niezręcznie wydawało jej się iść do arcybiskupa z suką przy boku. Albert, kanonik katedry gnieźnieńskiej, pozdrowił ją, gdy biegła po schodach.

— Pochwalony, siostro! Dobre wieści szybko się rozchodzą, prawda? — ściszył głos.

Złe także — pomyślała ciężko o śmierci Dawida. Wciąż nie rozumiała, jak mogło do tego dojść.

— Widziałem, że coś przyszło z kurii w spawie twego zgromadzenia — szepnął poufale Albert.

— Jest zgoda? — spytała, nie mając cienia pewności, czy jej chce.

— Tego nie wiem — pokręcił głową Albert. — Arcybiskup jeszcze nie złamał pieczęci. Pewnie na siostrę czeka, nie zatrzymuję. Z Bogiem!

— I Matką Najświętszą — odpowiedziała Jemioła.

Serce biło jej gwałtownie, gdy zapukała i usłyszała ostre:

— Wejść!

Pchnęła okute drzwi. Był sam. Stał pochylony nad pulpitem, czoło wsparł o pięść, drugą ręką uciskał bark, jakby chciał rozmasować napięte mięśnie. Nie unosząc głowy, warknął:

— Nie mam czasu, Piotrze. Zajmiemy się tym jutro.

Weszła i cicho zamknęła za sobą drzwi.

— „Pochwalony bądź, Panie mój, przez brata wiatr i przez powietrze, i chmury, i pogodę, i każdy czas, przez które Twoim stworzeniom dajesz utrzymanie" — wyszeptała.

Zerwał się i spojrzał na nią zaskoczony.

— „Pochwalony bądź, Panie mój, przez siostrę wodę, która jest bardzo pożyteczna i pokorna, i cenna, i czysta" — odpowiedział. — Witaj, Jemioło. Nauczyłaś się *Pieśni słonecznej* świętego Franciszka?

— Zauroczyła mnie, Jani. Ty ją podsunąłeś Wojciechowi?

— Zasugerowałem, że może ci się spodobać — uśmiechnął się zawstydzony.

Widziała, że często krępuje się w jej obecności, jakby się bał, że przy niej nie powinien być sobą.

— Co cię tak martwi? — spytała.

— To widać?

— Warczysz, podpierasz pięścią głowę i boli cię kark. Widać.

— Usiądźmy — zaprosił ją do ławy przy wąskim oknie. Knot świecy zakopcił, Janisław przyciął go szybko. — Są złe wieści z Wawelu. Królewicz Kazimierz choruje. Jego młodsza siostra zmarła niedawno. Na króla i królową padł strach, że stracą jedynego dziedzica.

Chciała rozmasować mu barki, ale cofnęła rękę. Lepiej dla nich, gdy nie będą się dotykać. Usiadła, mówiąc:

— Mają jeszcze córki.

— Obie już zamężne — pokręcił głową. — Młodsza, Elżbieta, za króla Węgier...

— A najstarsza nawet owdowiała — weszła mu w słowo Jemioła. — Co się dziwisz? W „Zielonej Grocie" zatrzymują się podróżni ze Śląska, wiemy, co słychać. Kunegunda mogłaby dołączyć swoje księstwo...

— Jemioło — przerwał jej. — W Królestwie kobiety nie mogą dziedziczyć korony.

— To barbarzyński obyczaj — najeżyła się. — I, jak widzisz, niebezpieczny.

— Nie kłóćmy się — poprosił.

— Bo „siostra woda jest pokorna"?

— Nie. Bo dla mnie jest cenna.

Ustąpiła. Nie może karać Janisława za błędy jego świata.

— Co dokładnie mu jest? — spytała. — Kazimierzowi.

— Sylweriusz, królewski medyk, leczył go kilka miesięcy i rozłożył ręce. Uciekł z Wawelu, bo król się wściekł i mu groził. Elżbieta przysłała z Węgier własnego medyka. Ten nowy, Olverius, w liście do papieża dokładnie opisał chorobę, chcesz, to ci przeczytam.

— Dlaczego opisują ją papieżowi? — spytała.

— Bo zrozpaczona królowa matka oddała Kazimierza pod opiekę Ojca Świętego — powiedział i widząc jej zaskoczenie, wyjaśnił szybko: — Nie, nie wyprawiła syna do Awinionu. Chodzi o duchową opiekę, modlitwę i wstawiennictwo świętego Ludwika.

— Kim jest ten Ludwik?

— Patronem dynastii andegaweńskiej — odpowiedział i zbladł.

— Pojmujesz? — spytała.

— Dopiero w tej chwili — powiedział. — Niemożliwe.

— Bo co?

— Nie — zaprzeczył.

— Słuchaj, Jani, ja się na waszych świętych nie znam. Lubię Franciszka, to jasne. I Hildegardę. Floryny jeszcze nie dałeś mi poczytać, ale ona, jak oboje wiemy, nie jest świętą. Myślę chłodno, że jeśli królowa poleciła syna świętemu z dynastii andegaweńskiej, to wyraziła jasne przesłanie co do dziedziczenia tronu.

— Albo — dodał Janisław, gorączkowo szukając pergaminu na pulpicie — kolejność była inna. Elżbieta, królowa Węgier, nazwała nowo narodzonego syna Ludwikiem. Dowiedziała się o niemocy brata, zasugerowała matce polecenie jego choroby opiece tegoż samego świętego i w dodatku przysłała jej medyka.

— Żeby usunął brata z drogi do tronu? Zrobił miejsce dla jej syna?

— Okropne to, co powiedziałem?

— Wstrętne — przyznała. — Nie mam pojęcia, jaką kobietą jest Elżbieta i czy byłaby do tego zdolna.

— Ta, która wyjechała z Krakowa przed laty, kochała brata — odpowiedział. — I co więcej, nigdy nie wystąpiłaby przeciw rodzinie.

— Więc może oboje wymyśliliśmy czarną legendę. Znalazłeś? Czytaj.

— „Gorączka nie występuje, ciało wychłodzone. Pokarmy przyjmuje niechętnie, głównie płynne. Trudności w przełykaniu. Oddech rwany. Serce bije na zmianę, zbyt szybko lub zbyt wolno. Na ciele pojawiają się plamy. Purpurowe biegną od łona ku podbrzuszu. Sine, zachodzące ropą zmiany na plecach".

Jemioła poczuła silny skurcz. Zakręciło jej się w głowie.

— Rany z ropą na plecach to odleżyny — powiedziała, z trudem łapiąc powietrze. — Trzeba je pielęgnować, bo ciało odejdzie od kości. Serce ma mocne, walczy dzielnie. Jeść musi, choćby mieli karmić go siłą.

— Ty wiesz, co mu jest? — spytał pobladły Janisław.

— Mogę się domyślać — uniosła głowę i spojrzała mu w oczy. Jak mam mu to powiedzieć? — pomyślała gorączkowo. — Jani, są rzeczy, na które święci nie pomogą. Jeśli tego nie przerwiemy, czas królewicza się skończy.

— Co masz na myśli? — spytał, wpatrując się w nią pilnie.

— To, co Kościół potępia — odpowiedziała.

— Sądzisz, że... — zawahał się wyraźnie, ale przemógł. — Że ktoś stosuje wobec Kazimierza... uroki...? — słyszała, z jakim trudem przechodzi mu przez usta to słowo.

— Gdyby to były zwykłe uroki — pokręciła głową.

Dopadł do niej, klęknął i chwycił ją za ręce. Jego były gorące, jej zimne.

— Jemioło, jeśli potrafisz, uratuj go.

— Nie wiesz, o co prosisz — wyszeptała.

— O jego życie — odpowiedział.

Mogę zapłacić za to swoim — pomyślała.

— Dobrze — powiedziała po chwili. — Zrobię, co w mojej mocy. Musisz zapewnić mi bezpieczne wejście do królewicza Kazimierza. Żeby nikt nie oskarżył mnie o czary. Materia, w której przyjdzie mi się rozeznać i poruszać, jest wystarczająco groźna, a sam mówiłeś, że w Krakowie działa inkwizytor.

— W obliczu choroby Kazimierza uprzedzenia trzeba odsunąć na bok. Włos ci z głowy nie spadnie, Jemioło — obiecał.

Tego nie wiesz, kochany. Tego i ja dzisiaj nie wiem. Magia Starej Krwi ma wiele oblicz. Ktoś użył jej wobec waszego dziedzica.

— I jeszcze jedno, Jani. Jeśli go uleczę, ty przekonasz króla, by dopuścił do dziedziczenia kobiety.

— Wielkie wyzwanie — odpowiedział Janisław.

— Ani on, ani ty nie ryzykujecie nic — powiedziała Jemioła. — Jeśli go uleczę, nowe prawo może objąć dopiero jego córki, albo wnuczki.

— Przysięgam, siostro — pochylił się i pocałował jej dłonie.

— Nie zawiodę cię, bracie — odpowiedziała i ucałowała jego czoło. Złapała w nozdrza zapach kurzu z pergaminów, wosku, inkaustu, żelaza i skóry. A pod nimi ciepłą woń mężczyzny. Zabrała ją na pamiątkę. Przyda się w drodze coś bliskiego.

MICHAŁ ZAREMBA szedł przez nocny zimowy las. Jego łuski pokrył szron. Tak dawno tu nie był. Pyszna wieża Jarocina wbijała się w niebo jak pięść. W Sali Edmunda płonęło światło. Widział jego blask rzucany przez wąskie okna. Wojewoda Marcin nie zamknął na noc okiennic. Zawyły jarocińskie psy.

Już mnie zwietrzyły — zaśmiał się w duchu. — Dlaczego tak drażnię psy? Ich stróżujące duchy boją się mnie na długo przed tym, nim zobaczą. Ostrzegają szaleńczym szczekaniem. Hej, ogary! Zamknąć pyski. Warować. Michał Zaremba idzie na ostatnią misję.

Przeskoczył przez częstokół jarocińskiej twierdzy. Psy ujadały jak wściekłe.

— Cicho! — usłyszał głos Wita Zaremby i w głębi duszy ucieszył się, że starzec żyje jeszcze. — Głupie psy. Jazgoczą jak najęte. Cienia się boją, tfu, psiamać.

— Na psa urok — szepnął do ucha Wita.

Starzec wyprostował się w okamgnieniu.

— Pan Michał — jęknął i padł na kolana w śnieg.

— Wstawaj — syknął. — Jeszcze nas ktoś zobaczy.

— Całe życie czekałem — wymamrotał Wit — na twój powrót. Mógłbym teraz na kolanach do Winchesteru iść....

— To daleko — roześmiał się Michał.

— Albo do nieba. Bo zobaczyłem w pełnej krasie smoka. — Wit uniósł ramię i poruszył nim. — Gotpold, Jarkenbold, Arkembold, Abraham, Andrzej, Olbracht, Berwold, Sędziwój, Beniamin i Janek. Wszyscy starzy Zarembowie widzą nas z nieba. I Wawrzyniec.

— On jest w piekle — wyprowadził go z błędu Michał. — Z połową tych, co wymieniłeś. Czarni Zarembowie straszą.

— Nie wszyscy z piekła — wymamrotał Wit. — Niektórzy z ziemi.

— Idę po niego — syknął mu w twarz Michał.

— Zabierz go, panie — podniósł na niego zamglone wiekiem oczy starzec.

— Uspokój psy — rozkazał i ruszył ku wejściu do wieży.

Wspinał się po schodach wolno. Każdy kamień szeptał do niego, krzyczał żyłą biegnącą w poprzek skalnych włókien. Widział zaschnięte truchła pająków i muchy złowione przez nie jesienią, zastygłe w sidłach, pokryte kurzem. Tu i teraz. Tam i przedtem. Zaklęty krąg, z którego nie ma wyjścia. Krew zaschnięta na starym mieczu. Miecz utopiony w jeziorze wciąż śpiewa. Woła Zarembów, póki ten ostatni, co go pragnie, nie przestanie oddychać.

Wojewoda Marcin siedział sam przy stole. Na jego krańcu przycupnął kruk i gdy Michał pokonywał ostatnie schody, ptak zakrakał, ostrzegając Marcina.

— Wit? — zawołał.

Odpowiedziała cisza.

— Kto tu jest?

— Ja — powiedział Michał, wchodząc do Sali Edmunda. Do pysznego złotego smoka namalowanego na ścianie okrągłej komnaty, tak że ogon potwora lądował przy jego pysku.

— Ty? — w głosie Marcina zabrzmiał lęk. — Przecież ty nie żyjesz.

— Kto ci nagadał takich bujd? — kpiąco spytał Michał. — Andrzej, zanim go zabiłem?

Marcin wstał od stołu, przewracając krzesło. Przeżegnał się, ale ze strachu zrobił to lewą ręką.

— Tak, Andrzej — potwierdził. — Ale nie miałem pewności. Sowiec i Zarembowie półkrwi mówili, że nie zginąłeś.

— Tobie mówili? — zdziwił się chłodno. — Po tym, jak ich więziłeś, torturowałeś i wypytywałeś, żeby wyznali, co robili przy mnie?

— Nie — wymamrotał Marcin. — Mówili innym, na zjeździe w Rogoźnie, przed wojną z Brandenburgią.

— Nie wstyd ci? — spytał Michał. — Siedzieć tu, w Sali Edmunda, pod wizerunkiem złotego smoka?

Podszedł do niego szybko i złapał za kaftan na piersi.

— Tobie, który wydałeś mnie Andrzejowi? Złapałeś jak kundla? — Uniósł go wysoko, szorując jego plecami po ścianie. Tak, chciał, by zdarł z tynku tę złotą farbę. Malowany smok. — Witaj, tchórzu. — Michał wysunął rozdwojony język z ust i syknął w stronę Marcina. — Jedyny, który bałeś się czarnego barwnika. I nakłułeś sobie białego smoka. Oj, wstyd.

Puścił go nagle. Marcin runął na posadzkę jak kłoda. Kruk uniósł skrzydła i poruszył nimi, ale nie zakrakał. Przesuwał się krok za krokiem do krańca stołu.

— Wiem, jak było — powiedział Michał, trącając nogą leżącego Marcina. — Od najdawniejszych lat, od spisku Strażników Królestwa, w którym Edmund wyciągnął los mordercy Bezpryma, Zarembowie zaczęli wykłuwać sobie czarnego smoka na lędźwiach. Ale nie wszyscy — strzyknął śliną w stronę Marcina. — Tylko ci, którzy przysięgali skrycie, że jeśli znów dobro Królestwa wymagać będzie śmierci króla, nie zawahają się i sięgną po miecz, powtarzając zbrodnię Edmunda. Ha!

Kruk wojewody doszedł do końca blatu. Zeskoczył ze stołu i zaczął kroczyć w stronę leżącego. Łypał czarnym okiem to na Michała, to na Marcina. Wojewoda leżał, jak sparaliżowany.

— Oto prawda o czarnych Zarembach! — powiedział Michał. — Któryś z was, gdyby tylko los wam sprzyjał, zamordowałby władcę i sam, bluźnierczo, sięgnął po koronę. Byliście owładnięci żądzą władzy. Zaślepieni własną ambicją! Dlaczego mój ojciec, Beniamin, nigdy nie wykłuł sobie smoka na tyłku? Bo chciał służyć Królestwu, nie Zarembom! I dlatego nie nosiłem go ja. A ty, wojewodo kaliski?

Kruk stanął nad głową wojewody, przekrzywił łeb, jakby pytał razem z Michałem.

— Ty chciałeś władzy, jak każdy Zaremba. Ale byłeś tchórzem,

Marcinie. Być smokiem i udawać, że się nim nie jest. Wystraszyła cię krwawa pomsta Jemioły, wiedziałeś, że wyłapuje Zarembów i sprawdza. Kto miał czarnego smoka, ginął. Wykłułeś białego, myśląc, że jesteś bezpieczny. Tchórze są sprytni.

Marcin Zaremba zerwał się szybko z podłogi i próbował chwycić nóż leżący przy półmisku na stole. Nie miał szans. Michał widział drobiny kurzu wirujące w powietrzu. Osiem różnych barw ognia. Osnowę i wątek nici w tkaninie na grzbiecie Marcina i pchły wędrujące między nimi. Widział plamy na koszuli, którą miał pod spodem. Krople potu między włosami na jego głowie. Krew zbyt szybko przesuwającą się w żyłach. Uderzenia komór serca i ich splątane arterie. Niestrawioną kuropatwę w żołądku. Zalaną winem, jakby miała się utopić, i dopchniętą chlebem. Plamy zaschniętego nasienia na nogawicach. Ciemny, długi kobiecy włos przylgnięty do nich po miłosnym uścisku. Odciski palców Szałwii, niczym odciśnięte linie grzbietu liści. Czuł jego śmiertelny strach. Usłyszał w głowie głos Doroty: „Nie ty jeden zatańczyłeś ze Starcami. Sędziwój miał Ochnę i to było dobre. Ale Marcin ma kochankę, dziewczynę, która zmieniła krew. Podam ci jej wonne imię..."

— Daruj! — jęknął Marcin z ostrzem własnego noża przyłożonym do gardła.

Ptak zaczął głośno krakać.

— Daruję — odpowiedział Michał i odrzucił nóż.

Zobaczył haust powietrza przepychany przez tchawicę Marcina. Przyspieszone uderzenie serca. I w to serce wycelował. Wdarł się w nie.

— Nieeee — zacharczał Marcin Zaremba.

Tak — w myślach odpowiedział mu Michał, zaciskając zęby na jego sercu wydartym z piersi przez długi smoczy pazur. Poczuł dreszcz biegnący wzdłuż łusek aż po ogon, który naprężył się i wbił w podbrzusze Marcina, dobijając go. Kruk nie przestając krakać, odbił się od posadzki i wzleciał. Zatoczył koło pod sufitem Sali Edmunda i wyleciał z wieży wąskim oknem.

— Ostatni czarny pan skonał — powiedział z czcią Wit Zaremba, wdrapując się po schodach.

— Nie — warknął Michał, wyszarpując z Marcina ogon. — Ostatnim jestem ja.

— Już nie, panie Michale — wyszeptał Wit, klękając. — Tyś jest złoty smok. Bez czarnego cienia przodków.

Michał oddychał szybko. Serce Marcina stanęło w pół uderzenia. Z jego ust wypłynęła krwawa piana.

Dorota mówiła prawdę? — zdziwił się i zrozumiał, że rodowcy tak przyzwyczaili go do kłamstw, że nie uwierzył stryjecznej siostrze. — Coś ty zrobił, Marcinie, że tak bolała twoja śmierć?

Wit niemal położył się w pokłonie.

— Będę żył dwieście lat z dziękczynieniem na ustach — rzekł.

— Ludzie tyle nie żyją — odpowiedział mu Michał i poczuł się piekielnie zmęczony.

— Ale smoki są wieczne — wymamrotał Wit Zaremba.

Michał zwinął się w kłębek nieopodal trupa wojewody Marcina. Nie miał w sobie ani krztyny sił. Więc może Dorota miała rację. Po śmierci ostatniego czarnego Zaremby przestanie być smokiem.

JUTTA, opatka wrocławskich klarysek, leżała krzyżem wraz z siostrami na zimnych kamieniach klasztornej kaplicy.

— Święty Boże, Święty mocny, Święty nieśmiertelny, zmiłuj się nad nami! — zawołała trzykrotnie po raz kolejny.

Jest dzień czy noc? — pomyślała błędnie.

— Chwała Ojcu i Synowi, i Duchowi Świętemu, jak była na początku…

Podjęły trud trzydniowych, nieprzerwanych modłów o Wrocław. Księstwo było w potrzebie.

— Święty nieśmiertelny, zmiłuj się nad nami!

Po obu jej bokach leżały przyjaciółki, córy Wrocławia, Anna, Jadwiga i Elżbieta, rodzone siostry księcia Henryka.

— Od powietrza, głodu, ognia i wojny wybaw nas, Panie! — intonowała Anna.

Książę Henryk, najeżdżany przez starszego brata, poszedł przed laty po pomoc do króla Polski. Ten, bojąc się Luksemburczyka, odmówił. A gdy sam król zaczął zagrażać księciu, nieszczęśnik pokłonił się Krzyżakom. Zakon nie chciał złamać rozejmu z Polską i też odmówił. Osamotniony książę wezwał na pomoc Luksemburczyka.

— Od nagłej i niespodziewanej śmierci, zachowaj nas, Panie! — zawołała Elżbieta.

Czy król Czech przybędzie? Czy droga, którą wybrał Henryk, jest słuszna? Czy Śląsk pozostanie wolny?

— My, grzeszni, Ciebie Boga prosimy! Wysłuchaj nas, Panie! — wezwała Boga na pomoc Jadwiga.

Król Władysław nie chce odpuścić. Jego zaufany biskup Nankier przyszedł z Krakowa, by objąć opuszczony Wrocław. Każda z nich drżała, że lada dzień miasto stanie się areną wojny. Że Wrocław zapłonie gniewem dawno jątrzących się sporów, a niemieccy mieszczanie zwrócą się przeciw polskim.

One, księżniczki wrocławskie, córki tego księstwa, modliły się o dom rodzinny. O miasto, w którym przyszły na świat i wyrosły. Ona pamiętała czas wojny w Starszej Polsce po śmierci króla Przemysła. Widziała płonące wsie i prostych ludzi uciekających w las. Gwałcone chłopki, starowiny, dziewczynki. Krowy płonące żywcem w oborach. Owce jak pochodnie. W uszach ma kwik przerażonych prosiąt, w nozdrzach dym i straszny swąd palonych ciał. Co będzie? Co to będzie? A klasztor, który jej powierzono? Mniszki świętej Klary, starowinki i dzieci, jak te dwie, małe, z nowicjatu. Jak obroni swe siostry? Klasztor wtłoczony między kościół, franciszkanów i inne budynki. Ogień w walczącym mieście przenosi się tak szybko. Matko Boska…

— Święty Boże — jęknęła Anna.

Nadsłuchiwały, czy już biją dzwony na trwogę? Czy słychać nadchodzące wojska? Czyje będą? Czyje?

— Święty mocny, Święty nieśmiertelny… — wyszeptała z trwogą Elżbieta.

— Czy ty nas w ogóle słyszysz?! — wrzasnęła nagle Jadwiga. — Czy my cię cokolwiek obchodzimy?!

— Jadwiś, zamilknij — poprosiła Elżbieta.

— Nie chcę już być służebnicą Pana — bluźnierczo powiedziała Jadwiga. — Skoro nie ma mocy, by nam pomóc, nie ma mocy, by mnie ukarać!

— Zamknij się — przeraziła się Anna. — Jutto, zrób coś z nią. Jutto!

Jutta całym swym szczupłym ciałem przywarła do kamiennych płyt. Ktoś wołał ją z daleka, z głębi ziemi. I nie był to Bóg. I nie wołał imieniem zakonnym, lecz rodowym. Zapadała się w siebie, w kamień zamieniała.

To koniec tu, na ziemi — zrozumiała. — Czy wypełniłam swe przeznaczenie? Czy zmarnowałam szansę? Drugiej nie będzie.

— Opatka Jutta nie żyje — powiedziała nad nią Elżbieta.

Dorota Zarembówna umarła pierwsza — pomyślała. I poczuła lekkość.

[1327]

JAN LUKSEMBURSKI zaraz po Nowym Roku, na Trzech Króli, zwołał zjazd generalny czeskiego rycerstwa. Dał Lipskiemu dość czasu i wywiązał się z obietnicy wobec Rikissy. Dłużej czekać nie mógł, nie opłacało się, bo wszystko szło po jego myśli. Ludwik Wittelsbach postanowił ruszyć z Monachium do Italii, przyzywany rzekomo przez signorie, niemogące sobie poradzić z królem Neapolu, papieskim zausznikiem. Król Niemiec potrzebował gwarancji spokoju w Rzeszy pod swą nieobecność i zwrócił się znów ku wypróbowanemu w boju Janowi Luksemburskiemu. Uczynił go „opiekunem swych drogich dzieci", a w skrytości ducha liczył, że robi mu niedźwiedzią przysługę i popsuje stosunki Jana w kurii. Co powinien zrobić „opiekun królewskich dzieci"? Może zadbać o młodego Ludwiczka, któremu król krakowski spustoszył Brandenburgię? Wziąć go w zbrojną opiekę?

I jeszcze dobry, bogaty Śląsk. Tyle księstw, w którym znaleźć można i srebro, i złoto. I nie tylko w skrzyniach możnych, ale w skale, w ziemi! Tylu książąt, którzy pogodzić się między sobą nie mogą, a po śmierci potężnego Bernarda Świdnickiego, zięcia króla Krakowa, brakuje tego, co mówił: „Tylko nie Praga!". Z drobnych burd na Śląsku zrobił się chaos, a z chaosu wyłonił on, wybawiciel. Ten, którego o pomoc proszą zrozpaczeni książęta. Ten, którego błaga Wrocław. I co? To nie był dobry czas? To był czas najlepszy.

Do Ołomuńca zjechali wszyscy. Najpierw Jan zaprosił ich na mszę do katedry Świętego Wacława. Nie ma to jak wzmocnić ducha dobrą pieśnią. *Sanctus Deus, Sanctus fortis, Sanctus immortalis, miserere nobis* zabrzmiało potężnie pod wysokim sklepieniem katedry.

Gdy wyszli, Wilhelm de Machaut był wzruszony.

— Trisagion nigdy nie pozostawia mnie obojętnym — szepnął poeta i głośno wypuścił powietrze. — Ale, wybacz pytanie, królu. Czy nie jesteś ani trochę przesądny?

Jan zadarł głowę, patrząc na ostrą wieżę kościoła. Dzień był słoneczny, na kościelnym dachu skrzył się śnieg, odbił się od niego jasny promień słońca i aż zakłuł Jana w źrenicę. Musiał szybko zamknąć oko.

— Co masz na myśli? — zdziwił się. — We francuskich świątyniach śpiewa się Trisagion nie tylko na pogrzebach i nie tylko w wielkim tygodniu. Karol, jak pamiętasz, poprzedza nim każdą uroczystość. A dzisiaj mamy okazję.

— Nie to miałem na myśli — zawstydził się Wilhelm. — Hugon mówił mi, że w Ołomuńcu zamordowano młodziutkiego króla Václava III przed wyprawą na Królestwo Polskie.

— Gdzie on jest? — spytał Jan i sięgnął po chusteczkę. Oko zaczęło mu łzawić, jakby tamten promień naprawdę go ukłuł. Wytarł je.

— Pozwoliłeś mu zostać w Brnie — odpowiedział Wilhelm.

— Ach tak, zapomniałem. Nie, nie jestem przesądny. — Schował chusteczkę i zamrugał. Już dobrze. — Václav III był chłopcem nieprzygotowanym do władzy. Ja jestem mężczyzną. A Ołomuniec leży na drodze do Krakowa. — Klepnął w plecy Wilhelma. — No, mój poeto i sekretarzu! Chodź za mną, pokażę ci, jak się robi rzeczy niemożliwe!

Zima była śnieżna i mróz aż skrzył się na dachach domów i miejskich dziedzińcach. Na tym czystym, białym tle Ołomuniec aż kipiał barwami chorągwi czeskich. Herb gonił herb.

Kozie łby, złote lance, pnie lipy, sokoły, snopy, pasy. Zieleń, żółć, czerń, czerwień, błękit i biel. Zjechali wszyscy, prócz Henryka z Lipy, ale jego synowie stawili się jak jeden mąż. Henryk Junior, Pertold, Jan i Cenek. Zauważył i Vanka z Vartemberka, syna niegdysiejszego druha Lipskiego, Jana. Jest i moja Drużyna Lodu — pomyślał Jan. — Wreszcie z chłopiąt wyrośli mężczyźni.

Markwart, Zavis, Beneš, Hynek, Ulrik, Chval, Libos, Czabak, Zwonimir. O, z Czabaka to nawet wyrósł drugi, mniejszy — zaśmiał się w duchu, patrząc na brzuszysko Czabaka wylewające się nad rycerskim pasem. Patrzył na panów z Seeberka, Michalovic, Snojna, Landstejna, Dube, Sternberka, Lichtenburka.

— Jest i mój Peter z Rożemberka — powitał barona wylewnie. — Rozmawiałeś z Cenkiem z Lipy?

— Mój bratanek z nim mówił, królu. Młody Lipski nie dał żadnej odpowiedzi, zasłania się ojcem jak tarczą.

— A ojciec nic już nie powie. Chodźmy! Zróbmy, co trzeba.

Ruszyli do pobliskiego pałacu biskupiego. W największej z sal czekali już na Jana wszyscy. Gdy wszedł, przyklęknęli na jedno kolano. Usiadł na tronie i krzyknął:

— Baronowie Czech, powstańcie! Rycerze Płomienistej Orlicy, rycerze lwa Luksemburgów, wzywam was na wojnę słuszną i sprawiedliwą!

Gdy wstawali, patrzył im w twarze, kolejno. Niektórych nie poznawał, dawno ich nie widział. Innych poznawał nazbyt dobrze, tych, co odmówili pójścia na wojnę dwóch królów. Ale czasy się zmieniły, panowie! Miejsce Henryka z Lipy stoi puste.

— I proszę was, czescy panowie, o zgodę na pobór berny, nadzwyczajnego podatku na wojnę! — dokończył Jan.

Milczeli. Skinął na Petera z Rożemberka i ten odczytał listy książąt śląskich proszących o pomoc. Gdy skończył, Jan znów przemówił.

— Ostatni wielki Przemyślida, mój teść, król Václav II, nosił polską koronę. Papież Jan XXII przyznał ją Władysławowi, ale ten, przez pamięć wielkiego Czecha na polskim tronie, nie śmiał ukoronować się w Gnieźnie, jak każe tradycja. Zrobił to tylko w Krakowie. Małżeństwo z córką waszego Václava, Elišką, nakazuje mi sięgnąć po polską koronę, by Królestwo Czech zostało w granicach, jakie on wyznaczył. Tym samym nie wzywam was na wojnę poza granicami królestwa, o której mówią traktaty, jakie spisałem w Domżalicach z wami i Henrykiem z Lipy. Pozostaję w prawie. Zwołuję was na wojnę o czeskie królestwo!

— Amen — zakrzyknął Peter, a za nim zaczęły odzywać się głosy z sali.

— Zgoda!

— Prawda!

— Król dobrze mówi!

— Król jest w prawie!

Uciszył ich jeszcze na chwilę.

— Nigdy wcześniej nie mogłem tego zrobić, bo Czechy nie były bezpieczne — powiedział. — Dziś jest inaczej. Możemy spokojnie ruszyć na wyprawę, bo żaden z sąsiadów nam nie zagrozi. Brandenburgią włada sojusznik, syn króla Niemiec. Saksonią sojusznik. Habsburgowie są nam przychylni. A wielki Carobert związał Węgry sojuszem z Czechami.

— Chwała królowi Janowi! — zawołał niezawodny Peter, a inni podchwycili.

Dał im chwilę na okrzyki, miał ich w garści.

— Głosujmy kolejno — zażądał kanclerz.

— Zgoda na pobór berny — jako pierwszy zgłosił się Peter z Rożemberka.

— Zgoda — powiedział Beneš.

— Zgoda, zgoda — dołączyli Hynek, Chval, Czabak.

Zostali tylko synowie Henryka z Lipy.

— A wy? — spytał ich kanclerz.

— My mówimy jednym głosem z naszym ojcem — odpowiedział najstarszy. I Lipscy milczeli.

— Zatem zastąpicie go — szybko powiedział Jan. — I pod naszą nieobecność strzec będziecie kraju.

Złowił zaskoczone spojrzenie Lipskich. Wasz ojciec by to przewidział — zaśmiał się w duchu.

— Henryku z Lipy — oznajmił Jan Luksemburski. — Póki wasz ojciec choruje, tobie powierzam urząd marszałka Czech. Już czas zerwać z przydomkiem Junior. Ja cię znam jako twardego i nieugiętego rycerza. Oto Henryk II Żelazny! — zawołał.

— Mój ojciec... — powiedział Henryk.

— Gdy tylko wróci do sił, przekażesz mu urząd — zamknął sprawę Jan.

— Jak sobie życzysz, królu — przyklęknął nowo mianowany marszałek.

— Czechy bezpieczne sojuszami i Lipskimi — skwitował kanclerz. — Srebro należy wpłacać od dzisiaj, do królewskich komór.

— Brak wpłaty traktować będę jak wypowiedzenie posłuszeństwa królowi — zagroził Jan.

— Wynagrodzimy się z łupów wojennych — szeroko uśmiechnął się Peter z Rożemberka.

— I z żołdu — dorzucił z sali Beneš.

— Z jakiego żołdu? — kpiąco odpowiedział mu nowy marszałek, Henryk Żelazny. — Za tę wojnę król wam nie wypłaci!

— Przecież jest poza granice — zaprotestował Czabak.

— Nie słuchałeś uważnie — zimno powiedział Lipski, a Jan znów mógł się zaśmiać po cichu.

— Uchwaliliśmy podatek nadzwyczajny na wojnę o Królestwo Czeskie — potwierdził spokojnie kanclerz. — I, jak słusznie mówi Henryk Ju... Żelazny z Lipy, zgodnie z traktatami zawartymi między panami Czech a królem Janem, za udział w takiej wojnie żołd się nie należy.

Powstał szum, który przekrzyczał Peter z Rożemberka.

— Wynagrodzimy się z łupów!

I temu nikt nie zaprzeczył.

— Byłem świadkiem, jak król Jan zrobił rzecz niemożliwą — pochwalił go Wilhelm de Machaut. — Tylko jak mam to opisać?

— Wstrzymaj się. Opiszesz nasze zwycięstwo — klepnął go w plecy Jan.

— O co chodzi z tym starym marszałkiem, Henrykiem z Lipy? Tyle hałasu o nieobecnego? — spytał Wilhelm, gdy opuszczali salę, udając się na wieczerzę.

— A o nim Hugon ci nie opowiadał? — złośliwie odpowiedział Jan.

— Nie. Gdy pytałem o Czechy, mówił głównie o podwójnej królowej, Rikissie.

— To ciekawa historia dla poety, Wilhelmie. I bardzo związana z dzisiejszym dniem. Gdyby przed trzydziestu laty nie zamordowano jej ojca, mała Rikissa nie stałaby się żoną króla Czech, a on nie ukoronowałby się w Gnieźnie.

— Rozumiem — niepewnie skinął głową Wilhelm. — Historia dzisiaj zatoczyła koło.

— Jeszcze nie — zaprzeczył Jan. — Ale zatoczy. Nie boję się przyszłości. Ja ją kocham i tworzę.

HENRYK Z LIPY siedział na szerokim, miękko wyścielonym krześle, które kazała zrobić dla niego Rikissa. Sama rozrysowała i wymierzyła stolarzowi każdą z jego części. Podłokietniki pokryte były materiałem, na którym ona, Anežka i Katrina wyszyły złote pnie lipy.

— Będziesz mógł się ich trzymać, kochany — powiedziała, gdy słudzy przesadzili go na nowe krzesło.

Było wygodne, tak sobie wyobrażał. Nie czuł tego.

Jego ciało zamilkło na dobre. Zabrało mu ból i przyjemność. Ciepło i zimno. Zabrało wszystko, co należało do ciała, zostawiło rozum i serce. Ten stan określał jako bezsilność.

Słudzy kładli go do łóżka i z niego zabierali. Sadzali na krześle i podstawiali nocnik. Myli, wycierali i ubierali. Karmiła go Rikissa.

To było najgorsze. Nie chciał, by to robiła.

Nie był w stanie jej tego powiedzieć.

Nigdy wcześniej, gdy miłość pchnęła ich ku sobie, nie wziął tego pod uwagę. Nie przeszło mu przez głowę, że będzie chorym, nieruchomym dziadem, a ona wciąż piękna i młoda będzie się o niego troszczyć. Tyle razy śmierć stukała go w ramię, zaglądała mu w oczy, ciągnęła do siebie jak dziwka. Zawsze to była śmierć mężczyzny. Bełt z kuszy. Strzała z łuku. Pędząca włócznia. Ostrze miecza. Zardzewiały nóż. Wszystko, ale nie to, co się stało.

Rikissa nie traciła nadziei. I nie opuszczała go na dłużej niż chwilę. Raz wyjechała do Pragi, prosić króla, ale gdy wróciła i opowiedziała mu o nim, wiedział, że Jan już jest nie do zatrzymania.

Jego królowa otaczała go troską. Czasami żartowała:

— Teraz mam cię tylko dla siebie.

Nie przestawała go dotykać i całować. W nocy kładła się przy nim i przytulała. Kilka razy słyszał, jak płacze. Może zrozumiała, że on nie czuje jej pocałunków?

Zmuszała życie, by toczyło się wokół niego. Katrina opóźniła pójście do nowicjatu, by trwać przy nim. Synowie przyjeżdżali, siadywali obok i mówili. Na szczęście Rikissa nie pozwalała, by odwiedzali go obcy. Wiedziała, że nie zniósłby swej bezradności.

I stało się. Złamał słowo, które dał kiedyś *bis reginie*, że póki żyje, rycerstwo Czech nie ruszy na wojnę z Polską. Luksemburski synek rozegrał tę partię mistrzowsko. Gdyby Lipski ruszał ręką, wzniósłby toast za pomysł i okoliczności. Nie, nie zgadzał się z nim i nie poparłby tej wyprawy, ale doceniał kunszt króla, który już przestał być chłopcem. Wyczuł sytuację niczym polujący ryś. W herbie miał lwa, ale Lipski nie miał pojęcia, jak polują lwy. A Jan zwęszył wonie idące z tak wielu stron i ułożył to polowanie niczym stary wyga. Ma pieniądze, poparcie, sojusze, śląskie wołanie o pomoc, głównego sojusznika Władysława obezwładnił sojuszem i zapłacił córką. I jeszcze ten zgiełk, Rikissa czytała mu list rozesłany przez minorytów po klasztorach; list, w którym papieża nazywano antychrystem, co wysłał pogańskie zastępy swego szatańskiego syna Władysława na niewinnych chrześcijan. Kto ujmie się za „szatańskim synem"? Carobertowi nie w smak jest ponoć litewski sojusz teścia. A jednak Lipski siedząc i patrząc nieruchomym okiem w okno, bo Rikissa dbała, by nigdy nie patrzył w ścianę, myślał, że wszystkie okoliczności ułożyły się dla Jana tak dogodnie, że coś musi pójść nie po jego myśli. Nie dlatego, by mu źle życzył. Po prostu takie było życie. Przewrotne.

Luksemburczyk może wpaść w sidła własnych słów — to mu przychodziło do głowy. — Nazywa Władysława „królem krakowskim" i ten jego tytuł akceptuje, bo musi. Papież wydał zgodę na krakowską koronację. Ale Jan nie zdobędzie Poznania czy Gniezna, by stać się królem Polski. Z Czech blisko jest tylko do Krakowa. A jeżeli zdobędzie Kraków, to co? To stanie w tym samym miejscu, co Władysław. Będzie królem Krakowa, niczym więcej. A może zechce być „królem Śląska"? To ciekawe. Ale książęta śląscy nie złożyli hołdu Władysławowi, więc i wypowiedzieć mu posłuszeństwa nie mogą. I wreszcie, czego naprawdę chcą panowie Śląska? Czy wiedzą, że Jan pragnie ich kopalń srebra i złota? Jak bardzo potrzebuje ich bogactw?

Henryk z Lipy z chęcią rozłożyłby tę układankę i złożył na kilka możliwych sposobów. Ale był sparaliżowany. Przykuty do krzesła. I choć całymi dniami zmuszał swoje palce do ruchu, wciąż nie mógł więcej, niż drgnąć kciukiem. Był karmiony, był ubierany, myty i rozbierany. I to wszystko sprawiło, że zaczął tak samo pragnąć powrotu sprawności jak śmierci. Nie mógł dłużej żyć w takim stanie. Nie mógł patrzeć na miłość Rikissy, na którą nie potrafił odpowiedzieć. Dławiło go przerażenie, że nie obroni swej ukochanej mieczem. Nie zasłoni jej tarczą, gdyby przyszła taka chwila.

Nie radził sobie z tym, że nic nie zależy od niego. Że stracił władzę nad życiem. I nawet śmierci nie mógł sobie zadać.

WŁADYSŁAW szedł wawelskim korytarzem tak szybko, że kasztelan krakowski, Nawój z Morawicy, biegł za nim. Biegł i Spycymir z Piasku, wojewoda krakowski i Jarosław Bogoria, którego Władysław nie puścił z Nankierem do Wrocławia i uczynił własnym sekretarzem. Za nimi sunął Borutka.

— Sandomierscy? — spytał Władysław.

— Chorągiew stoi w gotowości. Jelitko potwierdził.

— Tylko chorągiew?! — zdziwił się. — To mało. Kujawscy?

— Wojewoda Wojciech i Paweł Ogończyk zawiadomieni. Nie wiemy, ilu zbiorą. A to, co będą mieli, król kazał im na pół podzielić — przypomniał Nawój.

— Podtrzymuję — warknął Władysław. — Rozejm z Zakonem właśnie się skończył, tylko diabeł wie, co zrobi wielki mistrz. Dobrze, że Krzyżacy w sporze z Luksemburczykiem. Tak — rzucił przez ramię — połowa kujawskich musi stać murem i pilnować granicy z Zakonem. Starsza Polska?

— Wici poszły.

— A odpowiedź przyszła? — syknął.

— Wojewoda Przybysław zbiera ludzi, mówi, że zrobi, co w jego mocy — odpowiedział Nawój.

— Chciałbym Wincentego Nałęcza i jego Starszaków — powiedział Władysław — ale oni muszą zostać w Starszej Polsce. Brandenburski mur ma być szczelny. Przybysław zbierze ze dwie chorągwie? — spytał.

— Mam nadzieję — odpowiedział kasztelan krakowski.

— Sieradz?

— Na razie poczty rodowe. Jeszcze nie zebrali pełnej chorągwi — przekazał Nawój.

— Ziemia krakowska wystawiła dwie chorągwie — pocieszył go wojewoda Spycimir.

— To mamy trzy w gotowości i trzy w przygotowaniu — podliczył Borutka zza jego pleców.

— Litwa? Nie — Władek sam zaprzeczył. — Tym razem nie możemy skorzystać z wojsk Giedymina. — Przeskoczył dwa stopnie i stanął w miejscu. Nawój wyhamował przezornie. — Przypomnij, kto pojechał na Węgry?

— Jałbrzyk, jaśnie panie.

— Ja byłem przeciwny — zastrzegł Spycymir.

— Ja się zgodziłem — uspokoił Bogoria. — On ma gadane.

— I Ligaszcz, rzecz jasna, bo Węgrzy go kochają.

— To mało — powiedział Władysław. — Za mało.

Ruszył, nie oglądając się za siebie. Oni za nim. Nie czekali, wiedzieli, że czasu niewiele, a najważniejsze sprawy Władysław umie rozstrzygać w biegu.

— Najjaśniejszy panie — powiedział Spycimir. — Trzeba zdecydować, czy wysyłamy królową w bezpieczniejsze miejsce? Proponowałbym z królewiczem, synową i wnuczką.

— Królowa w czasie buntu wójta Alberta sama broniła Wawelu! — zaprotestował Nawój.

— Nie sama, z tobą — przypomniał Lelewita.

— Wciąż tu jestem — warknął na niego pan z Morawicy.

— Do Kalisza? — wojewoda przeskoczył o krok przed kasztelana.

— Nie. Wojewoda Marcin właśnie zmarł, jeszcze nie znalazłem nowego — zaprzeczył Władek. — I Kalisz za blisko Krzyżaków.

— To do Poznania może? — zaproponował Spycimir.

— Za blisko Brandenburgii — orzekł Władek i skręcił. Stanął. Wojewoda krakowski był mniej zręczny niż Nawój, wpadł na niego.

— Najmocniej przepraszam, najjaśniejszy panie — wymamrotał.

— Nie przepraszaj, tylko myśl, co mówisz — skarcił go Władysław. — Jaki znak dałbym swoim poddanym, odsyłając z Krakowa królową?

— Obrończynię Wawelu — przypomniał Nawój.

— Czy Jan Grot już wrócił? — spytał Władysław o następcę Nankiera na biskupstwie krakowskim.

— Nie, panie — zaprzeczył Nawój. — Arcybiskup Janisław trzyma go jeszcze w Gnieźnie.

— Dobrze, niech Grota przeszkoli — wyrwało się Bogorii.

— A wyświęcił go chociaż? — ruszył dalej Władek.

— Bóg wie — odpowiedział Bogoria.

— Ty go nie lubisz? — zauważył król.

— Nieee… — odpowiedział Jarosław.

Zza zakrętu wyszła okryta kapturem kobieta. Szła jeszcze szybciej niż Władysław i chcąc się minąć, oboje zrobili krok w tę samą stronę.

— Niech będzie pochwalona — wyszeptała, stając i kłaniając mu się szybko.

— Na wieki wieków — odpowiedział Władysław.

Kobieta chciała ruszyć dalej, ale chwycił ją za łokieć.

— Jesteś beginką od arcybiskupa Janisława? — spytał.

— Tak, to ja — odpowiedziała.

Kaptur zsunął jej się z głowy. Władysław uniósł wzrok i zobaczył kobietę o twarzy bez wieku. Młodej i starej jednocześnie. Wszystko w niej było umiarem. Włosy nie jasne i nie ciemne. Rysy nie ostre i nie łagodne. Wejrzenie mocne, silne i pełne pokory jednocześnie.

— Co sądzisz o chorobie mego syna? — spytał i zadrżał w nim każdy mięsień.

— Jest źle — odpowiedziała — ale nie beznadziejnie. Królewicz Kazimierz ma silny organizm. Choroba pokąsała go boleśnie, ale śmierć nie umie się do niego dobrać. Jest jak jeleń raniony na polowaniu. Dostał strzałę w podbrzusze, ale umknął przed drugą, która mierzyła w serce.

— Wyliże się z tego? — mimowolnie podjął jej myśliwską metaforę.

— Jeśli nie sięgnie go nowa strzała, przeżyje. Jestem tu, by go przed nią chronić, królu — spojrzała mu w oczy tak, że gdyby nie to, że jest królem, ukląkłby przed nią i złożył dziękczynny pokłon.

— Jak ci na imię? — spytał.

— Jemioła.

— Bądź jego tarczą, siostro Jemioło.

— Tarczowniczką — poprawiła go. — Sama tarcza, bez człowieka, który ją trzyma, nie ustrzeże.

— Masz rację, Jemioło. Twój beginaż dostanie ze skarbca królewskiego hojny datek — powiedział.

— Nic mi nie obiecuj, królu, zanim nie pomówisz z Janisławem — powiedziała i jej oczy zalśniły.

Jaki to kolor? — zastanowił się. I otrząsnął. Nie wypada mu myśleć o barwie źrenic beginki. Nawet jeśli jego żona uwielbia te ubogie siostry.

— Czegoś ci trzeba? — spytał.

— Nie — odpowiedziała. — Niczego mi nie brak. Wzmocniłby mnie tylko arcybiskup Janisław.

— Ma obowiązki w Gnieźnie — wytłumaczył go. — Idzie wojna.

— Wiem — szepnęła. — Idzie wielka wojna. Każdy z mieszkańców Królestwa musi stanąć w jego obronie.

— Co znaczy „każdy"?

— Nie obronisz kraju samym rycerstwem, choć jest opancerzone i zbrojne. Straszne i waleczne — odpowiedziała Jemioła. — Królestwo to miasta skryte za murami, strzegące traktów i bronione. Ale nim wrogowie zaczną oblegać grody, spalą wsie stojące im na drodze. A Królestwo to także lud. Ci mali i prości, co mieszkają w wioskach. Ci, których będą straszyć ogniem i pożogą. Zaborem plonów, krów i stad owiec. Ci, którzy nie mają herbów, ale rodziny. Starych ojców i matki. Małe dzieci i cielęta, co przyszły na świat szczęśliwie poprzedniej wiosny. Twoi straszni i waleczni pod znakiem Półksiężyców, Toporów, Lisów, Brogów i co tam mają jeszcze, staną do walki za króla. Ale to ci bez herbów muszą zawalczyć o Królestwo. To miałam na myśli, mówiąc „każdy".

— Twardą lekcję mi dałaś, Jemioło — powiedział, chłonąc jej słowa.

— Muszę być twarda, jeśli chcę obronić twego syna, królu — odpowiedziała.

— Zrobisz to? — znów spytał.

— Zrobię, co w mojej mocy — odpowiedziała tak samo. I dodała: — Wybacz, panie. Rozmowa z tobą jest zajmująca. Ale twój syn nie mówi, a wzywa. Nie może być sam tak długo.

— Idź. Pomóż mu — powiedział. Nie rozkazał, poprosił.

Gdy się kłaniała, kaptur zsunął się na jej czoło i nie mógł znów spojrzeć w te jej dziwne oczy. Ale ruszył pokrzepiony.

— O czym mówiliśmy? — przyszpilił swoich pytaniem.

— O Janie Grocie, nowym biskupie krakowskim — wyrecytował Bogoria.

— A, to skończone — powiedział przed wrotami sali audiencyjnej. Borutka wyskoczył naprzód i pchnął je. — Teraz chcę zostać sam — zakończył Władysław.

— To niemożliwe — smutno zaprzeczył Nawój i wskazał na wnętrze sali.

W sali tronowej czekali zwiadowcy. Sześciu zdrożonych ludzi, w mokrych od śniegu butach, w płaszczach, z których na barwne płytki posadzki kapało błoto. Przyklęknęli przed królem.

Spycimir, Nawój i Jarosław weszli za Władysławem, który spytał zduszonym głosem:

— Już z powrotem?

— Czesi są blisko — odpowiedział Paszko, wódz zwiadowców.

Stanął przy nich. Nawet nie poszedł do tronu.

— Mówcie — zażądał.

— Czeska chorągiew to nie pięciuset zbrojnych, ale sześć setek zakutych w stal rycerzy na bojowych ogierach — zaczął Paszko.

— Rozumiem — skinął głową Władysław i poczuł drżenie ziemi, jakie wywołuje taki oddział pędzący na polu bitwy. Jakby pod śniegiem budził się uśpiony smok.

— Z Ołomuńca pierwsza ruszyła piechota — powiedział Paszko. — I tabory. Naliczyliśmy trzysta wozów ciągnionych przez woły. W tym pięćdziesiąt, które kryć mogą machiny wojenne.

Jezu — przebiegło przez głowę Władkowi.

— Zbrojnej piechoty idzie koło tysiąca ludzi. Użyją ich przy obleganiu miast — dodał Paszko.

Władysław widział, jak Nawój z Morawicy pobladł. Jak cofnął się o pół kroku Jarosław Bogoria. Wojewoda Spycimir zapytał ochrypłym głosem:

— A rycerstwo?

Paszko odwrócił się na swych ludzi. Przyzwał ich ruchem głowy. Podeszli o trzy kroki bliżej. Wskazał na pierwszego, mówiąc:

— To Jarko, góral.

— Mów, Jarko — zachęcił go Władysław.

— Cztery czeskie chorągwie rycerskie już przeszły góry. Dwie z nich przeprawiły się przez Odrę pod Raciborzem. Dwie kolejne w trakcie przeprawy.

— Cztery? — jęknął wojewoda. — My mamy trzy w gotowości i trzy w przygoto…

— Zamilcz — przerwał mu Władysław. — Co jeszcze?

Paszko przywołał kolejnego, bardzo szczupłego, siwiejącego mężczyznę w krótkim płaszczu.

— To Peter, rodem z Pragi, od dawna na naszych usługach. Mów królowi, co wiesz — polecił mu.

— Trzy kolejne chorągwie dopiero wyruszyły z zachodnich rubieży Królestwa Czech — powiedział Peter, patrząc w posadzkę. — Dziś pewnie minęły Pragę i idą ku granicy.

— Razem siedem — głucho podliczył Bogoria.

— I jeszcze chorągiew nadworna króla Jana. — Peter uniósł wzrok i spojrzał na Władysława. — Walczą w niej synowie najlepszych rodów.

— To nie wszystko? — domyślił się Władysław.

Paszko pokiwał głową i dał znak Peterowi.

— Król Jan będzie szedł jako ostatni, bo czeka na wsparcie z Luksemburga. Mówi się o jakiejś machinie niezwykłej mocy, takiej, która potrafi rozbijać najtęższe mury, kruszyć wysokie wieże.

Wawel — pomyślał krótko Władysław. — Nasz Wawel.

— Tyle wiemy. — Paszko dał znać, iż to koniec koszmarnych nowin. I dodał: — Na dzisiaj. Ludzi mam jeszcze porozstawianych wzdłuż traktów.

— Odpocznijcie — powiedział król.

Paszko klęknął przed nim, jego zwiadowcy zrobili to samo. Władysław położył mu rękę na czole.

— Jesteście moimi oczami.

— Oczy nie kłamią — poważnie odpowiedział Paszko. — Oczy tylko widzą.

Wasze już zobaczyły przedsionek piekła — pomyślał Władysław. — Moje będą musiały do niego wejść i walczyć, by nas nie pochłonęło.

— Dziękuję wszystkim — powiedział. — Znacie rozkazy, idźcie je wypełniać. Ja chcę chwilę zostać sam.

— Wedle życzenia — odpowiedzieli kasztelan, wojewoda, sekretarz. I Paszko. Borutka był poza rozkazem.

Władysław wszedł do pustej sali i w półmroku trafił do tronu. Zrobił krok na podwyższenie. Obrócił się i usiadł. Poczuł barkami chłodną powierzchnię oparcia. Borutka zamknął wrota i przez chwilę zapanowała kompletna ciemność.

— Zapal świece — zażądał.

Jestem sam — pomyślał. — Janisław w Gnieźnie, Kraków bez biskupa. Moimi starymi druhami obsadziłem ziemie Królestwa i muszą tam zostać, strzec ich. Mnie włożono na skronie koronę i to ja, nikt inny, muszę strzec Krakowa. Na to miasto królewskie spadnie pierwsze uderzenie. Obyśmy wytrzymali. Obyśmy nie ugięli się przy pierwszym szturmie. Boże! Jakąż piekielną machinę ma Jan? Wawel do tej pory był nieugięty. Ja sam go zdobywałem. A teraz sam muszę go obronić.

Świeca za świecą, płomienie rozjaśniały salę tronową. Władysław patrzył na te ściany, na krucyfiks, na koronną chorągiew. Na pusty tron królowej obok siebie.

Panie — jęknął błagalnie w duchu. — Ocal Kazimierza. Zwróć Królestwu następcę. Potrzebuję go jako król i... — wyznał to po raz pierwszy przed sobą samym — jako ojciec.

Spod pułapu sfrunął biały orzeł. Zatoczył koło, potężny ruch jego skrzydeł zgasił jedną ze świec. Borutka w okamgnieniu rozpalił ją znów i zapłonęła jeszcze jaśniej. Orzeł spoczął na oparciu tronu.

Obronię moją żonę i Królestwo — pomyślał Władysław twardo. — Albo polegnę, jako stary król, który nie sprostał.

Wbił palce w podłokietniki tronu.

— Borutka, daj mi miecz — zażądał.

Wrończyk zrobił to szybko, jakby czytał mu w myślach. Przyklęknął i podał miecz królewski. Władysław postawił go ostrzem do ziemi, zacisnął obie dłonie na zdobionej świętymi inskrypcjami rękojeści. Poczuł siłę płynącą z tego żelaza. Wziął głęboki wdech.

— Pojedziesz na Węgry jeszcze dziś — oznajmił Borutce. — Palatyn Durghet pamięta cię i dzisiaj nosicie ten sam herb.

— Nie całkiem. On ma trzy ptaki — wypomniał Borutka.

— Ale ty złotego — wskazał na Wrończyka na piersi Borutki. — Pokłonisz się przed nim, jeśli Carobert będzie wypominał Litwę.

— Co każesz, panie — powiedział Borutka, zginając się w pas. — Palatyn jest moim dłużnikiem.

Orzeł znad pleców Władysława krzyknął.

— Idź już. Czas się skończył. Czesi ruszyli i jest ich dwa razy więcej. Słyszysz? — uniósł wzrok ku sklepieniu.

— Nie — pokręcił głową Wrończyk.

— Ja słyszę — powiedział Władysław. — Przeliczam ich w myślach, wyobrażam sobie tę potęgę. I słyszę, jak ziemia dudni pod kopytami ich koni. Jak śnieg bryzga spod kół ich wozów. Słyszę, jak śpiewają bojową pieśń.

— Przynieść koronę? — spytał Borutka.

— Tak — odpowiedział Władysław, patrząc na rozświetloną blaskiem świec salę tronową. — Wojenną koronę.

Rody

Piastowie

Od Bolesława Chrobrego, pierwszego króla aż do Bolesława Krzywoustego tworzyli niepodzielną dynastię. Potem, w wyniku Statutów Wielkiego Rozbicia podzielili się na rody, biorące początek w synach Krzywoustego, władające dzielnicami dawnego królestwa.

Piastowie Starszej Polski

Linia: wywodzą się od księcia Mieszka Starego.
Zawołanie: „Niepodzielni".

→ **Przemysł I** — książę, syn Władysława Odonica i Jadwigi.
→ **Elżbieta** — żona Przemysła I, księżniczka wrocławska.

→ **Konstancja** — córka Przemysła I i Elżbiety, żona margrabiego brandenburskiego Konrada.
→ **Eufrozyna** — córka Przemysła I i Elżbiety, ksieni cysterek w Trzebnicy.
→ **Anna** — córka Przemysła I i Elżbiety, ksieni cysterek w Owińskach.
→ **Eufemia** — córka Przemysła I i Elżbiety, klaryska wrocławska.
→ **Przemysł II** — syn Przemysła I i Elżbiety, książę.
→ **Lukardis** — pierwsza żona Przemysła II, księżniczka meklemburska.
→ **Rikissa Valdemarsdotter** — druga żona Przemysła II, królewna szwedzka.

→ **Rikissa** — córka Przemysła II i Rikissy, *bis regina*, żona Vaclava II Przemyślidy i Rudolfa Habsburga, królowa Czech i Polski.

→ **Małgorzata Askańska** — księżna, trzecia żona Przemysła II, księżniczka brandenburska.

→ **Bolesław** zwany **Pobożnym** — książę, syn Władysława Odonica i Jadwigi.
→ **Jolenta z Arpadów** — żona Bolesława.

- → **Elżbieta** — córka Bolesława i Jolenty, wdowa po Henryku Brzuchatym.
- → **Jadwiga** — córka Bolesława i Jolenty, żona Władysława Łokietka, królowa Polski.
- → **Anna** — córka Bolesława i Jolenty, klaryska.

Piastowie Małej Polski

Linia: wywodzą się od Kazimierza Sprawiedliwego.
Zawołanie: „Tron seniora".

→ **Leszek Biały** — ostatni senior, zginął w „krwawej łaźni w Gąsawie".
→ **Grzymisława z Rurykowiczów** — żona Leszka Białego.

→ **Salomea** — córka Leszka Białego i Grzymisławy, błogosławiona dziewica.

→ **Bolesław** zwany **Wstydliwym** — syn Leszka Białego i Grzymisławy, książę.

→ **Kinga z Arpadów** — żona Bolesława, święta.

→ **Leszek Czarny** — herbu półorzeł, półlew, adoptowany syn Bolesława i Kingi.

→ **Gryfina** — żona Leszka Czarnego, księżna halicka, opiekunka Rikissy, córki Przemysła II.

Piastowie Mazowsza

Linia: wywodzą się od Bolesława Kędzierzawego, linia główna wygasła na jego synu. Dzielnica przekazana Kazimierzowi Sprawiedliwemu (władcy Małej Polski), co spowodowało późniejsze pretensje kolejnych jego potomków do tronu krakowskiego. Tak zwana linia młodsza wywodzi się od Konrada, zwanego Szalonym Piastem z Mazowsza, jego syn Kazimierz utworzył linię kujawską.

Piastowie kujawscy

Zawołanie: „Pod wiatr".

→ **Kazimierz** zwany **Kujawskim** — książę kujawski.

→ **Jadwiga** — pierwsza żona Kazimierza, córka Władysława Odonica, księżniczka Starszej Polski.

→ **Konstancja** — druga żona Kazimierza, księżniczka śląska.

→ **Leszek Czarny** — syn Kazimierza i Konstancji, później adoptowany syn Bolesława, księcia Małej Polski.

→ **Gryfina** — żona Leszka Czarnego, księżna halicka, opiekunka Rikissy, córki Przemysła II.

→ **Siemomysł** zwany **Siemieszką** — syn Kazimierza i Konstancji, książę inowrocławski.

→ **Salomea** — żona Siemomysła, córka Sambora II, księcia tczewskiego.

→ **Leszek** — syn Siemomysła i Salomei, książę inowrocławski.

→ **Przemysł** — syn Siemomysła i Salomei, książę inowrocławski.

→ **Kazimierz** — syn Siemomysła i Salomei.

→ **Eufemia** — córka Siemomysła i Salomei.

→ **Fenenna** — córka Siemomysła i Salomei, księżniczka kujawska, żona króla Węgier, ostatniego z rodu Arpadów, Andrzeja III.

→ **Konstancja** — córka Siemomysła i Salomei, opatka zakonu cystersów.

→ **Eufrozyna** zwana **Piekielną Wdówką** — trzecia żona Kazimierza.

→ **Władysław** zwany **Łokietkiem** — syn Kazimierza i Eufrozyny, książę brzesko-kujawski i dobrzyński, król Polski.

→ **Jadwiga** — żona Władysława, córka Bolesława, księcia Starszej Polski, **królowa Polski**.

→ **Kunegunda** — córka Władysława i Jadwigi , żona księcia świdnickiego Bernarda.

→ **Bolko II Mały** — książę świdnicki.

→ **Konstancja** — żona księcia głogowskiego Przemka.

→ **Elżbieta** — żona księcia opolskiego Bolesława II.

→ **Henryk II** — książę świdnicki.

→ **Stefan** — syn Władysława i Jadwigi, zmarły w dzieciństwie.

→ **Władysław** — syn Władysława i Jadwigi, zmarły w dzieciństwie.

→ **Elżbieta** — córka Władysława i Jadwigi, żona Caroberta, królowa Węgier.

→ **Kazimierz** — syn Władysława i Jadwigi, król Polski.

→ **Jadwiga** — córka Władysława i Jadwigi, zmarła w młodości.

→ **Kazimierz** — syn Kazimierza i Eufrozyny, książę brzesko-kujawski, dobrzyński i łęczycki.

→ **Siemowit** — syn Kazimierza i Eufrozyny, książę dobrzyński.

→ **Anastazja** — żona Siemowita, córka Lwa Halickiego, księcia halicko-włodzimierskiego.

→ **Leszek** — syn Siemowita i Anastazji.

→ **Władysław** — syn Siemowita i Anastazji.

→ **Bolesław** — syn Siemowita i Anastazji.

→ **Eufemia** — córka Kazimierza i Eufrozyny, żona Jerzego Lwowica, księcia halickiego.

→ **Andrzej i Lew** — synowie Jerzego Lwowica i Eufemii, książęta haliccy.

Piastowie śląscy

Linia: wywodzą się od księcia Władysława Wygnańca.
Zawołanie: „Czerń i złoto".

→ **Henryk Pobożny** — książę śląski, krakowski i wielkopolski, poległ w bitwie pod Legnicą.
→ **Anna Przemyślidka** — żona Henryka, królewna czeska.

→ **Henryk Biały** — syn Henryka i Anny, książę wrocławski.
→ **Władysław** — syn Henryka i Anny, biskup Salzburga.
→ **Gertruda** — córka Henryka i Anny, żona Bolesława I mazowieckiego.
→ **Konstancja** — córka Henryka i Anny, żona Kazimierza I kujawskiego, ojca Władysława zwanego Karłem.
→ **Elżbieta** — córka Henryka i Anny, żona Przemysła I, matka Przemysła II.
→ **Agnieszka** — córka Henryka i Anny, opatka cysterek w Trzebnicy.
→ **Jadwiga Pierwsza** — córka Henryka i Anny, była opatka klarysek wrocławskich.
→ **Bolesław Rogatka** — syn Henryka i Anny, książę śląski, krakowski i wielkopolski, twórca linii legnickiej.
→ **Jadwiga Anhalcka** — żona Bolesława, córka hrabiego Anhaltu.

→ **Bolke Surowy** — syn Bolesława i Jadwigi, książę jaworski i świdnicki, po śmierci Henryka Brzuchatego regent księstwa wrocławskiego i legnickiego.

→ **Bernard** — syn Bolka.
→ **Henryk** — syn Bolka.
→ **Bolek II** — syn Bolka.
→ pięć córek.

→ **Henryk Brzuchaty** — syn Bolesława i Jadwigi, książę legnicki i wrocławski.
→ **Elżbieta** — żona Henryka, księżniczka Starszej Polski.

→ **Bolko** zwany **Rozrzutnym** — syn Henryka i Elżbiety, książę legnicki i brzeski.
→ **Małgorzata Przemyślidka** — żona Bolka, córka Václava II.

→ **Henryk** zwany **Dobrym** — syn Henryka i Elżbiety.

→ **Władysław** (pogrobowiec) — syn Henryka i Elżbiety.

→ **Elżbieta** — córka Henryka i Elżbiety, klaryska wrocławska.

→ **Helena** — córka Henryka i Elżbiety, klaryska wrocławska.

→ **Anna** — córka Henryka i Elżbiety, klaryska wrocławska.

→ **Jadwiga** — córka Henryka i Elżbiety.

→ **Eufemia** — córka Henryka i Elżbiety.

→ **Konrad I** — syn Henryka i Anny, książę głogowski, twórca linii głogowskiej.
→ **Salomea** — żona Konrada, siostra Przemysła I.

→ **Konrad** zwany **Garbusem** — syn Konrada i Salomei, książę żagański, biskup Akwilei.

→ **Przemko** — syn Konrada i Salomei, książę ścinawski, poległy pod Siewierzem.

→ **Jadwiga głogowska** — córka Konrada i Salomei, opatka klarysek wrocławskich.

→ **Henryk III** zwany **Głogowczykiem** — syn Konrada i Salomei, książę głogowski.
→ **Matylda Brunszwicka** — żona Henryka.

→ **Henryk** — syn Henryka i Matyldy.

→ **Konrad** — syn Henryka i Matyldy.

→ **Bolesław** — syn Henryka i Matyldy.

→ **Agnieszka** — córka Henryka i Matyldy.

→ **Jan** — syn Henryka i Matyldy.

→ **Salome** — córka Henryka i Matyldy.

→ **Katarzyna** — córka Henryka i Matyldy.
→ **Przemek** — syn Henryka i Matyldy.
→ **Jadwiga** — córka Henryka i Matyldy.

Andegawenowie węgierscy

Linia: potomkowie Karola I, hrabiego Andegawenii, króla Sycylii i Neapolu, panujący od 1308 roku w królestwie Węgier.

→ **Karol Martel Andegaweński** — tytularny król Węgier, najstarszy syn króla Neapolu Karola II Andegaweńskiego i Marii Węgierskiej, córki Stefana V, króla Węgier i Chorwacji z dynastii Arpadów.

→ **Klemencja Habsburska** — żona Karola Martela, córka Rudolfa I Habsburga.

→ **Beatrycze** — córka Karola Martela.

→ **Klemencja Węgierska** — córka Karola Martela, druga żona króla Francji i Nawarry Ludwika X.

→ **Karol Robert (Carobert)** — syn Karola Martela, pierwszy z Andegawenów na tronie węgierskim.

→ **Maria bytomska** — pierwsza żona Karola Roberta, córka księcia bytomskiego Kazimierza.

→ **Beatrycze Luksemburska** — druga żona Karola Roberta, córka cesarza rzymskiego Henryka VII.

→ **Elżbieta Łokietkówna** — trzecia żona Karola Roberta, córka Władysława I Łokietka i siostra Kazimierza III Wielkiego.

→ **Karol** — syn Karola Roberta, zmarł niedługo po urodzeniu.

→ **Władysław** — syn Karola Roberta, zmarł w dzieciństwie.

→ **Ludwik Węgierski** — syn Karola Roberta, król Węgier i Polski.

→ **Andrzej** — syn Karola Roberta, książę Kalabrii.
→ **Stefan** — syn Karola Roberta, zarządca Siedmiogrodu, Chorwacji i Dalmacji, książę Slawonii.

Luksemburgowie

Linia: dynastia panująca w hrabstwach Limburgii i Luksemburga, panująca w Czechach po wygaśnięciu dynastii Przemyślidów.

→ **Henryk VII Luksemburski** — hrabia Luksemburga, cesarz rzymski.

→ **Małgorzata Brabancka** — żona Henryka VII, córka księcia Brabancji Jana I Zwycięskiego.

→ **Maria** — córka Henryka VII, żona króla Francji i Nawarry Karola IV Pięknego.

→ **Beatrycze** — córka Henryka VII, druga żona króla Węgier Karola Roberta (Caroberta), zmarła przy porodzie.

→ **Jan Luksemburski** — syn Henryka VII, hrabia Luksemburga, król Czech, tytularny król Polski.

→ **Elżbieta Przemyślidka** — pierwsza żona Jana Luksemburskiego, córka króla Czech i Polski Wacława II z dynastii Przemyślidów.

→ **Małgorzata** — córka Jana Luksemburskiego, żona Henryka XIV, księcia Dolnej Bawarii.

→ **Bonna** — córka Jana Luksemburskiego, żona króla Francji Jana II Dobrego.

→ **Karol IV** — syn i następca Jana Luksemburskiego, król Czech i Święty Cesarz Rzymski.

→ **Jan Henryk** — syn Jana Luksemburskiego, książę Karyntii, margrabia morawski.

→ **Anna** — córka Jana Luksemburskiego, zaręczona z Władysławem, synem Caroberta, króla Węgier. Do małżeństwa nie doszło z powodu śmierci narzeczonego.

→ **Elżbieta** — córka Jana Luksemburskiego, siostra bliźniaczka Anny, zmarła w dzieciństwie.

→ **Beatrycze Burbońska** — druga żona Jana Luksemburskiego, córka Ludwika Burbona, diuka Burbonii.

→ **Wacław I** — syna Jana Luksemburskiego, książę Luksemburga, Brabancji i Limburgii.

→ **Bonna** — córka Jana Luksemburskiego.

→ **Nieznana Dama** (w powieści nazwana „piękną Anną").

→ **Mikołaj** — syn nieślubny, patriarcha Akwilei.

Ruś Halicko-Wołyńska

Księstwo halicko-wołyńskie powstało w wyniku rozpadu Rusi Kijowskiej, rządzone przez dynastię Rurykowiczów.

→ **Daniel I Halicki** — książę Rusi Halickiej, król Rusi w latach 1253-1264.
→ **Anna** — pierwsza żona Daniela I, córka księcia Mścisława Udałego.

→ **Herakliusz** — syn Daniela I.
→ **Roman** — syn Daniela I.
→ **Mścisław** — syn Daniela I.
→ **Szwarno** — syn Daniela I, książę halicki i chełmski, wielki książę litewski, poślubił córkę władcy litewskiego Mendoga.
→ **Zofia** — córka Daniela I, żona hrabiego Henryka V von Schwarzburg-Blankenburg.
→ **Anastazja** — córka Daniela I, żona wielkiego księcia włodzimierskiego Andrzeja Jarosławowicza.
→ **Perejesława** — córka Daniela I, żona księcia mazowieckiego Siemowita I.
→ **Lew I Halicki** — syn Daniela I, książę halicko-włodzimierski.
→ **Konstancja węgierska** — żona Lwa Halickiego, córka króla Węgier z dynastii Arpadów Beli IV.

→ **Anastazja** — córka Lwa Halickiego, żona księcia dobrzyńskiego Siemowita.
→ **Jerzy Lwowic** — syn Lwa Halickiego, książę halicki.
→ **Eufemia Piastówna** — żona Jerzego Lwowica, córka księcia kujawskiego Kazimierza I, siostra Władysława Łokietka.

→ **Anastazja** — córka Jerzego Lwowica, żona księcia twerskiego Aleksandra.

→ **Andrzej II Halicki** — syn Jerzego Lwowica, książę halicko-wołyński.

→ **Lew II** — syn Jerzego Lwowica, książę halicko-włodzimierski, piastował władzę wraz ze starszym bratem Andrzejem II.

→ **Maria** — córka Jerzego Lwowica, żona księcia czerskiego Trojdena.

- → **Bolesław Jerzy II** — syn Trojdena i Marii, ostatni książę halicko-wołyński.
- → **Siemowit III** — syn Trojdena i Marii, książę warszewski, czerski i rawski.
- → **Kazimierz I** — syn Trojdena i Marii, książę warszewski, czerski i rawski.
- → **Eufemia** — córka Trojdena i Marii, żona księcia cieszyńskiego Kazimierza I.

Wielcy książęta litewscy

→ **Mendog** (1236-1263) — pierwszy wielki książę litewski.
→ **Treniota** (1263-1264) — krewny Mendoga, doszedł do władzy w wyniku spisku, po zamordowaniu Mendoga.
→ **Wojsiełk** (1264-1267) — syn Mendoga, przekazał władzę w ręce swojego szwagra, księcia halickiego Szwarny.
→ **Szwarno** (1264-1269) — książę halicki, syn Daniela I Halickiego, zięć Mendoga.
→ **Trojden** (1269-1282).
→ **Dowmunt** (1282-1286) — krewny Mendoga.

→ **Butygejd** (1285-1291) — syn Dowmunta.
→ **Butywid** (1291-1295) — syn Dowmunta.
→ **Witenes** (1295-1316) — syn Butywida.
→ **Giedymin** (1316-1341) — syn Butywida, założyciel dynastii Giedyminowiczów.

→ **Narymunt** — syn Giedymina, książę piński, połocki i nowogródzki.
→ **Witold** — syn Giedymina, książę trocki.
→ **Olgierd** — syn Giedymina, wielki książę litewski (1345-1377), ojciec Władysława Jagiełły.
→ **Koriat** — syn Giedymina, książę nowogródzki.
→ **Jawnuta** — syn Giedymina, wielki książę litewski (1341-1344).
→ **Kiejstut** — syn Giedymina, książę trocki, wielki książę litewski (1381-1382).
→ **Lubart** — syn Giedymina, książę połocki, włodzimierski, łucki, wołyński i halicki.
→ **Monwid** — syn Giedymina, książę kiernowski i słonimski.

→ sześć córek, w tym: **Anna** — żona Kazimierza Wielkiego, królowa Polski, **Elżbieta**, żona Wacława (Wańki), księcia płockiego, **Eufemia**, żona Bolesława Jerzego, księcia włodzimiersko-halickiego.

Zakon krzyżacki

Karl Bessart von Trier (Karol z Trewiru) (1265-1324) — wielki mistrz zakonu krzyżackiego w latach 1311-1324. Pochodził z rodu patrycjuszy z Trewiru, poliglota, gruntownie zreformował życie duchowe zakonu. Został ekskomunikowany przez arcybiskupa ryskiego. W 1317 roku, po buncie dostojników zakonnych, uciekł z Malborka do Trewiru. Papież Jan XXII przywrócił go do godności wielkiego mistrza. Nigdy nie wrócił do Prus.

Werner von Orseln (ok. 1280-1330) — wielki mistrz zakonu krzyżackiego w latach 1324-1330. Pochodził z rodu wójtów Ursel pod Frankfurtem. W 1312 roku był komturem Ragnety, od 1314 roku — wielkim komturem i komturem Malborka. Stronnik Karola z Trewiru. Od 1319 roku — rezydent wielkiego mistrza, a od 1324 roku — wielki mistrz. Sprytnie łączył rozmowy pojednawcze z wdrażaniem dyscypliny w zakonie. Zamordowany w Malborku.

Fryderyk von Wildenburg (zm. po 1330) — komtur królewiecki (1309-1312), wielki szpitalnik (1312-1316), wielki komtur (1325-1330), mistrz krajowy Prus (1317-1324). Wywodził się z zamożnej rodziny szlacheckiej z Nadrenii, należał do przeciwników polityki Karola z Trewiru.

Gunter von Schwarzburg (zm. 1311) — komtur grudziądzki (1291-1298), komtur ziemi chełmińskiej (1299-1309), starszy brat Zygharda von Schwarzburg. Odegrał ważną rolę w zajęciu przez Zakon Gdańska.

Zyghard von Schwarzburg (zm. 1336) — komtur rogoziński (1298-1300), komtur dzierzgoński (1301-1306, 1308-1311), komtur grudziądzki (1313-1329, 1330-1336), komtur bierzgłowski (1329-1330), wielki szpitalnik (1311-1312), mistrz krajowy Prus (1306), syn Henryka von Schwarzburg-Blankenburg z Turyngii i Zofii, córki księcia halickiego Daniela I. Ze względu na powiązania rodzinne (poprzez matkę był skoligacony z Rurykowiczami i Piastami) brał czynny udział w polityce zagranicznej zakonu.

Guntherus von Schwarzburg, zwany „Guntherem Młodszym" (zm. po 1336) — komtur pokrzywieński (1321-1324), komtur gniewski (1325-1330), komtur dzierzgoński (1331-1334), wielki komtur (1334-1336), bratanek Guntera i Zygharda von Schwarzburg.

Henryk von Plötzkau (zm. 1320) — komtur bałgijski w roku 1304, mistrz krajowy Prus (1307-1309), wielki komtur (1309-1312), wielki marszałek (1312-1320). Wywodził się z miejscowości Plötzkau w Saksonii, należał do przeciwników Karola z Trewiru i był jednym z organizatorów buntu przeciwko niemu.

Konrad von Sack (zm. po 1306) — komtur dzierzgoński (1296), komtur ziemi chełmińskiej (1296-1298), komtur toruński (1299-1302), komtur golubski (1306), mistrz krajowy Prus w latach 1302-1306. Pochodził z rodziny ministeriałów w służbie wójtów Gery (Turyngia) i Plauen (Saksonia).

Luther von Braunschweig (Luther z Brunszwiku) (1275-1335) — syn księcia Brunszwiku Albrechta I Wielkiego z dynastii Welfów. Komtur dzierzgoński, komtur domowy Malborka, wielki szatny, wielki mistrz zakonu krzyżackiego w latach 1331-1335. Zwolennik ostrego kursu w polityce wobec Królestwa Polskiego.

Siedmiu Świętoszków Luthera:

Dietrich von Altenburg (zm. 1341) — komtur Ragnety, komtur Bałgi, wielki marszałek (1331-1335), wielki mistrz zakonu krzyżackiego w latach 1335-1341. Pochodził z Altenburga w Turyngii.

Otto von Lauterburg (zm. po 1335) — komtur wieldządzki (1308-1316), komtur ziemi chełmińskiej (1320-1333). W 1331 roku dowodził wojskami jako komtur krajowy podczas wojny polsko-krzyżackiej. Pochodził z hrabiowskiego rodu Scharzfeld-Lauterberg z Dolnej Saksonii.

Henryk Raus von Plauen — komtur bałgijski, jeden z posłów do Władysława Łokietka w 1325 roku.

Markward von Sparenberg — brat w Dzierzgoniu, wielki skarbnik, komtur toruński (1331-1337). Pochodził z Turyngii, z rodu wasali von Plauenów.

Herman von Oetingen — wielki komtur elbląski (1320-1331), wielki szpitalnik.

Otto von Bonsdorf — komtur Kowalewa, wielki komtur i jeden z dowódców w 1331 roku.

Herman von Anhalt — komtur nieszawski.

Od autorki

Odrodzone Królestwo trwa!

Dwa lata temu miałam inne plany. Chciałam zakończyć cykl *Odrodzone Królestwo* finałem *Płomiennej korony*, czyli koronacją królewską Władysława, i rozpocząć nowy cykl opowiadający o losach jego dzieci.

Na szczęście było dość czasu, by spojrzeć na to z dystansu i zmienić zdanie. Chcę opowiedzieć losy Władysława do końca. Prowadzić je tak, jak zaczęłam — z jego punktu widzenia i jednocześnie z perspektywy głównych przeciwników.

A tych wciąż jest niemało.

W historii nieodmiennie frapuje mnie wielowarstwowość. Równoległość wielkich procesów i zbiegów okoliczności. Sprzyjających splotów zdarzeń i nieoczywistych przypadków. I ludzie. Oni najbardziej.

Podczas spotkań autorskich czasami przyznaję, że nie znoszę Władka. To prawda, mój stosunek do niego jest skomplikowany. Ale jednocześnie Władysław Łokietek jest świetnym bohaterem, bo wymyka się jednoznacznym ocenom. Można z pamięci wyrecytować listę jego błędów, trudnych do zrozumienia posunięć, wątpliwych politycznie decyzji. Niewątpliwie budzi mój podziw swoją żywotnością i ponadprzeciętnym uporem. Całe życie dążył do odrodzenia Korony Królestwa Polskiego i chociaż niczym na najsłabsze szczenię w miocie, długo nikt na niego nie stawiał, dopiął swego. Mimo iż w drodze do korony przeżył więcej upadków niż sukcesów, zdobył ją. Miał wtedy sześćdziesiąt lat. Jak na średniowiecze, to naprawdę wiele. A gdy ruszył na wojnę z Krzyżakami, był o dziesięć lat starszy. Ale nie uprzedzajmy faktów. *Wojenna korona* to jeszcze nie legendarne Płowce.

Podczas pisania intrygowało mnie zestawienie dwóch głównych przeciwników — Władysława i Jana Luksemburskiego. Stary król i młody król. Z pozoru różni ich wszystko. Jan bez wątpienia jest „obywatelem Europy", celebrytą swoich czasów. Urodzony w Luksemburgu, wychowany w Paryżu, król Czech, który w swym królestwie nie umiał zagrzać miejsca. Bezustannie podróżował. Bywał i bawił się. Dbał o swój wizerunek, walczył na turniejach rycerskich, trzymał przy sobie poetę, by pozostało świadectwo. Jego pasją stała się dyplomacja, już niedługo (choć jeszcze nie w czasie akcji tej powieści) na europejskich dworach będzie się mówiło, że „bez Boga i czeskiego króla nic się wydarzyć nie może". A przecież wyrastał na naszych oczach — w *Płomiennej koronie* jest młodym chłopcem wydanym za stanowczą Eliškę Premyslovną, chłopcem, który musi skapitulować przed pierwszym panem Czech, Henrykiem z Lipy. Jest w Janie coś frapującego i obiecuję, że w kolejnej powieści też dostarczy nam wrażeń. Zależy mi, by Czytelnicy dobrze go poznali, by zrozumieli, z kim przyszło walczyć Władysławowi, dlatego daję Janowi w *Wojennej* dużo miejsca.

Krzyżacy. Sprawni i skuteczni. Tradycyjnie znienawidzeni w naszej kulturze, bo i zaleźli przodkom za skórę. Mnie jednak intrygują, lubię przyglądać się ich bezkompromisowemu pochodowi (mam tę przewagę nad Władkiem, że wiem o Grunwaldzie). Są kolejnym dowodem na to, że w historii nic nie dzieje się w próżni. Gdyby król Węgier, Andrzej II, nie rozgryzł ich zamiarów w porę i nie wygnał ze swego kraju, Konrad Mazowiecki nie sprowadziłby ich do obrony swego księstwa. A wcześniej? Gdyby Królestwo Polskie nie rozpadło się na dzielnice po tak zwanym testamencie Bolesława Krzywoustego, nasi przodkowie sami poradziliby sobie z wojowniczymi Prusami i nie byłoby powodu, by Krzyżaków do nas sprowadzać. Gdyby, gdyby, gdyby. Gdybać można w nieskończoność, ale sploty dziejowego DNA zaprowadziły nas w zupełnie inne miejsce. W pewnym sensie, przed czasami Władka, problem krzyżacki nie istniał. Czy słaby władca, za jakiego uważali go przed koronacją, sprowokował ich do agresywnej polityki na Pomorzu? Czy też zakonny plan dojrzewał latami i ujrzał światło dzienne w jego czasach? Jedno i drugie. To sploty zdarzeń, którymi tak przyciąga mnie do siebie historia.

To tylko główni gracze, ale czasy *Wojennej korony* mają i innych. Dalekich, a przecież wpływających na to, co działo się nad Wisłą, Wartą i Odrą. Król (jeszcze nie cesarz) Ludwik Wittelsbach i jego wojna z papieżem Janem XXII. Wielki Giedymin i pierwszy sojusz polsko-litewski w historii. Carobert, czyli Karol Robert Andegaweński, król Węgier, zięć Władka i jego największy sojusznik.

I nasi, bliscy bohaterowie. Rikissa i Lipski. Anežka i dzieje jej zaskakującego małżeństwa z Henrykiem Jaworskim. Książęta śląscy, dzieci i wnukowie bohaterów *Korony śniegu i krwi*. Wreszcie postaci fikcyjne — Jemioła, Borutka, Hunka, Grunhagen, Gerland/Gerard. Prawdziwa historia obyła się bez nich, ale moja opowieść bez nich nie byłaby pełna.

Elżbieta, już nie Elżunia, ulubiona córka Władka, ale królowa Węgier. Wybaczcie, ale w tej i kolejnej powieści pojawiać się będzie z bardzo daleka. Dostanie ode mnie osobną powieść, której stanie się wyłączną bohaterką, teraz musi zadowolić się tłem (dobrze, że tego nie słyszy).

Akcja *Wojennej korony* obejmuje właściwie pierwszych sześć lat po koronacji Władysława i obiecuję, że szybko ukaże się kolejna powieść wieńcząca losy króla.

Dziękuję wszystkim tym, którzy wspierają mnie w pracy. Profesorowi Tomaszowi Jurkowi, którego wiedza o epoce i cierpliwość do mnie są sobie równe. Profesorowi Tomaszowi Jasińskiemu, za uświadomienie, skąd Władysław brał pieniądze. Profesor Agnieszce Tetrycz-Puzio za błyskawiczne konsultacje i podpowiedzi. Hannie i Pawłowi Lisom za inspirujące opowieści o kuchni naszych przodków. I jednocześnie nie przestaję podkreślać, że żaden z mych konsultantów nie ponosi odpowiedzialności za fabularną wizję autorki.

Dziękuję Elżbiecie Żukowskiej, mojej redaktorce, za czujne i czułe kobiece oko, i pomoc w podejmowaniu męskich decyzji. Za rozmowy o bohaterach, w których nieraz zdarzyło nam się zapomnieć, że mówimy o postaciach, nie o naszych przyjaciołach i bliskich.

Tadeuszowi Zyskowi, za to, co połączyło nas przed laty i Bogu dzięki, trzyma — wspólną pasję do historii i nieustające, gorące dyskusje. A także za różnicę zdań, która zawsze nas zbliża.

Dziękuję całemu zespołowi Wydawnictwa Zysk i Spółka — Magdalenie Wójcik, bez której nie wyobrażam sobie książki, i Filipowi Karpowowi, z którym robię pierwszą i wiem, że to dobry początek. Grafikom — Tobiaszowi Zyskowi i Arturowi Sadłosowi, który stworzył nowe oblicze Władysława. Jest w nim moc, z taki królem można iść na wojnę! Przemkowi Kidzie i ekipie z promocji, Adamowi Zyskowi, który zawsze ma ze mną pod górę, Konradowi Urbańskiemu i Robertowi Kaczmarkowi — lubię z wami pracować! Patrycji Poczcie stawiam pomnik z każdą kolejną książką.

Osobno dziękuję moim bliskim, za to, że dają mi przestrzeń do pracy i miłość, która jest jej siłą napędową.

Moim Czytelnikom kłaniam się nisko. Dzielicie się ze mną swymi wrażeniami, emocjami i pasją. Ujmuje mnie to, jak pokochaliście Władka. Jesteście częścią *Odrodzonego Królestwa*.

Spis treści